KB196561

午會正中
우주의 정오

이 저서는 2010년 정부(교육부)의 재원으로 한국연구재단의 지원을 받아 수행된 연구임(NRF-2010-812-A00056).
원 과제명: 동아시아 몸철학의 탄생—서우 전병훈의 정신철학
This work was supported by the National Research Foundation of Korea Grant funded by the Korean Government(NRF-2010-812-A00056)

우주의 정오

초판 발행일 2016년 7월 15일
3쇄 발행일 2021년 10월 20일

지은이 김성환
펴낸이 유재현
책임편집 강주한
마케팅 유현조
인쇄·제본 영신사
종이 한서지업사

펴낸곳 소나무
등록 1987년 12월 12일 제2013-000063호
주소 경기도 고양시 덕양구 대덕로 86번길 85(현천동 121-6)
전화 02-375-5784
팩스 02-375-5789
전자우편 sonamoopub@empas.com
전자집 post.naver.com/sonamoopub1

ISBN 978-89-7139-594-3 93150

이 도서의 국립중앙도서관 출판시도서목록(CIP)은 서지정보유통지원시스템 홈페이지(http://seoji.nl.go.kr)와 국가자료공동목록시스템(http://www.nl.go.kr/kolisnet)에서 이용하실 수 있습니다.(CIP제어번호: CIP2016009497)

우주의 정오

서우曙宇 전병훈과 만나는 철학 그리고 문명의 시간

김성환 지음

소나무

서문

"서문은 맨 마지막에 가서 읽어야 한다."[1] 이 글귀를 언젠가 들뢰즈Gilles Deleuze의 책에서 보았다. 옳은 말이다. 왜냐하면 서문은 필자의 최종 의도를 담기 때문이다. 서문은 책의 앞에 두지만, 으레 맨 나중에 쓰기 마련이다. 하여, 종종 책의 내용을 드러내려는 의욕이 앞선다. 심지어 독자의 안목에 가이드라인을 주려고 한다. 하지만 그런 의도는 대개 실현되기 어려운 것이다.

철학적 글쓰기는 이미 알고 있는 것을 진술하거나 모범답안을 쓰는 무미건조한 지식노동을 넘어선다. 애초에 글에 대한 구상이 없을 수는 없다. 하지만 뭔가를 이미 알아서가 아니라, 알고자 하는 의욕이 일어나는 지점에서 글쓰기가 시작된다. 글쓰기는 여정의 결과라기보다, 귀결이 예정되지 않은 무상無常의 여정 그 자체다. 이 책의 글쓰기는 특히 그랬다.

그것은 문답이고, 충당이며, 성장이다. 꼬리에 꼬리를 무는 질문과 답변을 따라 미지의 지평으로 나아가고, 끊임없이 이동하며 만나는 동서고금의 선한 스승(善知識)들로부터 지혜와 경험을 충당한다. 그렇게 글쓰기의 여정은 온전히 본문 안에 있다. 지평을 종단하고 횡단하면서 글이 성장하고, 그예 책의 말미에 이르게 된다.

그러면 마침내 귀환의 시점이 도래한다. 그 때 집으로 돌아와 앉아 비로소 서문을 쓴다. 그러니 서문은 글쓰기의 한 여정에 종말을 고하는 묘비명이고, 귀환한 나그네가 들려주는 에피소드며, 마땅히 고마움을 표해야 할 길 위의

1. 질 들뢰즈, 김상환 옮김, 『차이와 반복』(민음사, 2004), 17쪽.

인연들에 바치는 헌사여야 한다.

우주의 정오

책 제목이야말로 마지막에 결정됐다. 이 저술은 한국연구재단의 인문저술 사업(2010년)으로 지원을 받았다. 본래의 과제명은 '동아시아 몸철학의 탄생—서우 전병훈의 정신철학'이었다. 한데 글을 쓰기 시작한 지 불과 몇 달이 지나지 않아서, '몸철학' 개념이 서우의 철학체계 전반을 표상하기에 충분치 않다는 판단에 이르렀다. 애초의 표제는 깨끗이 소거되었다.

대신 글쓰기의 여정 곳곳에서 개념들을 펼치고 모으고(開合), 세우고 깨뜨리기(立破)를 반복했다. 원효가 말한 개합자재開合自在·입파무애立破無碍를 떠올려도 무방할 것이다.[2] 서우가 동서고금의 철학과 학문을 조제調劑하는 마음 역시 원효의 일심과 이어진다. 한 마음 두 개의 문(一心二門)이 자유자재로 장애없이 열리고 닫힌다.

예컨대 동양과 서양, 예전과 지금, 정신과 몸, 종교와 과학, 영성과 물성, 개별자와 공동체, 그 모든 양자택일의 선택지를 넘어서는 길이 '한 마음'에서 열린다. 그 길이 편견과 사심을 떠나, 공의公意와 공심公心에서 비롯되기 때문이다.

그렇지만 서우는 또한 '마음'이라는 개별자의 내면적인 왕국에만 머무르지 않는다. 원효의 길이 '한 마음'으로 귀결된다면, 서우의 길은 마침내 '오회정중午會正中'으로 뻗어 있다. 본문에서는 이를 대개 '우주의 정오'로 순치했다. 한데 글의 문맥을 떠나 '우주의 정오'라고 하면, 얼핏 어떤 신비적 천문학이나 자연과학적 시간을 떠올리기 쉽다.

그러나 서우가 말하는 '오회정중'은 비록 우주적 시간대로 계산하지만 도리어 문명의 시간으로 더욱 중요하다. 즉 그것은 모월모일모시 같은 물리적 시간

---

2. 무엇을 펼치고 모으고, 주고 뺏고(與奪), 세우고 깨뜨리든, 자재하고 무애하다.

의 형식을 넘어 머잖아 도래할 문명의 일대 전환기로 한층 의미가 심장하다. 책의 표제인 '우주의 정오'는 곧 그런 문맥이다.

또한 부제 '서우曙宇 전병훈과 만나는 철학 그리고 문명의 시간'은 이 책이 단순한 전병훈 연구서를 넘어, 도래할 시대의 철학에 관해 필자가 서우와 나눈 해석학적 대화[3]의 기록임을 부기附記한 것이다.

'우주의 정오'는 우주의 시간에 다시 인간의 역사를 중첩하고 부각한다. 다시 말해, 우주적 자연법의 섭리를 따라 인류문명이 극도로 융성할 장래의 어떤 시간대를 겨냥한다. 그 때 인간의 정신·심리·도덕·정치가 두루 각성하는 변곡점을 지나 높은 단계로 진화한다. 그것은 절대정신이 자기를 구현하는 헤겔의 국가, 마르크스의 공산주의, 기독교의 천년왕국, 혹은 '지금 여기'로 항상 귀환하는 새뮤얼 버틀러Samuel Butler의 에레혼Erewhon과도 구별되는 어떤 '도래할 시대를 위한 철학'이다.

하지만 그 내용과 전망을 여기서 길게 설명하지는 않겠다. 이미 말했다시피 그건 본문에서 살피는 게 합당하다. 다만 서우와 거의 동시대에 이상李箱(1910~1937)이 묘사했던 '현란을 극한 정오'의 풍경이 문득 떠오른다. 1930년대의 이상이 목도한 극도로 현란한 '정오'와 1920년의 서우가 겨냥했던 도래할 시대의 '정오', 그 두 정오가 기이한 대조와 연속을 이루기 때문이다.

> 이때 뚜ㅡ 하고 싸이렌이 울었다. 사람들은 모두 네 활개를 닭처럼 푸드덕거리는 것 같고, 온갖 유리와 강철과 대리석과 지폐와 잉크가 부글부글 끓고 수선을 떨고 하는 것 같은 찰나, 그야말로 현란을 극한 정오다.(이상, 「날개」, 1936)

암울한 시대였지만, 일제강점기에 서울 중심부는 현란한 문명의 공간으로

---

3. 물론 여기서의 '대화'란 직접적인 면대면 의사소통이 아니다. 필자가 언어를 매개로 현재의 지평에서 서우의 텍스트를 이해하고, 그 의미를 다시 이 책의 텍스트로 재구성한 해석학적 순환이 곧 '대화'인 것이다.

빠르게 탈바꿈했다. 바야흐로 모던(근대, 현대)의 정오가 도래했다. 마치 절정의 무더위가 기승을 부리는 여름 한낮처럼, 별의별 인공의 욕망들이 이글거린다.

2010년대의 한국인은 흔히 1920년대 혹은 1930년대와 판이하게 다른 세계에 자기가 살고 있다고 생각한다. 일제강점기가 끝났고, 경제가 도약했고, 민주화를 이뤘고, 과학기술이 혁신에 혁신을 거듭하고……. 실로 놀라운 격동기를 거치지 않았는가? 그러나 이런 변화도 더 큰 시대의 조류에서 보면 단지 연속선상의 작은 사건들처럼 보일 때가 있다.

해안으로 밀려드는 엄청난 파도라도, 수백 킬로미터를 단위로 일어나는 쓰나미에서 보면 개구쟁이들이 물장구치며 튀긴 물찌똥이에 다름 아닌 것과 같다. 지금 우리가 느끼는 물질문명의 혹독함, 피로, 공허, 위험은 오래전에 이상이 본정통本町通(명동) 미스꼬시(현 신세계백화점 본점) 옥상 카페에서 내려다본 세계로부터 단절 없이 밀려든 것이다.[4]

이런 문맥에서 이상의 1930년대는 지금과 본질적으로 연속된다. 다만 한 세기 전에는 '박제된 천재'의 예민한 촉수에나 포착되던 모던의 혹서酷暑를 이제는 누구나 느낀다. '현란을 극한 정오'가 더 뜨겁고, 혹독하며, 확대된 가운데 폭염이 극한에 달하기 때문이다. 물질과 공리功利의 숭배가 정점에 이른 세계, 황금만능의 병이 깊어질 대로 깊어진 시대의 살풍경이 어디나 펼쳐지고 있다.

그러나 뭣보다 계속되는 건, 그때나 지금이나 '온갖 유리와 강철과 대리석과 지폐와 잉크'를 선망하고 숭배하는 사람들의 속된 무신경증이다. 이상이 위트와 패러독스로 야유한 '가증할 상식의 병'(「날개」)이 더 만연하고, 유전되고, 깊어졌다. 한데 그마저도 이제는 '가련한 상식의 병'으로 불러야 할지 모른다.

세대를 거듭하면서 더 물질에 속박되고, 공포에 질리고, 무기력해졌다. 잘못된 것, 속된 상식에 분개하는 가증可憎의 의욕이 사라져간다. 대신 혐오의 정

4. 「날개」의 주인공은 본정통本町通 한복판 미스꼬시 백화점 옥상에 올라섰다. 1930년대에 '현란을 극한 정오'(모던의 시간대)를 공간으로 전이轉移하기에 그보다 더 적합한 장소도 없었을 것이다. 하지만 그런 장소가 이제는 더 이상 희소하지 않다. 서울 전부가 그 때의 본정통이고, 눈길 닿는 도처가 미스꼬시다.

서가 그 자리를 잠식한다. '혐오'가 가련한 것은, 나를 더러운 세상의 일방적인 피해자로만 여기고 세계에 개입하는 주체로 자각하지 못하기 때문이다.

자기 나라를 '헬조선Hell朝鮮'으로 부르는 21세기 한국 청년들의 절망 어린 위트[5]가 그래서 안쓰럽다. 그것은 '희망과 야심의 말소된 페이지'[6]조차 더 이상 재생하지 못하는 한 세대의 체념과 혐오를 표상한다. 청년은 이제 혐오에 의존해서 체념과 도피를 정당화할 뿐, 세계의 운명을 바꿀 책임을 자기와 결부하기를 포기한 듯이 보인다.

이런 땡볕의 한낮이 '지옥'으로 불리는 건 어쩌면 당연하다. 왜냐하면 지옥이란, 도래할 미래의 전망을 상실한 사람들이 한없이 지속될 것 같은 현재의 일상에 붙이는 체념의 이름이기 때문이다. 도저히 바뀔 것 같지 않은 끝없는 나락이야말로 지옥에 다름 아니다.[7] 한데 그런 나락에 떨어진 시대일수록, '도래할 시대를 위한 철학'이 필요한 것이다.

> 내가 바라는 것은 이 시대에 반하는, 도래할 시대를 위한 철학이다.(들뢰즈)[8]

"미네르바의 부엉이는 해질녘에야 날개를 편다"는 헤겔의 저명한 신화적 아포리즘이 절망의 나락에서 어떤 위안이 될까? 밑이 없는 구렁텅이(naraka)[9]로 추락하는 사람에게는, 해질녘 부엉이의 울음소리처럼 우울하고 음산한 조짐도 없다. 그러므로 지금 우리에게 필요한 것은 완료된 역사의 전개를 추념하

---

5. 1930년대의 청년 이상은 '위트와 패러독스를 바둑 포석처럼 늘어놓'으며 '날개'를 말했다. 그러나 2010년대의 청년들은 이제 '노답No答'의 절망을 '헬조선'의 위트로 늘어놓는다. 패러독스를 상실한 절망이야말로 안쓰러운 병이며, '도래할 시대를 위한 철학'이 필요한 이유를 대변한다.
6. 뒤의 각주 11번 참고.
7. '지옥地獄'은 본래 불교 용어다. 산스크리트어 '나라카naraka'를 한역漢譯한 개념이다. 나라카는 애당초 '밑이 없는 구렁텅이'를 의미한다. '나락奈落'은 나라카를 음역한 것이다. '도저히 벗어날 수 없는 극한 상황'이 나락이며, 그것이 곧 지옥의 본질인 셈이다.
8. 질 들뢰즈, 위의 책 , 21쪽.
9. 앞의 각주 7번 참고.

는 '미네르바의 부엉이'가 아니라, '광야의 닭 우는 소리'로 첫새벽의 하늘을 여는 철학일 것이다.[10]

한 세기 전 한국 지성의 특징은 극한의 혼돈과 절망 한가운데서도 날개의 재생,[11] 광야의 초인, 우주의 정오를 기다리고 노래했다는 데 있다. 1920년의 디아스포라였던 서우가 오회정중을 향해 걷고, 1930년대의 이상은 미스꼬시 옥상에서 '현란을 극한 정오'의 사이렌 소리를 듣는다. 하지만 그들 각자의 정오가 멀리 동떨어진 건 아니다.

폭염에 헉헉대는 한낮을 한 주나 두 주, 혹은 하루나 이틀 지내다 보면 문득 더위의 절정에 이르게 된다. 절정이란 곧 변곡점이다. 그것은 계절의 전개가 굴곡을 이루는 자리이며, 궁극의 변화가 일어나는 반전의 지점이다. 그리하여 '현란을 극한 정오'의 폭염에서 '우주의 정오'를 향하는 계절의 달굼질을 본다. '눈 내리고 매화 향기 홀로 아득'한 광야에는 천고 뒤에 부를 노래의 씨를 뿌린다.

그들을 따라 우리는 반전의 변곡점이야말로 희망과 절망보다 훨씬 심오한 힘의 원천이라는 것을 발견한다. 즉 '우주의 정오'는 희망의 철학도 절망의 철학도 아니다. 그것은 어떤 조건에서도 끊임없이 움직이고 굴곡하여 새롭게 재생하는 세계, 언제나 현재의 추세에 반해 재창조되는 '도래할 시대를 위한 철학'이다.

아직은 어쩔 수 없으니 고난을 꾹 참고 견디라는 '가만히 있으라,'[12] 나와 내 미래를 늘 낙관적으로 믿으라는 '긍정의 힘'[13] 같은 데서는 끝내 어떤 구원의

---

10. 까마득한 날에 하늘이 처음 열리고 어디 닭 우는 소리 들렸으랴. …… 지금 눈 내리고 매화 향기 홀로 아득하니 내 여기 가난한 노래의 씨를 뿌려라. 다시 천고千古의 뒤에 백마白馬 타고 오는 초인이 있어 이 광야에서 목 놓아 부르게 하리라.(이육사(1904~1944), 「광야」)
11. "나는 불현듯이 겨드랑이 가렵다. …… 오늘은 없는 이 날개, 머릿속에서는 희망과 야심의 말소된 페이지가 딕셔내리 넘어가듯 번뜩였다. …… 날개야, 다시 돋아라. 날자. 날자. 날자"(이상, 「날개」)고 하던, 그 유명한 '날개' 재생의 애잔한 야심을 말한다.
12. 2014년 세월호 침몰사고를 상징하는 '가만히 있으라'는 명제야말로 오늘날의 가학적인 '절망의 철학'을 표상하는 가장 적절한 메타포가 될 것이다.
13. 근자에 도서 『시크릿Secret』 유의 통속적인 자기계발서가 범람하면서 '긍정의 힘' 열풍이 일었다. 원하는 것을 모두 성취할 수 있다는 신자유주의적 신화가 충동적인 개인의 욕망

길도 열리지 않는다. 그런 고착적인 선택지는, 그 지점에 머무는 자의 염원을 반드시 그리고 항구적으로 배반할 뿐이다. 거기서는 다만 고난을 찬미하는 사디즘sadism적 가학, 그리고 맹목적인 자기도취의 나르시시즘narcissism적 병폐만이 자란다.

반면 '우주의 정오'는 현재를 지속시키려는 모든 정주定住에 반하며, 오로지 반정주적일 뿐이다. 다시 말해 그러한 반정주를 실현함으로써만, 인류는 현 시대를 극하여 정신 · 심리 · 도덕 · 정치의 궁극적인 '자유'를 구가하는 새로운 문명으로 진입하게 될 것이다.

그러나 동트기 직전의 세계는 아직 암흑과 서광, 캄캄한 카오스와 어슴푸레한 코스모스가 혼재된 가운데 잠겨 있다. 지난 수세기 동안 문명 진보의 핵심 가치로 여겨온 과학기술, 물질적 성장, 자본주의가 그 자신의 역사적 과정 속에서 고봉에 이르는 동시에 한 치 앞을 내다볼 수 없는 혼돈의 벼랑 끝으로 치달리고 있다.

하루가 멀다고 혁신을 거듭하는 로봇, 컴퓨터, 인공지능이 항간의 논란처럼 과연 '인류의 황홀한 승리'[14]가 될지 아니면 끝내 '악마를 소환하는 것'[15]일지를 확실히 내다보기는 어렵다. 다만 기계와 인공지능이 빠르게 인간의 지능과 노동을 대체하리라는 건 명확하다. 이런 추세를 거스르기란 거의 불가능한데, 그것은 아이러니하게도 현대 과학기술문명의 기본전제를 이뤄 온 인간에 대한 정의 자체를 파괴한다.

이세돌과 알파고의 세기적 바둑 대결이 암시하듯이, 단지 '지능'만을 척도로 한다면 아무리 뛰어난 인간 개별자도 이제 컴퓨터를 능가하기 어렵다고 의심된다. '지능'을 자신의 가장 고유하고도 본질적인 속성으로 파악했던 현대인이 그의 피조물인 로봇과 인공지능에 의해 '호모사피엔스'의 지위를 위협받고, 급기야 '생각하는 존재'의 독보적인 정의를 기계에도 나눠야 하는 정체성

과 결합해 나르시시즘 증후군을 확산시킨 대표적인 사례다.

14. 에릭 슈미트Eric Emerson Schmidt(구글 지주사 알파벳 회장).

15. 엘론 머스크Elon Musk(테슬라 창업자, CEO).

의 위기에 봉착한 것이다.

물질, 과학기술, 지능, 자본, 욕망이 한 덩어리로 결합된 체제가 끊임없이 승리하며 진보하는 듯이 보인다. 하지만 그런 성공 자체가 실패의 조건을 만들어낸다. 갈수록 사회적 양극화의 골이 깊어지고 일자리가 급속히 사라지는 등의 추세는 그 불가피한 귀결이다. 더 심각한 문제는, 이런 체제의 폭주 안에서 인간의 가치와 존엄과 자유가 급전직하로 곤두박질치는 걸 마침내 피하기 어렵다는 데 있다.

'헬조선'과 '흙수저'란 그 벼랑 끝에 내몰린 청년들이 내뱉는 고통과 절망의 언어에 다름 아니다. 물질과 자본의 욕망으로 기술적 진보와 도구적 지성을 한껏 동원할수록 도리어 디스토피아의 조짐이 더 뚜렷해진다. 마치 저승으로 떠난 여행길에서 단테가 지옥문의 글귀에 겁먹고 두려움에 떨던 풍경만큼이나, 그것은 불길하고 음울하다.

> 나를 지나는 그대는 비탄의 도시로,
> 나를 지나는 그대는 끝없는 고통으로,
> 나를 지나는 그대는 버림받은 자들 사이로 들어가리.
> …… 여기 들어오는 그대, 모든 희망을 버려라.[16]
>
> (단테, 『신곡』 '지옥'편)

지옥문에 새겨진 글귀가 섬뜩하지만 왠지 낯설지 않은 것은, 쇼펜하우어가 관망하듯이 '현실이 지옥과 같기' 때문인가? 윗글의 '나'가 가정, 학교, 직장, 도시, 혹은 그 밖의 온갖 일상으로 통하는 문과 오버랩된다면 당신은 이미 지옥 문턱에 있는 셈이다. 한데 목전의 현실이 염세적 빈정거림 정도로 간단히 초극되는 지옥이라면, 차라리 얼마나 다행이겠는가. 그러나 애석하게도, 그런 관념

---

16. Through me you pass into the city of woe: Through me you pass into eternal pain: Through me among the people lost for aye. …… Abandon all hope, ye who enter here.

상의 자기 위안만으로 작금의 '지옥 같은 현실'이 쉽게 극복될 것 같지 않다는 게 실은 더 두려운 일이다.

기술과 물질문명의 거대한 쓰나미가 밀려와 인간의 정체성에 대한 철학적 인식의 지반을 통째로 휩쓸어 버린다. 그런 존재론적 파국에서, 로봇과 인공지능이 인간 노동을 대체할 것이라는 피상적 공포 같은 건 고작해야 찻잔 속 태풍에 불과하다. 인간은 과연 무엇으로 인간이 되는가? 인간이 어떤 존재인가를 묻는 질문이 갈수록 미궁에 빠진다. 다시 말해, '지능(이성)을 가진 인간'이라는 철학적 전제 위에 구축된 현 시대가 그 근저부터 흔들린다는 뜻이다.

하지만 인류가 현 궤도를 그대로 질주하다가 지상의 모든 살아 있는 것들과 함께 끝내 '아마겟돈의 공멸'을 맞을지, 혹은 현대의 문명사적 토대를 이루는 낡은 인간관을 전복하고 마침내 '오회정중'의 변곡점으로 진화할지, 이도저도 아니면 헉슬리의 '멋진 신세계'처럼 기계적 시스템 안에서 철저히 통제되는 도시의 영혼 없는 주민으로 살아갈지, 어쨌거나 불확실한 앞날을 예단하는 건 이 글의 한계를 넘어선다.

그래도 다음 사실은 분명하다. 사람이 한갓 '지능을 가진' '이기적인' 존재에 그치고 그 자신의 정신과 마음과 도덕과 생명을 심오하게 고양하지 못한다면, 공동체의 정의에 눈을 돌리고 지구촌 한 가족(四海同胞)의 공존과 나눔을 실현하지 못한다면, 또한 현재의 욕심에만 사로잡혀 가깝고 먼 후손들의 미래를 길게 돌보지 않는다면, 그는 고작해야 기계와 동급 내지는 그보다 못한 잉여인간으로 전락하며 끝내 지옥(나락, 디스토피아) 안에 유폐될 것이 명약관화하지 않은가?[17]

---

17. 지금까지 인간다움의 비교대상은 줄곧 다른 생물학적 종이었다. 그래서 '금수만도 못한 인간'이나 '사람 얼굴에 짐승 마음(人面獸心)' 같은 비아냥거림으로 인간다움의 결여를 비난했다. 한데 앞으로는 그 조롱의 메타포가 '로봇만도 못한 인간'이나 '사람 얼굴에 인공지능' 같은 야유로 대체될지 모른다. 인간다움의 직접적인 비교대상이 기계와 인공지능으로 바뀌는 가까운 미래에, 인간이 과연 무엇으로 인간다움을 향유할 것인지를 질문해 본 적이 있는가? 지능, 냉철함, 강건한 몸체 등에서 인간보다 뛰어난 기계종機械種의 출현이야말로 인류 진화의 강력한 도전이 될 것이다. 먼 옛날 인류의 조상이 자신의 야만적

대학 졸업장이 마치 지옥의 소환장처럼 불길하고, 세상에 첫발을 내딛는 자식과 제자들의 발길이 천근처럼 무겁게 '비탄의 도시'[18] 속으로 가라앉는다. 하니 그에 반해, 이제 다시 광야의 닭 우는 소리를 재촉하고 '우주의 정오'를 향해 나아가지 않을 수 없다. 그리하여 물질과 도구적(혹은 공리적) 지성을 맹목으로 숭배하는 우리 시대의 철학적 전개가 극에 달하는 반전의 정점, 그 궁극의 변곡점을 겨냥하는 자리에서 이 책의 글쓰기는 시작된다.

헌시獻詞

글쓰기의 발단은 물론 전병훈이다.(그 사연은 '후기'에서 말한다.) 한데 이 책 전부가 실은 서우를 기리는 글이니, 그에게 바치는 헌사가 따로 필요치는 않을 것이다. 다만 돌이켜 보면, 내 학문인생의 전 경로가 그와 만나는 길로 이어졌다고 말할 수 있다. 그 여정의 길목마다 귀한 인연들이 자리했다.

철학은 내가 원해서 시작한 학문이었다. 소년기의 혼란, 고등학교 시절의 독서가 철학으로 이끌었다. 그 시절의 문학청년들이 대개 그랬듯이 니체, 사르트르, 카뮈 등의 영향이 컸다. 그러니 대학에 입학해서 애초에 나는 서양철학에 매료됐다. 게다가 1980년대 중반, 한국의 대학은 뜨거웠다. 그 지적·사회적 변혁의 도가니에서 동양철학은 관심사가 아니었다. 그건 이미 뒤떨어지고 너무 한가한 옛이야기로 들렸다.

본성이기도 한 동물성animality에서 벗어나 인간이 되었듯이, 자기의 또 다른 낡은 자질인 지능intelligence을 기계에게 양도한 현대인이 이제 다시 진화의 갈림길에 섰다. 미래의 인류가 정녕 '로봇만도 못한 인간'이나 '사람 얼굴에 인공지능'으로 조롱받는 잉여인간으로 남을지, 아니면 과거에 그랬듯이 도전받는 자신의 한계를 극복하고 인간다움의 새로운 지평을 개척해서 '인간종human species'의 위대한 역사를 이어갈지는 아직 모른다. 다만 그 미래를 결단하는 기로에 지금 우리가 서 있다는 것은 분명하다.

18. '비탄의 도시'는 단테의 『신곡』 '지옥'편에 보이는 'the city of woe/la citta dolente'에서 가져온 메타포다. 위의 각주 16번 참고.

그러나 스물두세 살 무렵 재야의 스승을 만나며 인생의 행로가 바뀌었다. 몇 날 며칠 밤낮을 쉬지 않고 격론을 거듭하면서, 내가 배우고 알던 것들이 죄다 깨져 나갔다. 이왕의 나(我)가 허물어지고 허虛와 무無의 우주로 통하는 문이 처음 열렸다. 그리고 비록 젊어서 서너 해의 인연이었지만, 정신의 무한한 능력과 동양 전래의 심신수련에 눈뜨게 되었다.[19] 그때의 수련이 뒷받침되지 않았다면, 지금 이 책을 쓰는 일은 아마 없었을 것이다.

그렇지만 또한 대학에서 훌륭한 철학교육을 받지 않았다면, 유·불·도와 서양철학을 아우르는 전병훈 철학의 정수에 이를 길을 찾지 못했을 것이다. 의천의 '교관겸수敎觀兼修'와 지눌의 '정혜쌍수定慧雙修', 그리고 정약용의 '지행겸진知行兼進'이 말하듯이, 학문인생(혹은 구도인생)이란 쌍두마차에서는 지식개발과 실천수행이 곧 공부를 이끄는 두 필의 말인 것이다. 고려대학교 철학과에서 김충렬, 신일철, 윤사순, 이초식 교수님 등 여러 스승들로부터 배운 동서양 철학의 이론 지식이 학문의 튼튼한 기초가 되었다.

1992년 마침 중국과 수교가 이뤄졌고, 북경대학北京大學에 유학하게 되었다. 석사와 박사 과정을 밟는 약 칠팔 년의 대학원 기간 동안, 지도교수인 쉬캉셩許抗生 교수님이 나를 아들처럼 돌봐주셨다. 쉬 교수님은 평생 도가의 무욕과 소박함을 몸소 실천하고, 근실한 학자의 표본을 보여주었다. 지금도 연로한 나이에 독서와 저술을 쉬지 않는다.

그런 은사의 귀감과 격려야말로, 내가 지난 몇 년간 전병훈 연구에 매진하는 데 자극을 주었다. 또한 "학자가 몸소 수행을 해야 빈말(空話)을 하지 않는다"는 것은 내 지론인 동시에 은사의 가르침이기도 하다. 역시 이 자리에서 감사와 존경을 표하지 않을 수 없다.

앞서 말했듯이, 한국연구재단의 지원으로 본 저서가 집필됐다. 한데 본래 재단과 약조했던 기한을 넘겨, 근 6년 만에야 비로소 책을 출판하게 됐다. 집필

19. 몇 해 뒤 종적을 감춰 지금은 행방조차 묘연한 사부로부터 선가仙家 전래의 계보가 있는 도법을 배웠다. '문무학文武學'으로 불린 그 도법은 내단학을 토대로 생명, 정신, 육체, 사고, 행동을 아울러 닦는 이치와 요령을 가르쳤다.

기간 동안 거의 은둔생활로 돌아왔다. 그리고 책을 쓰기 시작한 2010년 무렵부터 본격적으로 수련을 재개했다. 한동안 학위를 취득하고 대학에 재직하느라 분망했는데, 집필과 병행해서 수련에 전념하는 계기가 자연스럽게 찾아왔다.

정신을 몸소 운용하는 실천수행은 책을 쓰는 데 없어서는 안 될 경험적 토대가 되었다. 티베트의 라싸에서 카일라스(수미산), 히말라야, 네팔의 룸비니동산, 남미 멕시코의 아스텍과 마야, 중국의 오악五嶽, 무당산과 나부산, 설악산에서 지리산까지, 국내외의 수많은 명산대찰을 순례하며 수련하던 풍경이 주마등처럼 눈앞을 스쳐간다.

돌이켜 보면, 한국과 중국의 여러 대학과 연구기관 그리고 도교와 불교 사찰에서 이 책을 썼다. 그때그때마다 독특한 정취와 기상이 글에 반영되었을 것이다. 의도치는 않았지만, 유·불·도 3교와 서양철학을 회통하는 전병훈 철학의 행로가 우연찮게 장소로 재현된 셈이다. 실제로 각 장소마다 배우는 바가 있었으니, 부족한 공부를 채우라는 의미였다고 생각한다.

사람이건 장소건, 인생의 중요한 길목마다 만나는 인연과 계기가 있다. 젊을 때는 다만 피상적으로 느끼다가, 나이가 들고 공부가 깊어질수록 우연과 필연의 경계가 허물어지는 걸 보다 선명하게 감각한다. 우연 안에 필연의 계기가 있으니, 나이 50세에 천명을 안다(知天命)는 공자의 명언이 은유를 넘어 정신의 실상을 진술한다는 걸 깨닫는다.

충남 논산과 전북 완주의 경계에 옥련암이 있다. 거기서 이 책의 골격이 만들어졌다. 한국 조계종에서 현재 불교문화재연구소장의 소임을 다하는 일감스님의 지지와 배려 덕분이다. 내게 스님은 선한 벗이자 믿음직한 도반이다. 그리고 집필에 전념하도록 옥련암의 스님 방을 온전히 내주었다. 그곳의 샘물은 남도의 숨은 약수 가운데 실로 영묘靈妙한 것이다. 이 지면을 빌려 옥련암의 여러 인연에 안부를 전한다.

2013년 북경에서 여름 한철을 지내면서 책을 썼다. 북경대학에서 항공권과 체재비 등을 제공하며 방문학자로 두 달간 머물도록 나를 초청했다. 나와 동갑인 벗으로, 같은 은사 밑에서 동문수학을 한 북경대 철학과의 정카이鄭開 교수가 성심껏 편의를 봐주었다. 선배인 장광바오張光保 교수와 나눈 진솔한 대화는 신선한 영감의 원천이 됐다.

당시 북경대학 철학과에서 교수 좌담회를 열어 내가 전병훈의 정신철학에 대해 발표하도록 자리를 마련했다. 중국의 동료학자들이 각별한 관심을 보였다. 정카이 교수는 그 뒤로 정신철학에 관한 논문을 썼다. 장광바오 교수는 서우의 철학이 중국 학계에도 시사하는 바가 크다고 주목했다. 그때 내가 발표한 글은 2015년 말 출간된 중국 유수의 학술지에 게재되었다.[20] 한편 그보다 앞서, 2012년 복건성福建省의 화교대학華僑大學에서 열린 한·중·일 3국 국제도교학술대회에서도 전병훈을 주제로 발표했다. 당시 남경대학南京大學의 순이핑孫亦平 교수가 공동연구를 제안했던 기억이 난다.

2014년에는 중국 서안西安에서 한 해 동안 연구년을 보내면서 집필에 몰두했다. 초봄부터 늦여름까지 종남산終南山의 도관道觀에서 반년을 기거했다. 당나라 때 신라인 김가기金可紀 선인仙人이 종남산 자오곡子午谷에 머물며 수도해 도를 이뤘는데, 유서 깊은 성소에 그를 기려 금선관金仙觀을 세웠다. 거기에 내 방이 있었다.

일찍이 한나라 때부터 황제가 천제天祭를 지냈던 현도단玄道壇에 수시로 올라 수련했다. 밝은 달밤 현도단의 적막하고도 신령스런 기품은 실로 현묘하여 필설로 다 할 수 없다. 여름 한낮에 종남산의 도관을 훑고 흐르던 청량한 생기를 글로 묘사하는 것 역시 내게는 가능한 일이 아니다.

도관에서 갖은 편의를 제공해 준 도사들에게 고마움을 전한다. 그들의 음덕과 김가기 선인의 가피가 이 책에 분명히 담겨 있다. 최씨중앙종친회 최병주 회장은 일찍이 수행자로 중국에 건너가 도교 종단에 두터운 공덕을 쌓았다. 그분 덕에 도교계의 내밀한 풍경 안에 머물 수 있었다. 역시 이 지면을 빌려 감사를 드린다.

한데 학자는 엄정한 관찰자의 입장에 서야 하므로, 종교 교단과는 어느 정

---

20. 金晟煥, 「成眞兼聖之路: 全秉薰的精神哲學」, 『道家文化研究』 第29輯(三聯書店, 2015年 12月).

도 거리를 유지하는 게 본분이다. 서늘한 가을바람이 불면서 종남산에서 내려왔다. 산중 도관의 겨울 냉기는 혹독하다. 안식년 후반의 반년은 섬서성陝西省 사회과학원이 제공한 연구실 겸 숙소에서 집필에 전념했다.

공교롭게도 그곳은 당나라 때 장안長安 최고의 도관인 현도관玄都觀이 있던 자리다. 평온과 햇살이 가득했고, 겨우내 납매臘梅 향기가 그윽했다. 지금도 동지섣달이면 관중關中 납매향의 은은한 매혹이 문득문득 코끝의 기억을 두드린다. 섬서성 사회과학원에서는 종교연구소의 리지우李繼武 소장이 내게 최적의 연구 환경을 마련해 주었다.

그와는 서안에서 처음 만났지만, 마치 오랜 지기知己처럼 이내 마음을 주고받는 사이가 되었다. 리 소장은 선량한 사람이다. "대륙 어디를 가든 서안에 든든한 동생이 있다는 걸 잊지 말라"던 그의 당부대로, 중국행 비행기에 오르면 리 소장의 훈훈하고도 장난기 어린 안색이 기창機窓에 떠오른다.

서안에서 여행사를 운영하는 전인철全仁哲 사장도 고마운 인연이다. '인仁투어'라는 회사 이름만큼이나, 잇속보다 사람을 귀히 여기는 교포 사업가다. 그의 도움으로 서안 생활이 순조로웠다. 그 밖에도 일일이 거명할 수 없는 많은 분들로부터 조력을 받았다. 그 가운데는 반드시 이름을 밝혀야 할 학계의 선후배들이 있다.

한국항공대학교 우실하 교수는 출판사와 다리를 놓아 주었고, 요하문명의 현지답사를 안내해 주었다. 한국학중앙연구원 정영훈 교수, 중앙대학교 유권종 교수, 서울대학교 김병환 교수, 인천대학교 김민수 교수가 이 책에 보여준 기대와 성원에 깊이 감사드린다. 원광대학교 김학권 교수, 고려대학교 이승환 교수, 이화여자대학교 정재서 교수로부터 받은 평소의 조언과 격려는 내게 과분한 것이다. 한국의 도가와 도교철학 연구에 반석을 놓은 학계의 원로이신 연세대학교 이강수 교수와 원광대학교 김낙필 교수, 그리고 한국 정치학계의 어른으로 항시 '중용의 정치'에 관해 가르침을 주시는 고려대학교 최상룡 교수께도 존경의 말씀을 올린다.

내 직장인 군산대학교 선후배 동료들에게도 빚을 졌다. 철학과 임규정 교수, 국어국문과 류보선 교수, 일어일문과 표세만 교수, 중어중문과 정성은 교수와 강신석 교수, 행정학과 황영호 교수가 평소 보내준 지지와 신뢰에 감사드린다. 어디 그뿐이랴. 서문을 쓰면서, 책이 나오기까지 헤아릴 수 없는 분들의 훈김이 있었다는 걸 새삼 깨닫는다.

집필하는 기간이 길었던 만큼, 출판하기도 전에 음으로 양으로 책과 맺은 인연들이 강호江湖에 부서지는 햇살처럼 이미 가득하다. 책이 세상에 나온 뒤에, 다시 어떤 인연들을 낳을지는 알 수 없다. 다만 우리네 삶과 마찬가지로, 한 권의 책 역시 '내 것'이랄 게 없는 무상한 인연의 결속이라는 데 숙연히 고개를 숙인다.

출판계에서 인문학 대중서가 호황이라지만, 정작 진지한 철학의 독서시장은 메말라 갈라져 바닥을 드러낸 지 오래다. 척박한 혹서의 계절에 이 두꺼운 책의 출판을 흔쾌히 맡아 준 소나무출판사 유재현 대표와 편집부에 감사한다. 저자인 나로서는, 이 책의 출판사로 그보다 더 나은 선택을 상상하기 어렵다. 좋은 책을 만들려는 소나무의 뚝심과 꿋꿋한 의리에 꾸밈없는 찬사를 보낸다.

탈고된 글의 편집에만 꼬박 반년을 매달려 빈틈없이 원고를 교정하고 책을 하나의 작품으로 완성한 강주한 편집장의 노고에 진심으로 경의를 표한다. 강 편집장이 보낸 이메일에서 "꿈에도 글이 나타난다"는 글귀를 보고, 제 운명을 찾아 갈 길을 나선 자식처럼 책이 과연 내 손을 떠난 걸 실감했다.

애초에 한국연구재단과 단행본 280쪽 이상을 저술하기로 협약했다. 그런데 결국 1,200쪽이 넘는 분량이 되었다. 이 책이 집필되게 지원하고, 결과물 제출 기한을 넘기도록 인내하며 기다려 준 한국연구재단의 관계자들께 감사한 마음을 전한다.

사랑의 의미를 알고 지난 6년 동안 한결같이 내 집필 작업의 제일 든든한 후원자가 되어 준 아내 황일선, 마치 이 책처럼 제 부모의 품 안을 떠났거나 언제든 떠날 두 딸과 조카들, 그리고 출판을 가장 오래 기다린 독자인 아버지께 드리는 헌사를 빼놓을 수는 없다. 책을 쓰는 내내 가족은 늘 염두에 두지 않을 수 없는 독자였다. 누구보다 그들에게 의미 있는 책이 되길 바란다.

하지만 마지막 헌사는 지금까지 호명했든 호명하지 못했든 이 책과 닿은 일체의 인연, 그리고 과거·현재·미래의 지혜롭고 영명한 선한 벗(善親友)들께 바친다. 이 책은 나의 저술이기에 앞서 그 모든 인연의 소산所産이자 소이所以다. 경외하고 감사하며, 언젠가는 다 함께 '우주의 정오'에 이르기를 기원한다.

2016년 중춘仲春

관악산이 다가오는 방배동 환한 집(晥宇齋)에서 저자 삼가 씀

서우曙宇 전병훈

전병훈全秉薰(1857~1927)은 동아시아 근대의 여명기에 한국과 중국을 무대로 활동했던 국제적인 철학자였다. 그는 조선 철종 9년인 1857년 평안남도 삼등현에서 태어나, 71세가 되던 1927년 중국 북경에서 세상을 떠났다. 호는 '온누리의 새벽빛'을 뜻하는 서우曙宇이며, 경우에 따라 정신철학사精神哲學士 혹은 현빈도인玄牝道人 등을 썼다.

전병훈은 젊어서 유학자로 이름을 떨쳤다. 관직은 30대 중반에 의금부 도사로 시작해서 40대 중반에 정3품 통정대부까지 올랐다. 이 무렵 그는 쇠락하는 조선의 국정을 바로잡고자 노력했다. 폐정개혁을 위해 『동강야설東岡野說』과 『백선미근百選美芹』(1898) 등을 저술하기도 했다.

그러나 뿌리부터 썩은 나라는 맥없이 무너졌고, 역사의 수레바퀴를 되돌릴 수는 없었다. 오히려 그는 무능하고 부패한 조정 관료들에게 배척받아 함경도 벽지의 지방관으로 밀려났다. 그리고 거기서 을사조약이 체결되고(1905), 고종이 폐위되는(1907) 국난을 지켜보았다.

조선은 패망했고 학문적으로나 정치적으로 뜻을 같이했던 인사들이 연이어 자결했다. 북방의 변경에서나마 백성을 돌보려던 전병훈의 열망은 열강의 각축장이 된 국경의 엄혹한 현실에서 여지없이 무너졌다. 그는 마침내 고국을 떠나 중국으로 망명하기로 결심한다. 이때 그의 나이가 이미 50세였다.

1907년 10월 전병훈은 먼저 일본 동경으로 건너갔다. 그리고 늦어도 1908년 2월 전에 중국 상해에 도착했으며, 다시 지금의 남경인 금릉金陵으로 이주했다. 거기서 강남 일대를 주름잡던 통제사 쉬샤오전徐紹楨, 양광총독 장런쥔張人駿 등의 명사들과 친교를 맺었다. 하지만 얼마 뒤 도교 내단학에 심취해서 다시 광동으로 건너간다. 그는 1910년 봄 광동의 나부산에서 도사 고공섬古空蟾을 만나 본격적으로 내단학을 연마한다. 이후 1913년 북경으로 이주했으며,

'정신철학사'로 명명한 학관을 건립해 운영했다.

기록에 따르면, 전병훈은 내단학에 입문한 지 10년 만에 '신이 현관에 응결하고 도가 성취되는' 증험을 얻었다. 하지만 그는 신비한 체험과 능력을 내세워 명성이나 구하는 속된 수련가나 도사가 아니었다. 그런 술사는 어느 시대나 세간에 널렸지만, 전병훈은 자신의 득도를 보편적인 학문으로 승화시켰다.

그 과정에서 도교의 내단학뿐만 아니라, 유교와 불교 그리고 당시 중국에 막 소개된 서양철학까지 망라하는 철학의 융합을 시도했다. 그리고 마침내 『도진수언道眞粹言』(1919)과 『정신철학통편精神哲學通編』(1920) 등을 편찬해 자신의 철학을 체계화했다. 이 시기에 그가 '정신철학'으로 부른 독창적인 철학을 건립했다.

그는 단지 이론적으로 뛰어났을 뿐만 아니라, 자신의 철학을 실천하고 사회적으로 구현하는 데도 헌신했다. 전병훈은 누차에 걸쳐 중국 정부에 개혁안을 제안했으며, 그로 인해 조야에서 명망이 높았다. 위안스카이袁世凱를 위시한 북양정부의 역대 총통들이 그를 환대했다. 리위안훙黎元洪과 쉬스창徐世昌 총통은 그를 기리는 찬사를 남겼다. 또한 정·관·학계의 기라성 같은 인사들이 그와 친교를 맺거나 문하에 들었다.

캉유웨이康有爲·옌푸嚴復·왕슈난王樹枏 등 당대 최고의 학자들이 그의 정신철학을 칭송했다. 국무총리였던 장샤오증張紹曾과 총통대리였던 황푸黃郛 등은 전병훈 문하의 제자였다. 조선 출신의 이 철학적 기인奇人은 중국 현지에서 급기야 절세의 성현聖賢으로까지 추앙받았다. 단재 신채호가 일찍이 그를 두고 "한번 세계를 통일해 만세토록 불변하는 대총통이었다"고 극찬할 정도였다. 그러나 그는 끝내 고국 땅을 다시 밟지 못했고, 망명지였던 북경에서 71세를 일기로 1927년 파란만장한 일생을 마쳤다.

글 싣는 순서

제2부 심리 · 도덕 · 정치 철학

제3부 민족에서 세계로

제4부 전병훈의 생애와 저작

프롤로그

분열과 갈등의 시대

오늘날 한반도는 강성한 열강들의 패권이 길항하는 길목에 위치할 뿐만 아니라, 피를 나눈 민족이 적대하며 대치하고 있다. 불안정한 국제질서의 격랑을 헤쳐 나가기도 쉽지 않은데, 거기에 더해 사회 내부의 갈등과 분열마저 격화 일로를 걸어왔다. 지역·계층·이념·정파 간의 고질적인 갈등을 넘어 세대와 종교의 분열마저 고조하는 양상이다. 문제를 해결해야 할 정치가 도리어 대립 구조에 편승하고 문제를 키운다.

그런데 이런 갈등과 분열보다, 그것이 일상에서 무덤덤해지는 게 실은 더 두려운 일인지 모른다. 잘못되었음에도 그것을 해소하려는 의욕조차 생기지 않는다면, 이는 병폐가 내면화되었음을 의미하기 때문이다. 건장한 사람의 등에 가시가 박힌다면 처음에는 무척 괴로울 것이다. 하지만 그런 채로 오래 방치하면 등이 굽고 몸이 휘다가 어느새 그게 체질화되어 구부정하게 사는 게 익숙해질 수도 있다. 그런 사람에게 가시를 뽑자고 하면, 왜 쓸데없는 짓을 하느냐며 도리어 성을 낼지도 모른다.

분단과 갈등에 길들여진 지금의 한국사회가 어쩌면 이런 처지와 비슷하지 않을까? 너나없이 갈등해소를 말하면서도, 서로 다른 지역과 계층과 이념과 종교를 백안시하는 적대와 원한의 시선을 갈수록 따갑게 상대의 등에 꽂는다. 반세기 전 '우리의 소원은 통일'을 노래하던 순수한 열망이 통일에 대한 막연한 두려움으로 바뀐 지는 이미 오래되었다. 통일과 같은 공동체적 의제보다는 내 지갑, 금고 안의 돈이 더 귀중한 가치가 되었다.

돌이켜 보면, 반만년의 유구한 역사에서 가장 크고 아픈 상처를 남긴 일제강점기와 한국전쟁의 질곡을 딛고 일어선 게 불과 반세기 전이다. 그리고 지난 20세기 후반기에 우리 국민은 다만 "잘살아 보자"는 일념으로 밤낮없이 달려왔다. 그래서 전 세계가 경탄하는 경제성장을 이뤘다. 또한 근대 아시아의 역사에서 가장 표본이 된다고 칭송받는 민주주의를 쟁취했다. 그렇게 달리는 동안 비록 가난하고 억압받았지만, 그래도 늘 '희망'의 빛은 꺼지지 않았다.

그런데 지금까지 달리던 대로 계속 달리면 "이 나라의 장래가 밝을 것"이라는 낙관적 신념은 이제 더 이상 확고하지 않다. 더 부유하고 물질적으로 풍요로워질수록 유토피아에 가까워지리라는 막연한 기대는 거의 무너졌다. 수많은 시민과 청년들의 고귀한 희생으로 민주화를 성취했지만, 오늘날 한국사회는 모든 영역이 갈등으로 표류하는 파워게임의 복마전으로 전락하고 말았다. 어쩌다가 이런 지경에 이른 것일까? 끝없이 달리는 탐욕의 무한궤도에서 결국 목표를 잃어버렸다고 말할 수밖에 없다.

물질만능의 신기루

물질의 풍요를 숭배할수록, 그와 비례해서 삶의 질과 사회적 정의가 함께 퇴보하는 역설이 현실에서 일어난다. 사람들의 탐욕과 이기심이 끝없이 증대하기 때문이다. 그렇다고 더 가난해야 사회통합을 이루고 행복해질 거라는 말은 물론 아니다. 다만 부와 물질이 모든 것을 해결하리라는 경제제일주의와 유물주의의 맹신이 허구의 이념이라는 것이 분명해지고 있다.

그것은 단지 대중의 기호를 조작해 신기루를 좇게 만드는 '시장의 판타지'에 불과하다. 민주주의도 그렇다. 정치와 사회 영역에서 민주주의를 실행하는 것이 중요하지만, 플라톤의 말마따나 다수의 호감에 따라 해결할 수 있는 문제는 세계와 인생의 여러 난제 가운데 단지 일부에 지나지 않는다.

지난 반세기 동안 "잘살아 보자"는 구호로 인적·물적 자원이 총동원되다시피 했지만, 정작 "잘사는 게 뭔가?"에 대한 근본적인 질문은 거의 없었다.

다만 풍요로워지는 게 '잘사는' 것이고, 재화를 적합하게 소유하고 배분하는 것이 곧 '정의'라는 물질주의적 가치만이 팽배했다.

한편 보수와 진보, 지역과 계층을 가리지 않고, 지금 한국 정치의 갈등 양상은 개인과 기업과 대중이 '표'를 앞세워 저마다 돈을 더 달라고 아우성치는 탐욕의 아비규환에 다름이 아니다. 재물과 음식을 탐내고 남을 시기·질투하는 자가 죽어서 가게 된다는 곳이 이른바 아귀도餓鬼道이다. 그런데 사후를 기다릴 것도 없이, 우리는 이미 아귀도에 살고 있다.

물질만능의 시장논리와 또한 결국 돈을 좇는 파워게임의 정치논리가 과도하게 작동하는 가운데, 여타의 모든 의제들이 죄다 그리로 수렴된다. 탐욕스러운 시장과 권력은 급기야 인류가 수천 년 동안 공공公共의 장場으로 지켜온 윤리·문화·예술·종교·교육 같은 정신적 가치의 영역마저 부끄러운 줄도 모르고 집어삼키기에 이르렀다.

서구 중세에 "신이 만물의 척도"였다면, 이제는 "돈이 만물의 척도"인 정신의 암흑시대가 도래했다. 신자유주의가 기승을 부리면서 서구에서도 이런 일이 일어났고, 지금도 진행 중이다. 하지만 동아시아에 상륙한 시장만능의 광풍은 이 권역에 독특한 20세기의 경험과 다시 결합했다.

동아시아의 근대

작금의 문제를 죄다 과거 탓으로 돌리는 것은 온당치 않다. 하지만 어쨌거나 한반도를 둘러싼 동아시아가 아직 20세기의 그늘에서 벗어나지 못했다는 사실을 부인하기는 어렵다. 오늘날 동아시아는 한 세기 전과 비교할 수 없을 만큼 발전했고 국제적 위상도 높아졌다. 사람들이 부유하고 자유로워졌으며, 높은 교육열과 교육수준을 자랑한다. 또한 제국주의 시대의 물리적 폭압과 경제적 약탈의 공포에서도 현실적으로 벗어났다.

그러나 20세기의 기억은 여전히 이 지역 주민들의 집단무의식을 지배한다.

식민지 시대의 폭압과 약탈의 공포가 패권과 힘을 향한 적나라한 욕망으로 퇴행하곤 한다. 그리하여 패권주의와 식민성, 이념갈등과 냉전 같은 지난 세기의 악령들이 한반도와 그 주위를 배회하며 이 지역에서 고조되는 불안의 요인들을 만들어 낸다. 그 위에서 남북한의 극한 대립, 군국주의 일본의 향수, 중화제국 복원의 몽상 같은 시대착오적 욕망들이 질주한다. 마치 21세기에 만연한 물질주의의 장터에서 20세기의 심술궂은 악령들이 롤러코스터를 타는 장면을 보는 듯하다.

모두 알다시피, 19세기 후반부터 동진東進한 서구 제국주의 앞에서 전통적인 동아시아 세계가 붕괴됐다. 그 위기를 극복하며 출현한 근대 민족국가들은 저마다의 방식대로 물질적인 풍요와 힘을 회복하기에 주력했다. 그리하여 오늘날 동아시아는 다시 세계의 주목을 받으며, 21세기 지구촌의 새로운 거점으로 부활했다.

하지만 다른 한편으로 동아시아는 풍요로워질수록 갈등이 더욱 격화되는 자가당착의 모순에 빠져들고 있다. 비약적으로 증대한 각국의 풍요와 힘이 역으로 이 권역의 경제적 이익과 정치적 안정을 심각하게 위협하기 때문이다. 이를 두고 흔히 '힘의 논리가 지배하는 국제정치의 현실'을 말한다. 그러나 사람들은 그것이 자연과학처럼 보편타당한 법칙이 아니라는 사실을 종종 망각한다.

오늘날 국제질서는 인간의 무한욕망을 긍정하고 세계의 물질주의적 팽창을 정당화하는 근대 이념의 토대 위에 건립되었다. 다시 말해, "힘이 세계를 지배한다"는 논리는 제국주의 시대 이래로 서구 근대문명이 전파한 모종의 '게임의 룰'이었다. 하지만 그것은 지구가 태양 주위를 공전하는 자연법칙처럼 항구적이며 보편적인 진리가 아니다.

현대 세계는 탐욕의 과잉에 중독돼 있지만, 그 체제의 이념은 다만 인간이 만들어 낸 한 시대의 게임의 룰에 지나지 않는다. 그리고 당연한 말이지만, 시대가 바뀌면 룰은 얼마든지 변할 수 있다. 오히려 변화야말로 문명이 진화하는 근원적인 동력이다. 이왕의 질서와 삶이 한계에 봉착할 때마다 인류는 낡은 가치를 뒤집으며 문명의 진보를 이뤘다. 그것은 늘 철학적 관념과 함께 현실이 바뀌는 패러다임의 근본적인 혁신을 수반했다.

그런데 지금까지 근대의 큰 성공을 가져온 게임의 룰이 다시 막다른 골목에 접어든 것은 아닐까? 이것은 서구에서 산업자본주의가 절정에 이른 19세기 후반부터 한 세기가 넘게 지속된 질문이다. 그리고 그간 많은 비판이론이 제기되고 사회적으로 실험되었다. 그럼에도 불구하고, 이른바 '상위 1퍼센트'의 부와 권력이 적나라한 탐욕으로 지구촌의 모든 유·무형 자원을 빨아들이는 진화된 유형의 야만을 21세기 초에 우리는 여전히 목도하고 있다.

탐욕의 혼성과 물극필반

소수 상위자들의 탐욕이 개인과 공동체의 운명을 압도하고, 나라와 대륙의 경계를 넘어 지구촌 곳곳의 모든 마을과 도시와 땅과 바다를 촘촘하게 포획해 그물질한다. 그물 어디에도 틈새는 없는 듯하다. 하지만 단지 1퍼센트의 지배력이 막강해서 그런 것만은 아니다. 따지고 보면, 상위자만이 아닌 나머지 99퍼센트가 또한 그물을 엮는 그물망이나 그물코이기 때문이다.

탐욕에 중독된 대중에게 상위 1퍼센트는 자기 내면의 욕망을 선취한 자로서 선망의 대상이며, 동시에 좌절된 욕망을 투사해 시기하고 질투하는 대상이 되기도 한다. 하지만 그 선망과 시기는 동전의 앞뒷면처럼 서로 붙어 있다. 그것은 마치 노예주를 선망하는 노예가 주인에게서 느끼는 질투와도 같다. 그런데 이런 선망과 질투야말로 실은 주인이 노예를 부릴 수 있게 하는 원동력이다.

노예주는 노예가 선망하는 것을 가지고 있으며, 혹은 선망의 대상 그 자체이므로 노예의 복종을 얻어 낸다. 노예는 노예주를 시기하고 질투하지만, 그가 노예의 처지에서 벗어나는 길은 오로지 노예주가 되는 것뿐이므로, 또한 주인을 증오하면서도 그의 지배를 벗어날 수 없다. 그리고 그럴 가능성이 거의 없지만, 만약 이런 노예가 노예주가 된다면 그는 본래의 주인보다 한층 악독한 주인이 될 공산이 크다. 왜냐하면 노예를 부리는 것이야말로 그가 노예주로서 누리고 싶었던 가장 큰 소망이기 때문이다.

그러므로 모두가 상위 1퍼센트의 탐욕을 비난하지만, 선망과 시기의 이중적 시선에서 상위자를 상상하는 다중의 욕망이야말로 1퍼센트의 세계지배를 지탱하는 그물코요 그물망인 셈이다. 결국 지구촌 상위 1퍼센트란 특정한 개인이나 소수자이기 전에, 탐욕의 과잉에 물든 다중의 상호적 욕망이 함께 만들어 내는 거대한 그물망의 한 절정의 장소라고 할 수 있다.

나머지 99퍼센트가 그 절정의 지점을 향해 얽혀 있고, 그 지점을 욕망하는 동시에 시기하고 질투한다. 그 양가적 욕망이 극소수 상위자의 독점을 지탱하는 동력으로, 너나없이 모두가 그 지점을 향해 올라가고 또 누군가는 밀려 떨어진다. 이런 1퍼센트란 특정한 '누구'가 아닌, 모두의 탐욕이 만들어 내는 하나의 '지점'이다. 따라서 그것은 결코 해소되지 않고 끊임없이 높이 솟아오른다.

그런데 문제는 이런 게임이 결국 모두를 불행에 빠뜨린다는 사실이다. 아무리 노력해도 절대 다수의 다중은 정점의 언저리에도 근접하지 못한다. 만에 하나 오르더라도, 탐욕스런 누구나 선망하는 그 자리에서 언제 밀려날지 모른다는 불안과 공포에 영혼을 내줘야 한다. 그리고 그 지점을 지키기 위해 더욱 충실한 탐욕의 노예가 되지 않으면 안 된다.

나머지 99퍼센트는 그런 1퍼센트를 욕망하고, 또한 어떻게든 살아남아야 하므로 역시 상위자의 지배로부터 자유로울 수 없다. 그러므로 따지고 보면 어디에도 승자는 없다. 1퍼센트든 99퍼센트든, 모두 돈의 노예인 불쌍한 영혼으로 전락한다. 그런 현대인이 불쌍한 이유는 인간으로서의 존엄과 자유를 상실하기 때문이다.

눈부신 성장과 끝없는 탐욕, 이 두 토막의 말이 후기자본주의 시대의 영욕을 고스란히 표상한다. 탐욕에 영혼을 내어준 대가로, 지금 인류는 돈과 물질의 그물에 자승자박된 가련한 노예의 신세를 기꺼이 받아들이고 있다. 부유한 상위 1퍼센트만이 아니라, 물질적 풍요에 금단증상을 보이는 다중이 모두 가담해서 이 거대하고도 촘촘한 그물망을 만들어 낸다.

그러므로 다만 시기와 분노에 뿌리를 둔 계급투쟁 정도로 이 그물망이 찢기기를 상상한다면, 실로 순진한 생각이 아닐 수 없다. 이 불행한 게임의 근원은 인간의 욕망을 무제한으로 해방시킨 근대의 철학적 기획에 있기 때문이다.

혹자는 말할 것이다. 욕망의 해방이 근대의 성공을 가져온 원동력이며, 현대문명의 눈부신 발전과 풍요를 가능케 했노라고. 물론 옳은 말이다. 하지만 한 시대의 성공을 불러온 요인이 언젠가는 그 시대의 쇠락의 요인이 되며, 한 시대의 영광이 다른 시대의 눈으로 보면 오욕이 된다는 역사의 교훈을 기억할 필요가 있다. "사물이 극에 달하면 반드시 반전(物極必反)"하며, "반전하는 것이 도의 움직임(反者道之動)"이다. 노자가 말하고 도가의 철칙이 된[1] 이런 반전의 원리는 작금의 시대에도 유효한 구원의 메시지를 담고 있다.

그렇다면 지금 인류문명의 시계는 어디쯤을 가리키고 있을까? 욕망의 해방이 여전히 인류의 끝없는 성장을 가져온다고 믿어도 좋은 시간대일까? 아니면 물질과 힘을 좇느라 다른 모든 가치와 덕목들을 배제한 극한의 지점에서, 그간의 물질주의적인 삶과 가치관에 대한 철학적 반란의 조짐이 일어나는 시간대일까? 독자들이 먼저 눈치 챘겠지만, 연속되는 이런 질문은 순수한 물음이 아니다. 그것은 희망하는 답변을 암시하는 유도신문이다. 독자에게 듣고 싶은 것은, 물론 철학적 반란의 필요성에 동조하는 답변이다.

틈새가 없는 그물은 언젠가 찢기게 된다. 인간의 욕구는 단지 물질적이지만 않다. 인간은 생존에 필요한 최소한의 요건이 충족되면, 다시 힘과 명예처럼 돈이나 권력으로 얻을 수 있는 또 다른 풍요를 구한다. 하지만 그 단계마저 지나면, 물질주의에서 벗어나 정신적인 평화와 안정을 구하고, 자신과 주변의 삶을 근원적으로 성찰하려는 욕구가 증대한다.

비록 부와 권력에 대한 욕망이 여전히 우세하지만, 예전에 비하면 탈물질주의적 추세도 근자에 현저히 두드러지는 사회적 경향의 일부이다. 이른바 '웰

---

1. "물극필반物極必反"과 "반자도지동反者道之動"은 도가의 세계관을 반영하는 대표적인 명구로, 각각 『갈관자』와 『노자』에 처음 보인다. 反者道之動, 弱者道之用. 『老子』 40장; 物極必反, 命曰環流. 『鶡冠子 · 環流』. 『여씨춘추』에서도 이렇게 말한다. 全則必缺, 極則必反. 『呂氏春秋 · 博志』.

빙'이니 '힐링'이니 했던 유행이나, 최근 들어 고조되는 인문학 열풍 역시 그런 풍경의 한 장면이다.

정신의 재홍

하지만 그것이 지금처럼 밀물처럼 밀려들어와 썰물처럼 빠져나가는 한때의 유행이나, 장돌뱅이 약장수처럼 떠벌리는 인문학의 좌판 정도에 머문다면 거기서 무슨 구원의 힘이 자라겠는가?

나 역시 인문학에 종사하는 사람으로서 고백하건대, 오늘날 시장에 횡행하는 인문학의 복음은 대개 대증처방 수준에 머무른다. 중병이 든 환자에게 진통제 몇 알을 던져 주고 잠시 고통을 잊게 하는 격이다. 거기에 잠시 반짝하는 효과가 있을지는 모른다. 하지만 병인病因을 근치하지 못하는 대증처방의 남용은 오히려 병의 뿌리를 깊게 키운다.

이미 말했으니 마저 회상해 보자. 옛날 시골 읍내에 처음 의원이나 약국이 들어설 때 소위 '쎈 약'을 처방해 줄수록 환자들이 문전성시를 이루곤 했다. 의술이 상당히 보급된 뒤에야, 촌민들은 "약 모르고 오용 말고 약 좋다고 남용 말자"는 슬로건의 의미를 이해했다. 그리고 반짝하는 대증처방으로 환자의 병세를 잠시 잊게 하는 의사가 명의가 아니라, 꾸준한 치료로 병의 뿌리를 뽑고 신체 본연의 생명력을 회복시키는 의사가 진짜 명의란 것도 뒤늦게 깨달았다.

육신을 돌보는 것만 그런 게 아니다. 정신을 돌보는 인문학 역시 다르지 않다. 오늘날 시장 인문학의 문전성시는 현대인의 정신이 대체로 건강하지 못하다는 반증이다. 너나없이 돈과 성공을 향해 달리다가, 어느 순간 좌우를 돌아본 지점에서 정신이 황폐해진 자기와 세상을 새삼 마주하게 된 것이다.

그렇다고 개인적으로 그런 삶을 근본적으로 돌이킬 용기나 의욕은 부족하다. 사회 전반의 분위기도 바뀌지 않으니, 사람들 대부분은 그냥 달리던 길을 계속 달리는 수밖에 없다. 그래도 황폐한 정신의 사막에서 목을 적실 뭔가는 필요하다. 그러자 그런 욕망에 부응해서 대중의 눈과 귀를 자극하는 청량제 같은 '시장 인문학'이 쏟아지기 시작했다.

하지만 그것도 결국은 한때에 지나지 않을 것이다. 한 시대 인문학의 역할이 사람들을 모아 놓고 나팔소리나 울린다고 완수되는 건 아니기 때문이다. 인문학의 진정한 사명은 세속의 욕망으로 치달리는 허망한 달리기를 멈추게 하며, 달리던 방향을 돌려 참된 인간됨을 깊이 성찰하는 길로 사람들을 인도하는 데 있다. 그게 인문학자들이 사표로 삼는 성현과 철학자들이 인류문명사에서 끊임없이 해온 일인 것이다.

그러므로 지금의 인문학 열풍은 경계할 대목이 있다. 그렇다고 해서, 모처럼 고조된 인문학에 대한 대중의 관심에 찬물을 끼얹으려는 것은 아니다. 오히려 그 반대다. 조심스러운 예단이긴 하지만, 오늘날 인문학의 재흥은 어쩌면 후기자본주의 사회에서 새로운 문명의 패러다임을 찾아 일어나는 21세기 철학적 반란의 조짐일지도 모른다.

모두 알다시피, 중세의 '암흑시대'를 딛고 14세기 후반부터 서유럽에서 고전학문의 부활·재생(Renaissance)이 일어났던 것을 상기해 보라. 그것이 곧 근대세계의 시작을 알리는 신호탄이었다. 오늘날 인문학에 대한 관심 역시 학문 대중화의 단순한 요구를 넘어, "돈이 만물의 척도"인 암흑시대에 정신적·영적·창조적 힘을 재흥하려는 인간성의 아우성일지 모른다는 생각이 든다.

그러므로 그 어느 때보다 엄혹한 인문학의 책임이 요구되는 시대이다. 하지만 시장 인문학은 살짝만 들춰도 속살이 보일 만큼 부박하며, 대학은 젊은 인문학자들의 열정과 순수한 고뇌가 더 이상 둥지를 틀기 어려울 만큼 그 학문의 기초가 피폐해졌다. 그러므로 시장에서 인기를 얻는 재간꾼들에게나 스포트라이트가 쏟아지고 젊은 인문학도들의 가난한 서재는 날로 텅 비어 가는 이 나라 인문학의 왜곡, 시장근본주의에 물든 교육당국의 대학정책에 대한 성토가 이어지는 것이다.

물론 이는 참담한 병폐이며, 그에 대한 성토가 마땅한 것은 두말이 필요 없다. 하지만 정부의 지원, 시장의 육성이 있어야 인문학이 꽃핀다는 생각이 혹시 인문학의 제 발등을 찍는 건 아닌지 되묻게 된다. 전병훈의 역정을 떠올리면, 이 부박하고도 안일한 인문정신의 지평에서 그를 만나는 것이 축복인 동시에 부끄러움이다.

전병훈은 우리 민족의 역사에서 가장 비참했던 한 시기의 디아스포라였으나, 또한 누구보다 찬란한 인문정신을 꽃피웠기 때문이다. 그의 나이 50에 나라를 잃고 타국을 전전하는 곤고한 와중에도 "도를 이루고 세상을 구제하겠다"는 평생의 일념이 골수에 사무쳤노라고 술회했다.[2]

누가 시켜서 그리 간절했던 것이 아니다. 나라나 대학에서 대가가 지불됐던 것도 물론 아니다. 다만 진리를 향한 순수한 열정에서 학문을 궁구하고, 그로부터 세상에 대한 의무를 다하고자 했다. 전병훈은 우리 시대에 거의 사라진 인문정신의 결기를 되돌아보게 한다. 하지만 그가 단지 결기만으로 이 시대의 사표師表가 되는 것은 아니다.

온 누리의 새벽빛, 서우曙宇의 꿈

지금부터 백 년 전 전병훈이 말했다. "온 누리가 바야흐로 물질만 숭상하지만, 물질로 인해 장차 정신으로 들어갈 것이 분명하다."[3] 앞으로 살펴보겠지만, 나는 그의 철학적 비전에 탄복하고 또 탄복하며 공감하고 또 공감한다.

"물질로부터 장차 정신으로 들어간다(由物質將入精神)"는 한마디는 그의 철학을 관통하는 비전으로, 근대 물질문명의 기초를 뒤흔드는 철학적 패러다임 혁명의 어젠다를 함축한다. 가장 완성된 경지의 인간 정신, 그리고 정신의 '자유'를 평생토록 추구한 한 철학자의 심오한 이론과 실천적 경험의 정수가 그 한마디에 온축돼 있다.

---

2. 道成救世之生平痴願, 結成腦癮者, ……. 전병훈, 『정신철학통편(영인본)』(명문당, 1983), 30쪽. 이하 『정신철학통편(영인본)』은 『통편』으로 약칭한다.
3. 烏乎! 宇內世界, 時尚物質, 由物質將入精神必矣. 『통편』, 23쪽.

반만년 한민족 역사에서 20세기 전반의 일제강점기처럼 암울했던 시절도 없었다. 그럼에도 우리는 과거를 쉽게 잊고 지낸다. 하지만 오늘날 한국사회가 그 질곡에서 얼마나 벗어났는가를 되묻는다면? 세월이 오래 지났음에도 불구하고, 여전히 주변을 어슬렁거리는 그 시대 혼령들의 출몰에 소스라치게 놀라게 된다. 평온한 듯 아무렇지도 않게 흘러가는 하루의 일상 어딘가에는 오랫동안 지속된 식민지 시대의 그늘이 짙게 드리워 있다.

우리가 그 시대의 상처를 치유하고, 그 시대를 극복한다는 것은 과연 어떤 의미일까? 식민지 근대화론이나 친일파 청산 같은 일차원적이고 이념적인 논쟁을 지나, 그 시대를 넘어서는 보다 근원적인 철학의 성찰이 필요하다. 이런 문맥에서, '전병훈 읽기'는 20세기 전반을 돌아보는 경이로운 철학적 시각을 제공한다. 또한 그것은 제국주의 침략의 긴박한 정세에서 시작된 20세기 한국의 지성사, 더 나아가 동아시아 근대 사상의 숨겨졌던 한 페이지를 다시 열게 만든다.

하지만 그렇다고 해서, 전병훈의 교훈이 단지 일제강점기의 만행에 격노하거나 혹은 그 비극에 저항하는 수준이리라고 지레짐작하지는 말자. 만약 전병훈에게서 이런 계몽을 기대하는 독자라면 이내 실망할지도 모른다. 서우가 일제의 조선침략에 분개해 중국으로 망명했음에도 불구하고, 그의 저서에서는 일본에 대한 어떤 노골적인 비난도 발견하기 어렵다. 그는 북경에서 독립지사들을 돕거나 상해임시정부와 연락을 취하기도 했지만, 적극적인 항일운동에 나서지도 않았다. 그렇다고 해서 그가 일제의 폭압에 순응하거나 타협했던 것은 더욱 아니다.

전병훈은 우리가 익히 알고 있는 20세기 초의 어떤 조선 지식인과도 다른 길을 걸었다. 그는 단지 항일抗日로 시대의 불행이 해결되리라고 보지 않았다. 그가 보기에 일본제국주의는 인류문명의 근원적 병폐에서 생겨난 국부적인 증상의 일부에 지나지 않았다. 다시 말해 그것은 물질만을 숭상하는 서구 근대 문명이 세계적으로 확산하면서 일어난 뾰루지 같은 것일 뿐, 병의 근본적인 원인이 아니었다. 그러므로 단지 일본이 사라진다고 조선이 제국주의 침탈로부터 자유로워질 수 있는 게 아니라고 전병훈은 생각했다.

가장 극심한 시련에 직면한 사람들에게, 때로는 가장 원대한 꿈이야말로 아주 절실한 현실의 희망이 되곤 한다. 전병훈도 이런 간절한 염원에서 동서고금을 망라하는 생명·평화의 철학을 모색했다. 그는 이런 철학이야말로 민족을 고통에서 구하고, 인류의 영구평화를 가져올 근원적 처방이라고 인식했다. 그 과정에서 동양의 전통에 숨어 자기위안에 도취하지 않았고, 서양문물을 일방적으로 추종하지도 않았다. 그는 우승열패와 약육강식의 현실에 위축되지 않았으며, 반대로 조선이 힘을 키워 강자가 되기를 열망하지도 않았다.

대신 그는 물질과 패권을 추구하며 갈등을 일삼는 근대문명의 근원적인 병폐에서 인류의 불행과 전쟁의 원인을 찾았다. 그리고 문제의 근원인 사람들의 탐욕과 어리석음을 깨우치는 것이야말로, 문명의 모순을 해소하는 근치根治라고 생각했다. 또한 그로부터 조선이 독립하고, 더 나아가 세계가 일가一家를 이뤄 항구적인 평화를 구축하는 길이 열릴 것으로 여겼다.

이런 전병훈의 철학이 20세기 초 중국에서 큰 호응을 얻었다. 급기야 총통을 위시한 중국 최고의 명사와 지식인들이 그를 경모하고, 제자를 자처하기에 이르렀다. 그는 여러모로 한국 근대에서 유사한 사례를 찾기 어려운 철학가였다.

매듭을 짓자. 전병훈은 패권에 물든 역사를 청산하고, 지구촌 온 누리에 영구적인 평화를 이루는 철학의 비전을 제시했다. 그리고 새로운 문명의 도래를 알리는 선구자로, '온 누리의 새벽빛'을 자임하는 서우曙宇로 호를 삼았다. 우리 민족이 가장 불행했던 시대에, 그는 누구보다 원대하고 찬란한 철학의 꿈을 쏘아 올렸다. 이제 그 꿈을 좇아 정신의 빛을 찾는 여정을 떠나기로 하자.

일러두기

4부 철학

서우는 정신철학·심리철학·도덕철학·정치철학의 네 분야로 자신의 철학을 체계화했다. 본문에서는 이를 그의 '4부 철학'으로 부른다. 전병훈은 세계의 전쟁이 종식되고 하나의 지구촌으로 통일되는 시대의 철학, 인류문명 진화의 새벽빛을 그 안에 담았다고 진술했다. 그런데 그중에도 특히 정신철학을 전체 철학체계의 골간으로 삼아, 이를 표제어로 『정신철학통편精神哲學通編』을 편찬했다. 자기가 이끄는 단체도 '정신철학사'로 명명하고 여기서 제자들을 양성하고 저서를 발간했다.

정신철학

정신철학은 전병훈 철학의 핵심원리로, 그 나머지의 심리철학과 도덕철학·정치철학을 이끄는 견인차 역할을 한다. 그런 '정신철학'은 좁은 의미에서 그의 '4부 철학' 가운데 한 부분이다. 그러나 넓게는 그의 철학체계 전체를 가리키는 개념이기도 한다. 따라서 본문에서 '정신철학'이라고 하면, 그것은 경우에 따라 좁은 의미와 넓은 의미 사이를 오가는 개념이 될 것이다. 미리 독자들에게 이 점을 밝혀, 혹시 독서 가운데 발생할지도 모르는 혼선에 양해를 구한다.

『정신철학통편』

전병훈의 주저인 『정신철학통편』은 「약부제가평언서畧附諸家評言序」를 필두로 시작한다. 전병훈의 제자로 이 책의 출간을 책임졌던 위란톈于藍田이 작성한 글로, 근대 중국 최고의 명망가와 제자들이 서우와 그의 철학을 평론한 간략한 찬사들을 담고 있다. 이는 전병훈의 교우관계와 명망을 살피는 데 중요한 문건이다. 이를 제외하고, 전병훈이 직접 집필한 책의 본문은 크게 「서론」, 「단군천부경 주해」, 「정신철학」, 「심리철학」, 「도덕철학」, 「정치철학」으로 구성된다.

그런데 여기서 「서론」만 서술형 문장으로 진술한다. 나머지는 해당 주제별로 동서양의 문헌에서 발췌한 글에 대해, 전병훈이 자기 생각을 안설按說로 덧붙이는 방식을 채택한다. 이는 전통 지식인들이 문장을 진술하는 문체의 하나였다. 뿐만 아니라, "옛것을 익히며 새롭게 혁신한다(溫故維新)"는 그의 학문 방법론을 반영하는 문장 진술의 형식이기도 했다.

하지만 글을 발췌하고 배치하는 과정에서 이미 서우의 판단이 적극적으로 개입되고, 또한 각 발췌문마다 그의 사상을 분명하게 피력했다. 그러므로 본서에서는 주로 안설을 중심으로 전병훈의 철학사상을 논구하되, 그가 동서양의 문헌에서 발췌한 글들 역시 세심하게 함께 살피기로 한다.

본서에서 인용한 『정신철학통편』은 1983년 명문당에서 출판한 영인본을 저본으로 삼았으며, 각주에서 『통편』으로 약칭한다. 또한 각주에 실은 『통편』의 원문 가운데 대괄호[ ] 안의 내용은 독자의 이해를 돕기 위해 필자가 보충한 것이다.

『정신철학통편』의 원문을 일독하고 싶다면, 국립중앙도서관과 고려대학교 도서관, 한국학중앙연구원 장서각 등에서 초간본을 열람할 수 있다.

제1부에서 제3부

『정신철학통편』의 본래 편제에 따르자면 「단군 천부경 주해」를 가장 앞에 두고, 이어서 4부 철학을 논술한다. 그러나 본 연구서에서는 그 순서를 바꿔, 서우의 4부 철학을 먼저 다루고 『천부경』 주해를 뒤로 보냈다. 제1부에서 정신철학을 논구하고, 제2부에서 심리·도덕·정치 철학을 탐구한다. 그리고 이어서 서우의 『천부경』 주해를 그의 사해동포주의와 함께 고찰하며, 그것을 제3부로 배치했다. 그 이유는 다음과 같다.

전병훈은 4부 철학의 집필을 거의 마친 뒤에 뒤늦게 『천부경』을 입수했다. 그리고 그 경문이 단군의 진전인 동시에, 정신철학의 요지에 완전히 부합한다고 찬탄했다. 그리고 이왕에 정립된 정신철학의 견지에서 이 경문에 주해를 붙인다. 그런데 이런 집필 순서와 의도로 인해, 전병훈의 4부 철학을 먼저 살펴야 그의 『천부경』 주해도 비로소 이해할 수 있는 난점이 있다.

특히 「천부경 주해」에서 관건이 되는 수리數理의 해석이 내단학에서 정신을 운용하는 역리易理의 상수象數체계와 표리를 이룬다. 이런 역리는 전통지식인들에게는 상당히 보편화된 지식의 일부였다. 그러므로 전병훈이 큰 고민 없이『천부경』주해를 책의 서두에 배치할 수 있었다. 그러나 지금의 독자들에게는 이런 역리가 대개 생소한 것이다. 따라서 그 내용에 대한 선행적 이해가 부족할 경우, 자칫하면『천부경』주해가 납득하기 어려운 난해한 암호와 숫자들의 나열처럼 여겨지기 십상이다.

이런 이유로, 고심 끝에 본서에서는「천부경 주해」를 뒷부분에 배치하기로 한다. 서우의 4부 철학을 먼저 이해하고『천부경』주해를 읽는 것이 순서에 맞다. 또한 제1부에서 정신의 운용과 관련한 역리를 논구하므로, 그 뒤에『천부경』의 수리를 소개하는 게 독자들의 이해를 돕는 길이라고 보았다. 더불어 단지『천부경』해설로 그치지 않고, 서우의 단군 민족주의와 사해동포주의를 종합적으로 고찰할 필요가 인정되어 이를 제3부로 독립해 다루었다.

제4부와 후기

마지막으로 제4부에서 '전병훈의 생애와 저작'을 다룬다. 그리고 제4부 뒤에 붙은「후기」는 필자의 소회를 섞어 근대사상사의 지평에서 전병훈과 그의 철학을 평론한 것이다. 본서의 집필을 기획할 당시에는 이 부분을 책의 첫머리로 배치할 계획이었다. 전병훈이라는 한 인물의 철학사상에 초점을 맞추는 저술이므로, 먼저 그가 살아온 인생역정과 학문적 업적의 대강을 소개하는 게 상식적인 순서라고 생각했기 때문이다. 하지만 막상 집필을 진행하면서 예상과 다른 점들이 부각되었다.

국내외 학계에서 전병훈에 대한 연구가 부족하다 보니, 하나하나의 사건이나 저작들에 대해서 세밀한 고증이 필요했고, 논증의 근거들을 상세히 제시해야 했다. 그런데 이것은 학자들에게 중요하지만, 독자 일반에게는 너무 전문적인 내용일 수 있다. 심지어 학계의 연구자라도, 전병훈을 직접 탐구할 생각이 아니라면 불필요하게 여길 만한 고증들이 포함되었다.

하지만 훗날 전병훈을 연구할 전문가들을 생각하면 반드시 필요한 내용이므로, 제외하거나 간단히 축약할 수 없었다. 그렇다고 해서, 전문적인 연구자가 아니라면 굳이 이 부분을 펼칠 필요가 없다고 말하려는 것은 결코 아니다.

오히려 그 반대다.

전병훈의 인생 자체가 워낙 극적이고 귀감거리로 가득해서, 이 부분을 놓치는 것이 인생의 간접경험이나 지적인 면에서 모두 큰 손실이라고 말하고 싶을 정도다. 전병훈에 대해 더 깊게 알고 싶은 독자라면 반드시 제4부를 일독하라고 권한다.

그렇지만 그 모든 읽을거리도 전병훈이라는 인물에 먼저 호기심이 발동한 뒤라야 볼 만한 것이다. 별로 흥미도 없는 남의 인생 이야기를 읽는 것처럼 지루한 일도 없기 때문이다. 따라서 이 부분을 맨 뒤로 돌려서, 독자들이 선택적으로 읽을 수 있도록 했다.

또한 그 편이 전병훈과의 철학적 '대화'에 집중하는 데도 좋겠다는 생각이 들었다. 왜냐하면 본서는 전병훈과 그의 학문에 대해 평이하게 진술하는 평전評傳이라기보다는, 전병훈을 소개하는 동시에 그와의 대화에 들어서는 해석학적 접근을 시도하기 때문이다.

대화

이 책에서 전병훈은 단지 거리를 두고 진술하면 그만인 그런 무미건조한 연구대상이 아니다. 최소한 필자에게 서우는 아주 의미심장한 철학적 비전을 던지고, 그것에 비상한 흥미와 공감을 일으키게 하는 관심유발자다.

따라서 그와 거리를 유지하며 짐짓 객관적인 관찰자인 척하는 것은 감내하기 어려운 일이다. 그러니 서우에게 물음을 던지고, 그와의 대화에 참여하려고 한다. 필자에게 그의 철학은 단지 진술들로만 구성된 것이 아니며, 그보다는 차라리 질문과 답변들로 이뤄져 있기 때문이다.

그와 대화를 한다는 것은, 그의 철학적 질문들이 현재에도 유효한 열린 담론으로 이해된다는 것을 의미한다. 그의 응답 역시 확정적이라기보다는 개방적이다. 우리는 그것을 공유하거나 혹은 재차 질문을 던져도 좋다고 허용된 응답으로 여길 것이다.

또한 그의 고정된 진술들을 우리 시대의 대화로 변형하며, 지나간 정태적인 과거를 다시 역동적인 현재의 사태 속으로 데려오고자 한다. 서우가 던진 철학적 질문들이 지금 필자에게도 궁금하며, 또한 서우와 마찬가지로 그 질문의 응답을 찾는 데 관심이 있기 때문이다.

그리고 무엇보다 이런 대화는 전병훈으로부터 비롯된다. 서우야말로 동서고금의 수많은 성현과 철학자들을 그의 텍스트 안으로 끌어들여, 우리가 그에게 하려는 것처럼 이미 대화를 개방하고 있기 때문이다. 그는 무수한 대화자들을 불러 동서고금의 철학을 융합하며, 자신의 질문에 대한 응답을 찾았다.

해석학적 '지평 융합'이야말로 정신철학의 가장 현저한 특징이다. 서우가 철학적 방법론을 비록 그렇게 명명하지는 않았지만, 그는 이미 그것을 하고 있었다. 그러므로 우리는 서우가 시작한 이런 대화에 참여하려는 것이다. 그가 고금의 철학자들을 그의 시대와 텍스트 안으로 초대했듯이, 다시 그를 우리 시대로 초대하려는 것이다.

이 책과 연관된 저자의 논문

2000년 이후 저자가 발표한 30여 편의 논문 가운데, 아래 글들이 이 책에 직간접적으로 반영됐다. 이왕의 논문[(1)~(11)]에서 일부를 '참고'하거나, 문맥에 따라 본서에 '혼입混入'했다. 혹은 책의 집필과정에서 산출된 글[(12)~(17)]이 학술지에 '게재'되기도 했다. 지나간 글은 옛글 그대로가 아니라, 언제든 목전의 글쓰기와 뒤섞여 본문에 녹아들었다. 따라서 일일이 각주를 다는 대신, 본서와 연관(참고, 혼입, 게재)된 저자의 논문을 일괄해서 게시하는 것으로 그에 대한 표기를 갈음한다. 아래 열거된 논문과 본서 간에 혹시 어긋나는 진술이나 견해가 있다면, 이 책에 실린 내용이 맨 나중에 보완된 것임을 밝힌다.

[연관 논문]

(1) 「초기 도교의 철학사상」, 중국철학회, 『중국철학』 제7집 (2000)

(2) 「도학道學 · 도가道家 · 도교道教, 그 화해 가능성의 재조명」, 한국도교학회, 『도교학연구』 제16집 (2000)

(3) 「도가의 사회사상과 그 현대적 의의」, 동양철학연구회, 『동양철학연구』 제23집 (2000)

(4) 「道@사이버윤리 — 사이버윤리의 이론적 근거에 대한 도가철학적 성찰」, 대한

철학회, 『철학연구』 제84집 (2002)
(5) 「양생의 맥락에서 본 도가와 도교 수양의 특징과 현대적 의의」, 한국중국학회, 『중국학보』 제46집 (2002)
(6) 「형신形神: 육체와 정신의 관계에 대한 중국철학의 담론 — 발생론과 기능론의 문맥을 중심으로」, 대한철학회, 『철학연구』 제96집 (2005)
(7) 「황로도 연구: 사상의 기원과 사조의 계보」, 한국도교문화학회, 『도교문화연구』 제40집 (2007)
(8) 「화이華夷 너머의 상생 — 중화관념이 해체된 동아시아는 가능한가?」, 고려대학교 중국학연구소, 『중국학논총』 제28집 (2010)
(9) 「재당 신라인의 도교활동과 나당 간의 상호적 선유仙遊에 관한 연구」, 한국동양철학회, 『동양철학』 제36집 (2011)
(10) 「고운 최치원의 학문정신: 현묘지도玄妙之道설에 담긴 혼종과 관용의 사상을 중심으로」, 철학연구회, 『철학연구』 제93집 (2011)
(11) 「한민족 고대 정신사의 원형과 영토 — 기자와 단군의 나라: 두 개의 조선과 갈라진 기원의 계보학」, 한민족학회, 『한민족연구』 제12집 (2012)
(12) 「서우 전병훈의 생애와 저술에 대한 종합적 연구(1)」, 한국도교문화학회, 『도교문화연구』 제40집 (2013)
(13) 「서우 전병훈의 생애와 저술에 대한 종합적 연구(2)」, 한국도교문화학회, 『도교문화연구』 제41집 (2013)
(14) 「서우 전병훈의 생애와 저술에 대한 종합적 연구(3)」, 한국도교문화학회, 『도교문화연구』 제42집 (2014)
(15) 「다투지 않는 공화 — 도가의 정치철학에 대한 전병훈의 견해」, 한국동양철학회, 『동양철학』 제42집 (2014)
(16) 「成眞兼聖之路: 全秉薰的精神哲學」, 『道家文化硏究』 第29輯 (北京, 三聯書店, 2015)
(17) 「예치는 민주·공화와 만날 수 있는가? — 요·순·삼대의 예치에 대한 전병훈 정치철학의 독법」, 동북아시아문화학회, 『동북아문화연구』 제47집 (2016)

[주요 연관항목]

(1), (2), (6), (7) ☞ 제1장 2절/ (3), (4), (5), (15) ☞ 제6장 4절/ (8) ☞ 제5장 4절 /
(9) ☞ 제3장 4절/ (10) ☞ 제9장 2절/ (11) ☞ 제6장 5절/ (12), (13), (14) ☞ 제10장, 제11장/
(16) ☞ 본서 전반 / (17) ☞ 제6장 2절

제1부
정신철학의 탄생

제1장
정신철학의 이론적 기초

전병훈은 서구 근대철학이 "희랍의 위대한 철학의 범위를 벗어나지 않으면서도 신지식을 확충해 이를 경험(검증)했다"[1] 고 평가했다. 그리고 동아시아 학자들이 이런 학문태도를 본받을 것을 주문했다.

주지하다시피 서양 근대철학은 고대철학의 재발견에서 비롯됐다. 헬레니즘을 재인식해 신학의 도그마에 빠진 유럽의 중세를 넘어서는 출구를 찾았고, 고대 그리스에서 근대철학의 모태가 되는 철학의 영감을 얻었다. 하지만 그것은 단지 과거로의 회귀가 아닌 새로운 철학의 돌파, 전병훈의 표현을 빌리자면 '유신'과 '진화'의 과정이기도 했다.

전병훈은 정신철학을 정립하면서 이를 모범적인 모델로 삼았다. 그리하여 서양 근대철학자들이 고대 그리스철학에 눈을 돌렸던 것처럼, 그는 도교 내단학 더 나아가 고대 기화론의 세계관에서 새로운 철학의 영감을 얻었다. 그리고 이를 토대로 유·불·도 3교와 서양철학까지 통합하는 철학의 지평을 열었다.

또한 그는 '국가'와 '민족'이라는 근대 민족국가의 이념적 전제에서 거의 벗어났고, 보편적 인류애의 견지에서 동·서 철학의 융합을 시도한 철학자였다. 그런데 당시 동아시아의 사상적 지형에서, 그의 이런 철학은 아주 이례적이고도 독보적이었다.

---

1. 然彼學也, 不出乎希臘大哲之範圍, 而抽廣其新識而經驗之. 『통편』, 25쪽.

1. 우주의 그늘에서 문명진화의 화살을 쏘다

전병훈 자신에게 있어서, 정신철학은 투철한 자기부정을 통한 갱신의 성과물이었다. 그는 자신이 "본래 유학을 업으로 삼았으나 나이 오십이 되도록 성취가 없고 도가 이뤄지는 효험을 보지 못했다"[2]고 토로했다. 한 걸음 더 나가 "유학자로 세상을 경영하는 자들이 다만 성품을 다하고 운명에 안주할(盡性安命) 뿐, '참나(眞)'를 버리며 도리어 이를 배척하고 공격한다"[3]고 비판했다.

조선에서 성리학자로 인생 전반기를 보냈던 전병훈이 이처럼 극적인 자기부정에 도달한 것은 결코 간단한 일이 아니었다. 게다가 그는 중세이념으로서 유교의 폐단뿐만 아니라, 세상을 등지고 우화등선하기를 구하는 도교의 병폐도 함께 지적했다.[4] 하지만 이런 비판은 유교나 도교의 어느 한 입장에 근거한 것이 아니었다. 그렇다고 유교와 도교를 근본적으로 부정한 것은 더더욱 아니었다.

서우는 다만 각자의 도그마에 빠진 중세 유교와 도교의 분열과 배타성, 그리고 그 타성 안에 갇힌 '동아시아 천학淺學'의 행태를 질책했다. 그것은 마침내 양자의 벽을 허물어 새롭게 조제하기 위한 필연적인 조탁의 과정이었다. 그의 철학은 궁극적으로 인간 존재의 기원, 천지만물과 우주의 근원으로 돌아가기를 겨냥했다. 거기서 그는 민족이나 국가, 급기야 동서양의 분열마저 훌쩍 뛰어넘었다.

유교와 도교·불교·서양철학, 어떤 장벽도 그를 가로막지 못했다. 서우는 그 모든 정신의 대륙 사이를 자유로이 횡단하고 탐험했다. 그리하여 마침내 도달한 드높은 정신의 고원에서 이렇게 홀로 찬탄했다.

> 도가 응결돼 별처럼 빛나고, 감로甘露는 세상에 견줄 바 없어라. 온 누리를

---

2. 余素業儒, 五十無成, 未見道凝之驗. 『통편』, 20쪽.
3. 爲儒而經世者, 則只盡性安命而遺眞, 反闢以攻之. 『통편』, 19쪽.
4. 이 주제는 본 장의 4절과 5절에서 상세히 다룬다.

> 한 집안으로 보며, 자비로운 은혜가 먼 천공에 미친다. 아! 이야말로 온 누리 사회와 인류동포에게 널리 베풀어 나눌 진실한 하늘의 원력願力이로다.[5]

이처럼 전병훈에게 정신철학은 세계의 온 인류에게 빛을 던지는 어떤 구원의 힘, 위의 표현을 빌리자면 '하늘의 원력'으로 승화했다. 도를 얻은 그에게 세계는 한 가족이요, 인류는 한 근원에서 나온 동포가 되었다.

우승열패의 사회진화론이 번성하고, 동양과 서양이 원한에 휩싸이며, 민족과 국가가 분열되던 시대였다. 이런 시대에 그의 철학적 성취는 매우 고원했을 뿐만 아니라, 이례적이었다. 근대세계의 온갖 모순과 고통이 한데 모여든 식민지 조선의 신산한 운명을 뚫고 그는 실로 원대한 철학의 이상에 도달했던 것이다.

그러나 통속적 현실주의자들이라면, 그의 이런 이상을 세상물정 모르는 몽상가의 과대망상이라고 비웃을지 모르겠다. 하지만 무슨 대수겠는가? 노자도 말하지 않았던가. "어리석은 인사가 도를 들으면 크게 비웃고, 만약 그들이 비웃지 않으면 도라고 할 수 없다."[6] 이렇게 말하는 노자 역시 중국 역사상 가장 극심한 혼란기였던 춘추전국시대를 살았다.

따지고 보면, 문명에 빛을 던진 위대한 지혜의 유산치고 불온한 시대의 이상이 아니었던 것이 어디 있었던가? 어쩌면 인류는 그 빛에 의지해 망망대해의 역사를 간신히 항해해 온 지구라는 조각배의 천둥벌거숭이들인지 모른다. 전병훈은 정신철학의 이런 숭고한 목표를 분명하게 천명했다.

> 아! 세상의 다스림이 장차 대동大同 통일하는 날에, 어찌 이 책이 그 길을 인도하는 선하先河와 새벽빛(曙光)이 되지 않을 줄 알겠는가?[7]

---

5. 道凝辰表, 甘露曠世. 家視宇內, 慈雲長空. 烏乎! 此是分貺宇內社會同胞之質天願力也. 『통편』, 20쪽.
6. 下士聞道, 大笑之. 弗大笑, 不足以爲道矣. 『老子』 초간본(乙本) 5장; 백서본 4장; 왕필본 41장.
7. 烏乎! 世治將躋大同一統之日, 此篇者, 安知不作嚮導之先河曙光也. 『통편』, 23쪽.

> 그러므로 내가 감히 단언컨대, 온 누리의 전쟁 종식과 평화 그리고 세계통일의 서광이 반드시 여기(이 책)에 있을 것이다! 반드시 여기에 있다! 그 또한 하늘의 뜻일진저! 정신의 조화 역시 그 옆에 있지 않겠는가?[8]

천명을 안다는 나이 오십에 나라를 잃고 망명길에 오른 노객老客, 둥지를 잃은 디아스포라의 호언이 어찌 이리도 장대한가? 그는 과연 대단한 현자였거나, 아니면 과대망상증 환자였음에 틀림없다. 하지만 돈키호테에게 허락된 편집증적 망상의 허영조차, 그에게는 사치였다. 그러기엔 현실이 너무 절박했고, 그의 정신은 놀랍도록 총명했다.

20세기 초, 한민족과 동아시아가 어떤 극한의 불행에 놓였던가를 상기해 보라! 모든 희망이 꺼지고 온갖 대립과 모순과 고통이 하나로 모여드는 지점, 세상에서 가장 깜깜한 절망의 그늘에서 서우는 창대한 희망의 화살을 쏘아 올렸다. 그가 쏜 화살은 지금도 창공을 가른다. 문명 진화의 빛을 담은 살이니, 수백 년은 족히 날고도 남음이 있으리라.

시대의 패러다임을 근원에서 바꾸는 철학이야말로, 절망의 끝자락에 선 철인이 현실에서 기대하는 마지막 희망인지 모른다. 잔인한 약육강식의 정글에 던져진 약소국 노魯나라 출신의 공자, 그 역시 오십의 나이에 길을 떠나 당시로선 무모하기 그지없던 '인仁'의 이상을 펴고자 천하를 동분서주하지 않았던가?

하여 그가 쏜 살촉이 달그림자를 뚫고 하늘의 장막을 열 때, 비로소 새로운 문명의 서광이 어둠 속에 밝아오기 시작했다. 공자는 그렇게 동아시아 2천 년 유교문명의 벽두를 열었다. 이처럼 새벽빛은 언제나 극한의 어둠을 뚫고 나온다.

19세기 말 해와 달이 빛을 잃고 천지의 어두운 그림자가 조선의 산하를 뒤덮었을 때, 연담蓮潭 이운규李雲奎가 천지의 마음을 담은 경구를 남겼다. "그림자가 하늘 한가운데 달을 움직인다(影動天心月)."[9] 달무리가 흔들리고 달빛이

---

8. 故余敢斷然, 宇內之息兵平和, 統一世界之瑞光, 其必在此乎! 其必在此乎! 其亦天意哉! 造化精神, 不亦在傍乎. 『통편』, 25쪽.
9. 연담 이운규가 김일부金一夫에게 "그림자가 하늘의 달을 움직인다(影動天心月)"는 메타

희미해질 무렵, 비로소 새로운 문명의 새벽이 밝아올 것이다.

그리고 전병훈이 다시 우주의 그늘에 섰다. 그의 호 서우曙宇처럼, 진화하는 인류 정신의 빛을 담아 '우주의 새벽을 여는' 화살을 쏘아 올렸다. 그리고 칠흑 같은 어둠을 지나 백 년을 날아온 살촉이 지금 우리, 바로 당신 눈앞에서 하늘의 장막을 가른다.

전병훈은 사해동포주의를 창도했다. 그는 평생토록 도를 구하고 실천해서 마침내 "온 누리가 일가가 되는" 정신적 깨달음에 도달했으며, 기화氣化의 우주론을 토대로 전 인류는 물론 천지만물이 모두 동포형제라는 철학적 세계관의 근거를 세웠다.

서우의 사해동포 철학은 흔히 세계주의·세계시민(만민)주의 등으로 번역되는 서구의 코즈모폴리터니즘cosmopolitanism과 조우하지만, 또한 그 결을 달리한다. 그는 같은 시기의 동아시아는 물론, 세계적으로도 매우 독특하고 창의적인 사해동포주의의 지평을 열었다.

그것은 개항기 조선 지식인의 문명개화에 대한 낙관적인 희망, 제국주의 열강의 침략과 전쟁에 대한 피식민지 주변부의 인식, 18세기 유럽 계몽주의 시대에 이성의 보편성을 근거로 칸트 등이 주창한 세계국가의 이상, 도교 내단학의 기화론적 우주관과 생명관, 유교의 대동사상, 한국 고유의 홍익인간 사상 등이 어우러져 하나로 용해된 철학체계를 구성했다.

동시에 그것은 하나의 신(유일신)의 섭리로 지배되는 세계를 상상하는 종교적 세계형제주의, 제국주의 단계에서 서구와 일본이 약소국을 침략하고 억압하며 세계지배를 정당화하던 세계주의나 대아시아주의, 이성의 보편성에 동양을 포함하지 못했던 (심지어 칸트와 헤겔, 마르크스 등을 포함하는) 서구의 오리엔탈리즘, 그리고 최근에 자본의 초국가적인 독점과 이동을 토대로 세계시장의 통합을 가속화하는 글로벌화 등과는 문법을 달리한다.

이런 팽창적 세계주의는 특정한 종교·패권·지역(국가)·자본에 의한 세계지

포로『정역正易』의 실마리를 던졌다고 한다. 시인 김지하는 이를 "그늘이 우주를 바꾼다"고 번역했다.

배를 획책하고 정당화하며, 지구적 수준에서의 불평등과 예속을 강화시킨다는 비판이 있다. 한데 서우는 그런 세계주의조차 긍정과 부정의 양면을 모두 갖고 있는 과정으로 파악했다. 서우의 문법에 따르면, 세계화의 부정적인 양상도 결국은 인류가 영구히 평화와 복락을 누리는 하나의 지구촌으로 진화하는 전조前兆로 해석되었다. 즉 패권을 추구하는 분규와 전쟁이 결국은 세계적 규모에서 항구적 평화를 이끌어내는 전기가 된다. 또한 온 세계가 물질을 추구하지만, 그 극치에서 정신의 가치를 높이 사는 문명으로 혁신하게 될 것이라고 낙관했다.

그의 조국이 부정적 세계주의의 희생양으로 피식민지가 되어 근대 민족(국민)국가 건립의 대열에서 일시적으로 이탈함으로써, 서우는 역설적으로 한층 보편적이고 진보(이상)적인 사해동포주의의 지평을 열게 된다. 세계와 아시아 전역으로 제국주의 지배를 확장하려던 구미 각국과 일본, 아시아의 맹주로서 중화의 옛 패권을 부흥하려는 중국에서는 싹트기 어려운 보편적 인류애의 철학을 꽃피운 것이다.

그러므로 그가 조국의 독립과 자결自決을 소망하는 동시에 세계의 통일을 말하고, 단군을 위시한 민족문화의 우수성을 선양하면서도 사해동포의 비전을 제시하는 것이 모순되지 않는다. 또한 그는 근대 물질문명의 극한에서 반드시 새로운 정신문명으로 반전한다고 확신한다. 이런 반전反轉의 사상에서, 서우는 영구평화의 통일세계를 낙관했다.

패권주의적 세계질서를 주도하던 강자(열강)의 관점에서라면, 그것은 약자의 이상주의로 보일 수 있다. 하지만 그런 세계질서의 엄연한 일부를 이루는 주변부 피해자(약소국, 피식민지)까지 망라하는 지구촌 전체의 지평에서 보자면, 전병훈의 사해동포주의야말로 한층 더 공정하고 보편적인 시야를 확보했다고 말할 수 있다.

어쨌든 사해동포의 인류애는 서우의 정신·심리·도덕·정치철학 전편을 관통하는 주제이다. 또한 그가 제안하는 문명진화의 향방을 결정짓는 관건 가운데 하나이다. 앞으로도 각 편장에서 계속 그 내용과 논리를 살피게 될 것이므로, 여기서는 일단 이 정도에서 논의를 접기로 하자.

2. 기화론의 정신학, 그 사상사의 계보

주의 깊은 독자라면 전병훈이 도교 내단학, 더 나아가 고대 기화론氣化論의 세계관에서 철학의 영감을 얻었다고 앞서 말했던 것을 기억할 것이다. 그가 재홍한 기화론은, 단지 도교 내단학의 이론을 답습하는 수준이 아니었다.

그는 동아시아 중세의 지배질서와 이념을 넘어, 정신의 고대적 근원으로 돌아가고자 했다. 그리고 거기서 기화론의 세계관과 인생론을 재발견했다. 기화론은 그만큼 연원이 오래되고, 또 고대에 널리 성행한 이론이었다. 이를 이해하기 위해, 우선 '정신' 개념을 중심으로 기화론의 사상사를 개략적으로나마 살피기로 하자.

중국에서는 춘추전국시기 문헌에 이미 정기학설의 흔적이 널리 보인다. 우선 『노자』 21장(이하 통행본 기준)에서 도道에 관해 묘사하며 말했다. "황홀해라! 그 가운데 형상(象)이 있구나. 황홀해라! 그 가운데 물질(物)이 있구나. 그윽하고 아득(어둑)해라! 그 가운데 정精이 있구나. 그 정이 심히 참되고(眞), 그 안에 믿음(信)이 있다."[10]

후대에 많은 주석가들이 이를 우주만물의 근원인 도에 정기가 잠재한다는 의미로 해석했다. 그것이 노자의 본뜻인지는 여전히 논란거리다.[11] 그러나 『노자』의 몇몇 구절이 훗날 기화론의 전개에 큰 영향을 끼쳤다는 사실만큼은 이론異論의 여지가 없다. 노자가 기의 작용으로 우주와 인생을 설명했던 것은

---

10. 道之爲物, 惟恍惟惚, 惚兮恍兮, 其中有象, 恍兮惚兮, 其中有物. 其精甚眞, 其中有信. 통행본 『老子』 21장.
11. 곽점에서 출토된 초간본에는 통행본 『노자』 21장의 내용이 보이지 않고, 이보다 약간 뒤의 백서본에는 '精'이 '請'으로 표기돼 있다. 여기서 '請'이 '精'과 통하는 글자라는 게 학계의 중론이지만, 지금으로서는 이 구절이 비교적 후대에 첨부되었을 가능성도 배제하기 어렵다.

분명하다. 한 예로, 『노자』의 우주생성론을 대표하는 유명한 구절에 '중기中氣(혹은 沖氣)' 개념이 보인다.

> 도가 하나를 낳고, 하나가 둘을 낳으며, 둘이 셋을 낳는다. 셋은 만물을 낳으니, 만물은 음陰을 등에 지고 양陽을 끌어안으며, 중기中氣로 조화를 이룬다.[12]

비록 『노자』 판본에서 가장 오래된 곽점郭店 초간본에 이 구절이 없지만, 대신 『노자』와 쌍으로 출토된 『태일생수太一生水』에 더 확실한 우주론적 기론의 언명이 보인다. "아래는 흙이니 '땅'으로 부른다. 위는 기气니 '하늘'로 부른다. '도' 역시 그 별명이다."[13] 단적으로 말해, 기氣와 천天과 도道가 결국 같은 대상에 대한 다른 표현일 뿐이라는 이야기다.

한데 이런 단구短句가 뭐 그리 대단하냐고 의아해할 독자가 있을 것이다. 사실 말인즉 간단하다. "하늘이 곧 기이며, 기가 또한 도"라는 것이다. 그런데 이렇게 간명한 명제에 실로 간단치 않은 의미가 함축돼 있다. 이 단구는, 중국 전국시대의 기론적 자연천 사상을 고도로 함축한 아포리즘aphorism이기 때문이다.

『태일생수』는 곽점의 발굴로 1992년에야 비로소 세상에 알려졌다. 그리고 얼마 지나지 않아, 곧 고대 도가의 우주론을 담은 고적으로 공인되었다.[14] 그것은 『노자』 죽간본과 함께 출토돼 노자의 철학을 보충한다. 그러므로 『노자』의 위에서 언급한 우주생성론, 그리고 "마치 하느님보다 앞서는 듯한"[15] 도道에 대한 언명을 기론적 자연천 사상의 문맥에서 이해할 수 있도록 돕는

---

12. 道生一, 一生二, 二生三, 三生萬物. 萬物負陰而抱陽, 中氣以爲和. 백서본 『老子』 5장. 통행본 『노자』 42장에 해당하며 여기서는 '中氣'를 '沖氣'로 표기한다.
13. 下, 土也, 而谓之地. 上, 气也, 而谓之天. 道亦其字也. 『太一生水』(荆門市博物馆, 『郭店楚墓竹简』, 文物出版社, 1998).
14. 『태일생수』의 많은 내용이 흥미롭게도 전병훈의 기화우주론과 합치한다. 그것과 전병훈의 기화우주론과 비교 검토는 아래 절에서 진행한다.
15. 道 …… 吾不知誰之子, 象帝之先. 통행본 『老子』 4장.

다.(66쪽 "하늘에 대한 세 가지 사유" 참고.)

한편 『노자』의 모든 판본에서는 덕이 두터운 사람을 갓난아기에 빗대 말한다. "(갓난아기가) 암수의 교합을 모르면서도 발기하니, 정精의 지극함이다."[16] 즉 '정'이 생명력의 근원이라는 생각을 담고 있다. 또한 "순수한 기를 응취해 부드러움에 이르기를 갓난아기같이 할 수 있겠는가?"[17]라고도 한다. 생명의 본질이 곧 "순수한 기의 응취(摶氣)"[18]에 있음을 암시한다.

이런 사례에서, 노자 혹은 노자 시대 사람들이 이미 '정'과 '기'를 천지만물과 인간 생명의 근원으로 파악했음을 알 수 있다. 전병훈은 이런 노자철학을 기화론의 문맥에서 적극적으로 해석했다. 예를 들어, 『노자』 2장에 "유有는 만물의 어머니를 일컫는다"는 구절이 있다. 이에 대해 전병훈이 부언한다. "어머니에게 음식을 구하듯 공기가 생물의 어머니가 되니, 마땅히 공기를 먹어야 한다고 말한 것이다."[19]

여기서 '공기를 먹는다'는 것은 곧 공기를 호흡해 우주의 정기를 취한다는 뜻이다. 다시 말해, 공기 안에 포함된 우주의 정기가 곧 노자가 말한 '있음(有)'이다. 그것이 모든 생명의 근원이다. 그러므로 어머니에게 먹을 것을 구하듯, 정기를 호흡해야 한다고 말하는 것이다.

위에서 인용했던 『노자』 21장을 다시 상기해 보자. "황홀해라! 그 가운데 형상이 있구나. 황홀해라! 그 가운데 물질이 있구나. 그윽하고 아득해라! 그 가운데 정精이 있구나. 그 정이 심히 참되고, 그 안에 믿음(信)이 있다."[20] 전병훈

---

16. 含德之厚者, 比於赤子. …… 未知牝牡之合朘怒, 精之至也. 『老子』 통행본 55장; 백서본 18장; 곽점본(甲本) 3장.
17. 槫(摶)氣至(致)柔, 能嬰兒乎? 통행본 『老子』 10장.
18. "박기摶氣"는 『관자管子·내업內業』에도 보이는데, 방현령房玄齡은 주註에서 "순수한 기氣를 모으면 변화하지 못하는 바가 없다(結聚純氣, 則無所不變化)"고 말한다. 『管子·內業』(諸子集成本, 上海書店, 1991년 6차 인쇄), 271쪽.
19. 『道德經』曰 "有名萬物之母", 求食於母. (空氣爲生物之母, 言當求食空氣云也.) 『통편』, 49쪽.
20. 道之爲物, 惟恍惟惚, 惚兮恍兮, 其中有象, 恍兮惚兮, 其中有物. 其精甚眞, 其中有信. 통행본 『老子』 21장.

은 거기서 '형상'과 '물질'이 곧 진기眞氣이며, '정'과 '믿음'은 각각 진정眞精과 진신眞神을 가리킨다고 해석했다.

여기서 말하는 진정·진기·진신은 곧 우주 본연의 정·기·신이다. 한편 『노자』 59장에 "깊이 뿌리박는 것이 장생구시長生久視의 도다"라는 구절이 있다. 전병훈은 그것이 사람에게 품부된 우주의 정·기·신을 운용해 응결하는 원리라고 명언했다. "무릇 정을 단련해 기로 변화시키며, 기가 변해 신이 되고, 신으로써 기를 제어하니, 기가 이로써 신으로 돌아간다. 신과 기가 응결해 심히 견고해지니, 그러므로 능히 장생구시 할 수 있다."[21]

전병훈은 상고시대부터 전해진 정신학을 노자가 한층 상세히 밝혔다며, 그것이 '금단金丹철학'이라고 했다. 그에 따르면 '금단'은 선천 태극의 건금乾金이 사람에게 부여돼 성명性命을 이루는 것이다. 한편 '단'은 곧 심心이 되기도 한다. 하지만 지면 관계상, 그 자세한 메커니즘은 이어지는 「정신철학」과 「심리철학」 장에서 논하기로 하자.

여하튼, 서우가 말하는 '금단'은 단순한 연단 술법상의 용어를 넘어선다. 그것은 내단학의 문맥에서 우주론과 인생론 전반을 관통하는 개념으로 의미가 확장됐다. 그가 노자철학을 금단철학으로 부르는 것도 그런 연장선에 서 있다. 서우의 문법에서 보다 완곡하게 말하자면, 노자철학을 '정신철학'으로 읽으려는 시도였다고 번역할 수 있다.

이런 문맥에서 전병훈은 "동양철학의 여러 학파가 노자를 단지 순수한 철학으로만 여길 뿐, 그것이 금단철학이 되는 이치를 탐구하지 않는다"고 지적한다. 그리고 이로 인해 "정신에 관한 학설이 서양철학과 같아졌다"고 논평한다.[22] 이는 지식인들이 유교적 해석이나 서양철학의 순사변적인 논리를 따르

---

21. "道之爲物, 惚兮恍兮, 其中有象. 恍兮惚兮, 其中有物. 窈兮冥兮, 其中有精. 其精甚眞, 其中有信." "深根固蒂, 長生久視之道."(老子, 爲第三番進化) 謹按 此云有象有物, 眞氣也. 有精, 眞精也. 有信, 眞神也. 夫煉精化氣, 氣化以爲神, 以神御氣, 氣以歸神. 神氣凝結深固, 故能長生久視也. 『통편』, 49쪽.

22. 即三代以上人人皆學, 所謂精神專學也. 後至老佛其法益詳. …… 是謂金丹哲學. 金丹是先天太極乾金賦人爲性命之理, 丹即心也. 然東哲諸家, 指老子以爲純正哲學, 而未

며, 『노자』를 기론의 견지에서 해석하기를 꺼리는 경향을 꼬집은 것이다.

백 년이 지난 지금의 연구수준에서 볼 때, 서우의 『노자』 해석을 전적으로 수용하기는 어렵다. 그러나 노자철학을 지나치게 추상적이고 사변적으로 해석하지 말라는 그의 지적은 여전히 유효하고 타당하다. 어쨌든 『노자』에서 단편적이나마 정과 기에 관해 언명하고, 그것이 고대의 기론적 세계관과 연관된다는 사실을 부인할 수 없기 때문이다.

기화론의 세계관을 한층 확실하게 보여주는 것은 『장자』이다. 장자가 말한다. "사람의 생명은 기가 모인 것이다. 기가 모이면 살고 흩어지면 죽는다.…… 그러므로 이런 말이 있다. '천하를 통틀어 하나의 기운(一氣)일 뿐이다.' 성인은 그러므로 '하나'를 귀하게 여긴다."[23]

전병훈의 정신철학에서 중요한 개념들, 즉 '일기一氣'라든가 '정신' 등이 『장자』에서 이미 거의 같은 문맥으로 언급되는 데 주목할 필요가 있다. 노자는 "무無에서 유有가 생긴다"[24]고 했다. 다소 모호한 이 언명을 장자는 "유형이 무형에서 생긴다"[25]고 구체화한다. 그리고 한 걸음 더 나가 "정신은 도에서 생기고, 형체는 정精에서 생기며, 만물은 다시 형체의 상호작용으로 발생한다"고 명언했다.[26]

쉽게 말해, 도→정신→형체→만물의 순서로 우주만물이 생성된다는 말이다. 그런데 앞서 "형체가 정신에서 생긴다"고 했으므로, 정신은 도와 마찬가지로 아직 무형의 상태라고 할 수 있다. 다시 묶어 굳이 나누자면, 도와 정신은 '무형'이고 형체와 만물은 '유형'이다. 그렇다면 "유형이 무형에서 생긴다"는 진술은, 결국 형체가 없는 도와 정신에서 형체가 있는 일체의 존재와 만물이 생겨난다는 의미가 된다.

究其爲金丹哲學, 則精神上所見, 亦與西哲同焉耳. 『통편』, 21쪽.

23. 人之生, 氣之聚也. 聚則爲生, 散則爲死. …… 故曰, "通天下一氣耳", 聖人故貴一. 『莊子 · 知北遊』.
24. 天下之物生於有, 有生於無. 통행본 『老子』 40장.
25. 有倫生於无形. 『莊子 · 知北遊』.
26. 精神生於道, 形本生於精, 而萬物以形相生. 『莊子 · 知北遊』.

그런데 이런 '정신'은 오늘날 사람들이 흔히 생각하는 것처럼, 육체나 물질에 대립되는 영혼이나 마음, 혹은 순수한 이성만을 함축하는 개념이 아니다. 그것은 정기를 가리키는 '정精', 그리고 신기神氣 혹은 신명神明 등을 의미하는 '신神'의 합성어이다. 그 의미를 이해하기 위해 다음 몇 가지 점에 주목할 필요가 있다.

첫째, 『장자』의 용례에서 '정'과 '신'은 연이어 단어를 이루기도 하지만, 또한 각각 떨어져 쓰이기도 한다. 예컨대 "정신이 도에서 생긴다(精神生於道)"고 하고, 바로 이어서 "형체는 본래 정에서 생긴다(形本生於精)"고도 한다. 이는 '정신'이 하나의 완결된 단어라기보다, 정과 신의 결합어라는 것을 잘 보여준다. 그런데 앞서 이미 말했듯, "형체가 정에서 생긴다"는 것은 '정'이 아직 무형無形이라는 의미다.

물론 도道 역시 무형이다. 이를 우주발생론의 차원에서 다시 말해 보자. 무형의 도에서 아직 무형인 정과 신이 생긴다. 거기서 다시 형체가 나오며, 만물이 생성된다. 이때 처음 생기는 형체가 곧 하늘과 땅이다. 하지만 '정'과 '신'은 아직 천지마저 생기기 전, 태초의 우주에 이미 내재한다.

이게 무슨 뜻인가 하면, 천지가 개벽하기 이전에 원시혼돈 상태의 우주에 이미 정기와 신기가 가득 차 있었다는 말이다. 여기서 정기와 신기는 본질적으로 다른 것이 아니고, 단지 기의 서로 다른 상태라고 할 수 있다. '정'은 기의 아주 정미精微한 것이고, '신'은 기의 작용이 헤아릴 수 없이 신묘神妙하고 밝은(神明) 것을 가리킨다.

서양에서라면, 천지창조 이전부터 이런 정신이 신(God)이나 이성(Logos) 같은 초월적 존재자로 세계 밖에서 어슬렁거릴 것이다. 하지만 동아시아의 지적 전통에서, 그것은 태초부터 우주에 편재하는 무형의 에너지다. 그로부터 마침내 형체를 가진 천지와 만물이 생성된다.

둘째, 『장자』와 거의 동시대에 '정신'이 정기와 신기의 합성어로 쓰인 용례가 많이 발견된다. 예를 들어 『관자』의 사례들이 유명하다. 『관자』에서 말한다. "그것을 얻으면 반드시 살고, 잃으면 반드시 죽는 것은 무엇인가? 오직 기일 뿐이다."[27] "기는 몸을 채우는 것이다."[28]

특히 『관자』는 정을 "기의 정미한 것(氣之精者)"[29]이라고 명시한다. 신은 "그 극한을 알 수 없으며, 천하를 훤하게 알며, 사방의 끝까지 통하는 것"으로, 인식작용을 하는 '의식에너지(意氣)'로 정의한다.[30] 그리고 다시 '응결된 기(摶氣)'가 신과 같으며, 그것은 곧 '정기의 극치(精氣之極)'[31]라고 명언한다.

이렇듯 정과 신은 전국시기에 이미 정미하고 신묘한 기, 또는 그 작용을 가리키는 개념으로 널리 쓰였다. 급기야 "기가 통해 살고, 살아 있어 생각하며, 생각하여 안다"[32]고 하여, 인간의 생명과 사려를 결국 기의 작용으로 수렴한다.

다시 말해, "나는 기가 통한다. 고로 존재하고 인식한다"는 명제로 정립된다. 이는 서양 근대의 기본원리가 된 "나는 사유한다. 고로 존재한다"는 데카르트의 유명한 코기토Cogito, ergo sum를 완전히 뒤집는다. 즉 인간은 이성을 가지므로 존재하며 비로소 인간이 되는 것이 아니다. 기가 통하므로 존재하며, 비로소 사유하고 살아갈 수 있는 것이다.

게다가 『관자』는 이렇게까지 말한다. "생각하고 생각하며, 다시 거듭거듭 생각해도 통달하지 못하면, 귀신이 이를 통달시켜 준다고 한다. 그러니 이것은 귀신의 힘이 아니라, 정기의 극치다."[33] 신의 계시니 신탁神託이니 하는 것이, 결국 인간 생명 안의 정신의 활동이라고 명언하는 것이다.

이처럼 기론은 외재하는 신에게 의존하는 서구 신학, 혹은 관념론적 철학에서 상상하기 힘든 문법으로 인간 영성의 지평을 확장했다. 이런 이론을 흔히 '정기학설'이라고 한다. 전국시대 도가道家 황로학파黃老學派의 작품인 『관자』

27. 得之必生, 失之必死者, 何也? 唯氣. 『管子 · 樞言』.
28. 氣者, 身之充也. 『管子 · 心術下』.
29. 精者, 氣之精者也. 『管子 · 內業』.
30. 神莫知其極, 昭知天下, 通於四極. …… 是故意氣定然後反正. 『管子 · 心術下』.
31. 摶氣如神, 萬物備存. …… 精氣之極也. 『管子 · 內業』.
32. 氣, 道(通)乃生, 生乃思, 思乃知. 『管子 · 內業』.
33. 思之思之, 又重思之, 思之而不通, 鬼神將通之. 非鬼神之力也, 精氣之極也. 『管子 · 內業』.

4편,[34] 『갈관자鶡冠子』 등에 그 정수가 담겨 있다.

그런데 주목할 것은, 기화론이 반드시 도가의 전유물이 아니었다는 사실이다. 그것은 추연鄒衍을 필두로 하는 음양가陰陽家, 그리고 전국시기에 방선도方僊道로 불린 신선가의 방술에서 또한 비약적으로 발전했다.[35] 특히 천문과 역법, 의학·약학·신선술 등과 결합된 음양오행설이 확립돼 기론의 역사에서 획기적인 전기가 마련됐다.

이런 성과들을 토대로 진·한대에 우주만물의 궁극적 근원인 도를 곧 '원기元氣'로 보는 추세가 확고해졌다. 그리고 '기화氣化'가 우주론과 인생론의 주류 학설로 굳어진다. 『회남자淮南子』 등에서 또한 그 사상의 궤적을 살펴볼 수 있다.

이처럼 기화론이 성행하자 유가도 더 이상 이를 도외시할 수 없게 되었다. 그리하여 서한 초에 동중서董仲舒를 필두로 경학經學에 기화론을 접맥하기에 이른다. 하지만 이후에도 기화론의 주류는 여전히 도가였다. 서한 중엽 이후로 『노자하상공장구老子河上公章句』와 『태평경太平經』 등으로 대표되는 이른바 '황로도黃老道' 사조에서 정기학설을 발전시켰다.

특히 『태평경』에서 원기가 정·기·신으로 분화하고, 그 조화로 천지만물을 이룬다는 삼합삼통三合三通설을 체계화했다. 이는 훗날 도교 내단학의 정·기·신 학설에 지대한 영향을 끼쳤다. 동한 말에 오두미도 등이 먼저 황로도를 계승해 교단 도교의 성립을 가져왔다.[36]

이어서 위진남북조시대에 『포박자抱朴子』를 저술한 갈홍葛洪을 비롯해, 육수정陸修靜, 도홍경陶弘景, 구겸지寇謙之 등의 저명한 학자와 도사가 출현해서 도교의 이론과 체제를 정비했다. 또한 당에서 송에 이르기까지 도교가 전성기를 구가하고 내단학설이 체계화되면서, 기화론과 정기신론 역시 정교하게 다듬어졌다.

전병훈은 이렇게 형성되고 발전한 기론과 내단학의 전통을 토대로 '정신철

34. 『관자』의 「심술상心術上」·「심술하心術下」·「백심白心」·「내업內業」 4편을 가리킨다.
35. 김성환, 「秦漢의 方士와 方術」, 도교문화학회, 『도교문화연구』 제14집 (2000).
36. 金晟煥, 『黃老道探源』(中國社會科學出版社, 2008) 참고.

학'을 정립했다. 그러므로 그가 단지 도교 내단학의 이론가였다고 섣불리 단정하면 오산이다. 이른바 내단학, 심지어 도교의 성립 훨씬 전에 기화론과 정신학설이 이미 발생해 성행했으며, 전병훈은 이런 철학사상의 연원에 대해 놀라울 정도로 분명하게 인식하고 있었다.

더욱 중요한 것은, 서우가 기론氣論에서 동아시아 철학의 근원적 정신을 발견했다는 사실이다. 근대 계몽주의 철학자들이 유럽의 중세를 극복하기 위해 고대철학의 정신으로 돌아갔듯이, 그 역시 동아시아 중세의 병폐를 치유할 영감을 얻고자 고대의 기론으로 돌아갔다. 그는 고대의 도가사상, 특히 정신학설이 모든 학파를 포용하고 통합했던 점에 주목했다.

> 동아시아의 학문은 공자에 이르러 비로소 학설이 있게 되었다. 경전에서 논하는 바는, 천도天道에 기인하여 인사人事를 밝히지 않는 바가 없었다. 일상의 쓸모에서 제도준칙·정치·교육·경세經世의 방법까지 망라해 갖추지 않은 바가 없었다. 그러나 사마천이 말했다. "도가는 명가와 법가를 통합하고, 유가와 묵가를 묶으며, 음양가와 합치한다. 무위하면서도 하지 않음이 없고, 그러므로 도가는 포용하지 못하는 바가 없다."
> 학문이 송나라의 유학(理學)에 와서야 비로소 심성心性과 이기理氣의 논의가 있었다. 거의 철학사상에 가까웠으나, 이를 '철학'의 이름과 뜻으로 호명한 사람이 없었다. 그러니 하물며 도가야말로 전적으로 정신의 철리哲理였다는 것을 다시 누가 능히 간파했겠는가?((유교) 경전 가운데 정신을 말하는 곳이 없으니, 정신학이 황폐한 지 이미 오래되어 애석하도다.)[37]

37. 東亞之學至孔子始有學說, 經傳所論, 無非因天道以明人事. 自日用·彝則·政治·教育·經世之法, 罔不悉備也. 然司馬子長云 "道家統名法, 綜儒墨, 合陰陽, 無爲而無不爲. 然則道家可謂無所不包." 而學至宋儒始有心性理氣之論, 殆是哲學思想, 而未有人唱明以哲學名義. 況復道家專是精神哲理者, 誰能看破耶?(經傳中未有言精神處, 惜精神學廢已久矣.) 『통편』, 21~22쪽.

윗글에서 사마천司馬遷이 도가에 관해 설명하는 내용은 『사기史記·태사공자서太史公自序』에 보이는 "육가의 요지를 논한다(論六家要旨)"라는 글에서 인용한 대목이다. 그런데 이 글은 사마천의 창작이 아니라, 그의 아버지 사마담司馬談이 남긴 유고를 옮긴 것이다.

이들 사마씨 부자는 도가에 대해 "선진시기의 모든 학파를 포괄하며 무위하면서도 하지 않음이 없고 포용하지 못하는 바가 없다"는 취지로 평론했다. 그것은 사실상 전국시대부터 한초까지 유행한 황로학의 주된 특징을 진술한 다. 그리고 위의 인용문은 오늘날 도가와 황로학 관련 연구서에서 거의 빠짐없이 등장할 정도로 유명해졌다. 하지만 돌이켜 보면, 이렇게 된 것이 그리 오래된 일은 아니다.

지금도 여전히 그렇게 아는 사람이 많지만, '도가' 하면 의례히 노자와 장자를 아울러 칭하는 '노장' 정도를 의미했다. 황제와 노자를 병칭하는 '황로' 개념이 선진과 한대의 문헌에 간간이 보임에도 불구하고, 오랫동안 그 실체에 관해 알려진 바가 거의 없었다. 또 주목하는 이도 드물었다. 대신 학자들은 위진남북조시대에 『노자』를 주석했던 왕필王弼(226~249)과 『장자』를 주석했던 곽상郭象(252?~312) 등의 현학玄學적 해석을 선호했다.

이 시기의 현학은 한대까지 성행했던 기론적 세계관에 회의적이었다. 또한 사변적인 불교 이론의 영향을 받아, 대개 추상적이고 관념적인 문맥에서 노장을 해석했다. 그것이 도가의 대표적인 학설로 후대까지 통용되었다. 앞서도 말했듯이 전병훈이 "동양철학의 여러 학파가 노자를 단지 순수한 철학으로만 여길 뿐"이라고 한 데는, 이런 추세도 포함된다.

반면 전병훈 당시만 해도 '황로'는 단지 도교 일각에서 운위될 뿐, 학자들에게 거의 잊힌 이름이나 마찬가지였다. 그런데 이런 고대의 황로학을 망각의 늪에서 건져내는 획기적인 사건이 1970년대 중반에 발생했다. 1973년 마왕퇴馬王堆 3호 한묘漢墓에서 백서帛書에 쓰인 『노자』와 이른바 『황제사경黃帝四經』(『황제서黃帝書』로도 칭함)이 출토됐다. 그것은 이내 중국뿐만 아니라 세계 학계의 뜨거운 감자가 되었다. 이로써 '황로'가 근 2천 년 만에 중국철학사에 요란하게 부활했다.

그 뒤로도 1993년 곽점郭店에서 마왕퇴 백서보다 앞선 죽간竹簡『노자』와 『태일생수』가 출토됐다. 1994년에는 홍콩의 한 골동품시장에서 흘러들어 상하이박물관에 소장된 전국시기 죽간(上海博物館藏戰國楚竹書)이 학계에 보고됐다. 거기에도『항선恒先』과『팽조彭祖』같은 도가(황로학) 계통의 전적이 포함됐다.

여기서 그 자세한 내용을 다 설명하는 것은 물론 가능하지 않다. 하지만 최근 반세기 동안 축적된 그간의 학문적 성과는, 거의 예기치 않게 전병훈의 통찰이 시대를 앞선 탁견이었음을 입증한다. 전병훈은 "도가야말로 전적으로 정신의 철리였다"고 했다. 여기서 그가 말하는 '정신의 철리'는 오늘날 학계에서 말하는 '정기학설'에 다름 아니다.

마왕퇴의『황제사경』은 물론『태일생수』와『항선』·『팽조』등의 출토 문헌에 이르기까지, 비록 내용에 다소간의 출입이 있지만 큰 맥락에서 기론의 세계관과 정기학설이 현저한 것은 틀림없다. 위에서 이미 설명한 '정'과 '신' 등의 기론에 정기학설의 정수가 집약돼 있다. 더 나아가, 기론의 토대에서 정치와 윤리는 물론 법과 제도 그리고 자연질서와 역사까지 포괄해서 논의한다.

도가의 학설이 "명가와 법가를 통합하고, 유가와 묵가를 묶으며, 음양가와 합치한다"는 사마담의 평론은 곧 그런 문맥이었다. 따라서 돌이켜 보건대, 고대의 도가가 모든 학파를 포용하고 통합했다는 데 주목하고, 그것이 "전적으로 정신의 철리"였다고 평가한 전병훈의 통찰은 실로 시대를 앞선 탁견이었다.

한편 전병훈의 말처럼, 공자에서 비롯된 유학 역시 '하늘의 도'에서 '일상세상사'의 거의 모든 방면까지 논의를 확대하며 동아시아 중세 학문의 주류를 이뤘다. 특히 그것이 북송에 와서 이학理學으로 재편됐다. 한국에서 중등교육 이상의 평균적 교양을 습득한 사람이라면, 이런 사실을 모르는 사람은 드물 것이다. 비록 자세히는 아니라도, 이기론과 성리학설에 관해 한번쯤 들어보기는 했을 테니 말이다.

그러나 이학이 성립되기 훨씬 전에 전병훈이 말하는 정신학, 즉 고대의 정기학설이 일종의 보편이론으로 성행하고 발전했다는 사실을 아는 사람은 많지 않다. 심지어 전문학계조차 그 자세한 내용에 정통한 연구자가 드물다. 윗글에서 전병훈은 바로 이런 문제를 지적한다.

그가 말하듯이, 유학의 경우 송대에 와서야 비로소 이기와 심성의 논의가 생겨났다. 그런데 서우는 "도가야말로 전적으로 정신의 철리였다는 것을 다시 누가 능히 간파했겠는가?"라고 반문한다. 10세기 송대 성리학의 이기론에 앞서서, 근 천여 년 고대 도가에서 정립한 '정신'의 철학적 의미를 제대로 이해하는 사람이 드물다는 탄식이다. 전병훈은 이를 고대의 "정신학이 황폐한 지 이미 오래된" 일련의 추세로 파악한다.

물론 서우의 이런 평론은, 이른바 '정신의 철리' 내지는 '정신학'을 너무 강조한다는 반론에 직면할 수 있다. 이 역시 가능한 비판이다. 고대 정기학설에 대한 평가는 옳고 그름의 문제라기보다, 각각 생명가치와 사회가치를 우선하는 도가와 유가의 철학적 견해 차이, 혹은 도가 안에서도 황로학과 현학처럼 보는 관점에 따라 논쟁이 수반되는 주제라고 할 수 있다.

그러나 이 글의 목표는 최대한 전병훈의 사유를 따라잡으며, 이를 해석하는 데 있다. 하니 그의 논지를 밀고 나가는 입장을 견지한다. 어쨌거나 분명한 사실은, 우리 학계가 균형 잡힌 철학사의 시각에서 고대의 정기학설을 공정하게 연구한다고 평가하기 어렵다는 것이다.[38] 게다가 전병훈의 말마따나, 중세 유교의 이념조차 실은 고대의 정신학에 청산할 수 없는 빚을 지고 있다.

유교 성리학의 골간을 이루는 무극·태극·음양·이기 등의 학설이, 실은 대부분 도교의 기론에서 고스란히 가져와 유교적으로 변용한 것이기 때문이다. 성리학 이기론의 결정적인 토대가 된 주돈이周敦頤의 『태극도설太極圖說』이 북송의 저명한 도사 진단陳摶에게서 나왔다는 것은 공공연한 통설이다.

북송 5대가(北宋五子)의 한 사람인 소옹邵雍은 이지재李之才에게 하락도서河

38. 오늘날 한국의 동양철학이 전반적으로 중세 성리학의 도덕과 가치를 옹호하는 도그마에서 얼마나 벗어났는지, 혹은 그것을 철학이라는 이름에 걸맞은 보편의 학으로 얼마나 승화시켰는지 묻지 않을 수 없다.

洛圖書와 선천상수先天象數를 배웠는데, 이지재 역시 진단에게서 이를 전수받았다고 알려져 있다. 뿐만 아니라 기론은 물론이고, 이기학설의 이理 개념조차 실은 고대 도가의 도道에 대한 해석의 한 갈래에 연원을 둔다는 사실이 최근 국제적인 연구에서 속속 밝혀지고 있다.

심지어 후대에 성리학을 지칭하는 용어로 사용된 '도학道學' 개념마저 원래는 도가의 산물이었다. 본래 '도학'은 선진 도가에서 한대의 황로학과 황로도, 위진현학, 그리고 도교의 신선양생술까지 포괄하는 용어였다. 3세기 위진남북조시대부터 수당 시기까지, 이런 의미로 도학 개념이 폭넓게 사용됐다.

반면 유가가 '도학'을 자임한 것은 비교적 후대의 일이다. 당 중엽의 한유韓愈에서 비롯돼, 10세기 이후 송대의 이학자들에 와서야 두드러진다.[39] 다소 거칠게 말해, 성리학에서 도가의 '도학' 개념을 슬쩍 가져다가 그게 본래부터 제 것이라도 되는 듯이 써왔던 셈이다.

하여 최근 중국학계에서는 유학에 대응하는 도가의 모든 학설,[40] 혹은 노자의 도론을 근간으로 하는 도가·도교·선학仙學의 모든 학설을 '도학道學'으로 칭하는[41] 등의 사례가 늘고 있다. 어쨌거나 여기서 도학의 원조 논쟁을 벌일 의도는 없다. 논의의 핵심은, 다만 전병훈이 말하는 정신학에 상당한 계보학적 연원이 있다는 것을 확인하는 데 있다.

이런 검토는 정신학의 기원과 전개에서 전병훈의 정신철학이 위치한 지점을 파악하는 데 도움을 준다. 그가 지적했듯이 고대의 정신학은 그 연원이 노자 이전까지 거슬러 올라간다. 따라서 서우가 이런 정신학의 전통을 재해석해 이른바 '정신철학'으로 재창조하려고 한 것은, 철학사의 전개에서 볼 때 분명한 근거가 있는 시도였다.

---

39. 김성환, 「道學·道家·道教, 그 화해 가능성의 재조명」, 한국도교학회, 『도교학연구』 제16집 (2000).
40. 장리원張立文 등이 도학에 대해 내린 정의다. 張立文 外, 『道學與中國文化』(人民出版社, 1996), 2쪽.
41. 胡孚琛·呂錫琛, 『道學通論－道家·道教·仙學』(社會科學文獻出版社, 1999), 7쪽.

또한 고대 정신학의 유산이 중세의 이념에 상당한 수준으로 전해졌음에도 불구하고, 그것이 도덕엄숙주의 문맥의 유교 성리학으로 변용되고 뒤틀리는 과정에서 정신학 본연의 활달함과 실질을 거의 상실했다는 점도 유념할 필요가 있다. 전병훈이 유교 성리학의 중세이념을 넘어, '정신'의 근원을 향해 철학적 모험을 떠나려고 했던 이유 가운데 하나가 거기에 있다.

하늘에 대한 세 가지 사유: 상제천上帝天·의리천義理天·자연천自然天

시인 고은의 말처럼 "인간은 지구상의 생물임에도 거의 근원적으로 하늘에 눈을 돌려 왔다."[42] 지금도 그렇지만, 아득한 예로부터 '하늘(天, heaven)'은 실로 무한한 인문적이고 종교적이며 신화적인 상상을 불러일으키는 장소였다.

그곳은 형이상形而上과 이데아idea와 진리(天理)와 신(上帝, God)의 영역이다. 거기에는 윤리(天倫)가 있고, 기강(天綱)이 있으며, 법(天法)이 있다. 하늘에서 내리는 명령(天命)이 있고, 상(天償)이 있고, 벌(天刑)이 있고, 꾸짖음(天責)이 있고, 용서(天赦)가 있다.

또한 거기에는 나라(天國)가 있고, 왕(天王)이 있고, 관부(天曹)가 있고, 사신(天使)이 있으며, 군대(天軍)가 있다. 아버지(天父)가 있고, 사람(天人)이 있고, 아수라와 귀신(天鬼)이 있고, 신령(天靈)이 머물며, 조상신이 산다.

하늘에는 산(天山)이 있고, 강(天河)이 있고, 용(天龍)과 봉황(天鳥)이 날고, 꽃(天華)이 핀다. 한편 그것은 과학적 상상의 장소이기도 하다. 하늘은 에테르이고, 빛이고, 암흑이고, 공기이고, 원소다. 그것은 공간이고, 시간이고, 수리고, 물리이며, 천문이다.

이런 하늘의 존재와 본질, 작용에 대한 끝없는 상상이 인간의 두뇌 안에서 불꽃을 일으키며 우주에 대한 인식이 확장돼 왔다. 그런데 문명이 온갖 이상과

42. 「고은과의 대화」, 『경향신문』 2012년 6월 8일.

몰락 그리고 희망과 비탄의 복합체이듯, 하늘에 대한 상상 역시 야누스의 두 얼굴을 하고 있다. 거기에 무한한 자유와 지혜로 통하는 길이 있는가 하면, 또한 온갖 속박과 협잡으로 얼룩진 굴레가 널려 있다.

문명이 태동한 이래, 하늘을 빙자해 세속적 권력을 종교와 도덕으로 정당화하려는 욕망이 함께 성장했다. 이와 관련해, 일찍이 동아시아에서는 상商나라(BC 1600~1046)에서 세상 모든 것을 주재하는 절대적인 권능을 가진 '상제의 하늘(上帝天)'을 상상했다. 그리고 뒤이은 주周나라(BC 1046~256)에서 인간의 도덕성과 규범의 근거인 '의리의 하늘(義理天)' 관념이 출현했다는 것은 잘 알려진 사실이다.

그런데 "하늘이 곧 기이며 그것이 곧 도"라는 『태일생수』의 언명은, 하늘이 자연의 일부이며 그 본질이 곧 기라고 보는 '자연의 하늘(自然天)' 관념을 표현한다. 이런 '자연천'이 소박한 자연현상에 대한 고대인의 인식이며, 하늘의 의지와 도덕성에 대한 자각을 결여했다는 식의 설명이 꽤 널리 유포되었다. 그러면서 하늘에 대한 고대 동양인의 관념이 자연천·상제천·의리천의 순서로 발전했다고 한다.

그러나 이는 사실과 다를뿐더러, 자칫 의리천이 동양에서 가장 최종적으로 발전한 하늘 개념이라는 오해를 불러일으킬 수가 있다. 이런 설명의 배후에는 대개 유교의 천명론과 도덕관념을 정당화하려는 과잉해석의 욕구가 작동한다. 하지만 실상은 그렇게 간단치 않다.

흔히 기원전 11세기의 서주 초에 주공을 필두로 의리천 개념이 발명됐다는 견해가 지배적이었다. 그러나 최근의 고고학 연구에 따르면, 주 왕조는 건립 후 두 세기 동안 근본적으로 상 왕조를 계승했다. 그러다가 서주 중기의 인구 증가와 분족分族에 따른 제사체계 단순화 등의 필요에서, 기원전 850년 무렵에야 이른바 '의례개혁(Ritual Reform)'을 거쳐 비로소 새로운 의례규범이 형성됐다. 왕의 지배권이 더 이상 초자연적 힘에만 의존해서 나오는 것으로 여겨지지 않아, 군주의 종교적 권위는 사적 성격이 약해지고 보다 추상화됐다.[43]

또한 기원전 6세기경 동주東周 시대에 와서, 의례의 초점이 조상신령에서 현세의 의례공동체로 이전하는 이른바 '종교변용(Religious Transformation)'이 일어났다. 조상(하늘)이 제공하는 초자연적 원조보다는 후손 자신들이 의례적·정치적으로 올바른 행위를 하는 게 중요해졌다. 자기 수양을 강조하고, 제사를 조상에 대한 배타적 의무가 아닌 사회적 조화의 수단으로 보기 시작했다. 의심할 바 없이, 이는 유교적 의례의 확립을 향한 중대한 진일보였다.[44]

하늘이 지상의 도덕규범의 근원이라는 생각은 바로 이 시대의 소산이었다. 공자와 그의 제자들은 의례와 종교 관념상의 이런 경험을 자기들의 세대에 반드시 되살려야 하는 신성한 전통으로 간주했다. 그러나 춘추전국의 혼란기를 겪으면서, 이런 의리천이 현실에서 무력해졌고 그 효용성마저 의심받기에 이르렀다. 그러자 이와 전혀 다르게 생각한 사람들이 늘어났다.

그들은 주나라 중엽 이후 두드러진 의리천이, 하늘을 빙자해 사람들을 정치적·도덕적·규범적으로 통제하려는 허위적인 기제라고 생각했다. 그리하여 묵가墨家처럼 상제천에 다시 눈을 돌리는 사람들이 생겨났다. 그리고 또 다른 일군의 사상가들이 상제천과 의리천 대신 자연천에 주목했는데, 전국시기에 그것이 곧 기론의 일대 번성을 가져왔다. 주역과 노자가 그 선두에 있으며, 도가와 함께 음양가陰陽家 등의 유파가 그 이론을 발전시켰다.

이런 자연천 사상에서 기론이 발전했다. 절대권능을 가지고 세상 모든 것을 주재하는 상제(하느님)가 북극성에 거처하며 지상을 다스리는 장소로서의 하늘, 그리고 지상의 규범과 의례를 수호하는 추상적인 도덕의 수호자로서의 하늘 대신, '기氣'로써의 하늘이 강조되었다. 그렇다고 해서, 상제천이나 도덕천에서 말하는 하늘의 영험한 속성과 신묘한 작용을 전적으로 부인했던 것은 아니다.

즉 기론을 말했다고 해서, 하늘의 신령함·의지나 도덕성을 자각하지 못했거나 배제했던 것은 결코 아니다. 적잖은 사람들이 동양 고대의 기론을 서양 근

---

43. 로타 본 팔켄하우젠, 심재훈 옮김, 『고고학 증거로 본 공자시대 중국사회』(세창출판사, 2011), 219~221쪽.

44. 위의 책, 380쪽.

대 유물론이나 무신론과 비슷한 문맥으로 오해한다. 그리고 마치 서양철학에서 정신이나 형상(eidos)에 대응하는 순 물질적인 질료(matter)를 말하는 것처럼, 기 역시 그런 질료의 개념으로 설명하곤 한다. 그러나 이는 사실과 다를뿐더러 상반되기까지 한 진술이다.

대신 기론의 문맥에서 이렇게 말할 수 있다. 상제천에서 말하는 하늘의 신령함과 의리천의 도덕성이란, 실은 모두 기의 본성이며 그 작용이다. 다시 말해, 절대적인 권능을 가지고 하늘에서 세상을 주재한다고 사람들이 믿는 하느님(上帝), 그리고 악을 제거하고 선을 실현하며 천륜을 구현하는 하늘의 도덕적 의지란 게, 실은 알고 보면 모두 기이며 그 작용이다. 인간은 이런 우주적인 기의 화생化生이므로, 멀리 있는 상제나 형식적인 사회규범이 아니라 바로 자기 안에서 천신의 영험함과 도덕의 이법을 구할 수 있다.

이런 원리를 보다 명료하게 설명하기 위해서, 우주의 원초적인 기에서 인간과 만물이 생겨났음을 소상히 밝힐 필요가 생겼다. 여기서 기론적 우주발생론 내지는 우주생성론이 봇물을 이루듯 쏟아져 나왔다. 그것이 전국시기의 여러 문헌에 뚜렷한 흔적을 남기게 된다. 한편 음양오행설처럼, 자연질서는 물론 역사 발전을 포함하는 사회질서까지 망라해 기의 속성과 작용으로 설명하는 통합이론이 형성돼 크게 유행한다.

따라서 철학사상사의 흐름에서 볼 때, 전국시기의 기론적 자연천 사상이야말로 상제천과 도덕천의 역사적 경험을 극복하고 종합한 학설이라고 할 수 있다. 그러므로 유학자들이 흔히 상상하듯, 자연천·상제천·의리천이 하늘에 대한 관념의 역사적 발전단계를 반영한다는 주장은 완전히 잘못된 것이다.

단적으로 말해, 결코 그렇게 볼 수 없다. 당장 중국만 하더라도, 하늘에 대한 이런 관념들이 모두 아주 오래전에 싹터 여러 시대에 걸쳐 공존했다. 다만 역사적 조건과 민족지民族誌적 상황 등에 따라서, 그때그때마다 특정 관념이 두드러지는 사상사의 흐름을 형성했다.

큰 흐름상 말하자면, 상제천 관념이 일찍이 퇴조한 반면, 의리천과 자연천이 각각 유가와 도가(도교)에 의해 계승됐다고 할 수 있다. 하지만 비록 퇴조했다고 해도, 상제천 관념이 완전히 소멸했던 것은 아니다. 의리천과 자연천 관념 역시 엎치락뒤치락하는 가운데 서로 영향을 주고받았다. 그리고 한漢대 이후, 이 세 가지 천 관념이 한데 어우러져 중국문화의 독특한 기반을 형성했다.

게다가 동아시아 다른 지역으로 눈을 돌리면, 한국과 일본만 하더라도 사상사의 흐름이 중국과 달랐다. 하늘에 대한 관념 역시 독자적이었으며, 시대별로 중국과 일치하지 않는 천 개념이 유행했다. 중앙아시아나 서아시아 · 남아시아 등으로 가면 차이가 꽤 커지고, 시야를 서양이나 세계로 확대하면 더 말할 나위가 없다.

지금도 인류의 상당수는 하느님 내지 신(God)의 존재를 믿고, 또한 상당수는 신에게 의존하지 않고도 하늘의 신성함과 위대함에 참여하는 길을 알고 있다. 천문학자나 물리학자가 우주를 경외하고 인간의 미약함을 통찰하는 것이, 여느 종교인이나 윤리학자의 도덕적 자각보다 덜 숭고하다고 말할 수 없다.

그러므로 자연천 · 상제천 · 의리천을 역사발전 단계로 환원하는 것은, 단지 유교의 자의적인 해석일 뿐이다. 물론 특정 종교나 과학의 신봉자가 자기 관점을 보편의 기준으로 삼고 하늘을 사유한다면, 그 역시 편파적이기는 마찬가지겠지만 말이다.

3. 정신학의 기원, 시원과 근원의 신화

위에서 정신학의 사상사를 거칠게나마 살펴봤다. 그렇다고 해서 그런 논증 방식이 전병훈의 철학적 스타일이었던 것은 아니다. 다만 정신학의 전개에 대한 독자들의 이해를 돕고, 또한 전병훈의 사유를 따라잡지 못해서 생기기 쉬운 오해를 미연에 보완코자, 학계의 통설에서 크게 벗어나지 않는 수준에서 정기 학설의 흐름을 간략히 되짚었다.

그렇지만 그것이 정신학의 기원과 계보에 대해 충분한 정보를 제공한다고 장담할 정도는 아니다. 더구나 고대인의 정신세계에 대해, 우리는 여전히 아는 것보다 모르는 게 더 많다고 고백하지 않을 수 없다. 이른바 '실증'이나 '논증'은, 잘 모르는 가운데 그나마 일부를 증거나 논리로 증명하는 것이지, 모든 사실을 증명해 안다는 의미가 아니다.

비록 제한적이나마 문헌과 증거를 분석하고 논의하므로, 그래도 학문이라는 안전망과 권위의 보호를 받는다. 이런 논증적 연구가 충분한 근거도 없이 제멋대로 목소리를 높이는 주장보다 가치 있는 것은 물론이다. 하지만 아무리 엄밀한 논증에 토대를 두더라도, 한정된 정보로 과거의 사실들을 미뤄 짐작하는 추론에 의지하지 않을 수 없다.

따라서 실증이나 논증이 중요하지만, 논증을 통해 제시된 모든 가설에는 근본적인 한계가 있다. 그것은 언제나 과거에 대한 모종의 스케치이지 과거 그 자체가 아니다. 그림이 아무리 자연을 잘 반영하더라도 자연 그 자체일 수 없는 것과 같은 이치다. 이런 한계를 수긍하고 과거에 대한 우리의 근원적 무지를 겸허하게 받아들이는 것은, 철학사를 포함한 모든 종류의 역사적 연구자에게 요청되는 미덕이다.

더불어 논리와 논증만이 우리를 과거로 인도하는 유일한 통로가 아니라는 것도 인정해야 할지 모른다. 과거가 단지 문헌 같은 역사적 증거물의 방식으로만 그 흔적을 남기는 것은 아니다. 어찌 보면 과거는 현존재 자체에 가장 뚜렷하게 남아 있다. 마치 나이테를 품은 나무처럼, 우리들 자신이야말로 우주 진화의 전 시대의 기억을 간직한 블랙박스라고 할 수 있다.

그것은 무의식이나 유전자처럼 인간의 내면과 사물의 심층에 과거를 기록하며, 거의 비자각적으로 현재를 과거와 이어준다. 직관이나 신화적인 인식이 이런 과거에 더 깊이 관계된 것으로 보인다. 반면 논리적이고 과학적인 사유는 주로 과거의 외적 형식에 관련을 맺는다.

이런 문맥에서, 전병훈은 역사를 논증하기 전에 먼저 자기 내면으로 들어갔다고 말할 수 있다. 그는 거기서 인간 정신의 기원과 계보와 심층을 꿰뚫은 뒤에야, 비로소 눈길을 다시 밖으로 돌렸다. 그리고 우주의 시원과 인간 존재의 궁극을 엿본 자의 직관에서 나오는 통찰로 정신학의 기원에 대해 말하기 시작했다. 이런 그의 사유는 근본적으로 탈역사적이고, 신화적이다. 그의 말을 직접 들어보자.

> 삼대三代[45] 이전 사람들은 모두 도를 배웠으니, 황제黃帝와 노자老子 그리고 복희·신농·요·순·이윤[46]·부열[47]의 역사만 오래된 것이 아니고, 세간의 통념을 뛰어넘는 어진 덕과 수명을 누린 사람들이 실로 이(도법)로부터 나왔다.
>
> 그러나 이 도는, 광성자[48] 이래 극히 신비화됐고 그리하여 법이 오래되자 폐단이 생겨났다. 하물며 저 유학자(儒子)들이 이를 나눠 둘로 쪼개는 데 이르러서랴! 그러니 도를 숭상하는 사람이 도를 얻어 참나를 이뤄도, [유자들이 횡행하는—역자 주] 세상을 업신여겼다. 오히려 사람들이 알까 전전긍긍할 뿐, 어찌 대중에게 널리 알릴 수 있었겠는가?
>
> 유학자로 세상을 경영하는 자들이 단지 성품을 다하고 운명에 안주하기(盡性安命)를 구할 뿐, 참나를 버리며 도리어 이를 배척하고 공격한다. 게다가 또한 청담淸談의 풍조가 세간의 비난을 산 지 오래되었다. 그러니 세속 밖(方外)에 이처럼 정신을 응결하고 성명性命을 보존하는 학술이 있다는 것을 누가 알고, 또한 능히 (세속의 학문과) 더불어 궁구하는 자가 있겠는가? (학자가) 더불어 궁구해 실제로 증험할 수 없다면, 누가 다시 이를 세상에 널리 알리고 이로써 공익公益을 일으키는 자가 있겠는가? 그리고 비록 공익을 바라더라도, 『도장道藏』이 만萬 권이나 되는 데다 거짓되고 조잡한 샛문(旁門)들이 많으니, 누가 능히 가려 뽑고 취사선택해서 참나의 참 면목을 보겠는가? 그리하여 세상과 어긋난 것이 유래가 이미 오래되었다.[49]

---

45. 중국 하夏·은殷·주周 삼대三代의 고대 왕조.
46. 이윤伊尹. 중국 은나라 태종太宗 때의 명신名臣.
47. 부열傅說. 은나라 고종高宗 때의 재상.
48. 광성자廣成子. 황제가 도道를 물었다는 상고시대의 전설적 신선.
49. 三代以上之人, 皆以道爲學. 不惟黃老而羲·農·堯·舜·伊·傅之歷年長久, 躋世仁壽者, 良以此也. 但是道也, 自廣成因極神秘, 故法久弊生, 矧伊儒子分而二之? 於是尚道

전병훈은 정신을 운용하는 도법이 상고시대부터의 전승이라고 확신했다. 그는 중국문명의 시원을 상징하는 황제黃帝보다 먼저 그 도법이 생겼으며, 하·은·주 삼대 이전 사람들이 모두 그 도법을 알았다고 한다. 마치 문명 이전의 초고대문명, 내지는 인류가 지상에 출현한 그 순간부터 정신학이 있었다고 말하려는 듯하다. 그는 더 나아가 어짊(仁)과 장생(壽)의 덕목들이 죄다 여기서 나왔다고 소급한다. 그런데 전병훈은 어떻게 이런 인식에 도달했을까?

그는 깊은 수련을 통해 인간의 가장 원초적인 본질이라고 스스로 파악한 어떤 내밀한 체험에 이른 것이다. 서우는 이를 모든 인위적 문명이 생겨나기 이전의 순수한 자연상태로 파악했으며, 거기서 이른바 '삼대 이전'이라는 근원적인 시간대를 만나게 된다. 그러므로 이런 시간 개념은 고대 유적을 발굴하고 논증하는 고고학자나 역사학자의 그것과 전혀 다른 문맥이라는 점을 이해해야 한다. 이런 인식은 논증적이라기보다 직관적이며, 역사적이라기보다 탈역사적이다.

그의 글에서 "정·기·신이 엉기고 모여 사람의 몸이 된다"는 것은, 사실상 모든 시간과 역사적 사건 그리고 당대의 현실마저도 초월한 어떤 근본적 사태에 대한 진술이다. 이는 곧 우주발생의 이야기인 동시에, 존재의 근원에 관한 진술이다. 그것은 시간을 거치며 몰락을 거듭해 온 인간 정신의 '근원적 토대'에 관한 이야기다.

다시 말해, 천지가 개벽한 뒤에 출현했던 순수한 사람, 모든 역사적 사건과 문명으로 오염되기 이전의 인간에 대한 진술인 동시에, 무지의 한가운데서 타락과 몰락을 거듭하며 살지만 근본적으로는 한 번도 바뀐 적이 없는 인간 존재의 본질에 대한 언명이기도 하다.

者得道成眞, 則傲世,猶恐人知, 豈肯公佈哉? 爲儒而經世者, 則只盡性安命而遺眞, 反闢以攻之, 矧又淸談爲世詬病已久也. 然則孰知方外有此凝精神住性命之學, 而能兼致者耶? 既不能兼致, 以得實驗, 則誰復公布於世, 以作公益者耶? 且雖欲公益, 而道藏萬卷, 多僞雜旁門, 孰能揀擇祛取, 見其眞我之眞面目者耶? 所以與世背馳者, 由來已久耳. 『통편』, 19~20쪽.

그는 인류 최초의 인간 존재가 우주의 정신(정·기·신)에서 기원했다고 말하고 있다. 그러나 인간의 정신은 전 문명을 통해 쇠락을 거듭해 왔다. 전병훈은 이런 몰락의 원인을 두 갈래의 분열에서 찾는다. 하나는 "광성자 때부터 이 도가 극히 신비화됐다"는 것이다. 다른 하나는 "유학자들이 도를 나눠 둘로 쪼갰다"는 것이다.

광성자는 황제가 도를 배웠다는 전설적인 신선이다. 이런 광성자는 어떤 구체적인 인물이라기보다, 『도장』과 함께 '도교'를 상징하는 기호로서의 의미가 크다. 이에 대한 발언을 통해, 전병훈은 첫째로 아득한 고대에 이미 시작된 '신비화', 둘째로 거짓과 조잡함이 뒤섞인 『도장』의 '방만함'을 도교의 폐단으로 지적한다.

하지만 그가 보기에, 태초의 도법이 몰락한 보다 근본적인 책임은 유학자들에게 있다. 여기서 그는 유학의 특정한 이론이나 역사적인 전개상의 문제를 지적하는 게 아니다. 그보다 동아시아의 현실을 지배해 온 유교의 이념적 스타일, 그 뿌리 깊은 현실주의와 이념적 배타성의 한계를 짚는다.

앞서도 말했듯이 "유학자로 세상을 경영하는 자들이 단지 성명性命에 안주할 뿐, 참나를 버리며 도리어 이를 배척하고 공격한다." 전병훈이 볼 때, 후대의 유학은 관념적인 성명학설에 파묻혀서 실제로 '참나'를 구하는 정신학의 공부를 멀리하거나 심지어 배격했다. 그것이 유교의 편협함과 배타성이다. 반면 도교는 생명가치에 치우쳐 윤리와 사회적 정의 같은 공동체 가치의 실현에 소극적이고, 사회적인 무능을 대수롭지 않게 여기는 폐단이 있다.

그러나 서우는 삼대 이전부터 "세간의 통념을 뛰어넘는 어진 덕과 수명을 누린 사람들이 실로 이(도법)로부터 나왔다"고 명언한다. 뒤집어 보면, 이는 결국 인의仁義와 장생長生으로 나뉜 유교와 도교의 가치이념에 내재된 편파성과 분열을 비판하는 문맥으로 읽을 수 있다.

즉 인류의 사회가치와 생명가치는 근원적으로 공속共屬한다. 그런데 후대의 유교와 도교가 이를 '세상의 경영(經世)'과 '세속 밖(方外)'의 두 가치세계로 분열시켰다고 꼬집는 것이다. 따라서 역으로 보자면, 이는 둘로 나뉜 가치세계의 분열을 되돌려 인간 존재의 원초적 근원으로 회귀하려는 의도의 다른 표현이다.

정신학의 기원과 고고학의 새로운 증거들

하·은·주 삼대 이전의 상고시대부터 정신학이 있었다는 전병훈의 진술이 진짜 사실이냐고 묻는다면, 그것은 매우 답하기 어려운 질문이 된다. 그의 철학이 비록 역사의 실증을 토대로 건립된 것은 아니라도, 또한 인류의 역사 전체에서 부정하기 어려운 진실을 말하기 때문이다.

인간에게 본래 자연생명과 사회가치가 통합돼 있었는데 후대에 분열됐다는 언명을 어떤 역사가인들 부인할 수 있겠는가? 물론 증명하기도 어렵겠지만 말이다. 그러므로 정신학의 기원과 그것의 분열에 대한 전병훈의 진술이 논증적이라기보다 직관적이라고 하는 것이다.

그것은 고고학자와 역사학자의 작업처럼 증명된 사실의 토대 위에 차곡차곡 쌓아 올린 구조물이 아니다. 대신 인간 존재의 본질을 가리는 먹구름 사이로, 마치 섬광이 일어나듯 어떤 통찰이 번뜩인다. 이런 통찰에서 얻어지는 그의 역사 해석은 결국 신화적이다. 그리고 신화적 직관에 뿌리를 둔 그의 철학은 탈역사적이고, 때로는 심지어 초역사적이기까지 하다. 그런데 문명의 근원에 대한 이런 신화적이고도 직관적인 통찰이, 때로는 실증적이고 꼼꼼한 문헌학적 연구의 한계를 넘어설 수 있다는 사실을 우리는 최근에 통감하고 있다.

사실 중국철학의 비조로 추존되는 노자나 공자라고 해야, 고작 지금부터 2,500년 전의 인물에 불과할 뿐이다. 그런데 그들이 출현하기 훨씬 전의 문명에 대해 우리는 과연 얼마나 제대로 알고 있을까? 이미 위에서 『노자』 등의 문헌에 나타난 정기학설의 흔적을 대략이나마 추적해 정리해 보았다. 그렇다고 그것으로 고대인의 정신세계를 온전히 파악했다고 자부한다면, 큰 오산이다.

현존하는 문헌 가운데 『노자』에서 정精이나 충기沖氣 같은 개념을 가장 먼저 의미 있는 문맥으로 제시했다고 해서, 곧 노자가 이런 생각을 했던 최초의 인물이었다고 단정하는 것은 정당하지 않다. 게다가 최근에는 문자로 쓰인 『노자』나 『장자』 같은 고전보다 훨씬 오래되고도 충격적인 고대문명의 증거들이 지하에서 출토되기도 한다.

예를 들어, 아래 보이는 왼쪽 사진의 여신상 모습을 잘 살펴보자. 이는 요령성遼寧省 차오양朝陽시의 뉴허량牛河梁에서 출토된 여신상으로, 요하문명의 이른바 홍산문화紅山文化(BC 4500~3000)[50]시대의 유산이다. 사진은 발굴 당시의 여러 파편을 토대로 복원한 모습이다. 이 여신은 대략 기원전 3500년, 즉 지금부터 5,500년 전부터 이 자태로 앉아 있었다.

이를테면 『노자』에서 "계곡의 신은 죽지 않는다. 이를 현묘한 암컷(玄牝)이라고 한다"[51]고 한다. 하지만 이런 글귀가 문자로 새겨지기 3천 년 전부터, 그녀는 쭉 그렇게 앉아 있었다. 당연히 이 여신의 성격과 의미에 대해서 이런저런 추정이 분분하다. 어찌 그렇지 않겠는가? 하지만 정신학의 기원과 관련해서, 필자 역시 최근에 출토되거나 알려진 어떤 문헌이나 유물보다 이 여신상에서 큰 영감을 얻는다.

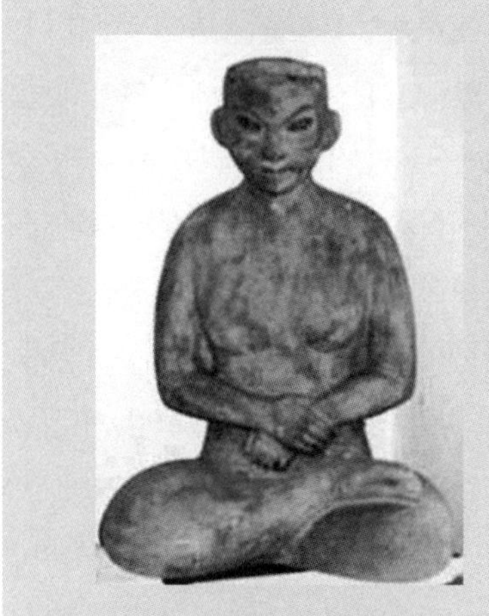

뉴허량 여신 복원상

홍산 천군상

50. 홍산문화는 크게 BC 4500~3500의 전기와, BC 3500~3000의 후기로 나뉘기도 한다.
51. 谷神不死, 是謂玄牝. 『老子』 6장.

1983년 본격적인 발굴이 시작된 홍산문화의 뉴허량 유적(BC 3600~3000)은, 동아시아 신석기시대에 가장 크고 완비된 종교·제사 건축군과 대량의 적석총積石塚으로 이뤄져 있다. 유적지에는 여신전女神殿을 중심으로 배후에 산을 의지하며, 여러 형태(方形, 長方形, 圓形) 기반의 적석총[52] 수십 기가 분포된 사이에 원형의 3층 제단祭壇이 배치돼 있다.

이는 모종의 풍수風水 관념을 반영하며, 후대에 하늘에 제사를 지낸 원형의 천단天壇, 조상에게 제사를 지낸 방형의 태묘太墓, 죽은 자를 안치한 무덤(陵)의 거의 모든 원형을 간직하고 있다. 신전·제단·무덤으로 이뤄진 유적군은, 선사시대에 대규모의 종교(제사)공동체가 여기서 활동하며 국가로 발전할 준비를 하고 있었음을 보여준다.[53]

그런데 최근 인근 지역에서 또 다른 발굴이 이뤄졌다. 2012년 7월 초, 중국 내몽고자치구 츠펑赤峰시 아오한치敖漢旗[54]에서 지금부터 약 5,300년 전(BC 3300)의 '초현실'적인 토우 인물상이 발굴됐다(앞 페이지 오른쪽 사진). 높이 55센티미터의 인물상은 머리에 상투를 틀고 정좌한 남성의 전신全身을 구현한다. 혹자는 이것이 지금까지 중국에서 발견된 선사시기의 가장 크고 완비된 인물 조소彫塑로, 홍산문화 후기의 제사장이나 군장을 원형으로 제작됐다고 추정한다.

홍산문화에 종교와 제사가 있었음은 이미 널리 알려졌지만, 기존에 발견된 유물은 옥룡玉龍 같은 상상 속의 동물이나 신상神像이 대부분이었다. 그런데 이번에 발굴된 토우는 극히 사실적인 인물상으로, 조상숭배와 관련이 있거나 혹은 5천여 년 전 조상의 모습 그대로일 가능성이 높다.[55] 즉 조상신의 신상이거

---

52. 뉴허량에서 남쪽으로 1킬로미터밖에 떨어지지 않은 좐산쯔(轉山子)에서는 긴 변의 길이가 100미터에 이르는 7층 높이의 피라미드형 적석총과 제단이 발굴되기도 했다.

53. 이것이 초기 고대국가의 유적이라는 주장도 있지만, 일반적으로는 원시공동체사회가 해체되고 국가로 이행하기 직전 혹은 과도기의 맹아萌芽적 유적으로 본다. 필자도 후자에 동의하는 편이다.

54. '아오한치敖漢旗'는 요하遼河지역의 초기 신석기문화인 이른바 '흥륭와문화興隆窪文化(BC 6200~5400경)의 발굴지로도 유명하다. 흥륭와문화는 중국에서 가장 오래된 다량의 옥기玉器와 용龍의 원형이 발견되고, 초기 농경의 흔적이 남아 있으며 빗살무늬토기가 출토된다.

나, 신에게 제사 지내기를 주관하는 제사장이자 군장의 모습으로 추정된다.

현지에서는 이를 '홍산 조상신상(紅山祖神像)'으로 부른다. 하지만 고대 한국 문화와의 연관에서, 그것을 '천군天君'[56]의 원형으로 볼 수도 있을 듯하다. 따라서 여기서는 일단 잠정적으로 이 인물상을 '홍산 천군상'으로 부르기로 하자. 그런데 이 홍산 천군상은, 보는 즉시 같은 홍산문화에 속하는 뉴허량의 여신을 떠오르게 한다. 제작된 시기와 발굴된 권역이 거의 겹치는데다, 뚜렷하게 닮은 자태가 한눈에 봐도 단일한 문화의 산물이라는 것을 알 수 있다.

주목할 필요가 있는 것은, 뉴허량의 여신과 최근 출토된 천군상이 보여주는 형태상의 유사성과 종교적 의미다. 그들은 모두 반좌盤坐를 하고 있으며, 양손을 가지런히 포개서 배꼽 아래 하단전 부위에 올려놓았다. 누가 보더라도 명상 중이며, 어떤 특별한 의식儀式이나 수련에 열중하는 모양이다. 외견상으로 이 소조塑造들은 선도仙道[57]의 전형적인 앉은 수련 형태를 구현한다.

그들의 이미지는 우리가 익히 아는 고대사회의 샤먼Shaman, 무격巫覡의 전형을 벗어난다. 거기에는 춤과 노래 등으로 망아忘我나 황홀경에 빠져드는 엑스터시ecstasy의 격렬한 의식과 트랜스trance의 흔적이 거의 보이지 않는다. 대신 그들은 반가부좌를 하고, 누가 보더라도 목하 명상 내지는 수련 중이다. 그들의 왼손은 배꼽 아래 하단전 부위에 놓여 있고, 오른손을 다시 그 손목 위에 포개 놓았다. 여신의 입가에는 살포시 부처를 닮은 미소까지 머금었다.

물론 전병훈이 1980년대 이후에 출토된 이 유물들을 알았을 리 만무하다. 하지만 만약 이 조각상들을 봤더라면 뭐라고 했을지는 어느 정도 짐작이 간다.

---

55. 「红山遗址出土最完整陶塑人像 － 距今约五千三百年, 原型巫者或王者」, 『人民日報』 2012년 7월 8일. 기사 본문에서는 이번 발굴을 "지난 10년간 진행된 중국고대문명탐사(中華文明探源) 프로젝트에서 가장 중요한 고고학 발견의 하나"로 평가했다.

56. 『삼국지三國志・위지魏志・동이전東夷傳』 '마한馬韓'조에서 "신을 몹시 믿기 때문에 마을마다 한 사람을 뽑아 세워서 천신께 제사 지내는 것을 주관하게 하는데, 이 사람을 천군天君이라고 부른다"고 하였다.

57. 여기서 '선도仙道' 개념을 쓰는 문맥은, 중국의 민족종교인 '도교道敎'와의 혼동을 피하고 중국 도교와 한국 선교의 공통적 근원이 되는 신선사상과 법술의 복합・중층적 성격을 유념한 것이다.

그 역시 여신상과 비슷한 미소를 만면에 띠며 말했을 것이다. "그들은 지금 정신을 응결하고 성명을 바로 세우는 도법을 수련하는 중이라네!"

이 신상들의 자태는, 심지어 전병훈이 『정신철학통편』에서 묘사한 '현관비결타좌법玄關秘訣打坐法'의 수련 법식마저 연상시킨다. 물론 20세기 초 문헌에 보이는 내단 수련법과 기원전 35세기 전후로 제작된 출토 유물을 비교하는 게 뜬금없어 보일지 모른다. 하지만 그래도 이것은 나름대로 흥미로운 상상력을 자극한다. 전병훈의 '현관비결타좌법'은 아래 장절에서 다시 소개할 예정이지만, 참고삼아 여기서 미리 그 개요를 소개하고 위의 조소와 견줘 보기로 하자.

'현관비결타좌법' 개요

① 양쪽 두 발을 십자 모양으로 포갠다.

② 두 발의 발바닥이 하늘로 향한다.

③ 머리를 바르게 한다.

④ 허리를 꼿꼿하게 편다.

⑤ 가슴을 수렴해 안으로 거둔다.

⑥ 눈을 편안하게 뜬다.

⑦ 두 손을 포개 모은다.

⑧ 몸을 바르게 한다.

⑨ 시각·청각 등의 감각을 안으로 거둬들인다.

⑩ 심신을 비우고 안정하며 고요히 한다.

⑪ 의식을 현관에 두고 정신을 마음에 집중한다.

⑫ 기를 막고 허리를 빳빳하게 곧추세운다.

⑬ 생각에 집착하지 않는다.

⑭ 잡념을 삼간다.

⑮ 혈기로 찬 마음을 가라앉힌다.

⑯ 편안히 인내하며 기다린다.[58]

복원 중인 천군상

위의 법식을 두 조소의 이미지와 직관적으로 대조해 보자. ②항에서 제시한 결가부좌 대신 반가부좌를 하는 정도 말고는, 두 소조의 모습이 '현관비결타좌법'의 ①~⑧ 법식과 거의 그대로 합치한다. 비록 외견상의 일치라도 이는 놀라운 일로, 기원전 3500년경 요하지역 홍산인들의 종교적 활동에 대해 경이로운 실마리와 미학적 영감을 준다.

⑨~⑯은 모두 내면의 주관적인 작용이므로, 당연히 조소의 이미지만으로 그 실상을 가늠하기는 어렵다. 그렇지만 선사시대 조상들이 위의 조소들로 표현하고자 했던 정신적이고 영적인 경험이, 후대 사람들이 명상이나 수련을 통해 체험하는 그것과 영판 다르다고 부인할 하등의 근거 또한 없다.

복원 중에 촬영한 홍산 천군상의 사진을 보면, 앉은 다리의 하체가 극히 왜소하게 처리됐다. 반면 대조적으로, 상체는 아주 사실적이고 생생하다. 이 인물상의 모양은 다음과 같은 특징이 있다. 첫째 다리를 움직여 춤을 추거나 움직이는 등의 동작과 관련이 없다. 둘째 하단전 부위에 손을 포개고 앉은 자태가 전형적인 복식호흡 상태를 보여준다. 셋째 입을 벌리고 있는 모양으로 볼 때 특별히 의도된 소리(주문)를 수반하는 어떤 의식이나 명상활동을 표현한다고 추정된다.[59] 그리고 이 조소는 뉴허량의 여신상과 긴밀하게 연관된 종교문화의 산물임이 분명하다.

정리하면, 이번에 출토된 홍산 천군상은 다리를 별로 쓰지 않고 복식호흡을 하는 가운데 반좌 자세로 오랫동안 앉아서, 소리와 리듬을 활용한 주문呪文이나 율려律呂 등으로 고도의 영적·종교적 몰입에 이른 인물을 표현했다.[60] 그리

58. 『통편』, 70~71쪽.

59. 이를 단지 입을 벌리고 숨을 쉬는 모양으로 보는 것은 우습기도 하거니와 억지스럽다.

60. 혹은 입을 벌리고 어떤 명령命令을 발하는 군장(왕)의 모습으로 엿볼 수도 있겠으나, 정치적 위엄을 상징하는 장치가 보충되지 않고, 자세와 동작이 그다지 위압적이지 않다. 설

고 물론, 지금부터 5,300년 전 홍산문화 후기 당시의 공동체에서 이런 특별한 종교적 재능과 활동을 아주 중요하게 여겼다는 것은 의심의 여지가 없다. 이상의 논의에서 우리는 다음 몇 가지 시사점을 얻을 수 있다.

첫째, 홍산 여신상과 천군상이 오늘날까지 이어지는 선도 수련의 원형을 담고 있다고 보는 게 전혀 무리한 추정은 아니다. 인도에서 전파된 불교를 제외하고, 동아시아에서 발생한 모든 사상과 철학과 종교와 영성적인 활동 가운데 신선술보다 그 이미지에 더 잘 부합되는 전통을 떠올리기는 어렵다.

둘째, 지금까지 학계에서는 신선사상 내지 신선술을 동아시아 샤머니즘의 한 발전된 양태나 파생물 정도로 막연하게 이해했다. 필자 역시 최근까지 그런 견해를 가지고 있었다. 그러나 새로운 고고학 증거들은 이런 통설에 의문을 제기한다. 샤먼 혹은 무격의 주술과 별개로, 반좌와 토납·명상 등을 활용하는 신선술이 선사시대부터 이미 발명되고 전승됐다고 강력하게 암시하기 때문이다.

마지막으로 이는 불가피하게도, 한민족 고대 정신사에 끈질기게 관류하는 천손天孫·선인仙人·천군天君 등의 신화적 이야기들을 상기시킨다. 홍산지역이 한민족 최초의 고대국가인 고조선의 초기 근거지거나, 그와 관련이 깊다는 학계 일각의 주장에 주목할 필요가 있다. 여하튼 그 진상의 규명은 역사학자들에게 맡기더라도, 이런 고고학 발굴이 전병훈이 말하는 정신학의 기원에 호소력을 더한다는 것만큼은 분명히 말할 수 있다.

"정신을 운용하는 도법이 상고시대부터 있었다"는 전병훈의 언명이, 5,500년 만에 세상에 모습을 드러낸 여신과 천군으로 인해 진실의 문 앞으로 여러 걸음발을 성큼 내딛는다. 반면 상고시대에 그런 도법 따위가 있을 리 만무하다는 문명주의자, 요컨대 요·순 정도에서 동아시아 문명의 유의미한 시원을 찾는 유교의 오랜 믿음은 한참 뒤로 후퇴하지 않을 수 없게 되었다.

무엇보다 여신과 천군은 중화문명의 요람에서 멀리 떨어진 야만의 땅, 내몽골 요서遼西의 오랑캐 출신이 아닌가? 설상가상으로 여신 옆에서 곰 발바닥 형

사 그것이 정치적 호령을 발하는 군장의 모습일지라도, 그 호령의 권위가 고도의 영적·종교적 권능에서 비롯된다는 점에서 본질적으로 차이가 없다.

상의 조소도 함께 출토됐다고 한다. 어쩌면 그녀는 토굴에서 목하 수련 중인 웅녀熊女의 원형이 아닐까? 정신학의 기원에 대한 전병훈의 직관과 함께 흥미로운 신화의 상상이 역사 저편에서 꿈틀거린다.

2014년 가을, 요하문명 지역을 답사하던 필자는 아오한치敖漢旗박물관에 소장된 천군상의 실물을 단독으로 직접 관찰하고 촬영까지 하는 기회를 얻게 되었다. 안식년을 맞아 마침 츠펑대학赤峰大學에 나가 있던 한국항공대학교 우실하 교수가 성심껏 안내했다. 그때 필자가 촬영한 사진 몇 장을 소개한다. 이 사진들과 함께 독자들도 5,500년 전 요하 일대의 고대문명으로 시간여행을 떠나 보길 권한다.

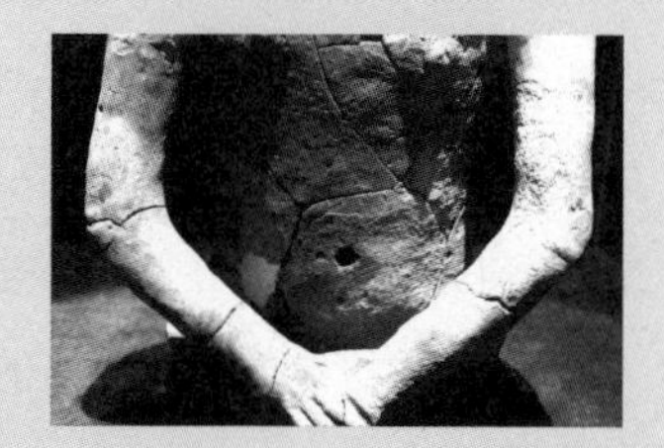

아오한치박물관에 소장된 천군상

오늘날 화려한 성찬을 펼쳐놓는 고고학은 인류의 과거에 대한 근대 역사학의 통념을 근저에서부터 뒤흔드는 중이다. 그것은 단지 동아시아를 넘어 세계적인 수준에서 진행된다. 계몽주의 시대를 지나 근대 역사학이 등장한 뒤로, 우리는 농업이 도시를 일으키고 훗날 문자와 예술 및 종교를 탄생시켰다고 굳게 믿어 왔다.[61] 그러나 고고학 발굴이 진행될수록, 우리 통념 속의 연대기를 한참 거슬러 오르는 고대종교의 유산들이 속속 모습을 드러낸다.

한 예로 세계에서 가장 오래된 신전으로 불리는 터키의 괴베클리 테페Göbekli Tepe(배불뚝이 언덕)에 최초의 순례자들이 참배를 하러 몰려들었다. 그들은 1만여 년 전, 마지막 빙하기 직후의 수렵채취인들이었다. 이처럼 믿기 어려운 유적들은, 신을 경배하는 정신·영성적 욕구가 실은 문명을 태동시킨 계기였을지 모른다는 근본적인 의구심마저 불러일으킨다.[62] 다시 말해, 영성의 욕구가 문화의 산물이 아닌 문화의 원천이며, 그것이 다른 어떤 재능보다 앞서는 인류의 선천적인 본성일지 모른다는 가설이 어쩌면 미래의 통설이 될지도 모른다.

인간은 과연 어떤 존재일까? 오늘날 보다 많은 고고학 자료들은 인류가 이룬 모든 문명과 물질적인 진보들이 인간의 특별한 영적 능력과 연관되었다고 암시하기 시작했다. 그것은 세계를 대상으로 파악하는 합리적인 이성과 사유의 능력이라기보다, 우주와 직접 교감하는 영성과 초자연적인 직관의 능력이었다. 물론 이런 암시가 인류문명사의 사실로 확정되려면 고고학은 물론 유관 학문분야의 더욱 풍부하고도 세밀한 연구가 뒷받침돼야 할 것이다. 하지만 그 전에라도, 고대를 사유하는 현대인의 그릇된 선입견을 깨는 증거로 활용되기에는 충분하다.

---

61. 지금까지의 통설은 1만~1만 2,000년 전 '신석기혁명'으로 농업과 축산이 시작되고, 그 다음에 도기와 촌락과 도시가 발명되며, 전문화된 노동과 왕, 문자와 예술이 생겨났으며 종교는 그보다 더 나중에 생겼다고 본다.
62. 1990년대 중반부터 터키의 '괴베클리 테페(배불뚝이 언덕)'에서 약 1만 1,600년 전(BC 9600경)에 세워진 거대한 발굴이 진행 중이다. 여기에는 세계에서 가장 오래된 신전이 있고, 매끈하게 잘라낸 큰 석회암 기둥에는 여러 동물들을 양각으로 새겨놓았다. Charles C. Mann, "The Birth of Religion", *National Geographic*, June 2011.

물질문명의 극치에 이른 현대사회에서는 이성적인 사고능력을 인간(Homo Sapiens)의 본질로 파악한다. 특히 도구적 이성을 찬미한다. 반면 인류문명의 시작을 가능케 한 최초의 영성, 그 숭고함의 기억은 거의 사라졌다. 사람들은 그것을 다만 원시 혹은 미개사회의 주술적 (내지는 신화적) 사고로 간주하며, 합리적 이성과 과학의 전 단계 혹은 그 대척점에 있는 것으로 취급한다.

그러나 레비스트로스Claude Lévi-Strauss의 지적처럼 이 두 가지 사고방식을 "마치 인식발달 과정의 두 단계라거나 두 국면이라고 생각하는 것은 큰 오류이다."[63] 1만여 년 전 초기 신석기시대 인류의 내면에서 타올랐던 영성의 불꽃은 여전히 우리 안에 불씨로 남아 있다. 인간은 이성적으로 사고하는 만큼이나, 또한 내적인 영성의 완전함에 이르기를 갈망한다. 전병훈의 표현에 따르자면, 이런 갈망이야말로 고대인들이 모두 알았던 '정신의 도법'을 향한 충동에 다름 아니다.

단지 오늘날 도구화된 이성과 물질주의적 욕망이 현대인의 삶을 온통 집어삼켰다. 그런 와중에, 사람들이 자기 안에 내재된 영적인 인간(Homo Spiritus)의 본성을 미처 자각하지 못하는지 모른다. 그러므로 전병훈이 "우주 안의 세계가 바야흐로 물질만 숭상하지만 물질로 인해 장차 정신으로 돌아올 것이 분명하다"[64]고 하는 것은 낭만적 몽상가의 막연한 예언이 아니다.

그것은 인간이 본래부터 영적인 자신의 본성으로 인해, 결국 인류의 모든 문명을 열었던 초기의 그 순수함으로 다시 돌아갈 것이라는 낙관적 기대를 담고 있다. 한데 어떻게 그런 미래를 예측하는가? 역시 그것은 동양의 순환적 시간관에서 비롯된다. 『주역』에서 말하듯 "사물이 극에 달하면 반드시 반전한다(物極必反)." 그리고 "끝나면 다시 시작된다(終則有始)." 노자의 유명한 구절처럼, 사물의 움직임은 어떤 극단에서 다시 "돌아가는 것이 도의 운동(反者道之動)"이기 때문이다.

---

63. 클로드 레비스트로스, 안정남 옮김, 『야생의 사고』(한길사, 1999), 77쪽.
64. 烏乎! 宇內世界, 時尚物質, 由物質將入精神必矣. 『통편』, 23쪽.

4. 정신철학의 시간관

전병훈의 철학은 단지 과거뿐만 아니라 당대의 역사마저 초월한다. 20세기 초 동아시아는 동서양이 만나고 제국주의와 식민지의 운명이 엇갈리던 격동의 한가운데 있었다. 전병훈 자신이 일제의 조선침략에 분개해 중국으로 망명했다. 중국 또한 열강의 침탈로 피폐할 대로 피폐했다. 한데 그의 저술에서 이런 국면에 대한 노골적인 분노나 비탄은 거의 찾기 어렵다.

서우는 당시 세계가 "물질만을 숭상한다"거나 "전쟁이 종식되지 않는다"며 한탄한다. 하지만 현실의 문제들을 일일이 따져 논평하는 사례는 그리 많지 않다. 대신 그는 당대의 역사적 제약을 넘어, 인류의 운명 전체에 대해 말하고자 했다. 이런 점에서 그의 철학은 마치 한 시대를 초월한 듯이 보인다.

전병훈의 시선은 아주 높은 곳을 향했다. 그렇다고 그가 형이상학이나 추상적인 이념에 몰두해 현실을 외면했던 것은 아니다. 오히려 그는 현실에 아주 예민한 철학자였다. 그가 얼마나 현실을 중시했는지는 마지막 장에서 살펴볼 그의 생애 자체가 충분히 증명한다. 그는 망명 중에도 내단학을 연마하는 한편으로, 현실정치에 간여하기를 그치지 않았다. 또한 겸성의 학설로 사회구제의 중요성을 거듭 강조했다.

그럼에도 불구하고 그의 철학이 현실을 초월한 듯이 보이는 것은, 그가 추구했던 철학의 목표가 궁극적으로 당대를 넘어 우주의 전 역사를 시야에 넣고 있기 때문이다. 이런 철학의 목표가 마치 탈역사적인 것처럼 보이는 길로 그를 인도했다. 하지만 본질적으로 그는 역사성이 결여된 게 아니라, 일반이 생각하는 역사와 다른 시간대에서 역사와 현실을 사유했을 따름이다.

통념상의 역사는, 인간이 구축한 제도와 그 안에서 벌어지는 사건들로 시간의 흐름을 구성한다. 그런데 이런 역사를 뛰어넘는 어떤 우주적 시간대의 초침이 전병훈의 의식 안에서 째깍거리며 돌고 있었다. 그는 원회운세元會運世의 수리에 따라 사계절이 순환 반복하는 이치로 시간대의 여러 주기를 계산했다. 그리하여 '선천先天'·'후천後天'이나 우주의 정오를 의미하는 '오회午會' 같은 시간대로 인류의 역사를 사유한다.

> 아! 천지의 대운을 천체운행의 도수(曆數)에 따라 탐구하면, 사람의 일이 마치 부절을 잡고 확증하는 것처럼 딱 들어맞는다. 어째서 그러한가? 『선감仙鑒』에 원회운세의 법이 있다. (1만 800년이 1회인데, 하나라 우왕 즉위 6년에 갑자오회甲子午會의 한 주기에 들어갔다.) 오회가 정중앙에 이르는 때(午會正中)를 맞으면, 문명이 극치에 이르는 가장 왕성한 회會가 아니겠는가?
> 이로써 사람의 일을 헤아리면, 지금 전기·통신·선박·차량이 만국에 교통하며 사회 균산均産의 설이 성행하니, 장차 세계가 반드시 하나로 통일될 조짐이 이미 열린 것이다. 하물며 지금 유럽의 전쟁(제1차 세계대전)이 이미 끝나고 미국 대통령이 인도주의를 주장하니, 반드시 군축·평화와 영구 태평의 덕업을 열 것이다. 또한 어찌 의심하겠는가?
> 그러나 내가 미루어 계산컨대, 아직 때가 이르지 않았다. 잠시 기다려야 할 것이다. (땅의 신묘한 기운(神炁)이 바로 전기(電)이다. 전기가 이미 지구의 만국에 두루 통하니, 세계가 하나로 통일되는 전환의 계기를 가히 볼 수 있다.)[65]

원회운세는 북송의 소옹邵雍이 『황극경세서黃極經世書』에서 정립한 천체운행의 도수(曆數)로 알려져 있다. 하지만 그 연원은 도교의 연단술에 운용되던 도상학과 선천상수학先天象數學에서 비롯되었다.[66] 윗글에서 밝히듯이, 전병훈은

---

65. 烏乎! 天地之大運, 究以曆數, 人事如執左契, 確證不遠者, 何哉? 『仙鑒』有元會運世之法.(一萬八百年爲一會, 而夏禹氏即位六年入甲子午會.) 當午會正中, 不是極文明之盛會耶? 揆以人事, 則今電郵舟車, 交通萬國, 而社會均産之說盛行, 將必世界一統之兆朕已開者也. 矧今歐戰已罷, 而美總統之主張人道主旨者, 必啓寢兵輯和, 永久太平之德業. 亦何可疑乎? 然以愚推算, 尚未及期, 姑且俟之乎.(地之神炁, 即電也. 電已周通地球萬國, 則一統之旋轉機脈, 可見者也.) 『통편』, 282쪽.

66. 소옹邵雍(1011~1077)은 북송 5대가(北宋五子)의 한 사람인 저명한 성리학자다. 후대에 '강절康節'로 불렸다. 소옹은 이지재李之才로부터 하락도서河洛圖書와 선천상수先天象數의 학술을 배웠는데, 이지재는 당시의 저명한 도사인 진단陳摶에게서 이를 전수받았다고 알려져 있다.

도교 전적인 『선감』에서 원회운세의 역법을 채용했다.

이에 따르면 1원元(=12회)은 천도天道가 운행하는 대주기의 1년으로 소주기인 평년의 12만 9,600년에 해당한다. 1회會(=30운)는 대주기의 한 달로 평년의 1만 800년이다. 1운運(=12세)은 대주기의 하루로 평년의 360년이고, 1세世는 대주기의 한 시간으로 평년의 30년이다. 이를 간략히 도표화하면 다음과 같다.

원회운세 대조표

	원元	회會	운運	세世
원	**1원**	1/12원	1/360원	1/4,320원
회	12회	**1회**	1/30회	1/360회
운	360운	30운	**1운**	1/12운
세	4,320세	360세	12세	**1세**
년年	129,600년	10,800년	360년	30년

이렇게 보면, 천도가 운행하는 한 주기인 1원은 모두 12회로 이뤄진다. 첫 회인 자회子會에서 시작해 6회째인 사회巳會까지가 그 전반부에 해당한다. 7회째인 오회午會부터 해회亥會까지 후반부가 된다. '오회정중午會正中'은 그 가운데 '오회가 정중앙에 이르는 때'를 의미한다. 1원의 정오에 해당하는 제7회 오회에서도, 전반과 후반의 변곡점에 도달하는 때를 가리킨다. 즉 우주의 정오 중의 정오인 셈이다.

이는 천도운행에서 양의 기운이 극치에 이르고, 다시 음의 기운이 자라기 시작하는 시점이다. 전병훈은 이때 지구의 문명이 극치에 이르며, 세계가 하나로 통일되고 영구평화의 시대가 열리게 된다고 보았다. 그는 하나라 우왕 즉위 6년에 한 주기의 오회가 시작됐으며, 그로부터 5천여 년이 지난 현 시대가 바야흐로 오회정중의 때라고 추산했다.

상제가 강림해 보고 계시는 가운데 소자小子가 대신해 진술한다. 어찌 감히 스스로를 속이겠는가? (때가) 바야흐로 틀림없이 오회정중에 있다. (진시황 전제정치의 폐해가 세상에 해독을 끼치니, 다시는 천지간에 용납할 수 없다. 지금 그 죄목을 들춰내 나열하지는 않겠다. 러시아와 독일 제국처럼 강권을 숭상하고 침략을 좋아하는 자들이 패망하니, 거울이 되지 않겠는가?) 편자가 쓰다(무오년(1918) 11월).[67]

그는 제1차 세계대전에서 독일이 패망하고 볼셰비키 혁명으로 러시아 제국이 막을 내린 것을 오회정중의 한 계기로 파악했다. 또한 앞서 인용했듯이, 미국의 윌슨Thomas Woodrow Wilson 대통령이 1918년 '평화를 위한 14개 조항'을 제창하고, 열강들 간에 군축과 평화 협상이 진행되는 것도 희망적인 조짐으로 보았다. 전병훈은 인류의 오랜 전제정치가 마감하고 강권과 침략의 시대가 막을 내리는 데서 오회정중의 시대 흐름을 예견했다. 하지만 그가 보기에 아직은 때가 완전히 무르익지 않았다.

세상사를 논하는 인사들이 『춘추春秋』의 삼세三世를 가지고 난세亂世에서 승평세昇平世와 태평세太平世에 이르고, 대동大同으로 마감한다는 설로 의미를 확장한다. 그들이 말하길, 지금 유럽 전쟁이 끝나고 국제연맹의 화해를 의논하니 실로 대동의 싹이 튼다고 한다.

그러나 내가 보기에 아직 그 때가 이르지 않았다. 헤이그 국제회의처럼 겉으로는 공정한 도리를 내세우며 속으로 강권을 도모한다면, 도대체 어떻게 세상을 바로잡을 수 있겠는가? 오직 미국 대통령이 인도와 정의를 주장하지만, 그것만으로 세계의 영구평화와 대동의 지극한 정치를 성취할 수 있겠는가?

진실로 성스러운 영웅의 지극한 덕이 아니라면 누가 능히 세계의 악한 기

---

67. 上帝臨監, (小子)代述, 何敢自謬? 其必在午會正中乎.(秦始專制之弊害流毒, 更不容於覆載之間矣. 今不論列也. 帝國如俄德之尚強權, 好侵掠者, 破消, 可不爲鑒乎?) 編者識(戊午至月). 『통편』, 251~252쪽.

> 운을 말끔히 쓸어버리며, 태평극락의 지극한 정치가 칸트가 말한 '조화의 신묘한 운용'과 같아지겠는가? 아! (기미년(1919) 여름에 다시 쓰다.)[68]

난세·승평세·태평세의 논의는 캉유웨이康有爲에게서 비롯되었다. 당시 중국 지식계의 일각에서는 이 설의 연장선에서 국제연맹을 대동의 조짐으로 이해했다. 그러나 전병훈은 아직 시기상조라고 판단했다. 서구 열강이 단지 표면으로만 평화를 내세울 뿐 내심으로는 패권을 추구하므로, 아직 그 때가 이르지 않았다는 것이다. 그가 보기에, 진정한 오회정중의 평화는 겉만 번지르르한 정치협상이나 화해의 제스처만으로 달성되는 것이 아니었다.

그렇다고 그가 이런 국제협상과 기구의 취지를 전적으로 부인한 것은 아니다. 다른 대목에서는 헤이그회의와 국제연맹의 건립이야말로 "영구평화의 맹아"라고 찬탄하기도 했다.[69] 하지만 국제연맹 같은 국제기구를 운용하기 전에, 먼저 인간 내면의 순수한 덕으로 "세상의 악한 기운을 말끔히 쓸어버리는" 그런 정신의 각성이 우선돼야 한다는 게 그의 판단이었다.

따라서 그는 어떤 정치적이고 물리적인 사건보다, 철학의 혁신에서 오회정중의 계기를 찾았다. 인간이 최고 수준의 도덕을 성취해야 하며, 이를 위해 특히 동서양의 철학을 원만하게 조제할 필요가 있다.

> 그러므로 (동서양의 도덕) 두 가지를 서로 적절히 조제한 뒤에야 비로소 원만해진다. 세계가 장차 영구평화와 통일을 이룰 정치의 방책으로, 실로 이처럼 원만하게 조제된 최고의 도덕을 사용치 않는다면, 어찌 그날이 오겠는가?

---

68. 論世之士, 引申春秋三世之義, 由亂世以至昇平世·太平世而終以大同之說者, 謂今歐戰告終, 和議聯盟, 實啓大同之萌芽. 然愚见尚未到其時也. 如海牙會之設, 陽託公理, 陰植強權, 究竟何補於世哉? 惟美總統主張人道正義, 其能成就世界之永久和平·大同至治否? 苟非聖雄至德, 孰能廓掃世界惡氛, 而太平極樂之致治, 有如康德所謂造化之妙用者乎? 噫!(已未夏再識.) 『통편』, 252쪽.
69. 今世界之電郵先聯, 海牙會之設, 亦可謂萌芽之先現者也. 今玆戰後之平和會, 果能實行此永久博愛樂善之人道主義否? 聯盟既立則, 其機何遠乎哉? 『통편』, 331쪽.

> 오직 우리 공자가 대동의 정치이론을 창립했으며, 루소와 칸트 같은 여러 철인 역시 서양에서 논의를 일으켰다. 또한 위대하지 않은가? 내가 곧 이로써 지금 반드시 오회정중에 있다고 말하는 것이다. (『선감仙鑒』에 경세론經世論이 있으며, 소강절이 이를 계승해 밝혔다.)[70]

전병훈은 공자의 대동사회론과 칸트의 영구평화론을 계승해 직접 「세계통일공화정부 헌법」 9조를 제시하기도 했다. 그는 이것이 이상적이라고 인정하면서도, 공자와 칸트 역시 모두 이런 이상을 펼쳤다는 점을 상기시킨다. 그런 위대한 정신이 자기에게까지 미쳤고, 그러므로 선철의 이상을 멀리할 수 없다고 토로한다.[71]

한데 서우의 이런 자각 자체가 위대하지 않은가? 누구도 이런 사명을 그에게 위임한 바가 없었다. 게다가 그는 나라를 잃고 떠도는 고단한 디아스포라였다. 하지만 서우의 꿈은 원대했다. 혹자는 인류의 20세기를 이렇게 평가했다. "유사 이래로 가장 원대한 꿈을 키웠고, 모든 환상과 이상을 파괴해 버린 시대였다."[72]

우리는 전병훈에게서 유사 이래 가장 원대한 꿈을 키웠던 동아시아 지식인의 '거대한 환상'의 한 장면을 보고 있는지도 모른다. 그렇지만 윗글처럼 그 이상이 모두 파괴된 것만은 아니다. 물론 한편에서 제2차 세계대전, 냉전, 한국전쟁 등의 참상도 이어졌다. 그러나 전병훈의 예견처럼 20세기에 세계가 하나의 지구촌이 되고, 평화가 정착되는 추세도 진전됐다.

---

70. 故亦有兩相調劑, 然後始臻圓滿者焉. 世界將永久平和統一政治之策, 苟不用此調劑圓滿無上之道德焉, 則寧有其日乎? 惟我孔子唱立大同政論, 而勒氏·康德諸哲, 亦刱論于西, 不亦偉哉? 余則以謂其必在午會正中乎.(『仙鑒』有經世論, 邵康節紹明之.) 『통편』, 242쪽.

71. 以上九條可謂理想之僭見也. 然東之孔子, 西之康德, 皆先著此理想之論, 以貺我者也. 尚何以爲迂愚哉. 『통편』, 340쪽.

72. 1916년 미국에서 태어나 1999년 사망한 영국의 전설적인 음악가 예후디 메누힌Yehudi Menuhin이 말년에 남긴 말로 알려져 있다.

대부분의 식민지들이 독립했고, 제국주의가 퇴조했으며, 냉전이 해체되고, 국제연맹 대신 국제연합(UN)이 구성되고, 또한 동서양의 균형이 회복됐다. 특히 한국은 이 모든 격동의 한가운데 있었다. 그러면서도 가장 극적으로 온갖 난관을 헤치고, 자타가 공인하는 경제 발전과 민주화를 이뤄냈다.

물론 아직 남북으로 분단돼 있고, 이른바 압축근대화와 급속산업화의 후유증이 가시지 않았다. 게다가 21세기에 급속도로 확산된 신자유주의의 여파로 사회 전반이 극단적인 물질주의에 휩싸여 있다. 생명보다 물질을 따르는 풍조가 만연하고, 공동체의 안전과 평화보다 눈앞의 돈에 급급한 배금주의가 팽배하다. 빈부격차와 계층 간 갈등이 심화되고, 그에 따른 불신과 사회불안도 갈수록 고조되고 있다.

그런데 대체 무슨 근거로 '오회정중'의 이상을 낙관하느냐고 묻는다면, "물질로부터 장차 정신으로 들어갈 것이 틀림없다"는 전병훈의 말로 답을 대신해도 되리라. 앞서도 언급했듯이 『주역』은 "사물이 극에 이르면 반드시 반전한다"고 했고, 『노자』는 "되돌아가는 것이 도의 움직임"이라고 말했다.

겨울의 극치에서 봄이 시작되듯, 물질에 대한 욕망이 극에 달하는 순간이야말로 또한 그 추세가 극적으로 반전하는 지점이 되지 않겠는가? 게다가 문명 차원의 전환을 수반하는 '오회정중'이 어찌 한두 해 혹은 일이십 년에 이뤄지길 바라겠는가?

> 오회정중이 또한 어찌 멀겠는가? 그러니 2백 년이 되지 않아, 천체운행의 도수가 반드시 회전(天必轉軸)할 것이 틀림없다.[73]

전병훈이 "멀지 않다"는 시간조차 2백 년을 염두에 두고 있다. 게다가 그가 이 말을 한 시점에서 이제 고작 백 년이 지났을 뿐이다. 이처럼 서우는 장구한 안목에서 세상의 변화를 보고, 긴 호흡으로 새로운 시대를 준비했다.

---

73. 午會正中, 亦何遠乎哉? 然不及二百年, 而天必轉軸無疑乎. 『통편』, 340쪽.

하지만 정신이 박약하고 불안한 현대인은, "하늘의 축이 반드시 돌아간다(天必轉軸)"는 아포리즘조차 단지 말세의 위기나 죽음의 공포 정도로밖에 해석하지 못한다. 그러다 보니 이 틈새에서 온갖 해괴한 소문들이 일어난다.

특히 원회운세 유의 설법을 제멋대로 부풀려, 지축이 돌아간다는 등의 온갖 속설이 항간에 무성하다. 문명의 전환기에 불확실성이 증대할수록, 사이비 종교들이 말세의 격변이나 세계의 종말 등으로 사람들의 불안을 자극한다. 그러고는 자기들이 유포하는 얄팍한 교리로 손쉽게 구원을 얻는다고 세상을 속이고, 사람들을 현혹한다.

전병훈이 이른바 "문명이 극치에 이르는" 세계가 이런 자들의 속된 욕망에나 부응하는 우울한 암흑향(dystopia)이라면, 그런 미래는 상상만으로도 끔찍하다. 그러나 서우가 말하는 '오회정중'은, 물질의 노예로 전락한 인간이 다시 정신과 도덕의 주인으로 돌아오는 문명진화의 시간대를 의미한다.

그것은 영혼을 갉아먹는 예속적 종교와 맹목의 독단에서 인간과 인간사회가 벗어나며, 지금보다 한층 높은 정신의 '자유'를 구가하는 시대이다. 단적으로 말해, 그것은 사람들이 저마다 내면의 '참나(眞我)'를 회복하는 그런 시대다. 전병훈은 원회운세의 천도운행 주기가 눈에 보이지 않는 우주적 에너지의 전환을 반영하며, 이런 전환이 인간 정신의 각성을 가져오리라고 예견했다. 그리고 이때 필요한 정신과 도덕의 원리를 밝히려는 것이 곧 그의 '정신철학'이었다.

그렇지만 현대인의 역사관에서 '원회운세'는 여전히 기이한 시간관일 게 분명하다. 신석기 · 청동기 · 철기처럼 고작해야 인류가 제작한 도구로 시간을 구획하는 데 익숙한 근대의 물질주의 역사관에서 볼 때, 천지의 대운을 추산하는 우주적 시간대를 이해하기는 어렵다. 더구나 눈앞의 현실을 세계의 전부로 믿는 대중의 상식에서라면, 더 말할 나위가 없다.

그러니 그가 말한 "우주의 정오(午會正中)를 맞아 문명이 극치에 이른 때"[74] 같은 시간을, 오늘날 일상의 구체적인 모월모일모시로 바꿔 진술하는 게 어떻

---

74. 當午會正中, 不是極文明之盛會耶? 『통편』, 282쪽.

게 가능하겠는가? 하지만 "대주기의 하루가 평년의 360년" 혹은 "평년의 360년이 대주기의 하루"라는 의미를 주의 깊게 한 번이라도 숙고해 보자.

혹시 이게 실감나지 않는다면 '지구의 360년이 고작 우주의 하루라니!'라고 되뇌어도 괜찮다. 과학자나 수학자라면 '360년'과 '하루'라는 수리와 계산식에 주목하겠지만, 실은 시간을 사유하는 상식과 통념을 한번쯤 흔들어 보는 데 더 큰 의미가 있다. 그 상식이 무너지는 지점에서 세계와 인생에 대한 색다른 통찰이 시작되기 때문이다. 독자들의 이해를 돕고자 '대주기와 소주기'에 관한 내용을 잠시 쉬어 가는 글로 붙이니 일독하기를 권한다.

대주기와 소주기: 장자와 칼 세이건의 비유, 그리고 원회운세의 사이클

시간의 대주기와 소주기에 관해 『장자』의 비유로 이해를 돕자. 아침나절에 잠깐 폈다가 해가 뜨면 말라버리는 아침곰팡이(朝菌)는 하루에 밤낮이 있는 줄 모른다. 여름 한철 울다 죽는 매미는 일 년의 봄과 가을을 알지 못한다. 이에 비해 인간은 수명이 훨씬 길다. 한 달과 일 년은 말할 것도 없고, 길게는 백 년도 넘게 사니 오랜 산다고 할 수 있을까?

그러나 중국 남방에 명령冥靈이라는 거북이(혹은 나무라고도 함)는 5백 년을 봄으로 5백 년을 가을로 삼았다고 한다. 여름 겨울까지 도합 2천 년이 명령의 1년이었던 셈이다. 그도 모자라 태곳적에 살았던 대춘大椿(큰 참죽나무?)은 8천 년을 각각 봄과 가을로 삼았다. 도합 3만 2천 년이 그 나무의 1년(한 주기)이었던 셈이다. 그러니 사람으로는 8백 년을 살았다는 전설적인 신선 팽조가 대단하다지만, 대춘에 비하면 또한 여름 한철 울다 죽은 매미와 다를 바 없는 신세인 것이다.[75]

장자는 이를 두고 "소년이 대년에 못 미친다(小年不及大年)"고 말한다. 이 구절

75.『莊子·齊物論』.

의 '소년小年'과 '대년大年'을 흔히 '짧은 세월'과 '긴 세월'로 번역한다. 굳이 틀린 것은 아니지만 충분한 번역도 아니다. 여기서 '년年'이란 곧 하나의 사이클을 이루는 시간의 주기週期를 가리킨다. 한데 거기에는 절대적인 기준이 없다.

예컨대 대춘 같은 나무의 1년은 인간에게 3만 2천 년이고, 어떤 곰팡이의 1년은 인간에게 고작 아침 한 나절에 불과하다. 그만큼 시간은 상대적이다. 우주 안에서는 이렇게 작고 큰 시간의 주기들이 겹쌓여 돌아간다. 설령 각 주기마다 나고 자라고 거두고 감추는(生長收藏) 생멸의 패턴은 반복되더라도 말이다.

따라서 장자는 시간에 '작은 주기(小年)'와 '큰 주기(大年)'가 있으며, 각 주기마다 봄·여름·가을·겨울의 길이가 다르다고 말한다. 그런데 작은 주기에서 보면 큰 주기가 잘 보이지 않는다. 아침곰팡이가 하루를 모르고, 매미가 일 년을 모르는 이치와 같다.

반면 큰 주기에서는 작은 주기가 관찰된다. 그것도 작은 주기에 갇혔을 때보다 더 명료하게 그 사이클의 전 과정을 파악할 수 있다. 그러니 장자가 '작은 주기(小年)'는 '큰 주기(大年)'에 못 미친다고 한다. 작은 우물에 갇힌 개구리의 좁디좁은 식견으로 광대한 세계의 진상을 제대로 알 수는 없다.

다른 문맥에서 현대과학의 비유도 한번 떠올려 보자. 칼 세이건이 우주의 역사 150억 년을 지구의 1년으로 빗대 이른바 '우주력(cosmic calendar)'을 만들었다. 이 달력에 따르면 1월 1일 자정에 빅뱅으로 우주가 탄생한 이래, 12월 31일 오후 10시 30분경에야 최초의 인류가 세상에 출현했다. 유럽의 르네상스는 고작해야 1초 전, 즉 오후 11시 59분 59초경에 시작됐다.[76]

1970년대에 나온 우주력은 이미 진부할 정도로 유명해졌다. 하지만 이를 처음 접한 사람들에게 여전히 강렬한 인상을 준다. 필자도 수업이나 강연에서 이를 종종 활용하는데, 심지어 평소에 빅뱅이 뭔지 관심조차 없던 학생도 지적 충격을 받곤 한다.

이 비유는 거대한 우주에서 인간과 인간의 역사가 얼마나 찰나에 불과한지

76. 칼 세이건, 임지원 옮김, 『에덴의 용』(사이언스북스, 2006), 제1장 「우주력」 참고.

직관적으로 통찰하게 만든다. 그 통찰은 사람들의 생각과 행동에 종종 변화를 일으킨다. 우주와 자연 앞에서 더 겸허해지고, 환경과 생태계를 존중하게 되며, 때로는 눈앞의 이익과 물욕에서 벗어나 인생의 여유를 찾게 한다.

칼 세이건은 우주력을 만들면서 "우주의 시간에서 정말이지 보잘것없는 기간을 차지하는 인간이 얼마나 위대한 과학적 지혜에 이르렀는가"를 말하고자 했다.[77] 하지만 반대로, 우주력은 과학으로 세계를 지배한다고 믿는 인간이 얼마나 큰 오만에 빠져 있는가를 되묻게 만드는 패러독스를 함축한다.

우주의 전 생애를 일 년으로 축약하는 달력의 매력은 과학적 지식 자체보다, 은유의 힘에서 나오기 때문이다. 거기서 비롯되는 통찰은 과학적이라기보다 우화적이고, 도덕적이며, 철학적이다. 그것은 작고 큰 주기의 비교로 시간의 통념을 전복하는 『장자』의 비유와 상통하는 문맥이다.

우주와 인류의 역사에 대한 전병훈의 사유 역시 이런 맥락에서 이해할 수 있다. 전병훈은 천지의 운동과 인류역사의 전 과정을 크고 작은 여러 시간의 사이클로 사유한다. 천문학자인 칼 세이건이 그가 파악하는 우주 차원의 역사를 1년으로 환산해 계산한 것처럼, 전병훈이 말하는 원회운세 역시 천도의 장구한 운행을 마치 연월일처럼 추산한다.

하지만 서양의 과학자인 칼 세이건이 시간을 직진하는 과정으로 보는 것과 달리, 전병훈은 이를 순환하는 주기로 이해했다. 그것은 각각 서양과 동양의 오랜 시간관에서 유래한다. 창조부터 종말까지 시간이 직선적으로 진행한다고 믿어 온 서양과 달리, 예로부터 동양에서는 '나고 자라고 거두고 감추는(生長收藏)' 패턴이 모든 시간의 주기에서 반복된다고 생각했다.

예컨대 봄·여름·가을·겨울이 한 해를 이루지만, 사람의 일생에도 초년·중년·장년·노년이 있어서 사계절처럼 갈마든다. 그러니 인생의 초년을 봄으로, 장년을 가을로 은유하는 노래와 시가 흔하고 친숙한지 모르겠다. 작게는

---

77. "비록 우주의 시간에서 우리가 차지하고 있는 기간은 정말이지 보잘것없지만, 분명한 것은 우주력의 두 번째 해에 지구와 그 주변에서 일어날 일들이 과학적 지혜와 인류에 단 인간의 분별력에 크게 의존하고 있다는 사실이다." 위의 책, 25쪽.

하루에도 아침·한낮·저녁·한밤이 사계절처럼 돌아가고, 크게는 한 시대와 나라도 춘하추동처럼 흥망성쇠를 거듭한다.

궁극적으로는 우주와 천지가 모두 나서 자라 거두고 감추는 순환의 리듬을 타고 있다. 이를 구체화한 시간의 주기가 앞서 살펴본 원회운세의 계산법이다. 그것은 인간의 역사가 천지자연의 거대한 운동의 일부이며, 또한 거기서 영향을 받는다는 천인감응天人感應 사상을 구현하는 역법曆法이기도 하다.

여기서는 평시 일 년의 사계절이 천지의 큰 시간 주기에서도 같은 패턴으로 반복된다고 전제한다. 그리고 지구 대주기의 한 사이클을 봄·여름·가을·겨울로 나눠 계산했다. 이를 흔히 '우주의 1년'이라고 말하는데, 이 개념은 다소 오해의 소지가 있다.

현대인은 지구가 태양 주위를 공전하듯, 태양계가 은하계 중심을 한 바퀴 공전하는 것을 '우주의 1년'으로 연상한다. 그러나 원회운세는 이런 주기를 염두에 둔 게 아니다. 대신 그것은 지구가 황극축을 따라 회전하는 세차운동歲差運動과 연관된 주기이다. 그 회전주기에 따라 북극의 위치가 바뀌므로 고대 천문학과 점성학에서 이를 천도 운행의 큰 주기로 이해했다.

그런데 고대부터 알려진 세차운동의 회전주기는 2만 5,800년으로, 원회운세의 수치와 반드시 일치하지 않는다. 그것은 원회운세가 세차운동을 고려하는 동시에 다른 요인들, 특히 기론과 역학易學에 입각해 통상적인 천문학의 주기산출에서 벗어난 수리계산을 적용하기 때문이다. 평년의 12만 9,600년에 해당하는 1원元은 대략 세차운동 5회의 회전주기에 해당한다. 엄밀히 말해 그것은 지구에서 관찰하는 천도 운행의 대주기로, 태양계가 은하계 중심을 한 바퀴 공전하는 차원의 '우주 1년'은 아니다.

어쨌거나 결론적으로, 원회운세가 인간의 척도가 아닌 천지의 운행을 척도로 시간을 헤아리며, 이런 시간의식이 전병훈 철학의 목표와 궁극적으로 연관된다고 할 수 있다. 끝으로 천도운행의 변곡점을 추산하며 인간 정신의 대변혁을 기대하는 전병훈의 사상을 『노자』의 다음과 같은 구절이 보충할 수 있을 것이다.

재앙이여! 복이 의지하는 바로다. 복이여! 재앙이 숨어 있는 바로다. 누가 그 극치를 알겠는가! 어찌 정상正常이 없겠는가? 하지만 한때의 정상이 언젠간 다시 기괴한 게 되고, 한때의 선善은 또한 다시 요망한 게 된다.[78]

5. '철학'으로 가는 길: 옛것을 익히며 새롭게 혁신하기(溫故維新)

전병훈의 철학은 문명 이전의 신화적 기원으로 들어가고 시대와 역사를 초월한다. 이런 탈역사성은 결국 그의 철학이 겨냥하는 궁극의 목표와 연관된다. 단적으로 말해, 전병훈의 철학은 인류의 구원이라는 아주 높은 과녁을 향한다.

그런 그가 보기에 우주의 정신이 응결해 인간이 생겨난 뒤에, 초기 인류문명의 황금기를 지나 인간성이 줄곧 몰락해 왔다. 이 경향을 파악하는 것, 다시 말해 인류의 역사가 어떻게 근원의 도로부터 멀어지고 문명이 분열되었는가를 통찰하는 게 중요하다. 그리고 이런 성찰로부터 정신의 새로운 역사가 시작되게 하는 것, 이것이 전병훈 스스로 자신에게 부여한 책무였다. 그의 말을 직접 들어보자.

> 정신을 기르고 응결하는 극치에서 양신陽神이 출태해 우주가 손안에 들어오고 위아래로 천지와 함께 유행하니, 이러면서도 인류의 공익을 진작하지 않는 학술이 가능하겠는가? 이제 세상에서 공용公用하는 학술로 만들어 '정신철학'으로 이름을 붙인다.
>
> 어찌 그 진면목을 고스란히 익히면서도 새롭게 혁신하며(溫故維新), 낡은 허울을 벗고 승화하는(由陳蛻化) 바가 아니겠는가? 그러므로 '정신철학'으로 명명해 부른다. 사람마다 각자 이익을 얻어 정신을 증진하고, 병을 물리

---

78. 禍兮, 福之所倚. 福兮, 禍之所伏. 孰知其極. 其無正, 正復為奇, 善復為妖.『老子』58장.

쳐 장생하기를 바란다.[79]

전병훈은 이왕의 내단학을 공용의 학술로 혁신코자 했다. 이른바 '공용'이란 보편적 효용성을 얻는다는 의미다. 또한 그는 인류가 도달한 가장 수준 높은 공용의 학술을 '철학'으로 보았고, 자신의 학술을 '정신철학'으로 지칭했다.

그렇다면 정신철학에서 추구했던 효용성은 무엇인가? "사람마다 각자 유익함을 얻어 정신을 증진하고, 병을 물리쳐 장생하기를 바란다"는 말로 압축된다. 그것은 또한 전병훈 철학 전반의 목표를 함축한다. 하지만 그 목표를 구체적으로 살피기 전에, 전병훈의 학문방법론을 먼저 논할 필요가 있다.

하나의 학술이 '철학'으로 성립하려면, 목표 못지않게 그 학문의 태도와 방법이 정당해야 하기 때문이다. 이와 관련해, 전병훈은 옛것을 익히되 새롭게 혁신하고 진부함에서 벗어나야 한다고 강조했다. 특히 서양 근대철학의 발전에서 큰 자극을 받았다. 그는 서양 (근대)철학이 고대의 전통을 계승하면서도 혁신하고, 또한 실천과 경험을 중시한다고 높이 평가했다.

무릇 학술과 사물의 이치는, 옛것을 익히고도 혁신하며, 혁신하면서 진화하는 것이 귀하다. 더구나 실천하고 경험하는 것은 더욱 귀하다. 아! 저 서양철학은 이를 활용해 정밀해지고, 더욱 정밀하게 진화했다. 오호라! 우리 동아시아도 그 사상을 바꿔야 하지 않겠는가? 게다가 저들의 학문은 희랍의 위대한 철학의 범위를 벗어나지 않고도, 신지식을 확충해 이를 경험(검증)했다. 그리하여 그 학술이 웅비해 날로 새로워진다. 동아시아의 천박한 학자들이 옛것에 어둡고 새것에 조잡한 것과 참으로 다르다.[80]

---

79. 養凝精神之極, 陽神出胎, 造化在躬, 宇宙入手, 上下與天地同流, 如此而不作人群公益之學可乎? 今作入世公用之學, 則名之以精神哲學者, 詎非其眞面目之溫故而維新, 由陳而蛻化者耶? 是以命名曰精神哲學, 蓋欲人各受益, 增添精神, 却病延年之願也. 『통편』, 22쪽.

80. 凡學術物理, 皆溫古而維新, 維新而進化爲貴. 然實踐經驗者, 尤爲貴焉. 噫! 彼西哲之學, 用是之故, 精益精進. 吁! 我東亞者, 可不換其思想乎. 然彼學也, 不出乎希臘大哲之

윗글에서는 온고溫故와 유신維新 그리고 진화進化로 학문의 발전을 설명한다. 차례대로 풀어 보자면, '옛것 익히기' '새롭게 혁신하기' '진보해 더 나은 것으로 변화하기'를 말하는 셈이다. 특히 전병훈은 신지식을 확충해 이를 검증하는 서양 근대학문의 실천과 경험의 방법을 배워야 한다고 강조했다.

동아시아의 지식계는 이런 방면에서 서양에 크게 뒤처졌다. 따라서 "옛것에 어둡고 새것에 조잡한" 동아시아의 천학들은 그 사상을 혁신하지 않으면 안 된다. 사실 얼마나 지당한 학문의 이상이란 말인가? 하지만 또한 얼마나 이루기 어려운 이상인지! 정직한 학자라면 대개 공감할 것이다.

그만큼 옛것을 제대로 알기 어렵고, 그것을 혁신해 새로 이론을 생산하기란 더욱 어렵다. 특히 지난 20세기에 한국의 학문은 서양에서 수입한 날것 그대로가 대부분이었다. '철학'도 의례히 서양철학을 떠올렸다. 거기서 '옛것 익히기(溫故)'란 단지 낡은 것, 철지난 레퍼토리를 읊조리는 것으로 치부되었다.

한편 동아시아의 지적 전통을 철학으로 연구하는 이른바 '동양철학'도 근 백 년의 역사를 쌓았다. 하지만 얼마나 온고유신하고, 또 새로운 철학의 지평을 열었는지는 의문이다. 전통을 지키고 공부한답시고, 옛것의 보존과 해석에만 매달리는 고루한 골동품상이 되었다. 혹은 서양철학의 개념과 방법을 흉내 내며, 알맹이가 빠진 희론戱論이나 펼친다고 비판받아 왔다. 동양철학을 업으로 삼는 필자 같은 사람에게 뼈아픈 지적이지만, 그렇지 않다고 항변할 처지도 아니다.

하지만 굳이 변명하자면, 그것을 단지 철학 탓으로만 돌릴 수는 없다. 일제강점기야 자생적인 학문이 불가능했고, 20세기 후반 내내 온 나라가 서구화와 근대화에 몰두했다. 서구 학문의 직수입 자체가 '근대화'로 이해되던 시절이었다. 어쨌거나 우리 사회의 근대화에 서양철학이 나름대로 기여를 한 것 또한 사실이다. 한편 이런 시대의 흐름에서, 골동품상으로나마 옛것을 잇고 지켜온 동양철학의 역할도 없었다고 할 수는 없다.

範圍, 而抽廣其新識而經驗之. 故其學術之雄飛日新, 固異乎東亞淺學之昧古而粗新者也.『통편』, 25쪽.

그러나 정작 문제는, 철학이 끊임없이 변하는 현실 앞에서 길을 잃었다는 데 있다. 동서양을 막론하고 철학은 본래 세계의 문제에 근원적인 질문을 던지고, 당면한 난관을 해결하려는 노력이었다. 그런데 남이 만들어 놓은 것, 혹은 옛것만 만지작거리는 사이에 결국 철학다운 활력을 잃고 말았다.

이것은 아카데미 철학의 문제라기보다 사회 전반의 철학적 빈곤, 즉 비판적 사고와 창조적 지성의 빈곤과도 연관된다. 철학적인 성찰이 무뎌진 사회에서는, 비타협적인 이념과 믿음이 철학의 활동을 대체한다. 특히 맹목적인 이념과 도그마일수록 목표가 고원하되 내용이 부실하며, 자기의 주장이 더 널리 보급되기만을 갈망한다.

주지하다시피, 나치즘과 군국주의 같은 파시즘치고 인류의 진보를 말하지 않은 적이 없었다. 또한 반사회적이고 비윤리적인 사이비 종교일수록, 인류의 구원과 선행을 앞세워 추종자(신도)들을 포교에 동원한다. 자기성찰이 결여된 애국·헌신·숭배·사랑·확신……. 모든 독단의 이념과 종교적 도그마는 열정 과잉에 빠지기 쉬운 인간의 속성을 가장 잘 이해하고 활용한다. 그런데 한국의 20세기는 이처럼 위험한 이념과 도그마의 열정이 철학을 압도한 시대였다.

하지만 실은 이런 위험으로부터 인간의 정신을 지켜내는 것이 철학의 사명이다. 즉 비판적 지성의 냉철함이야말로, 그것이 철학임을 입증하는 표지라고 할 수 있다. 전병훈도 이런 점을 잘 알고 있었다. 그가 말한 학문의 온고유신과 진화란, 요즘 식으로 말하면 '비판적 사고'와 '창조적 지성'의 활동이라고 해도 좋다.

자기해방의 동양철학

근세에 서구문물의 동진에 충격을 받은 동아시아 지식인들의 반응은 크게 세 갈래로 나타났다. 한편은 전적으로 서구문물을 배척했다. 다른 한편에서는 전면적으로 서구화하자고 했다. 그리고 그 사이에서 전통 안의 가치 있는 뭔가를 지속시키며 서구적인 것과 접목시키려는 시도가 일어났다. 동양의 도덕과 정신문화를 기본틀로 유지하면서 서양의 과학기술을 받아들이자는 것이었다.

이른바 동도서기東道書器, 중체서용中體西用, 화혼양재和魂洋才 사조가 한·중·일 3국에서 각각 일어났다. 그리고 이어서 서양철학의 문법과 방법론으로 동양의 지적 전통을 해독하는 근대적 동양철학 연구가 시작되었다. 그런데 어느 경우건 전통을 말할 경우 그 입지점은 유교, 그것도 대개 동아시아 중세의 지배이념이었던 이학理學을 디딤돌로 삼았다.

예의 '동도'나 '중체'는 거의 유교를 함축했다. 그리고 거기에 불교와 도가를 약간 가미하는 정도였다. 중국에서 일어난 근대적 동양철학 연구도 서양철학 방법론을 통해 송·명대의 이학을 '철학'으로 재구성하는 데 집중됐다. 그리하여 이른바 현대신유가現代新儒家의 활동이 본격화됐다.

동시에 철학사 연구가 통사적으로 확대됐다. 고대 유가, 노장철학, 위진현학, 불교 유식학 등이 철학으로 재조명되고 특히 묵가와 명가 등의 고대 논리학파에 대한 관심이 고조됐다. 논리학과 인식론이 서양철학의 특장점으로 간주되면서, 중국에도 그에 필적하는 전통이 있음을 논증하려고 했기 때문이다.

한데 어느 경우든, 당시 중국 지식인들은 서구 제국주의로부터 민족을 구하고 문화의 자존감을 지켜야 한다는 강박에 매달렸다. 그것은 외면하기 어려운 시대정신이자 역사적 사명이었다. 한데 그 사명이야말로 다른 한편에서 '국가'와 '민족'이라는 근대의 이념 안에 그들의 철학을 유폐시키는 족쇄가 되었다. 이런 중국철학은 겉으로 보기에 중국을 적대하는 자이자 해체하는 자인, 바로 그 서양이라는 우회로를 통해서만 그들의 숭고한 부활 내지는 우월의식이라는 마지막 목적에 이를 수 있게 제한되었다.

그리하여 중국철학은 서양철학과 대립하는 동시에, 마치 '중·서 철학'이 세계의 모든 철학을 의미하기라도 하듯이 짝개념을 이뤘다. 서양으로부터 중국을 지키고 중화를 부흥하는 사명이 이른바 '중국철학'에 부여됐다. 그러므로 그것은 철학이기 전에 먼저 '국학國學'이었다. 거기서 특히 유교의 역할이 강조됐다. 그것은 중화의 오래된 지배이념으로 근대 직전까지 중국문화의 주류였지만, 동시에 서양에 대한 중화의 복수욕을 가장 잘 충족시키는 이념이기도 했기 때문이다.

성리학이야말로 북방오랑캐인 금나라의 현실적인 위협과 외래사조인 불교의 도전에 직면해 중화의 민족정체성과 문화를 지키고자 구축된 이념이 아닌가? 행위로 복수할 수 없는 무력한 처지에서도, 오랑캐에 대한 멸시를 체질적으로 내재하는 유교의 이념은 상상의 복수를 가능케 하는 탁월한 메커니즘을 자랑한다. 중세의 이학이 오랑캐와 이단에 대한 원한을 동력으로 성장했다면, 근대에 그것은 다시 중국과 대립하는 서양이라는 새로운 원한에서 동력을 제공받았다.

타자, 즉 서양을 끊임없이 의식하는 콤플렉스에서 상처받은 열등감을 우월감으로 대체하려는 보상심리, 그리고 정직한 자기성찰과 반성 대신 중세 봉건시대의 산물인 전통을 탈맥락화해서 찬미하는 문법이 은연중에 만성화됐다. 국학으로서의 이런 중국철학이 한국에 유입됐다. 그리고 동양철학 내지 한국철학이라는 이름으로 번역돼, 그 패턴이 반복되고 재현됐다. 이는 실로 안이한 무검역의 지식유통이 아닌가?

그러나 서양에 대한 콤플렉스에 사로잡힌 동아시아에서, 문명의 흐름을 좌우할 만한 철학의 새로운 성취는 거의 없었다. 대신 동아시아의 '인문정신'이니 '문화정체성'이니 하는 견지에서, 고작해야 고대나 중세의 이념을 단순히 정당화하는 정도에 그쳤다. 물론 거기에도 긍정적인 요소는 있다. 그러나 동양의 과거를 서양이라는 깡패에게 맞아 만신창이가 된 착한 모범생쯤으로 묘사하는 것은 정말 문제다.

이런 자기연민은 특히 고대와 중세의 지배이념이었던 유교에 대한 환상과 동경, 그리고 서양이라는 깡패에 대한 원한과 비난을 부르거나 거기에 호소한다. 그리고 급기야 탈맥락화 된 중세의 도덕과 이념이 마치 우리가 다시 돌아가야 할 실낙원인 듯 묘사하기에 이른다. 하지만 그것은 결국 서양에 의거하거나 그 대립물로서 존재의의를 부여하는 '타자에 의한 동양철학'의 문법일 뿐이다.

이런 화법은 진지한 자기반성이 결여된 민망한 신화에 불과하다. 그것은 서구 제국주의라는 깡패를 만나기 전에, 동아시아의 중세 역시 그에 못지않게 패악한 깡패였다는 사실에 쉽게 눈감는다. 그런데 중국이고 한국이고 일본이고, '국학'의 문맥에서 논의되는 동양철학이 대개 이런 수준에 머무른다. 그러면서 그 틀 안에서 3국의 국학자들이 서로 논의를 주고받는다.[81]

거칠게 말해, 이는 근대의 콤플렉스를 극복하지 못한 동아시아 정신사의 실패자들끼리 벌이는 못난이 리그처럼 보인다. 그러니 여기서 무슨 새로운 철학이나 숭고한 문명의 비전이 탄생하기를 기대하겠는가? 그렇다고 해서, 서양을 동경하고 서양철학을 앵무새처럼 되뇌는 것은 더 한심스런 일이다.

그러므로 서구에 의해 식민화 혹은 반식민화되었던 동아시아에서 철학하기란, 서구에서 그들의 철학 전통을 밀고 나가 혁신하는 것보다 몇 차원 복잡한 고차방정식의 함수로 꼬여 있다. 서양에서는, 중세를 극복해 근대를 발명하고 다시 탈근대로 넘어오는 일련의 혁신이 문화연속성과 자기혁신의 문맥에서 전개됐다. 다시 말해, 근대 이후 서양철학의 발전은 근본적으로 거의 타자를 의식하지 않는 철저한 자기성찰과 반성 그리고 자기극복의 과정이었다.

그러나 타자에 의해 근대화된 동아시아가 타자를 의식하지 않기란 애초부터 불가능했다. 동아시아는 그런 타자를 극복하는 동시에, 과거와 현재의 자기모순도 극복해야 하는 이중삼중의 과제를 숙명으로 안고 있다.

여기서 '극복'이란 단도직입적으로 말해, 곧 자유로운 정신의 마비를 가져오는 수동과 종속으로부터의 해방을 의미한다. 한데 수동과 종속의 가장 흔한 반응은, 모방과 추종 그리고 원한과 배척이다. 그것은 완전히 상반돼 보이지만, 실은 동전의 앞뒷면처럼 서로를 존립시킨다.

뭔가에 대한 모방과 추종은, 늘 내가 아닌 다른 뭔가에 대한 배척과 원한을 전제로 성립한다. 즉 뭔가를 추종(모방)하기로 결정한 순간부터, 그 뭔가는 '나의 것', '내 안의 것'이 된다. 그와 동시에 '다른 것', '밖에 있는 것'을 만들어 내며, 그것을 부정하고 배척하게 된다. 이런 배척(부정)이야말로 곧 원한을 창조

81. 동아시아에서 이른바 '한국철학'·'중국철학'·'일본철학' 등으로 국적을 표방하는 연구가 대부분 이런 근시안에 사로잡혀 있다.

하는 행위인 것이다.

하지만 원한과 배척에 사로잡힌 사람들이 생각하는 '내 안의 것'과 '밖에 있는 것'들은, 사실상 모두 자기 안에 없다. 그의 시선은 늘 그리고 반드시 자기 자신이 아닌 밖을 향할 수밖에 없다. 그는 근본적으로 자기성찰을 할 수 없고, 자기 스스로 도덕의 원리를 세우지도 못한다. 대신 언제나 자기 밖에서 숭배(모방)나 원한(배척)의 대상을 창조해야 하며, 그러므로 끊임없이 타자인 누군가(뭔가)의 주위를 서성거린다.

그러므로 니체가 그랬듯이 이렇게 말할 수 있다. "누구라도 원한에서 벗어나려면 숭배에서 벗어나야 한다. 시선을 자기 안으로 되돌려 모든 숭고한 도덕과 가치가 자기 자신으로부터 빛나게 하라!" 그런데 그것이 개인의 자기성찰을 넘어, 어떤 문화의 자기성찰을 위한 지침으로도 확장될 수 있을까? 아마 그럴 것이다.

동아시아로 돌아와 보자. 실은 서로 독립변수로 자립할 수 있는 서양과 동양이 줄곧 대립항으로 전제된다. 그리고 다시 권역 내 여러 국가와 민족의 함수, 더 나아가 현대문명의 제반문제까지 더해진다. 여기에 원한의 도덕이 발동할 때, 동아시아라는 고차방정식이 파편화된 많은 단답형 오엑스문제로 분열된다.

예컨대 전통/현대, 도덕/물질, 권위/자유, 폐쇄/개방, 자연/문화, 촌락/도시, 농경/유목, 미신/과학, 정통/이단 등은 사실상 모든 문명에서 한 사회의 복잡계(Complex System)를 이루는 요인들이다. 그런데 그 각각이 마치 동양(전통)과 서양을 대표하듯이 오해되곤 한다. 그리고 거기에 더해 친일/자주, 친미/친중, 반공/진보처럼 실은 서로 다른 층위에 속하는 가치들마저 양자택일의 대립항으로 묶여 까닭 없는 증오를 키운다.

동아시아에는 여러 국가와 민족과 체제가 뒤섞여 있는데, 이런 이분법 안에서 그 다양성과 역사성은 흔적도 없이 사라진다. 그리고 결국 자기우월과 배척의 도덕만이 모든 나라들을 원혼처럼 배회한다. 하지만 곰곰이 생각해 보라. 일본과 친하다고 자주적이 될 수 없는 게 아니다. 미국과 친하고 중국과도 친한 게 왜 동시에 가능하지 않은가? 공산주의를 반대하는 것은 진보의 적인가?

따지고 보면, 그런 이분법은 뭐든 대립항으로 만들어 그중 하나만을 정당화하고 나머지를 죄다 배척하는 사고방식이다. 국가나 혹은 특정한 누군가(개인, 집단, 종교 등)가 불온한 의도에서 사람들을 기만하고 동원할 때, 그런 논리를 흔히 사용한다. 그런데 정말 심각한 문제는, 이런 사고방식이 사람들의 영혼을 메마른 사막처럼 황폐화시킨다는 데 있다. 그런 토양에서는 어떤 도덕이나 숭고한 가치도 자라기 어렵다.

독단과 배척의 논리에 물든 사람들은 문제의 원인을 늘 자기 밖으로 돌리며, 따라서 자기 자신을 진지하게 반성하고 치유하는 힘이 자라기 어렵다. 마치 커다란 바위를 잔돌들로 잘게 부숴 냅다 던지는 것처럼, 단지 무수한 원한의 파편과 먼지들만 부딪치다 가루로 돌아갈 뿐이다.

그러나 거친 바위 안에 숨겨진 아름다움을 조탁하는 예술가라면 전혀 다르다. 그는 큰 바위를 다듬어 그 안에 감춰진 신의 모습이나 위대한 풍경을 드러낼 것이다. 이런 예술가의 통찰처럼, 우리는 결국 철학의 진지한 눈길을 동아시아 안으로 되돌려야 한다. 그것도 타자(서양)의 시선에 의존하거나 이를 의식해서가 아니라, 동아시아 문명의 내재적 지성에서 힘을 얻는 자기성찰과 정직한 반성을 통해서 말이다.

다시 말하지만, 서구 계몽주의 시대의 철학자들은 자기들이 발을 딛고 있던 중세의 가치를 비판적으로 성찰해서 근대세계를 창조했다. 그리고 니체는 이성주의 철학과 전통도덕과 기독교를 모두 퇴폐문화이자 생의 본능을 억압하는 것으로 다시 뒤집어 버렸고, 여기서 탈근대로 가는 문을 활짝 열어젖혔다.

그들이 성찰하고 비판한 것은 언제나 자기 자신이었지 그들 밖에 있는 자기의 대립항이 아니었다. 그러므로 거기서 창조와 혁신이 일어났다. 그렇듯이 동아시아에도 자기 자신에게로 눈길을 되돌려 근원적으로 성찰하고 문명을 혁신하는 내발內發적 철학의 동력이 필요하다.

그것은 첫째, 동아시아 문화의 토양과 역사성이 서구와 다르기 때문이다. 둘째, 서양철학의 일방적 모방과 숭배 혹은 원한과 배척으로 뿌리 깊은 식민주의와 콤플렉스를 벗어날 수는 없기 때문이다. 셋째, 이런 콤플렉스의 실체를 자각하고 자기해방에 이르는 것이야말로, 동아시아 철학의 주체성과 보편성을 회복하는 길이기 때문이다. 전병훈의 정신철학은 근대 동아시아에서 이런 철학이 어떻게 가능했는가를 보여주는 하나의 모범이다.

6. 버려야 할 신선학의 폐단

서우가 '정신철학'을 표방한 것은, 내단학을 위시한 동양의 지적 전통을 비판적으로 성찰하고, 이를 보편타당한 지식체계로 혁신해 진화시키려는 의도를 포함했다. 따라서 철학다운 철학을 정립하기 위해, 자기 학문의 골간인 신선학(내단학)의 폐해부터 직시하고 넘어서야 했다. 비록 『정신철학통편』에서 그 내용을 별도의 장절로 다루지는 않지만, 저서 도처에서 그에 관한 언급이 발견된다. 이를 다음 몇 가지로 정리할 수 있다.

첫째, 신비화(秘)와 사유화(私)의 폐단이다. 신선술은 일반의 상식을 뛰어넘는 내적 체험과 효과로 인해, 아득한 예로부터 신비화됐다. 후대로 올수록 이를 악용하는 술사들이 사람들을 현혹하거나 속이는 폐단이 증대했다. 한편 세상을 경영하는 유교가 신선술을 배척하고 공격하면서, 신선가의 도법이 더욱 은밀히 숨어들고 사유화했다.

그러다 보니 내단학의 공공성公共性이 매우 취약해졌다. 전병훈이 말한다. "이 도는, 광성자 이래 극히 신비화됐고 그리하여 법이 오래되자 폐단이 생겨났다."[82] "진秦·한漢 이래 신선학神仙學으로 이름이 바뀌어 거의 세속 밖에서 비밀스럽게 사유화됐으니, 어찌 한스럽고 애석하지 않겠는가?"[83]

둘째, 방만함과 방문旁門의 폐단이다. 방만함이란 『도장道藏』이 만 권이나 되는 데서 나타나듯이, 온갖 이론과 잡술들이 뒤섞여 있음을 말한다. '방문旁門'

---

82. 但是道也, 自廣成因極神秘, 故法久弊生. 『통편』, 19쪽.
83. 自秦漢改名以神仙學, 而尚秘私方外者, 豈不可怨而可惜乎? 『통편』, 22쪽.

은 곧 샛문을 의미한다. 크고 바른 정도를 벗어난 사술, 거짓되고 조잡한 사이비를 가리킨다. 특히 방중술이나 단약의 부작용이 많다. 환술幻術과 주술呪術[84]의 폐단도 크다. 이런 방만함과 샛문의 폐단은 내단학이 공공의 학술로 정착하는 데 큰 걸림돌이 된다.

전병훈이 말한다. "비록 공공에게 유익함을 바라더라도, 『도장』이 만 권이나 되는 데다 거짓되고 조잡한 샛문들이 많다. 누가 능히 가려 뽑고 취사선택해서 참나의 진면목을 보겠는가? 그리하여 세상과 어긋난 것이 유래가 이미 오래되었다."[85] "그러니 배우는 사람들이 탐구하여 독실하게 믿은 뒤에, 규단閨丹(방중술) 등의 샛문과 사이비 설교에 현혹되지 말아야 한다."[86]

셋째, 체술體術과 종교화로 흐르는 폐단이다. 내단학의 원리는 성명쌍수性命雙修로, 몸과 마음 그리고 선행(도덕)을 함께 닦는 것이 기본이다. 그러나 많은 경우에 내단 수련이 기공氣功의 체술體術(신체단련술)에 치우친다. 마음과 언행을 닦고, 선행을 실천해야 할 섭리를 밝히지 못한다. 혹은 마음공부와 선행을 말하더라도, 종교의 교리를 선전하듯 하여 선도의 참된 도리를 깨우치는 데 이르지 못한다. 이 역시 공공의 학술로 볼 수 없다.

전병훈이 말한다. "『단경丹經』에서 이르기를 '충성하고 효도하며 어질고 현명하여 성현聖賢의 마음을 지닌 자라야, 비로소 능히 신선의 일을 행할 수 있다'고 하였다. 이야말로 도가의 본뜻이다. …… 그러니 오직 도가의 움직이고 떨치는 동공動功이 이처럼 정교하고 아름다운 것이다. 하지만 근래에 신체단련술을 주로 하고, 종교를 선전하는 자들이 능히 미칠 수 있는 바가 아니다."[87]

---

84. 환술幻術은 환각·허상·환영 등에 빠지는 술법을 말하며, 주술呪術은 초자연적이고 신비한 힘을 이용해 재앙을 막거나 기복을 하고 타인의 불행이나 재앙을 일으키는 술법을 말한다.
85. 雖欲公益, 而道藏萬卷, 多僞雜旁門, 孰能揀擇袪取, 見其眞我之眞面目者? 所以與世背馳者, 由來已久耳. 『통편』, 20쪽.
86. 然學人深究篤信然後, 勿眩於閨丹等旁門近似之說乎. 『통편』, 89쪽.
87. 『丹經』曰 "忠孝仁明, 有聖賢之心者, 方能行神仙之事." 此是道家本旨. …… 皆動以天因人以救世者, 與儒哲之兼善同一法門也. 然惟道家動振之動功, 如是精美者, 非近世之主動宣教者之所能及也. 『통편』, 63~64쪽.

넷째, 권력과 부귀에 영합하는 폐단이다. 신선술을 말하면 사람들이 가장 먼저 그리고 흔하게 떠올리는 것이 불로불사를 갈구하던 진시황의 옛일일 것이다. 예로부터 무병장수는 사람들의 한결같은 소망이었다. 그런데 탐욕스런 권세가와 재력가들일수록 권력과 돈으로 생명을 손쉽게 연장하려고 했다. 그러자 여기에 영합하는 술사들이 생겨나고, 그들이 신선술의 진면목을 오도하는 폐단이 커졌다.

전병훈이 말한다. "오호라! 역대의 제왕과 장상將相들이 방사들의 단약丹藥으로 잘못된 바가 많았다. 신선과 진인(仙眞)은 부귀와 권세로 구해 만날 수 있는 게 아닌데, 가짜로 만난 체하고 거짓으로 전수받았다고 속였기 때문이다."[88]

다섯째, 건강과 수명연장에 집착하는 폐단이다. 신선학은 분명히 병을 없애고 수명을 늘이는 공효功效가 있다. 하지만 신선학의 효용, 더 나아가 그 최종의 목표가 단지 건강과 수명연장에서 그치는 것은 아니다. 그것은 참나를 이루고 도에 합치돼 대자유에 이르는 고도의 정신수련이다. 그러나 사람들이 단지 건강과 수명연장에만 집착하는 데서 선도의 심오한 가치가 퇴색하는 폐단이 생겼다.

전병훈이 말한다. "이 책(『정신철학통편』)이 비록 간략하지만, 범인을 넘어 성인의 경지에 들고 참나를 닦는 조리가 일목요연하게 다 구비돼 있다. …… 만약 이에 반해서 일상사를 멀리하고 사물과 단절하며 세상을 버린 채 단丹을 이룬다면, 수명이 비록 오륙백 세가 된다고 한들 인간 세상에 무슨 이익이 되겠는가? '시체만 지키는 귀신'이라고 할 수 있을 뿐이다."[89]

위에 열거한 내용은, 예나 지금이나 흔히 반복되는 신선가의 폐단이다. 20세기 후반의 1980년대부터 한국에서 '단학'이나 '선도'를 표방하여 신선학이 부흥하는 조짐이 크게 일었다. 당시 군부독재의 억압적인 사회분위기에서 신선

---

88. 嗟夫! 歷代帝王將相之多見誤於方士之丹藥者, 仙眞非可以富貴勢力求遇也. 只假遇僞傳以欺故也. 『통편』, 26쪽.

89. 此篇雖約, 而超凡入聖修眞條理, 瞭然該備. …… 若反是而遠事絶物, 遺世成丹, 壽雖五六百歲, 而究竟何益於人世哉? 可稱爲守屍鬼耳. 『통편』, 87쪽.

과 도사의 판타지가 사람들의 관심을 끌기도 했다. 급격한 서구화의 반작용으로 일어난 민족주의 정서도 한몫을 했다.

그 뒤 생활수준의 향상에 따른 건강에 대한 관심, 최근에는 노령화사회의 무병장수 열망, 갈수록 경쟁과 스트레스가 격화되는 사회의 힐링붐에 이르기까지, 급속한 사회변동과 관심사의 변화에 따라 현대 선도의 이념과 추세도 변천해 왔다. 그러나 아직까지 한국 선도가 전병훈이 지적했던 폐단을 넘어 '공용의 학술'로 진화했다고 평가하기는 어려운 게 사실이다.

많은 경우에 위에서 지적한 구태와 폐단을 답습하고 재현한다. 선도가 과연 '공용의 학술'로 진화될 수 있는가는, 결국 이런 폐단을 얼마나 잘 극복하는가의 여부로 귀결된다. 곧 비합리적인 설법과 개인숭배, 그리고 그때그때마다 시류에 영합하는 주먹구구식 체제를 넘어서야 한다.

다시 말해, 한국 선도가 얼마나 보편타당한 철학의 기반을 얻는가의 문제이다. 게다가 이는 단지 한국만의 문제가 아니어서, 중국의 도교와 기공에서도 거의 비슷하게 직면한 과제이기도 하다. 이런 기로에서 전병훈 같은 선철의 통찰을 만나는 것은 다행이다.

그의 제자로 중화민국의 국무총리를 지냈던 장샤오증張紹曾이 『정신철학통편』을 받아 본 뒤 놀라움을 금치 못하고 찬탄했다. "공경히 받아 읽고, 마치 취한 듯이 미친 듯이 책상을 치며 절규하는 것을 나도 미처 깨닫지 못했다. 어떤 책이 내 마음을 실로 이처럼 사로잡았던가!"[90]

그것이 또한 백 년 뒤 같은 책을 받아 읽는 후학의 마음과 통한다. 선도니 기공이니 하는 이름을 내걸고 허위와 사술이 횡행하는 세상에서, 전병훈의 정신철학이 샛별처럼 빛나 길을 인도한다. 이것이 필자의 과도한 감상일까? 반드시 그렇지만은 않을 것이다.

---

90. 拜讀之下, 不覺若醉若狂, 拍案叫絶. 何其書之實獲我心也! 『통편』, 7쪽.

사이비 선도仙道 벗어나기

전병훈이 지적한 신선학의 구습과 폐단을 보다 상세히 진일보해서 재구성한다. 이 주제를 여기서 길게 되새김질하는 이유가 있다.

첫째, 전병훈은 내단학을 깊이 연마하고 신뢰했던 만큼 그 본질을 흐리는 구습과 폐단에 결연히 반대했다. 그가 온고를 넘어 학문의 유신과 진화를 말하고 정신철학을 '공용의 학술'로 세우려고 한 것도, 결국 신선학의 오랜 폐단을 극복하려는 의지와 노력의 산물이었다. 따라서 전병훈 철학의 목표와 성격을 분명하게 이해하기 위해서라도 그가 극복하려 했던 문제들을 명확히 짚고 넘어갈 필요가 있다.

둘째, 전병훈의 통찰을 거울로 오늘날 만연한 선도의 폐단을 비춰 볼 수 있다. 선도에 뜻을 두고 공부하는 학인學人이라면, 스스로 잘못된 길에 빠지지 않도록 경계하는 지침으로 이를 활용할 수 있다. 또한 허위와 사술로 사람들을 현혹하는 거짓 스승과 사이비 단체를 가려내는 기준으로 삼을 만하다. 혹은 이미 다른 사람을 지도하는 위치에 있는 사람이라면, 자기의 현 수준을 점검하고 자성하며 더 높은 경지로 나가기 위한 발판으로 삼을 수 있다.

1) 선도를 신비화하지 않는다.

선도의 수행과 원리를 신비롭게 포장하지 말라는 것이다. 실체가 모호한 스승의 비전秘傳을 이었다든가, 창시자가 특별한 신비체험으로 도에 통했다고 앞세우는 단체와 지도자를 경계해야 한다. 그들은 대개 창시자가 세운 도법을 맹목적으로 추종해, 오로지 그것만이 유일한 정법이라고 선전한다.

한편 신비화는 선도 단체나 지도자의 실력이 부족한 데서도 기인한다. 자질과 실력이 부족할수록 신비화가 주는 심오한 느낌이나 환상에 의존하고, 또 이로써 다른 입문자들을 이끌려들기 때문이다. 이런 폐단을 넘어서야 선도가 비로소 '공용의 학술'이 될 수 있다.

2) 선도를 사유화하지 않는다.

자기가 선도의 유일무이한 전승자인 듯, 더 나아가 발명자라도 되는 듯이 착각하거나 과시하지 않는다. 많은 개인과 단체가 이런 환상에 빠져 신선학을 마치 자기네들의 전유물처럼 선전한다. 학술을 이렇게 사유화할수록, 또한 반드시 이를 신비화한다. 그러므로 사유화와 신비화는 사실상 동전의 앞뒷면이다.

이런 사람들에게는 신선학이 수천 년 동안 전승된 동아시아의 뿌리 깊은 전통이자 체계적 학술이며, 더 나아가 인류 공동의 정신적 유산이라는 공공公共의 인식이 거의 결여돼 있다. 따라서 개인이 이런 망상에 빠져 있다면 그건 공부가 아주 부족하다는 증거고, 단체가 그렇다면 사이비라는 증거다. 경계하는 것이 마땅하다.

3) 선도를 반사회적이고 비윤리적으로 오도하지 않는다.

선도가 세속 밖(方外)의 학문이 된 것은, 전병훈의 지적처럼 역사적 과정의 산물이지 그것이 선도의 본질은 아니다. 다시 말해, 고대와 중세의 역사전개 과정에서 신선술이 주로 사회의 비공식적 영역으로 전승되었다. 그렇다고 선도가 반사회적이거나 비윤리적인 가치를 추구했던 것은 아니다. 그런데 이를 오도하여 불순하게 악용하는 사람과 집단이 생겨났다. 그 대표적인 폐해는 다음과 같다.

첫째, 대사회적인 윤리성이 취약하다. 선도를 단지 건강장수나 복을 구하는 방편으로 오도한다. 둘째, 단체나 조직의 공공성과 윤리의식이 미숙하다. 그럴수록 사이비 종교화의 위험이 높아진다. 셋째, 사회적 상규를 벗어난 조직적 활동이나 비윤리적인 영리행위를 정당화한다. 넷째, 그 과정에 동원되는 사람들의 노력을 제대로 보상하지 않고, 그것을 헌신으로 받아들이게 만든다. 물론 여기서 얻는 이익과 영향력은 늘 한 사람 내지 소수의 몫으로 돌아간다. 다섯째, 사회적 무능과 낮은 윤리의식 그리고 무지를 도사연하는 신비함으로 포장해 보상받으려는 허위의식이 강하다.

그러나 전병훈이 강조하듯이, 전통적으로 신선학은 본래 사회공동체의 합리성을 위배하지 않으며, 사회에 기여하기를 가르쳤다. 신라의 풍류나 중국의 도교에서 볼 수 있는 것처럼, 선도는 구세제민救世濟民의 높은 사회적 책임의식을 구현했다.

그러므로 사회의 공공성과 공동선을 해치면서 개인과 집단의 이익을 구한다면, 이는 도道를 빙자한 사기꾼 내지 한갓 도적떼에 지나지 않는다. 전병훈이 "한스럽고 애석하다"고 통탄한 병폐가 바로 이런 것으로, 공부하는 사람들이 경계하고 또 경계하지 않을 수 없다.

4) 온갖 이론과 잡술이 뒤섞인 방만함에서 벗어난다.

신선학의 유래가 오랜 만큼 수많은 성공과 실수와 시행착오들이 수천 년의 세월 동안 보태지고 결합돼 전승됐다. 시대와 장소에 따라 다양하게 분립한 이론과 경험이 모여 만 권의 『도장』을 이뤘다. 그러다 보니 수행자들이 이런저런 지식들 속에서 헤매고, 초보자들은 어디서부터 어떻게 공부를 해야 할지 갈피를 잡지 못한다. 특히 한국의 선도가 유교와 불교에 비해 학문으로 정립된 역사가 일천하다 보니, 정기신론이나 주천화후론 같은 아주 기본적인 이론조차도 다 제 입맛대로 주먹구구식으로 해석한다.

게다가 선선술은 그 이론과 술법의 방만함으로 인해, 샛길로 빠질 위험을 늘 경계하지 않을 수 없다. 예를 들어, 환각·허상·환영에 사로잡히는 환술幻術, 정도를 벗어나 삿된 술법에 기대는 주술呪術, 청정한 수행을 망칠 뿐 아니라 비윤리적인 방중술房中術, 잘못된 약물오용 등의 폐단이 크다.

따라서 전병훈이 "『도장』이 만 권이나 되는 데다 거짓되고 조잡한 샛문들이 많으니, 누가 능히 가려 뽑고 취사선택해서 참나의 참 면목을 보겠는가?"고 한탄하는 것이다. 내단학을 더 체계적이고 일목요연하게 정리해 누구라도 합리적으로 납득하고 건전하게 활용할 수 있도록 재정립해야 하는 이유가 바로 여기에 있다.

5) 선도는 건강과 수명연장의 방편만이 아니다.

전병훈에 따르면, 신선학은 정신을 단련해 참나(眞我)를 완성하고 성스러움을 겸비하는 경지에 오르는 학술이다. 이는 단지 그만의 정의가 아니다. 한 예로 『용호경龍虎經』에서 이렇게 말한다. "도가의 학술은 이른바 내단과 외단이 있어서 실로 성명性命이 딸려 붙어 있는 바이다. 이를 얻으면 작게는 안색에 광택이 나며 오래 살고, 크게는 신선이 되어 성스러운 경지에 든다."[91]

다시 말해 건강과 장생은 선도의 작은 효용이요, 신선과 성인의 경지에 드는 것이 선도의 높은 목표이다. 그런데 세간에서 선도를 단지 신체(생명) 활성화를 돕는 활동이나 기술 정도로 통속화하는 경향이 크다. 그러다 보니 이를 건강증진과 수명연장의 수단으로만 인식하고, 그 정신적인 가치에는 어두운 경우가 많다.

마치 사서삼경을 읽고 과거시험에 매달리지만, 정작 성인의 도에는 큰 관심이 없는 것과 같다. 절에 다니며 기복에 힘쓰지만 성불成佛은 남의 일이고, 교회에서 구원을 빌지만 사랑의 실천에는 인색한 것과 마찬가지다. 그리하여 수준 낮은 술사들이 건강장수나 기氣체험 따위로 사람들을 현혹한다.

평생토록 학문이나 도덕과는 담을 쌓고 살다가, 사소한 기氣체험이라도 하면 무슨 대단한 도라도 통한 듯 거기에 빠져든다. 그리고 급기야 다시 지도자네 스승입네 하며 사람들 앞에 나서는 악순환이 반복된다. 하지만 이는 본말本末이 뒤바뀐 것이요, 큰 것을 버리고 작은 것을 좇는 어리석음이다.

근본과 큰 것을 취면 말단과 작은 것이 저절로 따라온다. 그러나 말단과 작은 것만 탐하면 근본과 큰 것을 결국 잃어버린다. 선도를 통해 인생의 자기완성을 구하면 건강장수가 저절로 따라오지만, 단지 건강장수만 구하다면 인성의 파탄을 구제할 도리는 없다. 그러므로 언제나 철학이 근본이고 술법은 말단이다.

선도는 세간에서 말하는 기수련(氣功) 정도의 공부에 그치지 않는다. 더구나 환술에 불과한 신비체험으로 사람들을 현혹하는 따위의 잡술은 더더욱 아니

91. 道家之學, 有所謂內外丹者, 實性命之所繫, 得之者小則駐景延年, 大則登仙入聖. 『龍虎經』.

다. 그런데도 얄팍한 술법이나 익혀 지도자와 도사 행세를 하는 인사들이 참 많다. 그러나 조금 심하게 말해, 그들은 사실 선도가 뭔지조차 모른다. 단지 차마 '도'라고 부르기도 민망한 알량한 술수에 갇혀 있을 뿐이다.

선술과 선도의 차이는, 마치 산수와 수학의 거리만큼이나 크고도 깊다. 덧셈·뺄셈·곱셈·나눗셈만 잘하면 되는 것이 산수지만, 수학은 깊게 들어가 우주만물의 이치를 규명하는 학문이다. 산수를 모르면 수학도 못하지만, 단지 산수를 할 줄 안다고 다 수학자인 것은 아니다.

물론 어느 수학자보다 계산이 빠르고 정확한 산술가도 있다. 그렇지만 계산밖에 할 줄 모른다면, 그를 수학자로 부르기에는 부족하다. 산수는 수학의 필요조건이지만, 수학은 산수를 넘어선다. 마찬가지로 단지 호흡이나 신체동작에 익숙하고 기를 다소간 운용할 줄 안다고 해서, 그것만으로 능히 선도의 깊은 경지에 이를 수 있는 것은 아니다.

그러므로 철학과 도덕이 수반되지 않는 신선술이란, 단지 수학을 모르는 어린아이의 산수놀음 정도에 지나지 않는다. 몸과 함께 본성을 깊이 닦지 않는다면 그것은 선도라고 할 수 없다. 전병훈이 말하듯 "성인과 현자의 마음을 지닌 자라야 비로소 능히 신선의 일을 행할 수 있으"니, 도덕과 마음을 올바르게 하지 않고 진정한 선도의 경지를 엿볼 수는 없다. 그러므로 참된 선도는 "근래에 신체단련술(體術)이나 주로 하는 자들이 능히 미칠 수 있는 바가 아니"라는 게 틀림없는 사실이다.

6) 선도를 종교화나 이념화하지 않는다.

전병훈이 '몸동작이나 주로 하는 자들'과 함께, 신선학의 높은 경지에 이를 수 없다고 적시한 부류가 '종교를 선전하는 자들'이다. 이는 무엇보다 선도가 의타적 종교가 아닌 자력수행의 공부이기 때문이다. 따라서 선도를 종교적 포교나 개인숭배의 도구로 삼지 말라는 것이다. 또한 선도의 이론을 종교적 교리나 이념으로 도그마화하지 말라는 것이다.

내단학의 궁극적 목표는 인간 정신이 천지와 짝하는 절대자유의 경지에 이르는 것이다. 그 과정에서 자기의 본성을 등불로 삼고 올바른 도법을 등불로 삼는다. 의타적인 신앙의 대상을 섬기거나 숭배하지 않는 것이 수행자의 올바른 자세다. 그러므로 초월적인 신이나 하늘 혹은 특정인을 숭배하는 이념과 행위에 치우친다면, 그건 이미 '선도'라고 부를 수 없다. "내 목숨(운명)은 나로부터 비롯되지 하늘로부터 비롯되지 않는다(我命由我不由天)"[92]는 『오진편悟眞篇』의 유명한 명구가 그 정신을 대표한다.

그렇다고 도교와 내단학에서 타력신앙을 완전히 배제했던 것은 아니다. 기복적이고 의타적인 신앙이 자력수행과 뒤섞여, 역사적으로 상당히 혼란하고도 잡스러운 체제를 이뤄온 것이 사실이다. 과거에 문맹률이 높고 교육수준이 낮았으므로, 따르기 쉬운 타력신앙이 백성들 사이에서 만연했다. 권력자와 세력가들도 엄격한 자력수행을 몸소 실행하기보다, 기복신앙이나 주술로 손쉽게 복을 구하고 재앙을 물리치고자 했다. 그러나 전병훈은 이런 요인들을 결국 극복해야 할 폐단으로 보았다.

그 사회적 폐단을 떠나 선도의 본질에서 보더라도, 전병훈의 표현처럼 '종교나 선전하는 자들'이 선도가 추구하는 궁극의 경지에 오르기란 근본적으로 불가능한 것이다. 만약 어떤 수행자가 세속의 온갖 더러움을 벗고 참나를 완성해 참된 자유의 경지에 올랐다면, 그런 진인이 사탕발린 이념이나 종교화로 맹신적 추종자나 만드는 따위의 속된 욕망에 다시 정신을 맡기겠는가?

숭배적 이념으로 사람들을 지배하고 동원하며 그 힘으로 자기를 선전하는 따위에 몰두한다면, 이는 그런 사람이나 단체가 선도의 높은 경지에 전혀 이르지 못했음을 스스로 입증할 뿐이다. 의타적으로 종교화된 선도는, 누군가에 대한 의존으로 인해 수행자 스스로 자기 본성을 철저히 대면하기 어렵게 한다. 또한 모든 사이비 종교의 폐단처럼, 교주를 절대화해서 섬기든지 하는 종속적 인격장애를 초래한다. 게다가 이런 개인숭배는 교리와 이념의 도그마화를 수반한다.

---

92. 勿忘勿助, 日乾夕愓, 温養十月, 換去後天爻卦, 脱去先天法身, 我命由我不由天矣.『悟眞篇』.

중국에서는 약 2천 년 전에 이미 오두미도五斗米道를 창시한 장릉張陵 등이 노자를 친견했다고 앞세우며, 이를 종교적 숭배에 활용했다. 그 뒤에 고대의 철학자였던 노자를 태상노군太上老君으로 신격화하고, 『노자』를 종교적 교리서로 경전화하는 시도가 이어졌다. 물론 역대의 학자와 사상가들이 이런 도그마를 비판하고 노자를 신이 아닌 철인哲人으로 해석했지만, 도교와 사회 일각에서 여전히 그 숭배화의 폐단이 사라진 것은 아니다.

오늘날 한국의 이른바 '선도'에서도 유사한 패턴이 반복된다. 무엇보다 한국 선도의 정체성과 위상을 강조하며 단군이나 『천부경』 등을 앞세우는 경우가 부쩍 많아졌다. 『천부경』 등을 절대 진리의 도그마로 변조해 배타적이고 맹목적인 민족주의 정서를 자극하고, 조직(단체) 활동을 정당화하는 명분이나 이념으로 삼는다. 대개 그들은 '선도'라는 이름으로 건강장수나 신비체험을 원하는 사람들의 욕망에 호응하며, 이로써 세속적인 영예나 부를 얻고 세력 불리기에 몰두한다.

그 욕망을 포장해 줄 이념이 필요하므로, 그것을 단군 같은 역사적 시원이나 『천부경』처럼 고도로 압축되고 비의秘儀적인 경전에서 충당하는 것이다. 그리고 이를 대의명분으로 삼아, 사람들을 선동하고 동원하려 든다. 이렇게 말하면 혹자는 필자가 민족을 부정한다고 비난할지 모른다. 그러나 실은 맹목적 숭배화의 위험에서 단군과 『천부경』을 지키고, 합리적으로 탐구할 필요를 강조하는 것이다.

여기서 전병훈의 사례를 거울로 삼지 않을 수 없다. 어쩌면 그야말로 근세에 단군과 『천부경』의 가치를 가장 드높인 인물이었다. 그는 단군을 황제와 비견하는 동아시아 문명의 시원으로 추존했고, 『천부경』에 대해 현존하는 가장 이르고도 학술적으로 가치 있는 주석을 달았다. 그러면서도 중화의 자존감으로 가득한 중국의 지도자와 식자들이 그 학설을 인정하고, 함께 단군과 『천부경』을 존중하도록 했다.

전병훈은 오늘날 기본실력도 갖추지 못하고, 옛일과 글을 제멋대로 해석하는 이른바 '환빠'류와는 차원이 다른 학문의 수준을 보여준다. 그에 비하면, 함량미달의 교설을 유포하고 배타적 민족주의나 선동하는 따위는 더불어 언급할 가치도 없다. 그런 것이야말로 도리어 단군을 희화화하고, 『천부경』의 진가를 훼손시키는 혹세무민의 수작질이 아니고 무엇이겠는가 말이다.

앞서 말했듯이 선도를 종교화하거나 이념화하는 것은, 그들이 단지 선도를 빙자할 뿐 실은 선도의 깊은 정수에 이르지 못했기 때문이다. 또한 거기에 이르려는 의지도 능력도 빈약함을 보여주는 징표에 불과하다. 그래도 혹자는 그게 기독교, 도교나 여타의 종교에서 다 써먹는 수법인데 왜 한국 선도만 안 되냐고 반문할지 모른다.

물론 이런 폐단이 비단 최근 한국 선도만의 문제로 국한되지는 않는다. 동아시아 신선학의 역사에서 혹세무민의 병폐가 지속적으로 반복되었다. 무수한 거짓 스승과 자질 낮은 술사들이 나타났다. 그들이 온갖 잡술과 사탕발림으로 세상을 속이고, 선도의 문門 안을 더럽혔다. 전병훈도 그 폐해의 심각성을 절감해 정신학의 '혁신'과 '진화' 그리고 '공용의 학술'로 재정립하기를 주창했던 것이다.

얼핏 보면, 뭔가를 열렬히 숭배하는 자들이 그것의 수호자처럼 보인다. 하지만 실은 그들이야말로 그 뭔가에 담긴 진정한 가치의 파괴자인 경우가 대단히 많다. 앞서 말했듯, 노자를 신격화한 함량미달의 술사들이 노자의 철학을 천박한 교리로 변조했다.

지난 20세기에, 더 나아가 인류역사의 거의 모든 시기에 절대 진리로 숭배된 도그마와 이념이 비극적 전쟁과 광기를 불러왔다. 그 과정에서 단지 소중한 목숨과 세계만 파괴된 것이 아니고, 실은 그들이 내세운 이념의 본래적 가치도 함께 파괴됐다.

노자의 신상神像에 금물을 입힌 도사와 권세가들이 노자의 무위無爲와 검약의 지혜를 배신했다. 예수의 이름으로 소집된 중세 십자군이 인류를 향한 예수의 박애정신을 짓밟았다. 스탈린 시대의 억압과 광기가 비인간적인 모든 억압으로부터의 해방을 꿈꿨던 마르크스의 철학을 파괴했다. 노자와 예수와 마르크스의 열렬한 추종자들이야말로, 실은 그들이 추종한 위대한 인물들이 꿈꾼

이상을 끔찍하게 파괴한 당사자들이었다.

그 모든 비극은 결국 노자와 예수와 마르크스의 책임을 넘어선다. 그들 성현과 철학자들이 제시한 가르침을 제멋대로 해석하고, 독단의 이념으로 만들어 사람들을 지배하고 동원하는 도구로 삼았던 자들의 비열한 충동과 교활한 책략에서 불행이 싹텄다.

그럼에도 불구하고, 전병훈은 예로부터 반복된 이런 미망에서 인류가 벗어나 머잖아 새롭게 진화하리라고 낙관했다. 그는 "온 누리에서 극히 문명화된 인류가 복을 짓는" 시대를 예감했으며, 그 때를 만나면 그의 철학이 모종의 향도嚮導 역할을 하리라고 암시했다.[93]

전병훈 철학의 문맥에서 보면, 이는 곧 숭배적 종교나 도그마가 사람을 지배하는 낡은 시대의 종식이자, 인류가 진정한 '정신'의 자유를 널리 자각하는 시대의 도래를 의미했다. 서우는 이런 시대를 여는 데 그의 정신철학이 귀하게 쓰이기를 희망했다. 그런데 종교와 이념의 광기가 지배했던 역사의 긴 터널을 빠져나와야 할 시점에, 2천 년 전 오두미교의 장릉이나 했음직한 종교적 숭배와 이념화의 망령이 부활한다는 게 가당키나 하단 말인가?

그나마 한국 선도는 지난 수천 년간 종교로 변질되지 않고, 나름대로 자력수행 전통을 잘 보존해 왔다. 전병훈도 그렇지만, 전통사회에서 도 닦는 선비들의 지성과 도덕의 수준이 상당히 높았기 때문이다. 그런데 이제 와서 그릇된 길로 들어설 이유는 없다. 그러니 이른바 선도를 닦는다는 사람들이 깊이 성찰하고 반성해 무지와 맹종에서 벗어날 일이다.

대중들 역시 알량한 술법과 사탕발린 언설로 나와 남을 속이는 술사들을 경계하고 또 경계해야 한다. 대신 깊고 체계적으로 학문을 연마하고, 떳떳한 자력수행으로 참나를 이루며, 궁극적인 자유를 얻어 인류사회에 기여해야 한다는 전병훈의 가르침에서 수천 년간 전해진 동아시아 신선학의 귀감을 얻기 바란다.

---

93. 當午會正中宇內極文明之人類造福, 安知不由是增進而嘉致哉? 『통편』, 8쪽.

7) 부귀로 신선을 구하지 않는다.

지난날 신선학의 역사에서 가장 유명했던 사건이 아마도 진시황의 불로초 탐사 프로젝트일 것이다. 결국 실패로 끝난 이 사건은, 권세로 불로장생을 구했던 군주들의 헛된 욕망을 조롱하는 사례로 회자된다. 동시에 신선술로 권력과 재물을 탐했던 엉터리 술사들의 사기행각을 보여주는 사례로도 유명하다. 이는 또한 유생들이 신선술을 비난하고 배척할 때 의례히 불러오는 레퍼토리이기도 하다.

다시 정리하면, ① 권력과 돈으로 불로장생을 구하는 권세가의 세속적 욕망, ② 이런 욕망에 편승해 돈과 권세에 빌붙은 술사들의 사기행각, ③ 그런 욕망과 사기술이 마치 신선술의 본질인 듯이 호도하는 유학자들의 성마른 비난, 이런 것들이 모여 신선술에 대한 부정적이고 삐딱한 이미지가 만들어졌다. 그러나 어느 경우나 그것이 신선학의 본질에서 벗어나기는 매한가지다. 물론 불행은 권력과 재물로 신선을 구한 권세가와 그들의 욕망에 영합한 술사들의 결합에서 비롯되었다.

그런데 본래 썩은 내가 진동하는 좌판에 파리떼가 들끓고, 이놈 저놈 모여드는 장마당에 협잡꾼이 판치게 마련이다. 그러니 "돈과 권력으로 신선을 구하는 것은, 썩은 생선좌판에서 심해의 신령한 거북을 찾고, 혼잡한 장터에서 심산의 웅장한 자태를 보려는 만큼이나 어리석은 짓"이라고 할 만하다. 한데 그렇다고 해서, 깊은 바다에 거북이 헤엄치지 않고 높은 산에 비경이 없다고 단정한다면, 이 역시 선부른 예단이다. 진시황의 옛일을 들어 신선학을 비난하는 유생들의 성마른 독단이 또한 이와 다르지 않다.

예나 지금이나 마찬가지다. 전병훈의 말처럼 "부귀와 세력으로 신선과 진인을 구해 만날 수 있는 게 아닌데, 단지 가짜로 만난 체하고 거짓으로 전수받았다고 꾸며 약으로 속여" 온갖 사기와 협잡이 일어난다. 다시 말하지만, 권력과 돈으로 불로장생하려는 게 애초부터 잘못이다. 여기에 빌붙어 만병통치 약장사 노릇을 하는 것도 가당찮은 짓이다. 그러면서 이를 '선도'라고 말하니, 세상이 그게 진짜 선도인 줄로 알고 손가락질을 한다. 신선의 학술을 비난하고 배척했던 유생이나 지식인들도 실은 가짜 선도에 대해 이러쿵저러쿵 힐난한 셈이라, 그 역시 딱한 노릇이긴 매한가지다.

그러므로 정말로 신령한 거북과 오묘한 산천을 보고 싶다면, 돈을 싸들고 장마당의 좌판을 전전할 일이 아니다. 사람들을 보내 거북을 잡아온들 그것은 이미 죽은 거북이요, 폭포수를 담아온들 그것은 이미 신선한 물이 아니다. 그렇다고 바다고 산이고 구경도 못한 얼치기들이 왈가왈부 떠드는 헛소리를 귀담아들어 또한 무슨 이익이 있겠는가?

다만 가지고 누리는 것을 훌훌 털어 버리고, 직접 깊은 바다로 입수해야 신령한 거북을 보고, 높은 산에 올라야 용이 노는 폭포를 만나는 법이다. 마찬가지로, 몸소 자력으로 수행하지 않고 신선의 깊은 경지를 엿보기란 예나 지금이나 불가능하다. 과학과 지능이 아무리 발전한다 한들, 앞으로도 그럴 것이다. 왜 그런가의 이치를 밝히는 것, 그게 바로 전병훈이 정신철학에서 논하는 '정신'의 철리哲理이다.

내 안에서 구하라

전병훈이 말한 철리의 핵심을 말하자면, "진시황이 찾던 불로초는 삼신산에 있지 않고 인간의 떳떳한 정신과 도덕에 있다"는 말로 요약된다. 그렇다. 몸 밖의 삼신산과 불로초란 단지 은유일 뿐이다. 내 몸(정신) 안에 삼신산이 있다. 내 마음에서 불로초가 자라는 것이요, 돈과 권세로 밖에서 구할 수 있는 것이 아니다.

그러나 예전에 제왕과 장상들이 밖에서 구할 수 없는 것을 밖에서 구했으니 성공할 수 없었고, 함량미달의 술사들이 그 옆에 들끓으며 온갖 거짓과 협잡을 일삼았다. 대중들도 마찬가지다. 어리석은 사람들이 자기 안에서 신선을 보지 못하고 밖에서 도법을 구한다. 그러니 스스로 신선입네 진인입네 깨달았네 하고 허풍을 떠는 자들에게 속아, 평생 그들의 그림자만 좇다가 생을 마감한다.

그러므로 선도를 빌미로 생겨나는 모든 사기와 협잡과 사이비 종교화의 행태는, 결국 신선학에 대한 사람들의 무지와 헛된 기대에서 비롯된다. 전병훈은 이를 바로잡는 것이야말로 철학의 역할이며, 신선학을 '공용의 학술'로 재정립해야 하는 이유라고 천명했다.

책 안에 만금萬金이 있고 철학에 구원이 있다면, 바로 이런 경우다. 예로부터 진시황조차 온 천하와 억만금을 주고도 구하지 못했던 불로초를, 단지 생각을 바꾸고 정신을 바로 세우며 도덕을 실천하는 것으로 내 안에서 구할 수 있다. 그보다 더한 행운이 세상 어디에 다시 있겠는가 말이다.

7. 정신철학의 목표

앞서 말했듯이 "사람마다 각자 유익함을 얻어 정신을 키우고 병을 물리쳐 장생하기를 바란다"는 구절에 정신철학의 효용이 담겨 있다. 그리고 또한 그것이 전병훈 철학의 목표를 함축한다. 이를 보다 상세히 살피기 위해서, 이 구절이 포함된 글의 앞뒤 문맥을 좀 더 자세히 논구하자.

> …… 그러면서도 인류의 공익公益을 진작하지 않는 학술이 가능하겠는가? 이제 세상에서 공용하는 학술로 만들어 '정신철학'으로 이름 붙이는 것은, …… 사람마다 각자 이익을 얻어 정신을 증진하고, 병을 물리쳐 장생하기를 바란다.[94]

여기서 조금씩 다른 개념들을 발견할 수 있다. 먼저 '인류의 공익을 진작하는 학술' '세상에서 공용하는 학술' 그리고 '사람마다 각자 유익함을 얻는' 것, 이 세 가지가 정신철학의 효용에 대한 진술이다. 흥미로운 것은, '공익公益'과 '공용公用' 그리고 '사람들 각자의 이익(人各受益)'을 동시에 언급한다는 점이다.

94. …… 如此而不作人群公益之學可乎? 今作入世公用之學, 則名之以精神哲學者, …… 蓋欲人各受益, 增添精神, 却病延年之願也. 『통편』, 22쪽.

이를 굳이 공과 사로 나누자면, 앞의 둘은 공公의 영역이요 마지막 하나는 사私의 영역이 된다.

전병훈이 사람들의 사적 이익을 염두에 두고, 그 총합으로서 다수 내지는 전체의 이익에 부합하는 것을 공익과 공용의 개념으로 사용하고 있음을 알 수 있다. 그는 다수·전체로서 공을 구성하는 각각의 개인이 기본적으로 욕구를 가진 존재로, 저마다 정신과 생명의 이익을 추구하는 걸 인정했다. 더 나아가 사람들이 최대한 각자의 이익을 도모할 수 있도록 하는 것이 결국 '공익'에 합치된다고 보고, 또한 이런 취지에 부합하는 것을 '공용'으로 정의했다.

언뜻 보면, 여기까지는 서구 근대의 개인주의나 공리주의功利主義(utilitarianism) 원리에 거의 부합하는 듯하다. 그런데 이 지점에서 피할 수 없는 두 가지 질문을 만난다. 즉 사람들 각자의 사私적인 욕망이 충돌하는 문제, 그리고 서로 다른 욕구들을 어떻게 다수 내지는 전체의 공公으로 집합시키는가의 문제가 대두된다.

여기서 전병훈은 매우 독특한 사유를 전개했다. 서둘러 결론을 말하면, 그것은 비록 공리주의와 조우하는 듯 보이지만, 궁극적으로 공리주의를 벗어난다. 그는 언제나 공리功利를 넘어서는 공리公理를 추구했다.

익히 알다시피, 19세기 영국의 벤담Jeremy Bentham(1748~1832)이 쾌락을 추구하고 고통을 피하려는 것을 인간의 자연본성으로 보고, 그 토대에서 '최대 다수의 최대 행복'이라는 공리주의의 기본원리를 정립했다. 그런데 인간이 추구하는 쾌락의 종류와 성질에 대해, 그는 질적인 차이를 인정하지 않고 단지 양적으로 환산하려고 했다. 이에 반해 존 스튜어트 밀John Stuart Mill(1806~1873) 등은 인간이 동물적 본성 이상의 능력을 가지고 있으며, 질이 높고 고상한 쾌락을 추구한다고 주장했다.

그러므로 일견, 정신철학의 효용성에 대한 전병훈의 관점은 밀과 유사한 맥락에 서 있는 듯이 보인다. 전병훈은 사람에게 '물질에 대한 욕구'와 함께 '정신적인 욕구'가 있으며, 전자에 비해 후자가 더 양질일 뿐만 아니라 더 궁극적인 행복을 가져다준다고 확신했다. 또한 물질적인 욕구가 일차적이며, 그것이 충족될 때 사람들이 다시 필연적으로 정신적인 욕구를 추구하게 된다고 보았다.

> 아! 우주 안의 세계가 지금 물질만을 숭상하나, 물질로부터 장차 정신으로 들어갈 것이 틀림없다. 지금 비록 정신의 학설이 있으나(서양의 정신학설은 아직 도가와 불가의 극치를 뛰어넘지 못했고, 최면술 등이야 말할 거리도 못 된다), 이(정신철학)처럼 정신을 응결해 참나를 이루고 목숨을 안정시키는 학술은 결여돼 있다. 또한 이 학술은 내면의 수양만 하는 게 아니다. 위로는 진인과 성인이 되고, 다음으로는 병을 물리치고 장생하며 세상과 사람들을 구제할 수도 있다.[95]

전병훈이 볼 때, 사람들이 물질적 욕구에 탐닉하는 단계에 머무르는 한, 사적인 욕망의 충돌은 필연적이다. '다수의 행복'을 위해 일종의 사회적 합의로서 도덕과 법을 세워 욕망을 규율한다지만, 어디까지나 그것은 형식적인 궁여지책일 뿐이다.

돈과 권력의 맛을 본 인간의 물질적 욕망은 비온 뒤의 대나무처럼 자란다. 하지만 그것을 규율하는 도덕과 입법은 언제나 굼뜬 굼벵이처럼 그 뒤를 따른다. 전병훈의 말처럼 '물질만을 숭상'한다면, 세계가 패권과 약육강식의 정글이 되는 것을 피할 수 없다.

그러므로 개인의 이기심을 부추겨 물질적 쾌락을 추구하는 극치에서, 지금처럼 약탈적인 이른바 '신자유주의'의 시장경제가 출현한 것도 어찌 보면 당연한 귀결이다. 그런데 물질에 대한 욕망의 극단적 팽창에 기초한 이런 체제가 과연 인류문명의 최선과 최종의 단계일까?

이 질문이 부담된다면, 욕망을 가진 인간의 쾌락의 총량을 중시하는 서구 공리주의의 문맥에서 이렇게 바꿔 물을 수 있다. "인류역사상 어느 때보다 물

---

95. 烏乎! 宇內世界, 時尚物質, 由物質將入精神必矣. 今雖有精神學說(西之精神學說尚未透道佛之極致, 況催眠術等何足道哉!), 而如此凝結精神, 成眞住命之學, 則尙闕如也. 矧且此學也. 不惟內養, 上可以成眞成聖, 次可以却病延年, 救世度人. 『통편』, 23쪽.

질을 숭배하고 또 물질적으로 풍요를 누리는 지금, 당신은 얼마나 즐겁고 행복한가?" 물론 여전히 가난과 굶주림에 허덕이는 세계인구의 7명 중 1명에게 이런 질문은 사치일 수 있다.

하지만 극단적인 기아와 굶주림에 시달리는 사람들의 반대편에는, 물질적 풍요의 한가운데서 정신적 고통을 호소하는 사람들 역시 빠르게 늘고 있다. 양적으로 더 많은 물질적 쾌락을 경험한 사람들이 그것만으로 행복해지지 않다는 것을 깨닫고 있다. 한데 문제는 그 다음에 찾아온다. 물질적 풍요를 좇는 삶만 배우고 익힌 탓에, 정작 그보다 더 질이 높고 고상한 쾌락에 이르는 길을 잃고 헤매게 된다.

그러나 정신의 유랑자가 되어 길을 잃고 헤매는 이런 고통은, 정반대로 놀랄 만한 다른 종류의 쾌락을 품고 있다. 물질의 풍요 끝에서 정신이 고통을 느끼는 것조차, 실은 내면에 잠재된 정신의 욕구가 다시 기지개를 켜는 징조이기 때문이다. 전병훈이 세계가 물질을 숭배하는 극치에서 "물질로부터 장차 정신으로 들어갈 것이 틀림없다"고 말한 것은, 바로 이런 상황을 염두에 둔 것이다.

한데 그는 거기서 한 발 더 나아가, "서양에도 정신의 학설이 있으나 그것이 아직 도가와 불가의 극치를 뛰어넘지 못했고" 또한 최면술 등을 이용하는 심리적 요법은 말할 거리도 못 된다고 단언한다. 누구보다 서양철학을 존중했던 그가 대체 무슨 근거로 이처럼 확언하는 것일까? 정신철학에는 있는데 서양의 정신학설에는 없는 것, 단적으로 말해 그것은 곧 "정신을 응결하는" 그리하여 "참나를 이루고 목숨을 안정시키는" 이론과 기술이다.

논의가 상당히 깊게 들어왔다. 그러니 "정신을 응결한다(凝結精神)"는 것, "참나를 이룬다(成眞)"는 것, 그리고 "목숨을 안정시킨다(住命)"는 것의 의미를 한층 더 명확히 구명究明해야 한다. 그런데 어차피 전병훈의 정신철학 전부가 이것을 설명한다고 해도 과언이 아니다. 그러므로 이 주제는 제2장 이후에 본격적으로 논구할 것이다.

여기서는 단지 정신철학의 목표와 관련되는 문맥에 논의를 집약하자. 일단 두루뭉술하게 말해, "정신을 응결한다"는 것은 내단학의 수련을 통해 정신을 단련하는 전 과정을 가리킨다. "참나를 이룬다"는 것은 말 그대로 참된 나의 진면목을 찾고 또 완성하는 것이다. 내용상으로는, 뇌 안에 신神을 응결해 이른바 '신단神丹'을 이루는 것이다.

"목숨을 안정시킨다"는 것은 건강하고 활력 넘치는 생명의 상태를 유지하는 것이다. 더 평이하게 말해서, 내단학의 심신수련을 통해 정신의 자기완성을 꾀하고 육신의 활력을 지킨다는 문맥이다.

그런데 이 학술의 목표는 단지 거기서 그치지 않는다. 아주 높은 목표로, 참나를 이루고 사회적 리더십을 겸비한 성인의 반열에 오르기를 겨냥한다. 그리고 거기까지는 아니라도, 누구나 정신건강을 유지하며 병을 물리치고 장생하도록 돕는다. 그리고 이런 효과로 인해, 세상에 도움을 주고 심신의 고통에 처한 사람들을 구제하는 사회적 효용을 기대할 수 있다.

한데 높은 목표로 "진인과 성인이 된다"고 하면, 사람들은 대개 그것이 자기와 무관한 목표라고 생각하기 쉽다. 하지만 우리는 누구나 몸의 욕구를 느끼는 동시에 정신활동을 한다. 다시 말해 물질적 풍요를 바라고 이를 통해 즐거움과 행복을 누리고 싶어 하는 만큼, 정신이 성숙하길 바라고 이를 통해 즐거움과 행복을 누리고 싶어 한다.

전병훈에 따르면, 이는 인간이라면 누구나 자연스럽게 갈망하는 본성의 욕구이다. 현대인이 물질적인 풍요에도 불구하고 정신적인 빈곤의 고통을 호소하는 것도, 따지고 보면 이런 자연본성의 욕구가 충분히 만족되지 않기 때문이다.

그런데 사람들에게 물질적 욕구는 가깝고, 정신적 욕구는 멀다. 우리는 물질적으로 풍요로운 사람을 부자로 부르고, 또 누구나 부자가 되기를 원한다. 마찬가지로 덕성과 지혜가 뛰어난 사람을 예로부터 성인 혹은 군자로 불렀고, 도가에서는 진인이라고 했다. 그런데 누구나 성인이나 진인이 되기를 원하는 건 아니다. 보통사람들에게 그것은 아주 먼 이상으로 느껴진다.

물론 누구나 부자가 되고 싶다고 다 갑부가 되지는 않듯, 마찬가지로 누구나 정신수련을 한다고 다 성인이나 진인의 반열에 오르는 것은 아니다. 그렇지만 누군가, 특히 자질이 뛰어난 영재들은 높은 목표를 겨냥할 수 있다. 그게 곧 "진인이 되고 성인이 되는" 것이다.

전병훈은 이런 목표가 인간이 이를 수 있는 최고 수준의 자유를 겨냥한다고 명시했다. 『정신철학통편』에서 '자유'는 아주 특별한 위상을 가지는 개념이다. 전병훈은 자신의 네 철학이 시작되는 편장의 앞머리마다 자유를 언급했다.

> 정신철학: 사람의 자유로, 신神을 기르고 참나를 성취하기만 한 것이 없다.[96]

> 심리철학: 사람의 자유로, 심리에 통하고 성인의 자리에 오르는 만한 것이 없다.[97]

> 도덕철학: 사람의 자유로, 도를 응결하고 덕을 갖추는 이상이 없다.[98]

> 정치철학: 사람의 자유로, 진아가 성스러움을 겸하며(兼聖), 세상을 개조하여 하늘과 합하기보다 더 큰 것이 없다.[99]

'자유'의 문맥에서 볼 때, 정신과 심리는 외적인 제약이나 구속을 받지 않는 내적 자유의 영역이다. 도덕은 내면과 외부 세계의 경계선상에서 인간이 자유로울 수 있게 한다. 그리고 정치는 자유를 외적으로 구현하는 것, 즉 사회적 인간(들) 간에서 자유를 실현하는 영역이다. 전병훈은 이런 자유가, 구체적으로 '인류의 공익'과 '세계의 통일' 그리고 '문명의 진보'라는 이상과 더불어 구현된다고 제시했다.

이처럼 정신, 심리, 도덕, 정치적 자유를 동시에 성취하는 것이 전병훈 철학의

---

96. 人之自由, 莫如養神成眞者. 『통편』, 19쪽.
97. 人之自由, 莫如通理位聖者. 『통편』, 91쪽.
98. 人之自由, 莫如道凝德備者. 『통편』, 153쪽.
99. 人之自由, 莫大於眞我兼聖造世合天者. 『통편』, 249쪽.

최종적 비전이었다. 그리하여 마침내 그는 "참나와 성스러움을 겸하고 세상이 하늘과 합하도록 만들기"를 말한다. 그리고 그것이 인생 최대의 자유라고 명시한다. 이는 곧 내적 자유와 외적 자유를 고르게 구현하자는 것이다. 또한 개체생명의 자유가 천지만물의 질서에 합치하는 우주적 자유로 확장되는 것을 의미한다.

전병훈은 '신선'으로 대표되는 생명가치와 '성인'으로 표상되는 사회가치를 함께 실현해, 온 인류가 더불어 자유로운 세계를 만드는 것이야말로 진정한 대자유라고 천명했다. 그것은 제국주의의 강권과 억압, 약육강식의 야만이 지배하던 20세기 초의 참담한 현실에서 인문적 상상이 빚어낸 숭고하고도 장엄한 이상이었다.

전병훈은 이런 자유의 이상 아래 세계가 하나로 통일되고 문명이 진보하길 희구했으며, 그 과정에서 정신철학이 향도 역할을 하기를 기대했다. 서우는 『정신철학통편』 서문에서 이렇게 밝혔다.

> 이것(정신을 응결해 참나를 이루고, 목숨을 안정시키며, 위로는 진인과 성인이 되고, 다음으로는 병을 물리치고 장생하며, 세상과 사람들을 구제하는 것)을 고르게 경험한다면, 어찌 겸성兼聖하는 철리의 극치가 아니겠는가? 이른바 '겸성'이란 황제黃帝가 군주로 천하를 다스리면서 동시에 능히 수양을 해서 신선이 되었던 것을 일컫는다.
>
> 또한 동방 한국 단군의 『천부경』을 얻어 책의 첫머리로 삼으니, 그 극치의 철리와 겸성이 황제와 같아 더욱 신비하고 기이함이 있다. 아! 세상의 다스림이 장차 대동大同하여 통일되는 날에 이른다면, 어찌 이 책이 그 길을 인도하는 효시와 서광이 되지 않을 줄 알겠는가?[100]

---

100. 烏乎! 宇內世界, 時尚物質, 由物質將入精神必矣. 今雖有精神學說,(西之精神學說尚未透道佛之極致, 況催眠術等何足道哉!) 而如此凝結精神, 成眞住命之學, 則尚闕如也. 矧且此學也, 不惟內養, 上可以成眞成聖, 次可以却病延年, 救世度人. 均是經驗者, 則豈非兼聖哲理之極致者耶? 所謂兼聖, 黃帝君治天下, 並能修養成仙. 故云耳. 且得

이쯤 되면 정신철학의 목표가 너무 고원하고 원대해서 나와는 맞지 않겠다고 지레 겁먹는 독자들이 생길지 모르겠다. 혹은 그것이 너무 이상적이라서, 현실에서 구현하기는 어렵겠다고 비관할 수도 있다. 설령 그렇더라도 정신철학의 효용이 거기서 그치지 않으므로, 아직 실망하기는 이르다.

진인과 성인의 반열에 오르는 아주 높은 목표가 아니라도, 정신철학을 이해하고 수련하는 것으로 평생의 심신건강을 유지하고, 병을 물리치며 장생하는 목표를 달성할 수 있다고 전병훈은 말한다. 그런데 이 경우에도 단지 건강이나 웰빙 등을 파는 얄팍한 술수에 현혹되기보다는, 인생의 가치에 대한 보다 깊은 인문학적 통찰을 필요로 한다.

무엇보다 '인간이 추구하는 모든 가치의 궁극적 토대가 결국 생명'이라는 테제를 이해해야 한다. 말하자면, 이것이 정신철학의 제1원리인 셈이다. 심리·도덕·정치 방면의 논의가 모두 이 지점에서 출발한다. 하지만 사람들이 일상에서 생명가치를 능동적으로 자각하는 경우는 드물다.

정신을 혹사하고, 몸을 함부로 굴리며, 생을 돌보지 않는 것을 정당화하는 데 동원될 수 있는 핑계는 얼마든지 널려 있다. 돈을 벌기 위해, 학업을 위해, 승진을 위해, 성공을 위해, 명예를 위해, 혹은 가족을 위하고, 우정을 위하고, 국가와 민족을 위하고, 정의를 위하고, 인류를 위하고, 봉사와 헌신을 위해……. 어쩌면 인생에서 실현해야 할 고귀한 가치들이 너무 많아서, 현대인은 생명가치를 돌볼 의욕도 시간도 부족한 듯하다.

그런데 이것은 단지 건강을 돌볼 여력이 부족하다는 변명을 넘어서, 전병훈이 말하는 생명가치와 사회가치의 분열증을 함축한다. 생명가치에서 분리된 사회가치들, 즉 돈과 물질과 명예와 도덕과 지식 등이 인간의 목숨보다 더 숭배되는 것이다. 그리하여 온갖 이유로 내가 나의 생명을 돌보지 않듯, 마찬가지로 남의 생명을 돌보지 않으며, 또한 남이 내 생명을 돌봐주기를 기대하지도 않는 생명경시 풍조가 현대사회에 만연하다.

東韓檀君之『天符經』以作首篇, 其極哲兼聖與黃帝同, 而尤有神異者也. 烏乎! 世治將躋大同一統之日, 此篇者, 安知不作嚮導之先河曙光也. 『통편』, 23쪽.

거기서 사람들은 천지가 부여한 목숨을 '살기'보다 그저 '소모'하듯 하루하루를 보낸다. 그러다가 병이 들거나 죽음에 직면해서야, 비로소 꺼져가는 생명의 불씨 앞에서 두려움에 몸서리를 치곤 한다. 한때 몸을 헌신짝처럼 버리고 이성으로 불리는 순수한 관념과 사변의 세계로 떠났던 철학이 다시 몸으로 귀환하게 된 것도, 어쩌면 그런 관념적 철학의 죽음을 애도하는 장송곡이 울리고 난 뒤가 아니던가 말이다.

이런 가치의 전도顚倒를 되돌리는 것, 다시 말해 생명가치를 존중하는 토대에서 사회가치를 실현하는 것이야말로 전병훈이 말한 겸성학설의 요지라고 할 수 있다. 당연한 수순이지만, 사람들이 외물外物로 향하던 시선을 자기의 생명으로 돌릴 때 비로소 몸과 마음을 돌볼 의욕을 되찾게 된다. 거기서 각자가 정신건강을 유지하고 무병장수할 수 있는 길이 열린다.

하지만 부귀를 구하고 입신양명하거나 혹은 다른 외재적 가치를 실현하려는 욕구가 크다면, 아무리 자기의 생명을 살리고 무병장수하는 길일지라도 거기로 쉽게 눈을 돌리고 실천하기 어려운 법이다. 게다가 세상만사가 그렇듯, 생명가치를 돌보는 일도 저절로 성취되지는 않는다. 이른바 '정신학精神學'의 수련 역시 상당한 집중과 노력을 요하는 일이다.

따라서 이를 효과적으로 실행하려면, 그것이 다른 어떤 일 이상으로 가치 있다는 개인의 자각과 함께, 이를 인정하고 지지하는 사회적 합의가 필요하다. 생명가치에 대한 자각이 단지 사적인 차원에 머무는 한에 있어서는, 각 개인이 자기의 정신적 성장이나 무병장수를 위한 노력에 집중하기 어렵다. 부귀해지는 건 장하지만, 목숨이 상하는 것쯤은 별일 아니라는 생명경시 풍조가 만연하기 때문이다.

도덕가치가 생명가치를 압도하던 중세의 성리학 지배 사회에서 실제로 그런 일이 일어났다. 선도는 이단으로 배척돼 산중에서 사적으로 은밀하게 전수될 수밖에 없었다. 또한 물질가치가 생명가치를 압도하는 현대사회에서도 정신학의 수련은 여전히 사적인 영역에 머문다. 하지만 생명가치가 존중받는 사회로 가고자 한다면, 정신학과 같은 분야가 필히 공적인 학술로 정립돼야 한다.

다들 알다시피, 예전에 성리학이 모든 학문의 제왕이던 시대가 있었다. 그 당시 사서삼경을 읽는 것은, 오늘날 법전을 공부하며 법관이 되려는 만큼이나 선망되고 사회적으로 선호되던 일이었다. 하지만 시대가 바뀌어 도덕가치보다 물질가치를 추구하는 사회가 되자, 그에 걸맞은 도구적 학문으로 인재들이 모여든다. 선도나 신선학도 이런 운명에서 자유롭지 않다.

아무리 생명을 살리고 무병장수하는 효용이 뛰어나도, 그것은 충분히 합리적이고 타당한 사회적 시스템의 일부로 정비돼야만 한다. 특히 한 시대의 영재들이 그런 공부에 집중하며, 자기발전과 함께 학문을 도모할 수 있는 사회적 풍토, 그리고 교육 제도화가 뒷받침돼야 한다. 그렇지 않다면 신선학은 단지 특이한 성향을 가진 사람들의 사적 관심사나 몇몇 기이한 집단이 벌이는 예외적인 활동에 그칠 수밖에 없을 것이다.

전병훈은 이런 학문의 역할을 자각했고, 정신학을 철학으로 정립하는 사명을 자임하고 나섰다. 특히 철학은 자기 자신부터 비판적 이성의 법정에 세우는 것이라는 점에서, 그는 모든 학문의 임무 중에서도 가장 어려운 자기인식의 과업을 스스로 떠맡았던 셈이다.

이런 자기인식의 법정에서, 그는 과거 신선학의 사적이고 비밀스러운 전승을 비판하고, 그 학술의 공효를 서양철학처럼 정밀하게 설명할 수 있어야 한다고 선언했다.

> 아! 동아시아의 정신학이 위와 같으나, 세상 밖에 사사로이 감춰져 오늘에 이르렀다. 그러나 서양철학은 능히 앞서 정신의 공용功用을 말하니, 어찌 그처럼 특별하고 남다르단 말인가! 지금 이후로, 마땅히 호환하고 적절히 조제해서 능히 세계를 좌우하며 동포형제의 진정한 즐거움을 함께 즐기는 것이 반드시 정신겸성精神兼聖의 새로운 학문원리에 있을 것이다![101]

---

101. 烏乎! 東亞之精神學如上, 而私秘方外者至今, 西哲則能先言精神之功用, 何其特殊哉! 從玆以後, 可當互換調劑, 能左右世界, 兼善同胞兄弟之眞樂, 其必在精神兼聖之新學理乎! 『통편』, 89쪽.

동아시아 정신학의 장점이 정신을 운용하고 생명을 증진하는 '수련의 비결'에 있다면, 서양철학의 장점은 정신에 대한 '합리적 해명'에 있다는 것이 전병훈의 판단이었다.

그는 동서양이 서로의 이런 장점을 교환해 종합하면, 온 세계가 동포형제의 즐거움을 누리게 될 것이라고 낙관했다. 이를 위해 비밀스러운 내단학의 원리를 정밀하고도 명료한 철학으로 승화시켜야 한다고 여겼고, 그 책무를 수행하기로 자임했던 것이다.

8. 욕망으로 욕망을 제어하기(因欲制欲)

전병훈은 자기의 시대보다는, 가까운 미래에 정신철학이 비로소 빛을 보게 되리라고 예견했다. 단적으로 말해, 그 순간은 곧 물질문명이 극에 달하는 임계점이다. 서우는 사람들이 물질적인 욕구를 어느 정도 충족시키고 난 뒤에, 그제야 정신과 생명을 돌보는 데 관심을 돌리게 될 것이라고 예견했다. 이런 관심의 전환이 개인 차원에서도 일어나지만, 또한 사회나 문명 수준에서 전개될 수도 있다.

"물질로부터 장차 정신으로 들어간다"는 언명은 이런 두 측면을 모두 암시했다. 서우는 "영웅이 고개를 돌리면 곧 신선(英雄回首即神仙)"이라는 경구로, 외물外物에 대한 욕구에서 생명에 대한 욕구로의 극적인 전환을 함축했다.

> 객이 한숨을 쉬며 말했다. "세상이 바야흐로 권력을 숭상하고 강자가 번성하며 약자는 쇠멸하니, 어느 겨를에 욕망을 끊고 몸을 다스리는 도를 닦겠습니까?"
>
> [서우가 대답했다.－역자 주] 아!『도감道鑒』에서 이르기를 "영웅이 고개를 돌리면 신선"이라고 한다. 세상에 분란과 전쟁이 일어나는 것은 반드시 세계 지도자들의 권세와 이익의 욕망 때문이다. 저들 지도자 가운데 영웅의 기

개를 갖춘 자가 있는 듯해도, 욕심에 만족이 없다. 오직 한번 고개를 돌리면 신선장생을 염두에 두지 않겠는가? 진실로 그 생각을 돌리면, 욕망을 줄이고 도를 구할 것이 분명하다.[102]

여기서 두 종류의 욕구가 대비를 이룬다. 하나는 '권세와 이익의 욕구(權利之慾)'다. 다른 하나는 '신선과 진인으로 장생하는(仙眞久視)' 욕구다. 한마디로 부귀영화와 불로장생의 욕망이다.

전자가 사회적 인간의 욕망이라면, 후자는 생명을 가진 인간의 욕망이다. 이는 모두 인간의 가장 원초적인 욕구에서 비롯되는 셈인데, 그 욕구가 지나칠 때 인간 스스로를 파멸로 이끄는 참극이 벌어진다. 그게 곧 인생의 피할 수 없는 아이러니요, 운명적 비극이다.

무엇보다 앞서 말하듯, 권세와 이익을 구하려는 욕망으로 인해 "권력을 숭상하고 강자가 번성하며 약자는 쇠멸하는" 우승열패와 약육강식의 정글이 펼쳐진다. 그리고 "세상에 분란과 전쟁이 일어나" 그치지 않는다. 전병훈은 세계의 지도자들이 이런 욕망에 빠져 있고, 또한 그 욕심에 만족이 없어서 고통스러운 현실이 지속된다고 말했다.

한편 영원한 생명을 추구하는 욕망도 사람들을 종종 위험에 빠트린다. 진시황처럼 불사약을 찾다가 모든 것을 잃게 되기도 하고, 영생을 구하며 집단으로 사망에 이르는 사이비 종교의 폐단도 반복된다. 욕망에 내재된 이런 위험은 이미 오래전부터 경고되었다.

축의 시대(Axial Age) 이래, 동서양의 거의 모든 철학과 종교가 이 주제를 다뤘다. 근대 이전에 각 문명의 지표였던 가르침들, 예컨대 기독교와 이슬람교, 힌두교와 불교, 유교와 도교 그리고 고대 희랍철학에 이르기까지, 인간이 욕망하는 바를 그대로 방기해도 좋다고 허용했던 사례는 거의 없었다. 대신 욕망이

102. 客喟然曰 世方尚權, 優勝劣敗, 何暇夫遏欲養身之道乎? 嗚乎! 『道鑒』云 英雄回首即神仙. 夫亂爭之起, 必因世界君相權利之慾, 然他君相若有英雄之概者, 慾則無厭之中, 惟一回頭之念, 不在乎仙眞久視乎? 苟回是念, 則慾可寡, 而求道必矣. 『통편』, 65쪽.

라는 사자가 함부로 뛰쳐나오지 못하도록 조치했다.

그것을 가두는 울타리가 도덕과 계율·규범·금법 등으로 발명됐고, 욕망의 사악함을 알리는 설교가 밤낮으로 이어졌다. 도덕의 희생양이 된 어린 사자들을 이단·좌도·사탄·마녀로 몰아, 사람들의 공포심을 유발하는 가혹한 돌팔매를 던지기도 했다. 이처럼 욕망을 억압했으나, 사자는 끝내 우리 밖으로 뛰쳐나오고 말았다.

그리하여 자유를 얻은 사자 무리들, 즉 욕망의 주체가 된 개인들에 의해 근대세계가 건설됐다는 사실을 새삼 강조할 필요는 없을 것이다. 근대 이전의 중세사회는 소수 지배층(사대부, 영주)의 인민에 대한 정치적·경제적·인격적 지배를 바탕으로 성립됐다. 그리고 다수의 욕망을 억제하는 도덕이념이나 교리가 그 시대의 이데올로기가 되었다. 그러나 자유를 갈망하는 다중의 욕구를 이런 울타리 안에 언제까지나 가둘 수는 없었다.

개인 욕구의 총합으로 분출된 변혁 에너지가 결국 중세 세계를 무너뜨렸고, 그것이 또한 물질문명과 시장경제와 정치적 자유의 발전을 가져왔다. 이렇게 초원에 해방된 사자를, 즉 욕망의 자유와 물질의 풍요를 이미 경험한 보편적 다중의 욕망을 다시 우리 안에 가두는 것은 실현 불가능하다. 그것은 어쩌면 역사의 퇴행을 꿈꾸는 망상인지 모른다.

물론 전통과 권위 그리고 도덕질서에 순종하면서 살면 됐던 과거 울안의 세계에 비해, 자기가 선택을 해야 하고 그 부담도 자기가 져야 하는 초원의 삶은 불확실하고 불안을 수반한다. 그렇다고 욕망의 해방과 자유를 한번 맛본 사자들이 다시 우리로 돌아가기를 기대할 수는 없다. 이런 기대는 초원에 사자들을 빼앗겨 빈털터리가 된 쇠락한 동물원의 사육사에게나 어울릴 법한 자조적 몽상일 뿐이다.

한데 오늘날 이것이 다시 딜레마다. 고삐가 풀린 인간의 욕망을 그대로 방치하자니, 우승열패와 약육강식의 정글에서 매일매일 피를 말리는 사투를 벌여야 한다. 더 심각한 것은 다른 데 있다. 바람을 불어넣기만 하는 풍선이 계속 팽창하다 터지듯, 가속도가 붙은 인간의 욕망이 인류와 지구 생태계의 존립 자체를 심각하게 위협하기에 이르렀다는 사실이다. 물론 이 상태를 그대로 방치하는 것은 지구에 사는 모든 생명체가 공멸하는 길이다.

그렇다고 욕망을 죄악시하고, 원죄原罪(original sin)에 대한 구원救援(salvation)을 강요하거나, 천리天理로 인욕人欲을 압도하는 중세의 도덕으로 회귀할 수는 없다. 그것은 각고 끝에 인류가 획득한 주체의 자각과 자유로부터의 퇴행이다. 또한 현실적으로 실현이 가능한 비전도 아니다. 오늘날 인문적이고 철학적인 상상은 대개 이 지점에 갇혀 있다.

욕망이라는 사자를 그대로 둘 수도, 그렇다고 철제 우리 안으로 돌려보낼 수도 없다. 이제 다만 하나의 길이 남았을 뿐이다. 사자를 길들일 방법을 찾아야 한다. 다시 전병훈의 이야기다.

> 서양철학이 법률 중의 평등과 자유 학설을 크게 창도했다. 그런데 천지간에 자유로운 것은 용과 호랑이만 한 것이 없다. 하지만 그도 먹이를 탐내는 욕망이 있으므로, 사람이 이를 포획해 제어한다. 오직 성인과 신선만이 무욕無慾하므로, 세상이 그를 능히 제어하지 못한다. 이야말로 참으로 더할 수 없이 높고 위대한 자유다. 배우는 사람들은 이를 깨달을 수 있어야 한다. 아![103]

"법률 중의 평등과 자유 학설"이란, 곧 욕망을 가진 평등하고 자유로운 개인을 전제로 도덕과 입법의 원리를 구축한 서구 근대의 계몽주의 사조를 가리킨다. 이런 서구 근대의 자유란 곧 욕망의 자유와 어느 정도 등치된다. 그런데 전병훈은 용과 호랑이의 비유를 들어, 욕망으로 인해 자유가 오히려 제약된다고 지적한다.

즉 여기서 용과 호랑이(龍虎)는 욕망의 자유를 한껏 누리지만, 그로 인해 다

---

103. 西哲盛道法律中平等自由說. 然凡天地間自由者, 莫如龍虎, 而因其有貪餌之慾, 故人得以制之. 惟聖仙無欲, 故世莫能制之, 是眞無上之自由也. 學人可以悟之. 烏乎! 『통편』, 89쪽.

시 자승자박에 빠지는 근대인의 자화상이다. 그런데 전병훈은 이런 용호와 대비해 성인과 신선만이 무욕하며, 따라서 누구도 그들을 제어할 수 없는 절대자유의 경지에 이른다고 명언했다. 그것은 곧 '욕망의 자유'를 넘어 '욕망을 지배하는 자유'를 말하는 것이다.

그런데 어떻게 이런 자유에 이르는가? 물론 그 해답은 '무욕'에 있다. 하지만 여기서 사람들에게 그저 욕망을 버리자고 하면, 그건 대개 구두선에 그치고 만다. 여러 비유로 훌륭한 설법을 펼쳐 사람들이 머리를 끄덕이게 할 수는 있다. 하지만 단지 거기까지다.

관념으로 욕망을 털어버리기는 어렵다. 그건 대개 욕망이 버려졌다는 자기 환상, 내지는 욕망에 대한 억압으로 그치고 만다. 이렇게 환상 속에 가려지고 억압된 욕망은 언제든 다시 튀어나온다. 그것도 아주 일그러지고 변형된 상태로 말이다. 그러므로 실제로 '욕망을 지배하는 자유'에 이르려면, 구두선을 넘어 그 자유를 직접 경험하고 체화할 수 있어야 한다.

전병훈은 이 지점에서 '욕망으로 욕망을 제어하기(因欲制欲)'를 말한다. 부귀영화보다 더 근원적이고 원초적인 욕망, 물질보다 훨씬 더한 쾌락과 행복을 주는 욕망, 어디에도 구속되지 않는 자유를 맛보게 하는 욕망이 있으며, 이로써 사자를 길들일 수 있다는 것이다.

그것은 다름 아닌 무병장수의 욕망이다. 예로부터 부귀영화의 한가운데 있던 제왕과 영웅들이 종국에는 모두 그리로 눈을 돌렸다. 전병훈은 바로 거기서 인간이 물질의 구속에서 벗어나 정신의 자유로 넘어가는 어떤 계기를 포착할 수 있다고 시사했다.

여기서 독자들은 세계의 지도자들 가운데 누구라도 "신선과 진인으로 오직 한 번 고개를 돌리면 신선장생을 염두에 두고 …… 욕망을 줄이고 도를 구할 것이 분명하다"고 전병훈이 말했던 사실을 기억할지도 모르겠다. 사실 앞뒤 문맥을 거세하고 들으면, 마치 진시황 설화의 한 대목처럼 들릴 만하다.

하지만 현실에서 욕망이라는 사자를 길들이는 데 있어서, 이는 아주 실효성 있고도 매력적인 철학적 상상이다. 전병훈의 이야기를 다시 경청해 보자.

> 내가 보건대 사람 몸의 참된 이익이란, 성인이 되고 신선이 되는 것보다 더 한 것이 어디 있겠는가? 그러므로 세계 오대주의 전쟁을 종식하고 영원한 평화를 누리는 것은, 그 길이 반드시 여기에 있다! 어째서 그런가?
> 예로부터 윗자리의 영웅호걸일수록 권세와 이익 그리고 공적과 명예의 욕망이 남다르게 많았다. 예를 들어, 진시황·한무제·나폴레옹 같은 부류가 다 그런 사람들이다. 그 깊은 탐욕 가운데서도 오로지 불사不死의 욕망이 가장 심했다. 그러므로 진시황과 한무제가 모두 신선을 구했으나 얻지 못했다. 비록 지금의 영웅과 군주와 재상들이라고 해서, 또한 어찌 다르겠는가? 단지 배울 길이 없는 것을 한스러워 한다.
> 다행히 하늘이 이 책을 내려 장차 상류사회에 보급하는 깊은 뜻은, 그 사람들이 불사의 염원에서 비롯해 이 책을 읽고 지혜가 열려 도를 깨닫기를 내심 원하는 것이다. 그러면 권세와 이익을 구하는 욕망이 자연스럽게 날마다 녹아 없어지고, 신선과 진인으로 가는 계단이 자연스럽게 날마다 가까워질 것이다. 이것이 진실로 욕망으로 욕망을 제어하는(因欲制欲) 보배로운 뗏목이다![104]

물질적인 욕구와 마찬가지로, 무병장수에 대한 갈망도 인간의 원초적인 욕구다. 그 정점에 영생불사하려는 욕망이 있다. 그리고 전병훈의 말마따나, 동서양의 영웅호걸 가운데 불사를 열망했던 이들이 실로 적지 않았다. 영웅호걸만이 아니다.

영원한 생명은 죽음의 공포에서 벗어나려는 종교적 인간의 가장 통속적이면서도 극적인 로망이다. 하여, 예로부터 지금까지 영생을 앞세운 무수한 종교

---

104. 愚見則人身之眞利益, 抑有過於成聖成仙者乎. 是以宇內五洲之息兵, 而永樂和平者, 其必亶在乎此乎! 何以然哉? 從古在上之英雄豪傑, 倍多權利功名之慾, 如秦皇漢武, 拏波倫之類, 皆其人也. 其壑慾之中, 惟一不死之慾, 尤有甚焉, 故秦武皆求仙而不得. 雖今之英雄君相, 亦何以殊哉? 但恨無路可學矣. 今幸天降斯篇, 將普濟上等社會之玄意也. 竊願其人, 因起不死之念, 試讀此書以開悟焉. 則權利之欲, 自然日銷, 而仙眞之階自然日近矣. 此誠因欲制欲之琅玕寶筏乎! 『통편』, 24~25쪽.

들이 명멸했다. 그렇다고 전병훈이 그들처럼 영생을 선전했던 것은 아니다. 그는 오히려 헛된 방술로 영생의 욕망에 영합하는 통속적 사례들을 혹렬하게 비판했다.

이미 인용했지만, 다시 한 번 상기해 보자. "오호라! 역대의 제왕과 장상들이 방사들의 단약丹藥으로 잘못된 바가 많았다. 신선과 진인을 부귀와 세력으로 구해 만날 수 있는 게 아닌데, 단지 가짜로 만난 체하고 거짓으로 전수받았다고 꾸며 약으로 속였기 때문이다."[105]

그럼에도 불구하고, 서우는 죽지 않으려는(不死) 염원으로 인해 사람들이 생명가치를 자각하는 현실적이고도 구체적인 계기를 얻을 수 있다고 보았다. 여기서 '죽지 않으려는' 갈망은 중층의 의미를 함축한다. 그것은 죽기를 바라지 않는 생生의 의지로, 신체를 가진 생명을 기르는(養生) 충동의 근거가 된다.

또한 불사는 존재의 영속永續을 향한 의욕이다. 그것은 불멸하는 정신에 대한 철학적 형이상학과 종교의 테마를 함축한다. 서우의 정신학은 불사의 이런 중층적 충동을 모두 승인한다. 그 충동의 철학적 의미를 해석하며, 또한 그 충동을 실현하는 전략과 방법까지 구체적으로 제시한다.

이미 말했듯이, 생명은 물질과 함께 인간의 가장 원초적이고도 강렬한 욕구의 발화점이다. 그런데 물질의 욕구가 권세와 이익에 대한 욕망을 키운다면, 생명을 향한 욕구는 오히려 물질적 욕망을 줄이고 급기야 인간을 무욕의 상태까지 이르게 한다.

물론 이런 역설이 저절로 실현되지는 않는다. 예의 진시황이나 통속화된 종교처럼, 영생의 갈망이 그릇된 길로 접어드는 사례가 오히려 많다. 그러므로 서우는 사람들이 샛길로 빠지거나 잘못된 방술로 피해를 입는 것을 막고, 더 나아가 무병장수하고픈 인간의 욕구가 안전하고 떳떳하게 충족되는 원리를 설명하고자 했다.

그게 곧 "욕망으로 욕망 제어하기"의 문법으로 진술된다. 여기서 앞의 욕

---

105. 嗟夫! 歷代帝王將相之多見誤於方士之丹藥者, 仙眞非可以富貴勢力求遇也. 只假遇僞傳以欺故也. 『통편』, 26쪽.

망은 생명을 보전하려는 욕망이며, 뒤의 욕망은 물질적이고 사회적인 가치를 추구하는 욕망이다. 서우는 그 두 종류의 욕망이 질적으로 다른 가치를 추구한다는데 주목하고, 전자(생명가치)의 욕망으로 후자(물질 혹은 사회 가치)의 욕망을 제어할 수 있다고 제안했다.

우리는 위에서 물질과 권세와 이익을 탐하는 욕망을 사자에 비유한 바가 있다. 그렇다. 물욕은 사자처럼 지상에 군림하고, 자기 영토를 가지려고 하며, 사냥하고 포효하며 난폭하다. 다수로 무리를 짓고, 지배하고 혹은 복종하며, 동맹하고 반역하며 싸우고 전쟁을 벌인다. 그러나 이런 물질의 욕망에 비해, 생명가치의 욕구는 지향하는 방향이나 운동 패턴이 다르다.

비유컨대, 그것은 용이나 봉황의 소요逍遙와 같다. 그것은 용봉처럼 하늘로 비상하고, 소유와 영토를 초월하며, 단독자로 자신에게 돌아오고, 지배하지 않고 복종하지도 않으며, 단지 스스로 생명의 자유와 안락을 누리려고 한다. 그러므로 예로부터 용을 타고 승천하는 신선이란, 곧 생명가치를 제어해 궁극의 자유에 이른 천인합일의 영웅을 표상했다.

전병훈이 말하는 "욕망으로 욕망 제어하기"는, 이처럼 사자에서 용으로, 그리고 용에서 신선으로의 승화를 표상한다. 인간이 추구하는 가치에 높고 낮은 층차가 있다. 물질적 (혹은 사회적) 가치보다는 생명가치가 고차원적이다. 생명가치를 추구하는 극치에서 다시 정신의 자유로 통하는 길이 열린다.

즉 "욕망으로 욕망 제어하기"는 곧 부귀영화의 욕망에서 무병장수의 욕망으로, 그리고 다시 참나(眞我)를 얻어 정신의 대자유를 성취하는 단계로의 도약을 함축한다. 그런데 가치의 이런 단계적 도약은, 다만 개체생명의 자유를 획득하는 것으로 그치지 않는다. 그것은 온 인류가 한 동포임을 자각하는 길로 이어진다. 어째서 그런가?

신선술 내지 양생의 수양은 사람이 자연으로부터 부여받은 천연의 활력과 에너지를 회복할 뿐만 아니라, 궁극적으로 나와 천지만물이 우주적인 기운의 장(field)에서 하나로 연결돼 있다는 합일의 체험을 수반한다. 전병훈의 말을 빌리자면, "도가 곧 태화일기太和一氣로 천지간에 가득하며 우주를 감싸고 오대주의 모든 국가에 미치는"[106] 그런 일체화의 감수성이 증대한다.

그리하여 나와 타자의 일체성을 감수하는 체험이 깊어질 때, 국가·민족·이념·종교·계층 같은 후천적 구획을 넘어 온 인류가 동포이고 지구가 한 가족이라는 공감에 자연스럽게 도달하게 되는 것이다. 그리고 이런 공감의 토대 위에서, 개체의 사욕私慾 안에만 갇히지 않고 공리公理를 지향하는 도덕이 비로소 자연스럽게 구현된다.

다시 말해, 나만의 이익을 추구하던 태도를 벗어나 온 인류와 천지만물이 더불어 공존하기를 바라게 된다. 혹은 거기까지는 아니라도, 최소한 자기의 이권을 위해 타자를 이용(수단화)하거나 희생시키는 이기적인 욕망과 행위를 부끄러워하는 양심의 회복을 기대할 수는 있다.

말하자면 이것은 "생명의 확장에 수반되는 도덕"이다. 거기서는 나와 네가 모두 큰 우주적 생명의 장에서 하나로 연결된 전체라는, (단지 관념상이 아닌 온몸으로 느끼는) 공감에 도달하는 게 우선적인 과제이다. 그러면 이런 생명의 확장에서 비롯해, 자연스럽게 도덕으로 나아가게 된다.

그러려면 어떤 선험적 규범이나 당위로써 도덕을 요청하기 전에, 먼저 내 생명의 소리에 귀를 기울여야 한다. 그리하여 물질과 탐욕보다 실은 생명이 훨씬 소중하고 근본적인 가치라고 성찰하게 될 때, 자연스럽게 다른 사람의 생명 더 나아가 천지만물의 생명이 귀하다는 인식과 공감에 이르게 된다.

다시 말해 도덕이 생명을 구속하는 게 아니라, 생명이 도덕의 주인이 되는 지평이 열리는 것이다. 바로 이런 확신에서 전병훈은 "서양에서는 철학으로 최고의 학술로 삼지만, 나는 이 도진道眞의 학술을 세계 최고의 학술로 삼는다"[107] 고 말했다.

한편 그는 "공자도 승잔거살勝殘去殺과 대동大同의 이론이 있었으나, 그것은 대개 공허한 말의 이상에 그치고 말았다"[108]고 한다. 승잔거살이란 '잔악한

---

106. 道是太和一氣, 充滿天地. 包宇宙曁五洲萬國. 『통편』, 304쪽.
107. 西以哲學, 爲最高學術, 余則以此道眞之學, 爲世界最高之學術. 『통편』, 24쪽.
108. 孔子亦有勝殘去殺, 大同之論, 然皆未免尙屬空言理想也. 『통편』, 24쪽.

사람이 선하게 되고 형벌이 필요 없는' 도덕교화를 가리킨다. 한데 주목할 필요가 있는 것은, 여기서 서우가 공자의 도덕과 대동의 이상을 전적으로 부정한 게 아니라는 사실이다.

그는 다만 관념상의 이상에 그쳐 공허해지기 쉬운 도덕주의의 취약성을 지적했다. 또한 그런 관념적 도덕과 이상의 대안으로, 정신학의 전략을 제안한 것이다. 그 관건은 욕망의 단계를 차등화하고, 단계별 가치의 고양高揚과 승화昇華를 통해 도덕을 성취하는 데에 있다.

즉 물욕보다는 생명욕生命慾을 고차원의 욕망으로 자리매김하고, 생명욕에서 비롯해 참나를 회복하는 구도의 단계로 넘어간다. 그리고 정신의 '참나'가 성취되면, 천리天理의 공심公心을 구현하는 도덕이 자연스럽게 회복된다고 한다. 몸 혹은 생명의 충동을 도덕으로 나아가는 계단으로 삼았다는 점에서, 서우는 이왕의 도덕주의자들과 구별된다.

한 예로, 동아시아의 도덕주의를 대표하는 성리학에서 도덕은 곧 순수한 이理의 구현이었다. 그것은 태어날 때부터 기질의 제약을 받는 몸의 욕망을 배제함으로써만 성취된다. 따라서 인간 본성에서 신체성을 억압하거나 걷어내는 것이 '본연지성本然之性' 내지는 '기질 속에 있는 이理'를 드러내는 길이다.

서양에서도 신체를 이성·정신과 대립되는 독립된 질료 내지는 물질로 여기는 심신이원론心身二元論이 지배적이었다. 여기서도 몸은 단지 거친 자연과 야만에 상응하는 감성적인 욕망의 원천으로 간주되었다. 그리고 도덕은 신체와 완전히 분리된, 순수하고도 독립적인 이성·정신의 특성이었다.

그런데 전병훈은 생명을 떠난 이런 도덕이 끝내 "공허한 말과 이상에 그친다"고 인식했다. 도덕이 신체성을 상실하자, 따라서 사람들이 도덕의 존재와 의의에 대한 실질적인 감수성을 잃어버렸다. 그러므로 서우는 도덕가치를 관념적인 우위에 두고 몸(생명)을 돌보지 않는, 그런 도덕지상주의에 반대한다. 대신에 생명가치의 실질實質을 회복하는 데서 도덕의 대안을 찾는다.

곧 마음과 도덕에서 몸의 생기生氣를 배제하지 않는다. 또한 생명욕에서 비롯해 몸을 선화仙化시키며, 그로부터 정신과 도덕이 승화되도록 이끄는 것이다. 이런 메커니즘을 밝히기 위해, 서우는 정신·심리·도덕·정치가 서로 긴밀하게 연계되며 작동하는 원리를 규명한다.

즉 몸에서 정신을 응결해 참나를 이루고, 그 정신이 안정되면 본마음(本心)을 회복한다. 그 마음이 겉으로 드러날 때, 떳떳한 도덕이 된다. 그리고 이런 도덕을 근거로 지극한 정치(至治)를 펼칠 수 있다. 단적으로 이렇게 집약된다.

하지만 이건 구글지도에서 망망대해의 위성사진을 축소해 보는 것 같은 장면에 지나지 않는다. 서우의 4부 철학에서 펼쳐지는 방대한 담론을 거기에 오롯이 담는 건 가능한 일이 아니다. 다만 독자들의 입문을 돕기 위해, 부득불 요약해 보았을 따름이다.

서우가 말하는 정신은, 신체에서 분리된 순수한 이理 내지는 이성(Logos)으로 치환되지 않는다. 또한 그의 정신학은 마음을 육체에 수반되는 기능으로 보거나, 혹은 정신을 다만 물질의 작용으로 치환하는 속된 유물론의 문법과 그 차원을 달리한다.

서우는 신체와 물질에 대한 정신의 상대적 독립성을 승인하지만, 이는 곧 물질과 에너지가 무상하게 전이轉移하는 정·기·신의 상호혼입相互混入을 기본 전제로 했다. 여기서 정신·심리·도덕·정치를 하나로 관통하는 '성진겸성成眞兼聖'의 원리가 정립됐다.

그리고 이런 원리를 토대로, 생명욕에서 비롯해 개별자의 정신과 마음을 고양해 자유를 얻고, 더불어 올바른 도덕과 정치를 실현하는 방안이 제시되었다. 그것을 구현하려면, 서우의 문법에서 '정신'이 뭔가부터 먼저 알아야 한다. 또한 정신을 운용하는 요령을 이해하고, 실천해야 한다. 이제부터 그 전모를 살피는 본격적인 탐사에 들어가자.

제2장
일원一元의 '정신'

> 정精·기氣·신神이 엉기고 모여 사람의 몸을 이룬다. 그러므로 도법道法은 현빈玄牝[1] 안에서 신으로 정과 기를 운용하는 것이다. 정을 단련해 기로 변하고, 기가 변화해 신이 되며, 신이 변화해 진眞(참나)을 이뤄 하늘과 합하는 것이 큰 도(大道)의 참된 전승(眞傳)이다.[2]

위 인용문은 전병훈 정신철학의 핵심을 이루는 진술이다. 그 골자를 다음 세 명제로 귀결할 수 있다.

① 사람의 몸(人軀): 정·기·신이 엉기고 모여 사람의 몸을 이룬다.
② 도법道法: 현빈玄牝 안에서 신으로 정과 기를 운용한다.
③ 대도大道: 정을 단련해 기로 변하고, 기가 변화해 신이 되며, 신이 변화해 참나를 이뤄 하늘과 합일한다.

①은 정·기·신으로 이뤄지는 사람의 몸(人軀), 생명의 근본원리를 말한다. ②의 '현빈'은 내단 수련에서 화후火候를 운용할 때 관건이 되는 정·기·신의 통로를 가리킨다. 예로부터 그 위치에 대해 설이 분분한데, 서우의 견해는 제3장에서 상세히 논한다. ③은 내단 수련의 강령으로, 보통 연정화기煉精化氣·연기

---

1. '현빈玄牝' 개념은 『노자』 6장(통행본)에 처음 나온다. 谷神不死, 是謂玄牝, 玄牝之門, 是謂天地根. 綿綿若存. 用之不勤.
2. 蓋精氣神凝聚以成人軀, 故道法以神運用精氣於玄牝之內. 煉精化氣, 氣化爲神, 神化成眞而合天者, 此是大道眞傳也. 『통편』, 19쪽.

화신煉氣化神·연신환허煉神還虛로 널리 알려진 과정이다. 그 구체적인 내용 역시 제3장에서 다시 논한다. 제2장은 주로 ①의 기본명제와 연관되며, '정신' 그 자체에 관해 논구한다.

1. '정신'의 재발견

전병훈의 철학은 기화론의 정신학에 토대를 둔다. 이런 점에서 그는 분명히 온고溫故에 충실했다. 하지만 그의 학술이 단지 전통에 머물렀다면, 그것이 '철학'으로 승화되기는 어려웠을 것이다. 고작해야 흔하디흔한 내단수련가 내지는 고루한 도학자의 상투적 언설로 그쳤을 것이다.

하지만 전병훈은 "옛것을 익히고도 혁신하며, 혁신하고도 진화하는 것이 귀하다"[3]고 인식한 혁신적인 사상가였다. 그는 특히 서양 근대철학의 형성과 발전에 주목했으며, 오래된 정신학을 창의적인 '정신의 철학'으로 승화시켰다.

'정신'은 아주 오래전에 창안됐지만 또한 내용상 새로운 개념이기도 하다. 한자어 '精神'은 중국에서 기원전의 전국시대부터 이미 쓰였다.[4] 그러나 오늘날 통용되는 '정신' 개념은 그보다 유럽어의 번역이다. 즉 영어의 spirit 혹은 mind에 해당한다.

그것은 서양문물을 수용하면서 일본에서 주로 고안한 번역어들, 예컨대 철학哲學(philosophy)이나 과학科學(science) 같은 개념들과 함께 만들어졌다. 의식意識(consciousness), 이성理性(reason, logos), 우주宇宙(universe), 우주론宇宙論(cosmology), 형이상학形而上學(metaphysics), 관념觀念(idea), 이상理想(ideal), 자유自由(freedom) 등도 마찬가지다.

---

3. 凡學術物理, 皆溫古而維新, 維新而進化爲貴. 『통편』, 25쪽.
4. 『장자』와 『관자』 등에 '정신精神' 개념이 보인다. 김성환, 「形神: 육체와 정신의 관계에 대한 중국철학의 담론 — 발생론과 기능론의 문맥을 중심으로」, 대한철학회, 『철학연구』 제96집 (2005) 참고.

전병훈은 『정신철학통편』에서 이런 용어들을 광범위하게 구사했다. 무엇보다 '정신철학'이 번역어에서 비롯된 개념이고, 그의 4부 철학에서 나머지 '도덕철학', '심리철학', '정치철학' 역시 그렇다. 이런 기호들은 전병훈 철학의 시공간적 좌표를 직관적으로 표상한다.

무엇보다 번역어는 한자문화권의 오랜 전통과 서구 근대를 이어주는 마법의 끈이다. 서세동점기의 디아스포라였던 전병훈은 번역어를 통해 서구사상을 이해하고, 또 그 개념의 장場에서 동서양 철학의 만남을 주선했다.

> 정신은 하늘에서 근원한다. 근세의 이른바 '철학'은 원리지식의 학문(原理知識之學)으로, 서구의 최고 학술이다. 혹은 '형이상학'이라고 하고 혹은 '태극과학太極科學'이라고 부른다. 이것과 우리 유교의 궁리진성窮理盡性의 학술이 같은 진리이되, 단지 각자 보는 바에 상세하고 소략한 차이가 있을 뿐이다. 도교와 불교 역시 동일한 원리라고 할 수 있으니, 그 도와 법이 단지 '정신'상의 학술일 뿐이다.[5]

여기서 먼저 '철학' 등의 개념에 관해 잠시 짚고 넘어가자. 전병훈은 철학이 '원리지식의 학문'으로 서구 최고의 학술이라고 한다. '원리지식原理知識'은 지금도 '원리의 규명'을 뜻하는 영문 know-why의 번역어로 쓰인다.[6] 그러므로 전병훈이 철학의 성격을 비교적 정확하게 이해했다고 일단 평가할 수 있다.

그런데 그가 철학의 다른 이름으로 부른 '형이상학' 내지 '태극과학'은, 세계의 궁극적 근거를 탐구하는 학문인 Metaphysics의 번역어였다.[7] 형이상학의

---

5. 精神原天也. 近世所稱哲學名義, 乃原理知識之學, 而爲歐西之最高學術, 或謂以形而上學, 或謂以太極科學也. 然此與吾儒窮理盡性之學, 同一眞理, 而所見只有詳畧焉耳. 道佛則雖云同源, 而道法只是精神上學也. 『통편』, 19쪽.
6. OECD(1996)에 따르면, 지식은 크게 네 가지로 분류된다. know-what, know-why, know-how, know-who인데, 중국어에서 이를 각각 사실지식事實知識, 원리지식原理知識, 기능지식技能知識, 인제지식人際知識으로 번역한다.
7. 동양 근대의 지식인들은 Metaphysics를 대개 '형이상학'으로 번역했는데, '태극과학太極科

발명자는 아리스토텔레스다. 그는 형이상학을 철학의 최상위에 두고 '제1철학'으로 불렀다. 또한 칸트 역시 '모든 학문의 여왕'으로 부를 정도로, 근세까지 형이상학은 서양 최고의 학술로 군림했다.

그렇지만 이런 형이상학도 어디까지나 철학의 한 분과이므로, 전병훈처럼 철학과 형이상학을 같은 개념으로 보는 것은 일종의 범주오류範疇誤謬(category mistake)인 셈이다. 이런 문제를 짚고 넘어가는 것은, 전병훈 당시에 막 고안됐던 서양철학의 번역어들이 얼마나 불안정한 가교로 두 세계의 만남을 주선했는지 상기하기 위해서다.

'정신' 개념도 마찬가지다. 앞의 인용문에 따르면, 서양철학과 동양의 유·불·도 삼교는 모두 정신의 원리를 규명하는 학술로 근원에서 볼 때 같다. 그 근원은 곧 하늘에 있다. 서우는 동서양의 철학사상을 '정신'의 학술로 집합시켰으며, 특히 칸트가 서양철학의 정점에 이른 철학자라고 극찬한다.

그런데 새삼 강조할 필요도 없이, 인간 정신의 보편성에 관한 확신은 근대 합리주의의 현저한 특징이다. 그 존재론과 인식론에서 '정신'은 무엇보다 대상화된 세계를 인식하는 사유의 주체로, 물질로부터 독립한다. 이런 이분법은 칸트 역시 예외가 아니었다. 따라서 동서양 철학의 원리가 동일하다는 전병훈의 생각은 상당 부분 서양철학에 대한 단편적 이해에서 비롯됐다.

서우는 물질/정신, 이성/감성을 둘로 나누는 서양철학의 이원적 사유구조를 충분히 이해하지 못했다. 그리고 그런 전제에서, 동서양이 동일한 '정신'의 원리를 추구했다고 피상적으로 파악했다. 그러나 정작 아이러니는 전병훈이 반드시 영육靈肉 이원론의 문법에서 '정신'을 말하는 게 아니라는 데 있다. 하니 이제 전병훈의 생각의 결을 따라 그가 말한 정신철학의 지평으로 향할 차례다. 거두절미하고 전병훈을 직접 인용하기로 하자.

천지의 근원적인 정精·기氣·신神이 신묘하게 뭉쳐 사람의 몸(태초의 인류의

學'도 그 번역어로 잠시 혼용했음을 알 수 있다. '형이상학形而上學'은 『주역周易·계사전繫辭傳』의 "形而上者謂之道, 形而下者謂之器"라는 유명한 구절에서 유래했다.

조상)을 이룬다.[8]

단적으로 말해, 그가 말하는 '정신'은 곧 정·기·신을 축약한 개념이다. 이 개념을 납득하려면, 기화론의 우주관과 인생관을 먼저 이해해야 한다. 이에 관해서는 앞서 이미 논한 바 있다. 천지만물이 생겨나기 이전에, 태초의 우주는 혼돈해 분화되지 않은 하나의 기운으로 뭉친 상태였다.

이를 한 기운이라는 뜻에서 '일기一氣' 혹은 근원의 기운이라는 뜻에서 '원기元氣'라고 한다. 그 안에 음과 양의 서로 의존하면서도 대립하는 힘이 잠재하니, 이를 일컬어 '태극'이라고 한다. 태극은 자체의 운동능력이 있다. 그것이 움직여 혼돈한 한 기운이 터져 열리며 천지와 만물이 생겨난다.

이때 음양의 원정元精이 모여 해와 달과 별들을 이룬다. '원정'은 끈적끈적하게 엉기는 진액津液의 질료적 뉘앙스가 강하다. 그와 더불어 음양과 오행의 원기元氣가 우주에 유동하며 모든 물질의 형상과 형질을 빚어낸다. '원기'는 흔히 기체나 기체적인 운동을 하는 것으로 묘사된다. 그리고 이렇게 모이고 유동하는 정기의 운동을 주재하는 원신元神이 있어서 조화를 부린다. '원신'은 빛으로 퍼지고 섬광으로 작렬하며, 사려와 지능·영성·통찰 등을 일으킨다.

우주의 이런 원정·원기·원신이 모이고 흩어져서 천지만물을 이룬다. 그런데 이는 모두 근원적으로 태초의 한 기운(一氣, 元氣)에서 변화해 생긴다는 문맥에서 '기화氣化'라고 한다. 이로써 우주만물의 생멸변화를 설명한다면 '기화우주론'이다. 그것으로 뭇 생명 및 사람의 존재와 활동을 말한다면, 이를테면 '기화생명론'이나 '기화인간론'이라고 할 수 있다. 전병훈의 정신철학은 이런 기화론에 입각한다.

천지의 정·기·신이 어느 한편으로 치우치고 잡되게 모이면 금수와 동물이 된다. 이와 달리, 원정·원기·원신의 가장 신령하고 빼어난 결합으로 사람이 출현한다. 이런 '기화'는 하나의 종種으로서 최초의 인간이 출현하는 원리, 그리

8. 天地之元精氣神, 妙凝以成人之軀殼(原初人祖). 『통편』, 26쪽.

고 인간의 존재론적 본질을 해명하는 개념이다. 일상에서 펼쳐지는 인류의 종족번식을 설명하는 데는 '형화形化' 개념이 따로 쓰인다. 이는 진화론에 관한 전병훈의 논의와 함께 뒤에서 다시 살필 것이다.

2. 우주의 정신

전병훈의 4부 철학에서 '정신철학' 편은 "정신을 운용해 성진成眞하는 철리의 요령"[9]이라는 긴 제목을 달고 있다. 다른 편명이 '심리철학'·'도덕철학'·'정치철학' 등으로 간명한 것과 대조를 이룬다. 전병훈이 정신의 '운용'과 '성진'에 특히 강조점을 둔다는 것을 알 수 있다. 그러므로 이 두 개념의 내용과 특징을 파악하는 것이 전병훈의 정신철학을 이해하는 관건이 된다.

먼저 '운용'이란 뭔가를 움직이게 하거나 부려 쓴다는 의미다. '성진'은 곧 참나(眞我)를 이룬다는 뜻이다. 그런데 이런 운용과 성진은 상보적으로 한 쌍을 이루는 개념이다. 정신의 '운용'이 성진의 과정이자 방법이라면, '성진'은 운용의 목표가 된다. 그런데 정신을 '운용'하려면, 우선 정신이 운용될 수 있는 무엇인가여야 한다. 운용될 수 있는 정신이란 대체 무엇인가? 이쯤 되면 서양철학의 주객이분법에 익숙한 독자의 의문이 제기될 법하다.

서양에서 정신(Spirit)이란, 일반적으로 대상을 인식하고 운용하는 주체이다. 그것은 물질 혹은 육체와 대립하여 분리되고, 고차원의 인지능력을 발휘하는 자이다. 즉 정신이 대상적·물질적 존재에 대응하여, 사물을 파악하고 운용한다. 반면 정신이 '운용될 수 있다'는 생각은 대단히 생소한 것이다.

'정신을 운용한다'는 것은 정신이 마치 어떤 기물처럼 부려 쓸 수 있는 것이라는 말처럼 들린다. 그렇다면 그 정신을 파악하고 움직이는 주체는 누구란 말인가? '정신'은 주체인가, 아니면 객체인가? 한데 전병훈은 이런 질문에 답하

9.『정신철학통편』 제2편의 제목으로, "精神運用成眞之哲理要領"이다.

지 않았다. 서우는 서양철학의 '정신' 개념이 정신학의 그것과 크게 다르지 않다고 생각했으므로, 여기에 답할 이유가 없었다.

따라서 이 질문에 답하는 것은 서우보다 우리의 몫이다. 결론적으로 말해, 전병훈의 정신철학에서 '정신'은 인식의 주체/대상 범주로 포획할 수 없는 개념이다. 이 점을 납득하려면 우선 세계와 인간에 대한 전병훈의 사유를 이해해야 한다. 그런데 앞서도 말했듯이, '정신'은 무엇보다 우리 몸을 이루는 천지의 정·기·신이다.

> 아! 천지의 정·기·신이 오묘하게 응결해 사람의 몸을 낳는 것은, 그 이치가 이처럼 명백해 의심할 수 없다. 그것이 사람 몸에 정·기·신으로 존재하여 운용하는 철리를 다음 장(제2편 제2장)에서 밝힌다.[10]

천지의 정·기·신이 응집해 사람이 된다. 그렇다면 이런 천지의 정·기·신이 어떻게 생겨나고 작용하는지부터 살피는 게 순서일 것이다.

> 하늘과 땅이 아직 나뉘기 전에 오직 혼돈한 일기一氣일 뿐이었다. 이 기운이 곧 원기元氣이다. 태극太極이 원기 안에 잠재해 운동능력(動能力)이 있으니, 능히 하늘을 낳고 땅을 낳는다.[11]

태초의 우주는 혼돈한 채로 나뉘지 않은 하나의 기운(一氣) 상태다. 이를 '원기'라고 하는 걸 독자들도 이미 알고 있다. 이 원기 안에 태극의 '운동능력(動能力)'이 잠재돼 있으며, 천지가 원기에서 갈라져 나온다. 애초에 하나의 통일체였던 원기는 팽창하고(陽, 動) 축소하는(陰, 靜) 두 힘을 처음부터 그 안에 내장하고 있다.

---

10. 烏乎! 天地之精氣神, 妙凝以生人軀者, 厥理如是明白無疑. 其在人軀之精氣神運用哲理, 次章明之.『통편』, 45~46쪽.
11. 天地未判只混沌一氣, 此氣卽元氣. 太極在氣中, 有動能力, 故能生天生地也.『통편』, 42쪽.

따라서 그것을 움직이게 하거나 정지하게 하는 원인(運動因, Efficient Cause)을 외부에서 구할 필요가 없다. "태극이 원기 안에 잠재해 운동능력이 있다"는 것은 곧 이런 원리를 함축한다. 원기 안에 잠재된 태극의 운동능력이 발동한다. 그러면 원시우주가 갈라져서 천지로 나뉜다. 그것이 곧 개벽開闢이다.

이런 개벽을 윗글에서 "원기가 천지를 낳았다"는 문맥으로 진술한다. 그런데 여기서 '원기'라는 행위자가 '천지를 낳는다'는 행위를 하고, 원기가 이 행위의 주체라고 연상하기 쉽다. 그러면 '천지'는 원기라는 주체의 작용이 가해지는 대상으로서, 객체로 인식될 여지가 있다.

그러나 이런 분리는, 단지 사물의 운동에서 행위자와 행위를 분리해 파악하는 사고습관에서 비롯되는 혼란일 뿐이다. 즉 그것은 "S가 O을 낳는다"고 진술하는 언어의 문법, 주어와 동사로 구성되는 언어와 그 언어를 통해 이뤄지는 사고의 구조가 빚어내는 착각이다. 이런 사고습관에 따르면, '천지를 낳는' 운동은 주체인 원기의 행위이다.

여기서 '주체'란 낳는 행위를 야기하는 행위자다. 그렇다면 이 행위가 정지되거나 종결되더라도, 행위자인 원기는 예전과 같은 주체로 존속할 것이다. 따라서 동사의 작동이 멈추거나 다른 동사로 대체돼도, 그 자신은 여전히 존속하는 독립된 주어로 남는다.

그러나 사실상, 원기는 '낳는다'는 행위와 동시에 천지가 되었다. 예컨대 "한 톨의 씨앗이 한 그루의 나무를 낳았다"는 진술과 흡사하다. 씨앗이 갈라지고 성장해 나무가 된다. 따라서 씨앗과 나무는 애초부터 별개의 존재자가 아니다.

그런데 이런 씨앗조차도 언어개념상 하나로 뭉쳐진 입자 형태를 상상하게 한다. 따라서 안과 밖의 경계조차 없이 모든 것이 통합돼 "혼돈하며 나뉘지 않은(混沌未判)" 한 기운(一氣)의 상태를 있는 그대로 유비하기는 어렵다.

게다가 "원기가 천지를 낳았다"는 것도 단지 발생론의 문맥일 뿐이다. 사실상 원기는 개벽과 더불어 천지의 총합으로 변이돼 형태를 바꿔 운동한다. 빅뱅 이전의 원시우주는 빅뱅으로 터져 나와 팽창하는 지금의 우주와 존재론적으로 별개가 아니다.

여기서 원기는 '낳음'의 주체가 아니고, 천지가 그 객체도 아니다. 낳는 행위란, 곧 원기의 자기 분화에 다름 아니다. 원기가 주체로서의 독자성을 보존하면서 행하는 '낳는다'는 행위가 따로 있지 않다는 말이다. 다시 말해, 낳음(개벽)과 동시에 '원기'의 단일독립성은 해체되고, 그것은 곧 천지와 천지의 운동으로 전이되었다. 따라서 원기는 주체도 객체도 아니다.

"도라고 할 수 있는 것은 진정한 도가 아니다"라는 『노자』 1장의 유명한 명구처럼, 원기나 일기도 실은 하나의 명사로 성립되기 어려운 개념이다. 그것은 보통명사로 불릴 수 있는 어떤 주체가 아니다. 굳이 말하자면 "하나의 기운, 근원적 활력, 잠재적 운동능력의 상태로 존재 중인 것" 정도의 동명사(V~ing)로 진술하는 것이 그나마 적합하다. 그것은 언어에서 명사처럼 기능하지만, 실상은 동사(형용사)의 상태인 것이다.

이런 원기가 개벽해서 하늘과 땅으로 변형된다. 그런데 천지 역시 자신의 운동과 분리돼서 존재하지 않는다. 다시 말해, 햇살이 비치고 구름이 흐르고 비가 내리고 번개가 번쩍이며 유동하는 상태의 총합이 곧 하늘(天)일 뿐이지, 이런 운동-행위 밖에 운동의 담지자-행위자-주체로서 하늘이 따로 존재하지 않는다.

땅(地) 역시 마찬가지다. 지각이 운동하고 지층에 쌓이거나 가라앉고 마그마가 끓거나 분출하고 돌이 구르거나 멈춰서고 물이 흐르거나 마르거나 얼거나 녹고 녹음이 우거지고 낙엽이 떨어지는 운동과 상태의 총합이 땅일 뿐이지, 이런 모든 운동 밖에 땅이 따로 존재하지 않는다. 그러므로 천지란 사실상 그 통일체 안에서 일어나는 '모든 것들(萬物)의 움직임' 전부라고 할 수 있다.

그러므로 위에서 "원기가 천지를 낳았다"는 진술은 그것으로 낳는(生) 운동이 종식됐다는 의미가 아니다. "원기가 천지를 낳았다" 혹은 "원기가 천지로 개벽한다"는 언명은 분절될 수 없는 연속적 운동을 단지 관념상에서 비연속적으로 구획한 것에 지나지 않는다.

마치 "지난해가 저물고 새해가 시작됐다"고 말하지만, 지난해와 새해 사이에서 시간이 한순간도 단절된 바가 없는 것과 같다. "생하고 생하는 것을 역이라고 일컫는다(生生之謂易)"(『주역·계사전』)는 우주의 창조력에 대한 진술이 곧 이런 연속적 생기生機를 함축한다.

전병훈이 말하는 '정신', 즉 천지의 정·기·신은 곧 이런 우주적 원기의 소산이다. 엄밀히 말해, 그것은 '우주 근원의 활력상태인 것'으로서의 원기가 만물에 나뉘어 품부돼 운동 중인 것이다. 그러므로 정신은 행위로부터 분리된 행위자-주체-원자가 아니다. '원기가 운동 중인 것'으로서의 정신은 그 작용이 일어나는 장場인 개체생명, 그리고 정신작용의 대상이 되는 객체와 동떨어진 독립적 실체일 수 없다.

그러나 사람들은 '나' 혹은 '내 정신'과 분리된 대상(사물)을 객체-목적어로 분리시키며, 주체인 정신이 그 대상을 인식하거나 거기에 작용을 가한다고 상상한다. 이는 주체를 독립된 주어로 상상하는 사고관습과 표리를 이룬다. 거기에서 '나'라는 주체-주어가 타자나 세계(환경)와 구별되는 실체라고 여기는 자아인식(self-awareness)이 생겨난다.

이런 자아인식과 더불어, 의지와 생각의 주체로서 역시 독립된 '정신(이성, 영혼)'을 상상하게 된다. 한데 뭇사람이 그렇게 여긴다고 해서, 그것이 세계의 실상을 반드시 올바르게 반영하는 건 아니다. 진리가 다수결로 결정되지는 않는다. 자아관념이 오히려 세계에 대한 그릇된 인식이며, 그로 인해 인간사의 불행과 고통이 발생한다는 경고가 오래전부터 제기되었다.

불교에서 보면, '나'라는 실체에 집착하는 자아인식은 세속에서 통용되는 '상식적 진리(俗諦)'다. 그러나 이런 실체란 사실상 오온五蘊의 일시적이며 우연한 조합(假合)에 불과하다. 따라서 '나' 또는 '나의 것'이 실제로 존재한다고 여기는 자아인식이야말로 무지無知·무명無明이라고 통찰한다. 그리고 여기서 비롯된 아집我集 또는 망집妄執이 고통의 주된 원인이라는 성찰적 진리(集諦)를 제시한다.

도가 역시 '나-주체-정신'과 '타자-객체-사물'을 분리하는 자아인식이 결국 환상에 불과하다고 이미 오래전에 통찰했다. 하나의 원기에서 갈라져 '운동 중인 것'으로 존립하는 정신의 차원에서 보더라도, 사람의 정신은 타자나 세계로부터 분리된 독립적 실체가 아니다.

사람들은 주체인 '내'가 대상인 타자와 외부의 사물을 인식한다고 여긴다. 하지만 도道의 견지에서 보면, 그것은 고립된 자아관념에서 비롯된 착각에 불과하다. '정신'은 곧 우주의 원기가 만물에 품부돼 '운동 중인 것'으로, 그 운동 자체와 분리된 행위자-주체가 아니다. 그러므로 정신의 작용이란, 원기가 분화된 모든 상태들(만물) 간에 이뤄지는 모종의 '통신'이다. 그것도 굳이 말하자면, 통신通信이 아닌 통신通神이다.

참된 '나'는 고착된 주소로 타자와 분리돼 통신通信하는, 그런 개별화된 주체(자아)를 넘어선다. 대신 세계와 항구적으로 연결돼 통신通神하는, 주객혼성主客混成의 소우주를 이룬다. 그 지혜의 빛이 온 누리에 환하게 통하고, 어디든 막힘이 없이 넘나들 수 있다. 그게 곧 서우가 말하는 정신의 '자유'다.

즉 정신의 활동이 세계의 다른 정신(정·기·신)의 상태들을 대상화하거나 파괴하지 않고, 통신대역폭通神帶域幅을 무한히 확장하는 활동인 것이다. 이런 자유는 궁극적으로 세상의 모든 것들과 네트워크를 이룬다는 의미에서 "하늘과 사람이 회통(天人會通)"하는 것이다. 이런 회통의 섭리에 통달할 때, 과거-현재-미래의 간극마저 넘어선다.[12]

또한 만물의 총근원인 원기와 합치된다는 문맥에서 "근본으로 돌아가고 원래의 상태로 돌아가는(返本還元)"[13] 근원회귀의 충동을 실현하는 것이다. 그런데 원기가 개벽해서 천지만물과 그것의 정신으로 분화하고, 혹은 역으로 개체생명의 정신이 우주의 근원으로 회귀하는 이런 운동이 어떻게 가능할까?

결론적으로 말해, 그것은 원기에 본래부터 잠재돼 있는 태극의 운동능력(動能力)에서 비롯된다. 우주, 천지만물은 자기 스스로 존립하고 자기 스스로 운동한다. 스스로 팽창하거나 수축하며, 스스로 낳고 또한 스스로 거둔다. 운동의 원인(運動因)이 자기 자신으로부터 비롯된다는 문맥에서, 그 운동이 또한 '자

12. 苟非洞見天人會通之理, 而能前知百世者. 『통편』, 331쪽.

13. 無去無來, 無出無入, 返本還元, 是眞胎息. 『통편』, 77쪽.

유自由'인 것이다.

이런 자유는 태극의 운동력을 내재한 원기의 특성인 동시에, 원기가 분산해서 유동 중인 상태로 존립하는 모든 천지만물의 속성이기도 하다. 태초의 원기에 내장된 태극의 운동력은 곧 음(-)과 양(+)의 대대待對하는 힘이다. 이 힘으로 원기가 개벽하고 유동해서 천지만물이 생기고 인간이 출현했다.

> 하늘과 땅이 생기고, 음과 양의 원정元精이 모여 해와 달과 별이 되었다. 하늘에서 물(水)이 생기고 땅에서 불(火)이 생기는데, 물이 하늘의 외곽을 감싸고 하늘은 땅을 감싼다. 사상四象[14]이 정립되고 음양오행의 원기元氣가 유동해 오르내리며 따뜻해진다. 그 풍기風氣 가운데 주재하는 원신元神이 있어 만물을 낳고 기른다. 이로부터 사람과 사물이 생겨난다.[15]

위의 인용문을 포함해, 지금까지 제시된 우주론의 요지를 다음 세 가지로 정리할 수 있다.

첫째, 태초의 우주는 단일하고도 혼돈한 한 기운(一氣, 元氣)의 상태였다. 천지만물이 모두 여기서 분화해 생성되었다. 이는 발생론적으로 기화론氣化論이며, 존재론적으로는 기일원론인 우주관이다. 사람 역시 우주의 원기가 변화해 생겨난 존재인 것은 물론이다. 사람과 다른 사물의 차이는, 단지 기의 특질(quality)과 조합 코드가 다른 정도에 지나지 않는다. 그러므로 인류가 한 동포이고, 천지만물과 한 형제가 된다.

둘째, 태초의 원기에서 분화된 천지의 근원적인 정·기·신을 각각 '원정'·'원기'·'원신'으로 일컫는다. 우선 '원정'은 일월성신日月星辰과 물(水)·불(火) 등의 다분히 질료적인 성질을 함축하는 기운이다. '원기'는 음양오행의 원리에 따라

14. 太陽·少陽·太陰·少陰.

15. 方生天生地, 則陰陽之元精, 聚以爲日月星辰. 天一生水, 地二生火, 水涵天外, 地爲天包. 四象立而陰陽五行之元氣, 流行升降, 溫暝和蒸. 其風氣中, 有主宰之元神, 以造化焉. 於是人物乃生.『통편』, 42쪽.

천지간에 유동하며 오르내리는 기운의 파동 상태이다. 이때의 원기는 태초의 혼돈한 한 기운(一氣)을 지칭하는 원기와는 다른 문맥으로, 원정-원신과 함께 짝을 이루는 상대적인 개념이다. '원신'은 원기 가운데 깃들어 사물의 생육과 변화를 주재하는 기운의 지각·의식·신령함(영성) 등의 상태로, 『정신철학통편』의 여러 곳에서 이를 또한 '상제上帝'로 지칭하기도 한다.

그런데 이런 원정·원기·원신은 처음부터 나눠져 따로따로 존립하지 않는다. 그것은 태초에 완전한 통일체였던 원기가 서로 다른 상태로 풀려나 구현된 것이다. 다시 말해, 본래 하나였던 태초의 원기가 개벽해 빅뱅 이후의 원정·원기·원신이 나뉘었으며, 그것이 천지만물에 고르게 품부되었다. 그리고 끊임없이 변하는 조건에 따라, 그것들이 상호전환하면서 가역반응을 일으켜 평형을 유지한다.

예를 들어, 고체나 액상의 연료가 '기화'하고 '연소'하는 발열과정과 그 반대로 흡열이 이뤄지는 경우를 연상해 보자. 여기서 고체나 액상 상태를 '정'으로, 그것이 기화된 가스 상태를 '기'로, 다시 그것이 연소해서 환하게 빛을 발하는 상태를 '신'으로 유비할 수 있다. 자연계에서 관찰되는 이런 질서야말로 고대인들이 정·기·신 개념을 도출하는 데 직관적인 영감을 주었다.

셋째, 태초의 원기에서 나온 '원정·원기·원신'의 줄임말이 곧 우주의 '정신'이다. 그리고 우주의 정신으로부터 사람의 정신도 생겨난다. 이런 정신은 앞서 말했듯 '정신-주체'와 '물질-대상'으로 이원화할 수 없는 개념이다. 그것은 서구적인 심신이원론의 사고틀과 확연히 다른 문법에 토대를 둔다. 이 문법에서는, 하느님 혹은 상제인 '원신' 역시 서양의 유일신처럼 우주를 창조하고 주재하는 절대자가 아니다.

정신철학에서는 '원신'이 곧 우주의 근원적인 신, 상제, 하느님에 다름 아니다. 한데 그 신은 처음부터 우주를 초월해 존재하지 않는다. 그것은 천지가 갈라지기 전의 혼돈한 우주(元氣)에 이미 수반돼 있던 지각·의식·신령함이다. 현대물리학의 언어로 말하자면, 빅뱅의 대폭발 이전에 고도로 수축된 원시우주 안에 이미 신이 머물렀던 셈이다. 그리고 음양이 갈라져 천지가 개벽하자,

그 신이 다시 천지만물에 고르게 품수되어 사물의 정신을 이루게 된다.

3. 서양의 창조신과 동양의 원신元神

피노키오와 주몽朱蒙

창조주로서의 유일신을 상상하는 문화와 종교에서, 신은 언제나 피조물 너머에 있어야만 한다. 그런 신은 서구에서 종종 목수의 이미지와 오버랩된다. 그는 마치 목각인형 피노키오를 만든 소목장이 '제페토'와 같다. 제페토는 그의 피조물인 피노키오와 처음부터 한 몸일 수 없다. 그는 피노키오보다 앞서, 그리고 피노키오의 밖에 존재해야만 한다. 그래야 제페토가 비로소 피노키오를 창조할 수 있기 때문이다.

즉 동화에서 제페토는 피노키오를 만들었기 때문이라기보다, 피노키오를 '창조'하기 위해 필요하기 때문에 등장하는 캐릭터인지도 모른다. 창조된 뭔가를 상상하는 모든 시나리오에서는, 그것을 만드는 누군가가 필수불가결하게 등장하지 않으면 안 된다. 제페토의 이런 캐릭터는 외재하고 초월적인 신의 이미지를 반영한다. 피노키오가 피동적인 사물이자 객체라면, 제페토는 피노키오를 만들고 지배하는 의식(spirit으로서의 정신), 그리고 주체를 상징한다.

이처럼 동화는 객체-육체-피조물/주체-정신-신을 이원화하는 서구의 집단무의식을 반영한다. 그러면서도 인간이 되려는 피노키오를 통해 객체에서 주체로, 육체에서 정신으로, 그리고 피조물에서 신으로의 상승을 꿈꾸는 '만들어진 자'의 욕구를 표상한다. 또한 온갖 못된 짓과 시행착오에도 불구하고, 끝내 개과천선해서 인간이 되는 피노키오를 통해, 마침내 그 욕구를 대리만족하려는 듯이 보인다.[16]

---

16. 피노키오의 동화조차 본래는 불행한 결말로 끝날 예정이었다. 19세기 후반 이탈리아의 극작가 카를로 로렌치니Carlo Lorenzini는 본래 동화로 『피노키오의 모험』을 쓰지 않았

한데 동화는 해피엔딩이지만, 종교는 해피엔딩과 거리가 멀다. 유일신 종교는 감히 신이 되려는 인간을 용납하지 않는다. 그러면서도, 신처럼 전지전능해지려는 인간의 욕망을 끊임없이 부채질한다. 유일신 종교의 이런 이율배반적 자기모순이 중세의 암흑시대를 만들고, 종교전쟁을 일으켰으며, 파시즘과 제국주의의 광기를 뒷받침했다. 그리고 21세기에도 종교근본주의는 여전히 인류의 평화와 안녕을 심각하게 위협한다. 그래서 피노키오는 해피엔딩이지만, 유일신 종교는 여전히 잔혹한 동화를 세상에 쓴다.

그러나 기화론의 우주관에서는 세계 밖에서 우주를 디자인해서 만들고 주재하는, 즉 외재하는 운동인運動因으로서의 창조신(Creator God)이 필요치 않다. 또한 우주를 대상 내지는 객체로 사유하는 초월적 정신(주체)도 상상하지 않는다. 따라서 제페토 없이도 피노키오는 얼마든지 나온다. 그는 만들어진 목각인형이 아니라 처음부터 살아 있는 나무가 변신한 인형, 혹은 신선이 땅에 꽂은 지팡이에서 자라난 나무처럼 태어날 것이다. 동양의 피노키오라면, 어쩌면 알을 깨고 나와 자기 운명과 정신의 주인으로 세상에 발을 디딜지 모른다. 마치 주몽이나 박혁거세 같은 한국 고대 신화 속의 영웅처럼 말이다.

그러므로 이런 문맥에서 보면, 유일신 종교에서 믿는 창조신이란 천지만물에 본래부터 내재된 원신을 세계에서 분리해 추상적인 '주체'로 관념화한 것에 불과하다. 즉 하느님이란 본래부터 형상 없이 만물에 편재하는 우주적 기운(元神)의 신령함인데, 이런 하느님을 동화에서 억지로 인격화해서 제페토로 그려냈다고 말할 수 있다. 그런데 이런 초월적 유일신을 상상하지 않는다고 해서, 우주의 신성성神聖性에 불경을 저지른다고 비난할 수는 없다. 실상은 오히려 그 반대이다.

다. 그는 좀 더 심각한 인생의 비극을 다루기 위해, 15회에서 피노키오가 나무에 목매달려 죽는 것으로 끝마칠 예정이었다. 그러나 편집자가 해피엔딩의 동화를 원했다. 결국 16회에서 피노키오가 푸른 요정 덕분에 다시 살아나고, 36회까지 이어진 이야기 끝에 피노키오는 결국 사람이 된다. 작가가 자신의 본래 의도와 달리 편집자의 요청을 받아들인 것은 생활고 때문으로 알려졌다. 이야기 창작의 곡절조차 유일신 종교의 이율배반, 잔혹동화와 해피엔딩 사이를 오가며 뒤틀리는 욕망을 기묘하게 반영한다.

서구 종교는 세계 밖에서 신을 찾는다. 그리고 신의 피조물이 유한하다고 전제하고, 타력에 의한 구원을 갈망한다. 그러므로 인간 본연의 도덕과 영성에 대해 처음부터 그다지 높은 기대를 걸지 않는다. 피조물은 피노키오처럼 만들어지자마자 온갖 악행과 거짓을 서슴지 않는 악동이요, 오류투성이다.

그는 신의 선한 호의를 배반하고 쾌락을 좇아 배회하며, 교활한 여우와 사악한 고양이에게 속아 죽음의 구렁텅이에 빠지는 어리석은 존재이다. 따라서 그는 다만 자기가 지은 죄를 회계하고 제페토, 즉 선한 신의 품으로 돌아올 때만 구원받을 수 있다.

그러나 동아시아에서는 만물을 떠나 신이 따로 존재하지 않는다. 대신 오히려 삼라만상에 신성함이 깃들어 있다고 통찰하며, 천지만물을 신처럼 경외한다. 특히 인간은 본래부터 피노키오처럼 못된 피조물이 아니다. 단지 후천적인 환경과 조건의 제약으로 타고난 본성이 뒤틀려 악하거나 어리석어질 수는 있다. 그래도 사람은 근본적으로 자기 안에 진인과 성인의 가능성을 품고 있는 만물의 영장, 대우주와 본성을 함께하는 소우주의 잠재적 완성체이다.

그러므로 타력에 의존하지 않는 자력으로 누구나 자기 안의 신성神聖, 양심, 참나를 구현할 수 있다. 불교 선종은 "내 마음이 곧 부처의 마음(吾心卽佛心)"라고 한다. 도교 역시 "내 목숨이 내게 달렸지 하늘에 달린 게 아니다(我命由我不由天)"라고 한다. 전병훈도 "(천지로부터) 신령하고 빼어난 정·기·신을 얻은" 인간의 본성을 무한히 긍정한다. 그리고 이런 견지에서 서양에서 분화된 철학·과학·종교의 전통을 각각 재평가했다.

> 내가 서양철학을 잘 모르다가, 겨우 번역된 새 책들을 서로 견줘 고찰하고 비교 검토하면서 의문의 해답을 구했다. 그러한즉 이른바 '철학'이 단지 최고의 학술일 뿐만 아니라 참으로 근본원리의 학문이었다. 그리하여 이제 과학을 지엽에 불과하다고 여기게 되었다.
>
> 비록 종교가 꼭 철학에서 발원하지 않았다고 할 수는 없지만, 과학 역시 반드시 종교의 폐단에서 자극받아 평정을 잃지 않았다고 할 수는 없다. (종교

> 의 폐단으로 끝내 잔혹한 형벌을 행했다.) 65종의 원소를 발명하고 무신론이 일어나 철학가의 허령설虛靈說을 비판하는데, 폐단을 고치려다 지나쳐서 도리어 잘못되는 경우를 면치 못하고, 모두 편견에 빠져 버렸다.
>
> 사람에게 허령虛靈과 지식이 있는 것이, 곧 마음(心)과 신神에서 나온 것이다. 만약 마음과 신이 없다면 앎과 의식도 없을 것이니, 어찌 사람이라고 하겠는가? 천지와 해와 별 그리고 기가 흐르는 몸체(氣體)를 가진 생물로 미뤄 보더라도, 신이 없는 것이 없다는 게 [신이 모든 것에 깃들어 있다는 게—역자 주] 또한 분명하지 않은가?
>
> 단지 신의 이법(神理)에 형체가 없으며(無形), 서두르지 않아도 빠르고, 가지 않아도 도착하니, 오직 성인과 철인이라야 밝게 살펴보고 항상 경외하여, 마치 상제가 혁혁하게 그 옆에 강림한 듯이 한다. 그러므로 철학과 과학 두 학문을 서로 적절히 조제해서, 한쪽을 버리지 않아야 한다. 그런 뒤에야 학문의 원리가 또한 비로소 원만한 데 이를 것이다.[17]

전병훈은 서양의 지적 전통을 우수한 것부터 철학·과학·종교의 순으로 평가했다. 종교를 가장 낮게 평가한 이유는, 독단에 빠져 평정을 잃기 때문이다. 그 폐단으로 "끝내 잔혹한 형벌을 행했다"는 것은, 중세 유럽 교회의 마녀사냥 같은 종교적 광기의 잔혹사를 유념한다.

또한 "과학 역시 이런 종교의 폐단에서 자극받아 평정을 잃을 수 있다"고 한다. 과학도 자기도취의 도그마에 빠져 극단에 흐를 위험이 크다고 경계한 것

---

17. 余未嘗西學, 只攷究譯行新書, 參互索解. 則其所謂哲學者, 不但爲最高學術, 而誠原理根本之學也. 是以今以科學克不過猶夫枝葉焉. 然宗教者未必不發源於哲學, 而科學者亦未必不刺激於教弊(教弊竟行炮烙之刑), 而憤興者也. 創明六十五原質而起無神論, 詆及於哲學家虛靈說, 則未免矯弊過正, 俱陷於偏見者矣. 人之有虛靈知識者, 乃心神所發也. 苟或無心無神, 則卻便無知無識矣, 烏可謂之人乎? 推而天地日星, 有氣體生物, 罔不有神, 不亦明甚乎? 但神理無形, 不疾而速, 不行而至, 故惟聖哲明見, 而常存敬畏, 如上帝之於赫斯臨也. 然則哲科諸學, 兩相調劑而不至偏廢, 然後學理亦始臻於圓滿矣. 『통편』, 128~129쪽.

이다. 무엇보다 그는 과학의 발전에 따라 무신론과 유물론의 세계관이 확산되는 추세를 우려했다.

철학·과학·종교의 횡단, 그리고 조제調劑

전병훈은 서구 종교에 회의적이었지만, 또한 무신론과 유물론에도 반대했다. 그는 천지만물에 신이 깃들어 있음을 의심치 않았다. '신'은 곧 본문에서 말한 우주의 원신이다. 이런 신이 '천지와 해와 별'로 표상되는 우주공간, 그리고 '기가 흐르는 몸체(氣體)'를 가진 온 생명에 촘촘히 깃들어 있다.

그러므로 뛰어난 성현과 철인은 언제 어디서나 "마치 상제가 그 옆에 강림한 듯" 늘 주의 깊고 경건한 태도를 유지한다. 온 천지만물에 빠짐없이 깃든 신을 느끼고 경외하기 때문이다. 이런 우주는 단지 물리적이나 생물학적인 것으로 환원되지 않는다. 천지만물에서 정신을 제외한다면, 단지 생물이냐 무생물이냐의 문제 같은 것만 남게 될 것이다.

한데 익히 아는 것처럼, 세계를 단지 물질적 요소들의 결합으로 파악하는 이른바 '기계론적 자연관'이 근대적 세계관의 핵심이다. 하지만 그로부터 다시 근대의 폐해가 심각해졌다. 그 부작용으로 이성과 자연과학의 절대화, 자연의 무분별한 개발과 파괴, 복잡한 자연현상에 대한 물리적 환원주의, 생태계 파멸의 위기 등이 초래된다는 비판이 높다.

그러자 단지 물질적 요소들의 집합이 아니라, 생태적 관점에서 상호의존적인 관계의 총체로 자연과 세계를 보아야 한다는 유기적 자연관이 대안으로 제기되었다. 러브록James Lovelock의 가이아Gaia나 장회익의 온생명(Global life) 이론 등이 대표적인 사례가 될 것이다. 그것은 이왕에 물리적으로 보던 현상을 생물학적으로 해석하는 시야를 제공하고, 생태계와 환경을 보존해야 하는 당위와 필요성에 대한 인식을 확산시켰다. 그런데 자연을 보는 이런 전략은 여전히 과학적 환원주의에 그친다. 그것은 세계에서 정신(마음)을 배제하는 문제를 남기게 된다.

전병훈도 말했듯이 "만약 마음(心)과 정신(神)이 없다면 앎과 의식도 없을 것"이라는 문제에 어떻게 대처할 수 있을까? 정신을 물리적인 현상으로 귀결하면, 앎과 의식이 뇌 안의 단백질 구조물(synapsis) 사이를 오가는 전기적 신호와 같은 것으로 환원될 뿐이다. 한편 정신을 생물학적인 것으로 귀결하면, 앎과 의식이 특정한 유전자와 뉴런의 네트워크가 만들어 내는 신경학적 반응과 같은 것이냐는 명백한 반론에 직면하게 된다.

우리의 앎과 의식을 전기적 신호나 신경학적 반응으로 환원하는 시도는 단지 임시변통에 불과한 것처럼 보인다. 앎과 지식이 철학적인 통찰 속에서 언어와 더불어 생성되는 방식이 전적으로 모호해지기 때문이다. 우리가 '정신적인 것'으로 부르는 활동들을 생각해 보자. 말이나 생각의 과정에서 섬광을 번쩍이면서 떠오르는 생각이나 마음(정신)의 작용을 뇌 안의 전기신호나 신경학적 반응과 완전히 같은 것으로 한정할 수는 없다.

예를 들어, 상대성이론을 떠올리는 아인슈타인의 마음(정신)이 뇌 안에서 어떤 전기신호나 신경학적 반응을 일으킨 건 분명하다. 그것을 관찰하고 데이터로 분석할 수는 있을 것이다. 하지만 누군가의 뇌에서 그와 같은 전기신호나 신경학적 반응을 재현한다고 해서, 심지어 아인슈타인 본인의 뇌에서조차 상대성이론을 만들어 내는 게 가능하다고 믿을 수는 없다.

정신을 물질이나 생물의 어떤 차원으로 다루든지 간에, '정신적인 것'을 뉴런의 반응과 완전히 같은 것으로 설명할 수는 없다. 앞서도 말했듯이 만일 앎과 의식의 활동에서 '정신적인 것'을 추방한다면, 결국 "세계는 무생물인가 생물인가?"와 같은 문제만 남게 될 것이다.

익히 알다시피, 근대 이성주의자들은 정신이 인간만의 특징이라고 생각했다. 그러나 인지과학과 신경생물학 등의 연구에 의하면, 동물은 물론 식물도 느끼고 기억하고 생각하고 감정을 표현하는 능력이 있다고 한다. 심지어 전병훈은 단지 인간과 생물뿐만 아니라, 해와 달과 대지와 허공과 산천도 죄다 정·기·신으로 이뤄지고, 그것이 곧 '우주의 정신'을 이룬다고 한다. 이런 우주의 정신이 곧 사람의 생명과 정신의 근원이 된다. 철학·과학·종교는 결국 따지고 보면 모두 이런 정신능력이 고도로 발휘된 결과이다.

그런데 인간만이 아니라 다른 만물도 이런 정신을 우주로부터 품수 받았다면, 어째서 인간만 철학·과학·종교와 같은 고도의 지적이고도 영적이며 창조적인 재능을 보이는 것일까? 이 문제는 아래에서 '사람의 정신'을 다루면서 논할 것이지만, 인간이 천지의 가장 빼어난 정신을 품부 받았다는 답변을 듣게 되리란 것을 말할 수는 있다.

하지만 그전에 여기서는 인간 정신이 어떻게 철학의 이성(reason), 과학의 지성(intelligence), 종교적 영성(spirituality)으로 분열되었는가에 대해 질문을 던져보자. 인간의 이런 자질은 모두 인생과 우주의 의미를 탐구하는 일과 연관된다. 그럼에도 그것들이 서구에서 그토록 선명하게 각자의 영역과 역사를 구획했다는 것이 실은 오히려 기이한 일이다.

서구인의 정신은 왜 각각 철학·과학·종교로 갈라져 서로 만나지 못하는 길을 가게 된 것일까? 어쩌면 이런 질문이 사람들을 당혹스럽게 할지 모른다. 철학·과학·종교의 어딘가에 편향된 현대인의 고정관념에서는 이런 질문 자체가 낯설기 때문이다.

그러나 이런 질문이 생소한 현실이야말로 인간 정신의 분열을 반영한다. 예를 들면, 종교적 사람은 도그마에 잘 빠지고 이성과 지성이 취약한 경우가 많다. 과학의 훈련을 받은 사람은 자기 분야의 전문지식에 밝지만, 물질에 편향되고, 종합적 이성과 직관적 영성은 어두운 경우가 적지 않다. 이성만을 중시하는 철학은 사람을 깡마른 관념의 성채에 유폐시키고, 정작 세상사의 실제적인 지식과 영성에 어두운 헛똑똑이를 양산하곤 한다.

인류역사상 철학자·과학자·종교인이 지금처럼 나뉘고, 그것이 다시 온갖 세분화된 분과와 종파로 갈라진 때가 일찍이 없었다. 그런데도 사람들은 각자 자기가 능한 바에 따라 세상을 보고 믿으며, 자기와 같은 부류를 높이고 다른 부류를 폄하한다.

그러나 이런 구획 자체가 인간 정신의 분열을 반영한다. 화성과 금성과 달에서 온 외계인마냥, 종교·과학·철학을 하는 인간이 애초부터 다른 종족이 아니라면 말이다. 그것은 동굴에 갇혀 목이 결박된 채, 각자의 벽면에 비치는 이성·지성·영성의 그림자만 응시하는 죄수의 신세처럼 궁색하다.

종종 당신의 종교가 뭐냐는 질문을 받을 때, 나는 아주 곤혹스럽다. 왜냐하면 서로 다른 종교 가운데 어딘가에 속해야 한다는, 혹은 어떤 종교인가를 선택해야 한다는 택일적 질문에 뭐라고 답할 길이 없기 때문이다. 누군가의 기준에 따른다면, 나는 종교가 없다고 하는 게 맞을지 모른다.

그렇다고 해서, 내가 유물론자거나 비종교적이라고는 전혀 생각하지 않는다. 그런 후천적인 구획이 오히려 인간 정신의 전체성을 분열시키는 게 아닐까? 왜 이성·지성·영성의 경계를 넘나드는 정신의 '자유'를 누리려고 하지 않느냐고 역으로 묻고 싶다. 전병훈 역시 그런 정신의 자유를 추구했다. 그는 근대로 가는 길목에 있었지만, 최근에야 비로소 논의되는 통합적 지성의 미래로 우리를 안내한다.

우주의 생성과 운동에 대한 과학적 탐구, 세계와 인생의 의미에 대한 합리적 성찰, 관찰과 실험을 통한 지식의 확충, 만물에 깃든 영성에 대한 통찰과 경외, 이런 것들이 인간의 정신 활동에서 공존하면서도 서로 모순 없이 통합되기는 어려운 것일까? 또한 종합적 이성, 분석적 지성, 심오한 영성을 동시에 갖춘 전인적 인간, 내지는 그런 인간의 양성을 목표로 하는 학문과 교육은 정녕 불가능한 것일까?

이는 지금 우리 앞에 던져진 화두지만, 백여 년 전 전병훈이 물었던 질문이기도 하다. 그리고 그는 이성과 지성, 영성이 고르게 구현되는 인간 정신의 '자유'에 대해 말했다. 후천적이고 인위적으로 구획된 분야를 넘나들려면, 먼저 분리된 경계를 허물지 않으면 안 된다. 한데 전병훈은 그런 해체와 횡단마저 넘어 '조제'로 나아간다. 그의 정신철학은 우주와 인생을 관통하는 종교적(영적) 신비체험의 요소를 포함하고, 과학의 경험적 방법론을 찬미하며, 철학적인 이론의 종합과 창조를 시도한다.

학문의 구획에 익숙한 전문가들의 시각에서, 이것은 종교·과학·철학의 영토 어디에도 속하지 않는 모호한 지성의 체계로 보이기 십상이다. 하지만 그렇기 때문에, 그것은 마침내 인간 정신의 근대적 분열을 넘어선다. 더 나아가 우주와 인간의 정신을 하나로 관류하는 이론의 기초를 세우며, 통합적이고도 거시적으로 세계를 이해하는 시각을 제공한다.

그리하여 전병훈은 천지만물에 깃든 정신의 영성을 경외하는 동시에, 철학과 과학을 잘 조제하여 학문의 원리가 원만해지는 지평에 이르기를 갈망했다. 그런 이에게 종교나 전공을 묻는 것은, 어쩌면 창공을 가르며 비상하는 용이나 봉황에게 국적을 묻는 것만큼이나 어리석은 질문이다.

물론 백 년 전에 제안된 서우의 이론이 앞으로 인류가 개척할 통합적 지성의 유일한 미래라고 말할 용의는 없다. 하지만 여하튼 간에, 이성·지성·영성이 고르게 조화를 이룬 신인류가 출현하기를 바라는 것은 서우의 소망인 동시에 현시대의 요구이기도 하다. 그리고 정말로 그런 신인류가 출현해 새로운 문명을 열게 된다면, 인간 정신이 극도로 분열된 지금이 다시 어떤 결여 내지는 부조화의 시대로 기억될 것도 분명하다.

4. 사람의 정신

사람의 원정·원기·원신

태초에 혼돈해 나뉘지 않은 '우주 근원의 활력상태인 것(元氣, 一氣)'이 개벽해서 천지가 되었다. 이런 천지에 원정·원기·원신이 내재한다. 그것이 응결해서 만물이 생긴다. 사람 역시 정·기·신으로 이뤄진다. 특히 사람은 천지의 정·기·신에서도 가장 신령하고 빼어난 것을 받고 생겨난 소우주다. 소우주와 대우주는 부분이 언제나 전체를 닮는 프랙탈의 자기복제 구조로 서로 상응하고 이어지며 통합되어 있다. 전병훈은 천지로부터 사람이 부여받은 원신에 대해 이렇게 말한다.

> 신神은 원신이다. 성품의 진면목(眞)은 곧 천진한 자연의 신神이다. 사람이 처음 생겨날 때 하늘이 부여한 삶의 원리가 본성(性)을 이룬다. 사람의 본성이 움직이면 마음(心)이 된다. 마음이 응결하면 신神이라고 하고, 신이 안정되면 본성이라고 한다.[18]

사람의 '신'은 생래적인 '천진한 자연의 신(天眞自然之神)'이다. 즉 인간의 신성神性은 자연 너머의 절대자(창조신, 이데아, 설계자 등)로부터 주어져 피동적으로 조작되는 것이 아니다. 자기 안의 원신, 그 천진한 자연의 신을 떠나 세계 밖의 초월적인 신을 구할 필요가 없다. 그것은 신령스럽다는 문맥에서 '영성'이 될 것이고, 날 때부터 사람에게 갖춰져 있다는 문맥에서 말하면 '본성'이 된다.

그리고 무엇으로 부르든지, 사람의 '신'은 우주적 원신의 일부로 그 특성을 반영한다. 그 움직임에서 마음(心)의 감성과 의식작용이 생겨난다. 또한 그런 신은 소우주인 몸에 내재하는 (혹은 수반되는) 특성으로 인해, 신체와 분리돼 별도로 존립하는 사유주체인 서구 근대의 정신(이성)과도 구별된다. 한편 사람이 천지로부터 부여받은 원기는 다음과 같이 묘사된다.

> 기氣는 원기로 천체를 따라 운행하며, 크기를 헤아릴 수 없고 그 미세함을 측량할 수도 없다. 기운이 왕성하게 증식해, 온몸에 충만하게 두루 퍼져 끊임없이 운행한다. 사람이 생겨나 처음 '기'를 받을 때, 천지의 시원적 기를 먼저 받고 나중에 부모로부터 신체를 이루는(形化) 기를 받는다. 그러므로 말하기를 "원기가 반드시 곡기穀氣에 의존해 끊임없이 유지된다"고 한다.[19]

---

18. 神是元神, 性之眞, 乃天眞自然之神也. 人生始化, 天之賦與生理者爲性. 性之在人, 動則爲心, 心凝曰神, 神靜曰性. 『통편』, 46쪽.
19. 氣元氣也, 其全也八百十丈, 隨天運化, 大不可量, 微不可察. 氤氳滋息充周一身, 流行不停. 人生受氣之初, 先得天地元始之祖氣, 而後受父母形化之氣. 故曰, 元氣必資穀氣

‘기’는 우리 몸에 흐르는 파동에너지다. 그것은 우주의 원기에서 온다. ‘氣’는 气와 米의 결합으로 이뤄진 글자다. 气의 가장 오래된 기호는 갑골문에서 ‘≋’로 표상된다. 파동성을 직관적으로 묘사하는 부호인 것이다. 우주에 충만한 이런 에너지가 우리 몸 안에도 흐른다.

한데 그것은 또한 “반드시 음식물의 에너지(穀氣)에 의존해 끊임없이 유지”된다. 그러므로 气와 음식물을 상징하는 ‘米’가 결합한다. 그것이 곧 氣로 표기된다. 몸의 기에 대한 전병훈의 해설은 이처럼 ‘氣’의 표상에 잘 부합한다.

몸에 흐르는 기의 근원은 어디까지나 ‘천지의 시원적 기운(天地元始之祖氣: 元氣)’이다. 음식은 체내에서 그 흐름을 지속적으로 유지하는 데 쓰이는, 이를테면 보조적 에너지원이다. 원기는 선천적이고, 곡기穀氣는 후천적이다. 그런데 보조적 에너지가 모자라도 문제지만, 지나쳐도 원기를 손상하게 된다. 본말전도인 셈이다.

따라서 원기의 활력을 유지하려면, 과도한 식탐을 경계해야 한다. 양생에서 음식의 섭생에 민감한 것은, 체내의 원기와 곡기의 관계에 대한 이런 통찰과 연관이 있다. 마지막으로, 사람이 천지로부터 부여받은 원정에 대해서는 다음과 같이 말한다.

> 정精은 원정으로, 남녀의 정액을 가리키는 것이 아니다. 체내의 정은 강건하고 순수하여, 마치 황금에 진액이 있고 나무에 내실이 있는 것과 같다. 갓난아이 때 정기가 지극하고, 15세가 되면 진정眞精이 체내에 충만하므로, 이때 수련을 하면 쉽게 진아를 완성(成眞)한다. 그 이후로는 날로 쇠미해진다.[20]

以續續不斷.『통편』, 46쪽.

20. 精, 元精也, 非感合淫泆之精也. 精之在體, 剛健純粹, 如金之有液, 如木之有能. …… 人於嬰孩時, 未知牝牡之合, 而峻作精之至也. 十五而眞精滿, 若於此時修煉, 則成眞甚易矣. 自此以降, 日益虧耗.『통편』, 47쪽.

정은 진액津液의 이미지이다. 몸에서 '정'은 뼛골·기름·피땀·침·정액 등의 특성을 함축한다. 우주론에서도 '원정'은 일월성신日月星辰과 물, 지구처럼 유형적이고 질료적인 상징과 연계되어 있다. 또한 신이 주로 하늘(天, 乾)에서 기인한다면, 정은 주로 땅(地, 坤)의 특성을 반영하거나 땅에 근원을 둔 것으로 묘사된다. 기는 气와 米가 결합이 상징하듯 양자의 특성을 동시에 함축한다. 문헌에 근거할 때, 이런 정·기·신 사상의 출현은 늦어도 기원전후의 한나라 시기 혹은 그 이전으로 거슬러 올라간다.[21]

정신철학의 문법에서 보자면, 사람의 존재는 곧 체내의 정·기·신이 긴밀하게 결합해 작용하는 상태이다. 우선 정·기가 함께 명命, 즉 목숨을 이룬다.[22] 목숨은 우리말이다. 곧 목으로 숨을 쉬며 살아 있는 힘이다. 생물학의 문맥에서 말하자면, 유기적 생명체의 물질대사와 에너지대사가 이뤄지는 상태다. 이런 물질대사와 에너지대사를 각각 '정'과 '기'의 작용과 연관하더라도 크게 어긋나지 않는다.

생물은 생존에 필요한 에너지를 유기물의 분해에서 얻는다. 식물이 태양에서 에너지를 공급받아 무기물에서 유기물을 합성한다. 이 유기물의 에너지가 생태계의 사슬을 통해 돌고 돌아 온갖 생명이 유지된다. 물질대사는 곧 에너지대사를 함축한다.

하지만 이런 물질과 에너지 대사만으로 온전한 사람이 되는 것은 아니다. 단지 목에 숨이 통한다고 해서, 인간이 곧 인간답게 되지는 않는다. 모든 유기물 속에는 빛에너지가 저장돼 있다. '정'과 '기'가 목숨을 이루고, 거기서 '신'이 빛을 발해 비로소 온전한 사람이 된다. 이를 전병훈은 다음과 같이 말한다.

---

21. 신·정·기를 각각 하늘·땅·중화中和(天地中和之氣)에 상응하는 기운으로 보는 황로도 사상도 같은 문맥에서 이해할 수 있다. 김성환, 「초기 道教의 철학사상」, 중국철학회, 『중국철학』 제7집 (2000) 참고.
22. '목숨'은 흔히 생명의 뜻으로도 쓰이지만, 여기서는 특히 '명命'의 우리말인 '목숨'으로 보았다.

신이 정과 기에 의지해 생긴다. 정과 기는 목숨(命)을 이룬다. 그러므로 정·기·신의 세 가지가 성명性命의 뿌리가 된다.[23]

이런 정·기·신은 서로가 서로를 기르며, 상호의존하는 관계에 있다. 예를 들어 이런 표현들이 보인다.

원기가 원정을 기르므로, 정은 기에 의존해 가득해진다.[24]

기는 신의 변화를 기른다.[25]

신이 정에 의지하는 것은 마치 물고기가 물을 만난 것과 같고, 기가 정에 의지하는 것은 마치 안개가 연못을 뒤덮는 것과 같다.[26]

그러므로 체내의 정을 과도하게 소모하고 배설하면 신과 기가 미약해져, 성명性命이 바람 앞의 촛불처럼 위태로워진다.[27]

이런 상호의존 관계에서는, 어느 것이 중심이고 다른 것이 부차적이라고 할 수 없다. 또한 어느 하나가 주체이고 다른 것은 객체라고 할 수도 없다. 즉 '질료적인 것(精)'과 '에너지적인 것(氣)' 그리고 '영명靈明한 것(神)'이 결합해서 인간 존재를 이룬다. 하지만 이는 서로 독립된 세 요소가 기계적으로 결합된 상태가 아니다. 그것은 분리된 레고 조각들을 짜 맞추듯이 조립된 게 아니다.

하나의 요인이 다른 요인들에 의해 생겨나고 지탱되며, 그 전부가 모여서

---

23. 神依精氣則生, 精氣爲命, 故三者爲性命之根柢也. 『통편』, 46쪽.
24. 元氣 …… 以育元精, 故曰精依氣盈也. 『통편』, 46쪽.
25. 氣養神化. 『통편』, 48쪽.
26. 神依之如魚得水. 氣依之如霧覆淵. 『통편』, 47쪽.
27. 若其[=精]損洩過度者, 神氣昏而性命如風燭. 『통편』, 47쪽.

하나의 실체를 이룬다. 우리의 관념 안에서 각각의 요인을 따로 상상할 수는 있지만, 그것이 실제로 분리될 수는 없다. 세 요인이 궁극적으로 일체이기 때문이다.

한 자루의 초를 상상해 보자. 밀랍이나 기름을 굳혀서 초를 만든다. 그 몸체에 불이 붙으면, 열기와 광채가 발한다. 초의 몸체가 '정'이라면, 열기는 '기'요, 빛(광채)이 곧 '신'인 것이다. 하지만 한 자루의 초에서 이 세 요인을 분리하는 건 사실상 불가능하다.[28]

인간에게서 '질료적인 것'과 '에너지적인 것' 그리고 '영명한 것'은 이렇게 삼원일체三元一體로 결합되어 있다. 정신철학에서 그 견결한 일체성을 함축한 개념이 곧 '정신'인 것이다. 그런데 이런 정신은 단지 인간만의 존재론적 특성이 아니다. 전병훈은 인간뿐만 아니라 다른 종의 생명체, 심지어 해와 달과 대지와 허공과 산천까지 죄다 정·기·신으로 이뤄진다고 한다. 단적으로 말해, 전 우주에 정·기·신으로 이뤄지지 않은 것은 없다.

그리고 그것이 궁극적으로 우주의 원정·원기·원신으로부터 비롯되기 때문에, 모든 개체생명은 전체 우주와 긴밀하게 통합돼 있다. 그러면 거기서 또 다른 문제가 발생한다. 우주 삼라만상이 그처럼 전부 정·기·신으로 이뤄져 있다면, 지구에 한정하더라도 "어째서 인간만 유독 고도의 지적이고도 영적이며 창조적인 재능을 보이는 것인가?"의 질문에 응답해야 하는 것이다. 이에 대해 서우가 말한다.

> 정·기·신의 신령하고 빼어난 것을 얻어 사람이 되고, 그 치우치고 잡스러운 것을 얻어 금수와 동물이 된다. 이것이 (천지가) 개벽한 뒤에 기氣가 변화

---

28. 육체와 정신의 일원성一元性을 논증하는 '촛불의 비유(燭火之喩)'는 환담桓譚(BC 24~AD 56)의 『신론新論』에 처음 보이며, 이후에도 육체와 정신의 관계를 논하는 문헌에 빈번히 등장한다. 精神居形體, 猶火之然[燃]燭矣. 如善扶持, 隨火而側之, 可毋滅而竟燭. 燭無, 火亦不能獨行於虛空, 又不能復然其灺. 灺猶人之耆老, 齒墮發白, 肌肉枯臘, 而精神弗爲之能潤澤內外周遍, 則氣索而死, 如火燭之俱盡矣. 『新論·祛蔽』.

해 처음으로 사람과 사물이 생겨난 과정이다.[29]

인간과 다른 동물의 차이는 정·기·신의 "신령하고 빼어난(靈秀)" 것과 "치우치고 잡스러운(偏駁)" 것의 구별로 설명된다. 앞서의 은유를 지속하자면 초를 구성하는 질료, 에너지, 광채의 안정성과 순도에서 사람이 다른 동물과 다르다는 것이다.

전병훈이 이왕에 '정'을 황금의 진액에 은유했다. 그러니 이로써 비유하자면, 사람은 순도 99.9퍼센트의 황금으로 그 질료와 에너지와 빛의 순수성이 다른 사물을 뛰어넘는 존재인 것이다. 물론 그 질료, 에너지, 빛이 따로 분리된 게 아니라는 것은 이미 위에서 말한 바와 같다.

얼핏 보면, 전병훈의 논법이 기질氣質의 차이로 사람과 사물의 차이를 설명하는 성리학의 기존 입장을 반복하는 듯이 보일 수 있다. 하지만 주로 도덕적 본성의 문맥에서 인간과 사물의 동이同異를 논하는 성리학의 논점과는 근본적으로 궤를 달리하는 것이다.[30] 이 주제는 제2장과 제3장에서 다시 논한다.

한편 19세기 후반에 서구에서 진화론이 유입되었다. 인간과 다른 종의 차이에 대한 논의가 새로운 국면에서 전개된 것이다. 전병훈 역시 진화론에 대한 견해를 밝혔다. 하지만 이는 아래 장절에서 별도의 독립된 주제로 다룰 것이므로, 여기서는 논하지 않기로 한다.

---

29. 得精氣神之最靈秀者爲人, 得其偏且駁雜者爲禽獸動物. 此乃開闢後, 以氣化而始生人物者也. 『통편』, 42쪽.

30. 사람과 사물의 본성이 같은가 다른가의 논쟁(人物性同異論)이 조선 후기의 성리학계를 달군 바 있다. '오상五常'으로 대표되는 도덕적 본성에서 인간과 사물(동식물)이 같은가 다른가를 따지는 논쟁이었다. 본성이 다르다는 편에서는 사람만 오상을 모두 갖췄고, 사물은 그중 일부만 갖췄다고 주장했다. 본성이 같다고 보는 편에서는 사람과 사물 간에는 다만 기질氣質의 차이가 있을 뿐이라고 주장했다. 이런 논쟁에서 보면, 전병훈이 마치 후자와 유사한 듯이 보인다. 하지만 그가 단지 도덕에 국한해 사람과 사물의 본성을 규정했던 것이 아니므로, 전병훈의 주장은 사실상 전혀 다른 지평에서 전개되는 것이다.

정·기·신의 신체적 장소성

정·기·신이 신체에서 장소적 특징을 가진다는 사실에 주목할 필요가 있다. 〈정기신도精氣神圖〉가 이를 직관적으로 표상한다. 단적으로 말해 머리와 가슴과 아랫배가 신체에서 각각 원신·원기·원정을 함축하는 장소적 기반이다. 즉 머리는 하늘(乾)로 원신을 간직한다. 아랫배는 땅(坤)으로 원정을 함축한다. 가슴은 하늘과 땅이 어울리는 장소로, 원기의 거처가 된다. 이는 동일성과 차이에 따라 사물의 공간성을 구획하는 유비적 사고의 흔적을 담고 있다.

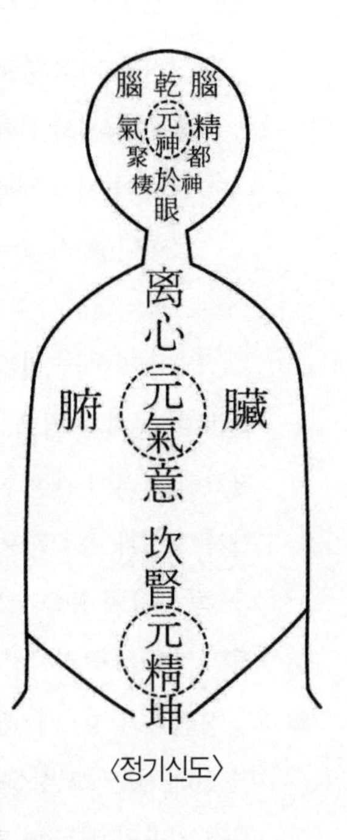

〈정기신도〉

유비추리의 문맥에서 다시 말해 보자. 사람의 배·가슴·머리는, 자연의 땅·천지간·하늘에 상응한다. 이런 형태상의 유사성은 곧 본질상의 유사성을 반영한다. 그 본질은 곧 정·기·신이다. 그러므로 형상과 본질 전부의 맥락에서, 인간과 자연은 소우주와 대우주의 대응관계로 합치한다.

혹자는 이것이 고작해야 "하늘은 둥글고 땅은 네모지며(天圓地方)" 그와 같이 "머리는 둥글고 발은 네모지다(頭圓足方)"고 말하는 식의 진부한 이야기에 불과하다고 말할지 모른다. 그는 정·기·신의 장소적 특징이 단지 유비의 공상에 지나지 않는다고 할 것이다. 하지만 그것은 기껏해야 절반만 참이다. 예를 들어 〈정기신도〉에서 전병훈은 다음과 같은 해설을 더했다.

① 오행의 신·기·정이 응결해 장부臟腑와 신체를 이룬다.[31]

오장의 신·기·정의 진액이 모여 머릿골(腦髓)이 된다.[32]

---

31. 五行之神氣精, 凝結爲臟腑身體. 『통편』, 48쪽.
32. 五臟之神氣精, 汁聚會以爲腦髓. 『통편』, 48쪽.

② 신이 지능을 발하며, 기가 지성(性知)을 기른다.[33]

정이 목숨의 근본이며, 기가 신의 조화(神化)를 기른다.[34]

③ 신장과 뇌의 통로를 '조계曹溪'라고 일컫는다.[35]

감坎(☵)에서 취하여 리離(☲)를 메우니, 이를 '단공丹功'이라고 일컫는다.[36]

④ 곤坤(☷)에서 건乾(☰)으로 돌아가니, 이를 "근본으로 돌아가고 목숨을 회복한다(歸根復命)"고 한다.[37]

①에서 말하는 원리는 이렇다. 오행의 섭리로 운행하는 천지의 정·기·신이 모여 신체가 되고, 다시 그 정수가 뇌를 이룬다. 이것은 신체에서 '원신'의 거처인 머리에 관한 이야기다. ②는 뇌 안의 신이 인간 지능의 원천이고, 또한 기가 지성과 정신작용을 함양하는 원리를 말한다. 한편 정은 목숨의 근본이다. 즉 사람의 목숨과 의식이 정·기·신에서 비롯되는데, 특히 기가 의식과 지성의 작용을 증진시킨다.

직전까지 정·기·신의 견지에서 신체가 구성되고 작용하는 원리를 말했다면, ③과 ④는 그 정신을 운용하는 수련의 원리에 대해 말한다. ③은 '정'의 신체적 기반인 신장(腎)과 '신'이 머무는 뇌를 연결하는 정신의 에너지 순환경로(조계曹溪), 그리고 그 경로를 통해 수승화강水昇火降으로 정신을 운용하는 내단학의 원리를 말한다. ④는 체내의 원정을 단련해 원신으로 화하게 하는 내단학의 대원칙을 말한다.

앞서도 말했듯이, 서우는 정신 운용의 요령을 이렇게 총괄했다. "도법은 신으로 현빈玄牝 안에서 정·기를 운용하는 것이다. 정을 단련해 기로 변화시키고, 기를 신으로 변화시키며, 신이 변화해 참나(眞)를 이룬다."[38]

---

33. 神發知能, 氣養性知. 『통편』, 48쪽.
34. 精是命根, 氣養神化. 『통편』, 48쪽.
35. 腎腦通路, 謂之曹溪. 『통편』, 48쪽.
36. 取坎填離, 謂之丹功. 『통편』, 48쪽.
37. 坤還於乾, 謂之歸根復命. 『통편』, 48쪽.
38. 故道法以神運用精氣於玄牝之內, 煉精化氣, 氣化爲神. 『통편』, 19쪽.

정 · 기 · 신의 장소적 기반을 하늘-머리, 가슴-천지간, 땅-아랫배로 일치시키는 것에는 분명 유비적 상상력이 개입된다. 하지만 정신의 신체적 장소성에 대한 지식, 그리고 정신을 운용하는 요령에 대한 정보 자체가 유비추론의 결과는 아니다. 요컨대 '조계', '현빈' 등에 관한 지식은 누적된 경험에서 비롯한다.

동아시아의 양생수련이나 전통의학의 장구한 역사에서, 경험적 데이터들이 먼저 오랫동안 축적되었다. 그리고 그 데이터들을 토대로 일반이론을 정립하는 과정에서, 자연과 인간의 생명을 하나로 연계하는 유비적 추론이 동원되었다. 그런데 이는 과학자들이 이론을 정립하는 과정과도 크게 다르지 않다.

흔히 과학을 경험에서 일반적인 원리를 이끌어내는 귀납적 추론의 학문으로 정의한다. 그런데 과학의 어떤 창의적 발견도 데이터에서 자동 내지 반자동으로 얻어지지는 않는다. 컴퓨터에 아무리 방대한 데이터를 축적해도, 데이터 스스로 뉴턴의 물리법칙이나 아인슈타인의 상대성이론을 만들어 내지는 못한다.

경험 데이터와 과학적 설명 사이에는 간격이 있다. 과학자들은 시각 · 청각 등의 경험에 토대를 둔 상상력, 기존의 모델에 의존하는 추리 등으로 그 간격을 채운다. 유비적 상상력 역시 그럴 때 동원되는 유력한 추리의 한 방식이다. 예를 들면 "소리는 파동으로 구성되어 있다"와 "빛은 소리와 형태가 유사하다"는 전제가 있었다. 거기서 소리와 빛을 유비하여, "빛도 파동으로 구성될 것이다"라고 유추해 빛의 파동설이 수립됐다.[39]

이처럼 자연의 사물을 관찰하며 이것과 저것을 연관 짓는 유비추론이야말로 과학적 상상력의 중요한 원천이 된다. 철학자들이 세계의 통일성과 체계성을 사유할 때도, 논리적 추리의 한 방식으로 유비추론에 의지한다. 예컨대, 플라톤은 사람의 머리 · 가슴 · 배를 국가의 철인 · 군인 · 시민에 비유했다. 그렇듯이 유비는 세계에 대해 통일된 견해를 수립하는 철학자들의 지적인 역량이 된다.

물론 그렇다고 해도, 단지 유비만으로는 개연성 이상을 넘어설 수 없다. 그

39. 네덜란드의 물리학자 호이겐스Christiaan Huygens(1629~1695)가 소리와 빛의 형태가 유사한 것에 착안해 빛의 파동설을 수립했다.

것은 엄밀한 논증 및 증거들로 보충돼야만 한다. 그런데 명상가들이 깊은 관조 상태에서 정신을 운용하거나, 혹은 한의사가 침이나 뜸으로 환자 경락經絡상의 경혈經穴을 자극해 기혈氣血의 흐름을 조절할 때, 그 과정이 유비추론에 의해 주도되는 것은 아니다. 대신 과학자가 실험대상에게 집중하듯이, 그들도 대개 자기 자신이나 환자의 심신에 의식을 집중한다.

그리고 거기서 일어나는 반응과 경험을 세심하게 관찰한다. 동아시아에서도 이렇게 수집된 데이터들이 정신학설 정립의 근거가 되고, 또한 수십 세기에 걸쳐 논증의 대상이 되었다. 다만 주목할 점은, 정신학설에서 중요한 데이터들이 물질과 에너지를 아우르며, 외적 감각경험과 내적 정신경험을 가로질러 수집되는 것이라는 데 있다.

한 예로 신체에서 정신(정·기·신)과 그것의 연결경로는 '경혈'과 '경락'으로 불리는 에너지 순환계(energy system)와도 연동된다. 피부나 근육에 나타나는 중요한 에너지의 반응점이 기혈이며, 그 반응점들을 연결하는 경로가 곧 경락이다. 그런데 이런 에너지 순환계의 존재는 오늘날에도 과학적으로 입증하기 어려운 난제에 속한다.[40] 경락·경혈이든 정·기·신이든, 그것이 단지 물질로 이뤄진 신체기관이 아니기 때문이다.[41]

이는 신경계통, 순환기관, 호흡기관, 소화기관, 배설기관 같은 신체의 다른 계통들과 비교할 때 확연하게 대비된다. 해부학적으로 볼 때, 이런 계통들은

---

40. 그로 인해 한의학이 과학인가를 두고, 해묵은 논쟁이 계속돼 왔다. 객관적(경험적·귀납적)으로 검증할 수 없는 이론체계를 의학으로 인정할 수 없다는 게 '과학적인 것'을 강조하는 현대 의학계(서양의학)의 기본입장이다. 이에 대해 한의학계에서는 수천 년간 검증된 경험의학이고, 또한 환자의 치료에서 분명한 효과를 보이므로 의학으로서의 효용성을 인정할 수 있다는 반론을 편다. 필자가 이런 논쟁에 참여하려는 것은 아니다. 다만 경락·경혈로 대표되는 에너지 순환계의 문제가 정신철학의 테마와 직접 연관되기 때문에, 이 문제를 철학의 지평에서 검토할 필요가 있다.

41. 거기서 경혈과 경락은 오히려 표피적이다. 경혈과 경락이 장부臟腑와 연결되긴 하지만, 주로 피부나 근육에 나타나는 반응점과 경로이기 때문이다. 반면 정·기·신의 신체적 기반으로 지목되는 장소는 아랫배와 가슴 그리고 머리 깊숙한 중앙부이다. 그런데 신체에너지 순환계의 표층조차 그 실체성을 증명하기 어렵다면, 신체 깊숙한 곳의 정신을 입증한다는 건 더 난망한 일임에 분명하다.

모두 물질적인 실체성이 있고 그 메커니즘을 가시적으로 입증할 수 있다. 즉 신체를 갈라 각 기관과 연결계통을 눈으로 일일이 확인할 수 있다. 굳이 해부하지 않더라도, 기구와 장치들을 활용해 각 기관의 대사 작용과 신체적 반응들에 대한 실증적 데이터들을 확보할 수 있다. 그럴 수 있는 매우 단순한 한 가지 근거는, 그 기관이 모두 물질로 구성되어 있다는 사실에 있다.

그러나 경락·경혈이든 정·기·신이든, 그것의 순환계는 물질적인 형태를 띠는 것이 아니다. 그렇다고 해서 그 순환계가 존재하지 않는 것도 아니다. 그것은 질료적인 것, 에너지, 빛의 조합으로 이뤄진 정신의 순환계통이다. 마치 지구의 기류나 해류처럼, 일정한 패턴과 경로를 유지하면서도 늘 역동적으로 유동하는 흐름의 체계인 것이다.

게다가 정신철학의 문법에 따르면, 한 사람의 존재는 몸 안과 밖(천지)의 정·기·신이 하나로 연결된 비분리적 전체의 일부를 이룬다.[42] 따라서 가시적으로 실증되는 명징성·일관성·재현성을 금과옥조로 여기는 과학자들에게, 이처럼 현묘히 유동하는 정신이란 실로 피하고 싶은 유령일지 모른다.

그러나 도로나 철로의 궤적처럼 일관되고 선명하지 않다고 해서, 파도와 바람과 빛의 길이 없다고 누가 감히 단언할 수 있는가? 다만 있는 듯 없는 듯 현묘한 그 길을 찾는 것이, 과학자보다 시인이나 구도자에게 더 어울리는 일인지 모른다. 하지만 어쩌겠는가? 눈에 보이는 물질적 현상이 실재하는 세계의 한 단면이듯, 눈에 보이지 않는 정신의 비물질적 체계 역시 세계의 한 특성인 것이다.

과학자들의 마음에 흡족치 않다고 해서, 과학자들을 위해 실재하는 세계와 인간이 그 본질을 바꾸는 따위의 일은 결코 일어나지 않을 것이다. 게다가 그럴 필요도 없다. 그러므로 보이지 않으니 없다고 애써 외면하는 게 능사는 아

---

42. 앞서도 말했지만, 체내에 음식물로 공급되는 '氣'가 있다면 천지에서 직접 제공받는 선천적 원기인 '气'도 있는 것이다. 해부학적으로 검증되는 신체의 모든 계통에서 이미 물질과 에너지 대사를 하지만, 별도의 에너지 계통이 필요한 이유와 근거를 거기서 찾을 수 있다.

니다. 그럴 때는 차라리 시인과 철학자와 구도자에게 길을 묻는 여유가 필요한 건 아닐까? 어쩌면 그게 과학에게도 지혜로운 선택이 될지 모른다.

인식론의 지평에서 보는 정신학설

내적 관조의 경험

인식론의 지평에서 보자면, "정·기·신이 무엇인가?"보다 "그것을 어떻게 알아냈는가?"가 더 중요한 질문이다. 정신의 존재와 그 순환계통은 '물질적인 것'이 아니어서, 눈으로 보고 귀로 듣는 등의 감각경험으로 명징하게 그 실체를 파악하기 어렵다. 그렇다면 도대체 그것을 어떻게 경험하고 또한 논증할 수 있는가에 답해야 한다. 사실상 이는 고대 동아시아인들이 어떻게 정신의 존재와 그 구조를 파악했는지를 묻는 것과 같은 질문이다.

정·기·신과 경락·경혈의 계통이 체계화된 시기는 대략 기원전후의 한나라 시대로 거슬러 올라간다. 2천여 년 전이다. 하지만 비록 체계성은 부족해도, 에너지 순환계를 중심으로 신체를 이해하는 사고방식은 훨씬 이전부터 출현했다. 그렇다면 오늘날 첨단장비로도 포착하기 어려운 신체의 에너지 순환체계를 고대 동아시아인들은 도대체 어떻게 발견한 것일까?

이 주제를 제대로 논구하려면, 동·서양 철학사상의 오랜 역사로 눈길을 돌려야 한다. 그것은 책 한두 권으로도 부족할 방대한 주제여서, 여기서 본격적으로 논의하기 어렵다. 다만 내적 관조觀照(meditation)의 방법 및 기술이 동아시아에서 오래전부터 발명되고 전승됐으며, 그런 경험적이고 지적인 토대에서 정신학설이 출현했음을 분명히 말할 수 있다. 일단 이를 납득한다면, 정·기·신이 신체에서 작동하는 기제에 대한 지식과 이론이 어떻게 출현했는가를 머릿속에 그릴 수 있다.

아시아의 현자와 명상가(수행자)들은 아주 정태적인 상태에서 자기 내면의 세밀한 변화를 관조하고, 관찰자가 직접 그 변화에 개입하는 방법과 기술을 오래전부터 발견하고 발전시켰다. 여기서 '내면'이란 곧 신체 안에서 일어나는 물질과 에너지 대사, 그리고 그와 더불어 변동하는 의식과 마음의 작용 일체를 포함한다. 흔히 '수양修養'·'수행修行' 혹은 '수련修鍊' 등으로 불리는 특별한 자기 관찰 및 컨트롤 방법을 개발한 것이다.

이를 통해 동아시아에서는 오랜 세월 동안 이른바 '내면'의 경험에 대한 지식과 데이터들이 축적되었다. 아득한 5천여 년 전에 가부좌를 틀고 깊은 관조 상태에서 앉아 있던 홍산의 여신과 천군의 모습을 독자들은 기억할 것이다. 그 이전부터 이미 생겨나 수백 세대에 걸쳐 전승되고 발전한 수행의 기술들, 누적된 경험과 지식들이 정신학설 정립의 중요한 기초 데이터들이 되었다.

이와 유사한 기술과 지식의 흔적은 서구의 옛 문화 안에서도 발견된다. 그러나 기독교가 로마의 국교로 부상하면서 고대의 신비종교를 배척한 이래, 서구에서는 이런 내적 관조의 방법과 기술들이 거의 소실되었다. 물론 서양인이라고 심신의 미묘한 작용과 변화, 내면의 초자연적인 반응마저 직관적으로 느끼지 못했던 것은 아니다. 하지만 그런 반응에 집중하는 것은 더 이상 서구의 스타일이 아니었다.

대신 그들은 내면의 직관적 경험을 신으로부터 주어진 사건이나 불가사의한 기적 등으로 얼버무렸다. 그리고 감각기관의 경험에서 얻어지는 외재적이고 물질적인 사건들에 주의를 집중했다. 그런 개별적 감각경험을 근거로 사물과 세계에 대한 보편적인 인식을 획득하기 위해, 인식론과 논리학이 발전했다. 관찰자의 견지에서 타자의 경험을 대상화하고 자기의 경험과 교환하며, 경험 일반의 원리를 도출하는 여러 방법이 고안되었다.[43] 이런 토대에서 신학과 철학이 분화되고, 근대 과학이 문호를 열었다.

반면 근대까지 동양의 수행(명상)은 서구에 거의 알려지지 않았다. 서구인들은 제국주의 시대에 식민지화된 아시아에서 명상에 든 수행자들을 처음 보았다. 하지만 야만인들의 미개한 주술행위 정도로 간주했으며, 교양 있는 문명인

43. 경험의 타자화, 그리고 타자화된 경험을 객관화하는 과정에서 토론과 논쟁은 필수적인 것이다. 따라서 고대 그리스에서 논리학과 함께 수사학修辭學(rhetoric)이 발전하게 되었다.

들이 관심을 가질 만할 일이 아니라고 터부시했다. 오늘날 이런 편견이 줄어들기는 했지만,[44] 내적 관조에 의한 경험을 세계인식의 정당한 방법으로 인정할 수 없다는 고정관념은 서구의 지적 전통에서 여전히 폭넓게 작동하고 있다.

그들은 이렇게 말한다. 내적 관조나 합일체험 같은 것은 인간 이성에 반하고, 지극히 개인적이어서 그것이 실제인지를 입증하기 어렵다. 더구나 서로 간의 체험을 유의미하게 상호 비교하는 것은 더더욱 불가능하다. 이것은 서구의 주류 철학과 기독교, 그리고 물질주의적 과학에서 아주 흔히 접할 수 있는 논조이다. 그러나 이런 규정은 대단히 편파적인 데다가, 사실을 있는 그대로 이해하는 데도 별로 도움을 주지 못한다.

이는 분명 까다로운 과제이다. 어쨌든 내적 관조의 경험이 사적이고 주관적이라는 통념에도 불구하고, 수천 년 동안 아시아인들이 그런 관조에서 비롯되는 지식과 경험을 거의 보편타당한 상식으로 발전시켰음을 그 출발점에서부터 이해하는 게 필요하다. 내적 관조가 서구인이 비난조로 말하는 이른바 '신비주의(Mysticism)'에나 합당한 비합리적이고 주관적 체험에 불과하다면, 언뜻 보기에 이런 일은 정말 불가능해 보인다.

내적 관조의 경험이 외부와 분리된 사적인 영역이며, 흔히 말하듯이 그것이 서로에 대해 철저히 밀폐되고 차단되었다고 상상해 보자. 그렇다면 사람들이 그것에 관해 서로 이해하는 것이 어떻게 가능하겠는가? 그런데도 서구인들은 아시아의 이런 지적 경향을 단지 야만인들의 미개성의 징후로만 해석했다.

다시 말해, 아시아인들이 미개해서 죄다 사적이고 주관적인 몽롱한 의식에 빠져 있었다는 것이다. 물론 이런 고정관념이야말로 형편없이 야만적이지만, 여하튼 이런 편견에 빠졌던 서구인들은 다음과 같은 질문에 대답해야 할 것이다.

예를 들어 아시아의 무수한 철학서와 양생서·의학서 등에서 볼 수 있듯이, 내적 관조의 경험이 놀라울 정도로 완비되고 섬세한 학문의 체계를 이루는 것

44. 그런데 이제 사태가 역전돼 서구의 엘리트들이 오히려 아시아의 명상과 수행에 관심을 가진다. 반대로 동아시아에서는 과학과 도구적 실용주의가 호황을 이룬다. 그렇다고 각 권역에서 수천 년간 이어진 문화 심층의 내적 논리가 하루아침에 변하는 것은 물론 아니다.

이 도대체 어떻게 가능하단 말인가? 그것은 마치 이렇게 말하는 이율배반과도 같다.

"그들은 너무나 사적이어서, 다른 사람과 도저히 공감을 나눌 수 없는 그런 주관적인 경험을 했다. 그리고 그것을 다른 어느 누구도 판독할 수 없는 자기만의 문자로 기록해 두었다. 그런데 그 글이 독서계에서 베스트셀러로 읽히고 있다."

독자들은 정말 이런 일이 가능하다고 믿는가? 그렇다면 지난 수천 년 동안 동양의 의사들은 너무 사적이어서 그 진위를 판별하거나 남들과 도저히 나눌 수 없는 정보에 기초해서 환자들의 몸에 침을 놓고 뜸을 떠 왔던 셈이다. 그리고 헤아릴 수 없이 많은 구도자·학자·승려·도인들 역시 그들의 내면세계에서 무슨 일이 일어나는지 도저히 일반화할 수 없는 경험들을 근거로 깨달음, 니르바나, 도를 구하고 말하며 또한 서로 공명해 왔던 것이다.

정신에 대한 내적 경험의 인식론적 근거

내적 관조에는 대략 두 가지의 특징이 있다. 하나는 경험의 전문성 내지 희소성이며, 둘째는 경험의 대상이 내재적이라는 것이다.

첫째, 보통사람의 감각경험과 구도자의 내적 관조 사이에는 경험의 대중성과 전문성에 차이가 있다. 컵을 보는 데 특별한 훈련이나 재능이 필요치는 않다. 감각기관과 뇌에 이상이 없다면, 평범한 누구라도 눈을 뜨면 컵을 볼 수 있다. 하지만 '내적 관조'는 특별한 재능을 타고났거나, 오랜 수양을 거쳐야 비로소 가능하다. 상당한 전문성을 요하는 셈이다.

그런데 이런 이유로 테이블의 컵을 보는 것은 객관적 경험이며, 경락의 기운을 감지하는 것은 사적이고 주관적 경험이라고 분별하는 것이 정당한 것일까? 그것은 마치 다중이 손쉽게 경험하는 것은 객관적이고, 전문적인 훈련을 거친 소수가 경험하는 것은 주관적이라고 말하는 것과 같다.

그렇다면 대학과 연구기관에서 실험에 열중하는 모든 과학자들이야말로 사적이고 주관적인 일에 몰두하는 사람들이 된다. 물론 이것은 터무니없는 난센스다. 다중이 아닌 숙련된 소수자의 경험이라고 해서, 그것이 사적이고 주관적이라고 말할 수는 없기 때문이다.

'사적'이나 '주관적'이라는 것은, 그 경험이 외부와 분리되어 철저히 밀폐되고 차단된 경험이라는 의미일 뿐이다. 객관성은 반드시 경험자가 많고 적은 것으로 결정되는 것이 아니다. 한 예로 올림픽 개인종목의 금메달은 전 세계에서 4년 동안 단 한 명만 받을 수 있다. 하지만 그렇다고 해서, 그가 해당 종목에서 우승하는 사건을 단지 금메달리스트만의 주관적 경험으로 돌리지는 않다. 그의 경험은 단지 희소할 뿐이지, 그렇다고 해서 사적이거나 주관적인 것은 아니다.

이런 논의가 타당하다면, 아시아의 수행자들로부터 얻어진 지식·학문의 체계를 특별히 사적이고 주관적이라고 말할 근거는 없다. 더구나 아시아의 지적 전통에서, 그런 수행은 전혀 이례적이거나 파격적이지 않았다. 예를 들어 장자는 일찍이 "귀로 듣기보다는 마음으로 들으며 마음으로 듣기보다는 기氣로 들으라"[45]는 심재心齋를 말했다.

비록 유·불·도의 철학사상이 완전히 일치한 것은 아니다. 그래도 내향적 관조의 수양을 강조한 것은 삼교의 공통적인 세계 인식 방법이었다. 그것은 수십 수백 세대에 걸쳐 권장되고 진화했으며, 수많은 정신적 엘리트들에 의해 실천되었다.

그렇다고 해서 그것이 어떤 천부적인 재능이 있는 소수에게만 허용되고, 대부분의 사람들에게는 불가능한 그런 종류의 경험인 것은 아니다. 수양은 누구나 시도하지는 않지만, 시도하는 누구라도 의미 있는 징험을 얻을 수 있는 그런 활동이다. 여기서 '시도한다'는 것은 몸소 학습하고 행한다는 의미다.

정신철학의 경우에도, 그 수행의 원리가 원하는 사람 누구에게나 개방된 그런 공공적 지식체계라고 분명히 말할 수 있다. (그 구체적인 원리와 방법은 제3장 '정신의 운용'편에서 논한다.) 다만 그것을 실천해서 어느 정도 수준에 이르는가

45. 若一志, 無聽之以耳而聽之以心, 無聽之以心而聽之以氣. 聽止於耳, 心止於符. 氣也者, 虛而待物者也. 唯道集虛, 虛者, 心齋也. 『莊子·人間世』.

는, 다른 모든 분야와 마찬가지로 각자의 노력 여하에 달렸다.

그처럼 정신수련의 고수들로부터 얻어진 개별적 경험들이 변별되고 종합돼, 정신과 마음과 신체에 관한 지식과 학문체계가 수립되었다. 일반적으로 지식이 만들어지는 절차와 인식론상의 과정이 거기서도 그대로 구현되었던 것이다. 그런데도 그것은 너무 사적이어서, 여전히 그 진위를 판별하거나 남들과 나눌 수 없는 비합리적이고 주관적인 지식에 지나지 않는 것일까? 아시아의 '내적 관조' 경험이 주관적이며 검증할 수 없다는 것은, 사실상 오리엔탈리즘에 물든 서구의 고정관념에서 나온 편견에 지나지 않는다.

게다가 사람들은 종종 자기를 기준으로 남을 판단하는 경향이 있다. 흔히 "X 눈에는 X만 보인다"고 표현되는 인식론상의 함정에 쉽게 빠진다. 그리고 이런 편견에서, 자기에게 결핍된 정신상의 경험을 평가절하한다. 그러나 내가 아닌 타자의 경험이라서 주관적이라면, 그것은 엄연한 난센스다. 단지 '희소'한 것 혹은 내게 결여된 것을 비정상, 내지는 보편성의 결여로 간주할 수는 없다. 이런 속단이야말로 실은 주관의 함정에 빠진 것이다. "애꾸눈 마을에서는 두 눈 뜬 사람이 비정상"이라는 세간의 속담처럼 말이다.

두 번째로, 구도자들의 경험을 주관적이라고 판단하게 만드는 또 다른 요인이 있다. 그 경험이 내적이며, 비물질적이라는 것이다. 사람들은 대개 '내적'이라는 말에 당혹스러워 한다. 감각기관에 의한, 즉 눈으로 보고 귀로 듣는 등의 '외적 감수感受를 벗어난 경험'이란 개념이 낯설기 때문이다. 특히 이는 이미지의 홍수 속에서 살아가는 현대인이 쉽게 납득하기 어려운 경험이다.

그런데 외적 관찰에서 유래하든 아니면 내적 관조에서 유래하든, 인간의 모든 경험은 어차피 개별적이며 주관적이다. 열 사람이 한 테이블에서 하나의 컵을 본다고 가정해 보자. 그들이 처음부터 컵을 객관적으로 인식하는 것은 불가능하다. 그들 열 사람 각자에게는 그저 열 개의 사적이며 개별적인 감각경험만 있을 뿐이다. 다만 그것이 인간에게 고유한 언어와 사유의 처리과정을 거쳐 뇌에서 추상적인 정보와 이미지로 변환된다.

그 정보가 보편타당한가를 검증하는 거의 유일한 방법은, 서로 언어로 진술하고 그 경험을 교환해서 공통점과 차이를 변별하는 것뿐이다. 그리하여 서로의 경험이 합치될 때, 즉 위의 사례라면 컵에 대한 열 사람의 정보가 일치함으로써, 그들의 경험이 객관성을 획득한다. 하지만 우리가 모든 경험마다 일일이 그 객관성을 검증하지는 않는다. 그것은 사물에 대한 감각경험과 사유과정이 누구에게나 거의 유사한 정보를 제공한다는 사실에 대한 암묵적 사전 동의가 있기 때문이다.

여기서 객관성의 근거가 되는 요인은 크게 두 가지다. 하나는 사물의 정보를 처리하는 감각과 사고의 과정이 누구에게나 유사한 경험을 제공한다는 전제에 대한 신뢰이다. 둘째는 각자의 경험을 언어로 구성하고 그것을 진술하며 교환하는 언어능력이다. 하지만 본질적으로 인간의 모든 경험이 사적이고 개별적인 것이라는 사실은 변함이 없다.

그런데 곰곰이 따져 보면, '내적 관조'에서 유래하는 정보나 지식 역시 이와 같은 객관화의 과정을 거치기는 매일반이다. 한 예로, 경락과 경혈의 에너지 순환체계에 관한 지식이 처음 만들어지던 과정을 머릿속에서 그려 보자.

앞서 말했듯이, 이런 에너지 순환체계는 물질적 구조로 이뤄진 것이 아니라서 육안으로 파악할 수 없다. 그것을 파악하는 두 가지 유효한 길이 있다. 하나는 내적 관조로 자신 신체를 관찰하는 것이고, 다른 하나는 타인의 몸에서 일어나는 에너지의 순환을 관찰하는 것이다.

물론 어느 경우든, 오랜 수행으로 기의 흐름을 감지할 수 있는 특별한 기감氣感을 얻어야 한다는 전제가 있다. 여하튼 그런 감각능력으로 얻어진 최초의 경험은 물론 개별적이고 주관적이다. 하지만 그에게는 함께 오랫동안 수행을 해온 스승도 있고, 동료도 있다. 그 사람들 역시 자신과 타인의 몸에서 일어나는 에너지 순환에 대해 경험을 가지고 있다. 그러므로 그들은 또한 각자가 경험한 것들에 관해 서로 정보를 교환할 수 있다.

즉 외적 관찰이든 내적 관조든, 그 경험이 뇌에서 추상적인 정보와 이미지로 가공되는 과정은 사실상 같다. 또한 그런 개별적인 경험들을 언어로 진술하고 서로 교환해서 공통점과 차이를 변별하는 객관화의 과정 역시 크게 다를 바가 없다.

하지만 눈을 뜨면 얻어지는 물질적 현상의 경험에 비해, '비물질적'인 정신의 경험이 일반인들에게 어렵기는 매한가지다. 그 경험이 누구에게나 즉각적으로 일어나거나 자동적으로 얻어지는 것이 아니며, 그것을 얻으려면 현대인의 물질주의적 일상에서 벗어나는 일정한 훈련(수행)이 필요하기 때문이다.

그렇다고 해서 '물질적인 것'에 대한 인식만을 사적인 경험에서 벗어나는 유일한 조건으로 볼 수는 없다. 만약 그렇다면 정신·심리·도덕과 사회적 정의는 물론, 심지어 빛과 소리와 에너지 등에 관한 물리학의 제반 논의까지 다 무의미해질 것이다. 물리학에는 세계의 비물질적인 특성에 관한 온갖 개념과 경험, 이론들이 반드시 포함되기 때문이다.

그러므로 물질적인 경험만이 객관의 조건이라고 믿는 속된 유물론자(물질주의자)가 아니라면, 내적 관조의 대상이 되는 정신이나 기운이 비물질적이라서 보편적인 지식의 조건을 갖출 수 없다고는 더 이상 말하지 못할 것이다.

아시아의 구도자(수행자)들이 중시하는 내적 관조의 경험 그리고 거기서 생성된 지식이 개별적이고 주관적이라는 통념은, 이처럼 인식론상의 오류들로 가득하다. 혹자는 그것이 너무 은밀해서 실제로 가능한지 여부도 입증하기 어렵고, 유의미한 상호 비교란 더더욱 불가능하다고 한다.

그리고 수행자들의 정신세계를 밀폐, 차단, 외부와의 분리 같은 특성으로 도색한다. 하지만 이는 비난을 위한 비난에 지나지 않는다. 그것은 단지 구경꾼의 시선이며, 실제로 그 경험에 무지한 언설에 불과하다. 이렇게 단언하는 근거는, 무엇보다 수행자들 스스로 묘사하는 내적 관조의 경험이 이런 '구경꾼 관점'과 정반대의 것을 말하기 때문이다.

즉 '경험자 관점'이라고 지칭할 수 있는 그것은 내외경계의 해소, 자아의 초월 내지는 확장·합일·자유의 경험 등을 진술한다. 즉 사적이고 주관적인 자아의 감옥에서 해방되며, 편견과 독단에서 벗어나 타인 더 나아가 천지만물과 무제한의 통신을 주고받는 교류의 경험에 관해 말한다. 서우가 정신철학에서 궁극적인 지향으로 제시하는 '자유', 그리고 장자의 '소요', 불교의 '해탈'이 모두 이런 지평 확장의 경험과 연관된다.

다시 말해, '경험자 관점'에서 쓰인 텍스트 어디서도 내적 관조를 밀폐, 차단, 외부와의 분리 같은 특성으로 묘사하지 않는다. 대신 내적 관조가 (폐쇄가 아닌) 해탈, 합일, 자유 등의 확장적 경험을 가져다준다고 진술한다. 이런 효과를 말하는 텍스트가 수천 년간 아시아 도처에서 수십수백만 권 유통되었다. 그 진술들의 대부분은 직접적인 경험을 반영한다.

게다가 시간과 공간상, 그리고 심지어 문화적으로 아주 멀리 떨어졌음에도 불구하고 무척 일맥상통하는 경향을 보인다. 즉 내적 관조가 인류에게 상당히 유사한 경험을 안겨 준다는 사실을 보편적으로 증명하는 셈이다. 헤아릴 수 없이 많은 이런 방대한 증거에도 불구하고, 그것을 애써 외면하며 굳이 딴죽을 걸어야 하는 정당성의 근거를 찾기가 실은 더 어렵다.

위에서 말했듯이, 구경꾼 관점은 자기들의 역사에서 '내적 관조'의 전통을 거세한 서구의 기독교와 철학에서 나온 옹색한 고정관념의 산물인 게 대부분이기 때문이다. 그런데 아시아에서, 왜 우리가 편견으로 가득한 그런 타자의 시선을 통해 스스로의 전통을 멸시하고 형해화形骸化해야 하는가?

그것이 정당하다면, 타자의 시선이라고 배척할 이유가 없다. 하지만 오리엔탈리즘에 길들여져 부지불식간에 서구문화를 우월하게 의식하고 동양문화를 비하하는 편견의 시선이라면, 그 시선을 배척하지 않을 이유도 없다. 굳이 동·서양을 논할 필요도 없이, 경험자들을 제쳐놓고 구경꾼들이 마치 객관적 관찰자인 듯이 행세하는 건 아무래도 주객이 전도된 것이다.

그런데 동양의 지식인 역시 이런 주객전도의 책임에서 자유로울 수는 없다. 자기들의 경험을 객관적 지식·학술로 진술하지 못하는 무능을 질책하지 않을 수 없기 때문이다. 전병훈이 정신을 운용하는 옛 학술의 "진면목을 고스란히 익히면서도 새롭게 혁신하고, 낡은 허울을 벗고 승화하기"[46]를 강조한 이유가 바로 거기에 있다.

46. 今作入世公用之學, 則名之以精神哲學者, 詎非其眞面目之溫故而維新, 由陳而蛻化者耶?『통편』, 22쪽.

혹자는 타자(서양)의 시선을 날것 그대로 가져와 짐짓 객관적인 척 얌통머리 없는 구경꾼 행세를 하고, 다른 혹자는 자기 문화의 경험조차도 그 실상을 제대로 해명하지 못하는 무능한 천학淺學에 머물렀다. 그러므로 정신철학을 "세상에서 공용公用하는 학술"로 만들고자 소망했던 것이다. 서우의 이런 학문정신은, 그로부터 백 년이 지난 지금도 수입상 아니면 고물상에 머무는 아시아의 후손들에게 여전히 절실한 귀감으로 살아 있다.

5. 정신과 성명, 그리고 플라톤의 세계영혼

전병훈의 정신철학에서 '정신'은 곧 정·기·신을 함축한 개념이다. 이 문법에 따라, 아래서도 '정신'은 곧 정·기·신의 줄임말을 의미하는 것으로 한다. 그런데 다른 문맥에서 말할 때, 정신은 또한 성명性命이 된다. 그 의미를 논하기 전에, '성명'의 사전적 정의부터 먼저 짚고 넘어가기로 하자.

본래 '성'은 천연의 성품(天性)을, '명'은 목숨·운명 혹은 하늘의 명령(天命)을 가리켰다. 각 글자가 따로 쓰이다가, 『장자』의 「외편」과 「잡편」에서 '성명'이 한 단어로 처음 사용된다. 그 뒤 이 복합어는 하늘이 부여한 인간의 본질적인 것, 혹은 생명 등을 의미하게 되었다. 하지만 성/명의 글자를 각각 강조할 때는 본성/목숨, 마음/몸, 영혼/육체 등을 함축하는 짝개념이 된다.

이렇게 쓰인 대표적인 용례가 도교 내단학의 기본원리인 이른바 '성명쌍수性命雙修'다. 여기서 성품·마음·영혼·의식을 단련하는 것을 '성공性功'이라고 한다. 한편 목숨·몸·육체·생명을 연마하는 것은 '명공命功'이다. 그리고 성공과 명공을 병행하는 것이 곧 성명쌍수다. 성명쌍수는 당나라 말부터 강조됐다. 그리고 북송 때부터 도교의 주류가 된 전진도全眞道의 기본공법이 되어, 중국 도교의 근본원리로 지금까지 이어진다.

한편 전병훈처럼 정·기·신의 문맥에서 '성명'을 정의하는 사례도 이미 오래전에 나왔다. 한 예로 원대의 도사 진치허陈致虚가 『금단대요金丹大要』에서 이렇게 말했다. "성명이 무엇인가? 사람의 한 몸이 지극히 정미하고 순수하며 지극히 존귀하니, 정·기·신 세 가지를 넘지 않는다."[47] 명나라의 육서성陸西星은 『현부론玄膚論』에서 "성은 곧 신이다. 명은 곧 정과 기다"[48]라고 언명했다.

앞서도 인용했듯이, 전병훈은 "신이 정·기에 의지해 생기고, 정·기가 명을 이룬다"[49]고 말했다. 또한 "사람 몸의 정신이 성명이 되며,"[50] 더 나아가 "신이 성이고 정이 명이다"[51]라고 명시했다. 즉 그는 '신神 = 성性' 그리고 '정精·기氣=명命'의 대응관계를 분명히 언급한 셈이다. 특히 정과 기를 같이 함축한 개념으로 '정'을 사용한다.

그런데 정신과 성명의 이런 상응관계는 철학적으로 어떤 의미가 있는 것일까? 서우가 정신과 성명을 왜 그처럼 긴밀히 연계하는지에 대한 해명이 필요하다. 단적으로 말해, 그것은 다만 도교 성명쌍수 이론의 반복에 그치는 것이 아니라, 유불도와 서양철학의 통합이론을 건립하는 일종의 가교였다.

앞서 논했듯이, '정신'은 본래 기화론의 세계관에서 나온 개념이다. 그 이론은 주로 도가와 음양가 등에 의해 정립되었다. 반면 유교에서는 정신 개념을 그다지 선호하지 않았다. 전병훈 역시 이런 점을 의식했고, 다음과 같이 언명했다. "(유교) 경전 가운데 '정신'을 말하는 곳이 없으니, 정신학이 황폐한 지 이미 오래되어 애석하도다."[52]

그런데 '성명'은 비록 『장자』에 처음 보이지만, 유교에서도 이 개념을 심오하게 발전시켰다. '성명·의리의 학(性命義理之學)'의 준말이 곧 성리학이다. 이는 또한 성명학性命學으로도 불린다. 전병훈 역시 "천리를 궁구하고 사람의 본

---

47. 何者爲性命? 人之一身, 至精至粹, 至尊至貴, 莫越精氣神三者. 『金丹大要』, 『道藏』 第24冊, 12쪽.
48. 性則神也, 命則精與氣也. 『玄膚論·性命論』.
49. 神依精氣則生, 精氣爲命. 『통편』, 46쪽.
50. 人身之精神爲性命. 『통편』, 21쪽.
51. 神是性, 精是命. 『통편』, 21쪽.
52. 經傳中未有言精神處, 惜精神學廢已久矣. 『통편』, 22쪽.

성을 다해(窮理盡性) 천명에 이른다(至命)"[53]는 『주역·설괘전』의 언명을 공자의 말로 소개했다.[54] 또한 『정신철학통편』 도처에서 유교의 기본원리를 '궁리진성' 내지 '진성안명盡性安命'으로 대표한다.

이런 문맥의 '성명'은 명시적으로 유교를 표상하는 개념이었다. 그러므로 그에게 있어서 '정신'과 '성명'이 서로 만나지 못하는 사태는 곧 도가와 유가의 대립, 생명가치와 도덕가치의 분열을 함축하는 것이었다. 따라서 이미 인용했지만, 아래 구절을 다시 한 번 새겨볼 필요가 있다.

> 유학자로 세상을 경영하는 자들이 단지 '본성을 다하고 운명에 안주하기(盡性安命)'를 구할 뿐 참나를 버리며, 도리어 이(참나)를 배척하고 공격한다. …… 그러니 세속 밖에 이처럼 정신을 응결하며(凝精神) 성명을 보존하는(住性命) 학술이 있다는 것을 누가 알고, 또한 능히 더불어 궁구하는 자가 있겠는가?[55]

전병훈은 먼저 '성명'에 매달리며 도가를 배척하는 유가의 태도를 비판했다. 이어서 "정신을 응결하며 성명을 보존하는" 도가의 학설을 환기시키며, 마침내 유도 양가의 병행(兼致)을 주장한다. 이 문법에 따르면, 유교의 관심은 다만 '성명'에 국한되지만 도가는 '정신'과 '성명'을 함께 아우른다. 그가 "성명쌍수와 성진成眞·성선成仙의 학"[56]으로 도교 내단학을 호칭하는 데서도 이런 인식을 확인할 수 있다.

그런데 전병훈은 유교가 처음부터 이렇게 정신학을 배제했던 것은 아니라고 변론한다. 특히 공자와 맹자가 정기학설에 조예가 있었다고 주장한다. 서우

53. 窮理盡性, 以至於命. 『周易·說卦傳』.

54. 『통편』, 50쪽.

55. 爲儒而經世者, 則只盡性安命而遺眞, 反闢以攻之. …… 然則孰知方外有此凝精神住性命之學, 而能兼致者耶? 『통편』, 19~20쪽.

56. 性命雙修成眞成仙之學. 『통편』, 25쪽.

는 먼저 『주역·계사전』의 다음 구절에 주목한다. "정기가 사물이 되며, 떠도는 혼은 변화한다. 시작에 근원하고 끝으로 돌아가니, 그리하여 생사의 이치를 안다."[57] 그는 앞서 「설괘전」에서 인용한 진성盡性·지명至命의 구절과 함께 이 구절도 공자의 진술로 보았다. 그리고 이렇게 평론한다.

> 우리 공자는 덕이 천지에 짝하고, 도는 해와 달을 아울렀다. 6경을 제작하여 이로써 사람의 마땅한 도리(人極)를 만세에 세웠다. 아! 지극하도다. 여기서 정기·생사 그리고 진성·지명을 말한 것이, 모두 하늘과 사람의 떳떳한 도리이다.[58]

서우는 이어서 맹자의 호연지기설도 불러들였다. "나는 내 호연지기浩然之氣를 잘 기른다. 그 기는 지극히 굳세고 지극히 커서, 곧게 길러 해치지 않으면 하늘과 땅 사이에 가득 차게 된다."[59] 이 유명한 구절에 대한 전병훈의 평론은 다음과 같다. "여기서 '기를 기른다(養氣)'는 것은 비단 유교에 공이 있을 뿐만 아니라, 내단공부(丹功)의 요결이기도 하다."[60]

이런 주장은 물론 견강부회라는 지적을 면키 어렵다. 우선 서우가 공자의 글로 인용한 『주역』의 「계사전」과 「설괘전」이 공자의 저술인지부터가 분명치 않다. 전통적으로 『주역』의 해설서인 『십익十翼』이 공자의 저술로 알려졌다. 하지만 그 진위에 관한 논쟁이 송대 이후 지금까지 끊임없이 이어졌다. 특히 「계사전」은 전국 말에서 한 초에 여러 학자들의 손을 거쳐 나왔다는 설이 학계에

---

57. 精氣爲物, 游魂爲變. 原始反終, 故知死生之說. 『통편』, 50쪽. 『주역·계사전』의 원문은 이 두 구절의 앞뒤 순서가 거꾸로다. 즉 "原始反終, 故知死生之說. 精氣爲物, 游魂爲變" 이다.
58. 吾夫子德配天地, 道幷日月. 制作六經, 以立人極於萬世, 吁亦至矣哉! 此言精氣死生, 與夫盡性至命者, 皆天人之常理也. 『통편』, 50쪽.
59. 孟子(齊人, 字子輿, 位五聖)曰 "我善養吾浩然之氣. 其爲氣也, 至剛至大, 以直養而勿害, 則塞乎天地之間矣." 『통편』, 51쪽. 이 구절은 본래 『맹자·공손추』에 보인다.
60. 此論養氣, 非但有功於儒門, 而亦爲丹功之要訣也. 『통편』, 51쪽.

서 유력시된다.

「계사전」에서 "정기가 사물이 된다(精氣爲物)"는 것은 전국 중엽 이후에 대두된 정기학설의 영향일 가능성이 높다. 맹자의 '호연지기' 역시 황로학의 정기학설 가운데 "호연·화평해서 기의 연못(근원)이 된다(浩然和平, 以爲氣淵)"는 진술과 중첩된다. 따라서 맹자와 황로학 간에 일찍이 사상적 영향을 주고받았다는 추론이 학계에서 제기되었다.[61] 어쨌든 고증이 까다로운 문제긴 하지만, 공자와 맹자의 정기학설에 대한 서우의 주장은 좀 새겨볼 필요가 있다.

엄밀하게 말해서, 공자가 정기학설에 조예가 있었다는 직접적인 증거는 없다. 공자가 진술한 게 확실한 문헌에서 정기의 개념을 찾기 어렵기 때문이다. 하지만 맹자가 '기를 기르는(養氣)' 것과 '호연지기'를 말했음은 틀림없다. 그리고 이는 황로학의 정기학설과 연계돼 있다. 그렇다고 해서 맹자의 호연지기를 "내단공부의 요결"이라고까지 하는 것은 물론 지나치다.

이처럼 고증과 해석에서 수긍하기 어려운 비약이 적지 않지만, 그래도 전병훈의 주장이 절반은 참이다. 「계사전」이든 맹자든, 초기 유교가 제한적이나마 정기학설을 수용했음을 시사하기 때문이다. 따라서 고대로 거슬러 올라가서 유·도의 분열을 통합하려는 서우의 전략은 나름대로 유효했다. 황로학을 비롯한 전국시대의 정기학설이 거의 베일에 가려져 있던 20세기 초의 학문수준에서 볼 때, 그의 주장에 계발啓發적 요소가 많았다는 점을 부인하기는 어렵다.

한편 서우는 불교에서도 정기학설과 합치되는 요소를 찾았다. 예를 들어 『능엄경楞嚴經』에서 다음과 같은 구절을 제시했다. "부처의 기운을 나눠 받는다.

---

61. 『관자』 4편 가운데 「내업」에 "浩然和平, 以爲氣淵"이라는 구절이 보인다. 이와 관련해, 일찍이 장다이녠張岱年은 「내업」의 '호연'과 맹자의 '호연지기' 간에 모종의 영향관계가 있다고 추정했다. "從『管子』書中所闡釋和運用的哲學範疇來看, 我們可以考見戰國時期諸子學說的若干相互影響的情況. …… 「內業」有 '浩然和平, 以爲氣淵', 這 '浩然' 二字同於孟子所謂 '浩然之氣' 的 '浩然'. 「內業」又云 '搏氣如神, 萬物備存', 意與孟子所講 '萬物皆備於我' 相彷佛. 這是「內業」影響了孟子還是孟子影響了「內業」, 由於兩者先後不可考, 就難以論證了." 張岱年, 「『管子』書中的哲學範疇」, 『張岱年全集』 第7卷 (河北人民出版社, 1996), 107쪽.

마음의 정기(心精)를 발휘한다. 부처님의 항상 응취된 것을 얻는다. 몸과 마음이 합해 날로 성장한다."[62]

이는 본래『능엄경』에서 따로따로 떨어져 있는 글귀들인데, 전병훈이 재조합했다. 그리고 이를 '신기가 정묘하게 응결되는' 것에 관한 진술로 해석한다. 서우는 다음과 같이 말했다.

> 주자가 일찍이 도교와 불교를 배척했다. 그러나『능엄경』의 경우는 아주 훌륭하다고 칭송했다. 대개 지극한 이치를 보존하고 있기 때문이다. 여기서 신기가 정묘하게 응결됨을 말하는 것이, 그 가운데 가장 좋은 최상승의 교설이다. 오직 그 최상승의 교법이 도가와 동일한 법문이다. …… (그러므로) 훗날 불교를 배우는 사람이 반드시 속세를 떠날 필요가 없이, 세속에 동참해서 유·도의 철학가와 함께 발맞춰 나가는 것이 원만한 철학이라고 말할 수 있다.[63]

전병훈이『능엄경』에서 정기학설과 내단학의 흔적을 발견한 것은 대단히 예리한 포착이었다. 실제로 이 경전이 신선술의 방법과 체계에 대한 구체적인 지식을 포함하기 때문이다. (이는 아래에서 별도의 글로 다룬다.)

전병훈은 도교와 불교 간에 이런 합치점이 생긴 근거를 이른바 '노자화호설老子化胡說'에서 찾았다.[64] 이는 노자가 서역으로 넘어가 불교도들을 교화했다는, 중화주의 버전의 노자 환상곡이다. 심지어 노자가 석가모니로 화생해서 인도에서 교화를 편 뒤, 다시 중국으로 돌아와 오두미도를 창도한 장도릉張道陵으로 화생했다는 일인다역의 판타지를 낳기도 했다.

62.『楞嚴經』曰 "受佛氣分. 心精發輝. 獲佛常凝. 身心合成, 日益增長."『통편』, 51쪽.

63. 朱子嘗闢老佛. 然至於『楞嚴』, 稱以極好. 蓋有至理存焉故也. 此言神氣精妙凝者, 爲其最上乘極好處. 惟其最上乘, 與道同一法門. …… 後之學佛者, 不須出世絕物, 而入世俱有, 與道儒哲學家同趨焉, 則可謂圓滿之哲學也.『통편』, 51쪽.

64. 其亦老子嘗宣文化於西域故耶? 若夫權法, 則制服俗僧者也.『통편』, 51쪽.

노자화호설은 물론 전혀 사실이 아니다. 『능엄경』에 보이는 도교적 흔적은 노자가 인도에 가서 불교도를 교화했기 때문에 생긴 게 아니다. 반대로 그것은 불교가 중국에서 토착화하는 과정에서 도·불 습합의 이론적 융합이 있었음을 시사하는 표징이다.

여하튼 전병훈이 말하려는 핵심이 노자화호설 자체였던 것은 아니다. 그는 『능엄경』을 근거로, '정신의 응결'이 곧 석가모니 부처의 법신法身과 동일한 것임을 강조하려고 했다. 다만 그 배경을 설명하는 과정에서 이왕의 설(노자화호설)에 따른 비약이 있었을 뿐이다. 어쨌거나 이처럼 도·불의 합치점을 찾은 이후에, 그는 이어서 플라톤의 말을 인용했다.

> 플라톤(아테네인, 기원전 427년)이 말했다. "세계의 대정신(世界之大精神)은 만물이 생겨나는 근원(所由生)으로, 내 몸에 내려와 머문다. 이념(理)이자 결과(果, 현상)로, 항상 우리의 정신 가운데 존재한다. 곧 우리의 정신은 응당 세계의 정신과 그 본성이 같으며, 함께 불멸한다. 이를 의심할 수 없다."[65]

위의 짧은 구절로 보면, 플라톤의 정신론은 전병훈의 정신철학과 거의 일치하는 것처럼 보인다. 이를 좀 더 가시적으로 보여주기 위해, 위에 보이는 플라톤의 언명을 우선 주제별로 세분한다. 그리고 지금까지 인용한 전병훈의 진술 가운데서 각 항목별로 상응하는 구절을 뽑아 대응하기로 하자. 플라톤은 [P]로, 전병훈은 [J]로 각각 표기한다.

① 정신의 근원성

"세계의 대정신은 만물이 생겨나는 근원"[P]이다. 이는 "우주의 원정·원기·원신으로부터 사람과 사물이 생겨난다"[J]는 언명을 떠오르게 한다.

---

65. 西哲栢拉圖(雅典人, 紀元前四百二十七年)曰 "世界之大精神, 爲物之所由生, 而降寓吾體也. 理而果常存於吾人精神中, 則吾人精神當與世界之大精神, 同其性而同屬不滅, 無疑也." 『통편』, 51~52쪽.

② 정신과 몸

"(세계의 대정신이) 내 몸에 내려와 머문다"[P]는 것은 "천지의 근원적인 정·기·신이 신묘하게 뭉쳐 사람의 몸을 이룬다"[J]는 말을 연상시킨다.

③ 이념이자 현상

"(세계의 대정신이) 이념이자 결과(현상)"[P]라는 것은 "(우주의 원기, 일기가) 무극이면서 태극"[J]이라는 말과 오버랩된다.

④ 정신의 임재臨在

그리고 그 대정신이 "항상 우리의 정신 가운데 존재"[P]한다는 것은 우리 "성품의 진면목(眞)이 곧 천진한 자연의 신"[J]이라는 언명을 연상시킨다.

⑤ 세계의 정신과 개체 정신의 합일

마지막으로 "우리의 정신이 세계의 정신과 그 본성이 같으며 함께 불멸한다"[P]는 것은 "신이 변화해 참나(眞)을 이뤄 하늘과 합일하는 것이 큰 도의 참된 전승"[J]이라는 천인합일의 문맥과 상통한다.

여기서 이른바 '세계의 대정신'은, 그 문맥상 플라톤의 저술에서 통상 '세계영혼' 혹은 '우주혼(Soul of the world, Anima Mundi)'으로 번역되는 우주적 정신을 가리킨다. 우주혼에 관한 진술은 플라톤의 후기 저작인 『티마이오스Timaios』에서 주로 볼 수 있다. 거기서 우주는 불·물·공기·흙의 질료로 만들어지는 물질적인 몸체에 혼이 깃든 한 개의 가시적인 '살아 있는 것'으로 묘사된다.

혼이 형체를 지배하는 우주가 살아서 움직인다. 그 가운데서 만물이 생겨난다. 만물은 다 저마다의 영혼이 있다. 그리고 세계의 살아 있는 온갖 것 모두는 우주혼과 본질적으로 연결돼 있다. 세계의 유기체적 일체성과 정신의 우주적 근원성에 대한 견해, 그리고 세계를 하나의 '살아 있는 것'으로 보는 등의 진술에서 플라톤과 전병훈의 사상은 분명히 합치한다. 하지만 또한 다음과 같은 차이도 있다.

첫째, 정신과 물질의 관계에 대한 관점이 다르다. 플라톤에게 우주혼은 처음부터 물질과 분리된 것이다. 즉 영혼과 물질, 정신과 육체는 근원적으로 나눠진 이원적 존재다. 정신에서 물질(육체)이 생성된다거나, 혹은 반대로 물질이 정신으로 전환되는 등의 사건이 거기서는 일어날 수 없다.

하지만 전병훈의 일원론적 정신철학에서는 그것이 가능하다. 주의력 깊은 독자라면, 위의 ②항목에서 우주혼이 "내 몸에 내려와 머문다"[P]는 것과 "천지의 근원적인 정·기·신이 신묘하게 뭉쳐 사람의 몸을 이룬다"[J]는 진술의 미묘한 차이를 포착할 수 있을 것이다.

전자는 마치 운전자가 자동차를 몰듯이, 영혼이 몸에 올라타 생명이 작동하는 광경을 연상시킨다. 반면 후자는 40억 년 전의 지구에서 '생명의 불꽃'이 처음 일어나는 장면을 떠오르게 한다. 운석이 쏟아져 충돌하면서 칠흑처럼 어둡고 뜨거운 불길에 휩싸인 지구에서, 막대한 에너지가 생성되었다. 번개의 섬광으로 번뜩이는 그 찬연하고도 강렬한 에너지가 지구를 뒤덮은 화학물질(포름아미드)의 분열을 촉발하고, 생명의 기원인 단백질의 유전자 코드를 담은 RNA 핵염기가 만들어졌다.

물론 생명 탄생의 이런 과학적 설명을 전병훈의 정신철학과 동일시할 수는 없다. 하지만 초기 우주의 극한 에너지가 무기물 상태의 질료적 요소와 반응해서 유기물인 생명이 탄생한다는 시나리오는, 비단 과학자에게만 중요한 것이 아니다. 그것은 정신과 물질의 관계를 사유하는 철학자의 뇌리에도 섬광처럼 번뜩이는 영감을 불러일으킨다. 무형의 원기에서 유형의 천지, 더 나아가 온갖 생명이 탄생한다. 그리고 정신철학의 문맥에서 '신'의 이미지는 늘 빛(광명), 환함, 섬광 등으로 진술된다.

둘째, 우주 창조신의 필요성과 역할에 차이가 있다. 이원적으로 분리된 정신(영혼)과 물질이 결합해 하나의 '살아 있는 것'이 되려면, 그 결합을 추동하는 모종의 외부적인 힘이 반드시 필요하다. 정신과 물질이 분리돼 아직 '산 것'이 아닌 상태에서, 정신과 물질이 자동으로 결합하는 것은 논리적으로 자가당착이다.

정신과 분리된 물질은 다만 활력 없는 순전한 질료일 뿐이므로, 저 스스로 운동할 수 없다. 물질과 결합되지 않은 정신도 아직 순수한 이념일 뿐이어서,

역시 작동할 수 없다. 만약 정신과 물질 가운데 뭔가가 자동으로 움직인다면, 그것은 이미 운동하는 것이다. 그렇다면 양자가 결합해야 '살아 있는 것'으로 작동한다는 이원론의 전제와 충돌된다.

예를 들어 전원이 분리된 상태에서, 컴퓨터 본체가 스스로 움직여 전기를 연결하거나 혹은 전기가 저절로 본체로 들어가 TV를 켜는 것을 상상할 수 있겠는가? 누군가는 콘센트에 전원을 연결해야 하고, 리모컨을 누를 최초의 동작자(運動因)가 필요한 것이다. 플라톤이 호명한 우주의 창조신 데미우르고스 dēmiourgos는 그런 최초의 동작자이다. 그는 이미 존재하는 질료(불·물·공기·흙)로 세계의 몸체를 만들고, 또한 거기에 (자신의 본성으로 이미 존재하는) 선하고 진실한 혼을 불어넣는 자이다.

그러나 앞서 살폈듯이 전병훈의 정신철학에서는 이런 외재적인 힘, 외적 동작자를 필요로 하지 않는다. 독자들도 이미 떠올렸겠지만, 서우가 그린 태초의 우주는 혼돈한 하나의 '활력 중인 것(元氣, 一氣)'이다. 그것은 정신(영혼)과 물질(육체)이 일원적으로 통합된 상태이다. 또한 음·양의 힘을 내재한 태극의 운동능력(動能力)을 본원적으로 갖추고 있다. 따라서 무형의 정신이 스스로의 동력으로 저절로 개벽해서 물질이 생성될 수 있다. 이에 관해서는 앞서 충분히 설명했으므로, 다시 부연하지 않겠다.

셋째, 정신의 작용과 운용에 관한 관점이 다르다. 영혼/육체의 이원론에서 말하자면, 영혼은 무엇보다 이성적으로 생각하는 능력을 가진 자이다. 육체의 정욕에서 비롯되는 온갖 감정과 행동을 지배하고 통제하며, 진리와 지혜를 얻는 것이야말로 영혼의 참된 미덕이자 순수한 즐거움이다. 반면 육체는 쾌락을 열망하고, 감각과 욕구에 지배된다. '영혼에 대하여'라는 부제를 달고 있는 『파이돈Phaidon』에서 소크라테스의 입을 빌려 플라톤은 이렇게 말하고 있다.

지혜와 진리를 추구하는 철학자는 육체를 신통치 않게 여긴다. 신체는 "영혼과 관계하여, 영혼이 진리와 지혜를 얻는 것을 방해"[66]하기 때문이다. 육체

---

66. 플라톤, 최명관 옮김, 「파이돈」, 『플라톤의 대화편』(창, 2008), 281쪽.

는 다만 "연정과 정욕과 공포와 온갖 공상과 끝없는 어리석음으로 가득 채우고, 그리하여 생각하는 능력을 빼앗아가는 것"[67]이다. 그러므로 "무엇이든 순수하게 인식하려면 육체를 떠나야 한다는 것이 분명"[68]하다. "정화란 다름 아니라, 육체로부터 영혼의 분리"[69]를 의미한다.

"영혼은 정욕을 가라앉히고 이성을 따라서 언제나 이성 속에서 살면서 참되고 신적인 것을 바라보며, 그런 분위기에서 자라는 것"[70]이다. "순전히 정신만을 가지고 각각의 탐구대상으로 나아가고, 사유할 때 이성의 활동에 시각이나 그 밖의 감각을 끌어들이지 않고, 정신 자체의 밝은 빛만으로 참된 존재를 탐구하는 사람만이 그 탐구대상을 가장 순수하게 인식"[71]할 수 있다. 그러므로 "철학자란 다른 누구보다도 될 수 있는 대로 영혼을 육체로부터 해방시키려는 사람"[72]이다.

신체의 감각적 쾌락과 욕구를 벗어나 정신의 안정과 순수한 정화를 추구한다는 취지에서, 위의 진술은 전병훈의 정신적 지향과도 합치한다. 전병훈이 말한다. "뇌 속의 원신元神이란, 순전한 하늘의 이법으로 곧 도심이다. 몸뚱이의 식신識神이란, 몸 기운(形氣)의 사적인 욕망으로 곧 인심이다."[73] '뇌 속의 원신'은 하늘의 이법에 충실하다. 반면 '몸뚱이의 식신'은 사적인 욕망에 따른다. 이 주제는 심리철학에서 본격적으로 다룰 것이다. 하지만 플라톤의 심신론과 비교하기 위해 간략히 논하자.

서우의 언명은 언뜻 영혼과 육체의 이원성에 관해 말하는 플라톤(내지는 소크라테스)의 진술을 상기시킨다. 그러나 조금만 더 곰곰이 궁리해 보면, 이것이 단순한 영혼/육체의 이분법이 아니라는 것을 곧 알게 된다. 뇌 속(腦中)과 몸뚱

---

67. 위의 책, 283쪽.
68. 위의 책, 284쪽.
69. 위의 책, 286쪽.
70. 위의 책, 358쪽.
71. 위의 책, 281~282쪽.
72. 위의 책, 277쪽.
73. 腦中元神者, 純全天理, 即道心, 肉團識神者, 形氣私慾, 即人心. 『통편』, 96쪽.

이(肉團)는 각각 '원신'과 '식신'의 신체적 기반이다. 또한 원신과 식신은 모두 '신', 즉 그리스 철학자들의 언어로 말하자면 '영혼(Anima)'인 것이다.

그러므로 서우의 문법에 따라 굳이 나눈다면, 우리에게는 두 종류가 아닌 두 상태의 영혼이 있다고 말할 수 있다. 하나는 뇌 안을 장소적 기반으로 하는 순수한 상태의 영혼(元神)이다. 다른 하나는 몸뚱이를 장소적 기반으로 하는 오염된 상태의 영혼(識神)이다.

'하늘의 이법'에 충실하며, 감정과 행동을 절제하고 진리와 지혜를 추구하는 것은 순수한 영혼의 작용이다. 반면 '사적인 욕망'에 따르는 것, 플라톤의 표현을 빌리자면 "연정과 정욕과 공포와 온갖 공상과 끝없는 어리석음으로 가득 채우고 그리하여 생각하는 능력을 빼앗아가는 것"은 오염된 영혼의 작용이다.

그런데 이런 '순수한 영혼'과 '오염된 영혼'은 마치 천신과 악마(사탄)처럼 각각 분열된 존재가 아니다. 또한 외부에서 몸으로 들어와 각각 우리의 신체 일부를 점령하고 전투 중인 그런 선/악 두 진영의 점령군들도 아니다.

순수한 영혼(원신)과 오염된 영혼(식신)은 그 실체가 둘이 아니다. 그것은 본질적으로 하나의 영혼(신)이며, 단지 그 영혼의 '순수한' 그리고 '오염된' 상태에 차이가 있을 뿐이다. 예를 들어, 백두대간의 깊은 옹달샘에서 발원한 순수하고 맑은 물이 계곡을 따라 흐르다가 4대강의 하류쯤에 이르면 온갖 이물질로 오염돼 혼탁해지는 것과 다르지 않다. 그렇다고 해서 옹달샘과 강 하구의 물이 애초부터 본래 다른 물이라고 말할 수 있겠는가?

다시 논의의 처음으로 돌아가 보자. 플라톤과 전병훈이 응시한 목표 지점은 사실상 크게 다르지 않았다. 인간이 단지 감각과 욕구에 지배되며 육체적인 쾌락을 열망하는 그런 삶에서 벗어나는 것, 그리하여 순수한 정신의 밝은 빛으로 진리와 지혜를 탐구하는 것을 겨냥했다. 하지만 그 목표에 이르는 길은 서로 같지 않았다. 이즈음에서 전병훈의 최종적인 논평에 귀를 기울여 보자.

> 아! 서양철학(플라톤)의 밝게 통하는 지식이 이와 같도다. 참으로 우리 유가에서 이理가 불멸한다고 여기는 것과 같지만, 언설이 극히 정밀하고도 박

> 식해서 탄복할 만하다.
>
> 그러나 현빈玄牝에서 참나를 이루는 도는 역시 아직 투철하지 않다. 지금 내가 이 책을 저술하여 세계의 동·서 철학자에게 희망을 보내는 것이 그 어찌 우연이겠는가?[74]

전병훈은 우주혼(세계정신)에 대한 플라톤의 사상에 탄복을 표시했다. 그러면서도 "현빈에서 참나를 이루는" 정신의 운용에는 투철하지 못했다고 아쉬움을 토로했다. 그런데 플라톤의 한계는 영·육을 이원적으로 바라보는 시선에서 비롯된 어쩔 수 없는 귀결이었다.

앞서 말했듯이, 플라톤은 영혼의 순수성을 지키는 최선의 방책이 육체를 배제하는 것이라고 판단했다. "정화란 다름 아니라 육체로부터 영혼의 분리"이며 "무엇이든 순수하게 인식하려면 육체를 떠나야" 하고, "철학자란 영혼을 육체로부터 해방시키려는 사람"이라는 플라톤의 언명은 곧 이런 전략을 함축했다.

그러나 전병훈의 생각은 이와 달랐다. 사람이 정념과 욕망에 빠지는 것은 엄밀히 말해서 육체 때문이라기보다, 몸을 장소적 기반으로 하는 의식에너지(식신)의 오염 때문이다. 이것이 사소한 말장난처럼 보일지 모르지만, 그 차이는 실로 큰 것이다.

만약 잘못된 것이 '육체'라면, 육체를 배제하는 것이 옳다. 이것이 소크라테스와 플라톤의 판단이다. 하지만 잘못된 것이 육체에 깃든 정신의 '오염'이라면 어쩌겠는가? 오염을 씻어주면(修身) 그만이다. 그런데 정신의 오염을 제거하고자 육체를 아예 통째로 배제한다면, 빈대 잡으려다 초가삼간을 다 태우는 격이 될 것이다.

더 근본적인 문제는, 이렇게 "육체를 배제한 상태에서 과연 정신만 순수한 존재로 남을 수 있는가?"에 있다. 정신과 육체가 근원적으로 독립된 실체라는

---

74. 烏乎! 西哲通明之識如是哉. 誠與吾儒以理爲不滅者同, 而言極精博可佩. 但玄牝成眞之道, 亦尙未透. 今余著此編, 深有望於宇內東西哲學家者, 夫豈偶然哉?『통편』, 52쪽.

입장에서는, 그렇다고 답할 것이다. 예를 들어, 소크라테스가 말했다. "무엇이든지 순수하게 인식하려면 육체를 떠나야 하며, …… 이 지혜에 도달하게 되는 것은 우리가 살아 있는 동안이 아니고 죽은 후의 일일 것이다."[75]

소크라테스는 심지어 "참으로 철학에 몸을 바친 사람은, …… 일생 동안 죽기를 원해 온 사람"[76]이라고까지 한다. 따라서 죽음을 앞둔 소크라테스가 그토록 의연할 수 있었지만, 이런 이분법으로 인해 서양철학의 형이상학이 극단적인 관념론으로 흐르는 폐단이 생겨나기도 했다.

영혼과 육체의 일원성을 견지하는 입장에서 본다면, 이것은 마치 초의 몸체에서 촛불 혹은 그 빛만을 분리하겠다는 것만큼이나 관념적이다. 설령 육체에 깃든 정신이 오염됐다고 할지라도, 정신만을 남기고 그 육체를 해소하는 것은 가능하지도 않거니와 올바른 해결책도 아니다.

육체와 정신은 초의 몸체와 촛불처럼 근본적으로 서로 분리될 수 없다. 그렇다면 순수한 정신을 얻기 위해 남은 가능한 방법은 오염을 정화하는 것이다. 그런데 이런 정화는 단지 영혼의 정화만이 아닌, 몸의 정화와 함께 이뤄져야 한다는 점에 주목할 필요가 있다.

다시 초의 비유를 들자면, 초의 몸체가 정결하지 않을 때 촛불 역시 순수하고 밝은 빛을 낼 수 없는 것과 같다. 정신철학에서 보면 우주의 정신(정·기·신)이 응결돼 몸을 이루고, 그 몸이 또한 우리 정신(정·기·신)의 장소적 기반이 된다. 그러므로 몸을 정화하는 것이 곧 정신을 밝게 하는 전제가 되며, 정신을 정화하는 것이 또한 몸을 건강하고 활력 넘치게 하는 전제가 된다.

"건강한 몸에서 건강한 정신이 나온다"는 것은 이런 원리의 소박한 표현인 셈이다. 그것을 가능케 하는 심신수양의 원리와 방법, 즉 전병훈이 "현빈에서 참나를 이루는 도"라고 말한 구체적인 내용은 다음 장에서 다시 상세히 논할 것이다.

다만 이제 위에서 길게 논한 내용을 갈무리할 시점이다. 전병훈은 도교의 정

75. 플라톤, 위의 책, 284쪽.

76. 위의 책, 273쪽.

신이 유교의 성명에 상응하고, 응결된 정신이 곧 불성의 본질과 같으며, 또한 그것이 플라톤이 말하는 우주혼과 일맥상통한다고 말했다.

하지만 이런 합치의 배후에 감춰진 차이에 대한 인식은 그다지 투철하지 않았다. 그 차이에 더해 전병훈의 오해들까지 함께 해설하다 보니, 위의 진술이 다소 장황해졌다. 하지만 유·불·도와 서양철학까지 망라하는 논의에서, 이런 정도의 보충설명은 사실상 피하기 어려운 것이다.

예를 들어 플라톤을 위시한 서양철학의 정신(영혼)론이 영육이원론의 문맥으로, 자신의 정신철학과 궤를 달리한다는 점을 전병훈은 충분히 이해하지 못했다. 서우는 천신의 존재를 믿고 상제上帝(하느님)를 경외했지만, 우주적 원신으로서의 상제와 세계의 창조신인 서양의 신이 우주론의 문법에서 어떻게 다른지를 뚜렷하게 인식하지 못했다.

그래도 신을 절대적으로 숭배하는 종교에 대해서는 회의적이었다. 또한 서양이 정신을 운용하고 성명을 수양하는 도리에 밝지 못하다고 지적한다. 하지만 동·서양의 문화가 이제 막 조우하던 근대 초의 상황을 감안할 때, 서양철학에 대한 전병훈의 이런 불철저한 인식은 어느 정도 불가피한 것이었다.

게다가 다만 차이에만 몰두하다 보면, 유·불·도의 성현과 고대 그리스의 철학자들이 한결같이 밝고 순수한 정신(성명)의 빛을 추구했다는 근원적인 합치점을 종종 망각할 수 있다. 감성적 정욕에서 벗어난 순수하고 정화된 정신(영혼), 금강석처럼 빛나는 지혜와 단단한 진리를 향한 열망이야말로 어쩌면 그들 안에서 빛나던 동류同類의 원석이었는지 모른다.

그리고 그런 원석에서 비롯해서 훗날 여러 종교와 철학적 분파가 다시 갈라졌다. 그리고 각자 잘 다듬어진 교설과 사상을 발전시켰다. 하지만 화려하게 가공된 그 각양각색의 교설들을 앞에 두고, 우리는 지금 그것들이 본래 어떤 원석이었던지 짐작조차 못하는 것은 아닐까?

그런데 전병훈이 가리키는 길로 인류의 오래된 지혜의 계곡들을 따라 올라가노라면, 하나의 거대한 정신의 원석 앞에 어느새 마주 서게 된다. 또한 "이 책(『정신철학통편』)을 저술하여 세계의 동·서 철학자에게 희망을 보내는 것"이 우연이 아니기를 희구하는 서우의 원융한 포부에서 다시 그 거대한 원석에 통합된 정신의 서광을 보게 되는 것이다.

『능엄경』과 신선술, 가짜의 문화사회학

전병훈은 수많은 불교 전적 가운데 유독 『능엄경』을 거론하며 거기서 정기학설에 합치하는 요인을 찾아냈다. 그리고 도교와 불교의 사상이 중첩하는 배경을 노자화호설老子化胡說로 설명했다.

노자가 인도로 가서 석가모니로 화생하고 다시 수백 년 뒤 중국으로 돌아와 장도릉이 됐다는 이야기다. 그것은 마치 〈맨 프럼 어스The Man from Earth〉[77] 같은 판타지다. 이는 한나라 후기부터 광범위하게 유행하며, 도교와 불교가 한 뿌리에서 나왔다는 믿음의 근거가 되었다.

익히 알다시피, 불교는 처음 중국에 전파될 때 도가(황로도)의 일파로 여겨졌다. 이로써 중국의 전통에 부합하는 종교로 이해되었다. 그 과정에서 노자화호설이 만들어졌다. 처음에는 불교 측에서 전법을 위해 오히려 이 설을 적극적으로 활용 내지는 묵인했다.

그런데 불교가 일단 중국사회에 착근을 하자, 이내 반론이 제기되었다. 동한 말에 『모자이혹론牟子理惑論』 등에서 노자화호설을 부정하기 시작했고, 위진 남북조시대가 되자 불교 측에서 공식적으로 이 설을 거부했다. 그러자 이번에는 도교 진영에서 반격이 나왔다.

서진西晉 혜제惠帝(재위 290~307) 때의 도사 왕부王浮가 『노자화호경老子化胡經』을 지어 이왕의 설을 공식화했다. 5세기 후반에 남제南齊의 고환顧歡은 『이하

77. 〈맨 프럼 어스〉는 2007년에 개봉된 영화로 원시시대부터 현대까지 특이한 유전자의 변이로 1만 4,000년을 살아온 남자의 이야기를 모티브로 한다. 인류의 긴 역사를 살면서, 그는 석가모니의 제자가 되고, 예수가 되기도 하며, 영화의 현 시점에서는 미국의 한 대학의 교수로 출현한다.

론夷夏論』을 저술해 도교의 입장에서 노자화호설을 옹호하며, "불교가 도교이고 도교가 불교"라는 취지의 논지를 폈다. 그리고 이를 빌미로, 중국사상사에서 유명한 이른바 '이하의 논쟁(夷夏之爭)'이 격발되었다. 이처럼 노자화호설은 중국에서 불교가 성장하는 수세기 동안 그 스펙트럼을 달리하며 전개되었다.

그리고 20세기 초에 전병훈마저 이 설에 의거해 도교와 불교가 한 뿌리임을 말한다. 그러나 본문에서도 말했듯이, 노자화호설은 물론 사실이 아니다. 『능엄경』에 도교적 요소가 보이는 까닭은 다른 데에 있다. 이 경전은 불교와 도교가 극히 번성했던 당나라 시대에 중국에서 만들어진 여러 위경僞經 가운데 하나로 추정된다.

즉 인도에서 들여온 경전이 아니라, 중국에서 만들어진 경전일 가능성이 대단히 높다. 이 경전은 도를 깨닫는 수도의 구체적인 방법과 절차를 소상히 안내하는 것으로 유명하다. 한데 거기에는 사실상 불교의 선종·교종과 밀교, 그리고 도교 수련과 유교 윤리 등의 요인이 복합적으로 뒤섞여 있다. 따라서 주희나 전병훈이 거기에 주목했던 것이다. 이 경문이 위경인 근거는 크게 다음 두 가지다.

첫째, 산스크리트어로 된 원전이 인도를 비롯한 남아시아 일대에서 발견되지 않는다. 둘째, 그 사상으로 볼 때, 도저히 인도에서 제작될 수 없는 요소들을 포함한다. 설령 인도에서 들어온 경전이 맞더라도, 그것이 번역되면서 내용의 증감이 이뤄져 거의 독창적인 수준으로 재편된 것이 분명하다. 그 대표적인 증거 가운데 하나가 신선술에 대한 진술이다.

『능엄경』은 불법에서 벗어난 중생의 일곱 가지 취향인 '칠취七趣' 중에서 '선취仙趣'를 말한다. 그 요지는 신선술, 즉 도교 수행의 가치를 깎아내리고 불법의 우위를 논하는 내용이다. 그러면서 신선술의 요령을 소개하는데, 그것은 사실상 인도에서 찾기 어려운 동아시아 문화의 특징적인 요소이다. 게다가 그 진술이 대단히 구체적이고 정확해서, 도교 수련의 내밀한 과정을 이해하지 않고는 작성하기 어려운 수준이다.

다시 말해, 그것은 신선술을 깎아내리지만 그 내용상의 밀도와 정확성으로 인해『능엄경』의 저자가 내단 수련에 정통한 인물이라는 것을 역으로 입증한다. 그런데 석가모니 시대의 인도에 그런 신선술이 있었다는 것은 믿기 어렵다.

비록 불교에서도 외도外道(이단)에 속하는 '선인仙人'을 말하지만, 도교에서 말하는 선인과는 다르다. 그것은 산스크리트어 'rsi'로 표기되는 이른바 리쉬 rishi이다. 이를 중국에서 '仙人'으로 번역한 것이다. 반면 영어권에서는 이를 선견자·선지자·예언자를 의미하는 'seer'로 번역한다. 리쉬는 고대 힌두교의 경전인『베다』의 해석자들로, 도교나 신선술과는 직접 연관이 없다. 그런데 그 칭호가 중국에서 '선인'으로 번역되면서, 마치 리쉬가 신선술을 닦는 수행자들인 것으로 오해되었다.

한편 굳이 '선취仙趣'에 국한하지 않더라도,『능엄경』곳곳에서 위작의 흔적을 발견할 수 있다. 20세기 중국의 저명한 불교학자였던 뤼청呂澄(1896~1989)은 「능엄백위楞嚴百僞」라는 글에서『능엄경』을 "위설僞說의 집대성"이라고 칭하기도 했다. 그리고 그것이 위경인 101가지 근거를 제시했다.[78]

당나라 시대는 불교와 도교의 전성기인 동시에, 종교의 주도권을 놓고 양교 사이의 대결이 첨예화된 시기이기도 하다. 그것은 한편에서 종교권력의 향배를 둘러싼 정치적 갈등으로 비화됐다. 그리고 다른 한편에서는, 교리와 수행체계의 우위를 둘러싼 이론적 논쟁의 양상을 띠기도 했다. 하지만 이런 대결의 양상을 포함하면서도, 전반적으로는 유·불·도 삼교의 융합과 삼족정립을 운위하는 관용적 풍토가 조성되었다.[79]

이처럼 당나라 시대는 유·불·도가 활발히 교류하고, 대결하면서도 상호영향을 주고받던 삼교 문화의 일대 융합시기였다. 그런 와중에서 역대 어느 시대보다 왕성하게 불경이 번역되었지만, 동시에 위경의 생산과 유포도 크게 성행

78. 呂澄, 「楞严百伪」,『吕澄佛学论着选集』第1册(齐鲁书社, 1991), 370쪽.

79. 이런 풍토에서 도사였다가 승려로 전환하거나, 역으로 승려에서 도사로 전환하는 경우가 대단히 많았다. 오늘날에도 중국의 도교와 불교에서는 이런 일이 빈번하게 일어나며, 실제로 도사와 승려가 자신들을 '한 가족(一家)'으로 부르는 경우를 쉽게 접할 수 있다. 당나라 때부터 뿌리 내린 종교적 관용의 문화가 그 저변에 깔려 있다.

했다. 『능엄경』을 비롯해, 대표적인 위경으로 지목받는 『대승기신론大乘起信論』·『원각경圓覺經』·『점찰경占察經』 등이 모두 이런 시대 배경에서 출현했다.

외래종교였던 불교로서는 유교 및 도교와의 이론 대결에서 우위를 점하기 위해서라도, 동아시아 문화의 토착적 체질에 맞는 적극적인 현지화가 요구되는 시점이었다. 따라서 위경을 제작하는 수요가 동시에 생겨났다. 즉 현지인들에게 불교의 교리를 보다 친숙한 것으로 만들면서도, 유교·도교에 대한 불교의 우위를 정당화하는 이중의 과제를 수행할 효과적인 수단이 필요했던 것이다.

중국문화는 완전히 새로운 창조보다 인습因襲적 창조를 중시한다. 그리고 이런 배경에서, 위서의 제작 역시 유구한 전통을 가지고 있다. 춘추전국시대부터 과거의 전설적인 인물에 가탁한 전적들이 수없이 제작되었다. 한나라에서는 고·금문 경학의 진위 논쟁이 한 시대를 풍미했다. 또한 참위讖緯 계통의 방대한 위서들이 제작되었다. 그리고 당나라는 물론 송·원·명·청대를 이어 근세까지도 위서가 끊임없이 만들어졌다. 따라서 그 진위를 감별하는 고증학이 학문의 필수적인 기초로 중시돼 온 것이다.

그런데 이런 위서들의 역할이 반드시 부정적이었던 것만은 아니다. 인도에서 전래된 불교가 동아시아에서 비약적으로 발전한 배경에 위경의 역할이 컸다는 사실을 망각하면 안 된다. '거짓 경전' 혹은 '가짜'라는 불명예에도 불구하고, 인도에서 직수입된 경전들이 미처 감당하지 못하는 문화적 수요에 위경들이 부응했다.

예를 들어, 우리나라 원효의 해설로도 유명한 『대승기신론』은 동아시아에서 1백 편이 넘는 주석을 양산한 초특급 베스트셀러였다. 『능엄경』 역시 교종·선종과 밀종을 망라해 모든 종파에서 중시되었다.

예로부터 이론의 사변적 성향이 두드러졌던 인도에 비해, 동아시아에서는 윤리와 도덕 그리고 현실의 실천성을 상대적으로 중시했다. 이런 문화 풍토에서 유교와 도교가 성장했다. 따라서 불교 역시 윤리와 실천성의 요구에 부응하지 않을 수 없었다.

그래서 위경에서 유교와 도교의 비판을 수용하거나 반격하면서 교리를 개발했다. 또한 삼교가 화해하는 접점을 만들기도 했다. 『능엄경』의 경우에도 유교적 도덕, 도교적 수련의 원리가 그 안에 포함되었다. 이런 배경에서 주희가 이 경전에 호의적이었고, 전병훈도 거기서 도·불 융합의 접점을 찾은 것이다.

그런데 석가모니 부처가 직접 말한 금구설金口說이냐 아니냐를 기준으로, 그것이 '진짜'냐 '가짜'냐를 논변하는 것은 실로 단순한 이분법이다. 따지고 보면, 인도에서 만들어졌던 불경들조차 석가모니 당대의 저작은 거의 없다고 해도 과언이 아니다.

교조와 그에 의존하는 교리의 권위를 절대화하는 신도들에게는 '위경'의 논의 자체가 종교의 권위에 대한 도전으로 비춰질 수 있다. 하지만 교리를 이런 도그마의 수준에 묶어 놓는 것이야말로 성숙한 태도가 아니다.

그러니 '오리지널'에 대한 과도한 집착이야말로 어쩌면 지적 허영 내지는 빈곤의 표징일 수 있다. 위경의 문제 역시 진짜냐 가짜냐는 이분법의 잣대에서만 판단할 사안이 아니다. 그것은 동아시아에서 불교가 토착화하면서 빚어냈던 다채로운 풍경의 일부다. 그 자체가 좁게는 불교사상사의 진귀한 유산이며, 넓게는 동아시아의 철학과 종교사상사의 값진 물목인 것이다.

예나 지금이나 중국에는 가짜가 많다. 그런데 한 중국 친구로부터 이런 이야기를 들었다. "가짜가 진짜보다 사회적 기여도가 더 높다." 누구나 진짜를 원하지만, 세계 인구의 4분의 1이나 되는 중국인이 죄다 진짜를 가질 수는 없는 노릇이다. 오리지널이 비싸기도 하거니와, 진짜가 그 많은 수요를 다 충당하기도 어렵다. 그런데 값싼 가짜, 이른바 짝퉁이 서민들의 욕구를 훨씬 광범위하게 만족시키므로 오리지널 못지않게 사회적 기여도가 높다는 말이다.

그 말을 듣고, 불현듯 수천 년 동안 생산된 수많은 위경·위서들의 물목이 떠올랐다. 그리고 곰곰이 생각해 보니, 실제로 동아시아에서 그 위서들의 문화적 기여도가 결코 오리지널에 뒤지지 않을지 모른다는 다소 엉뚱한 상상에 이르렀다. 삼황오제·단군·노자·공자·석가모니, 위대한 고대의 성인과 현자들이 전한 진리에 대중은 목말라한다.

한데 그 내용이 너무 난해해서, 혹은 시대나 장소의 환경이 변해서 원래의 가르침만으로는 사람들의 기대를 충족시키기 어려운 상황이 발생한다. 그럴 때 위서들이 시류에 부응하는 이론과 논리를 개발했다.

그래서 혹은 과거와 현재를 잇고, 혹은 인도에서 중국 더 나아가 한국과 일본으로 이어지는 동아시아의 이질적인 문화 환경을 연결하는 가교가 되었다. 한편 여러 이유로 자기 이름의 저술을 내기보다는 옛 성현에 가탁해 글을 쓰는 편이 더 낫겠다고 생각한 작가들이 위서 제작에 참여했다.

그런데 이런 위서의 수요 및 제작·유통 구조에서, 몇몇 작품들이 수천수백 년간 사람들의 선택과 지지를 받으며 살아남았다. 그렇다면 그 역시 오리지널 못지않은 '명품'인 것이다. 그러니 다만 '오리지널'에 집착하기보다는, 짝퉁의 문화사회학에도 눈을 돌리는 게 우리의 지식 창고와 지적 상상력을 한결 풍성하게 만드는 길이 아닐까?

사족

물론 그렇다고 해서, 필자가 위서의 제작과 유통을 정당화하거나 혹은 권장한다고 독자들이 오해하리라고는 추호도 의심치 않는다. 필자는 다만 동아시아 사상사의 문맥에서, 근대 이전에 역사적으로 생산된 위서들을 어떻게 읽을 것인가의 '독법'을 논했을 뿐이다. 현대사회에서 학문과 사상을 생산하고 유통하는 방식은 과거와 현저히 다르다. 이런 시대에 위서를 제작·유포하는 것이 지적 사기이자, 일종의 범죄라는 것을 새삼 강조할 필요는 없을 것이다.

6. 기화와 형화, 그리고 진화론

위에서 살펴보았듯이, 전병훈은 "천지의 원정·원기·원신이 신묘하게 뭉쳐 사람의 몸을 이룬다"고 한다. 그런데 이것은 개인 각자를 넘어서 하나의 종種

으로서 인류가 처음 생겨나는 원리에 대한 진술이다.

> 천지의 원정·원기·원신이 신묘하게 뭉쳐 사람의 몸(태초 인류의 조상)을 이룬다. 그러므로 정신精神이 사람의 성명性命이 되는 이치를 앞에서 이미 말했다. 따라서 정신이 응결되면 성명이 응결되고, 성명이 응결되면 참나(眞)를 이뤄 하늘에 합치된다.[80]

여기서 "태초 인류의 조상"이라는 단서에 주목할 필요가 있다. 우주의 원정·원기·원신이 뭉쳐 순정하게 기화氣化한 사람은 인류의 조상으로 소급된다. 하지만 사람이 일단 지상에 생겨난 뒤로는, 남녀가 서로 교접해 그 형질이 자식으로 이어졌다. 이를 '형화形化'라고 한다. 서우는 이런 기화와 형화의 교대를 통해 인류의 출현과 번성을 설명했다.

> 사람의 남녀가 이미 생겨난 뒤에 형체(形)가 교접하고 기가 감응하여 대대손손 끊이지 않으니, 이를 형화形化라고 한다. 정자程子가 말하기를 "형화가 오래되니 기화가 쇠한다"고 했다. 진실로 그러하다. 사람이 끊어진 무인도에 옛날에 화생化生(氣化)한 사람이 있었으나, 뒤에 반드시 없어졌다.[81]

그런데 기화와 형화의 사상은 전병훈의 발명이 아니다. 그것은 북송 이후 성리학에서 정설로 통용된 학설이었다. 전병훈도 인용했듯이 정이程頤(1033~1107)가 이렇게 말했다. "만물의 시작은 모두 기화였으나, 이미 형체가 생긴 뒤에는 형체끼리 서로 이어져 형화가 있게 되었다. 형화가 오래되니 기화는 점차 사라졌다."[82] 주희朱熹(1130~1200)도 주돈이周敦頤(1017~1073)의 『태극도설』을 해설

---

80. 天地之元精氣神, 妙凝以成人之軀殼(原初人祖). 故精神爲人性命之理, 前已言之. 然精神之凝, 卽性命之凝, 性命之凝, 卽成眞以合天也. 『통편』, 26쪽.

81. 人之男女旣生以後, 則形交氣感, 生生不已, 是名爲形化也. 程子曰 "形化長, 則氣化衰", 誠然也. 無人絕島, 古有化生者, 而後必無矣. 『통편』, 44쪽.

하며 다음과 같이 말한 바 있다.

> 이런 인물人物(사람과 사물)이 처음에 기화로 생겨난 것이다. 기가 모여 형체를 이루니, 형체가 교접하고 기가 감응해 마침내 형화해서 인물이 끊임없이 생육하고 변화가 무궁해졌다.[83]

위에서 전병훈도 "형체가 교접하고 기가 감응하는(形交氣感)" 것으로 형화를 설명했다. 이 문구가 바로 주희의 글에서 가져왔음을 잘 알 수 있다. 서구에서 종교적 창조론과 과학적 진화론이 유입되기 전까지, 기화·형화 이론은 동아시아에서 널리 신봉된 인류발생론이었다. 성리학은 물론 근세의 실학과 의학 등에 이르기까지 폭넓게 영향을 끼쳤다. 전병훈은 그 이론의 토대에서 당시 소개된 진화론에 의문을 제기했다.

> 그러므로 근세에 소위 원숭이가 사람이 됐다는 이론은, 기화로 하늘이 생기고 사람이 생긴 이치를 모르는 것이라고 말할 수 있다. 이로써 미뤄 보건대, 그 설이 비록 진화를 위주로 말한다고 해도, 본래 (수태한 지) 5개월 만에 태어나는 것이 어찌 능히 뒤에 (수태한 지) 10개월 만에 태어나는 사람이 된다는 것인가?
>
> 또한 사람이 천지의 마음이 되어, 인격에 지혜가 뛰어난 사람과 아주 어리석고 못난 사람이 있다. 옛날의 성스럽고 신령한 복희·황제·요·순·단군·기자·주공·공자 같은 분들 역시 모두 원숭이가 변해 사람이 된 것인가? 아! 그 학설의 불경함이 변론하지 않고도 자명하다. (그 설이 원숭이의 유골로 증거를 삼으니, 더욱 놀라울 따름이다. 오륙천 년을 지나고도 썩지 않는 뼈가 있단 말인가? 일찍이 하나의 변설辨說이 있었는데, 지금 다 소개하지는 않겠다.)

---

82. 萬物之始皆氣化, 既形然後以形相禪, 有形化. 形化長, 則氣化漸消.『二程遺書』卷5.
83. 是人物之始, 以氣化而生者也. 氣聚成形, 則形交氣感, 遂以形化, 而人物生生, 變化無窮矣.「太極圖說」,『周敦頤集』劵1.

세계가 아직 혼돈해서 사람과 사물이 개화하기 이전은 충분히 논할 수 없다. 그러나 하늘에서 성인과 신인(聖神)이 내려온 이후에, 그분들이 백성을 교화하는 데 반드시 간역簡易의 법을 사용했다. (또한 그로써) 그분들의 성명性命을 수양했다. 복희와 황제의 심역心易은 치우침 없이 인의에 곧고 올바르며(中正仁義), 정신을 응결해 성명을 변화시켜 닦는 도이다.

한데 중화의 옛 자취만 이와 같을 뿐 아니라, 조선의 단군 역시 하늘이 내린 신인으로 역사의 첫머리에 간략히 실려 있다. 동명왕 역시 선인이자 성인(仙聖)으로 기린마를 타고 하늘에 조회했으니, 확실히 있었던 역사적 사실이다. 서양철학 역시 '세계의 대정신[우주혼-역자 주]'을 만든 신[데미우르고스-역자 주]을 말하니, 참으로 여기에 타당한 견해가 있다. 아! 천지의 정·기·신이 묘하게 응결하여 사람의 몸을 낳으니, 그 이치가 이처럼 명백해서 의심할 수 없다.[84]

물론 전병훈이 진화론을 비판하는 논거는 잘못된 것이다. 원숭이의 수태기受胎期 5개월[85]과 사람의 수태기 10개월 등과 연관된 수리로 여러 동물종의 차이를 추론하는 논법은 『회남자』에 이미 보인다.[86] 늦어도 기원전 2세기 무렵

---

84. 然則近世所謂猿變爲人之論, 可謂不識氣化生天生人之理者. 以此推之, 則彼雖主進化而言, 然本是五月而生者, 安能後至十月而爲人乎? 且人爲天地之心矣, 人格有上智下愚. 如古之聖神義·黃·堯·舜·檀·箕·周·孔亦皆猿變而爲人者耶? 烏乎! 其說之不經, 可不辨自明也. (其說以猿骨爲驗, 尤可駭焉. 過五六千年而尚有不朽之骨耶? 嘗有一辨說, 今不盡載.) 然人物草昧開化以前, 不須備論, 而自天降聖神以後, 其教人, 必用簡易之法, 修養其性命矣. 如羲黃之心易, 是中正仁義, 凝結精神, 性命變修之道也. 然不特中華古蹟如是, 而朝鮮之檀君, 亦天降之神人, 歷史略載首篇, 而東明王亦仙聖, 麟馬朝天, 確有史實. 西哲亦云製造世界之大精神者, 誠見乎此也. 烏乎! 天地之精氣神, 妙凝以生人軀者, 厥理如是明白無疑. 『통편』, 45쪽.
85. 실제로 원숭이류의 수태기간은 짧게 60일에서 길게는 9개월까지 다양하다. 예를 들어 고릴라 약 9개월, 침팬지 약 8개월(237일, 216~261일), 오랑우탄 233~263일, 여우꼬리원숭이 60~160일, 바바리원숭이 210일, 붉은원숭이 164일(146~180일), 서배너원숭이 215일, 꼬리말이원숭이 185일 등이다.
86. 天一地二人三, 三三而九, 九九八十一. 一主日, 日數十. 日主人, 人故十月而生. …… 五

에는 이런 논법이 벌써 출현했음을 알 수 있다. 한데 이것은 생명체 간의 기질적 차이를 설명하더라도, 처음부터 생물종 간의 경계를 배타적으로 구획하는 이론은 아니었다.

고대의 신화적 사고에서는 오히려 서로 다른 생물종 간의 다양한 변이를 상상했다. 그것은 단지 한 종류의 동식물에서 다른 동식물로 바뀌는 것뿐만 아니라, 사람에서 동물 그리고 동물에서 사람으로 변이도 포함했다. 『회남자·숙진훈』에서 공우애公牛哀란 사내가 광병에 걸려 7일 만에 호랑이로 변한 사례를 다음과 같이 말하기도 한다.

> …… 그러므로 몸의 무늬가 짐승이 되고 발톱과 어금니가 다시 나며, 뜻과 마음이 변하고 신이 형체와 더불어 변했다. 그가 호랑이가 되면 자기가 사람이었던 것을 모르고, 그가 사람이 되면 자기가 또한 호랑이였던 것을 모른다. 그 둘이 서로 번갈아가며 변해서, 각자 그 상태를 즐겼다. (이처럼) 교활함과 아둔함, 옳고 그름에 단서가 없으니, 누가 그 시작되는 바를 알 수 있겠는가?[87]

위에서 "신이 형체와 더불어 변한다(神與形化)"는 문구에 주목하자. 이는 '형화'의 가장 오래된 진술 가운데 하나다. 그것은 전병훈이 말하는 형화와 의미가 다르다. 도리어 나비 꿈 이야기로 회자되는 장자의 '물화物化'[88]를 떠오르게 한다. 이와 관련해, 『회남자』는 "사람이 천변만화해서 본래 한계가 없다"[89]고 직설적으로 말하기도 했다.

九四十五, 五主音, 音主猿, 猿故五月而生. 『淮南子·地形訓』. 같은 내용이 『대대례기大戴禮記·역본명易本命』에도 보인다.

87. 是故文章成獸, 爪牙移易, 志與心變, 神與形化. 方其爲虎也, 不知其嘗爲人也. 方其爲人, 不知其且爲虎也. 二者代謝舛馳, 各樂其成形. 狡猾鈍惛, 是非無端, 孰知其所萌? 『淮南子·叔眞訓』.

88. 『莊子·齊物論』.

89. 若人者, 千變萬化而未始有極也. 『淮南子·叔眞訓』.

물론 이런 사상을 곧바로 근대 생물학의 진화론에 유비할 수는 없다. 하지만 전병훈이 말하는 기화·형화 이론이 일종의 결정론적 생명기원론인데 반해, 고대 도가의 기화·형화론은 생물종 간의 변이에 대해 한결 유연한 철학적 상상을 펼쳤음에 주목할 필요가 있다. 이는 기화론이 반드시 진화론에 반하는 사고로 귀결되지는 않음을 암시한다. 그렇다면 전병훈은 어째서 진화론에 그토록 회의적이었을까? 다음 몇 가지 배경을 생각할 수 있다.

첫째, 성리학의 기화·형화 이론의 영향이다. 앞서도 말했지만, 기화와 형화를 생명발생의 순서로 설명하는 것은 정이에서 비롯된 성리학의 학설이다. 여기서는 모든 사물의 본질 내지는 본성이 선험적으로 이미 정해져 있다는 결정론적 사고가 작동한다.

다시 말해, 인간을 인간이게끔 하는 이법(理)이 인류의 출현 이전에 이미 정해져 있고, 그 이법에 따라 최초의 인간이 기화로 세상에 출현했다고 상상한다. 마찬가지로 다른 동식물도 그 본질이 이미 정해져 있으며, 기화로 세상에 나와 형화로 번성한다고 본다.

이런 사고에서는 유인원에서 인간으로의 진화를 부정할 뿐만 아니라, 하나의 생물종에서 다른 종으로의 진화나 변이를 근본적으로 인정하기도 어렵다. 설혹 생물종 간의 변이를 인정하더라도, 인간만은 예외로 간주한다. 그래야 천지의 형이상학적 이법에서 유래한 완선한 도덕의 잠재적 구현자로서, 인간 존재의 도덕주의적 본성을 정당화할 수 있기 때문이다.

둘째, 전병훈에게서 환원적이고 탈역사적인 사유의 궤적을 발견할 수 있다. 앞서 인용했듯이, 그는 복희·황제·요·순·단군·기자·주공·공자를 거열한다. 그리고 이런 성현들이 원숭이로부터 나왔다는 것을 도저히 받아들일 수 없는 불경스런 발상으로 여긴다. 서우가 보기에 성현들의 성스럽고 신령한 본성은 하늘(우주)에서 근원하는 정신이며, 단지 지상에서 변이된 형질의 진화에서 나온 것이 아니다.

그는 하늘에서 강림한 단군과 동명왕의 신화까지 언급하며 진화에 의심을 제기한다. 이것은 인간의 근원을 신성화하려는 사유의 문법이다. 이런 신성화란, 사물을 태초의 원형으로 환원해서 결국 거기서 역사를 제거하는 것이기도 하다. 이런 문맥에서 '기화'는 태초의 원형을 표상하고, '형화'는 역사를 암시한다.

그런데 본래의 신화는 이를 중층적으로 함축한다. 고조선 신화에는 하늘에서 강림한 천신(桓雄)과 함께, 곰에서 사람으로 몸을 바꾸고 다시 천신의 아이를 잉태하는 지상적 대지모신大地母神(熊女)도 출현한다. 그러므로 굳이 말하자면 이 신화는 기화와 형화, 원형과 역사를 함께 담았다고 할 수 있다.

그런데 전병훈은 여기서 기화의 원형만을 골라냈다. 『삼국유사』나 『제왕운기帝王韻紀』 등에 보이듯이 단군이 기화와 형화의 복합으로 태어나는 게 아니다. 대신 그냥 "하늘에서 강림"한 기화의 원형적인 존재로 묘사된다. 단군에서 이렇게 형화의 기원을 제거하는 것은, 곧 역사를 초월하는 문법이다. 앞서도 논의했듯이, 이런 탈역사성은 서우의 화법에서 두드러진 특징의 하나다.

전병훈은 늘 태곳적의 시초를 염두에 둔다. 그리고 거기서 인간이 회복해야 할 최초의 신성神聖을 정초함으로써, 몰락한 세계를 구원할 힘을 얻고자 했다. 그런 그에게 '기화'란 곧 최초의 신성이 인간에게 구현되는 사건에 다름 아니다. 그러므로 다른 생물종에서 단지 형질이 변해 인간이 출현한다고 말하는 진화론이 인류를 모독한다고 이해했다. 특히 우주적 정신이 원형 그대로 강림한 존재인 고대 성현들의 신성성神聖性에 대한 훼손으로 파악했던 것이다.

셋째, 전병훈은 진화론을 불철저하게 인식했다. 오륙천 년 전의 원숭이 뼈가 어떻게 썩지 않을 수 있냐고 반문하는 데서 알 수 있듯이, 그가 상상했던 진화의 시간표는 현대 생물학의 진화론에서 말하는 그것과 현격한 차이가 있다. 예를 들어, 19세기 후반에 독일의 네안데르탈 계곡에서 유골이 발견돼 '네안데르탈인'으로 명명된 초기 인류만 하더라도 대략 35만 년 전부터 2만 5,000년 전까지 활동했다고 알려졌다.

작금의 생물학 연구에 따르면, 진화의 시간표상 인류가 유인원과 갈라진 시점은 늦어도 540만 년 전에서 이르면 740만 년 전까지 거슬러 올라간다. 그런데 전병훈은 이런 인류 진화의 분기分岐 시점을 불과 오륙천 년 전의 역사시대로 혼동했다. 이것은 전병훈이 상당히 피상적으로 진화론을 판단했으며, 그로 인해 진화론에 대한 부정적 인식이 증폭됐음을 시사한다.

7. 창조적 오해

서구의 합리주의 전통에서 주로 이성적 사유의 주체로 상정하는 '정신(spirit, soul)'과 전병훈이 말하는 '정신'의 함의는 사뭇 달랐다. 서우의 정신론은 어디까지나 동아시아 전통의 기화론에 뿌리를 둔다. 여기서 '정신'은 물질(육체)의 근원인 동시에 고도의 의식과 영성 활동을 가능케 하는 통합적 근거이다. 이런 기일원론의 사유방식은 존재론의 차원에서 물질와 정신을 별개의 실체로 간주하는 서구의 이원론과 확연히 구분된다. 그럼에도 불구하고 전병훈이 그 차이를 지나쳤던 이유는 크게 두 가지다.

첫째, 한자어이자 번역어인 개념들의 양가성兩價性이 모호하게 뒤섞여 그 의미의 차이가 상쇄됐다. 정신·참나·불멸 등의 개념은 형식상으로 서양어의 번역으로 차용됐다. 그러나 전병훈이 실제로 이해하고 사용한 문맥은 한자어의 전통에 따랐다. 그러면서도, 하나의 개념이 동·서양 철학의 문법에서 실은 서로 다른 의미를 담는다는 사실이 간과됐다.

둘째, 이런 혼동은 대개 전통에 대한 이해의 부족보다 서양철학에 대한 오해에서 비롯됐다. 전병훈의 철학은 동아시아의 문화전통과 지적 풍토에 깊게 뿌리를 내렸다. 동시에 당시 동아시아 지식계의 서양철학에 대한 이해수준을 반영했다. 물론 그 이해단계는 초보적이었다. 그리고 거기서 이른바 '창조적 오해'가 발생했다.

예를 들어, 전병훈은 칸트의 철학이 물질/정신 이원론이자 심신이원론이라는 점을 알고 있었다. 그러면서도 그것이 태극론에서 음陰과 양陽의 성질을 나누는 것과 같다고 보았다. 그리고 자신도 이원론의 관점을 취한다고 언명했다. 하지만 이는 범주착오의 오류였다. 그것이 어떻게 오해되는가를 확인하기 위해 서우의 말을 직접 옮긴다.

> 칸트는 …… 이원론자로, 물질과 정신을 나눴다. 심리학은 심신이원론이었다. 이원을 내포하는 것이, 태극론에서 양의兩儀(陰陽)의 성질을 함축하는 것을 아우른다. 철학가마다 일원·이원·삼원의 여러 이론이 일정치 않지만, 나는 이원론을 취한다.[90]

칸트의 이원론은 존재론적 이원론으로, 물질/정신 그리고 육체/마음의 이원적 실체성을 전제로 한다. 그러나 태극이 양의의 성질을 함축하는 것은 다만 음양의 대대론待對論이다. 그것이 존재론상의 이원론은 아니다. 다시 말해, 이원론상의 물질과 정신처럼 태극에 내재된 음과 양이 독립적으로 분리된 별개의 실체가 아니라는 말이다. 그러므로 전병훈의 자칭 '이원론'도 존재론의 문맥에서 볼 때는 일원론이라고 해야 옳다.

게다가 전병훈이 말하는 '정신'은 서양철학의 그것처럼 다만 주로 사유와 의식의 주체가 되는 추상적이고 관념적인 실체가 아니다. 기화론의 문맥에서 볼 때, 우리의 정신(정·기·신)은 천지의 정·기·신이 사람에게서 구현된 것이다. 이런 정신은 사유의 주체인 관념적인 이성을 넘어, 신체에 깃든 천부적 정신에너지를 함축한다. 그러므로 비록 피상적으로 비슷하더라도, 전병훈이 말하는 정신과 서양철학의 정신은 상당한 간극이 있다.

사실 한 문화권의 구성원이 다른 문화권의 사상과 지식을 이해하는 과정에서 오해가 생기는 것은 드문 일이 아니다. 이런 오해는 특히 이질적인 문화가 만나는 초기에 다반사로 발생한다. 전병훈이 그가 통찰한 '정신'의 견지에서 서양을 본 것처럼, 서구 근대의 지식인들도 그들이 발명한 '이성'의 시각에서 동양을 재단했다.

더구나 오리엔탈리즘의 연구로 분명해졌듯이,[91] 서양이 더 오래 그리고 한층

---

90. 康德者, …… 二元論者, 物質精神也. 心理學, 身心二元也. 內涵二元, 幷與太極論, 涵兩儀之性質者也. 謹按哲學家一元二元三元諸論不一, 而余則取二元論. 『통편』, 141~142쪽.

악의적으로 동양을 오해했다. 반면 동아시아의 지식인들은 보다 정확하게 서양을 배우고자 노력했고, 그 결과 마침내 동양에 대한 서양의 오해까지도 자기 관점으로 내면화할 정도로 서구화하기에 이르렀다.

심지어 서구문물을 너무 내면화한 나머지, 지나치게 서구에 주눅이 들고, 자기 전통마저 도리어 서구의 논점에서 설명해 줘야 간신히 납득하는 처지가 되었다. 동아시아에서도 특히 한국의 지적 상황이 그렇다. 철학도 예외가 아니어서, 서양철학의 개념과 방법으로 동양의 지적 전통을 다뤄야 비로소 '동양철학'으로 인정되는 기이한 풍토가 조성됐다.

그러나 전병훈은 '정신'에 대한 동서고금의 학설 가운데 도교 내단학의 원리야말로 핵심적인 진리라고 확신했다. 철학이 "서양 최고의 학술"이라면, 내단학은 "세계 최고의 학술"이라고 자부할 정도였다.[92] 그렇지만 그는 여타의 학술과 철학을 배척하지 않았다. 내단학처럼 "정신을 운용해 참나를 이루는" 경지에 이르지는 못했을지라도, 나름대로 정신의 원리에 통달한 바가 있다고 인정했다.

더 나아가, 그는 동아시아가 극복할 문제점도 역설했다. 이미 살폈듯이, 그는 고대 희랍철학에 뿌리를 두면서도 실천경험을 중시하고 새로운 지식을 확충하는 서양 근대철학의 진취성과 창조성을 높이 샀다. 동시에 "옛것에 어둡고 새것에 소홀한" 동아시아 천학의 행태를 통렬히 비판했다.

그런데 사상의 교섭사에서 보면, 외래문화를 일방적으로 수용하기보다 창조적으로 오해한 경우에 사상과 지식의 변용이 일어나고, 새로운 담론과 문화가 싹튼 사례가 많았다. 예컨대 인도불교가 중국에 전래되자, 이른바 격의格義 과정을 거쳤다. '격의'란 자기 문화의 전통에 입각해서 외래문화를 해석하는 것이다.

위진남북조시대에 노장철학의 견지에서 인도불교의 반야般若·공空 사상을 격의하면서 불교의 중국화가 이뤄졌다. 최근에는 동양의 요가와 명상이 구미

---

91. Edward W. Said, *Orientalism: Western Conceptions of the Orient* (Pantheon Books, 1978).
92. 西以哲學, 爲最高學術. 余則以此道眞之學, 爲世界最高之學術. 『통편』, 24쪽.

에 소개되어 이른바 '뉴에이지'를 낳았다. 사실 그것은 서구 현대문화의 지평에서 동양의 철학사상과 수양 전통을 격의한 것이라고 말할 수 있다.

'격의'를 우리말로 풀면 '빗대어 해석하기' 정도로 번역할 수 있다. 그것은 곧 주체적 이해인 동시에 창조적 오해이기도 하다. 외래사상을 있는 그대로 수입해 털끝만큼도 건드리지 않는 것을 미덕으로 여기는 지적 풍토에서는 쉽게 열리지 않는 해석학적 융합의 지평이다.

그러므로 우리는 이런 격의에 정당한 권리를 부여하지 않을 수 없다. 번역을 통한 이해는 결국 여러 지평의 융합이라는 가다머H. G. Gadamer의 유명한 '지평융합'의 통찰이 아니라도, 해석자의 전통과 역사적 상황 그리고 견해가 언제나 '이해'의 과정에 개입한다는 사실을 애써 부인하거나 평가절하 할 이유가 없기 때문이다.

결론적으로 말해, 전병훈은 철학적 모험가의 '권리'로서의 격의를 주체적으로 행사했다고 할 수 있다. 더구나 그는 같은 시기 서구의 오리엔탈리즘처럼 타자를 폄하하고 배제하지 않았다. 또는 그 반대에서 서양이 비인간적이고 천박하고 물질적이며, 반대로 동양은 인간적이고 고상하다고 강변하는 옥시덴탈리즘Occidentalism 유의 자기도취에 취하지도 않았다.

대신 그는 "반드시 유·불·도와 철학 및 신구의 과학을 아울러 취해 한 용광로에 녹여 주조해야 한다"[93]고 주창했고, 이를 실행했다. 그리고 바로 이 지점에서 그만의 '정신철학'이 탄생했다. 그 과정에서 서양철학을 오해한 것은 어느 정도 불가피한 해프닝이었다. 반면 세계철학의 면모를 갖춘 '정신철학'을 생산한 것은 이를 상쇄하고도 남는 성과였다.

최소한 그것이 남의 말을 앵무새처럼 되뇌는 무뇌적 노동보다 고귀한 지적 창조의 모험이었음은 분명하다. 그것은 동아시아의 오래된 기화론의 세계관과 내단학의 지평에서 동서고금의 지적 전통이 만나 펼쳐진 해석학적 지평융합의 신선한 새벽풍경이었다.

---

93. 則必也幷取儒道佛哲, 新舊科學, 而鎔冶一爐. 『통편』, 23쪽.

제3장

정신의 운용

기화의 우주발생론, 즉 태초의 원기가 갈라지고 정·기·신이 응결해 천지 만물이 생겨났다는 것은 자연발생적 생성에 대한 진술이다. 즉 그것이 인간의 선택이나 노력에 대한 진술은 아니다. 하지만 정을 기르고 신을 응결해 참나를 이루는 정신 운용의 공법은 이런 자연발생의 순서를 역으로 이용하는 것이다. 그것은 사람의 의지적 노력을 요구한다. 그런 노력의 과정을 '수양' 혹은 '수행', '수련' 등으로 부른다. 제3장 '정신의 운용'은 곧 이런 수행의 원리 및 실천에 관한 것이다.

> 사람의 정신이 성명이 된다. (신神이 성性이고, 정精이 명命이다.) 그러므로 본성을 다하고(盡性) 목숨을 안정시키기(住命) 바란다면, 반드시 먼저 정을 기르고(養精) 신을 응결(凝神)해야 한다.[1]

천지의 정신(정·기·신)이 오묘히 응결해 사람의 몸을 낳고, 또한 사람 몸에 깃들어 존재한다. 이런 정신의 또 다른 이름이 곧 '성명'이다. 성명은 타고난 천성과 목숨을 아울러 이르는 말이다. 특히 전병훈에 따르면, 신이 본성이 되고 정(정·기)은 목숨이 된다. 여기까지는 이미 앞 장에서 설명한 내용으로, 기화론의 문맥에서 말하는 우주 및 인간의 '정신'에 대한 진술이다.

그런데 수행론상의 '정신의 운용' 문맥에서 말하면, 이런 정신(성명)이 다시

---

1. 人身之精神爲性命. (神是性精是命) 故將欲盡性住命, 則必先養精凝神. 『통편』, 21쪽.

응결돼 최종적으로 이른바 '진眞'을 이룬다. 여기서 '진'은 내단 수련으로 체내에서 활성화되는 참나(眞我)를 가리킨다.[2] 진(아)의 구체적 의미는 아래에서 다시 살펴보겠지만, 참나를 이루는 과정을 내단학에서는 흔히 다음과 같이 요약한다. "정을 단련해 기로 변화시키고(煉精化氣), 기를 신으로 변화시키며(氣化爲神), 신이 변화해 참나를 이룬다(神化成眞)"는 것이다.[3] 전병훈은 참나가 성취된 경지를 이렇게 묘사한다.

> 양신陽神이 형상 없는 세계로 들어가고, 신이 태허와 한 몸이 된다. 일월과 함께 빛나고 우주를 손아귀에 넣으며, 온갖 변화가 마음대로 이뤄진다. 나의 신기神氣가 천지에 가득해, 가서 이르지 않는 곳이 없다. 물질의 현상에 초연해서 하늘과 함께 장구하니, 이를 '대라상선大羅上仙'이라고 한다.[4]

이런 묘사는 득도의 최종적 목표에 대한 희망과 기대를 높여 주는 문학적 수사이지만, 또한 정신수련의 내밀한 경험을 표현하기도 한다. 그런데 참나를 성취하는 이런 공부가 세상과 벽을 쌓고 단지 개인적 구원에 몰두하는 것이라면, 설령 그로 인해 오륙백 년을 산다고 한들 다만 "시체를 지키는 귀신"에 지나지 않을 뿐이라는 것이 전병훈의 생각이었다.[5]

그러므로 수학과 자연과학 등이 특정인의 전유물이 아니고 모든 사람에게 개방된 학문이듯이, 정신수련의 원리와 방법도 '정신의 공학(精神之公學)'으로 개조할 것을 천명했다. 이를 통해 평범한 사람도 "정신을 길러 병을 물리치고 수명을 늘이는" 효과를 볼 수 있다. 더 나아가 뛰어난 인재라면 "참나를 성취하

---

2. 전병훈은 『정신철학통편』 도처에서 '진아眞我' 개념을 사용하며, 인용문의 '진眞'과 같은 뜻이다.
3. 故道法以神運用精氣於玄牝之內, 煉精化氣, 氣化爲神. 神化成眞, 而合天者. 此是大道眞傳也. 『통편』, 19쪽.
4. 陽神入於無象, 神與太虛同體, 日月同明, 宇宙在手, 萬化從心. 吾之神氣, 充塞天地, 無往不周, 超然物表, 與天長久, 此所謂大羅上仙也. 『통편』, 84쪽.
5. 『통편』, 87쪽.

고(成眞) 성인이 되는(成聖)" 더 높은 목표를 겨냥할 수도 있다. 그리하여 "사람마다 각자에게 부합하는 이익을 얻어 이를 통해 세상을 구제하고 돕기를 희망한다"고 밝혔다.[6]

그런데 여기서 이른바 '성인'이란 종교상의 위인으로 신성시되는 인물을 말하는 게 아니다. 그보다는 지혜와 식견이 뛰어나고 덕망이 높은 정치·사회적 지도자를 가리킨다. 즉 덕성의 함양과 함께 치국·평천하의 사회가치를 구현하는 유교의 이상적 인격자를 모범으로 하는 개념이다. 현대적 문맥에서 말하자면, 정치·경제·사회·문화 각 영역에서 중추를 담당하는 뛰어난 정예로서 이상적인 엘리트를 가리키는 셈이다.

전통사회의 엘리트 양성은 특정한 전문 소양을 넘어 광대한 학문(博學)의 연마를 통해 이뤄졌다. 전병훈의 말을 빌리자면 "자기를 완성하고(成己) 남을 완성시키며(成物) 세상을 구제하고(濟世) 나라를 다스리는(經邦)" 폭넓은 식견과 덕성이 요구되었다. 즉 남다른 지성과 도덕성 그리고 육체적 강건함 등을 갖추고, 세상을 바르게 인도할 책임·사명·능력을 구비해야 한다.

전병훈은 이런 엘리트 교육을 정신학과 접맥할 때, 그 효과가 배가한다고 강조했다. 하지만 비록 자질이 다르더라도, 누구나 각자의 역량에 맞게 정신안정과 건강증진의 효과를 얻을 수 있다고도 했다.[7] 정신학이 '공공의 학'으로 정립될 때 모두에게 유익하며, 또한 인류의 공익에 이바지할 수 있는 근거인 것이다.

---

6. 余所以改作精神之公學者, 上可以成眞成聖, 而次可以增益精神, 却病延年, 人各受益, 以濟世務之希望也. 『통편』, 87쪽.
7. 人將以成已成物, 濟世經邦之博學, 合致此書, 以作增益精神, 延年益壽之大道律梁, 則蓋亦各充其分量乎? 『통편』, 87~88쪽.

1. 정신 운용의 철리

전병훈은 참나를 성취하는 정신수련의 요령을 설명하기에 앞서, 먼저 『도덕경』에서 다음과 같은 구절들을 뽑아 제시했다.

> 『도덕경』에서 말했다. "있음(有)이란 만물의 어머니를 명명한다."(1장) "어머니에게 먹을 것을 구한다."(20장)[8] (공기가 생물의 어머니가 되니, 응당 공기에서 먹을 것을 구한다는 말이다.)
> "도의 물건 됨은 없는 듯 있는 듯, 그 가운데 형상(象)이 있다. 있는 듯 없는 듯, 그 가운데 사물(物)이 있다. 깊은 듯 어두운 듯, 그 가운데 정精이 있다. 그 정이 심히 진실하여(眞), 그 가운데 믿음(信)이 있다."(21장)
> "뿌리가 깊고 꼭지가 단단하니, 장생구시의 도이다."[9](59장)[10]

서우는 "형상이 있고 사물이 있다"는 『노자』의 언명이 '참된 기(眞氣)'에 관한 진술이라고 말했다. "정이 있다"는 것은 '참된 정(眞精)'을 가리키며, "믿음이 있다"는 문구는 '참된 신(眞神)'을 암시하는 것이다.[11] 즉 정·기·신의 근거를 『노자』에서 찾았다. 이는 앞 장에서 이미 다룬 바 있다.

그런데 전병훈이 제시한 『도덕경』의 문구들은 대개 사상적 언어로 의미가 있을 뿐, 수행론의 실제적인 전거로는 부족하다. 게다가 여기서 관건은 노자의 본의를 따지는 데에 있지 않다. 그러니 이어서 바로 정신을 운용하는 실제적

---

8. 통행본 『노자』 20장에 "而貴食母" 구절이 있으며, 당唐 현종玄宗의 『어주도덕진경御注道德真經』에서 이를 "而貴求食於母"로 바꾸었다. 본문의 "求食於母"가 거기서 왔다.
9. 통행본 『노자』 59장은 대개 "深根固柢"로 되어 있다. '근根'과 '저柢'는 모두 뿌리를 가리킨다. 그런데 전병훈은 이를 "深根固蒂"로 표기했다. 여기서 '체蒂'는 배꼽·꼭지 등의 의미가 있다. 이로써 단전을 암시하려는 의도로 보인다.
10. 『道德經』曰 "有名萬物之母" "求食於母." (空氣爲生物之母, 言當求食空氣云也.) "道之爲物, 惚兮恍兮, 其中有象. 恍兮惚兮, 其中有物. 窈兮冥兮, 其中有精. 其精甚眞, 其中有信." "深根固蒂, 長生久視之道." 『통편』, 49쪽.
11. 此云有象有物, 眞氣也. 有精, 眞精也. 有信, 眞神也. 『통편』, 49쪽.

요령에 대한 논의로 넘어가도 무방할 것이다.

정신이 '운용'될 수 있는 근거는, 무엇보다 정·기·신이 상호간에 전화轉化되는 특성이 있으므로 가능하다. 자연적인 생로병사, 그리고 일상생활의 영위는 생명의 원계原係로부터 생성계生成系로 향하는 정반응正反應의 추세로 진행된다. 독자들은 앞서 "천지의 근원적인 정·기·신이 모여 사람의 몸을 이룬다"고 했던 진술을 기억할 것이다. 사람은 누구나 천지로부터 부여된 원정·원기·원신을 몸에 함축하고 태어난다.

이런 선천적인 정신에 더해 후천적인 물질대사로 에너지가 공급되면서, 심신이 성장하고 일용생활을 영위한다. 그렇게 15세를 정점으로 참된 정(眞精)이 체내에 충만하고, 그 이후로는 점차 감소하기 시작한다. 이런 '정'은 생명력의 근원이 되는 질료적 에너지원으로, 주로 신장(腎)에서 관장한다. 또한 이미 말했듯이, 그것은 뼛골·기름·피땀·정액·침 같은 진액의 특성과 주로 연관된다. 정은 기의 원천이 되고, 신이 지혜의 빛을 발한다.

앞선 비유처럼, 이는 곧 초의 몸체에서 촛불이 타오르는 것과 같다. 물론 초의 몸체가 정이고, 초의 빛은 신이다. 그런데 촛불을 켜둔 상태 그대로 두면, 언젠가는 몸체가 다 녹고 촛불도 따라서 꺼질 것이다. 그처럼 정신이 소진되는 것이 곧 죽음이다. 또한 불이 완전히 꺼지기 전이라도, 초의 몸체가 심하게 허물어지면 촛불 역시 빛과 열기를 잃는다. 곧 노화와 질병이 찾아오는 셈이다. 이것이 곧 원계로부터 생성계로 향하는 생명활동의 정반응 추세이다.

누구나 태어나면 죽기를 피할 수는 없다. 젊어서 굳건했던 정이 손모損耗되는 것을 막을 수 없다. 정이 고갈되면 기와 신 역시 흐릿해지다가 끝내 소진한다. 하지만 그 진행과정에서 불필요한 낭비적 요소를 제거하고 속도의 진행을 늦춤으로써, 정신을 보존할 수는 있다.

이를 위해서는 무엇보다 절제하는 생활, 심신의 안정 등이 중요하다. 이런 요인은 누구나 상식으로 알고 있는 것이다. 그 원리가 다음과 같은 말에 잘 나타난다. "정을 보배로 여겨 기를 기르고, 기를 보배로 여겨 신을 기른다. 그러므로 정·기·신이 장생의 도를 닦는 좋은 약이며, 금단金丹 철리의 요소다."[12]

하지만 이는 다만 정·기·신을 잘 보존해야 한다는 일반 원칙이다. 그것은 아직 정신의 낭비를 줄이며, 정신대사의 정반응을 더디게 하는 상식적인 수준의 대응에 머문다. 여기서 한 발 더 나아가면, 이미 손모된 정신이라도 그것을 다시 보충하고 기를 수 있다. 즉 "정신을 늘려 보태는(增添精神)" 것이다. 삼원일체로 결합되어 상호전환되는 정·기·신의 특성에서, 그것을 운용해 특별한 활력상태에 이르게 하는 수련의 가능성이 열린다.

여기서부터는 생성계에서 원계로 향해 역반응逆反應을 일으키는 것이 중요하다. 즉 손상된 '정'을 다시 보충해 기르고, 풀어진 '신'을 응결해 기를 제어한다(養精凝神). 누차 말했듯이, 그 요령이 곧 몸 안에서 "정을 단련해 기로 변화시키며, 기를 다시 신으로 변화시키는" 것이다. 이것이 대원칙이다.

그렇다고 해서 단지 정→기→신으로 진행하는 일방적인 기화氣化 및 신화神化의 과정만 있는 것은 아니다. "신으로 기를 제어하고, 기를 신으로 되돌리는" 것, 즉 신↔기의 가역적인 상호작용도 동시에 운용할 수 있어야 한다. 이런 정신수련의 요령을 잘 터득해 꾸준히 반복하면 "신과 기가 응결해 매우 단단해지며, 이를 통해 능히 장생할 수 있다."[13]

2. 심역心易

한편 서우는 역리易理로 정신수련을 설명했다. 그는 먼저『주역·계사전』의 명구를 언급했다. "태극이 양의를 낳는다. 양의는 사상을 낳고, 사상은 팔괘를 낳는다."[14] 또한 우주가 처음 갈라질 때 음양이 여섯 자식을 낳아 팔괘가 되

12. 寶精以養氣, 寶氣以養神. 所以精氣神爲修眞上藥, 金丹哲理之要素也.『통편』, 48쪽.
13. 此云有象有物, 眞氣也. 有精, 眞精也. 有信, 眞神也. 夫煉精化氣, 氣化以爲神, 以神御氣, 氣以歸神. 神氣凝結深固, 故能長生久視也.『통편』, 49쪽.
14. 太極是生兩儀, 兩儀生四象, 四象生八卦.『통편』, 42쪽.『주역·계사상전繫辭上傳』에 보인다.

고, 그 운동이 생생불식하여 천·지·인 삼재를 이룬다고 한다.[15]

전병훈은 이를 노자의 말로 소개하지만, 그 출처는 불분명하다. 하지만 건·곤이 팔괘의 나머지 여섯 괘를 낳는다는 것은 「설괘전」에 이미 보이는 유명한 설이다. 어쨌거나 서우는 다음과 같이 역리를 해석했다.

> '역'이란 육합의 밖을 포괄하되, 한 몸 가운데 갖춰져 있다. 후세에 단지 이로써 길흉만을 점쳤으며, 선천과 후천의 큰 뜻은 생략하고 말하지 않았다. 내가 말하건대, 건乾(☰)은 머리이고 곤坤(☷)은 배이며 감坎(☵)과 리離(☲)는 각각 신장과 심장이 된다. 오행은 오장이 된다. 그 생성과 운용이 실제로 (천지) 조화와 공功이 같다. 그러므로 사람이 천지의 자식이 된다. 몸 가운데의 역이 곧 이른바 '심역心易'이다.[16]

여기서 서우는 음양팔괘뿐만 아니라, 오행설까지 망라해서 역리의 생명구성 원리를 설명했다. 하지만 이는 동아시아에서 의학을 위시한 생명이론의 전형적인 논법이다. 사실 그다지 새로울 바가 없다. 단지 전병훈이 신체의 역리를 '심역'으로 부르는 데 주목할 필요가 있다.

일반적으로 '심역'은 점괘를 쓰지 않고 괘상과 수리만을 이용하는 점술의 원리를 가리킨다. 북송의 소옹邵雍(1011~1077)이 창안했다고 알려져 있다. 하지만 전병훈이 말하는 심역이란 '몸 안의 역(身中之易)'을 가리킨다. 그것은 단지 몸의 자연 상태를 표상하는 것을 넘어, 정신의 운용원리까지 함축한다. 그러므로 '신역身易'이라고 하지 않고 '심역'이라고 한다.

이와 관련해, 서우는 〈심역도心易圖〉를 제시했다. 그것을 여동빈呂洞賓의 『팔

---

15. 鴻鈞初判, 陰陽剛柔相磨而生六子, 幷父母而爲八, 生生不窮, 與天地幷立爲三. 『통편』, 42~43쪽.

16. 易也者, 包乎六合之外, 備於一身之中. 後世但以占驗吉凶, 而先後天之大義, 略焉不講. 愚謂, 乾爲首, 坤爲腹, 坎離爲腎心, 五行爲五臟. 其生成運用, 實與造化同功, 是即人爲天地之肖子, 而身中之易, 即所謂心易也. 『통편』, 43쪽.

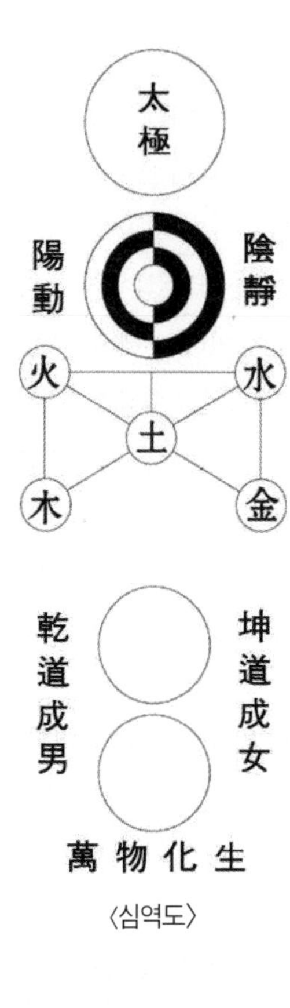

〈심역도〉

품경八品經』에서 가져왔다고 하는데,[17] 사실상 널리 알려진 주렴계의 〈태극도〉와도 일치한다. 그런데 보는 견지에 따라서, 이 도상이 두 종류의 역으로 해석될 수 있다. 전병훈은 이를 '상역象易'과 '심역心易'으로 나눴다.

이 두 종류의 역은 사물의 본성을 설명하는 원리에서 같다. 그러나 그 운용은 서로 역방향을 향한다. 즉 주명住命과 안명安命의 운용 추세가 다르다.[18] 여기서 '주명'이란 기화로 생명이 구성되는 순반응의 추세를 가리킨다. 곧 상역의 원리이다. 반면 '안명'은 기화의 순반응을 거꾸로 되돌려 생명의 원초적 상태를 회복하는 역반응의 추세이다. 곧 심역의 원리가 된다.

전병훈은 '상역'의 원리를 대표하는 글로 주돈이周敦頤(周濂溪)의 『태극도설』을 들었다. 널리 알려진 글이지만, 논의를 이어가기 위해 아래에 인용한다.

주렴계의 『태극도설』에서 대략 이렇게 말했다. "무극이면서 태극이다. 태극이 움직여서 양을 낳고, 고요해서 음을 낳는다. 한 번 움직이고 한 번 고요한 것이 서로 그 뿌리가 되며, 음으로 나뉘고 양으로 나뉘어 양의兩儀가 선다. 오행이 골고루 펼쳐져 사계절이 운행한다. 음양오행의 정이 묘하게 합하여 응결되니, 하늘의 도가 남성을 이루고, 땅의 도가 여성을 이룬다. 오직 사람만이 그 빼어남을 얻어서 가장 신령스럽다. 형체(形)가 이미 생성되고, 정신(神)이 지각知覺을 발한다. 오상의 다섯 성품이 느끼고 움직여져

17. 此圖源於呂純陽『八品經』, 而附八卦者今不盡錄. 『통편』, 43쪽.

18. 可以見聖神見天人之際者既同, 而用象易與心易者, 其盡性盡物之事則亦同. 惟此住命與安命之趨, 不同焉耳. 『통편』, 44쪽.

> 서 선악이 구분되고, 만 가지 일이 출현한다."[19]

이것이 『태극도설』의 전문은 아니다. 전병훈은 중요하다고 생각하는 일부 내용만 발췌했다. 〈심역도〉의 도상과 대조해서 음미해 읽어 보면, 그 의미를 파악하는 게 그리 어렵지 않다. '태극' 개념은 『주역』에 이미 보인다. "태극이 양의를 낳는다"는 「계사전」의 명구를 독자들도 기억할 것이다.

그런데 이런 태극 개념에는 여러 의미가 담겨 있다. 후대의 성리학에서 태극을 곧 '이理'로 해석했음은 익히 알려진 바다. 하지만 당나라 초의 학자인 공영달孔穎達(574~648)이 진술한 태극의 비교적 오래된 의미는 다음과 같다.[20] 그것은 '태극'에 관해 6세기 이전에 정립된 가장 표준적인 정의를 보여주는 것이다.

> '태극'은 천지가 나뉘기 전에 원기元氣가 혼돈하게 하나를 이룬 것이다. 곧 태초太初이며 태일太一이다.[21]

'태극'의 본질은 곧 우주의 혼돈미분한 원기이다. 시간의 문맥에서는 '태초'이며, 천문과 신화의 문맥에서는 '태일'이다. 그것이 움직여서 양을 낳고(陽動), 고요해서 음을 낳는다(陰靜). 이런 음양의 운동력을 내재한 태극이 다섯 기운(五行)으로 분화하며, 서로 상생하고 상극한다. 그 가운데서 하늘의 도가 남성을 이루고(乾道成南), 땅의 도가 여성을 이룬다(坤道成女). 그리고 만물이 화생한다(萬物化生).

〈심역도(태극도)〉는 한대에 이미 정립된 이런 기화우주론의 원리를 도상으로 함축한다. 그리고 『태극도설』은 그 원리를 요약해 해설한다. 그런데 그 〈태

---

19. 濂溪圖說略曰 "無極而太極. 太極動而生陽, 靜而生陰. 一動一靜, 互爲其根. 分陰分陽, 兩儀立焉. 五氣順布, 四時行焉. 無極之眞, 二五之精, 妙合而凝, 乾道成男, 坤道成女. 惟人也, 得其秀而最靈. 形既生矣, 神發知矣, 五性感動而善惡分, 而萬事出矣." 『통편』, 44쪽.
20. 공영달은 『오경정의五經正義』를 편찬했으며, 한대의 경학 이론을 집대성하고 종결지은 학자로 평가받는다.
21. 太極謂天地未分之前, 元氣混而爲一, 即是太初·太一也. 『五經正義』 孔穎達(疏).

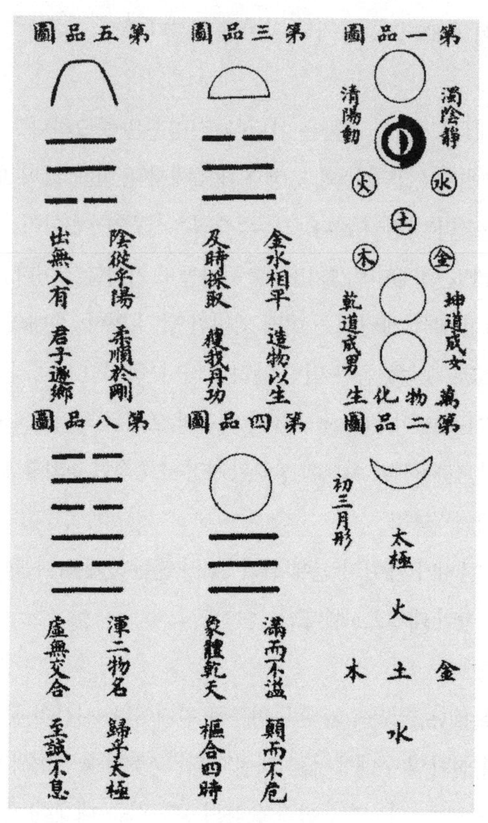

〈팔품도〉

극도〉조차 실은 주렴계의 발명이 아니다. 우리나라에서는 주렴계가 〈태극도〉를 그렸다고 널리 알려져 있지만, 이는 단지 절반만 사실이다.

〈태극도〉는 10세기의 저명한 도사인 진단陳摶(871~989)에게서 나왔다. 진단은 오대五代 말 송宋 초의 중국 도교를 대표하는 인물이다. 내단술과 역학에 특히 조예가 깊은 도사였다. 그가 〈선천도先天圖〉와 〈태극도〉 그리고 〈하도河圖〉와 「낙서洛書」를 제자인 종방種放에게 전했다. 종방은 이를 다시 목수穆修와 이개李漑 등에게 나눠 전했고, 훗날 목수가 〈태극도〉를 주돈이에게 주었다. 그리고 주돈이가 여기에 해설을 더한 것이 곧 『태극도설』이다.[22]

한대의 『주역참동계周易參同契』 이후, 역학으로 생명의 원리와 심신수련의 요령을 해명하는 것은 도교에 아주 두드러진 문법이었다. 진단 역시 이런 전통의 계승자였다. 그는 특히 내단학과 역학을 결합한 것으로 유명하다. 다시 말해, 〈태극도〉는 처음부터 도교 내단학과 결합한 역리의 해석을 함축한 도상이었던 것이다.

이런 〈태극도〉에 대해, 전병훈은 "우주의 태초에 기화로 사람과 사물이 생겨나는 이치가 또한 분명하지 않은가!"[23]고 찬탄한다. 또한 그것이 『천부경』의 이치와도 완전히 부합한다고 평가했다.[24]

그런데 앞서 말했듯이, 그가 말한 소위 '심역'은 『태극도설』에서 말하는 기화의 자연발생 순서를 몸 안에서 거꾸로 운용하는 것이다. 형체의 '정'과 지각을 발하는 '신'을 음양과 오행의 정기로 응결시켜 태극의 혼돈 미분한 상태로 되돌리고, 우주와 합일하는 태초의 상태로 거슬러 올라가는 것이다.

독자들도 이미 알듯이, 전병훈은 〈태극도〉의 최초 출처로 『팔품경』[25]을 지목했다. 『팔품선경八品仙經』으로도 불리는 이 도교 전적은 당나라의 저명한 도사인 여동빈의 저술로 알려져 있다. 하지만 학계에서는 대개 후대인의 위작으로 본다. 이 『팔품경』에 〈팔품도八品圖〉라는 도상이 포함돼 있다.

〈팔품도〉는 전병훈이 말하는 '심역'의 원리를 보여준다. 즉 정신을 수련하는 전 과정을 역리를 통해 표상한다. 그 가운데 〈제1품도〉가 통상의 〈태극도〉다. 말했듯이, 그것은 태극에서 사람과 만물이 성립하는 생성의 원리 및 구조를 표상한다.

그런데 위에서 전병훈이 "건은 머리이고 곤은 배이며 감과 리는 각각 신장과 심장이 된다. 오행은 오장이 된다"고 심역을 진술했던 것을 독자들은 기억

---

22. 朱伯崑, 『易学哲学史』(昆仑出版社, 2005), 97쪽.
23. 厥初以氣化而生人生物之理, 不亦瞭然乎! 『통편』, 44쪽.
24. 此與『天符經』旨相脗合也. 『통편』, 44쪽.
25. 『팔품경(八品仙經)』은 『정통도장正統道藏』에 보이지 않고 소지림邵志琳이 청말(1868년)에 펴낸 『여조전서呂祖全書』에 실려 있다.

할 것이다. 이런 심역(사람 몸의 역)을 〈태극도〉의 상역으로 표상할 수 있다.

머리가 건乾(☰)이고, 배가 곤坤(☷)이다. 또한 몸 안에 물과 불의 두 기운이 있다. 신장이 감坎(☵)으로 물을 관장하고 심장이 리離(☲)로 불을 관장한다. 즉 불기운(火)이 위로 올라가 심장을 이루고 물기운(水)은 아래로 내려가 신장을 이룬다. 이는 사람의 몸이 자연의 섭리를 반영한 그대로의 모습이다. 〈팔품도〉의 〈제2품도〉가 곧 그 상태를 표상한다.

그런데 내단의 원리는 이를 역으로 활용한다. 〈제3품도〉에서 〈제8품도〉까지의 도상이 그 추세를 함축한다. 그리하여 마침내 "음·양이 뒤섞여 태극으로 돌아가고, 허무와 교합해서 지극한 정성이 끝나지 않는"[26] 제8품으로 귀결된다. 그것이 곧 내단학의 역반응 추세이다.

그 역반응은 불을 들여 약물을 채취한다는 의미에서 '진화채약進火採藥'으로 불린다. 그 자세한 내용은 뒤에서 상세히 논할 것이다. 그전에 먼저 '선천'과 '후천'의 정신에 관해 보다 깊이 이해할 필요가 있다.

3. 선천과 후천의 정신

우리의 일상은 물질 및 에너지 대사로 지탱된다. 육체(물질)의 성장과 활동에 다량의 에너지가 소요될 뿐만 아니라, 감각과 마음의 작용, 기억하고 판단하며 의지력을 발휘하는 모든 순간에 에너지가 필요하다. 그러므로 우리는 시시각각 숨을 내쉬고 들이쉬며, 매일 일정량의 음식물을 섭취해야만 한다.

정신학의 문맥에서 말자자면, 이처럼 매일 먹고 숨 쉬면서 만들어지는 정·기·신이 곧 후천의 정신인 것이다. 그런데 이와 다른 차원의 정신이 있다. 앞서도 말한 바 있듯이, 선천의 정신이다. 이와 관련해, 전병훈은 남송의 도사인 백옥섬白玉蟾(1194~1229)의 말을 인용했다. 백옥섬은 전진도의 남종南宗 내단

---

26. 渾二物名, 歸乎太極. 虛無交合, 至誠不息.

학을 대표했던 인물로, 전병훈이 머물렀던 광동 나부산의 충허관沖虛觀에서 수도했다.

> 백옥섬이 말했다. "사람 몸에 단지 삼반물三般物이 있으니, 정·신이 기와 함께 서로를 보전한다. 그 '정'은 (남녀가) 교감하는 정이 아니라, 하느님(玉皇) 입속의 침이다. 그 '기'는 호흡하는 공기가 아니라, 도리어 우주 태초(太素)의 연기라는 것을 알아야 한다. 그 '신'은 생각하고 근심하는 신이 아니라, 우주 시원(元始)과 어깨를 견줄 수 있다."[27]

여기서 '삼반물'은 본래 불교에서 유래한 개념이다. 뿌리 없는 나무(無根樹), 그늘 없는 땅(無陰陽地), 메아리가 울리지 않는 골짜기(叫不響山谷)를 가리킨다. 물론 이 세 가지는 모두 세상에서 찾을 수 없다. 그것은 다만 모든 상대적인 가치를 초월해 열반에 이른 해탈의 경지를 비유한다.

백옥섬은 사람 몸 안의 정·기·신이 곧 이런 삼반물이라고 한다. 그런데 그것은 '남녀가 교감하는 정'이나 '호흡하는 공기'나 '생각하고 근심하는 정신'을 넘어선다. 즉 후천의 정·기·신이 아니라는 말이다. 대신 그것은 "하느님 입속의 침(玉皇口中涎: 精)"이고, "우주 태초의 연기(太素煙: 氣)"이며, "우주 시원과 어깨를 견주는 정신(與元始相比肩: 神)"이다.

백옥섬의 이런 묘사에 대해 전병훈은 "선천의 정·기·신이 사람 몸에 있다고 말하는 것"[28]이라고 한다. 즉 선천의 정신을 상징하는 메타포인 것이다. 하느님의 피땀인 '원정', 우주 빅뱅의 순간에 피어오른 에너지인 '원기', 그리고 우주의 시원과 통신하는 영명한 '원신'이 우리 안에 있다.

전병훈은 우주와 사람의 정·기·신이 서로 상응하며, 하나로 관통된다고

---

27. 白玉蟾曰 "人身只有三般物, 精神與氣相保全. 其精不是交感精, 迺是玉皇口中涎. 其氣即非呼吸氣, 迺知却是太素煙. 其神即非思慮神, 可與元始相比肩."(心譬諸玉皇也) 『통편』, 55쪽.

28. 此亦言先天精氣神之在人身者. 『통편』, 55쪽.

한다. 이번에는 여동빈의 말을 인용해 그 이법을 다시 상세하게 진술했다.

여동빈 진인이 말했다. "(정·기·신의) 세 보배가 사람이 된다. 하나를 '정精'이라고 일컫는다. 정은 하늘에서 은하수가 되며, 일월성신으로 빛을 발하고, 비와 이슬과 우박과 눈과 서리가 된다. 땅에서는 물이 되고, 강과 하천을 이루며, 연못과 산천의 석수石髓가 된다. 사람에서는 정이 되고, 성명의 뿌리가 되며, 피와 육체와 이와 잇몸이 된다.
다른 하나를 '기氣'라고 일컫는다. 하늘에서 형상과 형질을 이룬다. 음양으로 일월성신을 빛나게 하고, 운행하여 차면 비고 쇠하면 자라게 한다. 오색의 구름과 노을과 안개가 활력에 차서 만물을 낳는 마음이 되고, 만물을 화육한다. 땅에서는 덕이 된다. 산천의 근원을 받들어 만물을 살리고 죽이며, 키우고 거둔다. 세상의 시간을 운행하며, 성쇠盛衰와 승강昇降을 반복하는 운동변화의 맹아가 된다. 사람에게는 기가 된다. 몸을 이루고, 운동하고 움직이며 몸을 부려 삶과 죽음의 관건이 된다.
또 다른 하나를 '신神'으로 일컫는다. 신이 천추天樞(북두칠성의 첫 번째 별)에서 참된 주재자가 된다. 하늘을 운용하고, 일월성신이 빛나 신령하게 한다. 바람으로 만물을 불어내며, 천둥번개가 되고, 인자함과 위엄을 갖추고, 조화를 부리고, 만물을 낳는 근본이 된다. 땅에서는 능력이 되고, 화합을 이루고, 온갖 유형類形(패턴)을 이루고, 편안히 고요하고 진정시키며 돈독히 어질게 한다. 사람에게는 신이 된다. 눈 속의 빛이 되고, 마음의 사려를 이루고, 지혜와 양지와 양능이 되고, 내단(丹汞)의 배아(胚)가 되며, 정·기의 주재자가 되고, 깨닫고, 장수하고 요절하는 기틀이 된다."[29]

---

29. 呂眞人(名嚴, 字洞賓, 唐時人, 仁仙)曰 "三寶物爲人. 一曰'精', 精在天爲漢, 爲日月星斗曜光明, 雨露水雹雪霜. 在地爲水, 爲江河, 泉坎山澤石中髓. 在人爲精, 爲性命根, 爲血肉體口齒齦. 一曰'氣'. 在天爲體象形質, 爲陰陽日月星斗曜, 運行盈虛消長. 爲五色雲霞霧氤氳生物心, 爲化育. 在地爲德, 爲承受山水原生殺發藏, 爲世運劫, 盛衰昇降爲萌甲. 在人爲氣, 爲肢體, 運動舉持, 身使令爲生死關. 一曰'神'. 神在樞, 爲眞主宰, 爲運用, 爲日月星斗曜精靈. 爲風吹萬, 爲雷電, 爲慈威, 爲造化, 爲生物本. 在地, 爲能, 爲

위의 인용을 토대로 전병훈이 단언했다. "이 세 가지에 대한 묘사는 더욱 정확하다. 사람 몸의 정·기·신은 곧 천지의 정·기·신이다."[30] 이처럼 사람 몸 안에 내재된 천지의 정·기·신, 그것이 곧 '선천의 정신'이다. 누구에게나 이런 선천의 정신이 있다.

다만 일상에서 먹고 숨 쉬며 활동하는 '후천의 정신'에 파묻혀 살다 보니, 선천의 그것이 있는지 없는지조차 가물가물하게 잊힌 상태인 것이다. 그러나 사람들이 의식하건 그렇지 않건, 선천과 후천의 정신은 서로 영향관계를 주고받는다. 이번에는 전병훈 본인의 말이다.

> 후천의 조화로운 기는, 만약 선천의 원정이 아니라면 주인이 없고 신령할 수도 없다. 선천의 원정은, 만약 후천의 조화로운 기운이 아니라면 의지할 바가 없고 설 수도 없다. 천성(性)과 목숨(命)이 원래 서로 떨어지지 않는다는 것을 알 수 있다.[31]

'후천의 조화로운 기(後天造化之氣)'란 곧 일상의 물질대사로 만들어져 음양의 조화를 이루는 에너지라고 할 수 있다. 그런데 이런 후천적 에너지를 몸 안에서 통제하고 조절하며 신령스럽게 만드는 것은 '선천의 원정'이다. 여기서 '원정'은 문맥상 반드시 정에만 국한된다기보다, 선천의 정신 전부를 함축한다.

그런데 이런 선천의 정신 역시 후천의 기가 공급됨으로써 지탱되고 존립한다. 서우는 이런 선·후천의 정기를 다시 천성과 목숨의 관계로 대응했다. 즉 선천의 정신이 천성(性)을 이루고, 후천의 기운으로 목숨(命)을 이어간다고 본 것

翕闔, 爲萬類形, 爲寧靜鎭定敦仁. 在人爲神, 爲眼中光, 爲心思慮, 爲智睿良知能, 爲丹汞胚, 精氣宰, 覺悟, 爲壽夭基."『통편』, 53~54쪽.

30. 此三者尤爲精確. 人身之精氣神, 即天地之精氣神也.『통편』, 54쪽.

31. 蓋後天造化之氣, 若非先天元精則無主而不能靈. 先天元精, 若非後天造化之氣, 則無所依而不能立. 可見性命原不相離也.『통편』, 53쪽.

이다. 그리고 "천성과 목숨이 원래 서로 떨어지지 않는다"고 천명했다.

후천적인 에너지대사, 즉 일상적으로 먹고 숨 쉬는 생명활동은 특별히 가르치지 않아도 사람들이 태어나면서부터 저절로 능한 것이다. 게다가 현대 과학과 의학의 발달로 어떻게 에너지대사를 관리할 것인가의 지식과 정보가 그 어느 시기보다 대중에게 널리 알려졌다. 하지만 선천의 정신을 보존하려면, 이와 다른 방면에서 세심한 주의와 공부를 필요로 한다. 전병훈은 여동빈의 말을 통해 선천의 정·기·신을 지키는 방법에 관해 진술했다.

> (여동빈 진인이 말했다.) "…… (선천의 정·기·신) 이 세 가지를 지키고 아끼는 공부가 '맑고 고요함(淸靜)'에 있다. 그 정을 어지럽히지 말고, 또한 누설하지도 않는다. 그러므로 정을 굳게 하는 것은 마땅히 기를 지키는 데 있다. 기는 어떻게 지키는가? 반드시 욕심을 없애야(無慾) 한다. 맑게 텅 비고 담박하게 고요하며, 아무 연고 없이 작위하지 않는다.
> 그것은 다만 현관玄關의 사방 한 치 가운데 뜻을 두는 것이다. (신을) 기르고 고요히 하며, 늘 자재自在하여 그 기가 아랫배로 내려가 정과 합해 서로 떨어지지 않도록 한다. 정과 기는 신이 아니면 운행하지 못한다. 그러니 정을 굳게 하고 기를 기르는 것이, 단지 신을 보존하는 것에 달렸다."[32]

청정, 담박澹泊, 무욕 같은 삶의 태도는 사람이 선천적인 정신을 지키는 데 필수적인 덕목들이다. 즉 그것은 윤리나 도덕의 요구이기 전에, 생명의 근원을 보존하는 요령이다. '맑고 고요함'은 선천의 원정이 요동치고 낭비되는 것을 막는다. 곧 보고, 듣고, 먹고, 냄새 맡고, 감촉하는 일상의 감각에서 혼탁하고 요란한 자극을 멀리하거나 제거하는 것이 필요하다. '무욕'은 선천의 기가 낭비되는 것을 막는다. 욕심에서 비롯된 과도하고도 작위적인 심신의 활동이 결국

---

32. 護惜此三寶, 功在淸靜. 不撓其精, 且無滲漏 故固其精當在守氣. 氣何以守? 要必無慾. 淸虛澹靜, 毋故作爲者, 只在玄關方寸之中. 引養引恬, 常常自在, 其氣下與精合不隔. 精與氣非神莫運, 固精養氣, 只在存神. 『통편』, 54쪽.

선천의 기를 손모하고 흐트러뜨리기 때문이다.

담박하고 고요함은 선천의 '기'와 함께 또한 '신'을 지키는 길이기도 하다. 위에서 말하듯 "생각하고 근심하는" 것은 후천적인 신의 활동이며, 그것이 과도해지면 역으로 '선천의 신'이 손상을 입기 때문이다. 그런데 이런 말을 들으면 "아무 생각도 없이 바보처럼 멍청해지라는 것"이냐고 반문할 수 있다. 사유를 정신의 본성으로 보는 서양철학에서는 그것을 반이성적 발상이라고 비판할지 모른다. 어찌 보면, 이는 당연하고도 적절한 의문이다. 하지만 오해인 것도 분명하다.

정신의 담박함에 대한 요구가 반드시 반이성적인 것이 아니고, 바보가 되라는 것은 더더욱 아니기 때문이다. 그것은 겉으로 어리석은 듯이 보일 수 있다. 하지만 정신철학의 문법으로 말하자면, 담박하고 고요함으로 선천의 정신을 안정시키는 것이 곧 지혜를 얻는 지름길이다.

"큰 지혜는 어리석은 듯하다(大智若愚)"는 유명한 명구가 있다.[33] 노자가 말하길 "훌륭한 기교는 마치 졸렬한 듯하고, 훌륭한 변론은 마치 어눌한 듯하다"[34]고 한다. 장자는 "어리석은 듯하고 흐리멍덩한 듯하니, 이를 '현묘한 덕(玄德)'이라고 일컫는다"[35]고 했다.

그런데 이는 정치적 모략가나 군사전략가들이 곡해하듯이, 겉으로 어리석고 졸렬한 듯이 보여서 상대방을 방심케 만든 뒤에 자기의 목적을 달성하려는 그런 교활한 술책을 말하는 것이 아니다. 구도자가 겉으로 어리석고 흐리멍덩하며 어눌한 듯이 보인다. 이는 단지 후천적인 신의 활동이 잠잠해진 상태를 표상한다. 반면 이는 선천적인 신의 작용이 활성화된 국면이다. 전병훈의 문법에 따르면, 곧 "정을 기르고 신을 응결하는" 모드에 진입한 상태인 것이다.

---

33. 이 명구는 흔히 노자의 말로 알려졌지만, 그 출처가 『노자』는 아니다. 다만 그것으로 노자 사상의 특징을 설명해도 크게 어긋나지는 않는다.
34. 大巧若拙, 大辯若訥. 『老子』 45장.
35. 若愚若昏, 是謂玄德. 『莊子·天地』.

> 정을 기르고 신을 응결하는 공부를 전적으로 실행하면, 곧 점차 원신元神이 응결되고, (양신을) 잉태하여 사지와 골육을 갖추게 된다.[36]

양신을 잉태해 키우는 방법은 다음 절에서 다룰 것이다. 다만 주목할 것은, 정신수련을 통해 원신이 응결된다는 진술에 있다. 여기서 '원신'은 백옥섬의 말처럼 "생각하고 근심하는 신이 아니라 우주 시원과 어깨를 견주는" 선천의 신을 가리킨다.

이런 선천의 신은 '현관玄關'으로 부르는 뇌의 한 관문으로 드나든다. 또한 '천궁', '니환泥丸' 등으로 불리는 뇌 중앙의 은밀한 거처에서 응결되고 성장하며 활동한다. 그러므로 전병훈은 "이른바 신을 보존하는 공부는 단지 전적으로 현관에 주의를 집중하는 데 있다"고 한다.

서우는 여동빈의 「절구絶句」를 인용했다. "정으로 신령한 뿌리를 기르고, 기로 신을 기른다. 이 참됨(眞)밖에 다른 참됨이 없다." 이른바 '신령한 뿌리(靈根)'의 의미를 속단키는 어렵다. 하지만 문맥상, 이 시구는 정과 기로 선천의 신을 기르는 것을 노래한다. 전병훈은 여기서 정·기·신 이론이 궁극의 절정에 도달한다고 말한다.[37]

> 총괄해서 요지를 말하면, 신으로 현빈玄牝 안에서 정을 운용해 오래되면 선천의 참된 한 기운(先天眞一之氣)이 허무 가운데서 와서 응결해 참나(眞)를 이룬다. 그러나 급박하게 이를 구하면 안 된다. 단지 순서를 좇아 공을 들이면, 공효가 저절로 드러난다.
>
> 그렇게 되면 신통변화하고, 범부를 초월해 성인의 경지에 들며, (신이) 불에 들어가도 타지 않고, 물에 들어가도 가라앉지 않는다. 우주가 손안에 들어오고, 온갖 변화가 마음에 달렸다. 가히 하늘에 힘을 보태고, (천지의) 조화

---

36. 專致養精凝神之功, 則漸漸凝聚元神, 以成胚胎, 四肢筋骨乃成. 『통편』, 53쪽.

37. 所謂存神之功, 只在專注意玄關也. 其詩又云 "精養靈根氣養神, 此眞之外更無眞." 精氣神論, 至此無復餘蘊矣. 『통편』, 54~55쪽.

에 참여할 수 있다. 단군과 황제의 세상 경영 방법을 아울러 익히면 겸성兼聖이 아니겠는가?

그러나 시작이나 끝은 단지 현관의 한 통로(一竅)에 있다. 도가의 지극한 비법으로, 그 사람이 아니면 전하지 않는 것은 단지 이 일규一竅이다. 만약 그 사람이 아닌데 전하면, 반드시 하늘의 꾸짖음이 있기 때문이다.[38]

여기서 '규竅'는 구멍인 동시에 통로의 의미가 있다. '구멍'이란 뚫린 공간의 장소적 특성을 주로 함축한다. 반면 '통로'라고 할 때는 통행하는 작용에 초점이 있다. 현빈 및 현관의 경우는 정·기·신이 '통하는' 길 내지는 관문의 기능적 의미가 두드러진다. 따라서 여기서는 규를 '통로'로 번역한다. 그리하여 이제 "현관의 한 통로"에 관해 논의를 펼칠 시점에 이르렀다.

4. 현관玄關

전병훈은 정신의 운용에서 '현관'을 무엇보다 중요하게 보았다. 그는 『노자』에 보이는 저명한 '현빈玄牝'에 관한 진술로부터 논의를 시작한다.

황제가 말했다. "계곡의 신(谷神)은 죽지 않으니, 이를 '현빈'이라고 일컫는다. 현빈의 문을 일컬어 '천지의 근원(天地根)'이라고 한다. 면면히 있는 듯하니, 사용해도 고갈되지 않는다."[39]

---

38. 總要以神運用精於玄牝之內, 日久則先天眞一之氣從虛無中來, 凝結以成眞也. 然不可急迫求之, 只遵程序致功, 功效自著也. 然則神通變化, 超凡入聖, 入火不焚, 入水不沈. 宇宙入手, 萬化在心, 可與陪天, 可與造化參矣. 幷致檀·黃經世之方, 不是兼聖乎? 然成始成終, 只在玄關一竅. 道家之至秘, 而非其人則不傳者, 只此一竅也. 若傳非其人, 則必有天譴故也.『통편』, 55쪽.
39. 黃帝曰 "谷神不死, 是謂玄牝, 玄牝之門, 是謂天地根. 綿綿若存. 用之不勤."『통편』, 56쪽. 이 구절은 본래『노자』6장에 보인다.

그런데 독자들도 눈치 챘겠지만, 특이하게도 윗글을 노자가 아닌 황제의 말로 인용하고 있다. 그 글이 『열자列子』에도 보이는데, 거기서 출처를 '황제서黃帝書'로 표기했기 때문이다. 전병훈은 각고로 수련을 하던 중에 『노자』에서 이 구절을 접하고 의혹을 환하게 깨쳤다고 한다.

또한 『열자』에서 이를 황제의 말로 소개하는 것을 보고, 그것이 황로黃老의 진전임을 더욱 독실하게 믿게 되었다.[40] 하지만 『열자』는 일부 편을 제외하고, 대체로 위진남북조시대에 제작된 저술로 보는 것이 학계의 통설이다. 따라서 윗글의 출처는 『노자』로 되돌리는 것이 타당하다. 여하튼 이것이 여기서 핵심논제는 아니다.

보다 긴요한 사안은, 노자에서 비롯된 '현빈' 혹은 '현관'에 대한 전병훈의 해석이다. 서우는 윗글 외에도 도교의 여러 전적들에서 뽑아낸 구절들을 인용해서[41], 현관의 위치와 작용 그리고 운용의 요령 등을 해설했다. 그 가운데 비교적 중요한 글을 추려서 살펴보기로 하자.

> 『입약경』에서 "근원으로 돌아가는 통로요, 목숨을 회복하는 관문이다"라고 했다. 곧 이 '현빈'을 가리킨다.[42]

> 여동빈이 말했다. "'현玄'을 찾지만 누가 이 현관을 알겠는가? 한 점의 양정陽精이 그 안에 안주한다."[43]

'현빈'과 마찬가지로, 인용문에서 '근원으로 귀환(歸根)'하고 '목숨을 회복(復命)'한다는 개념 역시 『노자』에서 비롯되었다.[44] 엄밀히 말해, 노자의 철학

---

40. 『통편』, 56쪽.
41. 종리권鍾離權, 여동빈呂洞賓, 장백단張伯端, 석행림石杏林, 백옥섬白玉蟾, 최치원崔致遠, 소자허蕭紫虛, 이도순李道純 등의 전적을 인용한다.
42. 『入藥鏡』云 "歸根竅, 復命關." 即指此玄牝也. 『통편』, 57쪽.
43. 呂純陽曰 "探玄誰識這玄關? 一點陽精此內安." 『통편』, 57쪽.
44. 歸根曰靜, 是謂復命. 『老子』 16장.

적 개념을 후대의 도교에서 내단학의 용어로 해석했다는 것이 정확한 표현일 것이다. 즉 위에 보이는 '현빈'의 해석은 노자 당시부터 이미 그 의미가 확정됐던 것이 아니다. 대신 후대의 내단 수련가들이 『노자』에서 뽑아내 새로운 의미를 부여한 확장적 개념인 셈이다.

이런 개념은 부유하는 언어이다. 함의가 고정되어 있지 않고 개방되며, 서로 다른 장소와 시간대에서 그 의미가 지속적으로 변천한다. 그러므로 『입약경入藥鏡』과 여동빈이 설명하는 대상이 같고, 또한 그것이 본질적으로는 『노자』 그 자체의 의미에 완전히 들어맞는다고 볼 수는 없다.

여러 텍스트에서 말하는 '현빈' 내지는 '현관'이 애초부터 정확하게 일치하는 뭔가를 말한다고 전제하는 것이 오히려 그릇된 기대일 수 있다. 하지만 그렇다고 해서, 이 개념들에 접근하기를 처음부터 포기해야 한다는 말은 아니다.

전병훈은 여러 텍스트에서 무수하게 뿌려진 의미의 숲을 헤치고, 그 각각의 해석을 참조하면서 현빈과 현관의 정의를 재구축해 나간다. 대개 모호하고 불충분한 해석들이지만, 그것들을 참조하여 설명이 가능한 접점을 찾는 것이 그의 방식이었다. 그런데 텍스트의 선택과 배열 그리고 덧붙이는 주석까지, '현관'이라는 이 모호한 개념에 접근하는 전 과정에 실은 전병훈의 의도가 반영되어 있다.

그러므로 서우가 열어 놓은 해석의 길을 따라가다 보면, 자연스럽게 그가 생각하는 '현관'의 의미에 접근하게 된다. 먼저 위에서 말하는 '현빈'은 생명의 근원과 목숨을 회복하는 통로이다. 정신철학의 문맥에서 볼 때, 거기서 회복하고자 하는 '근원' 및 '목숨'의 본질은 곧 선천의 정·기·신으로 귀결된다.

결국 '현빈'은 선천의 정신이 통하는 관문이다. 또한 그 안에 한 점 '양의 정기(陽精)'가 머무는 장소이기도 하다. 이런 의미를 우선 비축하고, 다른 텍스트에서 또 새로운 의미를 차곡차곡 쌓아나가 보자.

> 여동빈이 또 말했다. "『노자』 5천 자의 말 안에 '현관'이 숨어 있다. 사람의 신이 텅 빔(虛)을 귀히 여겨 죽지 않게 된 연후에야 현관의 비결을 구명하

> 고, 신령하게 통해 변화하는(靈通變化) 오묘함을 얻는다."[45]
>
> 또한 말했다. "태상노군의 『도덕경』 5천 자에서 그 신묘함이 단지 이 말에 있다. 이른바 성품과 형체를 연마하는 것은 모두 쭉정이에 지나지 않으니, 무슨 현묘함이 있겠는가?"[46]
>
> "처음 배우는 사람들이 먼저 형체를 보존하려고 한다. 만약 현관을 탐구해 밝히지 않는다면, 기를 연마하고 형체를 연마한들 집이 한번 무너지면 발 붙일 곳이 없게 된다."[47]
>
> 어리석은 사람(전병훈)이 말한다. 여기서 말하는 현관이 수양의 참된 통로(修養眞路)다.[48]

위에서 전병훈이 주목하는 관건은 현관이 "수양의 참된 통로"라는 언명에 있다. 즉 평상시에 언제나 열려 있는 길이 아니다. 그것은 수행으로 깊이 "탐구해서 밝혀야" 하는 통로이다. 만약 이 통로를 체득하지 못한다면, "기를 연마하고 형체를 연마하는" 일체의 수행이 "모두 쭉정이에 지나지 않는다."

---

45. "五千言內隱玄關"은 여동빈의 칠언율시에서 따왔고, "人之神貴~" 이하는 『함삼어록涵三語錄』에서 가져온 것이다. 원문은 다음과 같다. "凡人神不虛, 則板滯不活潑, 如一渠死水, 不朽敗, 則變色易味矣! 惟虛則不滯, 不滯則不著, 活活潑潑. 若彼空谷然, 一聲鳴, 則群聲應. 所以人之神, 貴虛而不死, 然後究明伭關祕訣, 而有靈通變化之妙."
46. 역시 『함삼어록』에 보이는 글로 원문은 다음과 같다. "古今來學道之士, 亦有結撰嬰兒, 陽神出現之時, 而終歸於無用者! 惟不曉此'谷神不死'之語也. 故太上『道德』五千, 其伭妙止在此言. 所謂煉性煉形, 皆糟粃也, 有何伭妙乎?"
47. 『함삼어록』의 원문은 다음과 같다. "但初學之士, 先要存形, 若不究明伭關, 養氣煉形, 則居宅一潰, 主人無處著脚."
48. 純陽又曰 "五千言內隱玄關. 人之神, 貴虛而不死, 然後究明玄關秘訣, 有靈通變化之妙." 又曰 "太上道德五千, 其神妙只在此言. 所謂煉性煉形, 皆粗粃也. 有何玄妙哉?" "初學之士, 先要存形, 若不究明玄關, 養氣煉形, 則居宅一潰, 無處著脚也." 愚謂此言玄關, 爲修養眞路, 而有秘訣云者, 第五章載之. 『통편』, 57~58쪽.

이는 한편에서 현관을 부각하는 언명이지만, 다른 한편으로는 단순한 기의 연마(氣功)나 체술體術에 매달리는 공부의 한계를 지적하기도 하다. 이런 견해에 따르면, 현관에 통하는 것이야말로 내단 수련의 요체이다. 그 내용에 관해 보다 풍부한 진술을 아래에서 접할 수 있다.

> 장자양張紫陽(張伯端) 진인이 말했다. "약물이 현묘한 통로(玄竅)에서 생기고, 화후가 양기의 화로(陽爐)에서 일어난다. 용과 범이 만날 때, 보배로운 솥에서 현묘한 구슬(玄珠)이 생긴다. 이 통로는 범상한 사물이 아니고, 건乾과 곤坤이 합해 함께 이룬다. 이름하여 '신기혈神氣穴'이고, 안에 감坎과 리離의 정이 있다."
> 또 말했다. "동지冬至가 여기에 있고, 약물이 여기에 있고, 화후가 여기에 있고, 목욕이 여기에 있으며, 결태가 여기에 있고, 탈태 역시 여기에 있다."
> 어리석은 사람(전병훈)이 말한다. 이 신기혈 역시 현관의 이름이다. "안에 감과 리의 정이 있다"는 요지가 아주 좋다. 단공의 처음과 끝의 요체(切要)가 모두 이 하나의 통로에 있다.[49]

> 석행림石杏林(石泰) 진인이 말했다. "한 통로의 이름을 '현빈'이라고 한다. 그 가운데 기와 신이 감춰져 있다. 누군가 이 통로를 안다면, 다시는 그 밖에서 참됨(眞)을 찾지 않을 것이다. 기는 형체 가운데의 목숨이요, 마음은 본성 가운데의 신이다. '신기혈'을 알 수 있다면, 곧 여기서 신선이 된다. 만물이 모두 나고 죽으며, 좋은 시절도 끝났다가 다시 생겨난다. 신이 기의 안으로 돌아가게 하면, 단의 도(丹道)가 자연스럽게 완성된다."
> 어리석은 사람(전병훈)이 말한다. 현빈의 요지가 여기에 이르면 묘미가 지

---

49. 張紫陽眞人(宋時人, 名伯端, 是純陽眞傳)曰 "藥物生玄竅, 火候發陽爐. 龍虎交會時, 寶鼎生玄珠. 此竅非凡物, 乾坤共合成. 名爲'神氣穴', 內有坎離精." 又曰 "冬至在此, 藥物在此, 火候在此, 沐浴在此, 結胎在此, 脫體亦在此矣" 愚謂此神氣穴亦玄關之名, 內有坎離精之旨極好, 丹功之始終切要都在一穴. 『통편』, 58쪽.

극하다. 일찍이 여기서 내 스스로 터득한 것을 뭐라고 형용하여 비유할 수 없다.[50]

'현관'은 내단공부(丹功)의 알파요 오메가다. 그것은 선천의 건乾(하늘)과 곤坤(땅)의 기운이 합치돼 만들어지는 통로이다. 그리고 현관 혹은 현빈의 또 다른 이름인 '신기혈神氣穴'이 시사하듯, 그것은 선천의 원신과 원기가 결합해 만들어지는 현묘한 관문이다.

"감과 리의 정이 그 안에 있다"는 것은, 주천화후로 생성되는 진화眞火와 진수眞水가 신기혈에서 만나고 주행한다는 말이다. 용과 범의 비유 역시 같은 문맥이다. 그리하여 동지·약물·화후·목욕·결태·탈태와 같은 내단 수련의 모든 작용이 그 통로에서 일어난다.

이 용어들은 아래에서 다시 논구할 것이니, 그 때 다시 의미를 되새겨볼 기회가 있을 것이다. 그런데 근본적인 궁금증 한 가지가 여전히 해소되지 않는다. 현관이 대체 어디에 있는가 하는 결정적인 의문이다. 그에 관한 단서를 전병훈은 이렇게 시사했다.

소정지蕭廷芝가 말했다. "내게 목전의 수련법을 묻지만, 정수리(頂門)의 참된 한 통로를 떠나지 않는다." 또한 말했다. "현관의 한 통로가 사람 머리 위에 있다. 참된 스승이 있어 정수리를 건드려 수기를 받지 않는다면, 모든 것이 망령된 작위일 뿐이다." 이도순李道純 진인이 말했다. "정수리에서 한 통로 열기를 성취하면, 이 가운데 따로 하나의 별천지(別乾坤)가 있다. 신선이 되는 지름길이 단지 현관의 한 통로에 있다."[51]

---

50. 石杏林眞人(宋時人, 名拳, 張紫陽眞傳)曰 "一竅名玄牝, 中藏氣與神. 有誰知此竅, 覂莫外尋眞. 氣是形中命, 心爲性內神. 能知'神氣穴', 即是得仙人. 萬物皆生死, 元辰死復生. 以神歸氣內, 丹道自然成." 愚謂玄牝之旨, 至此極有味, 嘗自得於此者, 非可形喩. 『통편』, 58쪽.

51. 蕭紫淸[蕭紫虛]曰, "問我目下用工夫. 不離頂門眞一竅." 又曰 "玄關一竅在人頭上. 不有眞師摩頂授記, 皆妄爲矣." 李瀅蟾眞人曰, "成就頂門開一竅, 個中別是一乾坤, 成仙

비록 소정지[52]와 이도순[53]의 글을 빌리기는 했지만, 윗글을 제시함으로써 전병훈의 견해도 사실상 함께 드러난다. 즉 서우는 코와 입 등을 현빈으로 보는 속설을 배제하고, 정수리에서 현관의 통로를 찾는 설을 지지한다. 여기서 사람의 '머리 위(頭上)' '정문頂門'은 갓난아이의 '숫구멍'에 해당하는 정수리 중앙의 백회百會혈 지점을 시사한다. 그런데 이즈음에서, 전병훈은 은근히 혼란을 야기하는 또 다른 텍스트를 제시한다.

> 순양진인 여동빈이 말했다. "먼저 그 자식을 안주시키고, 뒤에 그 어머니를 찾는다. 본성을 헤아려 근원으로 삼고, 조화를 움켜잡아 바르게 취한다. 물에 그 아들이 잠복하고, 용이 범으로부터 기인한다. 양 눈썹 사이에서 얻어 비로소 현빈에 응한다. 천둥이 진동하고 번개가 깊숙이 치니, 신선 황개黃盖[54]의 집이 아님이 없다. 황금 진액(金液)과 옥액(瓊漿)이 모조리 '단 연못(丹池)'의 보배에 속한다. 노자의 도술이 여기서 다한다."
>
> (서우가) 삼가 살핀다. 이는 천 년간 끊어진 학문으로 하늘의 지극한 비결이다. 만 권의 『단경丹經』에서 현관의 장소를 끝내 분명히 지시함이 없다. 오직 여순양이 가장 높은 진인으로 어진 신선이라, 그 깨우쳐 주는 요지가 이와 같다.[55]

捷徑, 只在玄關一竅." 諸眞之論玄關者如是, 而上古降眞之論, 亦有符合者. 『통편』, 59쪽.

52. 소정지蕭廷芝는 남송의 도사로 자는 원서元瑞, 호는 자허紫虛 등을 썼다.

53. 이도순李道純(1219~1296)은 송말 원초의 도사로, 자는 원소元素이고, 호는 청암淸庵·영섬자瑩蟾子 등이다. 저서에 『삼천역수三天易髓』, 『중화집中和集』, 『도덕회원道德會元』 등이 있다.

54. 황개黃盖는 황제에게 〈신지도神芝圖〉를 전해 주었다는 신선인 황개동자黃盖童子를 가리킨다. 『한서漢書·지리지地理志』에 그 고사가 실려 있다. "黃帝登具茨之山, 升於洪堤上, 受神芝圖於黃盖童子即是山也."

55. 呂純陽眞人曰, "先住其子, 後覓其母. 率水[性]爲宗, 擒和正取, 水伏其子, 龍因其虎. 得自兩眉, 始應玄牝. 雷驚電杳, 無非黃盖之家. 金液瓊漿, 盡屬丹池之寶. 老子之術, 盡於此矣." 謹按此爲千載絶學, 上天至秘者, 萬卷『丹經』, 竟無指明玄關處, 惟純陽乃上眞仁仙也, 故其啓發之旨如是. 『통편』, 60쪽. 여기서 여동빈의 글은 『수신결삼단修身訣三段』에서 뽑아 온 것이다. 그런데 전병훈의 인용문에서 "率水爲宗"은 『수신결삼단』에 의거할

"양 눈썹 사이에서 얻어 비로소 현빈에 응한다"는 언명이 이 글에서 가장 눈에 띄는 대목일 것이다. 이는 양미간 정중앙에 인당印堂 내지는 천목天目혈로 불리는 지점이 현빈의 통로임을 시사한다. 더구나 만 권의 『단경』에서 현관의 장소를 분명히 지시하지 않았는데, 오직 이 글에서 여동빈이 그것을 깨우쳐 준다는 친절한 해설까지 더해졌다.

이로써 정수리의 백회와 함께, 양미간의 천목혈이 현관 혹은 현빈의 통로라는 문맥이 더해진다. 그런데 여기서 끝이 아니다. 전병훈은 현관의 논의가 이것으로 충분하다고 전제하면서도, 백옥섬의 이론이 가장 정교하고 완비됐다면서 이를 다시 길게 소개했다.

> '계곡(谷)'이란 하늘 계곡(天谷)이다. '신神'이란 한 몸의 원신이다. 하늘 계곡은 조화를 머금고, 허공을 담는다. 땅의 계곡은 만물을 담고, 산천을 싣는다. 사람과 천지는 품수 받은 바가 같으니, 역시 계곡이 있다. 그 계곡이 참된 하나(眞一)를 품고, 원신이 (거기에) 기거한다.
>
> 그리하여 머리에 아홉 궁전(九宮)이 있다. (그 가운데 하나가) 위로 구천九天 중간의 한 궁전에 상응한다. 이를 일러 '니환泥丸'이라고 하고, 또한 '황정黃庭'이라고 일컫고, 또한 '곤륜崑崙'으로 이름 부르며, 또한 '천곡天谷'이라고 한다.
>
> 그 이름이 아주 많지만 곧 원신이 머무는 궁전이다. 그 공간이 마치 계곡과 같아서 신이 거기에 거주하니, 그러므로 이를 일컬어 '곡신谷神'이라고 한다. 신이 머물면 살고, 신이 떠나면 죽는다. [그런데 사람들은—역자 주] 낮이면 사물에 접하고 밤이면 꿈에 접하니, 신이 그 거처를 편안히 여기지 못한다. …… 그러나 곡신이 죽지 않는 이유는 '현빈'에 말미암는다. '현玄'이란 양이며, 하늘(天)이다. '빈牝'이란 음이며, 땅(地)이다. 그러므로 현과 빈의 두 기운에 각기 깊은 맛이 있으니, 지인至人을 만나 구결을 전수받지 않는다

때 "率性为宗"이 올바르다. 문맥의 의미상 여동빈의 원문에 의거해 번역했다.

면 그 뜻을 얻어 알 수가 없다.

『황제내경』에서 말하기를 "천곡天谷의 원신을 지키면 저절로 참나가 된다"고 하였다. 사람의 몸 안에 위로 천곡니환天谷泥丸이 있으니, 신을 품는 관부(藏神之府)다. 중앙에 응곡강궁應谷降宮이 있으니, 기를 품는 관부(藏氣之府)다. 아래에 허곡관원虛谷關元이 있으니, 정을 품는 관부(藏精之府)다.

천곡은 원궁元宮이다. 곧 원신의 방으로, 신령한 성품(靈性)이 머무는 곳이다. 이것이 신의 요체이고, 성인은 곧 천지의 요체다. 변화의 근원을 알고, 신을 원궁에서 지키고, 기가 빈부牝府에서 오르면, 신과 기가 교감해서 자연스럽게 참나(眞)를 이루며, 도와 더불어 하나가 된다.

그리고 죽지도 않고 나지도 않는 경지로 들어간다. 그러므로 말한다. "계곡의 신은 죽지 않는다. 이를 일컬어 '현빈'이라고 한다." 성인은 현빈 안에서 운용하고, 황홀한 가운데 조화를 이룬다. 그 현빈의 기에 부응(當)해서 그 뿌리로 들어간다. 지나치게 폐쇄하면 조급함으로 실패하고, 그대로 방임하면 방탕함으로 실패한다. 그것이 면면하게 이어져 중간에 끊어짐이 없도록 해야 한다.

"마치 존재하는 것 같다(若存)"는 것은, 그 자연스러움에 따라 보존하는 것이다. 신이 오래되면 저절로 편안해지고, 호흡이 오래되면 저절로 안정된다. 본성이 자연스러워지고, 무위의 오묘한 작용이 수고롭고 절박한 지경에 이르지 않는다. 그러므로 "근로해서 이를 쓰지 않는다(用之不勤)"고 한다. 이로써 관조하면, 현빈이 위아래의 두 근원이 된다. 기의 어미(氣母)가 오르내리는 바른 길(正道)이 분명하다. 세상 사람들이 그 근원을 구명하지 않고, 망령되게 코를 '현'이라고 하고 입을 '빈'이라고 한다. 만약 코와 입이 현빈이라면, '현빈의 문'은 또한 장차 무엇으로 이름 부를 것인가? 이는 모두 그 오묘함을 조작할 수 없다. 큰 성인이 아니라면, 어찌 능히 이 섭리를 궁구할 수 있겠는가?[56]

---

56. 宋白眞人曰 谷者, 天谷也. 神者, 一身之元神也. 天之谷, 含造化, 容虛空. 地之谷, 容萬物, 載山川. 人與天地同所稟也, 亦有谷焉. 其谷藏眞一, 宅元神, 是以頭有九宮, 上應九

이상은 백옥섬의 『자청지현집紫淸指玄集』[57]에서 인용했다. 전병훈은 윗글이 매우 훌륭하다고 칭송했다. 전 세계 인류사회에 이를 널리 알린다고 고지할 정도로 극찬했다.[58] 그런데 여기서 '현빈'은 신체상의 어느 한 지점으로 보기 어렵다.

그것은 상반신의 위아래를 연결하는 긴 통로에 가깝다. "'현'이란 양이며, 하늘이다. '빈'이란 음이며, 땅이다." "신을 원궁에서 지키고, 기가 빈부에서 오르면, 신과 기가 교감해서 자연스럽게 참나를 이루며, 도와 더불어 하나가 된다." "현빈이 위아래의 두 근원이 된다. 기의 어미가 오르내리는 바른 길이 분명하다."

여기서 현빈은, 이른바 '천곡니환-응곡강궁-허곡관원'으로 대별되는 상-중-하 단전을 위아래로 연결하는 독맥督脈과 임맥任脈의 긴 순환통로를 연상시킨다. 뒤에서 다시 논하겠지만, 그 통로는 곧 아랫배의 원정을 기화하여 등 뒤로 올려 뇌 안의 천곡에서 신을 응결하고 다시 몸 앞으로 내려오는 이른바 '주천周天'의 주된 경로다. 이제 '현빈'은 정수리나 양미간을 넘어서, 이런 주천의 경로를 암시하는 개념이 된다.

天中間一宮, 謂之泥丸, 又曰黃庭, 又名崑崙, 又名天谷. 其名頗多, 乃元神所住之宮, 其空如谷而神居之, 故謂之谷神. 神存則生, 神去則死, 日則接於物, 夜則接於夢. 神不能安其居也. …… 然谷神所以不死者, 由玄牝也. 玄者, 陽也, 天也. 牝者, 陰也, 地也. 然則玄牝二氣, 各有深旨, 非遇至人授以口訣, 不可得而知之. 『黃帝內經』曰 "天谷元神, 守之自眞." 言人身中, 上有天谷泥丸藏神之府也. 中有應谷降宮, 藏氣之府也. 下有虛谷關元, 藏精之府也. 天谷, 元宮也, 乃元神之室, 靈性之所存, 是神之要也. 聖人則天地之要, 知變化之源. 神守於元宮, 氣騰於牝府. 神氣交感, 自然成眞, 與道爲一, 而入於不死不生, 故曰谷神不死, 是謂玄牝也. 聖人運用於玄牝之內, 造化於恍惚之中. 當其玄牝之氣, 入乎其根, 閉極則失於急, 任之則失於蕩. 欲其綿綿續續, 勿令間斷耳. 若存者, 順其自然而存之, 神久自寧, 息久自定, 性入自然, 無爲妙用, 未嘗至於勤勞迫切, 故曰用之不勤. 即此而觀, 則玄牝爲上下二源, 氣母昇降之正道明矣. 世人不究其源, 妄以鼻爲玄, 以口爲牝. 若以口鼻爲玄牝, 則玄牝之門, 又將何以名之? 此皆不能造其妙, 非大聖人安能窮究是理哉? 『통편』, 61~62쪽.

57. 『자청지현집』 제4장 「곡신불사론谷神不死論」에 나온다.

58. 『통편』, 62쪽.

지금까지 여러 텍스트에서 논한 '현관' 혹은 '현빈'의 특징을 대략 모아 정리하면 다음과 같다. 그것은 선천의 원정과 원신으로 몸 안에서 만들어지는 관문이다. 그것은 "수양의 참된 통로"로 내단공부의 처음이자 끝이다. 거기에 참된 불과 참된 물이 감춰지고, 한 점 '양의 정기'가 깃든다. 정수리와 양미간의 한 지점이 현관 혹은 현빈의 긴요한 통로다. "'현'은 양이자 하늘이고, '빈'은 음이자 땅이다." 그런 현빈이 "위아래의 두 근원이 되어, 기의 어미가 오르내리는 바른 길"이 된다.

이상의 진술은 혼재된 여러 견해를 어중간하게 절충하는 듯한 여운을 남긴다. 여하튼 위에서 살핀 여러 텍스트에서, 현관 혹은 현빈의 의미가 완전히 일치하지는 않는다. 그렇다고 그것이 완전히 상충되는 것도 아니다. 다시 말해, 그 사이에서 어떤 접점을 찾는 것이 영 불가능하지는 않다. 한 가지 주목할 것은, 현빈과 현관에 약간의 뉘앙스 차이가 있다는 점이다.

전병훈의 책에서 현관과 현빈은 거의 일치하거나, 혹은 호환되는 개념으로 사용된다. 그런데 백옥섬의 글에서 볼 수 있듯이, 내단학의 문법상 현빈은 하늘(乾)이자 양인 '현玄'과 땅(坤)이자 음인 '빈牝'의 결합어로 해석될 여지가 있다. 반면 현관은 다만 하늘이자 양인 '현'의 관문(玄關)이다.

이런 문맥에서, 현관은 현빈에 비해 개념의 외연이 상대적으로 좁다. 따라서 현빈이 현관과 호환되는 좁은 의미로 쓰일 때는, 주로 머리의 한 지점(양미간 혹은 정수리)으로 한정된다. 하지만 현빈이 현과 빈이 결합한 넓은 의미일 때는 몸의 위아래를 연결하는 주천의 전체 경로를 가리키기도 하는 것이다.

그리고 또 하나, 반드시 주의할 사항이 있다. 현관이나 현빈이 머리의 한 관문 혹은 주천의 경로를 가리킨다고 해서, 그것이 기혈氣血의 외적 반응점인 경혈經穴이나 그 연결망인 경락經絡과 완전히 동일시될 수는 없다는 것이다. 다시 말해, 인당이나 백회혈 그리고 임독맥 등이 현관이나 현빈의 개념을 대체할 수는 없다.

왜냐하면 그 개념들이 설령 공간적으로 중복되는 지점을 암시하더라고, 그것이 함축하는 내포의 층위가 서로 확연히 다르기 때문이다. 예를 들어 '서울시 종로구 세종로 1번지'와 '청와대'는 같은 장소다. 하지만 '청와대'는 단지 그 지번으로 환원할 수 없는 중층적인 가치를 함축한다.

'현관' 역시 그렇다. 내단학의 심층적 우주론과 수행론의 의미가 담긴 '현관'은 단지 인당이나 백회혈 같은 반응점으로 환치되지 않는다. '현관'은 침이나 뜸 같은 자극을 가하는 장소로서의 경혈과는 차원이 다른 층위의 개념이다.

그러므로 단적으로 말해, 인당이나 백회에 침을 놓는다고 현관이 열리지는 않는다. 누군가 세종로 1번지에 있다고, 그가 곧 대통령이 되는 것은 아니듯이 말이다. 무엇보다 '현관'은 수행자 스스로가 주천화후를 돌리며 내적 관조로 발견하고 열어야 하는 정신의 한 통로다.

실제로 현관을 발견하고, 그 관문을 여는 공력 자체가 수행자의 공부 수준을 반영하는 지표가 된다. 그러므로 현관을 알기 어렵고, 열기도 어렵다고 하는 것이다. 무엇보다 '현관'은 선천의 건乾과 곤坤의 기운이 합치돼 만들어지는 신령한 통로여서, 후천의 혼탁한 기운이 통하는 기혈氣穴과는 차원이 다른 것이다.

현관은 뇌 중앙의 한 은밀하고도 신령스런 장소와 통하며, 그 장소에서 '곡신', '진(아)', '양신' 등으로 불리는 '선천의 참된 한 기운(先天眞一氣)'이 응결된다. 그러므로 "신이 현관에 통한다"는 것은, 달리 말해 이런 선천의 참된 기가 뇌에 수반한다는 의미를 함축한다.

이와 관련해, 전병훈은 뇌신경에 대한 서양의 생리학설을 높이 평가했다. 다음 장의 '심리철학' 편에서 살펴보겠지만, 그는 동서양철학이 모두 뇌(腦髓)로써 마음과 정신의 작용을 설명하는 것이 신성한 지혜라고 극찬한다. 한편 그는 우리나라에도 일찍부터 현관의 비결이 전해졌다며, 기자箕子와 최치원의 사례를 들기도 했다.

기자의 사례는 그 논거가 신화적이다.[59] 그러나 최치원이 현관을 논하는 대목은 그 전거가 뚜렷하다. "최고운이 말했다. '자부紫府는 마음을 닦아야 이를

---

59. 箕子(殷仁)以洪範九疇教武王, 少聞廣成玄牝之理, 就國朝鮮, 密修而成之. 兼治遼東, 尙禮義. 重農桑, 爲海外之聖國.(出神『仙鑒』四卷七節四板) 其德教神化至今尙存. 歷史與檀君·黃帝, 同一兼聖乎. 『통편』, 59쪽.

수 있으며, 현관은 힘으로 능히 열 수 없다."'[60] 이 구절은 실제로 『계원필경桂苑筆耕』에 전하는 글이다. 당나라 말에 '자부', '현관' 같은 내단학의 개념이 널리 유행하고, 또한 최치원이 거기에 상당한 조예가 있었음을 증명한다.[61] 어쨌든 전병훈은 다음과 같이 현빈의 논의를 종결했다.

> 아! 사람들이 이 현빈에 관해 알아서, 조식호흡을 면면히 하여 신과 기를 기르며 세월을 기다리면, 설령 참나를 이루지 못하더라도 응결된 신이 장생하여 병을 물리치고 수명을 늘일 것이 틀림없다. 그 도가 순수하고 그 이법이 올바르다. 실로 유가와 철학가의 결점을 보완하고, 사람들에게 공익이 되는 것을 어찌 헤아릴 수 있으랴?
>
> 그런데 모든 경전과 철학을 죄다 열람할 수는 없으나, 역시 오히려 의문이 있다. 온갖 경서(經傳子集)와 서양철학 여러 서적에 '현빈'에 관해 언급하는 바가 없다. 그리고 이 책(道書)들이 오랫동안 방외方外에 빠져서 비밀스럽게 묻힌 채로 지금에 이르렀다. 하늘이 묵묵히 내 마음을 인도해서 지극히 신령한 철리를 본 장에서 궁리해 찾아 통하게 하는 것은, [그 이법을—역자 주] 낱낱이 우리 인류에게 말해 주려는 것이다.
>
> 반드시 성의誠意, 정심正心, 수신제가(修齊), 치국治平, 충효忠孝, 인의仁義의 근본을 세우고, 단지 하루에 세 번 현빈의 공부를 아울러 궁구한다면 효험을 보지 못하는 사람이 없을 것이다.
>
> 아! 이야말로 사람이 장수하고 참나를 이루는 최상의 철리가 아니겠는가? 그러나 이것도 (공부를 하는) 그 사람에게 달려 있다.[62]

---

60. 崔孤雲(高麗人, 爲唐進士, 名致遠, 後乃成仙)曰 紫府乃修心可到, 玄關非用力能開.(『桂苑筆耕』有) 愚謂此公既識玄關而避亂, 隱修以成之. 『통편』, 59쪽.
61. 김성환, 「在唐 新羅人의 도교활동과 羅唐 간의 상호적 仙遊에 관한 연구」, 한국동양철학회, 『동양철학』 제36집 (2011).
62. 嗟! 我人羣知此玄牝, 則調息綿綿以養神氣. 歲月以期之, 縱未能成眞, 而凝神益壽, 却病延年, 則必矣. 其道純, 其理正, 眞可以補完儒哲家之缺點, 而爲公益於人羣者, 何可量乎! 然未能盡覽經傳哲學者, 亦尚有疑乎. 經傳子集西哲諸書, 無有道及玄牝者, 且此

이미 논구한 내용의 연장에서, 윗글을 그리 어렵지 않게 이해할 수 있을 것이다. 그런데 흥미로운 것은, 반드시 "성의·정심·수신·제가·치국·충효·인의의 근본을 세우고" 그러고 나서 "현빈의 공부를 병행하기"를 말하는 대목이다. 이런 도덕적이고 사회적인 덕목의 실천을 왜 현빈 수련의 전제로 요구하는 것인가? 이제 그에 관한 이야기로 말머리를 돌릴 차례가 됐다.

5. 연기축기煉己築基: 도심道心과 과욕寡慾

이른바 '연기축기煉己築基'로 불리는 정신수련의 단계가 있다. 이는 하나의 숙어로, 전통 내단학에서 매우 중시하는 수련의 입문과정을 가리킨다. 그런데 엄격히 말해, '연기'와 '축기'는 서로 다르다. 전병훈 역시 두 개념을 분리해서 설명한다.

그러면 먼저 '연기'란 무엇인가? 글자 그대로 말하자면, '연煉'은 단련, 연마, 수련 등을 의미한다. '기己'는 곧 자기 자신이다. 그런데 전통 내단학에서 '자기'란, 곧 사람들 각자의 '본성(性)'과 '신神'을 가리킨다.

한 예로 명나라의 오수양伍守陽은 『천선정리직론天仙證理直論』에서 이렇게 말했다. "자기(己)란 곧 내가 고요한 가운데의 참된 성품(眞性)이요, 움직이는 가운데의 참된 뜻(眞意)이다. 이는 곧 원신元神의 다른 이름이다."[63]

그런데 내단학에서는 왜 이런 본성의 수련을 강조하는 것일까? 역시 오수양의 언명이다. "반드시 먼저 자기를 수련하는(煉己) 것은, 내 마음의 참된 성품이 근본이 되어 정과 기를 주재하기 때문이다."[64] 사람의 성품, 곧 신이 정·기를

書久陷於方外, 秘坑者至今. 天其嘿誘余衷, 窮索以通至神哲理於此章者, 片片說與吾人. 必以誠意正心, 修齊治平, 忠孝仁義立本而只日三時兼致玄牝工夫, 未有不效驗者矣. 烏乎! 此非壽人成眞之無上哲理耶? 然存乎其人. 『통편』, 62~63쪽.

63. 己者即我靜中之真性, 動中之真意, 爲元神之別名也. 伍守陽, 「煉己直論」, 『天仙證理直論』 第五.

64. 然必先煉己者, 以吾心之真性, 本以主宰乎精炁者. 위의 책.

주재하는 근본이다. 따라서 정·기를 연마하기 전에 우선 성품부터 먼저 반드시 수련해야 하는 것이다.

전병훈 역시 이런 견지에서 '연기'의 중요성을 강조했다. 그는 『서경書經』의 저명한 구절에서 논의를 시작한다. "요·순이 말했다. '인심人心은 위태롭고 도심道心은 미약하다. 오직 정밀하고 한결같이, 진실로 그 중심을 잡으라!'"[65] 이 말은 순임금이 우에게 왕위를 선양하면서 전했다는, 이른바 '정일심법精一心法'의 요체로 유명하다. 서우가 말한다.

"이 장절은 비단 동아시아 여러 학문의 조종祖宗이 되는 데에 그치지 않는다. 범우주의 학술에 이런 마음의 이치를 벗어나는 것이 있는가?"[66] 인심·도심의 원리는 "만세토록 전하는 심학의 연원을 열었으며, 도학에서 자기를 수련하는 절묘한 공법(煉己之切功)이 된다."[67]

서우에 따르면 정일심법은 단지 유가에 국한되지 않고, 도가의 마음공부에도 요긴하다. 이런 문맥에서, 그것을 도가 심학心學의 '세 번째 진화' 단계로 비정하기도 했다.[68] 앞서 살폈듯이, 문명의 시원으로 거슬러 오르면 유가와 도가의 가치세계가 통합돼 있었다는 역사관에서 이런 인식이 비롯되었다. 여하튼 그는 '인심'을 곧 "물욕의 마음(物慾之心)"으로 정의하며, 인심을 버리고 도심을 지킬 것을 말한다.

> 인심은 곧 물욕의 마음이다. 무릇 온 세상을 경영하며 자기를 닦고 사람을 다스리는 도道로 '물욕의 마음'을 제거하고 항상 도심으로 몸의 주인(主宰)을 삼는 것보다 앞서는 게 없다. 그 뒤에야, 자기를 이겨 예를 회복하며(克己復禮), 사람을 사랑하고 만물을 이롭게 하여(愛人利物) 덕을 완성한다.[69]

---

65. 堯舜曰 "人心惟危, 道心惟微, 惟精惟一, 允執厥中." 『통편』, 66쪽. 『서경·대우모大禹謨』에 보인다.
66. 此一章非徒爲東亞諸學之祖宗, 而凡宇宙學術豈有出此心理以外者乎? 『통편』, 66~67쪽.
67. 此啓萬世心學之淵源, 爲道學煉己之切功也. 『통편』, 66쪽.
68. 此爲道家第三進化. 『통편』, 66쪽.
69. 人心, 即物慾之心. 凡經天緯地, 修己治人之道, 罔不先除物慾之心, 而常以道心爲身之

독자들은 앞서 "성의·정심·수신·제가·치국·충효·인의의 근본을 세우고" 나서 "현빈의 공부를 병행하라"던 서우의 앞선 언명을 기억할 것이다. 여기서 이른바 '근본'이란 곧 도심을 굳건히 하라는 말에 다름 아니다. 그것이 곧 '자기 수련(煉己)'의 관건이다.

만약 품성을 먼저 닦지 않고 기운의 수련에 들어간다면, 모래 위에 집을 짓듯이 기초가 부실하여 대성할 수 없다. 한 집안의 가장인 성품을 그대로 두고, 그 식솔인 정기만 다그치는 격이기 때문이다. 그러므로 서우는 다시 이렇게 말한다.

> 하물며 수양에 뜻을 두는 사람이라면 반드시 도심道心을 위주로 해야 한다. 그리고 이른바 '연기煉己'란 욕심을 줄이고 감정을 잊으며, 삿된 생각이 일어나지 않고, 허튼 생각과 잡념을 끊어 버리고, 소리·색깔·재물·이익에 움직이지 않고, 늘 맑게 텅 비며, 마음이 죽고 신이 살며, 빔의 극치에 이르고 고요함을 돈독히 하는 것이다.
> 마음이 오직 한결같이 중심을 지켜 움직이지 않으면(중심(中)은 곧 '현관'으로, 한 몸 천지의 정중앙이다), 이것이 곧 '연기'의 공법이다. 맹자는 "마음 기르기는 '욕심 줄이기(寡慾)'보다 좋은 게 없다"고 했다. 장자는 "뜻을 흩트리지 말고 정신에 집중하라"고 했다. 역시 수련에 도움이 된다.[70]

전병훈의 '연기'에 대한 견해는 내단학의 전통적인 해석과 궤를 같이하며, 유가와 도가의 수양론을 관통한다. 현대의 언어로 말하자면, '연기'의 관건은 마음의 의지력과 자기조절 능력을 키우는 데 있다. 서우는 서양철학의 이성도 이

主宰, 然後可以克己復禮, 愛人利物以成德矣. 『통편』, 66쪽.

70. 況乎有志修養者, 必以道心爲主. 而所謂煉己者, 寡欲忘情, 不起邪想. 絶祛浮思雜念, 不動於聲色貨利, 要常淸虛, 心死神活, 虛極靜篤. 惟心惟一, 守中不移(中卽玄關一身天地之正中), 是乃煉己之功也. 孟子曰 養心莫善於寡慾. 莊子曰 用志不分, 乃凝於神, 亦爲修煉之助也. 『통편』, 67쪽. 여기서 맹자와 장자의 말은 각각 『맹자·진심하盡心下』와 『장자·달생達生』에 보인다.

런 능력을 발휘한다며, 다음과 같이 칸트를 인용했다.

> 칸트가 말했다. "사람 마음의 능력과 의지력으로 질병의 상태를 통제할 수 있다. 마음과 생각을 철학의 이성으로 운용하면, 유쾌하지 않은 감정을 제어하고 외물外物에 얽매이지 않게 한다. 생기生氣에 막힘이 없이, 극기克己의 공을 이루게 한다."[71]

서우는 "칸트가 말하는 극기와 마음의 힘 역시 '연기'와 일치하는 공"이며, 역시 위대하다고 찬탄했다. 칸트가 80세까지 장수한 것도 이런 마음의 공력 덕분이라고 시사한다. 다만 칸트가 현빈의 공부까지는 미처 몰랐다고 아쉬워 한다.[72] 이처럼 전병훈은 단지 도교의 관점에 국한하지 않고, 욕망과 감정을 절제하는 온갖 의지적 노력에 '연기'의 공이 있다고 인정한다.

이는 유·불·도와 서양철학에 욕망 및 감정을 다루는 나름대로의 비결과 효용이 있다고 승인하는 것이다. 예를 들어 불교의 공空으로 탐·진·치의 삼독三毒을 벗어나든, 유교의 극기복례로 인의와 도덕을 함양하든, 도가의 허정虛靜으로 자애·검약·겸허의 삼보三寶를 지키든, 혹은 서양철학의 이성과 의지력으로 자기를 절제하고 감정을 제어하든, 거기에는 모두 '연기'의 공이 있다. 이처럼 서우는 사람마다 적합한 방식으로 각자의 성품과 마음을 닦을 가능성을 열어 둔다.

그런데 이런 '연기'와 함께 병행할 것이 또한 '축기築基'의 공부다. '축기'란 내단 수련의 기틀을 구축한다는 의미다. '기틀(基)'이란 단적으로 말해, 정기학설에서 생명의 기초를 이루는 정·기·신을 가리킨다. 따라서 '기틀의 구축'은 곧 몸 안의 정·기·신을 손상치 않고 쌓아 올리는 것이다.

---

71. 康德曰 "人心之能力與夫意力, 能制病情. 運心思於哲理, 即可以御不懌之情, 不爲外物所累. 可使生氣無窒, 爲克己之功." 『통편』, 67쪽.
72. 康德氏爲近世之大哲家. 其言曰 "克己與心力", 亦煉己一致之功矣, 不亦偉哉, 亦云隆壽(八十餘)然, 玄牝則恐未也. 『통편』, 67쪽.

특히 전병훈은 '정'을 누설하지 않고 아끼는 것이 단의 기틀을 다지는 관건이라고 강조했다. 광성자廣成子·공자 등의 글을 인용했는데, 그 요지는 다만 정을 아끼고 정욕을 경계하라는 것으로 귀결된다.[73] 그리고 서우는 다음과 같은 말로 '축기'에 대한 논의를 종결했다.

> 정수精水를 보존하고 아끼는 것이 곧 축기로, 기틀을 안정시키는 요지이다. 『도덕경』에서 말한다. "오직 아끼니, 이를 일컬어 '조복早服'이라고 한다. 조복을 일컬어 '덕을 두텁게 쌓는다(重積德)'고 한다. 덕을 두텁게 쌓으면 극복하지 못할 것이 없다."(『노자』 59장)
>
> 주자가 말했다. "이 몸이 노쇠하기 전에 더욱 검소히 수양하는 것을 일컬어 '조복'하고 '덕을 두텁게 쌓는다'고 한다. '조복'이란 노쇠하기 전에 미리 깨달아 아끼는 것이다. 만약 이 몸이 이미 쇠약해져서 마치 파손된 집과 비슷하다면, 비록 수양을 하려고 한들 또한 어찌 유익함이 있겠는가?"(『주자어류朱子語類』 권125)
>
> 예전에 주자가 무너진 집(몸)을 쉽게 수리하는(屋破修容易)[74] 법을 몰라서 이처럼 한탄했다. 그러나 수양에 뜻을 두고 나이가 많은 사람이라면, 마땅히 이를 거울로 삼아서 급히 축기築基에 착수해야 할 것이다. 칸트 역시 말했다. "무릇 노인으로 안색에 광택이 돌고 동안童顔을 잃지 않는 자는 반드시 홀아비로 사는 사람이다." 역시 색욕을 삼가라는 뜻이다.
>
> 밤낮으로 가볍게 옷을 입고 소식을 한다(쌀을 먹으면 몸이 무거워지고, 보리를 먹으면 몸이 가벼워진다). 일정한 시간에 잠자리에서 일어난다(7~8시간 자는 것이 적당하다). 아침에 태양의 기를 들이마시고, 침을 삼키며, 배를 고르게

73. 廣成子曰 "毋撓爾精, 可得長生." 孔子曰 "戒之在色." 『經』曰 "閉子精路可長生." 石杏林曰 "欲煉先天炁, 先乾活水銀."(永銀, 水精水別名) 又云 "水銀一味仙家祿. 此爲丹基, 而易以走失. 故戒之如此也." 『통편』, 68쪽. 여기서 『경經』은 곧 『황정경黃庭經』을 가리킨다.
74. "무너진 집을 수리하는 게 쉽다(屋破修容易)"는 것은 석행림의 『환원편還源篇』에서 비롯된 구절이다. "屋破修容易, 藥枯生不難, 但知歸複法, 金寶積如山."

문질러 준다(36번 한다). 보행하며 기를 펴고, 단지 욕망을 절제하고 정을 아끼는 것이 절실한 요령이다.[75]

노쇠하기 전에 정을 아껴야 한다. 색욕을 비롯한 일체의 과도한 욕망을 절제하고, 의·식·주의 일상생활에서 절도를 지키는 것이 정기를 지키는 관건이다. 어찌 보면 평범하기 그지없는 원칙이다. 하지만 이런저런 핑계로 사람들이 한결같이 지키지 못하는 것이 또한 생활의 절도다.

현대사회는 온갖 감각적 자극과 말초적 쾌락이 과거 어느 때보다 과도하게 범람한다. 이런 혼란한 시대에, 인간다운 품성을 지키는 '연기'와 생활의 절도를 지키는 '축기'야말로 인간의 자기보존을 위한 최소한의 방어막이 된다.

연기·축기는 꾸준히 지속하는 것이 관건이다. 한때의 의지적 노력을 넘어 습관이자 생활패턴으로 정착되기에 이르러야 한다. 무엇보다 "노쇠하기 전에 미리 깨달아" 일찍 수양(早服)하라는 주희의 회한 어린 충고에 귀 기울여야 한다.

혈기가 방장해서 함부로 정욕을 낭비하기 쉬운 청년기부터 올바른 품성과 생활습관을 기르는 것이 중요하다. 나이가 들어 적신호가 켜지기 시작하면 그때는 이미 늦다. 서우가 명언하듯 "주자의 경고를 거울로 삼아서", 마음의 평정과 생활의 절도를 회복해야 한다.

감각적인 사회분위기와 말초적 충동에 함부로 휩쓸리다 보면, 윗글처럼 "몸이 이미 쇠약해져서 마치 파손된 집과 같은" 지경에 이르기란 다만 시간문제일 뿐이다. 그런 뒤에 뒤늦게 후회한들, 한번 고갈된 정기를 다시 회복하기

---

75. 保嗇精水, 是乃築基, 基安之要也. 『道經』曰 "惟嗇, 是謂早服. 早服, 謂之重積德. 重積德則無不克." 朱子曰 "此身未有衰損而加以儉養, 是謂早服而重積德." 早服者, 早覺未衰而嗇之也. 如某此身已衰耗, 如破屋相似. 雖欲脩養, 亦何能有益耶? 惜晦翁未聞屋破修容易之法, 故猶有此歎耶. 然有志修養而年晩者, 宜鑒乎此, 汲汲築基下手可也. 康德亦云 "凡老者, 容色光澤, 不失童顏者, 必鰥居之人." 亦愼色之意也. 日夜之間寬衣少食.(食米身重食, 食麥身輕) 起寢有定時.(寢以七八時干爲宜) 朝吸太陽氣, 咽津摩腹幷.(三十六次) 行步舒氣, 只可節慾嗇精切要. 『통편』, 68~69쪽. 노자가 말한 '조복早服'은 초간본에서 '조비早備'이다. 이에 따라 "일찍 준비한다"로 해석한다. 주자의 말은 『주자어류』 권125에 보인다.

는 실로 난망하다.

비록 정신수련으로 손실된 정기를 만회할 수 있다. 하지만 일상의 품성과 생활습관을 다지지 않은 기반에서는, 아무리 수련을 해도 다만 '밑 빠진 독에 물 붓기'와 다르지 않다. 그러므로 무엇보다 연기·축기가 원만해지는 것을 모든 공부의 출발점이자 기반으로 삼는 것이다.

다시 말하지만, 연기와 축기는 일상의 삶을 떠나지 않는다. 인간다운 품성과 생활의 절도를 지키며 하루를 잘 사는 것이 곧 참된 공부이다. 그것이 하루에서 한 달이 되고, 한 달이 한 해가 되며 한 해가 평생이 되도록 내면화되면, 공자가 말하듯 "내 마음이 시키는 대로 해도 법도에 어긋나지 않는(從心所欲不踰矩)" 지경에 이른다.

수많은 성현과 철학자들이 "참된 진리는 언제나 평범한 일상 가운데 있다"고 이구동성으로 말한다. 그것이 또한 연기·축기의 원리와 완전히 합치하는 것이다.

6. 기를 모아 현관을 통하다(聚氣通關): 현관비결타좌식

연기·축기의 기초가 다져지면 현빈의 본격적인 운용에 들어간다. 이때 긴요한 것이 정좌법이다. 내단학에서는 이를 흔히 '타좌打坐'라고 한다.[76] 여동빈은 "전적으로 현관에 집중하려면 타좌를 법으로 한다"고 했다. 혹은 단결丹訣에서 "도를 배우는 사람은 모름지기 타좌부터 배워야 한다"고도 한다. 그러나 전병훈은 『도장』을 두루 열람해도 그 법식을 찾을 수 없었다고 고백했다.[77]

실제로 타좌의 법식을 상세히 진술하는 전적을 도장에서 보기 어렵다. 그것

76. '打坐'란 말 그대로 '앉는다'는 뜻이다.

77. 然呂純陽曰 "專注意玄關, 打坐爲法." 丹訣曰 "學道先須學打坐." 然博攷道藏, 未有其式也. 『통편』, 69쪽. 여기서 "學道先須學打坐"는 『제진내단집요諸真内丹集要·천래자청룡가天來子靑龍歌』에 보인다. 『정통도장』 '정일부正一部'에 있다.

은 타좌가 매우 실제적인 공부로, 수련가들 사이에서 직접 전수되는 기술 및 요령이기 때문이다. 명상과 요가 등이 대중화하면서, 현대사회에서는 온갖 정좌법과 그것을 해설하는 교본이 오히려 혼란스러울 정도로 범람한다.

하지만 전병훈의 시대만 해도 타좌법은 산중의 구도자들에게나 전해지는 일종의 '현장 기술(field technology)'이었다. 그러므로 내단학에 관심을 가진 뒤로 전병훈은 타좌법을 익히기 위해 상당히 고심했으며, 여러 수련법을 탐구했다.

예를 들어 그는 일본의 오카다 도라지岡田虎二郎[78]가 창립한 이른바 '오카다식 정좌법'에도 관심을 보였다. 오카다식 정좌법은 20세기 초 일본에서 한 시대를 풍미했던 일종의 복식호흡 명상법이다. 이는 당시 중국에도 상륙해 열풍을 일으켰다.

해당 정좌법의 교본이 수십 차례나 거듭 간행되고, 연합회가 조직돼 학습반이 운영되었다. 서우는 이 정좌법에도 병을 물리치고 수명을 연장하는 공효가 있다고 인정한다. 하지만 현관의 신비에 이른 것은 분명히 아니라며, 내단 수련법과는 확실히 선을 긋는다.[79]

전병훈이 구한 것은 내단학의 정통 타좌법이었다. 그는 나부산에서 고공섬古空蟾을 만나고 나서야 비로소 애타게 구하던 타좌법을 얻게 된다. 그것이 곧 '현관비결타좌식'이다. 이후 그는 현관에 정신을 응결하는 수련의 전 과정에서 이 타좌법을 실행했다. 또한 제자들에게도 이 법식을 전수했다.[80] 내단학의 학술이 고공섬에 와서 여섯 번째로 혁신해 진화했다고 할 정도로, 서우는 '현관비결타좌식'을 대단히 높게 평가했다.

---

78. 오카다 도라지(1872~1920)는 일본 아이치현 사람으로 오카다식 정좌법을 창시하였다. 저서로는 『오카다식 정좌법(岡田式靜坐法)』이 있다.

79. 近閱引是子靜坐法, 以正呼吸導引爲主旨, 至論日本岡田虎二郎創設靜坐法風行(重板已數十次) 有聯合會, 而加入學課, 則其爲却病延年之益, 無疑也. 然必非玄關神秘者也. 『통편』, 69~70쪽.

80. 『통편』, 70~74쪽.

고공섬古空蟾의 '현관비결타좌식玄關秘訣打坐式'

『정신철학통편』에서 '현관비결타좌식'을 자세히 진술한다. 이 수련 법식은 하단에서 등 뒤로 기운이 올라 현관에 통하는 것을 일차적인 목표로 한다. 이를 '통관通關'이라고 한다. 통관의 기본적인 자세와 방법은 모두 16가지의 법식으로 이뤄진다. 마지막은 총론으로 법식 전체에 적용되는 지침이다. 타좌식의 내용은 다음과 같다.

① 양쪽 두 발을 십자 모양으로 포갠다(蟠兩足十字).

② 두 발의 발바닥이 하늘로 향한다(兩足掌向天).

③ 머리를 바르게 한다(頭正).

④ 허리를 꼿꼿하게 편다(腰直).

⑤ 가슴을 수렴해 안으로 거둔다(收胸).

⑥ 눈을 편안하게 뜬다(平眼).

⑦ 두 손을 포개 모은다(合手).

–왼손을 오른손에 포개니, 이를 일컬어 "용이 호랑이를 삼킨다(龍呑虎)"라고 한다.[81]

⑧ 몸을 바르게 한다(體正).

–지나치게 구부리거나 젖히지 않고, 좌나 우로 편중되지 않는다.[82]

⑨ 시각·청각 등의 감각을 안으로 거둬들인다(收視反聽).

–먼저 눈을 되돌려 안으로 향하고 그 마음을 보니, 이른바 "신이 돌아와 집으로 귀환함(返神歸舍)"이다. 마음이 도를 향하고, 모름지기 청각을 응결해 그 소리를 듣지 않는다.[83]

⑩ 심신을 비우고 안정되며 고요히 한다(空正定靜).

–'비운다(空)'는 것은, 안으로 사념이 없고 한 점의 연루된 근심도 없음이다. '안정된다(定)'는 것은 밖으로 그 몸을 바르게 하여 기울지 않고, 안

---

81. 左合右, 謂之龍呑虎. 『통편』, 71쪽.

82. 不過俯, 不過仰, 不偏左, 不偏右. 『통편』, 71쪽.

83. 先將眼返入內, 視其心所謂返神歸舍. 心向乎道, 須凝耳韻, 而不聽其聲. 『통편』, 71쪽.

으로 그 마음을 바르게 하여 삿되지 않은 것이다. 마음과 의지가 만나면 자연스럽게 안정된다. 신과 기가 응결되면 자연스럽게 고요해진다.[84]

⑪ 의식을 현관에 두고 정신을 마음에 집중한다(意關神心).

–그 때 천일생수天一生水의 법을 사용할 수 있다. 의지를 온전히 현관에 둔다. 의지란 곧 마음이 일어난 바이다. 의지가 머무는 곳에 신 역시 머문다. 신이 머물면, 기 역시 머문다. 이에 곧 응결되어 기혈炁穴로 들어간다.[85]

⑫ 기를 막고 허리를 빳빳하게 곧추세운다(閉氣腰挺).

–기를 막지 않으면 몸 안의 정·기·신 삼보三寶가 온전하지 않다. 그러므로 반드시 그 입을 다물고, 그 숨을 죽여 닫고 참기 어려울 때까지 참는다. 입안에 고인 침을 삼킬 때 숨을 몰아서 한 번에 내쉬고, 곧 폐기로 돌아온다. 허리는 한 몸의 중간에 서 있는 지주와 같다. 반드시 몸을 곧추세워야 이에 능히 정신을 진작할 수 있다.[86]

⑬ 생각에 집착하지 않는다(勿着意).

–뜻이 가깝지도 않고 멀지도 않으며 있는 듯 없는 듯 하는 것이 '참된 뜻(眞意)'이 된다. 만약 과도하게 뜻을 쓰면 후천에 떨어지고, 무익하며 손실만 있다. 그러므로 (뜻이) 드러나지 않도록 경계한다.[87]

⑭ 잡념을 삼간다(雜念忌).

–타좌는 '비움(空)' 한 단어를 위주로 한다. 또한 참된 비움을 모르고 무턱대고 비우기만 한다면, 문득 '완고한 비움(頑空)'에 떨어진다. 몸 안에

---

84. 空者, 內無思念, 了無牽罣. 定者, 外正其身不側, 內正其心不邪. 心與意會, 則自然定. 神與氣凝, 則自然靜. 『통편』, 71쪽.

85. 其時, 可用天一生水法. 意專注玄關, 意乃心之所發, 意之所住, 神亦住焉. 神住, 氣亦住焉. 乃凝入炁穴. 『통편』, 71쪽.

86. 不閉氣, 則內精氣神三寶不全. 故必閉其口, 屏其息閉到難忍處, 與咽津時, 略將氣放一陣, 即爲閉回. 若腰爲一身中流砥柱, 必要挺身, 乃能振刷精神. 『통편』, 71쪽.

87. 意以不即不離, 若有若無爲眞意. 若太用意則落後天, 無益而有損矣. 所以戒勿著. 『통편』, 71쪽.

형체(色)가 있다면, 또한 형체가 없는(無色) 현상도 존재한다는 것을 반드시 알아야 한다. 그것이 참된 공(眞功)이다. 허튼 생각과 잡념을 가장 금기해야 하니, 형체는 곧 풍경(景色)일 뿐이다.[88]

⑮ 혈기에 찬 마음을 가라앉힌다(死血心).

–수련으로 마음이 죽으면 신이 살아난다. 대개 혈기에 찬 마음은 음에 속하고, 신은 양에 속한다. 양이 왕성하면 음이 쇠퇴한다. 그러므로 좌정할 때 마음을 허정虛靜하게 하고, 몸이 무위無爲로 들어가 움직임과 고요함을 모두 잊고 안팎이 합일되면, 이에 신을 얻는다.[89]

⑯ 편안히 인내하며 기다린다(寧耐俟).

–공자가 이르길 "꾸준히 하기 어렵다"고 하였다. 꾸준함이 성인이 되는 기틀이다. 빨리하려고 하면 이르지 못한다. 그러므로 굳게 참는 힘으로 의연하게 지키면, 계속 물이 빠진 뒤에 돌이 드러난다. 언젠가 공을 이룸은 온전히 '편안히 인내함(寧耐)' 두 글자에 의지한다. 힘쓸지어다.[90]

⑰ 총론總論

–도에서 이른바 '수련(煉)'이 무엇인가? 대개 눈으로 수련한다. 신이 눈에 있으며, 신으로 기를 제어한다. 『장자』가 말하는 "태극을 잡아 육기六炁를 제어한다"는 것이다. 그러나 마음이 이를 주재하니, 대개 마음이 한 몸의 주인이 된다. 뜻은 정·기·신의 장수이다. 곧 이를 깨달아 문득 '수련(煉)'이라는 글자의 요지를 체득하면, 여섯 가닥 말고삐를 한 손에 쥔 것[91]과 같다.[92]

---

88. 坐以空字爲主, 又不知空徒空, 便落於頑[頑]空. 必要內有其色, 又無色之見存, 乃爲眞空. 若浮思雜念, 最忌, 色即景色. 『통편』, 71쪽.

89. 煉以心死則神活. 蓋血心屬陰, 神屬陽. 陽盛則陰衰, 故坐時要心虛靜, 身入無爲, 動靜兩忘, 內外合一, 乃得. 『통편』, 71쪽.

90. 孔聖云, "難乎有恒", 以有恒爲作聖之基, 欲速則不達, 所以有堅忍之力, 毅然有守, 直到水落, 然後石出也. 他日功成, 全賴寧耐二字, 勉俟. 『통편』, 71쪽.

91. 四牡孔阜, 六轡在手. 『詩·秦風·小戎』.

92. 夫道之云煉者何? 蓋以眼煉也. 神在眼, 而以神御氣. 『莊子』云 "操太極以御六炁"是也. 然心主之, 蓋心爲一身之主. 意爲精氣神之帥, 即此悟之, 便得煉字之宗旨, 如六轡在手

이상의 정좌법을 매일 행하는데, 거기에 필요한 요령과 지침은 또한 다음과 같다.

이상의 타좌법을 매일 두 차례 혹은 세 차례씩 편리한 대로, 매번 앉아 오래할수록 좋다. 만약 오래할 수 없다면, 향 한 자루가 타는 것을 기준으로 해도 능히 공을 볼 수 있다. 총괄 요령은 시시각각 의식을 현관에 두고, 거기서 떼지 않는 것이다. 그 뒤에 현관이 쉽게 열린다.

타좌 시에 안정과 고요(定靜)에 이를 무렵, 혀를 가볍게 입천장에 대고 맑은 기운이 오르고 탁한 기운이 내려가게 하여, 침이 가득 고이면 하단전으로 삼킨다. 삼킬 때 입안의 기운을 방출토록 하여, 후천의 탁기까지 삼켜 병이 되지 않도록 한다.

현관이 통한 뒤는 물론이고, 모름지기 후천 탁기는 배출하여 복용하면 안 된다. 하지만 선천의 기가 들어오려고 하면 복용해도 좋다. 이것이 「낙서洛書」의 "천일天一이 물을 낳고 지육地六이 그것을 이룬다(天一生水, 地六成之)"는 법이다.

타좌를 마치면, 두 손을 마찰해 열을 내서 눈에 대고 화기(火)를 방출한다. (예닐곱 번을 한다.) 또한 주먹을 쥐고 다리를 두드리는 운동을 한 번해서 근육과 경락을 풀어 준다. 이로써 그 울체된 열(屈火)을 배출시키고, 그것이 근육과 뼈로 흘러들어 불편해지지 않도록 한다.

타좌의 장소는 반드시 평상 아래 장막을 치고, 다른 사람이 올려다보지 못하게 한다. 대개 (정·기·신) 삼보가 드러나 마구니(魔)를 부르는 것을 두려워함이다.

또한 착수하여 아직 현관이 통하지 않았을 때 시장기나 포만감이 돈다면, 마땅히 타좌하지 말아야 한다. 또한 마땅히 천지의 어진 마음을 체현해서 살생하지 말고, 사람과 사물의 더러운 기운을 피하며, 죽은 것을 가까이하

矣. 『통편』, 71~72쪽.

> 지 않는 것이 지극한 요령이다.
>
> 이로써 진眞을 쌓기에 오래 힘쓰면, 기가 통하고 신이 돌아올 때 자연스럽게 현관이 열린다. 또한 의도적으로 그것을 열려고 해서는 안 된다. (만약 오랫동안 의도해 열리지 않는다면, 마땅히 무의지로 해야 문득 열릴 것이다.)
>
> 장차 현관이 통할 때가 되면, 삼보의 진기眞氣를 징험하게 된다. 왕성하게 몰아 현관에 들어가려 해도 들어가지 못하면, 반드시 이마 쪽 얼굴 표면으로 가며, 콧구멍 사방 주위로 감아 돌아 개미나 벌레가 기어가듯하여 심히 괴롭게 된다. 점차 좁아져서 가까워지다가 현관을 깨물게 되는데, 깨물고도 들어가지지 않으면 휘감아 돌고, 혹은 니환을 통해서 들어간다. 다시 깨물어서 통증을 느끼는 때에 이르러, 곧 현관이 열리며 통한다. 통할 때 위아래의 기가 긴밀히 접해 환하게 터지며(豁然), 후련하고 크게 즐거워진다. 그 뒤에 현관을 한결같이 지키면, 진화(火)와 진수(水)가 만나 자연스럽게 운동한다. 그리고 병 역시 이로부터 줄어든다.[93]

타좌법의 실천은 '현관이 통하는(通關)' 공부의 처음이자 끝이다. 이를 7~8개월 정도 근실하게 행하면, 현관에 기가 통하고 신이 응취하는 효험을 대개 스스로 체득할 수 있다. 그 뒤에도 시종여일하게 타좌법을 시행해야 한다. 한편 전병훈은 고공섬이 전한 '일용장생법日用長生法', 그리고 '도를 연마하기 전에

93. 以上打坐法每日或兩次·三次隨便, 每坐以久爲佳. 如不能久, 以腳香燃一枝爲度, 乃能見功. 總要時時意在此關, 不離這個, 然後此關乃易開. 坐時到定靜之際, 以舌輕輕頂住上腭[齶?], 使昇清降濁如滿, 咽下丹田. 咽時可畧放出口氣, 免帶後天濁氣咽入而作患也. 若通關後勿論, 蓋後天濁要出, 不可服. 先天之氣要入, 可服也. 此是『洛書』天一生水, 地六成之之法. 坐完, 將兩手搓熱, 以出眼火.(六七番) 又要伸拳弄腳, 運動一番, 使舒筋活絡, 以出其屈火, 免其流入筋骨而不寧也. 然打坐處, 必以在床下帷, 不使人見爲上, 蓋恐三寶露而招魔也. 又入手未通關時, 遇饑飽勿宜打坐. 又當體天地之仁心, 勿殺生, 免人物之穢氣, 勿近死是爲至要者矣. 以待眞積力久, 氣通神迴時候, 自然關開. 又不可著意其開.(若著意久不開, 當無意便可開.) 至將通關時, 可驗三寶眞氣, 盛逼欲入關而未得入, 必於頭額面步, 鼻孔四圍走繞, 形如蟻行虫走, 甚似可厭. 漸逼漸近, 至於咬玄關, 咬之不入, 走繞, 或從泥丸而入. 再至於再咬而痛時, 則關開通矣. 通時上下之氣緊接豁然, 爽心大快. 此後一守玄關, 水火旣濟, 自然運動矣, 而毛病亦從此少矣. 『통편』, 72~73쪽.

우선 마음을 연마하는(煉道先煉心)' 원리를 함께 소개했다.

> 고 선생이 또한 '일용의 장생법'을 말했다. 입을 다물고(도둑질하거나 희생을 죽이지 말고, 아울러 방종한 언어를 쓰지 않는다), 단정히 앉는다. 한 생각도 일으키지 말고, 온갖 시름을 모두 잊으며, 신을 보존하고 뜻을 안정시킨다. 눈으로 사물을 보지 않고, 귀로 소리를 듣지 않으며, 한 마음(一心)으로 내면을 지킨다. 면면히 숨을 고르고, 천천히 들이쉬고 내쉬어 끊어지지 않게 하여, 마치 있는 듯 없는 듯이 한다. 자연스럽게 물과 불이 오르내리고, 신령한 진기(靈眞)가 몸에 붙어 장생하기가 어렵지 않다.
>
> 또한 '도를 연마하기 전에 우선 마음을 연마하기'를 말했다. 그 마음을 반드시 항복받고 사대四大가 모두 공空해야, 이에 가히 도를 이룰 수 있다. 대개 술(酒), 색정(色), 재물(財) 세 단어는 오로지 그 허망함을 간파하라. '기氣' 한 글자는 더욱 각별히 평탄케 한다. 마땅히 격노함을 경계하고, 욕됨을 참아서(忍辱) 삼보를 해치는 일이 없도록 한다.
>
> 대개 천지가 사람 몸에 갖춰 있다. 기쁘기가 마치 봄날의 생기와 같고, 덕량이 강과 바다 같이 넓으며, 마음이 평화롭고 기가 화평하면, 혈맥이 생생하여 그치지 않는다(生生不已). 어찌 수명을 더해 장수하는(延年益壽) 도가 아니겠는가? 등잔을 사르면서 기름을 붓는 것과 꼭 같다. 누가 이를 꺼뜨릴 수 있겠는가? 노년에 더욱 건장해지니, 이와 같이 한결같이 힘쓸지어다.[94]

이상으로 '현관비결타좌식'이 모두 진술됐다. 앞서 말했듯이, 이는 현관에 기를 통하고 신을 응결하는 '통관' 수련의 기본법식이다. 서우는 이를 '처음이

---

94. 古先生又曰 '日用長生法'. 噤口.(不盜, 殺牲禽, 並不狂肆言語.) 端坐. 莫起一念, 萬慮俱忘, 存神意定, 眼不視物, 耳不聽聲, 一心內守, 調息綿綿, 漸漸呼出, 莫教間斷, 似有若無, 自然水火昇降, 靈眞附體, 得至長生不難矣. 又曰 '煉道先煉心'. 必要降伏其心, 四大皆空, 乃可成道. 蓋酒色財三字, 固要勘破, 氣之一字, 更要加意推平. 當以暴怒爲戒, 忍辱以免害三寶. 蓋天地備於人身, 喜如春生, 量同河海, 心平氣和, 血脈生生不已. 豈非延年長生之道乎? 正如燃燈添油, 誰從熄之? 老年益壯, 如是同勉之哉. 『통편』, 73~74쪽.

자 끝이 되는 요령'이라고 하며, 정신수련의 전 과정에서 반드시 이 타좌식을 운용해야 한다고 강조했다. 서우 정신학의 공부에서 그만큼 기본이 되는 법식이 곧 이 타좌식이다.

7. 진화채약進火採藥

타좌가 깊어지면 몸 안에 정·기·신의 기틀이 잡히고, 마침내 현관이 열린다. 그러면 곧 '진화채약進火採藥' 공부를 시행한다. 전병훈은 먼저 다음 구절로 '진화채약'의 대강을 설명했다.

> 광성자가 말했다. "진기眞炁가 음기陰氣를 싸워 물리쳐 몸을 순수한 양(純陽)으로 단련한다. 그러므로 불사한다. 몸을 나라로 삼고, 마음을 군주로 삼고, 정을 백성으로 삼고, 형形(형은 곧 배다)을 화로로 삼는다. 머리는 솥이다. 정이 뇌에 가득하므로, 불(火)을 이용해 달궈 단련해 단을 이룬다.
> 정수精髓에서 불이 드러나니, 불은 곧 양기陽炁다. 숨은 바람이다. 바람으로 불을 일으키고, 불로 형과 신을 단련하면, 두루 오묘해진다. 그러므로 말한다. '신을 단련하는 도는, 마음을 안에 보존하는 데에 있다. 진기眞氣가 조화로워 죽지 않으며, 양의 정(陽精)을 누설치 않는 것이 훌륭하다.'"(양정陽精이 곧 진종자眞種子이다.)[95]

윗글은 『음부경삼황옥결陰符經三皇玉訣』에서 인용한 것이다.[96] 전병훈은 "건

95. 廣成子曰 眞炁戰退陰氣, 煉體純陽, 故不死. 以身爲國, 以心爲君, 以精爲民, 以形(形即腹)爲爐. 首者鼎也, 精滿於腦, 故用火煆煉成丹. 因精髓見火, 火者陽炁. 息者風也, 以風吹火, 火煉形神俱妙. 故曰 "煉神之道, 存心於內, 眞氣沖和不死, 陽精不泄者勝."(陽精是眞種子) 『통편』, 74~75쪽.

96. 『陰符經三皇玉訣』 卷上. 원문에서는 광성자가 아니라 천진황인天真皇人이 황제와 대화하는 내용으로 나온다.

乾, 곤坤, 솥(鼎), 화로(爐)의 명칭과 뜻이 여기서 확연해진다"[97]고 한다. 이런 용어들은 내단학에서 빈번히 사용되는 개념이지만, 은어의 특성상 여러 설이 분분하다.

이에 대해, 전병훈은 위의 인용문에서 제기된 정의를 준용한다. 특히 긴요한 것은 화로를 배(腹)로, 솥을 머리(首)로 비정하는 것이다. 또한 '양의 정(陽精)'이 곧 '진종자'라고 한다. 독자들은 이 정의를 기억해 둘 필요가 있다.

'진화채약'이란, 말 그대로 '불을 들여 약을 채취한다'는 뜻이다. 여기서 불을 조절하는 것을 '화후火候'라고 한다. 화후는 본래 약을 달일 때 쓰던 말이다. 불의 강약과 가열하는 시간을 조절하고, 그 과정에서 약물이 변화하는 현상 등을 포괄해서 '화후'라고 한다.

그런데 내단학의 화후 역시 문맥은 대동소이하다. 연단을 할 때, 약한 불인 문화文火와 강한 불인 무화武火의 불길 강도와 시간 등을 조절하는 과정, 그리고 거기서 운용되는 법식 일체를 '화후'라고 한다. 그런데 "성인이 약은 전해도 불(화후)은 전하지 않는다"[98]는 명구가 있다.

화후는 그 요령을 전수하기 어렵고, 전수받기도 어렵다는 뜻이다. 그만큼, 화후는 내단학에서 은밀히 전승하는 수련의 요체다. 그렇다면 화후에서 사용하는 불은 무엇인가? 전병훈은 위 인용문에서 "불은 곧 양기"라는 언명에 주목했다. 화후에 쓰는 불길은 곧 뼛골(精髓)에서 일어나는 양기다. 전병훈은 이를 뒷받침할 문헌적 근거들을 보충했다.

> ①『약경』에서 말한다. "선천기와 후천기를 얻은 자는 항상 취한 듯이 보인다. 하늘에서 별에 상응하고, 땅에서는 조수에 상응한다. 불은 참된 불(眞火)이며, 물은 참된 물(眞水)이다. 손풍巽風이 일어나고 곤화坤火를 운용해서 황궁黃宮에 들어가 지극한 보배를 이룬다."[99]

---

97. 乾坤鼎爐之名義, 於斯可以瞭然無疑.『통편』, 75쪽.
98.『丹經』曰 "聖人傳藥不傳火."『통편』, 75쪽. 이 구절은 설도광薛道光(1078~1191)의『환단복명편還丹複命篇』에 보인다.

②『참동계』에서 말한다. "맹렬한 불길(炎火)을 아랫배에 크게 설치한다."[100]

①의 『약경』은 비교적 이른 시기의 내단학 전적이다. 당나라 최희범崔希範이 880년에 편찬한 『입약경』이다. 여기서 '손풍'의 의미는 중층적이다. 팔괘의 하나인 손巽(☴)괘가 본래부터 바람을 상징한다. 또한 방위로는 동남방, 계절로는 봄, 오행에서는 나무(木)에 속한다. 즉 봄날의 생기를 담은 훈풍인 셈이다.

화후에서 '손풍'은 코로 깊고 부드럽게 호흡하는 숨이다. 봄날의 훈풍처럼 양기를 일으키는 들숨날숨을 가리킨다. 그리고 '곤坤'은 아랫배(하단전)다. 따라서 '곤화'는 하단전에서 일어나는 불이다. ②에서 묘사하듯 그것은 아주 맹렬한 불길이어야 한다. 한편 화후에서 불길을 들이는 것, 즉 불을 일으키는 것이 '진화進化'이다. 전병훈은 '진화'에 대해 이렇게 말했다.

③ 여동빈이 말했다. "순정한 한 점 양기(正一陽)가 처음 움직이고, 불을 들이는 공부가 우두의 위기(牛斗危)에 있다."[101]

④ 장백단[102]이 말했다. "한 점 양기가 도래해 돌아올 때, 불을 들이기를 지체하면 안 된다."[103]

③은 여동빈의 연단사煉丹詞로 유명한 『심원춘沁園春』[104]에 보이는 구절이

---

99. 『藥鏡』曰 "先天氣, 後天氣, 得之者, 常似醉. 天應星, 地應潮. 火眞火, 水眞水. 起巽風, 運坤火, 入黃宮[房], 成至寶." 『통편』, 75쪽. 『입약경』 원문에서 '黃宮'은 '黃房'으로 표기된다.

100. 『參同』曰 "炎火張設下." 『통편』, 75쪽.

101. 呂純陽曰, "正一陽初動, 進火工夫牛斗危." 『통편』, 75쪽.

102. 장백단張伯端(983~1082)은 도교 전진도의 도사로 호가 자양紫陽이며 남종 자양파紫陽派의 시조이다. 『오진편悟真篇』을 남겼다.

103. 張紫陽曰 "若到一陽來復, 進火勿遲." 『통편』, 75쪽.

104. 『심원춘』에 보이는 해당 구절은 다음과 같다. "七返還丹, 在我先須, 煉己待時. 正一陽初動, 中宵漏永, 溫溫鉛鼎, 光透簾幃. 造化爭馳, 虎龍交媾, 進火功夫牛鬥危." 『전당

다. '우두'란 본래 28수 가운데 우성(牛宿)과 두성(斗宿)을 가리킨다. 위진남북조 시대에 오吳나라가 진晉나라를 멸할 때 자줏빛 기운(紫氣)이 두 별 사이에 나타나 머물렀다고 전해져 유명해졌다.[105]

그런데 여기서는 아랫배에서 순일한 양기가 처음 일어나고 불꽃이 점화되는 화후의 시점을 비유한다. 즉 밤하늘의 견우성(牛星)과 북두칠성(斗星) 사이에서 자줏빛 기운이 점멸하듯, 몸 안의 화후가 돌아가면서 허무한 가운데서 양기가 움직이고 거기에 불이 붙는다.

이런 점화의 타이밍은 아주 순간적이고도 미묘하다. 따라서 그것을 '우두의 위기'라고 은유했다. 별과 별 사이에 자색 섬광이 나타나듯, 아랫배에서 한 점 양기의 불꽃이 번득이는 순간을 비유한다. ④는 이 순간에 지체 없이 불을 지펴야 하는 이치를 말한다. 그리고 '손풍', 즉 봄바람 같은 숨을 코로 깊이 들이쉬고 내쉬어 그 불씨를 키워 조절한다. 거기에 요령의 핵심이 있다. 이어서 전병훈은 약을 채취하는 '채약採藥'에 관해 말한다.

⑤ 근세에 윤진인尹眞人이 주운양朱雲陽에 덧붙여 말했다. "활자시活子時와 정자시正子時에 약이 만들어지면 신神이 안다." 이는 분명히 사람 몸의 양기가 움직인 것이다. 곧 '약藥'이며, 물 가운데의 참된 불(水中之眞火)이다. 불이 이에 위로 타오르니, 참된 뜻을 써서 끌어올릴 수 있다. 하지만 처음에는 약한 불(文火)을 사용해 따뜻하게 덥힌다(溫養). 그리고 마침내 강한 불(武火)로 맹렬히 삶고 극도로 단련하는 것이 불을 들이는 법도다.[106]

⑥ 종리권과 여동빈이 "양관陽關에 재갈을 물리고, 금정으로 날아오른다

시全唐詩』 권900에 보인다.

105. 『진서晉書·장화전張華傳』에 고사가 보인다.

106. 近世尹眞人朱雲陽益之曰 "活子時·正子時, 藥産神知"者, 分明是人身陽氣動者, 即藥也, 水中之眞火也. 火乃炎上, 故用眞意引而可昇. 然始用文火溫養, 而竟用武火猛烹極煉, 爲進火之法度也. 『통편』, 75쪽.

(飛金晶)"고 말했다. 참된 불이 일어나 등 뒤로 올라 정수리의 현관에 이르기를 36회 거듭한다. 눈 위에 밀폐해 뇌를 주시하며 역시 36회 돌린다. 이를 일컬어 '소주천小周天'이라고 한다. 한 번의 소주천을 마치고 '대주천大周天'을 행할 수 있다.(365회다.) 이를 일컬어 '불을 들이기(進火)'라고 하고, 이를 일컬어 '약을 채취하기(採藥)'라고 한다.[107]

⑦ (화후가) 몸 앞으로 내려오는 것을 "음부로 물린다(退陰符)"고 한다. 천천히 하는 것이 좋다. 오래되면 감로甘露가 저절로 내려오고, 내려오면 이를 삼킨다. 물은 능히 아래로 내려가 윤택하게 적시기 때문이다. 요령은 신神과 숨(息)이 서로 의지해서 오묘해지는 데 있다.
숨은 더디기를 위주로 한다. 이른바 "진인은 발뒤꿈치로 숨쉰다"고 한다. 숨이 깊고도 깊다는 뜻이다. 또한 좌로 오르고 우로 내려가며, 우로 오르고 좌로 내려가기를 36회 한다. 매번의 주천은 의념으로 용천湧泉[108]부터 니환泥丸까지 약간 더디게 하는 것이 요령이다.[109]

⑤에 활자시와 정자시에 관한 진술이 보인다. 통상 자시子時(23~01시)를 둘로 나눌 때, 앞의 한 시간(23~0시)이 '활자시'이고 뒤의 한 시간(0~1시)을 '정자시'라고도 한다. 혹은 양물이 일어나려는 시점이 몸 안의 활자시라고 한다.[110] 그러나 대개 속설로 간주된다.

내단학에서 말하는 활자시와 정자시는 화후에서 약을 채취하는 순간을 가

---

107. 鍾呂云, "勒陽關, 飛金晶." 起眞火而後昇至頂玄關, 三十六度, 閉目上視腦, 亦六六轉, 曰小周天. 一周既畢, 可行大周天.(三百六十五度) 是曰進火, 是曰採藥矣. 『통편』, 75~76쪽.
108. 용천湧泉은 발가락을 빼고 발바닥 길이를 3등분한 앞 부위의 중심에 있는 혈자리다. 지충地沖·지구地衢라고도 한다.
109. 前降曰退陰符, 可以舒遲. 久久甘露自降, 降則咽之, 水能潤下故也. 要之神息相依爲妙. 息則晏然爲主, 所謂眞人息至踵者, 深深之意也. 又左昇而右降, 右昇而左降, 三十六度. 每周意起自湧泉, 至泥丸少遲爲要. 『통편』, 76쪽.
110. 명나라 때의 도사인 오수양의 『천선정리天仙正理』에서 "外腎欲擧之時, 即是身中活子時"라고 한다.

리킨다. '활자시'는 소주천 과정에서 채약이 이뤄지는 순간이다. 앞서 말한 화후의 과정에 진입하면, 아랫배에 정기가 점차 충만하다가 홀연히 양기가 발동하는 순간이 온다. 이때 움직이는 순양의 정기(陽氣)를 '소약小藥'이라고 한다.

⑤에서는 약을 "물 가운데의 참된 불"이라고 한다. 오행에서 물(水)에 해당하는 신장이 정精을 관장하며, 그 정에서 순양의 기운(陽氣, 眞火)을 얻기 때문이다. ①의 『입약경』에서 "선천기와 후천기를 얻은 자는 항상 취한 듯이 보인다"는 것도 소약(양의 정기)이 심신에 퍼져 화락한 상태를 묘사한다.

한편 '정자시'는 소주천을 기반으로 대주천에 진입하면서 채약을 하는 순간이다. 순양의 정기가 임·독맥을 운행하면서 고요하고 부드럽게 돈다. 그러다가 대주천이 시작되면 이른바 "육근이 진동하는(六根震動)" 상태가 된다. 곧 "단전에 불길이 치솟고, 신장이 끓어오르고, 눈에서 금빛 광채가 나오고, 귀 뒤에서 바람이 일고, 뇌 뒤에서는 독수리가 울고, 몸이 끓어오르며 코가 경련한다"[111]고 단학 경전에서 묘사하는 주천의 일대 변곡점이다. 이때가 곧 '정자시'이다. 그 순간에 만들어지는 양의 정기를 '대약大藥'이라고 한다.

마치 기름이 고여 있던 등잔에 문득 불이 붙고 열기가 피어오르듯, 아무 조짐이 없던 가운데서 소약과 대약이 모두 홀연히 일어난다. 그러므로 "약이 허무한 가운데서 저절로 생긴다"[112]고 한다. 이런 미묘한 낌새는 수련에 임하는 본인과 참된 스승만이 알아챌 수 있다.

따라서 ⑤에서 "활자시와 정자시에 약이 만들어지면 신이 안다"고 한다. 소약과 대약이 몸 안에서 만들어질 때, 정신의 깊은 내적 관조 상태에서 그 현상을 저절로 알게 된다. 그런데 이는 조급한 마음에 강제로 불길을 들이거나, 약을 억지로 구하지 말라는 경고를 동시에 함축한다. 그러므로 "약이 만들어지면 신이 그것을 저절로 알게 된다"고 하지, "신이 약을 만든다"고 하지 않는다.

한편 수련에 대한 식견과 이해의 부족, 마음공부의 미숙, 특정한 술법의 남용 등에서 폐단이 생긴다. 이런 잘못들을 바로잡지 않으면, 기운이 통제력을

111. 丹田火熾, 兩腎湯煎, 眼吐金光, 耳後風生, 腦後鷲鳴, 身湧鼻搐. 『伍真人丹道九篇』.
112. 藥從虛無中自來. 『통편』, 77쪽.

잃어 제멋대로 요동치고 화후가 뒤엉킨다. 불기운이 머리로 치솟고, 정기가 고갈되고, 과대망상과 환상에 사로잡히고, 떠도는 혼령이 옮겨 붙는(빙의) 등의 부작용이 일어나게 된다.[113]

주천이 잘 돌지 않는 상태에서 억지로 호흡을 끌어들여 과도하게 참거나, 혹은 작위로 기운을 운행하다 보면 그 부작용을 피할 수 없다. 따라서 의식을 집중하고, 의지력을 유지해야 한다. 서우 역시 "무릇 불을 들여 약을 채취하고 단을 이루는 것이 모두 의지(意)의 작용이요, 의지의 힘"[114]이라고 명언했다.

하지만 뜻과 의욕이 과도하게 앞서면, 후천의 기운이 침범하고 화후를 조절하기도 어렵다. 그러므로 마음을 텅 비워야 한다. 비우면서도 집중하는 마음의 요령을 터득하는 게 무엇보다 어렵고 긴요하다. 반드시 제대로 된 이론과 실천의 요령을 얻고, 참된 스승의 지도를 받으며 몸과 마음을 함께 닦아야만 한다.

한편 ⑥에서 "양관에 재갈을 물린다(勒陽關)"는 것은 정기가 생식기를 통해 밖으로 새는 것을 막는다는 의미다. 서우는 부드러운 명주 수건으로 양물을 부여잡는 비결을 말하기도 한다.[115] "금정으로 날아오른다(飛金晶)"는 것은 양기가 등 뒤의 현빈을 타고 꼬리뼈에서부터 정수리의 현관으로 오르는 것이다.

또한 '뇌를 응시한다(視腦)'는 것은, 이른바 '제3의 눈'으로 불리는 양미간 사이의 천목혈 안쪽으로 시선을 끌어들이는 것이다. 즉 '신궁' '니환' 등으로 불리는 뇌 중앙의 한 지점으로 신을 거두고 응시하는 것이다. 여기서 뇌 안의 내적 투시가 이뤄지므로 '시뇌'라고 한다.

⑤는 소주천에서 불을 들이는 기본요령을 말한다. ⑥과 ⑦은 현빈을 통해 등 뒤로 올라가 몸 앞 정중선의 기맥氣脈을 따라 내려오는 소주천 과정을 설명한다.

---

113. '불길이 치솟고 마구니가 침입한다'는 뜻의 이른바 '주화입마走火入魔'에 빠진다.

114. 凡此進火採藥成丹, 皆意之用也, 意之力也. 『통편』, 78쪽.

115. 用軟綢巾執持外陽氣, 秘訣. 『통편』, 75쪽.

8. 주천화후周天火候

지금까지의 진술을 다시 정리하면 다음과 같다. 아랫배의 하단전에서 일어나는 한 점의 양기가 곧 화후에 쓰는 약물이다. 그런데 오행에서 물(水)에 해당하는 신장이 정을 관장하므로, 그 약물을 '물 가운데 참된 불'이라고 한다. 이 불을 이용해서 화후를 돌린다.

화후가 등 뒤의 현빈으로 올라가 정수리의 현관에 이르러 머물게 하고, 이를 다시 몸 앞으로 끌어내려 돌리기를 반복한다. 그 과정에서 신이 뇌 안의 신궁神宮(泥丸)에 잘 안치돼야 하지만, 그 역시 순양의 화후를 타고 응결돼야만 부작용이 없다. 이게 곧 '소주천'의 대강이다.

여기서 특히 주의할 요령은 "신과 숨이 서로 의지해서 오묘해지는 데" 있다. 단지 정기만을 운행하는 것이 아니고, 무념무상의 상태에서 안정을 찾은 신이 전 과정을 제어한다. 즉 주천 시에는 허무하고도 순수한 의식으로 화후의 불길을 인도해야 한다.

잡념에 물들고 작위적이며 의욕이 앞서면, 화후의 조절에 실패한다. 그러므로 아무리 기수련에 매달려 신체를 단련해도, 마음이 텅 비고 고요하며(虛靜) 신이 허령하게 밝지 않으면 도를 이룰 수 없다. 목숨과 더불어 반드시 성품(마음)을 닦는 '성명쌍수'가 필요한 까닭이다.

한편 소주천이 처음 시작될 때는 불씨를 약하게 살리다가(文火), 화후가 안정되면 맹렬한 불길을 일으켜(武火) 운행한다. 이런 주천화후는 화로에 솥을 걸고 불을 때는 것으로 종종 유비된다. 앞서 비유했듯이, 아랫배가 화로이고 머리가 솥이다. 뇌 중앙의 한 지점은 솥 중앙에 걸려 순수한 신이 응결되는 종지 그릇 정도인 셈이다.

그리고 호흡으로 불을 다스리는데, 깊고 길게 들숨날숨을 쉬는 것이 요령이다. 그리하여 아랫배의 하단전에서 불길이 일어나고, 그렇게 일어난 순양의 정기가 등 뒤의 기맥(현빈)을 따라올라 현관으로 들어간다. 또한 뇌 안에 정이 가득하니 화후를 이용해 달구고 연마하며, 신으로 응결한다. 그리고 다시 그 기

神		氣	
是性·是火·火屬心·心爲離 先天眞一氣·是眞	故曰汞·曰龍 從今可除別名 生神氣合而凝 元神見而元氣	是命·是藥·藥屬腎·腎爲坎 藥從虛無中自來	故曰鉛·曰虎

〈약물화후도〉[116]

운을 몸 앞의 기맥으로 내려 하단전에 안치한다.

전병훈은 이런 소주천을 36회 운행하라고 한다. 그리고 대주천으로 넘어가면, 현빈의 정기가 365회 돌아간다고 부언했다. 하지만 이는 다분히 상징적인 숫자로, 이 숫자만큼 의도적으로 돌린다고 곧 대주천이 이뤄진다는 의미는 아니다.

36회든 365회든, 현빈에서 작위적으로 숫자를 세면서 기운을 주행할 필요까지는 없다. 억지로 이를 행한다면, 도리어 부작용이 따른다. 그러므로 소주천이든 대주천이든, 깊은 타좌 상태에서 저절로 약물이 생겨나고 또한 자연스럽게 주행이 이뤄져야 한다.

다만 소주천이 이뤄지면, 이를 꾸준히 오래 지속하는 게 중요하다. 그러다 보면 어느 순간에 정자시가 도래하고, 대약이 만들어진다. 그리고 부지불식간에 대주천으로 이행하게 된다. 따라서 마음의 평정을 유지하고, 차분하게 내면을 관조하는 태도가 시종일관 요구된다.

한편 전병훈은 화후의 과정을 〈약물화후도藥物火候圖〉의 도상으로 표현했다. 그는 도교에서 말하는 연홍鉛汞·용호龍虎·감리坎离·수화水火 등의 비유가 모두 '신'과 '기'의 별칭에 불과하다고 한다.

여기서 '기'는 정과 기를 동시에 함축하는 개념이다. 정이 기로 화한다(精化爲氣)는 전제에서 기가 정을 포함한다고 본다.[116] 그리하여 '신'과 '기'를 표제어로 삼아 다른 개념들을 거기에 대응할 수 있다. 이를 다시 도표로 정리하면 다음과 같다.

---

116. 道藏千篇, 皆隱語, 有云, 鉳汞, 龍虎, 坎离, 水火, 異名衆多, 然其實只神氣二者別名而已.(精化爲氣, 故只言氣.) 『통편』, 74쪽.

화후 용어 분류표

정·기·신	성명	화후	장부	괘상	연홍鉛汞	용호
신神	성품(性)	불(火)	심장(心)	리离(☲)	수은(汞)	용龍
기氣 (정精·기氣)	목숨(命)	약藥	신장(腎)	감坎(☵)	납(鉛)	범(虎)

"신은 불이고, 기는 약이다. 불로 약을 달이면 단을 이룰 수 있다."[117]이 언명의 의미가 위의 도표에서 분명해진다. 한편 전병훈은 한나라 때의 선인인 음장생陰長生[118]의 말을 인용했다. "오행을 전도轉倒하는 술법으로, 용이 불 가운데서 나온다. 오행이 순행하지 않으니, 범은 물 가운데를 향해 생겨난다. 건과 곤이 교접을 그만두니, 한 점이 황정黃庭으로 떨어진다."[119]

"불에서 나오는 용"과 "물을 향하는 범"은 연단술에서 대단히 저명한 메타포다. 용은 깊은 물에 사는 신령스런 동물의 이미지를 수반한다. 큰 강이나 바다의 이무기가 용으로 승천한다. 범은 마른땅에 사는 동물이니, 당연히 물과는 친연성이 낮다.

그런데 연단화후에서는 거꾸로다. 용은 불인 리괘에 상응하고, 범은 물인 감괘에 상응한다. 그러면서도 또한 용은 불 가운데의 '참된 물(眞水)'이며, 범은 물 가운데의 '참된 불(眞火)'이다. 다소 혼란스러운 이런 비유를 납득하려면, 음 가운데 양이 있고 양 가운데 음이 있다는 역설을 이해할 필요가 있다.

불을 상징하는 리离(☲)괘의 형상을 보면, 위아래로 드러난 두 개의 양효(⚊) 가운데 음효(⚋)가 잠복해 있다. 물을 상징하는 감坎(☵)괘 역시 위아래 두 개의 음효 가운데 양이 잠복해 있다. 그러므로 이를테면 '용'은 불인 리괘(심장)에 해

117. 神卽火, 氣卽藥, 以火煉藥, 而成丹者. 『통편』, 74쪽.

118. '음진군陰眞君'은 한나라 때의 선인仙人인 음장생이다. 성이 음陰이고, 이름이 장생長生이다. 동한東漢 화제和帝(재위 88~105)의 부인인 음황후陰皇后의 고조高祖로 알려져 있다. 『단경丹經』 9편이 『선원편주仙苑編珠』에 수록돼 있다.

119. 陰眞君(東漢皇后之曾祖, 受道於老子)曰 "五行顚倒術, 龍從火裏出. 五行不順行, 虎向水中生. 乾坤交媾罷, 一點落黃庭." 『통편』, 79쪽.

당하지만, 동시에 그 가운데 음효로 상징되는 '참된 물'이다. '범' 역시 같은 원리로 물인 감괘(신장)에서 나오는 '참된 불'이 된다.

한편 오행의 원리에 따르면, 용은 목木으로 동방이며 간장(肝)에 배속한다. 범은 금金으로 서방이며 폐장(肺)에 배속한다. 한데 목(간장)은 화(심장)를 살리고, 금(폐장)은 수(신장)를 살린다. 따라서 간의 기운이 심장으로 들어가서 진액(眞水)을 낳는 것이 '용'이며, 폐의 기운이 신장으로 들어가서 참된 불길(眞火)을 일으키는 것이 '범'으로 비유된다.

그런데 평소의 생명활동에서 이런 진수와 진화는 단지 잠복해 있을 뿐, 드러나지 않는다. 그러다가 오행을 거꾸로 역행하는 화후주천이 이뤄지면, 심장의 불 가운데서 용(참된 물)이 나오고 신장의 물에서 범(참된 불)이 일어난다. 그 과정은 남녀가 만나 아이를 낳는 형화形化 및 기화氣化의 발생학적 순서를 역행한다. 물론 최종목표는 사람의 생겨난 근원인 태초의 원기를 회복하는 지점을 겨냥한다.

따라서 "건과 곤이 교접을 그만둔다"고 한다. 대신 체내에서 만들어진 진수와 진화가 만나, 거기서 단丹의 배아가 생성된다. 이에 전병훈이 말한다. "처음 한 톨의 기장쌀만 한 알갱이(黍米珠)가 생겨나 점차 커져 자손을 낳는다. 아홉째 자식에 이르러 조화가 성스럽고 참되다."[120] 그리고 다음과 같이 그 원리를 소상히 설명했다.

> 여기서 말하는 '용龍'이란 간(肝木)의 기운이 심장(心火) 가운데서 진액을 낳는 것이다. 이를 일컬어 "불 가운데의 물(火中之水)"이라고 하니, 곧 참된 물(眞水)이다. '범(虎)'이란 폐(肺金)의 기운이 신장(腎水) 가운데서 연기를 일으키는 것이다. 이를 일컬어 "물 가운데의 불(水中之火)"이라고 하니, 곧 참된 불(眞火)이다.
>
> 이 참된 물과 불을 참된 뜻으로 올리고 내려, 가볍게 운행하고 묵묵히 들어

---

120. 按始生一粒黍米珠, 漸大生子生孫, 至九子, 造化聖眞. 『통편』, 79쪽.

올리면 자연스럽게 금金(虎, 眞火)과 목木(龍, 眞水)이 섞여 융화된다. 관윤이 "금과 목이란 것은 물과 불의 만남"이라고 하는 바가 곧 이것이다.

신을 원궁元宮에서 지키고, 기가 빈부牝府에서 오른다. 홀연히 한 톨 기장쌀만 한 알갱이가 황정黃庭에 떨어진다. 이것이 곧 아랫배의 화로(坤爐)에서 올라가 머리의 솥(乾鼎)으로 들어가고, 이로써 공기空氣(가운데서)의 금단金丹이 만들어진다.

종리권·여동빈을 비롯해 많은 진인들이 전한 것이 참으로 이와 같다. 공부에는 숨쉬고(吸)·혀로 받치고(舐)·죄고(撮)·막는(閉) 공법이 있으나,[121] 무수한 작용이 오직 이(주천)를 부지런히 행하는 데 있다. 하지만 과로하게 하지는 말아야 한다.

이른바 "오행이 전도된다"는 것은 조화를 역으로 이용하는 것이니, 아이가 어미를 낳는 것이다.[122] 무릇 채취할 때는 이를 일컬어 '약'이라고 한다. 약 가운데 불이 있으니, 수련할 때는 이를 일컬어 '불'이라고 한다. 불 가운데 약이 있다. 그러므로 석태石泰(1022~1158, 호 杏林)가 "선천의 기에서 약을 취하고, 태역太易의 정에서 불을 구한다. 약을 불에서 취함을 능히 알면, 안정된 가운데 단이 이뤄짐을 보게 된다"[123]는 것이 이것이다.

---

121. 흡吸·지舐·촬撮·폐閉는 연단 채약의 사자결四字訣이다. 여동빈이 말했다고 전해진다. 그 내용에 대해 여러 설이 있는데, 대개 다음과 같은 의미로 해석된다. '흡吸'은 코로 들숨날숨을 쉬는 것이다. '지舐'는 입천장에 있는 독맥현督脈弦에 혀를 올려 받치는 것이다. '촬撮'은 괄약근을 조여 독맥으로 기를 올리는 것이다. '폐閉'는 임맥의 기운이 위로 오르는 것을 막고 독맥으로 오르는 길을 여는 것이다. 혹은 감각기관을 모두 닫고 내면을 관조하는 것으로도 해석된다.

122. 오행에서 '목→화→토→금→수'의 방향으로 하나가 다른 하나를 살린다. 이를 상생相生이라고 한다. 여기서 전자가 후자를 살리는 것을 모자母子관계에 비유하곤 한다. 즉 목이 어머니로 자식인 화를 살리는 셈이다. 그런데 연단 화후에서는 종종 이 조화를 역행해서 이용하고, 따라서 "아이가 어머니를 낳는다(以兒産母)"고 하는 것이다. 그렇다고 해서 '목→화' 대신 '화→목'처럼 반드시 그 방향이 역전된다는 의미는 아니다. 다만 오행의 운동이 몸 안에서 에너지를 발생시키고 그것을 소비하는 일상적인 흐름과 반대로, 발생된 에너지를 환원하고 축적하는 방향으로 진행된다는 문맥에서 그것을 "오행五行의 전도顚倒"라고 말한다.

소위 '기장쌀만 한 알갱이(黍米珠)'가 점차 커지는 것은 경험해 보지 못한 사람이라면 알 수 없다. 단지 근면히 수고하면 의혹이 풀릴 날이 반드시 있을 것이다. 공부를 하는 데는 하루 24시간이 모두 괜찮다. 이는 『천부경』에서 "셋(三木)과 넷(四金)을 운용해 둥근 고리를 이룬다(運三四成環)"는 오묘함과 서로 부합하는 것이다.[124]

여기서 특히 주의할 것은, "약 가운데 불이 있고 불 가운데 약이 있다"는 진술이다. 사실상 약과 불은 서로 불가분의 관계임에 주목해야 한다. 마치 등잔에 기름을 첨가해서 불빛을 일으키듯, 화후로 일어나는 순양의 정기는 "채취할 때 '약'"이지만 "수련할 때 '불'"이 된다.

그리고 이런 화후의 원리에 따라 주천을 실행하다 보면, 이른바 '기장쌀 알갱이'로 비유하는 단丹의 배아가 만들어진다. 이와 관련해, 전병훈은 여동빈의 『오품선경五品仙經』에서 다음과 같은 글을 인용했다.

여순양이 말했다. "도道로써 형체를 보전하고, 술術로써 수명을 연장한다. 무한한 원기를 훔쳐서 유한한 신체를 존속한다. 사람이 원내園內에 정좌하

---

123. 석태石泰는 북송 말년의 강소江蘇 상주常州 사람으로, 전진도 남종의 오조五祖 가운데 한 사람이다. 호가 행림杏林이라 흔히 '석행림'으로 불리며, 저서로 『환원편還元篇』이 있다. 전병훈은 "樂覓先天炁, 火尋大易精. 能知藥取火, 定裏見丹成"이라고 인용했으나, 석행림의 『환원편』에서는 "藥取先天炁, 火尋太易精, 能知藥取火, 定裏見丹成"이라고 한다. 원문에 따라 번역했다.

124. 此云龍, 即肝木之氣, 在心火中生津液者, 謂之火中之水, 乃眞水也. 虎即肺金之氣, 在腎水中生煙氣者, 謂之水中之火, 乃眞火也. 此眞水火, 用眞意以昇降, 輕輕然運, 默默然擧, 自然金木混融. 關尹所謂 "金木者, 水火之交"是也. 神守於元宮, 氣騰於牝府. 忽然一點如黍米珠, 落於黃庭, 是乃從坤壚昇入乾鼎, 以成空氣金丹. 鍾呂千眞的傳, 誠如是也. 用功有吸·舐·撮·閉, 無數作用, 惟在勤而行之, 不可愁勞. 所謂 "顚倒五行", 逆用造化, 以兒産母者. 夫採時謂之'藥', 藥中有火, 煉時謂之'火', 火中有藥. 故杏林曰 "樂覓先天炁, 火尋大易精. 能知藥取火, 定裏見丹成"者此也. 所謂"黍米珠"漸大者, 非經驗人, 則不能知矣. 只勤劬必有釋疑之日乎. 進功則一日十二時, 皆可爲也. 此與天符經運三四成環之妙, 相合者也. 『통편』, 79~80쪽.

> 고 앉아 무위하고 무망無忘한 가운데, 마음을 돌이켜 안으로 관조한다. 번개처럼 안개처럼 한 점 진양의 기(眞陽)가 왕성하게 현관으로 들어가고, 등 뒤의 긴 협곡을 통해 니환泥丸에 이르러 옥액玉液으로 변화한다.
>
> 그것이 쟁쟁거리며 오장 안으로 떨어져 들어가니, 곧 손풍巽風을 울리며 관절과 장부의 질병과 사기(病邪)를 몰아낸다. 또한 반드시 신으로 기를 제어하고, 기로 숨을 안정시킨다. (호흡이 드나든다.) 그처럼 운행해서 돌리고 태극·허공에 내맡기면, 한 조각 단丹의 기틀이 만들어진다. 마치 봄기운에 씨가 싹트고, 신령스런 용이 여의주를 기르는 것과 같다.[125]

여기 묘사된 화후주천은 앞서 이미 살핀 바와 대동소이하다. 한데 그 결과로 '한 조각 단의 기틀(一片丹基)'이 만들어진다는 진술에 주목할 필요가 있다. 그것은 "마치 봄기운에 씨가 싹트고, 신령스런 용이 여의주를 기르는 것 같다." 주의 깊은 독자라면, 아랫배 하단전에 응결되는 '양의 정(陽精)'이 진종자였음을 기억할 것이다. 하지만 진종자가 곧 단인 것은 아니다.

화후의 약물과 불로 오랜 시간 단련하면, 마침내 기장쌀 알갱이만 한 단의 배아가 맺혀 황정黃庭에 자리를 잡는다. 이를 결태結胎라고 한다. 그리고 이 배아가 자라서 양신陽神을 이루고, 종국에 '선천의 참된 한 기운(先天眞一氣)'으로 성장한다. 그것이 곧 전병훈이 말하는 '진眞'이다.[126]

이른바 성진成眞·참나(眞我)·진인眞人 등이 모두 이 '진'을 함축한다. 즉 '성진'은 진을 성취하는 것이다. '참나'는 선천의 참된 한 기운으로 이뤄진 나이다.

---

125. 呂純陽曰, "以道全形, 以術延命. 竊無涯之元氣, 續有限之形軀. 人能靜坐園內, 於無爲無忘中, 反心內照, 如電如霧. 一點眞陽, 勃勃然引入玄關, 透乎長谷, 竟乎泥丸, 化爲玉液, 鏘鏘然降於五內, 卽鼓巽風, 驅蕩關節臟腑之病邪, 且必以神御氣, 以氣定息, [呼吸出入], 隨其運轉, 任他太極虛空, 打成一片丹基, 如春氣生核[音皆], 神龍養珠." 『통편』, 78쪽. 여동빈의 『오품선경』에 보이는 단락으로, 원문과 대조할 때 몇몇 문구에 약간의 출입이 있다. [ ] 안은 전병훈의 인용에 누락된 『오품선경』의 글귀를 필자가 원전과 대조해 보완한 구절이다.
126. 先天眞一氣. 是 '眞'. 『통편』, 77쪽.

'진인'은 진을 품은 사람이라는 뜻이다. 그러니 이제 '진'을 품고 키우는, 높은 차원의 공부에 관해 논할 차례가 되었다.

9. 성단成丹, 양신陽神

전병훈은 먼저 단이 만들어지는 장소인 '신실神室'에 관해 묘사했다. "(신실의) 방이 계란 같으며, 노랗고 흰 것이 한 집을 이룬다. 그릇(器)을 만들어 방을 삼으니, 단이 그 안에 생긴다. 조화가 저절로 기이하다. 참됨(眞) 가운데의 신이다."[127] 이 구절은 광성자의 이름을 표방한 단학 전적에서 가져왔다. 하지만 실은 후대인의 가탁이다.[128]

한편 전병훈은 『참동계』에서도 이런 구절을 뽑았다. "흰 것을 알면서도 검은 것을 지키면, 신명이 저절로 도래한다. 금金이 본성의 처음으로 귀환하니, 이에 '환단還丹'으로 칭한다. …… (사람이 죽어) 형체가 흙으로 돌아가도, 상태가 마치 밝은 창의 먼지처럼 찬연하다."[129] 이는 모두 뇌 안의 신실 및 신단神丹에 관한 진술이다. 이에 대한 서우의 해설을 들어보자.

이것은 곧 단이 이뤄져 나타나는 현상이다. 금은 선천 태극의 건금乾金[130]

---

127. 廣成子曰 "室如雞子, 黃白一家. 製器爲房, 丹生其內. 造化自異, 眞中之神." 『통편』, 80쪽.

128. 이것은 광성자가 지었다고 알려진 『부려비조금약비결浮黎鼻祖金藥秘訣』에서 부분적으로 발췌한 글이다. 이 책은 『장외도서藏外道書』 제6책에 실려 있으며, 장자양張紫陽(張伯端)의 「서序」가 보인다. 하지만 광성자의 저작은 당연히 아니고, 장백단의 서문도 진위가 의심된다. 또한 전병훈의 인용문이 원전과 약간 출입이 있는데, 본래는 다음과 같다. "室象雞子, 黃白一家. 制器爲房, 丹生其內. 造化自異. 眞中之神."

129. 『叅同』曰 "知白守黑, 神明自來. 金來歸性初, 乃得稱還丹. …… 形體化爲土, 狀若明窓塵."(按神之室, 如雞子云者, 勿眩.) 『통편』, 80쪽. "形體化爲土"는 『참동계』에서 본래 "形體爲灰土"이다.

130. 팔괘의 건乾(☰)이 오행에서 金에 속하므로 '건금乾金'이라고 한다.

으로, 사람의 성명을 이루는 것이다. 이는 본래 하늘(乾家)에서 나온 것인데 지금 머리(乾)로 되돌아간다. 그러므로 '환단還丹'이라고 일컫는다. 정을 달궈 기로 변화시키고(煉精化氣), 그 기가 등 뒤로 올라와 몸 앞으로 내려가며(後昇前降), 정기를 취해 신을 채우는(取坎塡離) 법은 앞 장에서 밝혔다.

금액金液이 단을 이루면 범인을 넘어 성인의 경지로 들어간다. 정신학의 이런 신화神化 작용을 장차 어찌 헤아릴 수 있겠는가? 여기(『참동계』)에서 말하는 "밝은 창의 먼지(明窗塵)"를 혹은 '몸을 벗어난 상태'라고 하고, 혹은 '대약이 막 만들어지려는 상태'라고도 한다. 하지만 단지 스스로 증험할 수밖에 없다.

3년 만에 신단神丹을 기른다는 설은 참으로 확신할 수 없다. 다만 여유롭게 천천히 하고, 조급하게 효과를 구하지 말아야 한다. 고공섬 스승은 6년 만에 단을 이루고 8년을 면벽했으며, 나는 더욱 시간을 지연한다. (도가는 4천 년 전에 공기 중의 에너지(空炁)에서 결태結胎하는 이치를 말했다. 공기 중의 에너지가 단을 만드는 공부의 요체가 되니, 이를 깨달아야 한다.)[131]

이른바 '단'에 관한 설은 내단학에서도 일정치 않다. 주천화후 시에 아랫배에 응결되는 순양의 정기를 '단'으로 부르기도 한다. 하지만 전병훈은 아랫배에 응결된 양정을 다만 '진종자'로 부르며, 단과 구별한다. 그는 주천화후로 몸 안의 진수와 진화가 만나고, 마침내 뇌 안의 신실에 기장쌀 알갱이만 한 신단神丹이 응결되는 것부터 '단'으로 지칭한다.

'황정'을 황궁黃宮·천곡 등으로 부르며 상단전의 신실에 비정하는 것도 서우 학설의 특징 가운데 하나이다. 황정을 하단전 내지는 중단전으로 보는 경우

---

131. 此即丹成景象也. 金是先天太極乾金, 爲人性命者, 是本乾家所出, 而今還歸於乾, 故曰還丹. 煉精化氣, 後昇前降, 取坎塡離之法, 前章明之. 金液成丹, 超凡入聖. 精神之學, 至此神化之用, 將何可量乎? 此云明窗塵, 或曰脫體之狀, 或曰大藥將産之象, 然只可自驗也. 三年養神丹之說, 誠不可准信. 只要舒遲, 勿求急效. 古空蟾師六年成丹, 八年面壁, 而余則尤加延遲也.(道家四千年前, 言空炁結胎之理. 空炁爲丹工之切要, 可以悟之.) 『통편』, 80~81쪽.

역시 많기 때문이다. 명칭은 같은데 지시하는 대상이 다르다. 이는 내단학에서 흔히 볼 수 있는 현상이다.

워낙 은유적 언어가 많은 데다가, 수천 년의 공법 전승과정에서 여러 문파마다 개념의 해석이 분분했기 때문이다. 따라서 논자에 따라, 그가 사용하는 개념의 함의를 먼저 분명히 할 필요가 있다. 여하튼 전병훈이 말하는 '단'은 상단전의 신실에 결태되는 신단이다.

한데 황정에 신단이 결태되기 전에, 주의할 과정이 있다. 전병훈은 '태를 옮기며 솥을 바꾸는(移胎換鼎)' 공법을 언급했다. 이는 일설에 태를 허공의 거처로 옮기는 것으로, 높은 하늘의 바람(罡風)을 피해 온양하는 의미라고 한다. 하지만 서우는 이 설에 의구심을 표한다.

대신 먼저 하단전에 태를 앉힌 후, 뒤에 상단전으로 옮기는 것을 말한다. "무릇 백 일 안에는 우선 하단전(下關)에 두고 백 일간 주의한다. 두 달간 목욕시킨다. 일 년간 화후가 족하면 영아를 상단전으로 옮기며, 단정히 두 손을 맞잡고 묵상해 자연에 합치한다."[132]

신단을 결태하고, 또한 신단을 기르는(養神丹) 것은 이처럼 오랜 노력과 정성을 필요로 하는 일이다. 불과 몇 주나 수개월 만에 체감하는 기공의 단순한 기능적 효과와는 차원이 다르다. 그런데 세간에서는 다만 단전이 활성화되거나 기감氣感을 느끼는 정도로 '단'이 생겼다고 운운한다. 혹은 뇌에 기운이나 의식을 집중해서 환각을 일으키는 것을 '신단'이라고 하니, 가소로운 일이다.

그처럼 정도를 벗어난 술법은, 예로부터 실로 위험하기 짝이 없다고 경고된 것이다. 십중팔구 앞서 말한 주화입마의 부작용을 부르기 십상이다. 한국과 중국 어디를 막론하고, 정통 내단학에서 말하는 '단'은 본래 그런 허환虛幻한 기공의 산물이 아니다.

그러므로 서우는 3년의 수련으로 신단을 맺는 것도 불가하다고 단언했다.

---

132. 嘗疑移胎換鼎之說矣. 蓋遷其胎於虛空之處, 以避罡風而溫養之意也. 凡百日之內, 先於下關, 住意百日, 沐浴兩個月, 一年火候足, 嬰兒移在上丹田, 端拱冥心合自然. 『통편』, 88~89쪽.

그의 스승인 고공섬도 6년 만에 단을 이루고 8년을 면벽했다. 서우 본인은 더욱 더디게 하여 근 10년의 부지런한 수행 끝에야 비로소 현관에 신이 응결되는 효험을 보았다고 진술했다.[133]

그런 효험은 다만 실제로 증험해야만 알 수 있다. 서우도 "가장 귀한 것은 스스로 징험하는 바"에 따른다고 한다. 또한 "오직 고요함과 독실함을 지키면 공을 이룰 수 있다"고 명언했다.[134] 그렇게 만들어지는 신단이 곧 '황금의 단(金丹)'이다.

선천 태극에서 비롯된 하늘의 황금 기운(乾金)이 단의 근원이다. 화후주천으로 먼저 황금 진액(金液)이 몸 안에서 오랫동안 정제되고, 그것이 순수하게 정화되어 응결한다. 그 진액이 기화氣化하고 신화神化하여, 비로소 신실로 들어가 금단으로 결태된다.

비록 뇌 안의 신실에 잉태되지만, 궁극의 근원을 따지면 "본래 하늘에서 나온 것이 머리로 되돌아가는" 셈이다. 그러므로 이를 '환단還丹'이라고 부른다. 즉 천지의 순수한 선천의 기운(空炁)에서 비롯해 결태하는 것이다. 혹은 앞서 말했듯이 "정을 뇌로 환류한다(還精補腦)"는 문맥에서 '환단'이라고도 한다.

"선천 태극의 건금이 사람의 성명을 이룬다"고 하듯이, 이런 환단은 사람의 본성과 목숨에서도 가장 순수한 정수를 회복하는 것이다. 따라서 단지 호흡과 화후를 조절하는 기수련만으로 그 성명을 돌이키는 데는 한계가 있다. 반드시 마음·덕성·선행을 함께 닦아야만 한다.

그래야 선천의 천진한 본성을 회복할 수 있다. 이렇게 심신(성명)의 수련을 병행하여 대우주의 깨끗하고 순수한 본성을 회복해 결태하므로, 신단을 '성태聖胎'라고 하고 혹은 '영아嬰兒'라고도 한다. 따라서 설령 수십 년 동안 조식과 화후에 매달린다고 해도, 올바른 마음(성품) 공부가 수반되지 않으면 신단을 결태해서 기를 수 없다.

---

133. 遂入羅浮山, 遇眞師古空蟾先生. …… 懇求以聞玄牝之指眞, …… 而躬自實驗者十載, 始焉(周年)神凝玄關. 『통편』, 20쪽.

134. 然最貴自驗也. 惟守靜篤者, 成功無疑. 『통편』, 88~89쪽.

그러므로 내단학의 전통적인 성명쌍수에서도 품성의 공부를 우선시한다. 오랫동안 마음(성품)을 먼저 닦은 연후에야 조식과 화후에 들어가는 것을 허용했다. 앞서도 말했듯이, 최치원 역시 "자부는 마음을 닦아야 이를 수 있으며, 현관은 힘으로 능히 열 수 없다"고 했다.

그리고 이런 이유로, 단을 성취한(成丹) 이후의 공부는 이미 "범인을 넘어 성인의 경지로 들어간다"고 한다. 진심으로 도를 구하고 드높은 정신 경지에 오르려는 비범한 소수에게나 허용되는 최상승의 경지이다. 역으로 말해, 여기부터는 일반인에게 접근이 어려운 단계일 수 있다.

하지만 화후를 이용해 주천을 돌리는 것만으로도 정신을 증진하며, 심신의 건강을 지키는 데에 큰 도움이 된다. 그러므로 전병훈이 각자의 근기에 따라 정신을 수련할 것을 권고했던 것이다.

10. 온양溫養, 출태出胎

어쨌거나 일단 황정에 신단을 결태하면, 그 뒤로는 이전보다 훨씬 세심하고도 한결같은 주의를 집중해야 한다. 이를 '온양溫養'이라고 한다. 곧 '따뜻하게 기르기'이다. 전병훈은 온양의 원리를 거론하며 노자·관윤자·『참동계』·여동빈은 물론 정이程頤와 주희의 말까지 인용했다.[135] 하지만 대개 짤막짤막한 토막글로 상징적인 언명에 그치므로, 여기서 굳이 소개하지는 않겠다. 보다 중요한 것은 전병훈의 다음과 같은 진술이다.

> (온양의 과정에서는) 대개 사념思念이 일어나면 안 된다. 일어나면 불이 뜨거워진다. 뜻이 흩어져서도 안 된다. 흩어지면 불이 차갑게 식는다. 단지 (화후가) 지나치지도 않고 모자라지도 않게 하여, 마치 용이 여의주를 기르듯

---

135. 『통편』, 81쪽.

이 하고, 닭이 알을 품듯이 한다.

(성태聖胎가) 거처(神室, 黃庭)의 중앙을 얻어, 기가 신을 품고 신이 기를 품도록 한다. 부드럽고 조화롭게 안을 감싸 한시도 끊어짐이 없는 것이 소위 '온양'이다. 금정金鼎(머리)을 늘 따뜻하게 끓이고, 옥로玉爐(배)의 불이 식지 않도록 한다.[136] 그러므로 화후가 족하면, 다만 모름지기 온양에서 단이 상하지 않는다.

소위 '빼고 더한다(抽添)'는 것은 때때로 약한 불(文火)을 더하는 것이다. 소위 '목욕시킨다(沐浴)'는 것은 마음을 씻고 생각을 깨끗이 하는 것이다. 별다른 깊은 뜻은 없다. 배우는 사람은 여기서 천지의 지극한 신과 도가 응결됨을 신험信驗할 수 있다.

때때로 옥청玉淸의 참나가 내왕한다. 어찌 유쾌하지 않겠는가! (그러나 공부가 여기에 이르면 반드시 마구니(魔賊)가 희롱하여 해를 끼치는 것이 많아진다. 주의해서 이를 막아야 한다.) 이는 모두 큰 도의 자연스러운 경험이니, 신중해야 하며, 급하게 구해서는 안 된다.[137]

이런 온양의 단계로 들어가면 그 이전의 주천화후와는 다른 양상이 펼쳐진다. 소주천과 대주천에서는 "맹렬한 불길을 아랫배에 크게 설치"하는 것이 주된 요령이었다. 하지만 일단 신단이 황궁에 결태되면, 화후가 너무 뜨겁지도 식지도 않게 한결같이 따뜻한 상태를 유지해야 한다. 가끔 약한 불을 들여 덥히는 정도로 족하다. 대신 상념이 일어나고 뜻이 흩어지는 것을 대단히 경계해

---

136. "金鼎常令湯用暵, 玉爐不要火教寒"은 설도광의 『환단복명편』에 보이는 유명한 구절이다.

137. 蓋念不可起, 起則火炎. 意不可散, 散則火冷. 但使毋過不及, 如龍養珠, 如雞抱卵. 操舍得中, 神抱於氣, 氣抱於神. 沖和包裹, 無時間斷者, 所謂溫養也. 金鼎常令湯用暵, 玉爐不要火教寒. 然火候足, 只須溫養莫傷丹也. 所謂抽添者, 時加文火. 所謂沐浴者, 即洗心滌慮也. 別無深意. 學人於此, 可以信驗天地至神至道之凝, 有時而玉清眞我來復矣. 豈不愉快哉.(但工夫到此, 必有戲魔賊害者衆矣, 加意防之.) 是皆大道自然之經驗, 慎不可急求也. 『통편』, 81~82쪽.

야 한다.

여기서 상념(念)이란, 감각적 혹은 공상적 관념부터 지나친 사념까지 포괄한다. 허튼 생각이 많아지면 감정도 따라서 격해지고, 몸 안의 화기火氣가 머리로 치솟기 쉽다. 따라서 "불이 뜨거워진다"고 한다. 반면 뜻(意)이 흩어진다는 것은, 신단에 계속해서 집중하지 못하고 주의력이 산만해지는 현상을 가리킨다. 윗글의 비유처럼, 어미닭이 주의산만하면 알을 꾸준히 따뜻하게 품어서 부화시키기 어렵다.

신단이 응결되어 정신의 힘이 증대하면 불가사의한 힘이나 능력이 생긴다. 한데 서우의 표현에 따르자면, 이 지점에서 도리어 "마구니가 희롱하여 해를 끼치는" 위험도 증대한다. 근기가 얕고 학문이 천박할수록 샛길로 빠지기 쉽다. 따라서 원만한 도덕과 철학의 지혜가 필수적이다. 그러지 못하면, 한갓 술사나 사이비 교주 따위의 나락으로 떨어지기 십상이다. 그런 인사들은 대개 도덕성이 낮고, 공감능력이 떨어진다.

내가 특별한 존재라는 자아도취에 함몰된다. 자기의 능력이나 공적을 과시하고 과대평가한다. 공을 늘 자기 앞으로 돌리고, 과도한 숭배를 요구하며, 다른 사람들을 함부로 과소평가한다. 자기 목적을 달성하기 위해 타인을 이용하는 착취적 성향, 사기성, 건방지고 오만한 태도를 보인다. 내가 최고라는 자만심에 사로잡히고, 최고의 찬사와 특별한 대우를 받으려고 한다. 그러면서도 내면 깊은 곳에서 늘 남과 비교하고, 열등감에 괴로워한다.

서우의 문법에서 이게 곧 '마구니가 희롱하여 해를 끼치는' 증상이다. 현대 정신분석에서는 자아도취(narcissism)의 인격장애로 본다. 수련가나 종교지도자 가운데 이런 인격장애를 보이는 사례가 많다. 따라서 온양의 공부는 물론, 정신수련의 전 과정에서 "마음을 씻고 생각을 깨끗이 하는" 공부가 긴요하다. 늘 부드럽고 조화롭게 심신의 안정을 유지해야 한다.

정신이 순일하면, 겸손하고 진실하다. 분별과 시기심에서 벗어난다. 자기를 과장하거나 과시하지 않고, 평판에 연연하지도 않는다. 노자는 총애를 받거나 곤욕을 치르는 걸 모두 경계하라(寵辱若驚)고 한다. 남의 칭송을 받으려는 명예

욕을 넘어서며, 총애를 얻어도 놀란 듯이 하고 잃어도 놀란 듯이 조심한다.[138]

그래야 자아도취의 인격장애, 내지는 마구니의 희롱으로부터 순일한 정신을 지킬 수 있다. 『채근담』에서 말한다. "마구니를 항복시키려는 사람은 먼저 자기 마음을 항복받으라. 마음이 항복하면 뭇 마구니가 물러난다."[139] 노자도 말했다. "낳고도 소유하지 않고, 행하고도 과시하지 않으며, 기르고도 지배하지 않는다. 이를 일컬어 '현묘한 덕(玄德)'이라고 한다."[140]

서우의 문법으로 말하자면, '현덕'이란 그윽한 정신의 빛을 뇌 안에 깊이 간직하는 데서 나오는 덕이다. 인간의 정신이 현덕을 순수하게 함양하면, 에고의 충동과 어리석음에 빠지지 않는다. 그런 덕이 아니라면, 뇌 안에 미묘하게 응결된 정신의 '신단'을 제대로 온양할 수 없다.

그러므로 신단을 순결하게 기르고 지키기 위해서, 현덕의 함양은 불가피하다. 우주의 순일한 도(원신, 원기)를 얻어 지키는 데서 생겨나는 덕, 그게 다름 아닌 현덕이기 때문이다. 소유하고, 과시하고, 지배하려는 속된 정감과 의욕을 벗어나야 비로소 현덕이 원만해진다. 그래야 마침내 신단을 찬연하게 온양할 수 있다.

그런데 경박한 술사들이 여기서 대개 장애에 걸린다. 품성과 도덕이 미숙하고, 철학이 천박하기 때문이다. 그들은 다만 지엽적인 도술에 급급하고, 신통력에 연연한다. 그러니 정신이 마구니에게 더럽혀진다. '마구니(魔賊)'란 도덕이 박약한 정신에 어른거리는 불온의 그림자에 다름 아니다.

마구니는 어리석음, 이기심, 자존심과 자만, 혹은 열등감과 불안에 사로잡힌 에고를 숙주로 삼아 자아도취의 환각을 일으킨다. 그런즉 "세상을 뒤덮는 공로도 뽐낼 '긍矜' 자 하나를 당하지 못한다"[141]는 옛말이 있다. 사람들을 미

---

138. 寵辱若驚, 貴大患若身. 何謂寵辱若驚, 寵爲下, 得之若驚, 失之若驚. 是謂寵辱若驚. 『老子』13장.

139. 降魔者, 先降自心, 心服則群魔退廳. 『菜根譚 · 修省』.

140. 生而不有, 爲而不恃, 長而不宰, 是謂玄德. 『老子』10장.

141. 蓋世功勞, 當不得一個矜字. 『菜根譚 · 修省』.

혹에 빠뜨리고 세상을 어지럽히는 사이비 도술, 혹세무민의 위험이 거기서 최고도에 달한다.

그러므로 정신수련 과정에서는 법도(法)·기술(術)과 함께 덕성(德)을 반드시 함양해야 한다. 주천화후의 방법과 요령을 몰라서는 안 된다. 그러나 신단을 온양하는 궁극의 관문은, 결국 품성의 덕으로 귀결된다. 술법을 연마하지 않는 도덕은 공허하다. 하지만 덕성이 결여된 술법은 경박하고 불온하다.

그러므로 앞서도 누차 인용했듯이, 최치원 역시 일찍이 "마음을 떠나 현관이 없다"고 명언했던 것이다. 본성의 순수한 덕을 지키면서 신단을 잘 온양해야 한다. 그러면 마침내 '양신陽神'이 자라 탈태脫胎하는 경지를 증험하게 된다.

> 『입약경』에서 말했다. "끝내 탈태하여 사방(四正)을 본다." (사방으로 멀리 유람한다.)
>
> 『참동계』에서 말했다 "3년간 복식시키면 가볍게 날아올라 멀리 유람하며, 불을 타넘어도 그을리지 않고, 물속에 들어가도 젖지 않는다. 능히 있는 듯 없는 듯하며, 길이 즐거워 근심이 없다. 도와 덕을 이루고 드러나지 않게 숨어 때를 기다리면, 천신(太乙)이 이에 불러 하늘의 선계(中州)로 옮겨가 살게 한다. 계란과 유사해 검고 흰 것이 서로 부축하며, 가로 세로 1촌寸이 그 처음 모습이다. 그러다가 사지와 오장, 근육과 뼈대가 이내 갖춰진다. 10개월이 되면 그 포태를 빠져나온다. 뼈가 약해 말리고, 살이 흐물흐물해서 마치 납과 같다."
>
> 여동빈이 말했다. "화후가 이미 충족하면 현관을 뚫고 나온다. 하늘의 문이 열리고 신광이 용솟음친다."[142]

---

142. 『藥鏡』曰 "終脫胎, 看四正."(遠游四方) 『參同』曰 "服食三載, 輕擧遠游, 跨火不焦, 入水不濡. 能存能無, 長樂無憂. 道成德就, 潛伏俟時, 太乙乃召, 移居中州. 類如雞子, 黑白相扶. 縱廣一寸, 以爲其初. 四肢五臟, 筋骨乃具. 彌曆十月, 脫出其胞. 骨弱可捲, 肉滑若鉛." 呂純陽曰 "火候旣足, 透出太玄關. 劈開乾戶, 神光湧湧." 『통편』, 82~83쪽.

이는 '성스러운 태(聖胎)'가 자라 양신이 탈태하는 장면을 묘사한다. 10개월의 온양(十月養胎)으로 사람의 모양을 갖춘 양신이 포태(신단)에서 성장한다. 그것이 자라서 신단을 이루고 마침내 태에서 나온다. 그 전 과정을 일컬어 "양신이 태에서 나오기(陽神出胎)"라고 한다.

여기서도 "도와 덕을 이루고 드러나지 않게 숨어 때를 기다리는" 현덕의 함양이 필수불가결한 과정으로 강조된다. 이런 경지에 이르면, 정신수련의 공부가 절정에 달한다. 전병훈이 말한다.

> 아! 정신의 공부가 여기에 이르면, 가히 일을 마쳤다고 말할 수 있다. 관윤이 이른바 "나의 정으로 천지만물의 정에 합하고, 나의 신으로 천지만물의 신에 합한다"[143]고 한 것이다. 천지와 하나가되어, 신통변화할 수 있다. 이른바 "몸 밖에 몸이 있고 광촉光燭이 세상 끝에 미치니, 모이면 형체를 이루고 흩어지면 기가 된다"[144]는 것이다.
>
> 그러나 음신陰神은 형체를 바꿔 분신할 수 없으며, 양신만이 무량하게 화신化身할 수 있다. 변화가 무궁하여 쇠와 돌에 들어가는 것도 거침없으며, 순식간에 만 리를 가고 삼계에 두루 통한다. (맹자가) 이른바 "성스러워 알 수 없는 것을 신이라고 한다"는 것이다. 마땅히 젖을 물려 먹이는(乳哺) 공부를 더해야 하는데, 다음 절에서 이를 밝힌다. 이것은 『천부경』에서 "다섯과 일곱과 하나로 미묘하게 넘친다"는 요지와도 서로 부합한다.[145]

---

143. "以我之精, 合天地萬物之精. 以我之神, 合天地萬物之神"은 『관윤자關尹子』에 보이는 구절이다. 이 책은 당·송 시기에 관윤의 이름에 의탁해 지은 위작이다.

144. 청대의 응양자凝陽子가 저술한 『갈선옹태극충현지도심전葛仙翁太極沖玄至道心傳』에 보이는 문구이다. 본래는 "身外有身, 光燭九天, 聚則成形, 散則成氣"인데, 전병훈은 여기서 '九天'을 '九垓'로 표기했다.

145. 烏乎! 精神之功到此, 可謂能事畢矣. 關尹所謂以我之精, 合天地萬物之精. 以我之神, 合天地萬物之神. 與天地爲一, 可以神通變化. 所謂身外有身, 光燭九垓. 聚則成形, 散則成氣. 然陰神不能化形分身, 陽神可以萬億化身. 變化無窮, 入金石不礙. 頃刻萬里, 周通三界. 所謂聖而不可知之之謂神也. 當加乳哺之功, 次節明之. 此與天符經五七一妙衍之旨相孚者也. 『통편』, 83쪽.

"음신陰神은 형체를 바꿔 분신할 수 없으며, 양신만이 무량하게 화신化身할 수 있다"는 윗글의 언명에 주목하기 바란다. 서우의 책 전체를 통틀어, 다만 여기서 '음신' 개념을 볼 수 있다. 하지만 글의 문맥상, 그 함의는 결코 가볍지 않다.

정신수련 공부에는 몇 갈래의 중대한 고비가 있다. 한데 공부의 진전에 따라, 위험의 고비 역시 그 수위가 높아진다. 가장 높은 위험은 신단의 결태 이후에 찾아온다. 따라서 앞서 전병훈도 "공부가 여기에 이르면 반드시 마구니가 희롱하여 해를 끼치는 것이 많아진다"[146]고 경고했던 것이다.

신단이 일단 결태되면, 그것만으로도 이미 범인을 넘어서는 특이한 정신의 공능을 얻게 된다. 예를 들어 투시력이나 신통력, 병을 치유하는 능력, 남의 마음을 읽는 능력, 사물의 기운을 감지하는 능력 등이 남다르게 증대한다. 그리고 동시에 서우가 '마구니의 희롱'이라고 명언한 위험의 수위 역시 크게 높아진다.

'기운공부(命功)'에 상응하는 '성품공부(性功)'가 충분치 않을 때, 바로 이 지점에서 샛길로 접어든다. 특이공능이 가져오는 마력魔力에 취해, 마치 천하를 다 얻은 듯이 자기도취에 빠진다. 그리고 대단한 도인이나 메시아라도 되는 양 착각을 일으키고, 남들 앞에 나서기를 좋아한다. 한때 순수하고 열정적이었던 구도자들이, 어느 정도 경지에 올라선 뒤에 오히려 타락하는 사례가 많은 건 바로 이런 이유 때문이다.

신단의 결태 이전에도 이런 징후는 나타난다. 하지만 그 위험은 신단의 결태 이후에 최고도로 높아진다. 그 지점에서 많은 구도자들이 사이비 스승이나 교주로 전락하며, 혹세무민의 위험 역시 최고도에 이른다. 이렇게 샛길로 빠진 수행자들의 정신은 떳떳한 '양신'으로 온양될 수 없다.

그들의 정신은 결국 사특한 자기도취에 빠지며, 그것이 이른바 '음신'인 것이다. 그런 음신은 다만 특이공능을 보일 수는 있을지라도, 서우의 말처럼 "형체를 바꿔 분신할 수 없다." 다시 말해, 그 정신이 궁극의 '자유'를 얻지 못한다.

---

146. 但工夫到此, 必有戱魔賊害者衆矣, 加意防之. 『통편』, 81쪽.

"양신이 형상 없는 세계로 들어가, 신이 태허와 한 몸이 되는" 참된 진인의 경지를 결코 엿보지 못한다.

그러므로 내단학의 정신수련에서는 양신의 '온양' 공부가 마지막 고비인 동시에 궁극의 고원이 된다. 소수의 구도자들만이 가파른 정신의 준령을 넘어 참된 진인의 세계로 들어간다. 윗글은 '(양신에) 젖을 물려 먹이는' 공부에 관한 진술을 유보했다. 하지만 곧바로 이어서 그 공부에 관해 알아보기로 하자.

> 여순양이 말했다. "영아가 포태를 나오면 모름지기 더욱 보호해 지키고, 젖을 물려 먹이며 온양해야 한다. 바깥의 인연이 침범하거나 내면의 망상이 혼란스럽지 못하도록 해야 한다. 가고 머물고 앉고 눕는 데 잠시도 (영아를) 잊으면 안 된다. 말하고 침묵하고 움직이고 멈추는 것(일거수일투족)에 소홀해서도 안 된다. 용이 여의주를 기르고, 자애로운 어머니가 자식을 기르듯이 한다. 아침저녁으로 막아 지키고, 깨었을 때나 잠들었을 때나 한결같이 돌본다.
>
> 더욱 모름지기 현관(關元)을 엄하게 지켜, (영아가) 가볍게 함부로 나가지 못하게 한다. 한번 나가면 길을 헤매서 집을 잃어버리고 돌아오지 못할 것을 근심하는 것이다. 세월이 지나 장성하기를 기다려 9년이면 공이 완성된다. 양신이 출태하면 참된 공을 깨닫고, 금강처럼 단단하여 무너지지 않는 몸을 이뤄 천지와 수명을 함께하는 노인이 된다. (먼저) 내게 법의 기름을 붓고, (다음에) 널리 중생을 구제한다. 3천 가지의 덕행이 원만하고 8백 가지 공덕을 이루면, 하늘이 조서를 선포하고 흰 학이 와서 영접한다."[147]

---

147. 呂純陽曰 "嬰兒出胞, 須密加護持, 乳哺溫養. 勿使外緣所侵, 內妄所亂. 行住坐臥, 不可暫忘. 語默動靜, 不可稍忽. 如龍養珠, 慈母育子. 朝夕防衛, 寤寐顧復. 更須嚴守關元, 不可輕縱出去. 恐一出迷途, 失舍而忘歸. 待曆年老成, 九載功完. 陽神出現, 了却眞空. 成金剛不壞之體, 天地同壽之翁. 施我法油, 普渡衆生. 三千行滿, 八百功成, 丹書宣詔, 白鶴來迎." 『통편』, 84쪽.

윗글은 본래 『오품선경』[148]에 보인다. 이 글을 곰곰이 새겨보자. 그러면 한시도 주의를 잃지 말고 포태(關元, 玄關)의 영아를 정성껏 기르고 돌보라는 것이 그 요령의 거의 전부처럼 읽힌다. 신이 자라 태를 벗고 나온 뒤에도 그것은 마찬가지이다.

"대개 신이 태에서 나온 뒤에는 한결같이 순양純陽의 취지에 의거해 젖을 먹여 기른다. 마치 용이 여의주를 기르듯 하는 것이 신을 단련해 허무로 되돌리는(煉還: 煉神還虛) 긴요한 길이다. 다시 별다른 방법이 없다."[149] 이는 쉬우면서도 난해한 요령이다. 단순하지만, 고도의 집중과 꾸준함을 필요로 하는 공부야말로 어려운 것이다. 그것은 말하기 쉽지만, 실천하기는 실로 어렵다.

돌이켜 보면, 단을 처음 맺고 그것을 기르는 전 과정에서 한결같은 집중력이 요구된다. 본격적인 수련에 앞서 연기·축기는 기본이다. 그리고 "여유롭게 천천히 하고 조급하게 효과를 구하지 않으며" 꾸준히 주천화후를 운용한다. 또한 '성품공부'를 게을리 하면 안 된다. 그렇게 오랫동안 수련해야, 비로소 현관에 신단이 양신으로 응결된다.

그런데 일단 신단이 응결되면, 한시도 주의를 떼지 않고 화후를 적당히 조절하며 10개월 동안 온양을 해야 한다. 양신이 포태를 나오면, 다시 그것이 함부로 나다니거나 길을 잃지 않도록 정성껏 기르고 돌봐야 한다. 이렇게 9년을 길러야 양신이 비로소 완전히 장성하고 공이 완성된다. 모든 단계에서 의식과 정감을 절제하고, 도와 덕을 지켜야 한다. 전병훈은 여기까지 이르는 데만 근 10년이 걸렸다고 술회했다.

그 과정에서 "내게 법의 기름을 붓고 널리 중생 구제하기(施我法油, 普渡衆生)"를 몸소 구현해야 한다. 올바른 법도와 보편적 자비를 실행하라는 요청이다. "3천 가지 덕행이 원만하고 8백 가지 공덕을 이뤄야" 비로소 신선의 경지에 이른다. 원만한 도덕과 남모르는 착한 공덕을 닦아야 한다. 그러면서도 자기를 드러내지 않는 현덕에 머문다. 이야말로 참된 공부인의 지침인 것이다.

---

148. 『여조오품선경呂祖五品仙經·탈태출양품脫胎出陽品』 第五에 보이는 글이다.

149. 蓋神出後, 一依純陽之旨, 乳哺顧養, 如龍養珠者, 煉還之要道, 更無別法也. 『통편』, 88쪽.

11. 술사와 진인

이런 도와 덕을 실천하지 않는 공부는 기껏해야 한갓 술수에 지나지 않는다. 그것만으로는 결코 가장 높은 도에 이를 수 없다. 한데 공부에 처음 입문하는 초보자가 참된 스승과 거짓 스승을 구분하기 어렵다. 그럴 때는, 스승이 되는 자의 말과 덕행을 살피면 된다. 무엇보다 특이공능을 쉽게 내보이며, 자아도취에 빠진 경박한 술사를 경계해야 한다.

그들은 자기를 과시하고, 술수나 도력을 뽐내며, 함부로 말하고 안하무인으로 행동한다. 교묘한 언사로 영험하기를 가장하며, 갖은 술법으로 사람들을 현혹한다. 자기가 최고라고 떠벌리고, 입만 열면 양신출태의 공을 이뤘노라고 호언한다.

그러나 높은 도는 단지 기를 운용하는 술법, 편협한 술수, 영험한 신통력, 임기응변의 언변 따위로 완성되지 않는다. 그런 재능을 함부로 내보이고 떠벌리는 건 단지 속된 정신의 징표일 뿐이다. 그것은 다만 경박한 술사들의 몫이다. 이런 인사라면, 그의 도가 편벽되고 불온하다고 판단해도 거의 무방하다.

그 근거는 분명하다. 언행이 모순되고 비도덕적이라면, 신통력이 아무리 영험하더라도 그는 참된 도인이 아니다. 자기를 내세우고, 공을 과시하며, 남을 멋대로 비난하거나 깔보는 사람의 정신이 불량하다는 것은 삼척동자도 안다. 노자 역시 말했다. “아는 자는 지껄이지 않고, 지껄이는 자는 알지 못한다(知者不言, 言者不知).”[150]

경지가 높은 ‘신선의 도’는 일반의 잣대로 가늠하기 어렵다. 도술을 함부로 쓰거나, 기기묘묘한 풍경을 연출하지도 않는다. 술사는 도술을 부리지만, 진인은 도덕에 머문다. 그러므로 참된 도는 담담하고 평온하다. 지극히 공평하여 사사롭지 않으며, 그러면서도 대범하고 초연하다.

진인은 다만 우주의 태허太虛로 돌아가는 정신의 자유를 구하기 때문이다.

---

150. 『老子』 56장.

그들은 "물질에 초연해서 하늘과 함께 장구"하고, "정신을 연마해서 허무에 합한다." 이런 오묘한 공부는 결국 "정신의 작용"으로 귀결된다. 그리하여 도를 이룬 경지에 관해, 전병훈은 다음과 같이 진술했다.

> 신이 나가서 홀연히 갔다가 홀연히 돌아온다. 열 보를 가건 백 보를 가건, 고르게 마땅히 잘 살펴 돌봐야 한다. 양신이 형상 없는 세계로 들어가면, 신이 태허와 한 몸이 된다. 일월과 함께 빛나고 우주를 손아귀에 넣으며, 온갖 변화가 마음대로 이뤄진다. 나의 신기神氣가 천지에 가득해, 가서 이르지 않는 곳이 없다. 물질 현상을 초연해서 하늘과 함께 장구하니, 이를 '대라상선大羅上仙'이라고 한다.
>
> 선인의 품계는 대개 세 가지가 있다. 신이 응결되고 목숨이 안주하여 병을 물리치고 장수하는 것은 '인선人仙'이다. 단을 이루고 세상에 머물러 오륙백 세를 사는 것을 '지선地仙'이라고 한다. 신을 연마해서 허무에 합하고 공이 원만해 하늘로 오르는 것을 '천선天仙'이라고 한다. 그렇지만 이는 모두 정신의 작용이다.[151]

윗글에 보이는 인선·지선·천선 분류의 단초는 『포박자』에 처음 보인다.[152] 이는 선인의 종류 혹은 등급을 나누는 기준이 되었다. 하지만 어떤 품계의 선인이 되든지, 관건은 "모두 정신의 작용"이라는 마지막 한 구절로 귀결된다. 여기서 "형상 없는 세계로 들어가 태허와 한 몸이 되고, 일월과 함께 빛나며 우주를 손아귀에 넣는" 자는 곧 정신일 따름이다.

특히 순수한 양의 정기가 뇌 안에서 응결된 '양신'이 온갖 신통변화를 일으

151. 出神忽去忽來, 十步百步, 均宜照顧. 陽神入於無象, 神與太虛同體, 日月同明, 宇宙在手, 萬化從心. 吾之神氣, 充塞天地, 無往不周, 超然物表, 與天長久, 此所謂大羅上仙也.(鍾呂時降朱書可驗) 蓋仙之品, 大概有三: 神凝命住, 却病年長者, 人仙也. 丹成而住世, 五六百歲者, 地仙也. 煉神合虛, 功滿上昇者, 天仙也. 然是皆精神作用也. 『통편』, 84쪽.

152. 按『仙經』云 "上士擧形升虛, 謂之天仙. 中士遊於名山, 謂之地仙. 下士先死後蛻, 謂之屍解仙." 『抱朴子·論仙』.

키는 주인공이다. 그것이 이른바 '진' 혹은 '참나'이다. 그리고 정신을 응결하는 수련의 정점에서 참나가 최고도로 활성화된 경지에 이를 때, 그 사람을 곧 '진인' 내지는 '선인'으로 부른다.

흔히 그런 진인은 불에서 들어가도 타지 않고, 물에서도 젖지 않으며, 금석을 뚫고, 가지 못하는 곳이 없다고 한다. 하지만 이는 신비한 초능력자에 대한 찬사가 아니라, 궁극의 자유를 획득한 정신에 대한 메타포이다. 불교의 불보살이나 유교의 성인처럼, 진인(선인) 역시 영성과 정신의 역량이 최상승의 경지를 이른 상태를 표상한다.

그것은 단지 도교에 국한되지 않고, 유·불·도 3교와 서양철학의 최고 경지가 두루 상통한다. 예를 들어 전병훈은 출태한 양신의 용모 및 마음이 부처의 법신法身과 같다고 한다. 또한 금강처럼 단단한 몸이 무량하게 화신한다는 『능엄경』의 경문을 제시했다. 그리고 탄식한다. "그 가장 높은 경지(最上乘)가 과연 이처럼 일치하는구나!"[153]

한데 앞서 말했듯이, 이것이 누구나 쉽게 엿볼 수 있는 경지는 아니다. 그럼에도 불구하고, 어느 시대나 인간 정신의 고원한 봉우리에 오르려는 원대한 포부를 품고 실천하는 구도자들이 있게 마련이다. 그리고 비록 드물지만, 그 여정에서 성공적으로 도법을 구현하고 중생을 구제하는 성현과 도인들도 출현한다.

전병훈 역시 그런 구도자이자, 지식인, 현자의 한 사람이었다. 그는 "도를 이루고 세상을 구제하는 평생소원이 골수에 사무쳤다"[154]고 말한다. 50세의 나이에 뒤늦게 내단학에 입문한 그가 단을 이루고 양신이 출태하는 공을 몸소 성취하게 된 것은 이런 원력이 있었기 때문이다.

나부산에 입산하기 전부터 전병훈은 이미 도를 구하고 실천하는 일념으로 한평생을 살아왔다. 유학을 공부하여 내단학의 주천화후는 뒤늦게 접했지만, 그는 이미 인심의 사욕을 버리고 도심을 지키는 도학의 전문가이자 근실한 실

---

153. 『楞嚴』曰 "形成出胎, 爲佛覺胤. 容貌如佛, 心相亦同. 十身靈相, 一時俱足. 名童眞住, 是乃金剛不壞, 千億化身也." 吁! 其最上乘, 果如是一致哉. 『통편』, 83~84쪽.

154. 道成救世之生平痴願, 結成腦癮. 『통편』, 30쪽.

천가였다.

그런데 위에서 살폈듯이, 내단학 역시 깊은 공부로 진입할수록 성품과 덕성의 공부가 관건이 된다. 바로 이런 공부에 확고한 기초가 있었기 때문에 뒤늦게 내단 수련에 입문한 서우가 큰 도를 이룰 수 있었던 것이다. 반면 기 차원의 수련에만 몰두하는 술사들이 수십 년 혹은 평생을 연마해도 최상승의 경지에 오르지 못하는 까닭이 또한 거기에 있다.

단지 기공의 기능적 연마에만 매달리고, 내면의 덕성과 마음 그리고 떳떳한 행실을 닦는 데에 소홀하기 때문이다. 그러나 학식과 양심 그리고 도덕을 두루 갖추지 못하면, 궁벽한 정신의 골짜기에 유폐된다. 그러면 편협한 식견 및 아집·아상에 빠지고 공부가 더 깊이 진전되지 못한다. 따라서 높은 경지에 근접할수록, 유·불·선 삼교의 공부가 원만히 조화를 이루는 것이 바람직하다.

다시 말해, 성인·부처·신선으로 표상되는 도덕과 마음 그리고 정신이 반드시 함께 진화해야 최상승의 경지를 엿보게 된다. 그런데 전병훈은 거기에 서양철학을 더해, 이른바 '4교'의 본의를 위배하지 않기를 말한다. '도덕'·'마음'·'정신'과 더불어 합리적 '지성'의 병행을 강조한 것이다. 이게 곧 전병훈이 '정신 전문학(精神傳學)'에 부여한 근대성의 한 단면이었다.

> 그러므로 지금 '정신 전문학'을 표명하여 온 누리의 사회에 전해 준다. 배우는 사람들에게 절절하게 바란다. 장차 신을 응결하고 참나를 이룬 뒤에, 세상을 비관하며 사사로운 정감으로 행하지 말라. 세상을 구하고 사람을 돕는 사업에 정신을 집중해 사용하길 바란다. 그런 연후에야 (유·불·도·서양철학) 4교의 본의를 위배하지 않으며, 한 조각 겸성兼聖의 원만한 덕을 성취하게 된다.[155]

155. 故今表明爲精神專學, 以貺宇內社會. 竊願學人, 如將凝神成眞之後, 勿行厭世私情, 而注用精神于救世濟人事業, 然後不背四教之本旨, 打成一片之兼聖圓德矣. 『통편』, 85쪽.

근대와 탈근대, 그리고 정신의 공학(精神公學)

지금까지 논한 정신의 이론과 수련방법론은, 전병훈의 독창이라기보다 도교 내단학의 도법을 잘 종합해서 정리한 것이다. 이는 틀림없는 사실이고, 전병훈 본인도 언급한 바이다. 그는『정신철학통편』을 저술하는 한편『도진수언』을 편찬했다. 위에서 살핀 내용은 그 가운데서도 핵심에 속한다.

서우가 말했다. "예로부터 지금까지 남북칠진南北七眞[156]의 책이『도진수언』에 대략 실려 있다. 지금 상세히 구비하지는 않고, 대체의 요지만 여기『정신철학통편』에 간추린다. 하지만 (이것만으로도) 역시 족히 참나를 이루고 성스럽게 될 수 있다."[157]

『도진수언』은 고금의 도서道書에서 정수를 모아 10권 분량으로 엮은 책이다. 아쉽게도 지금은 전하지 않는다. 다만『정신철학통편』의 내용이 그 "대체의 요지"라는 진술이 암시하듯이,『도진수언』이 상당히 방대한 저술이었을 것으로 추정된다. (그에 관해서 제11장에서 상세히 고증한다.) 이런 저서의 편찬은 내단학에 대한 전병훈의 독서 및 연구가 대단히 광범위하고도 높은 수준이었음을 시사한다.

게다가 지금까지 살폈듯이, 서우가 정리해 제시한 내단 수련의 이론과 체계는 아주 정통적이며 체계적이다. 오늘날의 도교학에서 보더라도 손색이 없을 정도로 그 요점이 잘 집약되어 있다. 그런데 이것은 최근 이삼십 년간 도교학 연구가 비약적으로 발전한 토대에서 비로소 가능한 평가임을 간과해서는 안

156. '남북칠진'은 송대에 전진도의 남종과 북종을 대표했던 조사 각 7인을 가리킨다. 이른바 '남칠진南七眞'은 장백단, 유영년劉永年, 석태, 설도광, 진남陳楠, 백옥섬, 팽사彭耜이다. '전진칠자全真七子'로도 불리는 이른바 '북칠진北七眞'은 전진도의 창시자인 왕중양王重陽의 일곱 제자인 마옥馬鈺(丹陽子), 구처기丘處機(長春子), 담처단譚處端(長真子), 왕처일王處一(玉陽子), 학대통郝大通(太古子), 유처현劉處玄(長生子), 손불이孫不二(清靜散人)를 가리킨다.

157. 自古至今南北七眞書, 略載於『粹言』. 今不俱詳, 然大要於斯, 亦足以成眞成聖也.『통편』, 86쪽.

된다.

전병훈이 활동했던 한 세기 전으로 돌아가 보면, 내단학은 방외에서 비밀스럽게 사적으로 전승되던, 아주 혼란스럽고 종잡을 수 없는 비의적 체계에 머물러 있었다. 학자들은 물론이고 도교의 수행자들조차 내단학 이론을 일관된 지식의 형태로 정리하지 못하던 시절이었다.

그처럼 혼란스러운 비의적 도술의 체계를 "내가 정신의 공학公學으로 개작했다"[158]는 전병훈의 자부는 결코 지나친 자기과시가 아니었다. 게다가 그 배후에는 서우의 진실한 구도의 실천, 원대한 철학적 포부, 그리고 엄밀한 학문 태도가 함께 작동하고 있다.

앞서 언급했듯이 서우는 유·불·도에 서양철학까지를 '4교'로 부르며, 이른바 '정신 전문학'을 공공의 학술로 개편하고자 했다. 다시 말해, 동아시아의 정신적 전통을 통합적으로 계승하는 동시에 근대적 지성의 성찰을 통해 '정신의 공학'이라는 또 다른 공공의 지적 영역을 개척하고자 했다.

그는 전통사회에서 소수의 엘리트나 전문적인 승려·도사들이 독점했던 유·불·선 3교의 이론과 경험을 '모든 사람'이 이해하고 실천할 수 있는 공공의 지식으로 재정립하는 데에 뜻을 두었다. 그중에서도 특히 내단학의 정신학설과 수련공법을 토대로 통합이론을 구축했다.

그리고 누구라도 각자의 역량에 맞게 정신증진과 건강장수의 효과를 얻을 수 있기를 희구했다. 그것이 곧 정신학을 인류의 공익公益에 이바지하는 '공공의 학'으로 재정립하는 이유이자 목표였다. 사실상 그는 근대적 공론의 장에 새로 등장해 주체성을 부여받기 시작한 다중을 정신학의 주체로 호명한 것이다.

인간은 누구나 우주에서 가장 영명한 천부적 정신을 부여받고 태어난다. 그러므로 사람이라면 누구라도 정신학을 연마하고, 그 수혜를 입을 수 있다. 그리고 이런 정신의 근원적 통일성과 보편성으로 인해, 사해가 동포이며, 온 인류가 형제가 된다.

---

158. 余所以改作精神之公學. 『통편』, 87쪽.

일견, 이는 개별자의 천부적 이성을 선포하고 그에 기초한 인류애를 말한 근대 계몽주의와 상통하는 문법이다. 하지만 서구 근대의 합리주의는 인간의 사유능력(이성)에 과도하게 집착한 나머지, 마음의 신체성과 자연과의 통합성을 배제하는 결정적인 잘못을 범했다.

그러나 전병훈의 정신학은 천부적 정신의 보편성을 명언하는 한편, '정신' 개념으로 마음의 신체성 및 자연과의 통합성을 동시에 수렴한다. 물론 근대성을 막 성취하기 시작한 한 세기 전의 동아시아에서, 그가 근대적 이성의 태생적 한계를 분명히 인식하고 이런 대안을 제시했다고 보기는 어렵다.

그럼에도 불구하고, 그가 매우 고원한 지평에 올라 광대한 철학적 시야를 확보했음은 분명하다. 서우는 옛것 익히기(溫故)와 새로운 혁신(維新)을 겸하며 전통의 계승과 근대성의 성취를 함께 도모했다. 그러면서도 마침내 "물질로부터 정신으로 들어가는" 오회정중의 궁극적 문명전환을 예고했다.

서우는 중세의 이념적 억압과 신분제적 속박에서 보편적 인류를 해방한 근대의 위대한 유산을 보존하면서, 신체와 자연을 인간성에서 배제시켜 역으로 신체와 자연으로부터 소외된 근대적 인간의 병적인 불균형을 치유하는 이중의 과제를 함께 수행했던 셈이다.

전근대와 근대, 그리고 탈근대 이후 미래의 전망까지 아우르는 정신학의 이런 포섭의 양상은 오늘날 보더라도 실로 놀라운 경관이 아닐 수 없다. 이것은 각 역사의 시대가 단절되어 단지 순차적으로만 존속하는 것이 아니며, 각자 안에 다른 시대의 흔적과 씨앗을 아울러 포함한다는 철학적 예증의 한 사례인지 모른다.

하지만 문명사의 시대적 특성과 연관해 서우의 정신학을 조명하는 주제는 한층 심화된 분석과 논의를 필요로 한다. 이는 본서 이후에 천착해야 할 과제로 남겨두자. 다만 그가 정신수련의 직접 체험을 토대로 유·불·도에서 서양 철학까지 '4교'의 통합을 모색했으며, 그 탐색의 여로에서 고원한 철학적 지평에 올랐다는 것은 분명히 말할 수 있다.

그 지평에서 목도한 인간 정신의 무한한 가능성과 본질에 대한 기록이 곧

'정신철학'인 것이다. 그것은 철학의 역사를 분석하고 논증하는 철학사가의 순전한 지적 노동의 결실과는 차원이 다르다. 서우의 철학은 인간과 천지만물을 낳은 우주적인 정신의 기원으로 돌아가려는 한 순수한 영혼의 고행과 분투의 기록이었다.

그리하여 한국 근대철학 여명기의 한 고원에서, '철학사가'라기보다는 '철학의 모험가'인 서우를 만난다. 그를 따라 먼 우주로 열린 드넓은 정신의 경관을 보는 것이 또한 얼마나 다행스러운 일인가 말이다.

12. 정신학의 진화

옛것을 토대로 지식과 경험을 확충하고 시대 요구에 부응하는 지평을 모색하면서 학문이 진화한다. 전병훈은 정신학이 모두 일곱 단계로 진화했다고 평가했다. 첫째 단계는 광성자廣成子다. 두 번째는 황제고, 세 번째는 요순의 시대다. 네 번째는 위백양이다. 다섯 번째는 여동빈(呂純陽)부터 장백단張伯端(張紫陽, 987~1082), 석태石泰(石杏林, 1022~1158), 백옥섬 白玉蟾(葛長庚, 1194~1229)까지다.[159]

여섯 번째로 고공섬이 근세에 내단학을 혁신해 진화했다고 한다. 그리고 마지막으로 전병훈 자신을 일곱 번째로 꼽는다. 그는 부자간에도 전하지 않던 은밀한 정신학을 동·서양의 철학과 과학을 망라하는 공용의 학술로 다시 한 번 혁신한다고 천명했다.[160]

서우는 『도장』이 만 권의 방대함을 자랑하지만 거짓되고 잡다한 곁가지가

159. 여동빈을 제외하면 모두 북송 전진도 남종의 조사들이다. 전병훈이 남방 내단학의 도맥을 중시했음을 알 수 있다.이는 그가 나부산 충허관에서 수도했던 인연과 연관이 있을 것이다.

160. 『통편』, 9~10쪽.

너무 많아 그 정수를 취사선택하기 어렵고, 따라서 세상에서 배척받은 지가 오래됐다고 언명한다.[161] 이는 도교가 종교화되는 과정에서 민간의 잡다한 신앙과 뒤섞이고, 신비화하고 통속화하며, 종파가 분열되고, 이론적 난맥상이 뒤엉킨 것을 꼬집는다.

하지만 전병훈은 딱히 교단에 속하지 않고 종교적 구속에서 자유로웠다. 그러면서도 내단 수련의 공효를 높은 경지에서 몸소 체득했다. 또한 조선에서부터 훈련받은 학자적 소양을 토대로 광범위하고도 엄밀하게 『도장』을 열독해 그 정수를 판별했다. 거기에 더해, 서양철학의 학문방법과 과학적 세계관을 접한 것도 정신철학을 체계적인 학술로 정립시키는 데 일조했다.

그는 도교 이론에서 신비하게 은유된 모호한 기호들의 장막을 걷어내고 납득 가능한 설명체계로 전환했다. 또한 사적으로 은밀하게 전하던 내단 수련의 비전秘傳 방식을 비판하고, 인류가 공유하는 공공의 학술로 개조할 것을 주창했다.

특히 수련에 대한 그의 관심이 단지 사적인 차원에 머물지 않았다. 그는 개인적으로 신선이 되기만을 목표로 하는 수련을 혹렬히 비판하고, 공정한 사회정의를 함께 실현해야 한다고 강조했다. 다음과 같은 언명에 이런 철학적 관점이 잘 드러난다.

> 이 편이 비록 간략하지만, 범인을 넘어 성인의 경지에 들고 참나(眞)를 닦는 조리가 분명하게 다 갖춰졌다. 하물며 『천부경』이 간단명료하면서도 극히 정밀한 것은 말할 필요가 없다. 근면히 힘써 이를 성취하는 것은 사람들 각자에 달렸다.
>
> 비록 사무가 다급하고 바쁜 사람이라도, 여가를 이용해 정성껏 공부한다면 족히 효험을 볼 게 틀림없다. 만약 이와 반대로 일상사를 멀리하고 사물과 단절하며 세상을 버린 채 단을 이룬다면, 수명이 비록 오륙백 세가 된다

---

161. 道藏萬卷, 多僞雜旁門, 孰能煉擇袪取, 見其眞我之眞面目者耶? 所以與世背馳者, 由來巳久耳. 『통편』, 20쪽.

한들 인간 세상에 무슨 이익이 되겠는가? '시체만 지키는 귀신'이라고 할 수 있을 뿐이다.

내가 '정신의 공학(精神之公學)'으로 개작하는 까닭이 있다. 뛰어난 사람은 참나를 이루고 성스러움을 성취할 수 있으며, 차등의 인재라도 정신을 길러 병을 물리치고 수명을 늘일 수 있다. 그러니 사람들이 각자 이익을 얻고, 이로써 세상을 구하는 데 힘쓰기를 희망한다.

옌푸嚴複(嚴幾道)는 서양학을 겸비한 철학가로, 일찍이 내게 권해 말했다. "서양철학이 날로 위생을 강구하지만, 수명을 연장하는 데는 끝내 또한 방법이 없습니다. 청컨대 이 책을 저술해서 세상을 구제하고 사람들을 인도해야 합니다. 어찌 더 이상 미룰 수 있겠습니까?" 참되도다! 이 말이여.

사람들이 장차 자기를 완성하고 남을 완성시키며 세상을 구제하고 나라를 다스리는 넓은 학문(博學)으로 이 책에 합치하고, 이로써 정신을 증진하고 장생하는 큰 도의 가교(津梁)를 삼는다면, 또한 어찌 저마다 그 덕량(分量)을 충족시키지 않겠는가?

해와 별은 천지의 정신이다. 정신이 충만하면 세상이 태평하고 사물이 번성한다. 사람과 사물에 깃든 정신 역시 이와 같다. 정신의 왕성과 쇠락에 생명이 따른다. 덕을 증진하고(進德) 학업을 익히고(修業) 일을 처리하고(處事) 사물을 접하는(接物) 데에 이르기까지, 어찌 정신이 오묘하게 작용하지 않음이 있겠는가?

그러므로 내가 지금 신선이 되는(成仙) 정신학을 돌이켜서 만사를 이루고(濟事) 성스러움에 들어가는(入聖) 정신학으로 만드는 것이다. 아! 배우는 사람들이여.[162]

---

162. 此篇雖約, 而超凡入聖修眞條理, 瞭然該備. 況『天符經』既又簡明精盡者乎. 勉而成之, 存乎其人矣. 雖事務忽忙之人, 誠能暇以進功, 足以效驗不差矣. 若反是而遠事絕物, 遺世成丹, 壽雖五六百歲, 而究竟何益於人世哉? 可稱爲守屍鬼耳. 余所以改作精神之公學者, 上可以成眞成聖, 而次可以增益精神, 却病延年, 人各受益以濟世務之希望也. 嚴君幾道, 是兼西學之哲學家. 嘗勸余曰 西哲日講衛生, 而至於增益壽命, 終亦無術. 請著此書, 以救世度人, 何可緩乎? 誠哉是言也. 人將以成已成物, 濟世經邦之博

여기서 정신학의 공효가 함축하는 제반가치에 주목해 보자. 참나의 완성(成眞)으로 범우주적 차원에서 높은 차원의 '자유'를 획득한다. 성스러움의 성취(成聖)란 곧 뛰어난 엘리트가 되어 치세의 '사회가치'를 실현한다는 문맥이다. 그리고 비록 거기에는 못 미치더라도, 사람들 저마다 정신과 수명을 기르고 병을 물리칠 수 있다. 다시 말해 보편적 인류의 '정신 및 생명 가치'를 고양할 수 있다.

또한 개인의 품성, 학업, 사업, 대인관계까지 모든 일상에서 정신의 작용이 미치지 않는 영역이 없다. 전병훈은 단지 개인적인 성선成仙의 추구를 넘어, 이런 제반의 가치를 원만하게 구현하는 것을 정신학의 목표로 삼았다. 이는 곧 내적인 자기완성에서부터 치국·평천하로 확장되는 내성외왕의 문맥이다. 다시 말해, 정신의 수양은 모든 다중적인 가치를 실현하는 알파요 오메가라고 할 수 있다.

정신의 자유와 몸의 건강, 성스러움과 일상의 성취, 사회가치와 생명가치를 따로따로 추구해서 기계적으로 결합하는 것이 아니다. 뿌리를 캐면 줄기와 잎이 모두 딸려오듯이, '정신'을 증진하는 것이 모든 가치를 실현하는 근본이 된다. 그러므로 그는 넓은 학문(博學)의 필요성을 강조한다. 더 나아가 박학과 정신학이 결합할 때, 그 효용이 극대화된다고 한다.

그런데 근대의 철학적 문맥에서 '정신'이란 사유를 본성으로 하는 의식의 주체를 가리킨다. 그리고 때때로 의욕 내지는 의지까지 함축한다. 이런 사유나 의지의 존립에서 특히 중요한 것은 합리적인 이성의 판단이다. 반면 '정신력'이나 '정신집중' 같은 개념이 우리말에서 널리 쓰이지만, 사실상 현대 학문에서 엄밀하게 정의된 개념이 아니다.

서구 근대의 지식 전통에서 볼 때, 마치 '체력'처럼 물리적이거나 추상적인

學, 合致此書, 以作增益精神·延年益壽之大道津梁, 則盍亦各充其分量乎? 矧乎日星爲天地之精神, 精神充旺則世泰而物盛, 精神之在人與物者, 亦猶是焉. 精神之旺衰, 生命從之, 以至進德·修業·處事·接物, 何逞非精神爲妙用乎? 故余今以成仙之精神學, 回作濟事入聖之精神學. 烏乎! 學人. 『통편』, 87~88쪽.

어떤 '힘(force, power)'으로 정신의 능량을 측정하는 것이 생소한 문법이기 때문이다. 하지만 동아시아 정신학에서 보자면, '정신력'은 정의가 가능할뿐더러 유용한 개념이다.

단적으로 말해, 정신력은 곧 사람의 생명을 이루고 감정 및 의식 활동을 가능케 하는 정·기·신의 힘(역량) 내지는 활력이다. 따라서 서우가 말하듯, 정신은 증진하거나 기를 수 있다. 반면 사유나 의욕은 정신 그 자체라기보다, 정신의 작용이나 기능에 속하는 것이다.

이런 문맥에 따르면 '정신의 힘'이야말로 한 사람의 생명력, 정감, 그리고 사유능력과 의지력의 뿌리가 된다. 정신의 증진을 만사의 기틀로 삼는 전병훈의 입론 역시 이런 정신학의 문법에서 성립한다. 그는 동아시아 문명의 서막을 열었던 원동력으로 '정신의 도'를 들었다. 그리고 정신이 모든 것의 원류가 되는 바로 그 지점에서, 유·불·도와 서양철학까지 한꺼번에 포획하는 그물을 던진다.

> 삼대三代 이전에는 도道로써 학문을 삼았다. …… 당시의 군주와 재상이 모두 오래 살며 치세가 융성했던 것은, 이런 정신수련의 도를 잘 활용한 덕분이다. 그리고 그 뒤로 공자와 노자·부처와 서양철학이 모두 하늘과 사람의 근원을 통찰하고 가르침을 세웠다. 하지만 현빈玄牝의 안에 신을 응결하고 목숨을 바로 세우는 철리는 오직 단군, 황제, 기자, 노자만이 겸비하였다.[163]

역사의 시원에 뭔가를 두는 논법은, 그것을 근원적이고 본질적인 것으로 위치 지우려는 갈망의 다른 표현이다. 서우는 정신수련을 토대로 하는 성선과 겸성의 전통이 동아시아 문명의 역사적 뿌리였다고 한다. 또한 그 안에 유교와 불

---

163. 三代以上以道爲學, …… 而其時君相, 皆歷年長久. 治理隆盛者, 良用此神化之道故也. 然自後, 孔子與老佛西哲, 皆洞貫天人之源而立敎. 惟此玄牝之內, 凝神住命之哲理, 則獨檀黃箕老兼有之.『통편』, 49~50쪽.

교 그리고 서양철학까지 관통하는 근본원리가 담겼다고 주장한다.

그 정점에 단군과 황제를 함께 세우고 기자와 노자를 짝지어, 한국이 중국에 비견하는 문화국가였음을 천명했다. 더 나아가 그는 단군과 『천부경』을 적극적으로 재해석해 민족 문화의 자존감을 높였다. 『천부경』의 경문과 주해를 『정신철학통편』 첫머리에 싣고 "천지 가운데 한국이 가장 오래된 신성한 문명국가였음을 알 수 있다"[164]고 명언했다.

그리고 한국의 신선사상을 대표하는 몇몇 사례를 보충했다. 우선 당나라에 유학했던 신라인 김가기金可紀가 대중大中 12년(858)에 당의 수도 장안 남쪽의 종남산 자오곡에서 우화등선한 사례를 꼽았다.[165] 『속선전續仙傳』과 『태평광기太平廣記』 등에 실제로 김가기의 전기가 전한다.

둘째로 고려 예종睿宗이 다음과 같은 조서를 내렸다고 소개한다. "옛날 신라에서 신선술이 크게 유행하여 하늘과 사람이 모두 기뻐했다. 네 성인(四聖)의 자취가 더할 수 없이 영예롭다. 네 성인은 영랑永郎·술랑述郎·남랑南郎·안상랑安詳郎이다."[166] 한데 이 기록은 예종과 의종毅宗 연간에 따로따로 내린 조서의 내용을 하나로 혼동한 것이다.[167] 어쨌든 신라에서 신선술이 성행했음을 상기시키는 취지는 크게 지장을 받지 않는다.

셋째로 정렴鄭磏(1505~1549)[168]의 사례를 들었다. "조선에 북창北窗 정렴이 있었다. 나면서부터 신령스러웠고, 3교에 널리 통했다. 수련하여 참나를 이뤘다. 일찍이 부친을 따라 중국에 들어갔는데 곧바로 중국어를 말했다. 외국 사

---

164. 惛言學人又得此兼聖, 極哲之學理, 則不待箕聖洪範之經, 而庶幾知韓爲天地中, 最古神聖文明之邦國乎. 噫! 『통편』, 31쪽.

165. 新羅國貢進士金可紀, 性沈靜, 屬文清麗, 得鍾離雲房指教, 服氣煉眞, 衣道服, 務行陰德, 奉詔上昇.(戊寅二月二五十日) 『통편』, 86쪽.

166. 高麗睿宗詔曰 "昔在新羅, 仙術大行. 人天咸悅, 四聖之跡, 不可不加榮. 四聖者, 永郎·述郎·南郎·安詳郎也." 『통편』, 86쪽.

167. 四仙之跡所宜加榮, 依而行之不敢失也. 『高麗史·世家』 '睿宗' 3年; 昔新羅仙風大行. 由是龍天歡悅民物安寧. 故祖宗以來崇尚其風久矣. 『高麗史·世家』 '毅宗' 2年.

168. 정렴은 조선 중종 때의 학자로, 3교에 뛰어나고 자는 사결士潔, 호는 북창北窓이다. 『북창비결北窓秘訣』·『용호비결龍虎祕訣』 등을 지었다.

신을 만나면 곧바로 외국어를 말했다. 입산하고 여러 날이 지나도 산 아래 백리 간의 일을 목격한 듯이 모두 알았다. 이는 양신이 출태하여 천선이 된 진인이었기 때문이다."[169]

하지만 이런 사례들로 서우가 궁극적으로는 민족주의를 선양하려고 했던 것은 아니다. 앞서 단군에서 성선과 겸성의 뿌리를 찾았다면, 김가기 이후는 이런 전통이 면면히 계승되었음을 뒷받침하는 사례로 제시된 것이다. 그리하여 그는 한국과 중국을 포괄하는 '동아시아'를 재발견하고, 정신수련과 겸성의 원리를 이 권역에 공통적인 문화의 뿌리로 재정립했다.

그는 동아시아 상고시대의 선인仙人(眞人)들이 모두 겸성했지만, 후대에 생명가치와 사회가치가 분열되면서 성선을 추구하는 도교와 경세를 추구하는 유교로 분화되었다고 본다. 그리고 이런 가치분열을 되돌려, 성선과 경세를 병행하는 것으로 '겸성'의 종합적 목표를 삼았다.

전병훈이 제안한 '겸성'은 개별자의 정신과 공공적 사회성의 공진화共進化(co-evolution)를 겨냥한다. 그리고 이런 겸성의 철학으로 "극히 문명화된" 인류사회의 궁극적 이상, 즉 항구적인 평화와 자유의 실현을 앞당길 수 있다고 명언했다.

실제로 그를 기린 많은 인사들이 이구동성으로 이 학설을 칭송했다. 서우 본인도 『정신철학통편』을 출간한 뒤에, 겸성학설만 따로 다룬 『정결頂訣』을 펴낼 정도로 개인과 사회의 공진화에 천착했다.[170] 이런 겸성학설은 서우가 정신학을 혁신하고 진화시켰다고 자부한 결정적인 근거의 하나였다.

---

169. 至朝鮮, 有鄭北窗, 生而靈異, 博通三教, 修煉成眞. 嘗隨父入華, 便作華語. 遇外國使, 便作外語. 入山數日, 盡知山下百里間事如目擊, 是蓋陽神出胎, 以成天仙之眞人也. 『통편』, 86쪽.

170. 이 책 역시 전하지 않지만, 그 대강의 내용은 제11장에서 다시 살핀다.

13. 정신의 신체성: 정신학과 뇌과학

한편 전병훈은 정신철학을 논하며, 마지막으로 정신수련과 뇌신경을 관련짓는 견해를 제출했다.

> 근세에 서양철학과 심리학에서 전문적으로 대뇌와 소뇌의 뇌신경에 주목해 말한다. 금단金丹의 법 역시 '정을 뇌로 환류(還精補腦)'하기에 전념하는데, 뇌 가운데 원신이 이를 주관한다.
>
> 아! 중국·한국·서양의 철학이 모두 뇌(腦髓)로 마음과 정신의 작용을 삼는다. 이것이 어찌 신성한 지혜와 식견이 아니겠는가? 다만 그 운용이 다르게 귀결되는 것을 지금부터 합치해서 원만하게 만들 수 있으니, 역시 좋지 않은가?[171]

금단의 본질인 '양신'(혹은 참나)은 곧 뇌 안에 고도로 활성화된 순수한 선천의 정신에너지[172]라고 말할 수 있다. 그렇다면, 내단 수련은 체내의 에너지대사를 운용해 정신에너지를 활성화하는 과정인 셈이다. 정신철학의 견지에서 보면, 우주에는 인간을 포함한 만물의 의식작용과 지능의 원천이 되는 정신에너지(元神)가 편재한다. 심지어 무생물로 분류하는 천지와 일월성신에도 이런 원신은 다 깃들어 있다.

사람의 신은 이런 우주적 원신의 소산이자, 그 일부이다. 이렇게 볼 때, 사람의 원신이 사물을 파악하는 것은 곧 모든 사물에 내재된 정신에너지 사이에서 일어나는 모종의 '통신通神'이 된다. 주객이분법의 인식에서, 대상화된 세계를 주체가 타자로 인식하는 것과는 그 메커니즘을 확연히 달리한다.

---

171. 按近世西哲心理學, 專主大小腦神經而言. 金丹之法, 亦專於還精補腦, 腦中元神主之也. 噫! 中韓西哲學, 俱以腦髓爲心神之作用者, 詎非神聖之智見耶? 但其運用殊歸者, 從今以後, 可就合致以圓滿, 不亦喜哉. 『통편』, 77~78쪽.

172. 『관자·내업』 이후로 이런 신神을 '의기意氣'로 칭하기도 한다.

그렇다고 해서, 인식주체(이성)의 대상적 인식활동을 전적으로 부인하는 건 아니다. 다만 이런 일차적 인식의 층위를 넘어, 정신에너지 간에 보다 근원적으로 교통하는 방식과 채널이 있다고 전제한다. 앞서 인용한 백옥섬의 말을 다시 빌리자면 "그 신(원신)은 생각하고 근심하는 신이 아니라, 우주의 시원과 어깨를 견주는"[173] 무제한의 통신 상태 중에 있다.

정신학의 문법으로 다시 말해 보자. 눈에 보이지 않는 기가 편재하는 우주에서, 만물의 정신 간에 서로 감응을 주고받는다. 그 가운데 원신의 이른바 '신통변화'가 일어난다. 전병훈의 표현에 따르면, 곧 "나의 정기(精)가 천지만물의 정기에 합치되고 나의 신神이 천지만물의 신에 합치해, 천지와 더불어 하나가 되어 신통변화"한다. "몸 밖에 몸이 있으며 광촉光燭이 온 우주에 빛나는"[174] 형국이다.

서우는 이야말로 진정한 '자유'의 상태라고 명언한다. "사람의 자유가 신을 길러 참나를 성취하는 이상이 없다"고 한다.[175] 그러므로 자유로운 '신통神通'이란, 곧 나의 신이 천지만물의 신과 무제한적으로 통신하는 무상無常의 교제를 함축한다. '변화'란 이런 통신 상태에서 주객의 경계가 허물어져 광촉으로 빛나는 정신들 간에 혼입混入하고 천이遷移하는 신묘한 상호작용의 사태인 셈이다.

이와 같은 신통변화가 일어나는 세계는, 오늘날 끊이지 않는 전기적 신호를 주고받으며 전 지구를 연결하는 유·무선 네트워크의 연결망을 연상시킨다. 이런 네트워크야말로, 나의 정신이 천지만물의 정신과 통해 하나로 연결되는 도통道通의 무제한적 상호교제를 가장 흡사하게 표상하는 존재론적 사태인 것이다.

---

173. 白玉蟾曰 "人身只有三般物, 精神與氣相保全. 其精不是交感精, 迺是玉皇口中涎. 其氣即非呼吸氣, 迺知却是太素煙. 其神即非思慮神, 可與元始相比肩."(心譬諸玉皇也) 『통편』, 55쪽.

174. 以我之精, 合天地萬物之精, 以我之神, 合天地萬物之神, 與天地爲一, 可以神通變化. 所謂, 身外有身, 光燭九垓. 『통편』, 83쪽.

175. 人之自由, 莫如養神成眞者. 『통편』, 19쪽.

물론 정신수련의 결과로 얻어지는 원신의 무궁한 신통변화를, 물리적 기계장치를 기반으로 하는 네트워크상의 전자적 신호들 간의 통신과 동일시할 수는 없다. 하지만 정신철학의 신통론神通論이 근대적인 주객이분법보다 현대 정보사회의 인식론, 그리고 뇌과학의 발견에 더 잘 부합한다는 사실을 직관적으로 표상하기에는 충분하다.

정신활동은 뇌의 시냅스synapse 회로에서 일어나는 화학반응 및 전기적 신호를 매개로 작동한다. 의식(혹은 마음)의 작용이 뇌에 수반된다는 것은, 오늘날 철학과 종교의 영역을 넘어 확고한 과학적 근거를 가지게 되었다. 물론 정신과 마음이 단지 시냅스 사이를 오가는 물리적 전기신호로 간단하게 환원될 수 없다는 사실도 함께 인정되지만 말이다.

여하튼 마음과 뇌의 관계는 이어지는 '심리철학' 편에서 다시 다룰 것이다. 이 주제에 대한 전병훈의 견해는 다음 장에서 재검토하기로 하자. 다만 세계적으로 뇌과학 연구가 한창인 지금, 서구에서도 동양의 오래된 수련과 명상에 주목한다는 사실을 상기할 필요가 있다.

사람들의 머리에서는 매 순간 뇌파가 흘러나오고, 명상을 하면 뇌에 변화가 일어난다는 것이 과학적으로 확실히 입증되었다. 과학자들이 명상 중인 수행자들의 뇌를 활발히 연구하고 있다. 미국에서만 매년 천여 편의 명상 관련 논문이 심리학이나 의학 학술지에 발표된다는 보고도 있다.[176]

반면 신체의 기반에서 분리된, 신체와 별개로 독립된 순수한 이성이나 영혼이 존재한다는 근대적 심신이원론은 이제 철지난 환상이 되었다. 노자의 말처럼, 사람들이 한때 '정상'으로 여기던 상식이 언젠가는 다시 비정상이 된다. 그리고 옳다고 믿던 진리가 다시 비진리로 변하고 있는 것이다.[177]

최소한 정신의 신체성에 관한 인식은 그렇게 바뀌고 있다. 그런 가운데, 근대적 이성주의에 의해 미신이나 신비주의로 낙인찍혔던 신체관과 심신수련법들이 인류의 귀중한 정신적 자원으로 다시 호명될 기회를 얻고 있다. 전병훈의

---

176. 장현갑, 「마음을 리모델링하다, 명상」, 『네이버캐스트』 2011년 12월 8일.
177. 正復爲奇, 善復爲妖. 『老子』 58장.

정신철학 역시 당연히 그런 유산의 물목에 포함된다.

서우는 뇌에서 마음과 정신의 작용을 찾았다. 그리고 동·서양의 정신학과 과학에서 "다만 그 운용이 다르게 귀결"될 뿐이며, 그것을 "지금부터 합치해서 원만하게 만들 수 있다"고 제언했다. 이런 개방적 식견이 한국 근대의 지적 유산을 풍부하게 만든다.

단적으로 말해, 서우야말로 한 세기 전에 수련(명상)하는 뇌에 대한 융복합의 연구를 제안한 세계적 선구자였다고 감히 확언할 수 있다.[178] 이제 전병훈의 다음과 같은 말로 '정신철학' 편을 종결짓는다.

> 사람과 만물이 진실로 정신이 아니라면 어찌 하루라도 능히 생존할 수 있겠는가? 가히 스스로 경계하고 깨우쳐야 한다. 아! 천지의 정신이 사람의 정신이 되는 이치가 이처럼 참되고 틀림없다. 오직 수양을 잘해서 성명을 응결해 안주시키는 사람이 천지와 더불어 끝과 시작을 나란히 할 수 있다. 그러니 배우는 사람은 먼저 하늘과 사람의 근원, 우주의 한 마음, 국경의 철폐, 사해동포에 관해 위에서 진술한 바를 반드시 밝게 알아야 한다. …… 아! 지극하도다! 정신 겸성의 전문 학술이여. '심리철학'으로 뒤를 잇는다.[179]

---

178. "2006년 1월 초 『뉴욕타임스』를 비롯한 미국의 주요 언론에는 티베트불교의 지도자 달라이 라마에 대한 흥미로운 기사가 실렸다. 달라이 라마가 신경과학회(The Society for Neuroscience) 2005년 정례 학술발표회에서 '뇌의 가소성'이라는 제목으로 기조연설을 했는데 강연의 요지는 명상수련을 하면 뇌에 변화가 일어난다는 것이었다." 장현갑, 위의 글.

179. 人物苟非精神, 則安能一日生存者乎? 可自儆醒乎! 烏乎! 天地之精神, 爲人精神之理, 若是其眞的也. 惟其善能修養, 凝住性命者, 可與天地相終始. 然學人必先明乎上述天人之源, 宇宙一心, 破除國界, 而兄弟五洲. …… 烏乎至哉! 精神兼聖之專學也, 繼以心理哲學. 『통편』, 89~90쪽.

제2부
심리·도덕·정치 철학

제4장

심리철학

심리는 하늘에서 근원한다. 정신이 곧 심리다. 심리는 곧 도다. 도가 사람에게 있으니, 이로써 정을 기르고 신을 응결하면 곧 목숨을 보존하고 참나를 이루는 학문이 된다. 이로써 이치를 궁구하고 성품을 다하면, 곧 세상을 경영하고 성스러움에 들어서는 학문이 된다. 그러니 어찌 정신과 심리를 구분할 수 있으랴?

하지만 내가 (정신과 심리) 두 편을 나눈다. 이것은 '정신' 편으로 수양의 내공內攻에 전념하고, '심리' 편으로 안팎을 통섭해서 성聖과 진眞의 일용 인사를 합해 말하는 것이다.

동아시아 도통의 전승은 심학心學을 위주로 한다. 하지만 경전이 흩어져 있어 요령을 얻기 어렵다. 그러므로 진덕수眞德秀가 『심경心經』과 『정경政經』을 편찬해서 그 요지를 드러냈다. 그러나 단지 유교의 요지만을 선별했으니, 그 시대가 그러하였다.

대개 학문은 경험을 귀히 여긴다. 다른 2교(仙·佛)의 심리와 서양철학의 심리학에 모두 실험을 통해 진리를 발명한 것이 많다. 어찌 이단이라고 취하지 않겠는가? 하늘의 (공정한) 마음으로 이를 조율하니, 무릇 신·구의 학문이 모두 한쪽에 편중됨을 면치 못할까 두렵다.

때문에 내가 부득이하게 취사·절충하고 신·구의 학설을 조제하여, 이로써 성스러움을 겸하는(兼聖) 원만한 덕성(圓德) 완성하기를 요지로 삼는다. 고금의 여러 학설을 채록하여, 이로써 본 편을 엮어 '하늘에서 근원하는 심리(原天心理)'를 천명한다. '심리'란 곧 본성 안에서 원신의 한 점 영명靈明이 한 몸을 주재해 만사를 다스리는 것이다. 『천부경』에서 말하기를 "(본마음이) 본래 태양으로 밝게 빛난다"고 하니, 역시 심리학의 개산지조開山之祖다. 그리고 "변화에 적용하지만 근본은 움직이지 않는다"는 말이 참으로 주된 요지가 되는 것이다.[1]

심리心理를 말 그대로 풀면 '마음의 이치'다. 그리고 심리철학이란 곧 마음의 이치에 관한 철학이다. 한데 그 연구대상인 '마음(心, mind, psyche)'이 무엇인가에 대해 모두가 동의하는 정의를 찾는 것은 쉬운 일이 아니다. 세계 여러 문화권마다, 그리고 시대마다 다양한 견지에서 '마음'을 설명했다. 또한 마음을 연구하는 학문이 철학에서 심리학 그리고 최근의 인지과학(cognition science)까지 분화하고 발전됐다.

하지만 마음은 여전히 미묘하고, 다의적이며, 중층적인 미지의 영역으로 남아 있다. 따라서 한 세기 전의 서우가 '마음'에 관한 모든 질문에 답할 수 없고, 또 그랬기를 기대하지도 않는다. 단지 그의 심리철학에서, 인간 내면의 극히 현묘한 영역인 '마음'을 조망하는 한 지평을 연다면 족하다. 그 의미에 대한 최종의 평가와 활용은, 독자를 위시해 현재와 미래의 마음연구자들의 몫으로 돌린다.

1. 정신이 곧 심리다

전병훈의 심리철학에서 "정신이 곧 심리다(精神, 即心理)"라는 것만큼 단호

1. 心理, 原天也. 精神, 即心理. 心理即道也. 道之在人, 以之養精凝神, 則爲住命成眞之學, 以之窮理盡性, 則爲經世入聖之學也. 若是乎精神心理, 何可區分乎? 然余所以分作兩篇者, 精神專於修養之內功, 而心理篇則統內外, 合聖眞日用人事而言也. 東亞道統之傳, 心學爲主, 而散在經傳, 難得要領. 故眞西山(德秀)撰輯心政二經, 以示其要, 然只選儒宗而已, 其時則然也. 蓋學貴經驗, 他二家(仙佛)心理與西哲心理學, 皆實驗而多發明眞理者, 烏可以異端而不取乎? 若以天心律之, 凡新舊學, 恐未免均有一偏. 故余不得已取舍折衷, 調劑新舊, 以成兼聖圓德爲要, 摭採古今諸家說, 以纂此篇, 俾明原天之心理. 心理即性內元神之一點靈明, 主宰一身, 宰制萬事者也. 『天符』云 "本太陽昂明者" 亦爲心理學開山之祖, 而"用變不動本"誠爲主要者耳. 『통편』, 91~92쪽.

하고도 인상적인 언명은 없다. 곧 서우 심리철학의 제1원리라고 할 수 있다. 그런데 심리가 정신과 같다면, 이 둘을 나눠 말하는 근거는 대체 뭐란 말인가? 전병훈의 심리철학은 이 문제에 대한 답변부터 시작한다.

윗글에서 "'정신' 편으로 수양의 내공內攻에 전념하고, '심리' 편으로 안팎을 통섭해서 성스러움(聖)과 참됨(眞)의 일용 인사를 합해 말한다"고 한다. 이는 정신철학과 심리철학의 주안점을 설명한다. 동시에 정신과 심리의 차이를 말하기도 한다. 정신과 심리는 무엇보다 작동하는 층위가 다르다.

정신은 인간 내면의 가장 내밀한 심층에 있다. 하지만 마음은 내면과 외면 사이에 걸쳐 있고, 안팎을 연결한다. 아주 본원적인 마음(성품)조차 순결한 사회성(聖)과 개체성(眞)을 겸비한다. 결정적으로, 그것은 '일용 인사'에서 작동한다. 즉 외적 환경과 내적 자아가 교차되는 일상의 생활 가운데서 마음이 일어나고 움직인다. '마음'은 분명 '정신'보다 표층에 속한다.

그렇다고 해서, 정신과 마음이 별개인 것은 아니다. 흔한 비유지만, 이 둘은 '동전의 앞뒷면'처럼 붙어 있다. 그런데 여기서 마음보다 깊은 층위로 지목하는 정신은 단지 생각하고 근심하는 '후천의 정신'(식신)이 아니다. 정신철학의 문법으로 말하면, 그것은 '선천의 정신'으로, 특히 정·기·신에서도 '원신'을 가리킨다. 이미 살폈던 구절이지만, 다시 한 번 상기해 보자.

> '신神'은 원신이다. 성품의 진면목(眞)은 곧 천진한 자연의 신이다. 사람이 처음 생겨날 때 하늘이 부여한 삶의 원리가 본성(性)을 이룬다. 사람의 본성이 움직이면 마음(心)이 된다. 마음이 응결하면 신神이라고 하고, 신이 안정되면 본성이라고 한다.[2]

누차 말했듯이, 사람의 영명한 '신'은 우주의 원신에서 비롯된다. 그것은 선천적으로 부여받은 "천진한 자연의 신"이다. 그와 더불어, 사람이 날 때부터 천

---

2. 神是元神, 性之眞, 乃天眞自然之神也. 人生始化, 天之賦輿生理者爲性. 性之在人, 動則爲心, 心凝曰神, 神靜曰性. 『통편』, 46쪽.

부적으로 부여받는 사람됨의 원리가 있다. 그것이 곧 '성품(性)'이다. 이처럼 신과 성품은 모두 타고나는 것으로, 사람의 생명에 본래 내재한다.

이런 문맥에서 보면, 성품(性)은 곧 '본성'이다. 그 본성이 일상생활 가운데서 움직이면, 거기서 '마음(心)'이 일어난다. 다시 말해 마음이란, 천부의 본성이 후천적으로 움직여 일어나는 것이다. 그런데 본성이란, 또한 '신(神)'이 안정된 성질이나 됨됨이에 다름 아니다. 즉 신을 떠나 별도의 본성이 따로 있는 게 아니다.

그러므로 '성품'이란 곧 '신'의 성질(됨됨이)이며, '신'은 곧 '성품'의 본체다. 그런데 마음은 선천적인 성품이 후천적으로 작동하는 것이므로, 따지고 보면 마음 역시 결국 신의 경험이나 작용에 지나지 않는다. '신'과 '성품'과 '마음'은, 하나가 다른 나머지의 조건이자 반영으로 정립한다.

그러므로 전병훈도 말한다. "본성이 사람 안에서 움직이면 마음이 된다. 마음이 응결하면 신이라 일컫고, 신이 안정되면 성품이라 한다." 신·본성·마음의 이런 관계를 필자가 도표로 만들어 보았다.

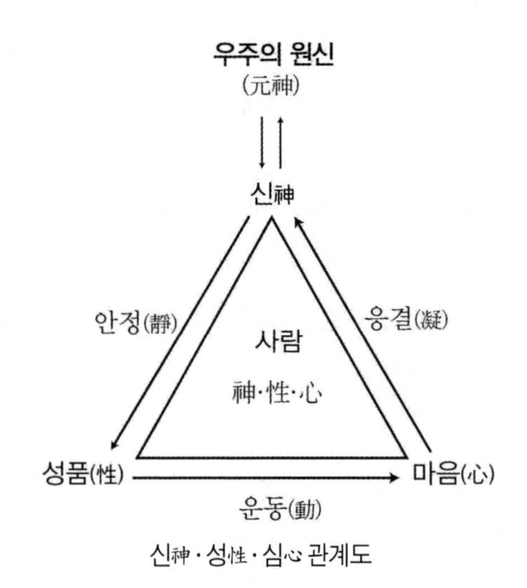

신神·성性·심心 관계도

신(神)과 빛, 본성(性)과 광명, 마음(心)과 조명

심리란 '마음의 원리'를 가리킨다. 서우는 "본성 안에서 원신의 영명靈明이 몸을 주재하고 만사를 다스리는 것"을 '심리'라고 했다. 본성 안에 깃든 신의 작용이 곧 마음이라고 설명하는 것이다. 이런 신, 본성, 마음은 비유컨대 빛과 광명과 조명의 관계와 흡사하다.

'빛'은 태양이나 고온의 물질에서 발출하는 일종의 전자기파다. 그 빛이 안정돼 환한 성질이 '광명'이다. 그리고 광명이 대상과 조건에 따라 강도를 달리해 구현되는 것을 '조명'이라고 한다. 한데 이런 조명도 결국은 빛의 전자기파가 작용한 것으로, 빛을 떠난 조명이 따로 있을 수 없다. 그러니 빛을 신으로, 광명을 본성으로, 조명을 마음으로 각각 유비해 보자.

말하자면, '신'은 내면의 빛이다. 세상의 모든 빛은, 빅뱅(개벽) 이후 팽창하는 우주의 에너지에서 온다. 인간 정신의 빛 역시 우주의 천진한 신(원신)에서 비롯한 것이다. 그리고 광명(환함)이 빛의 성질이듯, 인간의 성품 역시 본래 영명靈明한 정신(원신)의 성질일 뿐이다.

어떤 이지러짐도 없는 환함이 빛의 천연적 성질이다. 한데 그런 빛이 사물의 형상(物象)을 만나면, 그 밝기와 색상을 달리한다. 그것이 곧 조명이다. 순수한 '광명'은 특별히 비추는 대상이 없어도, 다만 빛의 성질 그 자체로 환하게 존속한다. 그러나 빛이 뭔가를 향하면, 그것이 형형색색의 조명으로 굴절된다. 즉 조명은 지향하는 대상이 있으며, 그 대상과 섞여 작용한다.

태양의 천연적인 조명조차 공전과 자전 같은 지구의 운동, 그리고 온갖 성질의 사물로부터 영향을 받는다. 하물며 인간이 조작하는 조명은 말할 나위도 없다. 불을 다루는 기술을 발견한 이래, 인류문명은 인공조명의 발명과 더불어 진화했다. 이런 '조명'이야말로 인간의 도구적 마음(도구적 이성, instrumental reason)을 표상하는 매우 적절한 예증이 될 것이다.

현대도시의 밤은 현란한 조명으로 빛난다. 화려한 듯 뒤엉킨 불빛은 늘 불안하게 명멸하는 현대인의 마음을 닮았다. 하지만 태양 혹은 지구의 핵 같은 천연의 환함에 견주면, 이런 조명이란 또한 얼마나 하찮고 어두운가?

도시의 밤을 수놓는 조명처럼, 후천적 마음이 변덕스럽게 명멸한다. 하지만 우주에서 근원하는 정신과 본성은 늘 한결같다. 그것은 태양처럼 시종여일하게 장구히 빛난다. 이런 은유는 단지 독자의 이해를 돕기 위한 유비에 그치는 것이 아니다. 아득한 신화시대부터, '빛'은 인간 내면의 정신을 표상하는 가장 오래된 메타포였다.

엘리아데Mircea Eliade가 인류의 모든 종교를 관통하는 신비체험의 본질을 '내면의 빛'에서 찾은 것은 워낙 유명하다. 캠벨Joseph Campbell도 태양과 동일화된 상징이 "천상의 대우주적 태양인 동시에 마음 안의 소우주적 태양에 대한 표현"[3]이라고 지적한 바 있다. 『천부경』에서도 말한다. "본마음이 본래 태양으로 밝게 빛난다."[4] 전 세계의 신화학과 종교학에서 인간 내면의 정신과 본성을 빛과 광명으로 표상하는 사례가 무수하게 보고되었다.

한 예로, 『태평경』은 기원전 1세기 무렵의 황로도 전적이다. 이 책은 훗날 도교의 성립에 결정적인 영향을 미쳤다. 거기서는 대우주의 근원적인 '원기'를 아예 '양陽'이라고 언명한다. 순수한 양의 기운인 원기가 만물의 생성을 주관한다.[5] 초기 도교에 보이는 이런 사상 역시 '내면의 빛'의 체험과 연관된다.

『태평경』은 대우주의 원기에서 분화된 정·기·신을 하나로 통합해 '원기' 상태로 되돌려 지키라고 요청한다.[6] 그리고 이를 실현하는 법술로 '하나의 밝음을 지키는 법(守一明法)'을 말했다. 이는 곧 몸 안에서 '한 점 정精의 밝음(一精明)'[7]을 지켜 훤히 비추고 백병을 제거하는 법술이다. 그것은 일출과 정오의 광

---

3. 조지프 캠벨, 홍윤희 옮김, 『신화의 이미지』(살림, 2006), 281쪽.
4. 本心本太陽, 昂明. 『天符經』.
5. 元氣, 陽也, 主生, 自然而化. 陰也, 主養凡物. 『太平經鈔』 丁部券之四 「闕題」. 이 밖에도 『태평경』에서 양을 중시하는 사례는 아주 많다. 심지어 '태양-신神-선-하늘-광명-군주-선'을 한 계통으로 보고, '태음-사邪-악-어둠-백성'을 다른 계통으로 보는 양존음비陽尊陰卑의 사유 패턴마저 나타난다. 大善者, 太陽純行也. 大惡者, 得太陰煞行也. 『太平經·四行本末訣』; 陽者稱神, 故天爲神. 陰者稱邪, 故奸氣常以陰中往來, 不敢正晝行. 「火氣正神道訣」; 太陽, 君也, 太陰, 民臣也. 太陽, 明也. 太陰, 闇昧也. 「來善集三道文書訣」.
6. 金晟煥, 『黃老道探源』(中國社會科學出版社, 2008), 86~91쪽 참고.

명을 몸 안으로 거둬들이는 공부까지 포함한다.[8] 거기서 '일정명一精明'이 훗날 '단丹' 개념으로까지 이어졌다.

한편 '일정명'은 나중에 불교용어로도 전용된다. 대신, 불교에서 이 개념은 '하나의 정묘한 밝음' 정도를 의미한다. 『능엄경』에서 말한다. "근원이 '하나의 정묘한 밝음(一精明)'에 의지하고, 나뉘어 여섯 가지로 화합된다."[9]

여기서 '하나의 정묘한 밝음'이란, 누구에게나 잠재된 부처의 성품(佛性)이다. 즉 인간 내면의 근원적 본마음을 함축한다. 반면 '여섯 가지 화합(六和合)'이란, 눈·귀·코·혀·몸·의식의 여섯 감각기관(六根)에서 일어나는 마음이다.

전병훈의 문법으로 말하자면, '하나의 정묘한 밝음'은 곧 천부적 본성(性)이요, '여섯 가지 화합'은 곧 후천적 마음(心)인 셈이다. 역시 흥미롭게도, '일정명(본성, 불성)'과 '육화합(마음)'의 대비가 천연적(천부적) 광명과 인위적(후천적) 조명의 메타포에 잘 부합한다.

빙산과 내핵, '무의식'과 '본성'의 영토

그런데 도교나 불교가 출현하기 훨씬 오래전부터, 사실상 인류는 인간 내면의 근원적인 정신과 본성을 대우주와 일체화된 빛과 광명으로 표상했다. 그 연원은 신석기시대 초기, 심지어 구석기시대까지 거슬러 올라간다. 전 세계에서 이를 입증할 수많은 고고학적 증거들이 보고되었다. 하지만 그것을 밝히는 게 이 글의 목표는 아니므로, 다시 본 주제로 돌아가자.

1900년대 초의 서우가 인류학이나 고고학의 새로운 발견에 눈을 떴던 것은 물론 아니다. 하지만 그가 전개하는 정신·본성·심리의 논의는, 인류의 오래

7. '일정명一精明'은 '하나의 정묘한 밝음'으로 번역될 수도 있다.
8. 守一明之法, 長壽之根也. 萬神可祖[御], 出光明之門, 守一精明之時, 若火始生時, 急守之勿失. 始正赤, 終正白, 久久正靑. 洞明絶遠復遠, 還以治一, 內無不明也. 百病除去, 守之無懈, 可謂萬歲之術也. 守一明之法, 明有日出之光, 日中之明, 此第一善得天之壽也. 安居閑處, 萬世無失. 守一時之法, 行道優劣. 『太平經·守一明法』.
9. 元依一精明, 分成六和合. 『楞嚴經』.

된 신화적 사유 및 영성 체험과 이어져 있다. 게다가 서우의 체험과 사유에서는, 현대 정신분석학이 인간 내면의 깊은 심적 상태로 전제하는 '무의식(unconsciousness)'조차 오히려 표층화한다.

익히 알다시피, 현대 심리학은 자각적 의식으로 파악되지 않는 '무의식'이 마음의 가장 내밀한 영토라고 간주한다. 그것은 선천적이라기보다 후천적이며, 통합적이기보다는 개별적인 자아(ego)의 경험에서 유래한다.

그러나 전병훈의 마음학에서 볼 때, 무의식의 영토는 인간 내면의 근원적 심층에 속한 게 아니다. 현대 심리학이 발견한 무의식은, 다만 본성이 여러 외부적 조건과 경험에 반응하며 만들어 내는 마음의 표층에 위치한다. 비록 표면 아래 조금 깊이 감춰져 있지만, 그것은 여전히 드러난 마음보다 약간 깊은 층위에 속할 뿐이다.

하지만 근대적 자아의 수준에서 보자면, 무의식이 마치 심층처럼 보인다. 흔히 빙산 아래 잠긴 얼음덩어리로 근대적 자아의 어둡고 불안정한 무의식을 비유한다. 바다의 빙산이 파도에 떠다니듯, 자아도 끊임없이 흔들리며 부유한다. 그러나 이 비유는 빙산을 단지 바다에서 분리된 개별자로 볼 때만 유효하다.

과연 빙산은 바다로부터 독립된 개별적 존재자일까? 현상적으로 보면 그렇다. 하지만 근원적이고 거시적인 국면에서 보자면, 빙산은 결국 훨씬 광대하고 깊은 바다의 일부에 지나지 않는다. 빙산은 다만 바닷물이 냉각된 얼음덩어리고, 그것은 언제든 녹아서 다시 바다가 된다. 그러므로 빙산의 본질(본성)이 바다의 성질과 별개라고 말할 수 없다.

게다가 바다 역시 지구 부피의 1퍼센트에 남짓한 지각의 일부일 뿐이다. 지각 아래에는 80퍼센트가 넘는 맨틀이 있고, 그 중심에는 다시 나머지 부피만큼의 외핵과 내핵이 빛나고 있다. 항상 타자와 대립하며 끊임없이 아이덴티티를 정립하고 정당화하려는 주체, 근대적 자아의 분리적 사고에 반해 재구성한 빙산 이야기다.

전병훈의 정신철학에서, 나의 생명은 언제나 대자연과 하나로 이어진 전체의 일부이다. 이런 세계관에서 볼 때, 고작 빙산의 밑동으로 마음의 심층을 표상하는 건 가소로운 일이다. 그러면 현상에 가려 본질을 보지 못한다. 빙산의 밑동 같은 무의식이란, 다만 외적 경험과 반응하며 끊임없이 부유하는 조각난 얼음덩어리에 불과하기 때문이다.

대신, 차가운 바다와 지각 중심부의 내핵이 태양만큼이나 뜨거운 5~6천 도(℃)의 선천적 빛과 열기를 품고 있음을 상상해 보라. 인간 내면에서 환하게 빛나는 본성, 선천의 빛을 품고 있는 정신은 오히려 이런 내핵의 메타포로 더 잘 표상되지 않을까?

차가운 대지 깊숙한 심층에서 천상처럼 뜨거운 또 다른 태양(내핵)이 빛난다. 마치 그처럼, 인간의 내면에도 우주의 본성을 자기 본성으로 하는 소우주적 태양(양심)의 광명(환함)이 빛나고 있다. 마음이 이런 본성을 찬연히 반영할 때, 비로소 그것을 '본마음'이라고 명언할 수 있다.

그런데 지표가 지구 내핵의 눈부신 광채를 은폐하듯, 일상의 표류하는 마음이 사람의 영롱한 본성을 가린다. 천부의 정신(神, 元神)이 빛을 잃고, 시커먼 먹구름이 성품(性)을 뒤덮는다. 그러면 마음이 어둡고 산란해지는 걸 막을 수 없다. 이처럼 혼란에 빠진 마음은, 다만 에고의 불온한 욕망에 부응할 뿐이다.

그러므로 밝은 마음과 음험한 마음, 선심善心과 악심惡心이 본래 별개인 게 아니다. 다만 근원적인 정신(원신)의 빛을 되살리면, 본성이 다시 환해진다. 그에 따라 요동치던 마음이 안정되고, 탐욕과 감정에 휩싸인 에고의 격랑 역시 가라앉는다. 그리하여 마음이 안정될수록, 정신이 더 순수하고 찬연하게 뇌 안에 응결된다.

정신·본성·심리가 이렇게 하나로 연결된다. 그래서 "정신이 곧 심리"라는 테제가 전병훈 심리철학의 제1명제가 된다.

2. 사람이 천지의 마음이다

전병훈에 따르면, 신은 삶의 내면 즉 현관 깊숙한 곳에서 천부적인 생명의 원리에 따라 심신을 제어한다. 그리고 그 신의 주재 하에 내면과 외부세계의 경험이 연결된다. 거기서 지각·의식·감정 등을 처리하는 일체의 작용과 경험이 일어난다. 그것을 곧 '마음'이라고 부른다. 그렇다면 이런 마음은 단지 사람에게만 있는 것일까?

단적으로 말해, 사람의 마음을 주재하는 신의 능력은 우주의 원신에서 비롯된다. 따라서 원신을 내재하는 천지만물의 모든 운동에 마음이 있다는 게 전병훈의 응답이다. 그는 『주역』에서 불후의 명구로 회자되는 "복復에서 그 천지의 마음을 보리라!"[10]는 구절을 불러냈다. 그리고 다음과 같이 주석을 달았다.

> 천지는 만물을 살리는 것으로 마음을 삼는다. 복괘(䷗)는 순음純陰 안에서 하나의 양이 처음 움직이는 것이다. 즉 상제가 만물 살리기(生物)를 주재하는 심리가 운용되어 발동하는 지점이다. 사람이 이런 이치를 품수해 얻어, 이로써 마음을 삼는 것이다. 그러므로 이르기를 '어진 사람의 마음(仁人心)'이라고 한다.
>
> 어진 마음은 본래 하늘에서 근원한다. 그 하늘에서 근원하는 것으로 한 몸을 주재하고, 성품과 감정(性情)·의지·감각·지식을 통솔한다. 그러므로 역시 이렇게 말한다. "마음이 태극이다. 삼계가 오직 마음이다. 온갖 변화가 마음에 있다."[11]

천지의 마음이란, 곧 만물을 살리는 하느님(상제)의 어진 마음이다. 그 근원

---

10. 復其見天地之心乎! 『易·復卦·彖傳』.
11. 天地以生物爲心, 復乃純陰之裏, 一陽初動者, 即上帝主宰生物之心理, 運用發行處, 人得稟受此理, 以爲心者也. 故云仁人心也, 仁心即本源於天也. 以其源天而主宰一身, 統性情·意志·感覺·知識, 故亦曰, 心爲太極, 三界惟心, 萬化在心也. 『통편』, 93쪽.

은 태초의 우주가 개벽하기 전의 원기元氣까지 거슬러 올라간다. 무극이자 태극인 원기에 내재된 음양의 운동력이 움직여, 만물을 살리는 우주의 마음이 일어난다. 음의 극치에서 양이 처음 일어나는 복괘(䷗)에서, 이런 마음의 계기가 무엇보다 잘 표상된다.

"사람이 이런 이치를 품수해 얻어, 이로써 마음을 삼는다." 그러므로 "마음의 이치(心理)는 하늘에서 근원한다." 그런 '마음의 이치'는 곧 대자연의 마음과 통한다. 따라서 "심리가 바로 도道"라는 명제도 성립된다. 이런 도가 구현되는 과정에서, 다시 두 갈래의 공부길이 나뉜다.

첫째, 도에 입각해 '정을 기르고 신을 응결하는(養精凝神)' 공부길이다. 이를 통해 생명을 안정시키고, 참나를 이룰 수 있다. 둘째, 도에 입각해 '이치를 궁구하고 본성을 다하는(窮理盡性)' 공부길이다. 이로써 전인적 삶을 구현하고, 세상을 경륜하는 군자와 성인이 출현한다. 물론 이 두 갈래의 공부는, 제각기 도교와 유교를 표상한다. 또한 전병훈의 문법에서, 그것은 각각 '정신철학'과 '심리철학'의 강령을 대표한다.

하지만 그의 철학체계에서, '양정응신-도교-정신철학'과 '궁리진성-유교-심리철학'은 서로 경계가 완전히 양분되는 영토가 아니다. 정신과 심리는 오히려 동전의 앞뒷면처럼 떼려야 뗄 수 없는 관계다. 정신이 마음을 주재하고, 마음이 정신에 의해 작동된다. 그러니 "정신이 곧 심리다"라고 한다.

한편 서우는 인간의 특별한 위상과 역할을 강조하는 문맥에서, "심리가 하늘에서 기인한다"는 언명을 해석하기도 했다. 즉 하늘이 그의 의지 혹은 마음을 구현하는 과정에서, 유독 인간에게 비범한 권능과 사명을 부여한다는 것이다. 이와 관련해, 전병훈은 『예기禮記』에서 "사람이 천지의 마음"[12]이라는 구절을 인용했다. 그리고 이렇게 말한다.

> 천지는 만물을 살리는 것으로 마음을 삼는다. 하지만 모름지기 사람을 통

---

12. 人者, 天地之心也. 『禮記·禮運』.

> 해 그 덕을 완성하지 않을 수 없다. 무릇 만물이 나서 자라고 거두고 저장한다(生長收藏). 한데 사람 마음의 힘이 아니라면, 어찌 그 공을 완성할 수 있겠는가?
> 그러므로 하늘이 성인과 신인(聖神)을 내어 군주와 재상과 대신으로 삼아, 음양의 섭리를 보좌해 이를 완성토록 하는 것이다. 성인의 마음과 천지의 마음은, 그 범위와 제도 그리고 구석구석 만물을 성취시키는(曲成萬物) 데서 상제의 마음을 우러러 체현해 행용行用(사용)하지 않는 바가 없다.
> 따라서 "사람은 천지의 마음"이라고 말한다. 그러므로 마음을 논하면서 그것이 하늘에서 근원함을 모른다면, 곧 마음을 모르는 것이다. 사람이 천지의 정·기·신을 받아서 사는 철리로 미뤄서 궁구하건대, 마음과 정신(心神)의 허령虛靈한 지각이 하늘이 아니면 무엇이겠는가?[13]

여기서 '천지'(혹은 '하늘')는 다의적이다. 앞서 살핀 『주역』 복괘에서 '천지의 마음'을 말했다. 그것이 곧 '만물 살리기(生物)'[14]라고 정의한 사람은 남송의 성리학자인 장재張載(1020~1077)였다. 그 뒤로 "천지는 만물 살리기를 마음으로 삼는다(天地以生物爲心)"라는 불후의 명구가 회자되었다.

그런데 천지가 이런 마음을 지상에서 온전히 구현하려면, 사람의 마음이 또한 반드시 그 힘을 보태야 한다. 이에 하늘이 성인과 신인을 세상에 내어, 그들로 하여금 하늘의 마음을 완성토록 한다고 말한다. 이런 하늘은 도덕적으로 어진 '의리의 하늘(義理天)'인 셈이다.

그런데 윗글에 따르면, 사람이 하늘로부터 정·기·신을 받아 생겨난다. 그리하여 인간이 '마음과 정신의 허령한 지각'을 갖추는데, 그게 곧 '하늘'의 또 다른

---

13. 天地以生物爲心, 然不能不須人以成其德. 凡生長收藏, 非人之心力, 則安能成其功哉? 是以天降聖神, 以爲君相宰制, 輔贊燮[變]理以成之. 聖人之心, 天地之心, 其範圍制作, 曲成萬物, 毋非仰體上帝之心而行用. 故曰 "人者, 天地之心也." 是以論心而不知其源於天, 則不知心者也. 推究人受天地之精炁神, 以生之哲理, 則心神之虛靈知覺, 非天而何? 『통편』, 93~94쪽.

14. 天地之心, 惟是生物. 『橫渠易說』 上經.

함의다. 그런 하늘은 말하자면, '자연의 하늘(自然天)'이다. 거기에 더해, 천지와 성인의 마음이 모두 상제의 마음을 체현한다. 이는 곧 '상제의 하늘(上帝天)' 관념을 반영한다.

이런 의리천·자연천·상제천에 대해서는 제1부에서 이미 논의한 바가 있다. 서우는 이런 하늘을 모두 망라해서, 세 하늘이 일체화된 '천지의 마음'을 말한다. 그런데 의리천은 유가의 '도덕주의적 하늘'을 함축하고, 자연천은 도가의 '자연주의적 하늘'을 함축한다. 게다가 상제천의 '주재자적 하늘'까지 가세하면, 문제가 한층 복잡해진다.

그러므로 서우의 문법은 동거하기 어려운 이질적인 원리의 조합이라는 지적을 받을 수 있다. 하지만 전병훈의 철학에서 보자면, 의리천과 자연천은 처음부터 대립하는 양자택일적 짝개념이 아니다. 그것은 다만 도덕과 생명에 치우친 이념의 분열상을 반영한다. 다시 말해, 각각 도덕과 생명의 프리즘으로 하나의 하늘을 바라보는 셈이다. 따라서 그 분열은 통합할 수 있다.

실제로 그런 통일이론을 구축하는 것이 정신철학의 목표였다. 또한 서우는 숭배적 종교를 회의했으나, 하늘 혹은 상제(하느님)의 허령虛靈한 신성함에 경외를 잃은 바도 없었다. 이런 취지에서 상제가 옆에 강림한 듯 늘 근신하라고 말했던 것을[15] 독자들도 기억할 것이다.

서우의 철학에서 '천지의 마음'은 만물을 살리는 어진 마음, 정·기·신으로 이뤄진 생명의 마음, 그리고 상제의 허령한 마음으로 일체화된다. 그것은 결코 이질적이 원리들의 억지 조합이 아니다. 그의 관점에서 오히려 이렇게 말할 수 있다.

"정·기·신의 생명원리가 곧 만물을 살리는 천지의 마음이고, 그것이 또한 사람들이 경외하는 하느님(상제)의 마음이다." 이런 명제의 성립이 논리상으로 모순에 빠진다거나, 도저히 함께 동거할 수 없는 주장들의 기이한 조합이라고 단정할 이유는 충분치 않다.

---

15. 但神理無形, 不疾而速, 不行而至, 故惟聖哲明見, 而常存敬畏, 如上帝之於赫斯臨也. 『통편』, 129쪽.

도리어 이런 물음을 던질 수 있다. 의리, 자연, 상제로서의 하늘을 제각각 분리해서 사유하는 것이 오히려 억지스럽지 않은가? 반면 서우의 진술이 차라리 한층 더 풍부하고 유연하며 완미完美한 하늘을 상상케 하지 않는가? 내친 김에, 이런 문맥의 연장에서 전병훈이 인용한 옛 경전의 두 구절을 음미해 보자.

> 하늘의 상제가 세상 사람들의 속마음에 강림하니, 한결같은 성품(恒性)이 있다.(『상서』)
>
> 상제가 그대에게 임하니, 한결같은 그대의 마음이여.(『시경』)[16]

『상서』와 『시경』이 제작된 시대에, 윗글은 문자 그대로 이해되었을 것이다. 즉 사람의 한결같은 속마음이 곧 성품이고, 그 성품 안에는 상제가 강림해 있다. 상제(하느님)는 고대사회의 초월적 신이며, 그 신이 사람에게 강림한다는 숭배적 종교의 흔적이 담겨 있다. 하지만 춘추전국시대를 거치면서 중국적 인문주의가 태동하자, 이런 종교적 관념이 부담스러워졌다. 그리고 새로운 해석이 출현했다.

대표적으로 당나라의 공영달孔穎達이 상제가 강림하는 '속마음(衷)'을 '선善'으로 주석했다. 이에 따라, 『상서』의 윗글은 하늘(상제)이 사람에게 선한 본성을 부여했다는 도덕적 문맥으로 완곡히 해석됐다. 그리고 이 해석이 오랫동안 정설로 인정되었다.

그런데 서우는 이 구절을 원문 그대로 되돌린다. 대신, '상제의 강림'을 '상제가 강림한 듯이 여긴다'는 의미로 재해석했다.

> 사람이 마땅히 마음을 꼭 붙들어(操心) 경계해 삼가고 두려워해야 한다. 하느님(上帝)이 실제로 그 위에 강림한 듯이 삼간다면, 삿됨을 막고 정성스러움을 보존하는 공부가 또한 근실하지 않겠는가?

---

16. 『書』曰 "惟皇上帝, 降衷[於]下民, 若有恒性." 『詩』曰 "上帝臨汝, 無貳爾心." 『통편』, 94쪽. 앞 구절은 『상서尙書·탕고湯誥』에, 뒤 구절은 『시경詩經·대아大雅·대명大明』에 보인다.

> 위(『주역』과 『예기』)의 두 구절에서 '마음의 이치(心理)'를 이미 밝혔다. 이것(『상서』와 『시경』의 두 구절)은 '성품의 이치(性理)'를 아울러 말한다. 성품의 이치가 곧 마음이다. 삿됨을 막고 하늘을 섬기는 공이 더욱 명백하고도 절실하다.[17]

앞서도 말했지만 전병훈은 상제천을 인정했다. 하지만 "상제가 강림한다"는 것과 "상제가 실제로 그 위에 강림한 듯이 삼간다"는 것은 엄연히 다르다. 전병훈은 후자의 문맥으로 말함으로써, 상제가 사람의 속마음에 강림해서 그의 인격을 직접 주재하거나 간여한다는 확대해석을 피했다.

서우는 상제(하느님)를 믿고 경외했다. 한데 그의 정신철학에서, 상제란 곧 우주적 원신에 다름 아니다. 그리고 천지만물에는 천부적으로 품부된 신(원신)이 모두 내재해 있다. 따라서 초월적 조물자가 세상과 인간을 직접 주재한다는 통속적 신앙에는 동의하지 않았다.

그러므로 앞서 『예기』에 대한 해석에서도 천지와 성인이 주동적으로 "상제의 마음을 우러러 체현"한다. 반면 상제가 하향적으로 그들의 마음을 지배하거나 통제(명령)한다고 말하지 않는다. 만물 각자의 주재자는 다만 자기의 정신이며, 외재하는 신(God)이 아니기 때문이다.

그러므로 저마다의 운명은 결국 스스로에게 달렸다. 천지의 성품과 마음을 구현하는 자 또한 어디까지나 자기 자신이다. 특히 정신철학의 문법으로 말하자면, 그것은 곧 정·기·신에서도 '신'에게 귀속된 일이다. 즉 각자의 성품 안에 강림하는 것은 귀신이나 상제 같은 외적 존재자가 아니라, 다름 아닌 자기 본연의 정신인 것이다.

다만 그 신이 본질적으로 우주적 정신과 하나로 이어진다. 그러므로 나의 선천적 정신에너지의 작용이 곧 상제(우주적 원신)의 강림과 어느 정도 중첩되는 의미를 가지게 된다. 앞서 '정신철학' 편에서 말한 바 있다. 영명한 정신의

---

17. 人當操心, 戒慎恐懼. 懍若上帝之實臨其上, 則閑邪存誠之功, 不亦謹實乎? 上兩節已明心理, 而此則兼言性理. 性理, 即心也. 閑邪事天之功, 加明且切也. 『통편』, 94쪽.

놀라운 지각知覺은, 천지만물에 편재하는 원신들 간의 일종의 '통신'에 다름 아니다.

나의 신이 명료하게 응결되고 증폭될수록, 그것은 단독자의 의식을 넘어 무제한적인 우주적 통신망通神網에 접속 중인 상태가 된다. 이런 국면에서 '상제의 강림'이란 외적 초월자의 일방적인 지배, 방문, 감시를 의미하지 않는다. 대신 그것은 천지만물의 정신 더 나아가 우주적 정신에 대한 소통, 초대, 교제의 의미를 가진다.

즉 하느님은 내 쪽에서 보이지 않는 유리벽 너머 통제실에서 나를 지켜보는 지배자, 내지는 언제 방문할지 모르는 그런 감독관이 아니다. 하느님은 다만 카톡 친구처럼, 언제 어디서나 나와 통신을 주고받는 개방적 네트워크 상태로 대기 중인 우주적 원신이다.

그러므로 하늘(대자연)을 경외하는 이유는, 보이지 않는 컨트롤 룸에서 나를 모니터링하고 조종하는 하늘의 인격신을 의식하거나 두려워해서가 아니다. 다만 내 정신이 언제나 통신 가능한 상태로 하늘과 접속돼 있고, 나의 초대에 호응하는 우주적 정신이 어디에나 편재하므로, 늘 한결같이 마음을 조심하고 정성스럽게 삼가라는 문맥이다. 전병훈이 인용한 『시경』의 다음 구절을 읽어 보자.

> 그대가 방 안에 있음을 보건대, 으슥한 구석에서도 부끄럽지 않도록 하라. 밝지 않다고 말하지 말고, 보는 이가 없다고 일컫지 말라. 신의 도래를 헤아릴 수 없거늘, 하물며 꺼려하리오! [18] (『시경 · 대아』)

이 시구를 전병훈은 "사람이 하는 일을 신이 본다"는 의미로 해석했다. 그리고 "신이 만물에 체현해 예외가 없음이 이와 같다"[19]고 부연한다. 여기서 '만

---

18. 『詩』曰 "相在爾室, 尙不愧于屋漏. 無曰不顯, 莫予云覯. 神之格思, 不可度思, 矧可射思." 『통편』, 94쪽. 『시경 · 대아 · 탕지십湯之什』이 출전이다.

19. 此言神見人之所爲也, 汝無謂幽昧不明無見我者. 神見汝矣, 蓋神體物不遺如是. 『통편』,

물에 체현해 예외가 없음(體物不遺)'이란 구절은 『예기·중용』에 처음 보인다. 본래는 귀신의 덕을 말하는 구절의 일부였다.[20] 이는 고대사회의 영혼숭배 흔적을 담고 있다. 훗날 주희의 귀신론에서 논변의 주제가 되기도 했다.

그런데 전병훈은 귀신이 아니라, 정·기·신 가운데의 신이 "만물에 체현해 예외가 없다"는 의미로 이를 재해석했다. 다시 말해, 세계의 모든 존재에 우주적 정신이 편재한다. 따라서 "사람이 하는 일을 신이 본다"는 것은, 만물에 체현된 우주적 정신이 늘 내 곁에 있다는 문맥에 다름 아니다.

그러므로 다시 말하지만, 신은 하늘 높은 곳의 컨트롤 룸 안에서 나를 감시하며 지켜보는 게 아니다. 다만 일상의 모든 사태 안에 '신'이 두루 퍼져 있으며, 그러므로 "사람이 하는 일을 신이 본다"고 한다. 이런 우주적 정신과의 통신을 언제 어디서든 유지해야 하는 이유에 대해, 서우는 이렇게 부언했다.

> 그러므로 군자의 마음은 항상 경외함(敬畏)을 보존해야 한다. 경외는 마음을 보존하는 처음이자 마지막 법문으로, 이것이 심학의 절묘한 공부(切功)이다. 아! 인간 세상에 태양이 거느리지 않는 것은 없다. 심리가 하늘에서 근원함이 또한 명백하지 않은가![21]

하늘의 마음이 이렇게 다시 '태양'의 메타포로 귀결된다. 앞서 서우는 천지와 성인의 마음이 "구석구석 만물을 성취시킨다"고 말했다. 이는 본래 『주역·계사전』에 나온다.[22] 여기서 '구석구석 성취시킨다'고 번역한 단어가 '곡성曲成'이다. 굴절하고 굽으면서 만물을 다 성취시켜 예외를 두지 않는다는 뜻이다. 윗글에서 태양이 "다스리지 않는 것이 없다(無所不統)"는 구절과도 상통하는

94쪽.

20. 神之爲德, 其盛矣乎! 視之而弗見, 聽之而弗聞, 體物而不可遺. 『禮記·中庸』.

21. 故君子之心, 常存敬畏. 敬畏爲存心之始終法門, 此乃心學之切功也. 烏乎! 陽界則太陽無所不統. 心理之原於天, 不亦明白乎! 『통편』, 94쪽.

22. 曲成万物而不遺. 『易·系辞上』.

문맥이다.

'곡성'이든 '무소불통'이든, 이런 특성을 우주에서 빛보다 더 잘 표상하는 것은 없다. 빛이야말로 굴절하고 굽으면서 세상 어디든 닿지 않는 구석이 없으며, 비추지 않는 사물이 없다. 전병훈의 문법에서, 이런 빛은 곧 나와 천지만물에 두루 편재하는 정신에너지(원신)를 유비한다. 그 빛의 밝음이, 또한 본마음(性, 本心)의 환함과 같다.

이런 문맥에서 "심리가 하늘에서 기원한다"고 한다. 여기서 '심리'는 내면 깊은 곳에서 환하게 빛나는 '본마음'을 지목한다는 데 주목할 필요가 있다. 그것은 의식이나 무의식의 표층에서 명멸하는 마음 너머에 있다. 『천부경』에서 "본마음이 본래 태양으로 밝게 빛난다(本心本太陽昂明)"고 하니, 또한 전병훈이 태양으로 심리를 비유한 것과 같다.

3. 마음의 고양: 원천심리학原天心理學

전병훈은 "동아시아 도통道統의 전승이 심학心學을 위주로 한다"고 했다. 여기서 '도통'은 일찍이 주희가 주창한 도의 계보, 즉 고대의 요·순에게서 공자와 맹자를 거쳐 정주 이학으로 이어지는 유학의 전승 계통을 가리킨다. 전병훈은 이런 도통의 관건이 심학, 즉 '마음의 학문'에 있다고 파악했다. 그리고 다음과 같이 그 요지를 진술했다.

> 오직 마음을 깨끗이 하여 욕심을 줄이고, 양심을 보존해 본성을 기르며, 이로써 하늘을 섬기는 것이 심학의 종지宗旨가 된다.[23]

윗글은 유교 심학의 실천적 성격을 잘 드러낸다. 고대부터 중세까지 서양의

---

23. 惟以淸心寡慾, 存心養性, 以事天爲心學之宗旨. 『통편』, 149쪽.

마음에 대한 탐구는 '마음을 이루는 실체가 무엇인가?'를 규명하는 형이상학적 담론에 집중됐다. 하지만 유학의 관심은 인간의 '도덕성을 함양하기 위해 마음을 어떻게 고양시킬 것인가?'의 과제에 집중됐다.

서양의 마음연구는 19세기 이후 경험과 현상을 중시하는 현대 심리학으로 전개됐다. 그 과정에서도, 동서양 마음학의 차이는 중요한 변수로 작용했다. 서양의 현대 심리학은 '과학'을 표명하면서 마음의 경험과 작용, 마음을 구현하는 행동 등을 객관적으로 연구하기 시작했다. 여타의 과학적 탐구처럼, 인간의 마음 역시 경험과학의 관찰대상으로 삼을 수 있다고 본 것이다.

그 과정에서 마음의 '실체'를 논구하는 형이상학적인 담론은 거의 중단됐다. 그래도 '마음이 무엇인가'를 묻는 질문조차 사라진 것은 아니다. 그것은 여전히 심리학의 주된 관심사로 남아 있다. 단지 과거의 철학적 담론이 아니라, 경험과학의 방법론과 문법으로 이 질문에 응답하고 있을 뿐이다.

그런데 동아시아의 오래된 심학 전통에서 보자면, 예나 지금이나 서구 심리학에는 마음의 고양高揚에 대한 관심과 통찰이 부족하다. 전병훈은 서양 심리학이 경험과학으로 발전한 것을 칭송한다. 그렇지만 "낮은 경지에서 높은 경지로 나아가며(下學上達)" 마음을 고양시키는 방법은 동아시아의 심학에서 보충해야 한다고 제언한다.

이 두 전통, 즉 서구의 '심리학 이론 및 경험과학적 방법론'과 '마음을 고양하는 심학'의 장단점을 보완해서 잘 조제해야 비로소 원만하고 완미한 심리학이 될 것이라고 한다. 그리고 이를 '원천심리학原天心理學'이라고 불렀다.[24]

여기서 원천심리학은, 심리를 단지 개별적 인간 마음의 경험이나 작용으로 보는 현상론을 넘어선다. 대신 '하늘에서 근원하는 마음의 원리(原天心理)'를 파악하고 이를 구현하는 심리학이다. 한데 이런 '심리'란 대체 무엇이란 말인가?

"심리가 하늘에 근본을 둔다"는 명제의 의미는 앞에서 대강 소개했다. 하지

---

24. 余謂當互換相補者, 西學當添我下學上達之法,… 吾學當取其精神宇宙之觀, 神經條分之用, 以打成一團, 以合致而幷做焉, 則可謂原天心理學, 始臻圓滿而完美者也. 『통편』, 150쪽.

만 많은 독자들에게는, 여전히 이 언명이 불편할 것이다. 내 마음이야 내 것이지, 내 마음의 원리를 굳이 하늘에서까지 찾을 게 뭐란 말인가?

게다가 사람들이 일상적으로 경험하고 느끼는 마음이란 게 대단히 불완전하고 취약하다. 그것은 이타적이기보다는 이기적이고, 쉽게 상처받으며 회복하기 어렵다. 기억하겠지만, 서우는 언제 어디서나 '조심(操心)하라'고 한다. 말 그대로 '마음을 꼭 붙들라'는 의미인데, 마음은 늘 제멋대로라 실로 조심하기 어렵다.

예로부터 이런 마음을 다스리는 것이 심학의 가장 미묘하고도 난해한 과제였다. 앞서 '정신철학' 편에서 살폈듯이, 『서경』이 만고의 경구를 남겼다. "인심은 위태롭고 도심은 미약하다. 오직 정밀하고 한결같이 진실로 그 중심을 잡으라!"[25] 이른바 '정일심법精一心法'이다. 한데 이번에는 '심리철학'의 견지에서, 전병훈이 거기에 다음과 같은 주석을 더했다.

> 이[정일심법—역자 주]는 만세토록 전하는 심학의 연원을 연 것이다. '정신' 편에서 이미 말했다. 그런데 여기서 거듭 밝힌다. 그것이 심학의 개산지조開山之祖가 됨을 중시하기 때문이다. 마음의 허령한 지각이 곧 하나이되, 나눠서 말하는 것이다. [본래부터 인심과 도심의—역자 주] 두 마음이 있는 것이 아니다.
>
> 상제가 부여한 양심이 곧 '도의 마음(道心)'이다. 그것이 육신의 기운(形氣)과 물욕의 사사로움에 이끌리면, 이를 '사람 마음(人心)'이라고 일컫는다. 오직 정밀하게 관찰하는 사람이라야 사욕에 물들지 않고 능히 하나의 마음을 지킬(守一) 수 있다. 그러면 도에 적중해 극단에 치우침이 없다.
>
> 그리하여 위태로운 것(인심)이 안정되고, 미약한 것(도심)이 드러난다. 그리고 움직이고 멈추는 일에 지나침과 모자람이 없게 된다. 그래야 비로소 '하늘 마음(天心)'에 합치된다.[26]

---

25. 人心惟危, 道心惟微. 惟精惟一, 允執厥中. 『書經 · 虞書 · 大禹謨』.
26. 此啓萬世心學之淵源者. 精神篇已言之. 然申明于此, 以重其爲心學開山之祖也. 蓋心之

전병훈은 '정일심법'을 만세토록 전하는 심학의 연원으로 조명했다. 심지어 "우주의 학술이 그 원리에서 벗어나지 않는다"고까지 찬상했던 것을 독자들도 기억할 것이다.

윗글에 따르면, '도의 마음(도심)'은 곧 '상제가 부여한 양심'이다. '하늘 마음(천심)'이라는 표현도 보인다. 사람에게 깃든 하늘의 마음이 곧 도심인 셈이다. 반면 '사람 마음(인심)'은 사사로운 욕망에 물든 마음이다. 본연의 양심이 육신의 기운(形氣)과 이기적인 물욕에 얽매인 것을 '인심'이라고 부른다.

그런데 도심과 인심이 본래 두 마음이 아니며, 따로 존립하지 않는다. 하지만 그것이 본래부터 별개의 마음인지 아니면 하나의 마음인지를 확정하는 것은, 그리 간단한 주제가 아니다. 특히 조선 성리학에서 이는 유명한 이기론 및 사단칠정론과 연계돼 있다. 거기에는 대단히 복잡하고 난해한 담론의 지형이 펼쳐져 있다.

그런데 조선 성리학의 이른바 '인심도심설'에 조예가 있다면, 전병훈의 견해가 대체로 율곡의 학설에 합치한다고 추정할지 모르겠다. 서우는 마음의 허령한 지각이 본래 하나이며, 인심·도심이 별개의 두 마음이 아니라고 한다. 성리 논쟁의 지평에서 판단하자면, 서우의 이런 관점은 확실히 율곡학설에 기울어진 듯이 보인다. 반면 퇴계는 마음을 둘로 나누는 경향이 두드러졌다. '도심-이理-사단' 그리고 '인심-기氣-칠정'을 확연히 분리한다.

하지만 그렇다고 해서, 서우의 심리학설이 이기론의 연장에서 율곡의 학설을 따랐다고 단정하는 건 섣부르다. 조선 성리학의 계보와 서우의 심리철학을 함께 논구하는 것은 별도로 연구가 필요한 사안이다. 왜냐하면 서우 심리학에는 그만의 이론 체계가 있고, 그것이 단지 성리학의 이기론으로 환원되지 않기 때문이다.

아래서 살피겠지만, 서우의 견해는 원신元神과 식신識神이라는 정기학설의

虛靈知覺, 則一而分以言之者, 非有二心也. 上帝所賦之良心, 是道心, 而爲牽於形氣物慾之私, 則謂之人心也. 惟能精察者不雜乎私慾而能守一, 則中道而無適. 故危者安, 微者顯, 而動靜事爲無過不及之差, 始合於天心矣. 『통편』, 95쪽.

개념을 토대로 입론한다. 서우는 조선 성리학에서 나와 새로운 철학의 지평 위에 서 있었다. 그러므로 본서에서는 조선 성리학의 이념틀로 돌아가지 않고, 서우의 문법에 따라 인심과 도심의 논의를 전개한다. 그는 '동아시아 인심과 도심의 개요'라며, 다음과 같이 인심·도심을 도식화했다.

	源	天					道	心	
				感發					
	四端						七情		
是非之心	恭敬之心	辭讓之心	惻忍之心	心一也 而發於		喜怒	哀樂	愛惡	欲
乃道心	公者是	天理之	純乎全	〔腦中元神者, 純全天理即道心〕	〔肉團識神者, 形氣私慾即人心〕	初發亦	天理過	節則流	爲人慾
道心乃全矣	無偏私之害	一則靜存自	精則省察而			耳目口	鼻四肢	貨利功	名
						肉心之欲縱	而不能制則	竟至亡身僨	國不亦危哉

〈인심도심도人心道心圖〉

【해석】

하늘에서 근원하는 도심이 사단과 칠정에 감응해서 일어난다. 옳고 그름을 가리는 마음(是非之心), 공경하는 마음(恭敬之心), 사양하는 마음(辭讓之心), 측은해하는 마음(惻忍之心)이 곧 도심이다.

공정함(公)이란 천리天理의 순수함이 온전한 것이니, 도심이 이에 온전해진다. 치우치고 사사로운 해악이 없고, 한결같다면 곧 고요함이 보존된다. 스스로 정밀하면 곧 (자기를) 성찰하고, 마음이 전일해진다.

그런데 기쁘고(喜) 성내고(怒) 슬프고(哀) 즐겁고(樂) 애착하고(愛) 미워하고(惡) 욕망하는(欲) 감정에서 일어나는 마음도 처음 발동할 때는 역시 천리지만, 절도를 넘으면 인욕으로 흐른다.

귀와 눈과 입과 코(耳目口鼻), 팔다리의 사지, 재물과 이익, 공명심, 육신에 깃든 마음(肉心)의 욕망이 방종해서 걷잡을 수 없게 되면, 곧 몸을 망치고 나라가 망하는 지경에 이른다. 또한 위태롭지 않은가? (뇌 가운데의 원신이란 것은, 순전한 천리이니 곧 도심이다. 몸뚱이의 식신이란 것은, 육신의 기운에 물든 사욕이니 곧 인심이다.)[27]

옛글의 진술방식에 따라 도표는 본래 왼쪽에서 오른쪽으로 전개됐다. 하지만 독자들의 편의를 위해, 위에서는 현대의 문자표기대로 오른쪽에서 왼쪽으로 읽도록 한문의 전개방향을 바꾸었다. 어쨌거나 도상은 하늘에서 근원하는 도심이 각각 사단과 칠정으로 발동하는 것을 직관적으로 표상한다.

그런데 여기서 한 가지 주목할 점은, 이왕의 사단설에 포함된 '옳지 못함을 미워하는 마음(羞惡之心)'이 위 도표에서 빠졌다는 점이다. 익히 알다시피, '사단'은 맹자가 인·의·예·지의 단서가 되는 네 가지 마음에 관해 말한 것이다. 『맹자』의 두 대목에서 사단에 관해 진술하는데, 내용은 대동소이하다. 다만 예禮의 단서에 대해, 「공손추상公孫丑上」 편에서 '사양하는 마음(辭讓之心)'이라고 한다.[28] 반면 「고자상告子上」 편은 '공경하는 마음(恭敬之心)'을 든다.[29] 나머지는

27. 源天道心, 感發四端七情. 是非之心, 恭敬之心, 辭讓之心, 惻忍之心. 乃道心, 公者是天理之純乎全, 道心乃全矣. 無偏私之害, 一則靜存, 自精則省察, 而心一也. 而發於喜怒哀樂愛惡欲, 初發亦天理, 過節則流爲人慾, 耳目口鼻四肢貨利功名, 肉心之欲, 縱而不能制, 則竟至亡身僨國, 不亦危哉? (腦中元神者, 純全天理即道心. 肉團識神者, 形氣私慾即人心.) 『통편』, 95~96쪽.

28. 惻隱之心, 仁之端也. 羞惡之心, 義之端也. 辭讓之心, 禮之端也. 是非之心, 智之端也. 人之有是四端也, 猶其有四體也. 『孟子·公孫丑上』.

29. 惻隱之心, 仁也. 羞惡之心, 義也. 恭敬之心, 禮也. 是非之心, 智也. 『孟子·告子上』.

널리 알려진 그대로다.

옳고 그름을 가리는 마음, 즉 시비지심是非之心은 지혜(智)의 단서이다. 곤경에 빠진 사람을 측은해하는 마음, 곧 측은지심惻隱之心은 어짊(仁)의 단서이다. 옳지 못함을 미워하는 마음, 즉 수오지심羞惡之心은 정의로움(義)의 단서이다.

그런데 전병훈은 여기서 '수오지심'을 제외시켰다. 대신 선택적으로 제시했던 예의 단서인 '사양지심'과 '공경지심'을 모두 사단에 포함시켰다. 그리하여 시비·공경·사양·측은의 네 마음이 사단을 이룬다. 사단을 이처럼 조합하는 것은 이례적이다. 하지만 그 근거에 대해 전병훈이 따로 말하는 바도 없다. 다만 그 배경을 몇 갈래로 추정할 수 있다.

우선 실수 내지는 착각일 가능성이 있다. 전병훈이 위의 〈인심도심도〉를 제작하는 과정에서, 『맹자』의 두 구절을 혼동해 실수를 범했을 수 있다. 하지만 서우가 맹자의 사단의 착각했을 가능성은 희박하다. 위와 다른 대목에서 서우가 맹자의 심성설을 말하며 「공손추상」의 사단론을 인용하는데, 거기서는 수오지심을 포함한 『맹자』의 원문이 그대로 제시된다.[30]

게다가 서우는 『정신철학통편』을 출간하기 전에 제자들을 비롯한 다수의 인사들에게 교감을 의뢰했다. 심지어 고국의 지인들에게 미리 열독을 부탁할 정도로, 책의 완성도를 높이고자 수년간 심혈을 기울였다. 전통사회에서 코흘리개도 알 만한 상식이었던 '사단' 같은 내용에 만약 단순한 실수가 있었다면, 이를 그냥 지나쳤을 리가 만무하다.

시비·공경·사양·측은의 사단은 기획된 조합이었을 소지가 다분하다. 그렇다면 서우는 어떤 의도에서 사단을 이처럼 재구성했을까? 그는 맹자가 정의로움의 단서로 삼은 수오지심을 제외하고, 대신 예의 단서였던 공경과 사양의 마음을 모두 수용했다.

그러므로 서우가 그만큼 예를 중시했다고 추측하는 독자가 있을지 모르겠다. 혹은 반대로 정의로움을 도외시했다고 생각할 수도 있다. 하지만 맹자와

30. 『통편』, 95쪽.

서우가 사단을 말하는 문맥은 사뭇 다르다. 맹자의 논점은 윤리학에 있고, 서우의 논점은 심리학에 있기 때문이다.

맹자는 인·의·예·지의 윤리강상을 구현하는 근거로, 사단의 마음에 주목했다. 하지만 위에서 서우의 논점은 마음의 원리를 구명하는 데 있다. 그것도, 도심을 이루는 천부의 마음을 겨냥한다. 위의 〈인심도심도〉에는 심지어 인·의·예·지에 대한 언급 자체가 없다.

따라서 서우가 '의'와 '예'의 윤리적 가치를 저울질해서 사단을 재구성했다고 보기는 어렵다. 단적으로 말해 그는 윤리학이 아니라 심리학, 그것도 원천 심리학의 문맥에서 '옳지 못함을 미워하는' 마음을 제외한 것이다. 그리고 이는 실로 서우다운 개작이었다.

'수오지심'은 좋음과 나쁨, 선과 악이라는 두 개의 대립되는 가치를 전제로 정의를 선포한다. 그런데 한 편의 의로움이 다른 편에게 불의가 되는 것, 그것이 선악의 가치대립으로 성립되는 의로움의 어쩔 수 없는 한계이자 함정이다.

예를 들어 맹자가 목숨을 걸고 지키겠다고 다짐한 의로움이란, 곧 주나라 예악문명의 정의에 다름 아니었다. 그 사고방식과 문화전통을 위협한다면, 목숨을 걸고라도 막겠다는 게 맹자의 신념이었다. 그런데 당시 중국에서 오랑캐로 배척하던 다른 민족, 예컨대 흉노나 고조선에게도 그것이 정의였을까?

더구나 증오(미움)에서 동력을 얻는 정의라면, 그런 의로움의 위험은 최고도에 달한다. 모든 전쟁에는 대의가 있다. 민족을 위해, 국가를 위해, 인민을 위해, 신이나 천왕을 위해, 혹은 이단의 척결을 위해 목숨을 바치는 것이 정의라고 선포된다. 이렇게 각자 정의를 선포한 집단이나 국가 간에 벌어지는 집단살육의 참상, 그게 곧 인류역사상의 전쟁이다.

그러므로 『회남자』에서 이렇게 말한다. "지금 온 힘을 다해 하나의 절도만 지키고 하나의 행위만 밀고 나가, 비록 부서지고 패망하더라도 오히려 더욱 변하지 않는 자들이 있다. 그들은 자기가 선호하는 작은 가르침만 살필 뿐, 큰 도에는 막혀 있다."[31]

그런데 독자들도 알다시피, 전병훈은 '좋음과 나쁨' '선과 악'을 둘로 나누고

택일적 진리를 선택하도록 강요하는 이데올로기스트나 근본주의자가 아니었다. 오히려 그는 온갖 이질적인 것들을 수용하고, 하나의 용광로에 넣어 조제하는 회통의 철학가였다.

그는 유교를 옹호하면서도, 자기 저서의 도처에서 유교가 이단을 배척하는 태도를 혹렬하게 비판했다. 그러므로 그가 이왕의 사단에서 '증오하는(羞惡)' 마음을 제거하고, 그 빈자리를 '공경하는' '사양하는' 마음으로 대체한 것은 대단히 의미심장하고도 적절했다.

선악 이분법으로 나와 다른 남을 시기하고 증오하기보다는, 남에게 사양하고 더 나아가 천차만별의 만물 전부를 공경하는 것이 곧 '도의 마음(도심)'이다. 그게 '하늘 마음(天心)'이자 '공정한 마음(公心)'이며, 천부의 양심이다. 그런데 본래 하늘에서 근원하는 '도심'이 일어나도, 다시 온갖 감정과 욕망에 이끌려 절도를 잃고 이내 '인심'으로 흐르게 된다.

눈앞의 물욕과 이익에 현혹되는 마음, 자기를 드러내려는 공명심, 신체와 감각의 쾌락을 좇는 이른바 육심肉心, 이런 마음들이 혼란스럽게 일어날 때 도심에서 멀어진다. 그리고 사람들은 인심에 쉽게 물들지만, 천부의 도심을 말하면 이내 시큰둥하거나 머리를 돌려 외면하기 일쑤다.

어쩌면 인심에 찌든 자기를 정당화하기 위해서라도, 인간의 본성이 원래 악하며 이기적이라고 생각하는 걸 선호하는지 모른다. 그러나 이런 위악僞惡의 심리학이야말로 마음을 피폐하게 만드는 지름길이다. 그것은 마음을 고양시키는 공부, 서우가 말했듯이 "낮은 경지에서 높은 경지로 나아가는" 자기성찰에서 멀어지게 만든다.

그러니 천부의 도심을 외면하고 위악을 떠는 것은, 마치 고귀한 보석을 품에 안고 길거리 좌판의 잡살뱅이나 기웃거리듯이 한심한 노릇이다. 그렇다고 해서, 처음부터 성인군자가 되려고 무리하게 애쓸 필요가 없다.

다만 부질없는 욕심과 공명심을 내려놓으면, 그로부터 시작해 누구나 훌륭

---

31. 今捲捲然, 守一節, 推一行, 雖以毀碎滅沈, 猶且弗易者. 此察於小好, 而塞於大道也.『淮南子·人間訓』.

한 인격자로 거듭날 수 있다. 비유컨대 얼룩과 먼지가 잔뜩 묻어서 탁한 거울(濁鏡)이라도, 그걸 잘 닦으면 이내 깨끗하고 맑은 거울(明鏡)로 돌아오는 이치와 같다.

그런데 탁하고 맑은 거울이 본래 다른 두 개의 거울이 아니듯, 인심과 도심 역시 본래 다른 두 마음이 아니다. 그러니 인심에서 도심으로 고양하는 게 그리 어렵지만은 않다. 억지로 도심을 구하려고 하기보다, 그저 인심에서 벗어나기에 집중한다. 그러면 자연스레 본연의 도심이 드러난다. 서우가 강조하듯이, 결국 관건은 정밀하고 한결같은(惟精惟一) 자기성찰에 있다.

근대적 위악僞惡의 '패러다임 전환'이 필요한 이유

서구 근대의 설계자들은 인간이 선천적으로 이기적이며, 욕망이 그의 본성이라고 선언했다. 오늘날 전 지구로 퍼진 근대문명은 본질적으로 욕망에 실려 부유浮游하는 '인심'의 확산과 지배를 의미한다. 극히 속물화하고 경쟁적인 자본의 논리가 인간의 삶 전 영역을 잠식했다. 정치·문화·교육 등의 전통적인 공공영역에서마저, 이제 자유·정의·진리 같은 단어는 누구도 입에 담지 않는 고답적 언사로 전락했다.

승자독식의 경쟁, 물질적 성취, 감각적 쾌락의 충동이 사람들을 집어삼켰다. 그리하여 현대의 생활공간은 그야말로 도심이 자취를 감춘 적나라한 인심의 각축장이 되었다. 그런데 인간이 정말 선천적으로 이기적인 욕망 덩어리라면, 이런 세상이야말로 지금껏 인류가 이룬 최고의 유토피아라고 해야 마땅할 것이다.

불안에 잠식된 영혼이 짐짓 솔직한 체하며 위악을 부리며 말한다. "사람의 천성이란 본래부터 탐욕스럽고 욕정으로 가득한 것이다." 만약 이게 진실이라면, 현대인은 지금처럼 각박하고 경쟁적인 도시생활을 더없이 즐겁고 편안하게 느껴야 한다. 마치 물을 만난 물고기처럼 말이다.

한데 그처럼 위악을 떠는 현대인들이 왜 너도나도 치유(healing)가 필요하다며 아우성이란 말인가? 왜 주말만 되면 산으로 들로 자연을 찾아 떠나는가? 왜 물질적 성취 너머에서 정신의 안정을, 감각적 쾌락 너머의 고상한 감동을, 경쟁과 갈등보다는 화해와 평화를 얻길 바라는 것일까? 이기적이고 후천적이라고만 알고 있는 마음의 어떤 층위에서 대체 그처럼 강렬한 자연회귀와 정화淨化의 욕구가 일어나는 것일까?

따지고 보면, 마음의 고통과 불안이란 곧 천성과 환경의 부조화를 반영한다. 예를 들어, 물고기가 물 밖에 나오거나 원숭이가 땅바닥에 떨어지면 극심한 불안을 보인다. 하지만 사람에게는 땅 위가 가장 편안하다. 물고기가 물을, 원숭이가 나뭇가지를, 사람이 땅을 편안히 느끼는 것이 각자의 천성일 것이다. 이런 천성은 오랜 진화과정에서 각 생명체가 저마다 습득한 자연적 본성이다.

그 자연적 본성이 환경과 조화를 이루면 마음이 편안하다. 그러나 천성과 환경이 부조화하면 마음이 고통을 느끼고 불안해진다. 그러므로 현대인이 너도나도 마음의 고통과 불안을 호소하는 것은, 곧 현대의 사회적 환경이 인간의 천성을 배반한다는 패러독스를 함축한다. 그리고 여기서 인간의 '선천적 성품'과 '후천적 욕망'에 대한 동아시아의 오래된 짝개념이 여전히 유효한 해석의 시각을 제공하는 것이다.

어차피 모두 사람의 마음이다. 그런데 굳이 선천적인 마음을 '도심'이라고 하는 것은, 그 마음이 대자연의 섭리에 합치한다는 문맥이다. 그리고 후천적인 마음을 '인심'이라고 하는 것은, 대자연의 섭리에서 탈선한 마음이라는 걸 강조한다. 천부적인 '도의 마음(道心)'과 후천적인 '사람 마음(人心)'의 이런 간극은, 노자가 '하늘의 도(天道)'와 '사람의 도(人道)'를 대비해 말하는 데서도 반복된다.

노자가 말했다. "하늘의 도는 넉넉한 것을 덜어서 모자란 것에 보탠다. 그런데 사람의 도는 그렇지 않다. 부족한 것을 빼앗아서 넉넉한 자를 받든다."[32]

---

32. 天之道, 損有餘而補不足. 人之道不然, 損不足而奉有餘. 『老子』 77장.

'하늘의 도'는 공정하고 평형을 유지한다. 하지만 '사람의 도'는 사사롭게 독점하며 치우치는 데로 흐른다.

이는 자연의 섭리에서 일탈해 샛길로 빠진 인간의 탐욕과 사심을 고발한다. 더 나아가, 부조리한 '사람의 도'에서 벗어나 인생 본연의 '하늘의 도'를 회복하라고 요청한다. 노자에 의하면, 갓 태어난 어린아이의 순수한 영혼과 해맑은 마음이야말로, 하늘이 부여한 천성이다. 하지만 살면서 정신이 세파에 찌들고, 마음에 때가 묻어 타락한다.

그것을 어린아이의 천성처럼 되돌리려면, '현묘한 마음의 거울에서 때를 벗기는(滌除玄鑒)' 심령의 청소가 필요하다. 현대인의 힐링에 대한 요구 역시 이런 견지에서 재해석할 수 있다. 이기적인 '인심'의 일탈이 극에 달한 물질문명의 정점에서, 천부적인 '도심'을 되찾으려는 생명본성의 아우성이 곧 힐링의 충동으로 표출되는 것이다.

그런데 서구 근대의 인간관에 뿌리를 둔 현대 심리학은 마음을 다만 '인심' 차원에 묶어두는 경향이 농후하다. 사적으로 욕망하는 근대적 자아의 심층에 천진한 참나(眞我)의 영토가 있다는 걸 인정하지 않는다. 대우주와 통합된 소우주인 인간의 내면에 천부적인 '도심'이 있고, 그것이 인심보다 근원적인 마음의 층위라는 것은 더욱 수긍하지 못한다.

그러므로 마음의 질병을 단지 자아의 증후로만 파악하며, 지엽적이고 대증적인 처방으로 대처한다. 그것이 다시 메스미디어와 결합된 소비사회의 상술로 과대포장되어 있다. 그런 면에서 물질주의에 찌든 근대문명과 마찬가지로, 현대 심리학 역시 막다른 골목에 다다랐다고 할 수 있다.

전병훈도 서구 심리학의 이런 한계를 일찌감치 예감했다. 그러므로 서양 심리학의 과학적 이론과 방법론을 칭찬하면서도, 낮은 경지에서 높은 경지로 마음을 고양하는 공부는 동아시아의 심학에서 보충해야 한다고 강조했던 것이다.

이른바 마음의 '낮은 경지'란 곧 인심이다. 즉 후천적인 물욕에 물든 사심私心이다. 반면 '높은 경지'란 도심이다. 즉 선천적인 생명본성에서 비롯되는 공심公心이다. 도심은 대자연의 견지에서 보면 본래의 마음이지만, 인심의 견지에서 보면 '고양된 마음'이다.

그런데 세속에서 욕망을 벗어난다는 게 또한 얼마나 어려운 일인가? 장구한 역사로 눈을 돌려도, 인류는 도심을 실현하기보다 인심의 욕망에 따라 흘러온 듯이 보인다. 선천적으로 타고난 우주적 성품이 후천적으로 작용하는 게 마음이라지만, '선천적으로 타고난 성품'은 대체 어디로 사라지고 한시도 제자리에 머물지 않는 불안하고 충동적인 마음만 늘 오락가락한단 말인가.

그러니 갈수록 치열한 경쟁사회에서 고도의 스트레스에 노출된 현대인에게 '하늘 마음'이나 '도의 마음'이란 게 실감되지 않는 게 어쩌면 당연한지 모른다. 하지만 어쩌겠는가? 현대사회의 조건과 삶의 방식을 자연이 결정한 게 아니다.

다시 말해, 현대인이 겪는 마음의 고통과 불안은 자연이 인간에게 부여한 천성의 산물이 아니다. 대신, 그것은 인간이 후천적으로 조성한 문명의 병폐로 나타난다. 냉정히 말해서, 오늘날 현대인이 겪는 고통과 불안은 자연의 탓이 아니다. 그것은 인간이 자초한 질병이다. 인간 스스로 만든 사회의 구조와 삶의 방식이, 역으로 본연의 천성과 불화를 일으키고 있는 것이다.

그렇다고 마치 풍차로 돌진하던 돈키호테마냥, 도심을 구현하라고 외치며 후기 금융자본주의 사회의 적나라한 물욕을 향해 돌격할 수도 없는 노릇이다. 게다가 동아시아 중세를 지배한 성리학의 역사가 증험하듯이, 도심의 당위를 앞세우는 근엄한 도덕주의는 구두선에 그치기 십상이다. 그렇다고 인간 본성이 본래 나약하고 어리석고 천박하다고 위악을 떤들, 거기에 또한 무슨 이익과 고상한 즐거움이 있겠는가?

이런 양극단의 태도, 즉 '도덕의 강요'와 '위악의 방종'은 모두 중용을 벗어난다. 그러므로 아주 높은 도심과 비루한 인심 가운데 양자택일하라는 결단을 요청하는 건 좋지 않다. 그보다는, 낮은 단계에서 높은 단계로 오르는 계단이 필요하다. 즉 인심에서 도심으로 옮겨가는 구체적인 요령과 방법을 찾아 터득하는 게 더 긴요하다.

하지만 그것도 '마음의 고양'을 바라는 기대와 의욕이 있어야 비로소 의미가 있다. 다시 말해, 사람이 본래 이기적이라고 위악을 떠는 자에게는 어떤 마음공부의 처방도 무효하다. 자기 안에서 선한 마음을 찾으려는 의욕이 발동해야만, 그제야 진정한 마음의 치유가 시작된다.

예로부터 굳이 '도심'과 '인심'을 나눠 말한 것도, 인간 본성을 이론적으로 규명하려는 의도보다 실천적인 동기가 더 컸다. 옛사람들이라고 다 도심으로 충만했던 게 아니다. 그러므로 『상서』조차 도심은 미약해 붙들기 어렵고, 인심은 위태롭다고 경계했던 것이다.

이른바 '정일심법'은 도심의 회복을 선언하거나 강요하는 문맥이 아니다. 다만 후천적인 욕심과 감정의 유혹에서 벗어날 필요를 시사하고, 그런 마음의 컨트롤이 가능하다고 이야기하는 것이다. 그리고 마음을 고양하는 목표지점을 제시하는 문맥에서 '도심'을 말했다.

그런데 이처럼 인심과 도심에 대한 생각을 바꾸는 데서, 이미 마음공부가 시작된다. 다시 말해 내 안에 도심이 있다고 여기면, 그것만으로도 일상생활의 마음가짐이 바뀌고 꾸준히 자기를 성찰하는 태도가 생겨난다.

흔히 시작이 반이라고 한다. 사람의 품성에 대한 근대적 편견을 바꾸면, 인심에서 도심으로 옮겨가는 공부가 절반은 시작되는 셈이다. 나머지 절반의 성공을 가져오는 요령과 방법은, 그런 인식의 전환 뒤에야 비로소 효험을 얻게 된다. 그러므로 심리학에서도, 인간 본성에 대한 근대적 위악僞惡을 넘어서는 패러다임 전환(paradigm shift)이 요청된다.

4. 유교 심학의 전개

전병훈은 '심리철학' 제1장부터 제9장까지 유교 심학의 기본흐름을 진술했다. 그 범위는 유교의 고대 경전부터 공자·맹자 그리고 송대 성리학을 거쳐 조선의 조광조와 퇴계·율곡까지 이른다. 그 내용은 마음의 체용, 공맹의 심학,

성리학의 이기심성론 등을 포괄한다. 비교적 널리 알려진 것이지만, 서우의 문법에 따라 보다 소상히 살펴보자.

정성(誠)과 공경(敬), 순수하고 올바른 마음

서우는 우선 『주역』의 『십익十翼』에서 몇 구절을 인용했다.[33] 그리고 이를 마음의 본체(體)와 작용(用)에 관한 언명으로 해석한다.

> 고요하고 담박하며(寂湛) 영명해서 움직이지 않는 것, 그게 성품의 이理이며, 마음의 본체다. [마음의 본체가—역자 주] 사물에 감응해서 마침내 만수萬殊(다양한 현상, 온갖 변화)에 통하니, 이로써 온갖 변화를 주재하는 것, 그게 마음의 작용이다.
> 본체가 정립하고 작용하니, 본래부터 이와 같다. 요령이 일상 언행에서 먼지와 때를 씻고 나쁜 마음이 일어나지 못하도록 막는 데 있다. 그러면 곧 정신(神)이 절로 보존되며, 성실하고 총명해진다. 이것이 마음공부(心功)의 극히 절실한 요체가 된다.[34]

서우가 마음공부의 요체로 제시한 요령은 다음 두 가지다. 첫째, 늘 정성스럽게 공경하는(誠敬) 마음을 보존하는 것이다.[35] 둘째, 분함을 참고 욕심을 절제하며, 잘못이 있으면 고치는 것이다.[36] 정성과 공경은 마음 안에서 지키는

---

33. 『易』曰 "寂然不動, 感而遂通天下之故."[『易 · 繫辭上傳』] 又曰 "庸言之慎, 庸行之謹. 閑邪存其誠."[『易 · 乾卦 · 文言傳』] 又曰 "洗心, 退藏於密."[『易 · 繫辭上傳』] 『통편』, 96~97쪽.
34. 其寂湛而靈明不動者, 性之理也, 心之體也. 感於物而遂通萬殊之故, 以宰制之者, 心之用也. 體立用行, 本自如是, 而要在庸謹言行, 洗滌塵垢以閑邪, 則神自存而誠實精明矣, 極爲心功切要. 『통편』, 97쪽.
35. 蓋存心應事之功, 莫如心存誠敬而方外也. 誠敬爲存心之切要也. 『통편』, 98쪽.
36. 懲戒其忿, 窒塞其慾, 過而能改者, 爲心功之切要也. 『통편』, 98쪽.

것이다. 분함(원망)과 욕심의 절제는, 밖으로 향하는 마음의 작용을 경계하는 것이다. 이 둘은 서로 긴밀히 관련된다.

곰곰이 생각해 보면, 독자들도 이내 알 수 있는 이치다. 원망과 욕심에 사로잡히면, 당연히 그 반작용으로 내심의 정성과 공경이 사라진다. 그리하여 마음 안에 참된 정성과 공경함이 없다면, 더 큰 원망과 욕심이 자라는 악순환을 막기 어렵다. 그에 따라, 잘못을 뉘우쳐 고치는 자기성찰 능력도 현저히 떨어지게 된다.

그런데 서우가 말하는 '마음의 작용'은 정감(feeling) · 의지(will) · 사려(intellect)를 두루 포괄한다. '정성'과 '공경' 그리고 '원망(분함)' 등은 대체로 정감 내지 의지의 층위에 속한다. 거기에 더해, 마음은 또한 사려의 기능을 발휘한다.

그러므로 서우는 『상서 · 홍범洪範』에서 다음 구절을 들었다. "생각하는 것을 슬기롭다고 하고, 슬기로우면 성스러워진다."[37] 또한 "마음의 기능은 생각"이며 "생각하지 않으면 미혹된다"는 맹자와 공자의 언명도 상기시킨다.[38] 그리고 다음과 같이 말한다.

> 생각에도 올바르고 그릇된(正邪) 구분이 있다. 생각이 순수하고 올바르며 예지가 열리면, 그것이 실로 성스러워지는 기틀이 된다. 진실로 단군 성조의 심학과 같다.[39]

주목할 것은, '사려(思)'가 '예지(睿)'를 거쳐 '성스러움(聖)'으로 전개된다는 언명이다. 이런 문맥에서, 생각의 '올바름(正)'과 '그릇됨(邪)'이란 단지 지성의 논리적 정합성만으로 결정되는 게 아니다. 비록 생각이 논리적으로 타당하더라

---

37. 箕子「洪範」曰 "思曰睿, 睿作聖."『통편』, 97쪽.
38. 心之官則思, 思則得之, 不思則罔, 亦此意也.『통편』, 97쪽.『맹자 · 고자상』에서 "心之官則思, 思則得之, 不思則不得也"라고 한다. "不思則罔"은『논어 · 위정』의 "學而不思則罔"에서 왔다.
39. 然思有正邪之分. 思純乎正而睿開者, 誠爲作聖之基. 誠與檀祖之心學, 同一也.『통편』, 97쪽.

도, 그 생각을 일으키는 정감과 의지가 불순하다면, 그것은 결코 '올바른 생각'이 아니다.

따라서 서우는 논리적인 지성(이성)의 절대적 우위를 주장하는 주지주의主知主義(intellectualism)와 다른 지평에 서 있다. 주지주의자들은 흔히 지성(이성)이 독립적이며, 정감이나 의지와 무관하다고 여긴다. 통속적으로 말해, 지능지수(IQ, intelligence quotient)는 감성지수(EQ, emotional quotient)나 의지지수(WQ, will quotient)와 별개라고 주장하는 셈이다.

한데 서우라면, 이런 주장에 '예지'와 '성스러움'의 계기가 없다고 비판할 것이 틀림없다. 마음의 작용에서 정감 · 의지 · 사려는 긴밀하게 맞물린다. 서우는 지성을 매우 중시했지만, 그렇다고 해서 지성을 정감과 의지로부터 분리하지도 않았다. 그의 문법에서 생각의 '올바름'과 '그릇됨'이란, 마음의 작용(정감 · 의지 · 사려)이 모두 순수하며 제각기 적합함을 얻는지 아닌지에 따라 획정되는 것이다.

그러므로 아무리 합리적으로 냉철하게 판단하더라도, 원망(분함)과 욕망 등으로 피폐해진 마음에서는 올바른 생각이 일어나기 어렵다. 내면의 정감과 의지(情意)가 순수하고 올바를 때, 비로소 생각도 순수하고 올바르게 된다. 또한 그 지점에서, 범인의 사려를 넘어 남다른 '예지'와 '성스러움'으로 통하는 길이 마침내 열린다.

한편 서우는 "일처리를 의롭게 하고, 마음쓰기를 예의로 한다"는『상서』의 경구로 마음과 일을 다잡는 요령을 제시했다.[40] 속마음이 경박한 욕심과 자만심으로 가득한데, 겉으로만 예의를 꾸민다고 그 내면을 얼마나 은폐할 수 있겠는가?

잠깐은 모르겠다. 하지만 아무리 아닌 척하더라도, 끝내 속마음이 드러나기 마련이다. 그러므로 마음쓰기에서 '예의'란, 남을 의식하기 전에 먼저 내 마음을 꼭 붙드는 것이다. 일에서의 '정의'란, 다만 공평무사함에 다름 아니다.

---

40. 以義制事, 以禮制心, 即操心濟事之要也.『통편』, 97쪽.

그리고 서우는 공자에게 없었다는 네 가지를 들었다. 『논어』에 따르면, 공자는 사사로운 의욕이 없고(毋意), 반드시 관철하려고 하지 않고(毋必), 고집하지 않고(毋固), '나'라는 자의식이 없었다(毋我).[41] 공자에게 절대로 없었다는 이른바 '절사絶四'의 유명한 명언이다.

곰곰이 생각해 보면 정성과 공경, 욕심과 원망의 절제, 그리고 절사의 교훈이 마음공부에서 모두 긴밀히 연계된다. 그런데 '욕심'이란 추상적인 개념이라서, 어떤 마음까지를 욕심으로 볼지가 늘 모호하다. 그러므로 욕심을 부리면서, 자기가 욕심쟁이라고 생각하는 사람은 거의 없다. 만약 자기의 욕심을 진심으로 반성하는 사람이라면, 그는 실상 욕심쟁이가 아니니다.

그런데 공자에게 없었다는 '사사로운 의욕'과 '반드시 뭔가를 하려는 충동'이야말로, 곧 '욕심'의 친절한 뜻매김에 다름 아니다. 그러니 이 두 가지를 욕심의 지표로 삼아 보자. 이는 마음공부에서 대단히 유용한 요령이 된다. 더구나 사욕(私意)과 기필함(必)에 얽매여 헤어나지 못하면, 그것이 곧 고집스러움(固)이다.

그리고 고집스럽게 기필하는 배후에는, 반드시 '나'라는 자의식이 있다. 자의식의 욕망은 결코 완전한 충족에 도달할 수 없다. 설령 한때의 욕망이 충족되더라도 즉시 새로운 충동의 대상으로 눈을 돌리기 때문이다. 그러므로 석가모니도 "탐욕에 대해 마음속에서 만족할 줄 아는 자가 적다"[42]고 탄식했던 것이다.

기호의 욕망과 분노사회, 그리고 마음공부

이른바 '분노사회'로 불리는 오늘날 한국사회의 어두운 측면을 이해하려면,

41. 孔子絕四, 毋意·毋必·毋固·毋我. 謹按意即私意, 我亦私已也. 『통편』, 98쪽. '공자절사'는 『논어·자한子罕』에 보인다.

42. 김월운, 『중아함경 1』(동국역경원, 2006), 418쪽.

현대인의 욕망을 들여다보지 않을 수 없다. 현대사회를 지탱하는 것은, 단지 인간의 생물학적 욕구를 충족시키는 생필품의 생산과 소비가 아니다. 21세기 소비사회는, 자유주의 고전경제학의 생산과 소비 모델만으로 더 이상 설명되지 않는다.

보드리야르Jean Baudrillard가 지적하듯이, 현대사회의 소비는 생존의 필요를 넘어 욕망을 자극하는 의미작용(signification), 즉 기호의 소비로 결정된다. 메스미디어 등을 통해 마음에 침투되는 기호의 자극이 감각과 욕망을 충동질한다. 그런 기호의 조작에 반응해, 소비로 자기의 정체성을 검증받으려는 미숙한 인격들의 욕망이 호응한다.

그러므로 현대사회에서 '분노의 고조'는, 기호의 소비에 탐닉하는 미숙한 자아의 욕망(아래서는 '기호의 욕망'이라고 하자)과 동전의 앞뒷면처럼 연결돼 있다. 그런 욕망은 단지 춥고 배고픈 생물학적 결핍을 충족하는 것으로 만족하지 않는다.

엄밀히 말해, '기호의 욕망'은 어떤 특정한 대상에 고착된 갈망이 아니다. 그것은 자의식의 충동에 따라 끊임없이 결여의 대상을 찾아 이주하는 마음의 습관이다. 그러므로 기호의 욕망은 언제나 자신의 대상에서 빗나간다.

예를 들어 배고픈 데서 일어나는 생물학적 식욕은 배부르면 즉각 해소된다. 그러나 기호를 향한 소유욕과 소비욕망은 그 끝이 존재하지 않는다. 그것은 늘 군색하고 불만족하는 심리적 결여의 차원에서 작동한다. 따라서 욕망의 완전한 충족이란 구조적으로 불가능하다.

이처럼 영원히 충족되지 못하는 욕망으로 인해, 현대인은 강박증에 가까운 스트레스를 자초한다. 그런 스트레스에서, 미숙한 인격의 자의식이 보이는 부정적인 반응 가운데 '분노'가 있다. 따라서 현대인의 상시적 분노상태는, 기호의 소비에 탐닉하는 욕망을 충족시키지 못하는 불안정한 자아의 으르렁거림인 것이다.

다만 타인의 시선이나 체면 등을 의식하는 사회적 관습과 관계의 통제 안에서, 충족되지 못한 욕망의 분출을 억누르고 있을 뿐이다. 하지만 건강치 못한 자아의 충동은 언젠가 맨 낯을 드러내고, 결국 자기조절에 실패하게 된다. 그것이 급기야 분노조절장애로까지 이어진다.

그런데 불안정한 자아가 기호의 욕구에 탐닉하는 까닭을, 단지 개인의 낮은 지성과 심리적 결함 탓으로만 돌릴 수는 없다. 그것은 모두에게 욕망하라고 부추기는 기호소비사회의 불가피한 부작용이다. 오늘날 한국사회의 대중은 '기호의 욕망'을 맹목적으로 추종하는 교육과 사회 환경에 노출돼 있다.

가정·학교·일터에서 매스미디어 지배하의 문화적 상상 공간까지, 인간은 욕망하는 존재라고 교시한다. 욕망하고 소비하지 않는 삶은 마치 죽은 것처럼 무력하다고 선언된다. 더 큰 것을 욕망하고, 어떻게든 하고 싶은 일을 성취하는 것이 인생의 성공이며 능력이라고 부추긴다. 이른바 '긍정의 힘'으로 욕망을 충동질하는 온갖 통속적 자기계발서와 거리의 인문학이 넘쳐난다.

그리하여 공자에게 절대로 없었다는 네 가지 '절사絶四'가 현대인에게는 오히려 꼭 있어야 할 '필사必四'처럼 되었다. 사사로운 뜻, 뭔가를 반드시 하려는 의욕, 집요한 고집스러움, '나'라는 자의식으로 가득한 그런 불온한 마음(人心)의 온상에서, 욕망과 그것의 대리물인 분노가 좌절과 두려움을 먹고 자란다.

이런 부정적인 마음은 단지 억압한다고 사라지지 않는다. 부정적인 마음을 억누르거나 일시적으로 은폐하는 것은 단기간에 효과를 보는 듯해도, 단지 대증적인 임시처방에 그치고 만다. 그렇다고 자의식의 충동과 자기감정을 있는 그대로 드러내는 것도 능사가 아니다. 솔직하다는 핑계로 표출하는 위악의 충동 역시 억압된 분노 못지않게 위험하다.

비유컨대, 늘 으르렁거리며 주인마저 물 기세로 달려드는 사나운 맹견이 독자와 함께 산다면 어쩌겠는가? 항상 우리 안에 가둬 둘 수도, 그렇다고 사람들이 드나드는 집 앞에 풀어놓을 수도 없는 노릇이다. 어차피 함께 살아야 한다면, 사나움을 순치해서 맹견을 길들이는 것이 상책이다. 마음을 다스리는 이치가 꼭 그와 같다.

서우가 화내지 말고, 욕심을 절제하며, 잘못이 있으면 고치라고 한다. 이는 대개 밖으로 향하는 마음을 결속하는 요령이다. 사나운 개도 조련시키면 아무에게나 함부로 짖거나 대들지 않게 만들 수 있다. 하지만 궁극적으로 마음 안의 정서와 의지가 순치되지 않는다면, 부정적인 마음은 언제든 다시 튀어나온다.

그러므로 마음속에 참된 정성(誠)과 공경(敬)이 자리 잡기를 요청하는 것이다. 마음은 대단히 다채롭다. 그런데 옛사람들이 유독 '정성'과 '공경'에 주목한 것은, 수없이 분열되는 마음의 갈래에서도 그것이 마음공부에 실로 유익하다고 확인되었기 때문이다.

매사에 정성스럽고, 진심으로 다른 사람(만물)을 공경하는 것은 남을 위해서가 아니다. 그것은 단지 내 마음의 본바탕을 환하게 밝히는 묘약이다. 분노는 충족되지 못한 욕망의 음지에서 자라는 독버섯이다. 정성과 공경은 그 음지를 양지로 만드는 햇살이요, 순풍이다.

한데 이런 공부는 하루아침, 한두 달 만에 성취되지 않는다. 그러므로 서우는 "다만 (정성과 공경심을 키우는) 마음의 함양을 오래 지속하라"고 말한다. 그러면 마음 안에서 "자연스럽게 천리가 밝아진다."[43] 마치 해가 떠올라 훤히 비추면 그늘이 자연스레 사라지는 것과 같다.

이런 문맥에서, 서우는 또한 "본마음이 태양처럼 밝다"는 『천부경』의 심학이 정성과 공경을 중시하는 유교 심학의 원리와 동일하다고 한다. 『주역』, 정이程頤, 양시楊時(1053~1135) 등의 글에서 이런 심학 원리를 뒷받침하는 경구들을 제시하기도 했다. 하지만 여기서 그걸 다 열거할 필요는 없을 것이다.

원시유학의 마음공부

이제 서우가 공맹 이후의 유교 심학을 해석하는 흐름을 계속 따라가기로 하자. 서우는 먼저 "자기를 극복해 예로 돌아가는 것이 어짊(仁)"[44]이라는 『논어』의 저명한 명구를 들었다. 그것은 "공자가 상제의 심리를 우러러 체현해서

43. 但此涵養久之, 自然天理明. 『통편』, 98쪽.
44. 克己復禮爲仁. 『論語·顔淵』.

심법의 도통으로 전수한 것"이다. 그리고 어짊의 덕목에 관해 맹자와 주희를 인용해서 이렇게 보충했다.

> 배우는 사람이 마음을 다하면 하늘을 알게 된다고 한다(孟子). 이는 어짊을 알고 어짊을 행하는 것이다. 어짊은 곧 사랑의 원리다(朱熹). 마치 봄에 하늘이 만물을 낳는 것과 같다.[45]

한편 공자가 말했다. "문밖에 나서면 큰 손님을 뵙듯이 하고, 백성을 부림은 큰 제사를 받드는 듯이 하라. 자기가 바라지 않는 바를 남에게 베풀지 마라."[46] 이른바 '황금률'이다. 서우는 이것도 심학의 실천적 언명으로 해석했다.

> 군자가 마음을 붙드는 공부는 언제나 그 극치를 쓴다. (마음의) 본체가 서면 이를 써서 행하니, 적절히 들어맞지 않는 바가 없다. 이 역시 공자의 문하에서 전수한 심법의 요체다. 어짊은 곧 하늘에서 근원하는 도심이다.

훗날 유가에서 약간의 상세함을 더하기는 했지만, "체험과 실천은 이보다 요긴한 게 없다"고 서우는 단언한다.[47] 또한 『대학大學』에서 뜻을 정성스럽게 하기(誠意), 홀로 있을 때 삼가기(愼獨), 바르게 마음먹기(正心)의 저명한 세 조목을 불러왔다. 그리고 먼저 '성의'와 '신독'에 관해 해석한다.

> '뜻(意)'이란 마음이 발동한 것이다. 그러므로 그 마음을 바르게 하려면, 반드시 먼저 그 뜻을 정성스럽게(진실하게) 해야 한다. '홀로(獨)'란 다른 사람

---

45. 此是孔子仰體上帝之心理, 而爲傳授心法之道統也. 學人可以盡心知天者, 乃知仁行仁. 仁即愛之理, 如春天之生物者也. 『통편』, 99쪽.
46. 出門如見大賓, 使民如承大祭, 已所不欲, 勿施於人. 『論語·顏淵』.
47. 蓋君子操心之功, 無時不用其極, 而體立用行, 無往不中節矣. 此亦孔門傳授心法之要. 仁則源天之道心也. 後儒之論心理, 雖若加詳, 而體驗實踐, 莫要於此矣. 『통편』, 100쪽.

은 모르는 바로, 자기만 혼자 아는 경지이다. 그 의념意念이 막 일어나려는 기미를 반드시 잘 살펴서, 착하게 하고 악을 제거한다. 이것이 곧 뜻을 정성스럽게 하는 절묘한 공부이다.[48]

한편 분노(忿懥), 두려움(恐懼), 좋아하고 싫어함(好惡), 근심걱정(憂患)이 있으면 마음이 비뚤어진다는 『대학』의 명언에 대해 말한다.[49]

네 가지는 모두 마음의 작용이지만, 하나라도 생겨서 도를 넘으면 반드시 그 올바름을 잃는다. 그러므로 정성스럽고 올바르기 위해, 자기를 성찰하는 공부가 가장 요긴한 것이다. 마음을 물에 비유한다면, 뜻은 풍랑이다. 바람이 불지 않으면, 물결도 일어나지 않는다. 그러면 물은 저절로 맑고 고요해진다. 그러므로 '맑은 거울과 고요한 물(明鏡止水)'이라는 말이 있다. 스스로 가히 체험하면 유익하다.[50]

전병훈은 『대학』의 「성의誠意」와 「정심正心」 장이 '마음을 움직이는 공부(動功)'의 요체라고 한다.[51] 그리고 『중용』 1장에서 "하늘이 명한 것을 본성이라고 하고, 본성을 따르는 것을 도하고 하며, 도를 닦는 것을 가르침(教)이라고 한다"로 시작하는 저명한 구절에 관해 평론한다.[52] 먼저 『중용』을 저술한 자사

---

48. 意者, 心之所發. 故欲正其心, 必先誠其意也. 獨者, 人所不知而已所獨知之地. 必察其意念欲動未動之幾, 而爲善去惡, 乃誠意之切功也. 『통편』, 100~101쪽.

49. [『大學』]所謂修身在其心者, 心有所忿懥, 則不得其正. 有所恐懼, 則不得其正. 有所好惡, 則不得其正. 有所憂患, 則不得其正. 心不在焉, 視而不見, 聽而不聞, 食而不知其味, 此謂修身, 在正其心. 『통편』, 101쪽.

50. 四者皆心之用. 然一有之而過度, 則必失其正矣. 是以省察之功, 爲誠正之最要者. 心譬之水, 則意是風浪. 風不動, 浪不起, 則水自清靜. 故有曰明鏡止水者, 自可取驗有益也. 『통편』, 101쪽.

51. 此誠正兩章, 竊爲學人動功之切要者也. 『통편』, 101쪽.

52. 『中庸』 "天命之謂性, 率性之謂道, 修道之爲教. 道也者, 不可須更離也, 可離非道也. 是故君子戒慎乎其所不覩, 恐懼乎其所不聞, 莫顯乎隱, 莫顯乎微. 故君子必慎其獨也. 喜怒哀樂之未發謂之中. 發而皆中節謂之和. 中也者, 天下之大本也. 和也者, 天下之達道

子思가 여기서 다음 세 가지를 말한 데 주목한다.

"우선 도의 큰 근원이 하늘에서 나와 바뀌지 않으며, 그 실체가 자기에게 갖춰져 떠나지 않음을 밝혔다. 다음으로 착한 본성을 기르고(存養) 잘 살피는(省察) 요령을 말했다. 끝으로 성스럽고 신묘한(聖神) 공적과 교화의 극치를 말했다."[53] 또한『예기』의 일부 구절을 들고, "예악으로 심신을 다스리는 것 역시 공자 문하에서 마음으로 전한 요령"[54]이라고 한다.

이상의 해석에서 두드러지는 특징은 경전의 명구들을 추상적인 관념으로 끌고 가지 않는다는 데에 있다. 대신 그 잠언들을 마음공부의 실천적인 요령 내지는 지침으로 재해석한다. 중세 성리학처럼 지나치게 공허한 담론으로 흐르는 것을 경계하고, 유교 본래의 장점인 현실지향적 실천성을 회복하려는 의도가 엿보인다. 그리고 경전의 명언을 독자들 스스로 마음 안에서 실천하고, 그 공효를 직접 체험하라고 권유한다. 이는 서우가 평소 활용하던 마음공부의 요령이기도 했다.

예를 들어 정신수련에 내공內攻과 외공外功이 있듯, 마음공부에도 정공靜功과 동공動功이 있다. 정성과 공경심을 키워 마음의 본체(도심, 본성)를 바로 세우는 것은 일종의 정공이다. 그러다가 일단 본마음이 움직이기 시작하면 뜻과 생각의 작용을 잘 관찰해야 한다. 예를 들어 마음 올바르게 쓰기, 비뚤어진 마음 바로잡기, 예악으로 심신 다스리기 등은 모두 동공에 속한다.

서우는 유교 심학에서 송명 이학을 아주 소략하게 다루는 반면, 원시유학에 큰 비중을 두었다. 이는 물론 유학 본연의 실천성, 일상에서의 활용성을 회복하려는 시도와 연관된다. 그는 특히 맹자가 사단의 마음을 발명한 업적을 크게 칭송했다.[55] 더불어 맹자의 유명한 '야기夜氣' 이야기를 불러왔다.

也. 致中和, 天地位焉, 萬物育焉."『통편』, 101~102쪽.

53. 子思首明道之大源出於天而不可易. 其實體備於已而不可離, 次言存養省察之要, 終言聖神功化之極.『통편』, 102쪽.

54. 禮樂以治身心, 亦孔門傳心之要.『통편』, 102쪽.

55. 孟子創出四端之心以垂戒者, 可謂光啓宇宙, 人之心理, 莫切於此. 眞是命世亞聖之才也.『통편』, 103쪽.

사람이라면 누구나 본연의 양심이 있다. 사람 발길이 닿지 않는 큰 산의 나무들이 아름드리로 크는데, 그것은 본성을 훼손당하지 않고 밤낮으로 자라기 때문이다. 만약 타고난 천성이 욕망에 휘둘리지 않으면, 사람의 양심 역시 그처럼 울창해질 수 있다. 하지만 매일 나무를 도끼질하면 아무리 큰 산이라도 머잖아 민둥산이 된다.

그처럼 일상의 욕망이 사람의 양심을 흔들어대면, 마음이 황폐해지는 걸 막을 수 없다. 그나마 해가 기울어 사람 손길이 닿지 않을 때 산의 나무가 휴식한다. 마찬가지로, 낮에 욕심으로 들끓던 마음도 깊은 밤이면 차분히 가라앉아 휴식한다. 이를 '야기', 즉 밤기운이라고 한다.

다시 말해 '야기'란, 천지만물이 잠든 한밤중이나 새벽의 적막함 가운데 잡념 없이 순수해지는 마음을 가리킨다. 그러나 밤낮없이 마음을 뒤흔들면, 마침내 양심이 무뎌져 한밤중에 일어나는 차분한 자기성찰의 마음마저도 사라지고 만다. 그러면 사람이 결국 금수 같은 존재로 전락하는 걸 막을 길이 없다고 맹자는 말한다.[56]

그러니 언제나 본성을 온전히 지키기는 어렵더라도, 깊은 밤의 적막 가운데나마 밀어처럼 속삭이는 양심의 소리에 귀를 기울이라. 그것이 마음공부의 관건이 된다. 서우는 '사단'과 더불어 '야기'의 문장이 유교 심리학설을 밝히는 데에 지대한 공이 있다고 칭송했다.[57]

또한 "군자가 마음을 보존하고 천성을 기르니(存心養性) 하늘을 섬기는 것이다", "그 마음을 다하는 것이 그 본성을 아는 것이다. 그 본성을 알면 곧 하늘

---

56. 孟子曰 "牛山之木嘗美矣, 以其郊於大國也. 斧斤伐之, 可以爲美乎? 是其日夜之所息, 雨露之所潤, 非無萌蘖之生焉. 牛羊又從以牧之, 是以若彼濯濯也. 人見其濯濯也, 以爲未嘗有材焉, 是豈山之性也哉. 雖存乎人者, 豈無仁義之良心哉? 其所以放其良心者, 亦猶斧斤之於木也. 旦旦而伐之, 可以爲美乎? 其日夜之所息, 平旦之氣, 其好惡與人相近也者幾希. 則其旦晝之所爲, 有梏亡之矣. 梏之反覆, 則夜氣不足以存. 夜氣不足以存, 則其爲禽獸不遠矣. 人見其禽獸也, 而以爲未嘗有才焉者, 是豈人之情也哉? 故苟得其養, 無物不長. 苟失其養, 無物不消." 『통편』, 104쪽. 원문이 『맹자 · 고자상』에 보인다.
57. 四端章與此夜氣章, 大有功於聖門, 發明心理者也. 『통편』, 105쪽.

을 안다"[58] 등의 명구를 『맹자』에서 추가로 예시했다. 그리고 지금까지 말한 원시유학의 심리학설을 아래처럼 총평했다.

> 사람의 사대四大와 육근六根이 모두 욕구한다. 어찌 욕망이 없을 수 있겠는가? (다만) 절제하여 이를 줄이는 것이 요령이다. 오직 욕심을 줄인 뒤에야 능히 존심양성存心養性 할 수 있다. 존심양성은 하늘을 섬기는 도이다. 아! 동아시아 심학이 정일精一·신독愼獨에서 극기복례克己復禮와 과욕寡慾·하늘 섬기기(事天)의 가르침에까지 이른다. 이는 곧 서양학문에서 할 수 없는 것으로, 그 결점을 보완할 수 있다.[59]

사람 몸의 물질적 요인과 감각기관에서 욕구가 일어난다. 생명보존에 필요한 욕구는 자연스런 생명현상이다. 하지만 욕망은 그런 욕구를 초과한다. 욕망은 단순한 생물학적 충동을 넘어, 무엇을 가지거나 누리려는 충동이 완전히 충족되기를 바라는 의욕이다. 그것은 생물학적 차원을 떠나, 사회적이며 심리적 차원에서 작동한다.

이런 욕망을 절제해 줄이는 것, 즉 '과욕寡慾'을 강조하는 데에 원시유교 심리학설의 특징이 있다. 이는 단번에 세속을 뛰어넘기(超世)를 말하지 않는다. 대신 현세에 기반을 두고 욕망을 조절해 조금씩 성스러움에 이르는 현실적 수양을 강조한다. 욕망이 아예 없는 '무욕無慾'을 말하는 노장과 불교에 비해, 원시유교는 욕구에 비교적 관대하며 점진적 욕망조절의 전략을 채택한다.

---

58. 孟子曰 "君子存心養性, 所以事天也." 又曰 "盡其心者, 知其性也. 知其性則知天矣." 『통편』, 105쪽. 『맹자·진심상』에 보이는 글로, 본래는 "存其心, 養其性"이다.

59. 人之四大六根皆欲也, 安能無慾乎? 節制以寡之爲要. 惟寡欲然後能存心養性. 存心養性, 爲事天之道矣. 烏呼! 東亞之心學, 自精一愼獨至克己復禮·寡慾事天之訓, 則西學之所不能也, 可以補其缺點矣. 『통편』, 105~106쪽.

송대 성리학의 마음공부

한나라에서 유교를 국교화하면서 이른바 경학經學이 전성기를 구가했다. 하지만 위진남북조와 수·당 시대를 거치며 불교와 도교가 크게 성행한다. 반면 유교는 상대적으로 침체기에 접어들었다. 거기에 더해 송대에 이르러 이민족이 건립한 금나라가 북중국을 차지하자, 중화주의를 기반으로 하는 유교 진영의 위기감이 고조된다.

익히 알다시피, 이런 배경에서 이왕의 정치철학에 우주론과 심성론을 보강한 성리학(理學)이 태동했다. 그 과정에서 성리학이 도교와 불교의 이론을 대거 흡수했다는 것도 공공연한 비밀이다. 도교의 정기학설을 토대로 이기론이 만들어지고, 불교의 마음이론에서 성리설의 사상적 자원을 수용했다.

성리학이 '욕망의 절제(과욕)'를 넘어 '욕망의 제거(무욕)'를 말하게 된 것도 이런 일환이다. 서우는 이른바 북송오자北宋五子의 서두를 장식하는 주돈이가 '마음수양(養心)'과 '무욕'을 말하는 문구를 인용했다. 그리고 다음과 같이 평론한다.

> 주선생이 심학을 천명하여, 앞의 학설을 잇고 송대 성리학(宋學)을 열었다. '과욕'으로부터 '무욕'의 가르침에 이르렀으니, 오직 유학에 공이 있을 뿐만 아니라 당시 학문의 부족한 점을 가히 보충했다.[60]

서우는 유교 심학의 공부가 '과욕'에서 '무욕'으로 전환하는 지점을 성리학 출현의 계기로 보았다. 이런 문법은 마음의 작용보다 본체에 주목한다는 것을 의미한다. 왜냐하면 마음의 본체란 성性·이理·태극 등을 함축하며, 그 본연의 특성이 곧 '무욕'이기 때문이다. 반면 '욕심 줄이기(과욕)'는 이미 일어난 마음의 작용을 조절한다는 의미이다. 이와 관련해, 전병훈은 대표적인 성리학자들

---

60. 周先生闡明心學. 繼往而開宋學. 寡欲而至無慾之教. 不惟有功於儒門, 而可補時學之不足處也. 『통편』, 106쪽.

의 언명을 한 구절씩 뽑아서 제시했다.

> 장횡거(張載): 마음은 본성(性)과 감정(情)을 통섭하는 것이다.
>
> 소강절(邵雍): 마음이 태극이다.
>
> 정명도(程顥): 마음이 이고, 이가 마음이다.
>
> 정이천(程頤): 본성이 곧 마음이고, 마음이 곧 본성이다.
>
> 주자(朱熹): 본성은 마음의 이다. 감정은 마음의 작용이다. 마음은 본성과 감정의 주인이다.[61]

그런데 이것이 서우가 송대 성리학자들의 글에서 가져온 심학 관련 진술의 거의 전부다. 다만 주희의 경우에 몇 구절이 추가됐다. "마음이 일어나지 않은(未發) 전체인 것이 본성이다. 이미 일어나(已發) 오묘하게 작용하는 것이 감정이다." "마음은 기의 정령(精爽)[62]이다"[63]라는 정도다. 이에 대한 전병훈의 해석은 다음과 같다.

> 송대의 여러 선현들이 심리를 논한 것이 이와 같다. 허령하기 때문에 밝다. 끝까지 밝히므로 지각이 감동해 운용한다. 이를 능히 주재하는 것이 모두 마음의 능력이다. 그러니 내가 태극에 (운동)능력이 있다고 단정하는 것이다. 마음의 체용으로 가히 실험할 수 있다.[64]

---

61. 張子橫渠曰 "心統性情者." 邵子康節曰 "心爲太極." 程子明道曰 "心是理, 理是心." 伊川曰 "性即心, 心即性也." 朱子晦菴曰 "性者, 心之理, 情者, 心之用. 心者, 性情之主. (即所以具此理而行此情者也. 以智言之, 所以知是非之理則性也, 所以知是非而是非之者情也. 具此理而覺其爲是非者, 心也.)" 『통편』, 107쪽.
62. 여기서 정상精爽은 정령精靈·허령虛靈 등의 의미를 함축한다.
63. [朱子]又曰 "心之全體, 湛然虛明, 萬理具足. 其流行該貫乎動靜. 未發而全體者, 性也. 已發而妙用者, 情也." 又曰 "心者, 氣之精爽也." 『통편』, 107~108쪽.
64. 宋賢諸先正之論心理者如此. 蓋虛靈故明, 明極故知覺感動運用, 而能主宰之者, 皆心之能力也. 是即余斷以太極有能力者, 可以實驗於心之體用也. 『통편』, 108쪽.

마음의 본체(본성)는 허령하며, 지각의 작용을 주재한다. 이런 마음의 능력이 곧 태극의 운동력이다. 정신철학의 견지에서 보면, 태극의 운동력은 또한 선천적인 정신의 능력에 다름 아니다. 따라서 '정신이 곧 심리'라는 명제가 성립한다.

한편 윗글 마지막에서 "마음의 체용에서 가히 실험할 수 있다"는 구절이 시사하듯, 전병훈은 앞서 열거한 성리학자들의 언명을 마음공부의 실천적인 원리로 해석했다. 즉 미약하지만 도심(양심)을 붙들어 보존하고, 그로부터 타고난 천성을 회복한다. 그 천성이 마음의 본체로, 이이며 태극이다. 이런 원리에 유념하면 마음공부에서 실질적인 공효를 얻을 수 있다.

사람들은 늘 오락가락하는 마음에 흔들리고 우왕좌왕한다. 어떤 것이 진짜 자기 마음인지 헷갈리고, 또 어떻게 마음의 중심을 잡아야 하는지도 모를 때가 많다. 그럴 경우에 차분히 마음을 가라앉히고, 위에서 말한 마음공부의 요령을 직접 실험해 볼 수 있다.

무엇보다 정성스러움(진실함)을 회복하는 게 급선무다. 타인의 시선이나 평가를 의식하지 말고 자기의 마음을 전적으로 진실하게 대면한다. 홀로 근신하는 '신독'의 상태에서 심신을 차분히 가라앉히면 착한 마음이 자라면서 악함이 점차 걷힌다. 맹자가 말한 '밤기운'의 마음을 돌이키는 것이다.

해서 마음이 진실해지면, 누가 시키지 않아도 양심이 발동하는 것을 느낄 수 있다. 그런 양심이 내 본마음이라는 것을 깨닫고, 양심에 의거해 판단하면 그것이 곧 매사에 합당한 이치가 된다.

심리적 실천 원리로서의 '성리'

이런 레시피로 독자들도 각자의 마음주방에서 직접 조리해 보는 게 어떨까? 주재료는 물론 '양심' 혹은 '천성'이다. 음식에 들어가는 소금과 설탕처럼, '정성'과 '공경'이 양심의 맛을 살리는 데 꼭 필요하다. 거친 음식재료를 다듬듯이 지나친 욕망, 과잉감정, 근심걱정, 기필함, 나라는 자의식 따위를 잘 발라내 제거한다. 그리고 '신독'과 '밤기운'의 오븐에 넣어 잘 익힌다.

남의 시선을 의식하지 말고, 자기 마음의 변화에 집중하는 게 이때의 요령이다. 서두르지 않고 오랫동안 공을 들이는 정성이 필요하다. 그러면 마음공부의 황금레시피가 건강에도 좋고 맛도 좋은 '양심'으로 완성된다. 하지만 이런 요령도 단지 눈으로 읽고 생각으로만 판단하면, 그건 죽은 관념에 지나지 않는다. 아무리 뛰어난 레시피가 손에 있어도, 그걸로 조리해 보지 않는다면 어떤 비법도 한갓 종잇조각일 뿐이다.

그런 상태에서 레시피에 대해 왈가왈부 감평한다면, 단지 공리공론일 수밖에 없다. 마찬가지로 마음을 고양하는 공부를 직접 실천해 보지 않고, 양심이 있느니 없느니 사람의 본성이 착하니 악하니 백날 떠드는 것은 단지 공염불에 불과하다. 그러므로 윗글에서 서우도 "마음에서 직접 실험해 보기"를 무엇보다 강조하는 것이다.

이런 문맥에서 서우는 '성리性理'의 문제를 추상적인 세계관의 담론으로 끌고 가기보다, 주로 심리적 실천의 원리로 귀결한다. 그리고 추상적 논변에 치우친 성리학의 이론적 분열상을 마음의 실천적 공부론으로 재통합한다.

예를 들어 주자학과 양명학의 대립도 서로 "다른 경향이 있는 듯하지만, 그 마음과 본성(心性)의 견해가 결코 한쪽에 치우쳐서 이理의 본체를 주관적으로 해석한 것은 아니"라고 평가했다.[65] 또한 말한다.

> 그러므로 후학들이 태극에 (운동)능력이 있는 것으로 마음의 체용으로 삼는다면, 바로 편중되지 않는다. '마음이 곧 이(心即理)'라는 설이 무슨 잘못이라고 근심하겠는가?[66]

익히 알다시피 주희에게 이는 태극이고, 그런 태극이 만물에 각각 내재해

---

65. 黃梨洲, 有調辨朱王之說. 然以余檮昧, 深究兩先生心理知行之說, 若有異趨. 然其心性之見, 曷嘗不均以理體爲主觀的耶? 『통편』, 108~109쪽.
66. 然則後學當以太極有能力爲心之體用, 正是不偏也. 心即理之說, 恐何病哉? 『통편』, 109쪽.

본성을 이룬다. 그런데 절대적 보편성을 가진 순수한 이념이 과연 그 자체로 운동할 수 있는지가 문제로 남는다. 그러므로 이는 기의 작용과 연계되고, 여기서 이와 기의 관계를 논하는 다양한 가설과 논쟁들이 전개됐다.

왕수인(왕양명)이 추상적인 '이'의 외재성을 완전히 부정하고, 이란 곧 기의 조리條理에 다름 아니며, '마음이 곧 이'라고 주장한 것도 그 일환이다. 이처럼 왕수인이 주희에 반대했지만, 그것이 주희의 가설에 대한 반명제反命題로 제시되었다는 점에서, 주자학의 근본 패러다임을 벗어났다고 말할 수는 없다.

그러나 전병훈에게 태극은 정신이다. 그리고 '이'란 추상적으로 독립된 이념이 아니다. 그건 다만 '정신의 이법'일 뿐이다. 이런 정신이 만물 안에서 안정되면 그게 곧 마음의 본체(본성)를 이룬다. 그 본성에서 일어나는 마음이 도심이다. 그것이 욕심에 치우쳐 절도를 잃으면 인심이 된다. 그러므로 위에서 "태극의 운동능력으로 마음의 체용을 삼는다"고 한다.

적잖은 독자들이 이런 설명은 그저 난해한 개념의 불필요한 나열로 여길지 모른다. 하지만 양해가 필요하다. 서우의 학설과 성리학의 용어들이 중첩되면서도, 실은 서로 다른 문맥을 함축하기 때문이다. 그러므로 양자의 비교를 위해서라도, 그 문맥을 설명하지 않을 수 없다.

어쨌거나 단순히 말하자면, 서우의 학설은 "마음의 본체(본성)와 작용(도심, 인심)이 모두 정신의 운동능력에서 나온다"는 명제로 귀결된다. 그리고 이런 견지에서, '태극이 곧 이'라는 주희의 언명과 '마음이 곧 이'라는 왕수인의 언명이 동시에 허용된다.

하지만 서우의 이런 해석은 주자학이나 양명학 어디에도 수렴되지 않는다. 그것은 성리학의 패러다임을 벗어난 정신철학의 독특한 문법에 토대를 두기 때문이다. 정신철학의 문법은 제1부에서 이미 논구했으므로, 여기서 다시 재론할 필요가 없을 것이다.

다만 이런 문법에서, 이기론理氣論이 더 이상 마음을 논구하는 이론적 근거나 전제가 아니라는 사실을 짚고 넘어갈 필요가 있다. 서우에게서 마음의 본성과 작용 등은 끝내 이·기의 문제로 귀결되지 않는다. 대신 인심에서 도심으로 고양하는 마음공부 차원에서, 이왕의 여러 성리설이 어떤 의미와 효용을 지니는가를 논구한다.

예를 들어, 전병훈은 왕양명의 '지행합일知行合一'설이 너무 서두르는 경향이 있다고 평가한다. 이율곡이 말한 '지행병진知行幷進'이 보다 원만하다. "하지만 그것이 모두 말학末學의 편벽된 치우침을 경계함은 한결같다. 그러니 내가 어찌 그 사이에서 한 가지를 옹호하며 공평치 않게 치우치겠는가?"[67]라고 마침내 부언한다.

이기의 논변에서 누구의 주장이 맞고 틀리는지를 가리는 게 중요한 게 아니다. 실천하지 않고 공리공담만 늘어놓는 말학의 폐단이 문제다. 왕양명과 이율곡은 그런 폐단을 한결같이 경계했다. 그러므로 양심을 고양하려는 근본 의도에서 보면, 그들의 학설이 양자택일할 사안이 아니라고 서우는 강변한다.

여기서 '말학'이란 근본을 저버리고 말단지엽에 매달리는 잘디잔 학문을 가리킨다. 사소한 꼬투리를 잡아서 시시비비나 가리며, 입씨름해서 이길 궁리나 하는 것도 말학의 천박한 취향이다. 이런 말학의 반대 입장에서 보면, 서우의 학문태도가 보다 분명해진다.

그는 특정 이념의 편견으로 시시비비를 가리기보다, 각 학설의 근본취지로 돌아가 거기서 저마다의 장점을 발견했다. 결과적으로 달리 보이는 주장들도 그 근본취지와 지향에서 일치하는 점을 찾아내 합치시킨다. 그리고 각자의 효용을 최대한 살려 융합하고 함께 활용하는 방안을 모색했다. 물론 입과 귀만 살아 있는 말학과 달리, 이론의 효용을 몸소 징험하는 데에 주력하는 실천정신이 결국 관건이다.

조선 성리학의 거경居敬 공부

서우의 이런 학문태도는 조선 성리학의 학설을 종합하는 데서도 발휘된다.[68]

---

67. 但知行合一之說, 便有迫急之象. 恐不如知行幷進之說, 渾圓不迫也. 然皆可以恤末學之偏處則一也. 何可自袒於其間, 偏就不公處耶.『통편』, 109쪽.

그는 먼저 조광조의 사례를 들고, 조선 성리학의 양대 산맥인 퇴계와 율곡의 마음이론을 나란히 소개했다. 그 내용이 다소 길지만, 독자들이 옛 선비들의 글맛을 직접 음미하도록 가감 없이 그대로 옮긴다.

> 조선의 조정암(趙光祖) 선생이 말했다. "마음이 아니면, 도가 의지해서 일어설 곳이 없다. 정성이 아니면, 마음이 의지해 행할 곳이 없다." 또한 말했다. "마음은 살아 있는 물건(活物)이다. 만약 욕심이 어느 한 가지에 현저하다면, 마음을 조심해서 보존하는 도가 아니다. 단지 허정虛靜을 굳게 지키고, 공경함으로 마음을 바르게 한다.[69] 비록 일을 하고 사물에 접하는 때가 아니라도, 맑게 깨어 있음(惺惺)을 말하는 것이다." 또한 말했다. "마음이 텅 비면 그릇된 것(邪)이 쉽게 들어갈 것 같아도 들어가지 못한다. 이는 그 공경함을 주로 하는 까닭이다."[70]

> 조선의 이퇴계(李滉) 선생이 말했다. "이와 기를 겸하고 본성과 감정을 통섭하는 것이 마음이다. 본성이 발해서 감정이 될 즈음에, 곧 한 마음의 낌새(幾微)가 온갖 변화의 관건이 되고, 선악이 나뉘는 지점이 된다.
> 마음은 실로 이·기의 결합이다. 그런데 (마음에 관해) 가리키는 바와 말하는 것은 '이'를 주로 하니, 어째서인가? 인·의·예·지가 (마음속에) 있는 가운데서 그 단서를 얻는 까닭이다.
> 칠정七情이 일어남 역시 실로 이·기를 겸한다. 그런데 (칠정에 관해) 가리키는 바와 말하는 것은 '기'를 주로 하니, 어째서인가? 외물의 도래에 쉽게 감

---

68. 이 주제를 논하기에 앞서, 서우는 우선 성품(性)·감정(情)·의지(志)·의념意念·생각(慮思) 등의 개념에 대한 정의를 시도했다. 이를 위해 약간의 전거를 들었는데, 대개 상식적이라 여기서는 생략한다. 『통편』, 109~110쪽 참고

69. "敬以直內"는 『주역·문언전』에 보이는 문구다.

70. 朝鮮靜菴趙先生(光祖)曰 "道非心無所依而立, 心非誠亦無所賴而行." 又曰 "心是活物, 若欲著於一處, 則非操存之道也. 但矜持虛靜, 敬以直內, 雖非應事接物之時, 而惺惺之謂也." 又曰"心虛則邪似易入而不能入者, 以其敬爲主也." 『통편』, 110~111쪽.

응해서 먼저 움직이는 것이 몸 기운(形氣)만 한 게 없고, 칠정이 그 싹수인 까닭이다."

또한 말했다. "'기'가 온갖 일(萬事)의 본성이 되니, 이것이 온갖 선(萬善)의 근원이다. 마음 가운데 한 가지 일도 있으면 안 되니, 이것이 곧 공경함을 지키는 법이다. 마음이 사물에 대하여, (사물이) 아직 도래하지 않으면 생각하지 않고, 바야흐로 도래하면 끝까지 살펴본다. (일을 마쳐 결과에) 부응하면, 미련을 남기지 않는다. 본체가 고요해서 맑은 거울과 고요한 물(明鏡止水)과 같으니, 비록 날마다 온갖 일을 접해도 마음 가운데 한 가지 일도 없다. 어찌 마음에 해로움을 입히겠는가?"

또한 말했다. "고요하면 천리의 본연을 함양하고, 움직이면 (마음의) 낌새에서 인욕人欲을 끊어낸다. 이런 진실함을 쌓는 데 오랫동안 힘쓰면(眞積力久) 순수하게 원숙해진다. 곧 일상생활 가운데서, 고요할 때는 텅 비고 움직일 때는 올곧게 된다. 비록 온갖 일이 일어났다가 사라져도, 마음이 실로 태연하여 잡스런 근심이 나의 우환거리가 되지 못한다." 또한 말했다. "공경을 주재主宰로 세울 수 있다."[71]

조선의 이율곡(李珥) 선생이 말했다. "공경스럽게 내 마음을 지켜 함양하기를 오래하면, 저절로 의당 힘을 얻는다. 소위 '함양한다'는 것 역시 다른 술법이 아니다. 단지 고요하여 근심걱정이 일어나지 않고, 맑게 깨어(惺惺) 약간의 혼매함도 없는 것이다.

---

71. 朝鮮退溪李先生(滉)曰 "兼理氣·統性情者, 心也. 性發爲情之際, 乃一心幾微萬化之樞要, 善惡之所由分也. 心固理氣之合也, 然而所指而言者主於理, 何也? 仁義禮智之在中, 而得其端緖也. 七情之發, 固亦兼理氣也. 然而所指而言者主於氣何也? 外物之來, 易感而先動者, 莫如形氣, 而七者其苗脈也." 又曰 "氣爲萬事之本性, 是萬善之源, 心中不可有一事, 此乃持敬之法. 心之於事物, 未來而不迎, 方來而畢照, 既應而不留. 本體湛然如明鏡止水, 雖日接萬事, 而心中未嘗有一物, 尚安有爲心害哉?" 又曰 "靜而涵天理之本然, 動而決人欲於幾微. 如是眞積力久, 至於純熟, 則靜虛動直日用之間. 雖百起百滅, 心固自若, 而閒雜思慮自不能爲吾患矣." 又曰 "敬可以立主宰." 『통편』, 111~112쪽.

'감정(情)'이란 마음에 감응하는 바가 있어 움직이는 것이다. 약간만 움직여도 감정이 자유롭지 못한 것은, 평상시에 마음을 다스리는 노력이 없어서 곧 절도를 크게 잃은 것이다.

'의지(志)'란 마음에 지향하는 바가 있음을 말한다. 선을 지향하든 악을 지향하든 모두 의지다.

'뜻(意)'이란 마음에서 계산하고 비교하는 것을 말한다. 감정이 이미 일어나면서 헤아리고 운용하는 것이다. 사념(念), 염려(慮), 생각(思) 세 가지는 모두 뜻의 다른 이름이다. 생각은 비교적 무겁고, 사념은 비교적 가볍다.

'뜻'은 자의대로 할 수 있으나, '감정'은 자의대로 어쩌지 못한다. 그러므로 '정성스런 뜻(誠意)'이라고 말해도, '정성스런 감정(誠情)'이라는 말은 없다.

감정이 일어나면, 일어나는 것은 '기'이고 일어나게 하는 것은 '이'이다. 기가 아니면 일어날 수 없고, 이가 아니면 일어나게 할 것이 없다. 이는 형체가 없고, 기는 형체가 있다. 그러므로 이는 통하고, 기는 국한한다. 이는 무위하고, 기는 유위하다. 그러므로 기가 발하고 이가 올라탄다(氣發理乘)."

또 말했다. "마음을 하나로 집중해 흐트러짐 없음(主一無適)이 공경의 긴요한 방법(要法)이다. 술잔을 주거니 받거니 하듯 무궁하게 변화함(酬酌萬變)이 공경의 활용법(活法)이다. 천리의 오묘함을 보려거든, 마땅히 홀로 있을 때 삼가기(謹獨)부터 시작한다. 마음이 안정된 사람은 말이 적으니, 마음의 안정은 말 줄이기(寡言)부터 시작한다."

또 말했다. "사람의 기는 천지와 서로 통하기 때문에, 양심의 참된 기운 역시 천지와 함께 장구하다. 인의仁義의 양심을 잘 기르면, 가려져 덮인 것을 열어서 그 천성을 온전하게(全) 할 수 있다. 참된 근원의 기(眞元之氣)를 잘 기르면 곧 허한 것이 실해지고, 그 목숨을 보존한다.

양심을 해치는 것은 귀·눈·입·코와 사지의 욕망이다. 참된 기운(眞氣)을 해치는 것 역시 이 욕망을 벗어나지 않는다. 때때로 마땅히 정신을 진작하고 마음자리를 세척하여, 이로써 맑고 조화로운 기상氣象을 부른다. (양심, 진기를) 오랫동안 순수하게 숙성하면 고정(凝定)되기에 이른다. 그런즉 본체(양심, 본성)의 밝음이 가려지는 바가 없고, 예지로 비추는 바가 법도에 어긋나지 않는다."[72]

이 세 사람은 성리학의 나라 조선에서도 마음(성품)공부의 실천궁행으로 둘째가라면 서러울 인물들이다. 그들의 문장에서도, 서우가 가려 뽑은 가장 정밀한 글이 곧 위의 인용문이다. 실로 핵심 중의 핵심이라고 할 수 있다. 윗글들은 크게 같고 작게 다른(大同小異) 맥락에서 전개된다.

독자들도 간파했겠지만, 세 선비의 언명은 공경함에서 시작해 공경함으로 마친다고 해도 과언이 아니다. 진실로 이를 마음에 새기고 실천한다면, 독자들의 마음공부에도 큰 도움을 받을 수 있다. 거경居敬, 혹은 거경함양居敬涵養으로 불리는 사상은 주희가 본격적으로 점화했다.

"'공경(敬)' 이 한 글자야말로 참된 성인의 도(聖門)의 강령이요, 착한 본성을 기르는(存養) 긴요한 방법이다."[73] 주희의 이런 언명에서 비롯해, 공경은 성리학 공부론의 금과옥조가 되었다. 앞서 살폈듯이 원시유학도 '공경'을 말했지만, 주자학에서 '거경'은 훨씬 심화된 의미를 부여받는다.

첫째, 경외하는 마음을 늘 지니는 것이다. 이는 공경 본래의 의미에 가깝다. 이런 거경은 내면에서 늘 한결같이 공경하는 마음상태를 유지한다는 문맥이

---

72. 朝鮮栗穀李先生(珥)曰 "敬守此心, 涵養積久則自當得力. 所謂涵養者, 亦非他術. 只是寂寂不起念慮, 惺惺無少昏昧而已. 情者, 心有所感而動者也. 纔動, 情有不得自由者, 平居無治心之力, 則多有不中者矣. 志者, 心有所之之謂, 之善之惡, 皆志也. 意者, 心有計較之謂也, 情既發而商量運用者也. 念·慮·思三者, 皆意之別名, 而思較重, 念較輕. 意可以僞爲, 情不可以僞爲. 故有曰誠意, 無曰誠情. 情之發也, 發之者氣也. 所以發者, 理也. 非氣則不能發, 非理則無所發, 理無形而氣有形, 故理通而氣局, 理無爲而氣有爲, 故氣發而理乘." 又曰 "主一無適, 敬之要法. 酬酌萬變, 敬之活法. 欲見天理之妙, 當自謹獨始. 心定者言寡, 定心自寡言始." 又曰 "人之氣, 與天地相通故, 良心眞氣, 亦與之俱長. 善養仁義之良心, 蔽可開而全其天矣. 善養眞元之氣則虛可實, 而保其命矣. 害良心者, 耳目口鼻四肢之欲, 而害眞氣者, 亦不出是欲焉. 時須抖擻精神, 洗滌心地, 以來清和氣象. 久久純熟, 至於凝定, 則本體之明, 無所掩蔽, 睿智所照, 權度不差矣." 『통편』, 112~113쪽.

73. '敬'之一字, 真聖門之綱領, 存養之要法. 『朱子語類』 卷12.

다. 어떤 특정한 대상에 대한 경외를 말하는 것은 아니다.

둘째, 마음을 내부로 수렴한다는 의미다. 마음을 밖으로 발산하거나 방종하지 않고, 언제나 내면을 향한다는 의미를 함축한다.

셋째, 마음이 늘 깨어 있는 것이다. 심신이 항상 고요하지만, 그렇다고 해서 마음이 잠든 상태를 가리키는 건 아니다. 마음이 명경지수明鏡止水처럼 맑고 잠잠한 가운데 각성한 상태, 그것이 곧 거경이다.

넷째, 마음을 하나로 집중하는 것이다. 위에서도 말했듯이 "마음을 하나로 집중해 흐트러짐 없음(主一無適)"이 곧 거경이다.

다섯째, 단정하고 엄숙한 것이다. 옛 선비들은 언제나 용모를 단정히 하고 의관을 정제했다. 이는 곧 공경하는 마음을 잃지 않으려는 의도였다. 하지만 겉으로 꾸미는 엄숙함이 아니라, 마음의 단정함과 진지함을 지키는 것이 진정한 거경이다.

정암·퇴계·율곡의 글에서는 거경을 일관되게 강조한다. 이처럼 큰 일치(大同)에 비하면, 퇴계와 율곡의 이론적 차이는 오히려 작게 다른(小異) 것이다. 윗글의 문맥에 따르면 퇴계의 주리主理가 됐든 율곡의 이통기국이 됐든, 그것은 거경의 실천적 목표를 달성하기 위한 방법론 내지는 각론의 차원이다. 즉 주리론과 이통기국 이론을 전제로 거경의 실천을 언명하는 게 아니다. 반대로 거경을 잘 구현하기 위해서 이·기를 어떻게 파악해야 할지를 말하는 것이다.

그런데 만약 거경의 마음공부를 실천적으로 구현하는 것은 뒷전이고, 이·기의 논변이 추상적 이론쟁점으로 비화돼 너나없이 거기에만 몰두한다면, 이런 논쟁은 대체 어떤 의미가 있을까? 서우는 정암부터 퇴계와 율곡까지 그들의 실질적인 관심이 거경의 마음공부에 있었음을 잘 보여주는 문장을 나란히 나열함으로써 후학들에게 그런 질문을 던지고 있다.

포스트 성리학의 심리철학

서우는 조선 성리학의 지리멸렬하고도 공허한 논변으로 회귀하지 않는다.

예를 들어 퇴계와 율곡의 차이를 드러내고, 그 차이의 시시비비를 끊임없이 걸고넘어지는 식으로 전개되는 장황한 논쟁을 일절 거론하지 않는다. 대신 각 학설의 근본취지로 돌아가 저마다의 문맥을 드러내고, 근본취지에서 일치하는 점을 찾아내 합치시킨다. 조선 성리학에 대한 다음과 같은 총평에서 서우의 회통 전략이 잘 드러난다.

> 조선은 진실로 단군과 기자의 성스러운 국가이다. 그리고 고려 말에 이르러, 훌륭한 유학자들이 나와 오로지 공자와 주자를 숭상했다. 조선에 들어와 더욱 번성하여, 공자묘에 배향된 사람이 열아홉 명이나 된다. 그 밖에도 이름난 석학과 뛰어난 영재가 앞뒤로 이어져, 역시 부지기수이다. 대개 정일精一 심법이 주나라와 송나라 그리고 동방 한국으로 전해졌으니, 이학理學 문장의 번성함이 울창하여 천하의 으뜸이 되었다.[74]

비록 짧은 글이지만, 단군으로부터 시작되는 한국의 유구한 인문적 전통의 큰 흐름을 먼저 부각시켰다. 그리고 조선 성리학의 전반적 번성함을 칭송한다. 이어서 퇴계와 율곡에 대해 각각 다음과 같이 짧게 평론했다.

> 일본의 명사 모씨가 공개적으로 칭송해 말했다. "서양으로 하여금 한국에 퇴계의 학문이 있음을 알게 하면, 곧 국가의 가치가 더욱 빛날 것이다." 아! 그 도리에 맞는 말이여. (퇴계) 선생의 학문이 가장 순수하고 정밀하다.[75]

> (율곡) 선생은 영민하고 총명해서 (문장이) 조리가 분명하고 문맥이 잘 통한다.

---

74. 朝鮮固檀箕聖國, 而至麗季, 賢儒輩出, 專尚孔朱. 入韓朝尤盛. 配享於孔廟者, (十九人)之多也. 此外名碩, 磊落相望者, 亦不知凡幾. 蓋自精一心傳, 周宋而東韓, 理學文章之盛, 蔚然爲天下冠也. 『통편』, 112쪽.

75. 是以日本名士某人公稱曰 "使西洋知韓有退溪之學問, 則增光邦國之價値矣." 嗚乎! 其知言哉. 先生之學, 最純粹精篤也. 『통편』, 112쪽.

다만 여기서 이통기국理通氣局의 이론은 전에 없던 것을 발명했다고 말할 수 있다. 그런즉 성리性理와 심기心氣의 이론이야 해명할 필요도 없이 저절로 명백하지 않은가?[76]

서우는 이처럼 퇴계와 율곡을 나란히 칭송하되, 앞서 말했듯 "말학의 편벽된 치우침"에 가담하지 않는다. 고대의 이른바 '정일심법'에서 조선 성리학의 이기·심성론에 이르는 길은 관념적 담론화의 과정이었다. 초기 유교의 순박했던 '마음'이 고도로 추상화됐다.

물론 이를 철학사상의 진흥과 발전으로 이해할 수도 있다. 그러나 흔히 비판받듯, 장황한 공리공론의 해악에 빠졌다는 일면도 부인하기 힘들다. 하지만 서우의 관심은 성리학설의 지엽적 시시비비를 따지기보다, 그것을 어떻게 잘 다듬어서 새로운 심리학의 자원으로 삼느냐는 데 있었다.

그러므로 전병훈의 심리철학은 반주자학이라기보다는, 포스트 성리학의 지평에 서 있다. 그는 성리학적 세계관의 게임의 룰을 벗어난 지평에서, 이왕의 성리학설을 필요에 따라 호명하고 재구성했다. 거기서 정호·정이 형제(二程)나 주희는 더 이상 이론의 척도나 기준이 아니었다.

그들은 다만 동서고금에서 마음을 논한 여러 철학가의 일부로 간주되었다. 서우는 실천적 경험을 중시하고, 특정 이념의 선험적인 척도에 얽매여 여타의 사상을 배척하는 태도를 비판했다.

대개 학문은 경험을 귀하게 여긴다. 다른 두 학문(道, 佛)과 서양철학의 심리학이 모두 실험으로 진리를 발명한 것이 많은데, 어찌 이단이라고 하며 취하지 않을 수 있겠는가?[77]

---

76. 先生英明淸通, 只此理通氣局之論, 可謂發所未發也. 然則性理也, 心氣也之論, 不待辨明而可自辨乎? 『통편』, 113쪽.

77. 蓋學貴經驗, 他二家(仙佛)心理與西哲心理學, 皆實驗而多發明眞理者, 烏可以異端而不取乎? 『통편』, 91쪽.

이처럼 서우는 유교·도교·불교 및 서양철학을 망라하는 개방적인 논의를 펼치며 동서고금의 사상을 대등한 반열에서 논구했다. 그러다 보니 성리학의 이념틀에서 지엽적으로 뻗어나갔던 논쟁의 세부적 담론거리들이 자연스럽게 해체되고, 마음의 논의가 새롭게 펼쳐지는 전기가 마련되었다.

5. 뇌 안의 정신에너지(腦中元神), 몸뚱이의 의식에너지(肉團識神)

전병훈은 원신元神과 식신識神을 구분하고, 그것이 각각 도심과 인심의 근거가 된다고 언명했다. 원신과 식신은 앞서 논구했던 그대로다. 사람의 원신은 우주의 영명한 신에서 비롯되는 선천적 정신에너지다. 그것의 근본 속성이 곧 본성이고, 본성이 움직여 마음이 일어난다. '식신'은 이런 마음의 운동과정에서, 후천적인 감정과 육체의 욕구를 반영한 의식에너지를 가리킨다.

그러니 아래에서 원신은 '정신에너지'로, 식신은 '의식에너지'로 나눠 부르기로 하자. 정신에너지는 이른바 뇌궁腦宮, 즉 앞 장에서 말했듯이 '신실' '니환' 등으로 불리는 뇌 중심의 한 장소에 순일하게 응결된다. 반면 의식에너지는 몸 전체의 감각과 의식(사념, 의지, 감정)을 반영한다.

전병훈은 이를 '뇌 안의 원신(腦中元神)'과 '몸뚱이의 식신(肉團識神)'으로 대별해서 부른다. 그리하여 '뇌 안의 원신 = 천리天理 = 도심'과 '몸뚱이의 식신 = 사욕私慾 = 인심'으로 구분되는 마음의 두 층위가 갈라진다.

> 뇌 안의 원신은 순전한 천리로, 곧 도심이다. 몸뚱이의 식신은 몸 기운(形氣)의 사욕으로, 곧 인심이다.[78]

하지만 도심과 인심이 본래 두 마음이 아니요 따로 존립하지 않듯이, 원신

78. 腦中元神者, 純全天理, 即道心, 肉團識神者, 形氣私慾, 即人心. 『통편』, 96쪽.

과 식신 역시 그 실체가 둘이 아니다. 나면서부터 본래 천진했던 원신이 후천적인 탐욕과 감각에 물들고, 기운과 의식이 혼탁해져서 식신이 된다.

원신은 뇌 안에 순수한 정신에너지로 응결된다. 반면 식신은 신경망을 타고 흐르는 의식에너지로, 감각기관과 온몸의 욕구(자극, 충동)를 반영한다. 전병훈은 식신이 작동하는 메커니즘을 이렇게 설명했다.

> 대개 따뜻하고 공손하며 겸허한 것이, 덕으로 나아가는 근본이 된다. 하물며 청명淸明이 몸에 있고, 뜻과 기운이 신과 같음이랴! 그러므로 사람이 모두 (그렇게 되는 게) 가능하다. 유독 그것이 안 되는 자는, 물욕이 그의 청명을 흐리고 그의 뜻과 기운을 나태하게 하여, 마침내 그 식신을 어지럽힘으로써 덕을 상실한 것이다. 반드시 겸손하고 공경하며 욕심을 줄인 뒤에야 도덕을 말할 수 있다.[79]

물욕에 쉽게 영향을 받는 식신을 다스리려면, 원신의 통제가 필요하다. 전병훈은 북송의 도사였던 시견오施肩吾가 "마음이 기와 신을 부린다"고 하고, 석행림이 "마음은 본성 안의 신이다"라고 말했던 것에 주목했다. 그리고 다음과 같이 주석을 달았다.

> (시견오가 말하는) '마음'은 뇌궁의 원신이다. 그렇다면 어떻게 "신神이 신神을 부린다"고 말할 수 있는가? 내가 이에 숙고해 보니, 원신이 능히 식신을 통솔할 수 있으므로 그처럼 말한 것이다. 그렇지만 특히 이것이 아니라도, 원신은 태극이며 태극은 운동능력이 있다. 그러므로 한 몸을 주재하고, 몸의 온갖 곳(百體)을 통솔할 수 있다. 이를 '마음'으로 부르더라도 또한 타당하지 않은가?[80]

---

79. 蓋溫恭謙虛, 爲進德之本, 而況清明在躬, 志氣如神! 故人皆可能也, 惟其不能者, 物欲昏其清明, 惰其志氣, 遂亂其識神以喪德矣. 必也謙恭寡慾, 然後可以言道德乎! 『통편』, 245~246쪽.

'원신'과 '식신'은 이처럼 서로 통솔(司令)하고 통솔받는 관계에 있다. 물론 원신이 충실히 응결되고 활성화돼서, 식신을 제어할 충분할 힘과 능력을 갖춰야 그것도 가능하다. 정신에너지가 뇌 안에 청명하게 응결되면, 천리가 회복되고 도심을 구현할 수 있다. 반대로 물욕이 의식에너지의 청명을 흐리고 그 의지와 기운을 흔들어 어지럽히면, 인심이 사나워진다.

그러므로 "배우는 사람이 진실로 먼저 원신과 식신을 분명하게 구별할 수 있어야 한다. 그런 뒤에야 비로소 인심과 도심의 작용을 능히 관찰할 수 있다."[81] 한데 마음의 경험적 작용인 식신보다 원신이 더 근본적인 이유는, 정신과 의식이 각각 본체(體)와 작용(用)으로 심리를 구성하기 때문이기도 하다.

> 총괄하면 정신과 의식이 심리의 체용體用이 되어 정감·지력·감각·관념이 서는 게 대체의 요지다. 이것이 동서양 심리 경험의 올바른 법도이다.[82]

정신이 심리의 본체다. 한편 정감·지력(사유)·감각·관념을 포함하는 의식은 그 작용 내지 현상이라고 할 수 있다. 따라서 심리를 잘 이해하고 변화시키려면, 작용이나 현상과 더불어 그 본체인 정신의 특성을 파악하는 게 긴요하다.

특히 정신에서도 원신과 식신을 분별해서 본체인 정신으로 작용인 의식을 통솔할 수 있어야 한다. 그러므로 전병훈은 "마땅히 원신과 식신의 구별을 연구해야 이로써 마음을 기르고 참나를 이룰 수 있다"[83]고 언명했다.

그런데 이런 문법을 따르면, 정신을 제쳐놓고 도심과 인심을 논했던 유교 심성론은 본체를 버려두고 그 작용이나 현상만을 좇는 그림자놀이를 했던 셈

---

80. 施肩吾曰 心爲使炁神. 石杏林曰 心爲性內神. 謹按 心乃腦官元神, 則何以云以神使神耶? 予乃熟思則元神能司令識神, 故云爾. 然不特此也, 元神是太極, 太極有動能力, 故能主宰一身, 司令百體也. 名之曰心, 不亦妥乎. 『통편』, 120쪽.
81. 學人苟能先明乎元神識神之別, 然後乃能精察人心道心之用矣. 『통편』, 96쪽.
82. 然總以精神·意識, 爲心理之體用, 而情志·智力·感覺·觀念, 立爲大要, 則此乃東西心學經驗之矩步也. 『통편』, 150쪽.
83. 當研究元神·識神之別, 以養心成眞可也. 『통편』, 150쪽.

이 된다. 실제로 전병훈은 심리학의 "심성·이기 변론이 원신과 식신을 판별하지 못했"고, 따라서 성리학의 마음에 대한 논의가 추상적인 담론으로 변질됐다고 판단했다.

그리하여 서우는 도심을 추상적인 이념(理)이나 도덕관념으로 이해하던 낡은 패러다임에서 벗어났다. 더 나아가, 그것을 신체(생명), 특히 뇌에 수반되는 정신의 작용으로 되돌려 놓았다. 그리고 동서양 여러 사조의 마음이론을 이렇게 재평가했다.

> 정신(神)에 원신과 식신의 구별이 있다. 이것은 중국과 서양의 여러 학문에서 투철히 알지 못했던 바이다. 오직 도가와 요·순이 이를 드러내 밝혔다. 배우는 사람들이 진실로 먼저 원신과 식신을 밝게 구별한다면, 그런 뒤에 능히 인심·도심의 작용을 정밀히 관찰할 수 있을 것이다.
> 그런데 서양철학의 심리학설은 오히려 여기까지 보지 못하니, 어찌 마음을 다할 수 있겠는가? 아! 우리 동아시아의 심리학이 또한 『천부경』을 얻은 이후에 뇌신경(腦神)과 도심의 이치가 더욱 정미롭고 명백하게 되었다.[84]

서우는 중국의 도가와 요·순, 그리고 한국의 『천부경』만이 원신과 식신을 구별했다고 명언한다. 여기서 요·순을 거명한 것은 앞서 누차 언급한 인심·도심의 유훈을 가리킨다. 서우는 이를 '정일심학精一心學'으로 부른다. 그런데 이 계보를 계승했음에도 불구하고, 훗날의 유교 심학은 원신과 식신을 투철히 인식하지 못했다. 계속 서우의 말을 들어보자.

> 심성 이기理氣의 변론은 원신과 식신을 판별하지 못했던 까닭에, 비록 감

84. 然神有元神·識神之別者, 中西諸學之所不透也, 而惟道家與堯舜發明之也. 學人苟能先明乎元神·識神之別, 然後乃能精察人心·道心之用矣. 然西哲心理學說, 尙未見及於此也, 可不盡心乎. 嗟! 我東亞心理學, 又得『天符』以後, 腦神道心之理, 愈臻精美明白耳. 『통편』, 96쪽.

정(情)·의지(志)·뜻(意)·생각(思)·감각感覺의 작용을 이처럼 훤히 밝혔으나, 요·순 '정일심학' 도통의 정맥은 그 개요만을 간략히 거론했다.

그리하여 주렴계가 다만 "신神이 지知를 일으킨다"고 했고, 주자 역시 단지 "마음이 텅 비고 신령하여 어둡지 않다"[85]고 말하는 데 그쳤다. 왕양명이 비록 영명靈明[86]을 언급했으나, 역시 "마음이 곧 이理다"라고 말했을 뿐이다.

아! 동아시아의 도가가 뇌 가운데서 원신과 도심의 이치를 앞서 보았다. 그러나 우리 유가의 심학은 심령이 반드시 뇌 부위의 신경에 의지한다는 것을 알지 못했다.[87]

앞서 율곡의 학설에서 감정·의지·뜻·생각·감각 등에 관해 소상히 정의한 바 있다. 다만 거기에는 '감각'에 대한 설명이 빠져 있다. 이에 서우는 칸트의 말을 인용해 "귀·눈·입·코가 감촉하는 것이 마음 안에 미쳐서 감각하는 것으로, 귀의 소리와 눈의 색깔 같은 종류"[88]라고 감각을 정의하기도 했다.

여하튼 서우는 정감·의식·감각 등의 미세한 차이를 성리학의 심성론에서 자세하고 꼼꼼하게 밝혔음을 상기시킨다. 그만큼 마음의 작용과 변화를 세밀하게 관찰하고 연구했음을 시사한다. 그럼에도 불구하고 서우는 유교, 특히 성리학 심성론의 한계를 꼬집었다. 윗글을 포함해 지금까지 그가 지적한 내용을 정리하면 대략 다음과 같다.

첫째, 성리학의 마음이론이 추상화돼 도심을 형이상학적인 '이理'로 관념화

---

85. "虛靈不昧"는 본래 『대학』에 보인다.

86. '영명靈明'은 양지良知의 다른 이름으로, 왕양명은 양지가 지행知行의 주체로 스스로 결단하고 판단한다는 의미에서 영명이라고 했다.

87. 愚謂心性理氣之辨論, 由不識元神·識神之故也, 情·志·意·思·感覺之用, 則發明如是, 而堯舜精一心學之道統正脈, 畧擧其概要矣. 然濂溪只云神發知矣, 朱子亦但言虛靈不昧而已, 陽明雖道靈明, 而亦曰心即理也. 烏乎! 東亞道家, 先見腦中元神道心之理, 而吾儒之心學, 固未有知得心靈必寄於腦部神經者也. 『통편』, 113~114쪽.

88. 耳目口鼻所觸, 並及心內所感覺, 如耳之聲, 目之色之類. 『통편』, 135쪽.

했다. 둘째, 담론이 지엽말단의 논쟁으로 흘러 공리공론에 빠졌다. 셋째, 마음이 신체, 특히 뇌신경에 수반되는 메커니즘에 어두웠다. 넷째, 정신·마음에 대한 식견과 경험이 풍부한 도교와 불교를 이단으로 배척했다. 다섯째, 도교(도가)의 정기학설을 도외시하여, 정신과 마음의 관계를 소홀히 다뤘다. 따라서 도심과 인심을 각별히 규명했지만, 그 마음이 각각 원신과 식신에서 일어나는 이치에는 어두웠다.

반면 서구 근대의 심리학은 인간의 마음을 객관적 연구대상으로 삼는 경험적 과학으로 성립했다. 그리고 마음의 작용과 행위를 관찰 및 실험하는 데서 큰 진전을 이뤘다. 서우는 특히 서양 심리학이 뇌신경에 주목했음을 높이 평가했다. 하지만 이런 장점이 다른 한편에서는 단점이 되니, 인심에서 도심으로 고양하는 마음공부에 어두운 것을 그 한계로 지적했다.

> 단지 근세의 서양철학이 전적으로 대뇌와 소뇌를 심령이 작용하는 곳으로 여기니, 특별하지 않은가? 그러나 반대로 마음이 하늘에서 기원하는 이치, 욕심을 줄이고 마음을 수양하는 요령에는 어두워서 특히 그 결점이 된다.[89]

서양 심리학은 "대뇌와 소뇌를 심령이 작용하는 곳"으로 관찰했다. 그리고 "심령이 반드시 뇌 부위의 신경에 의지"하는 것을 실험으로 밝혀냈다. 그런데 서구 심리학뿐만 아니라, 유교 심학 역시 마음의 관찰과 경험을 중시한다. 다만 서구 심리학이 과학의 견지에 서 있다면, 유교 심학은 자기 수양과 교육의 견지에 서 있다.

과학자는 관찰대상의 현상과 행동을 있는 그대로 관찰하고 실험하는 것을 미덕으로 여긴다. 그러나 교육자는 자기 자신과 교육 대상의 바람직한 '변화'를 관찰하고 경험하는 데 주목한다. 이를 다시 인심·도심의 문맥으로 말해 보자.

서양 심리학은 과학자의 안목에서 사람들의 마음을 연구한다. 이 경우 실험

89. 惟近世西哲, 專以大小連腦, 爲心靈之用者, 不是特異哉? 然反昧心原於天之理, 而寡慾養心之要, 則殊爲其缺然也. 『통편』, 114쪽.

자가 피험자인 다른 사람의 마음을 고찰하며, 마음이 외부로 드러나 관찰할 수 있는 경험과 행위를 탐구대상으로 삼는다. 그런데 동아시아 심학의 문맥에서 보자면, 이런 마음은 대개 '인심'에 속한다. 왜냐하면 그것은 마음공부로 정화되지 않은 자아의 일상적 욕망과 정감을 주로 다루기 때문이다.

그러므로 서양 심리학은 "마음이 하늘에서 기원하는 이치, 욕심을 줄이고 마음을 수양하는 요령에 어둡다"고 서우가 지적한다. 반면 동아시아 심학은 인심에서 도심으로 고양하는 교육(공부) 과정의 경험과 변화를 중요하게 여긴다. 다시 말해, 도심을 체득하는 마음의 경험이야말로 그 핵심의 탐구과제다.

이런 공부의 경험에서는 실험자와 피험자가 분리되지 않는다. 물론 높은 경지의 스승이라면, 제자의 공부 수준을 간파할 수 있다. 하지만 공부 당사자가 자기 마음의 변화를 알아채는 게 무엇보다 우선한다. 따라서 마음공부의 경험과 관찰은 자기 자신을 대상으로 하며, 그 경험의 층위는 당연히 주관적이다.

물론, 그 결과를 객관적으로 입증할 적절한 수단도 충분치 않다. 그러므로 과학을 표방하는 심리학에서 이런 '마음의 고양'에 접근하기 어려운 측면이 있다. 그렇지만 앞서도 말했듯이, 서우가 말하는 '경험'과 '실험'의 의미는 경험과학의 문법보다 중층적이다.

그것은 인간의 내면적이고 외면적인 실험, 주관과 객관의 경험을 포괄한다. 실험의 대상이 타자인 경우와 자기 자신인 경우 모두를 승인한다. 서우는 이런 안팎의 경험과 실험을 하나로 결합하는 심리학이 가능하다고 제안한다.

> 내가 감히 유·불·도와 철학을 하나로 결합한 이론을 주장한다. 이것이 새로 발명해 서로 조제할 수 있는 게 아니겠는가? 그러니 도를 숭상하는 사람이라면, 유가의 심리학설이 이처럼 하늘에서 기원해 세상을 경륜함을 어찌 모를 수 있겠는가? 유가 역시 도가의 뇌와 정신(神)과 마음(心)에 관한 창조적 견해(創見)를 어찌 따르지 않을 수 있겠는가?
>
> 『황제경』에서 "뇌수腦髓가 단이 맺히는 장소이며, 뇌궁腦宮은 원신이 머무는 신의 거처"라고 언급했다. 애석하게도 유가가 마음을 말했으나, 뇌신경

에 주목한 적이 없다. 오로지 황제와 광성자의 견해가 근세 서양철학에 꼭 들어맞는다. 지금 이를 하나의 학문체계(一家)로 만드니, 또한 원만하지 않은가.[90]

서우는 유교의 심학과 도교의 정신학, 그리고 서구 근대 심리학의 합치를 말한다. 그렇다고 그 견해들이 완전히 일치한다는 의미는 아니다. 유교 심학, 도교 정신학, 그리고 근대 심리학의 주된 탐구대상(도심·정신·심리)은 각기 다른 마음의 층위에 속한다.

따라서 그 각각에 대한 경험이 관찰자마다 다르게 나타날 수 있다. 하지만 바로 그렇기 때문에 그것들을 합치하고, 하나의 학문체계로 조제할 수도 있다. '조제'란 어차피 서로 다른 약재를 적절히 조합해서 약을 짓는 일이다.

열린 지성과 융합적 마음연구의 지평

예를 들어 독자들도 '나'라는 존재에 대해 생각해 보자. '나'는 이것이면서 동시에 저것인 여러 요인들의 중층적 결합체다. 생물학적인 존재자(유기체)이고, 가정에서는 자식이자 부모이고 배우자이며 형 혹은 아우이다. 사회에서는 어떤 일과 직업 세계의 일원이고, 어느 나라의 국민이며, 또한 지구라는 행성에 실려 끝없이 이동 중인 우주의 한 여행객이기도 하다. 사실상 '나'는 이 가운데 어느 하나가 아니라, 거열된 전부이다.

정신과 마음의 경험이 일어나며, 또한 신체가 작동하는 메커니즘 역시 마찬가지다. 도교의 원신과 식신, 유교의 도심과 인심, 그리고 현대 심리학에서 다

90. 予敢主張以儒道佛哲合致之論者, 此非新發明之可相調劑者耶? 是以尚道者, 安可不識儒家心理之見, 若是源天而經世乎? 儒家亦安得不從道家腦神心之創見乎? 『黃帝經』指腦髓, 爲結丹之處, 腦宮, 即是元神所居之神舍也. 惜儒家言心, 未曾見及腦神經, 而惟黃帝·廣成之見, 脗合近世西哲. 今乃以打成一家, 則不亦圓滿哉. 『통편』, 114쪽.

루는 마음과 뇌신경의 경험이 그렇다. 그 전부가 사실상 인간에게 속한 특성이다. 그것들에 대한 경험은 나름대로 모두 믿을 만하다.

도교와 유교의 수양은 단지 이론적 가설을 넘어, 수십 세기에 걸쳐 동아시아에서 가장 뛰어난 지성과 실천력을 겸비한 사람들이 근실하게 징험한 것이다. 현대 심리학은 본래부터 과학으로 성립했으니, 그 경험적 토대를 더 강조할 필요가 없다.

그러므로 근실한 구도자와 선비와 과학자가 각자 경험한 것은 대개 모두 진실하다. 다만 거기서 무엇이 본질적인가는 대상의 속성이라기보다, 엄밀히 말해 그 대상을 향해 관찰자가 취하는 입장의 속성이다. 예를 들어 처음부터 유학자는 도심에, 내단 수련가는 원신에, 심리학자는 뇌신경의 작용에 관심을 집중하고 주목한다.

따라서 마음에 대한 경험의 차이가 생겨나는 건 어쩌면 당연하다. 그런데 이런 차이가 실은 마음의 속성 자체가 아니라, 관찰자의 태도에서 기인한다는 사실은 심사숙고할 필요가 있다. 그렇다면 관찰자들의 서로 다른 태도는 반드시 배치되며, 서로 공존 내지는 병행할 수 없을까?

도교의 정신수행과 유교의 마음공부는 함께할 수 없고, 동아시아의 심학과 서양의 심리학은 평행선의 양 선분처럼 만날 수 없는 궤도를 달리는 것일까? 한 이론물리학자의 명언이 고무적이고도 유연한 사유의 지평으로 우리를 안내한다. 파동역학의 건설자로 현대 양자역학을 개척한 슈뢰딩거Erwin Schrödinger (1887~1961)의 말이다.

> (여러 철학의) 대다수 사례에서, 그런 견해들은 탁월한 사고력을 지닌 사람들이 건전한 근거를 가지고 확신했던 견해들이다. 그러므로 그들이 서로 다른 판단을 내린 이유는 그 대상이 다르기 때문이라고, 아니면 적어도 대상 중의 아주 다른 측면이 그들의 성찰 속에서 각각 다르게 부각되었기 때문이라고 믿어도 좋으리라. 비판적 서술이라면, 모름지기 대립을 강조하기보다는 이런 다른 측면들을 하나의 전체상으로 결합하려고 애써야 한다.[91]

슈뢰딩거의 이런 제언이야말로 서우의 융합적 학문태도와 부합한다. 그런데 서양철학이나 동양철학에 대한 이른바 역사적이고 객관적인 서술들을 살펴보면, 지성의 소통에 찬물을 끼얹는 단정적인 진술들을 끊임없이 접하게 된다.

즉 A는 이런 견해를, B는 저런 견해를 주장했다. 누구는 무슨 주의자이고, 또 다른 누구는 어떤 주의자이다. 이처럼 여러 견해를 항상 대조하는 사람들은, 그 견해들이 한 사안에 대해 상반되는 (양자택일의) 주장인 듯이 흑백논리로 진술하는 오랜 습성이 있다.

그래야 자기가 진술하는 문맥의 프레임에 논의 대상들을 일목요연하게 배치할 수 있기 때문이다. 그리고 독자들도 최소한의 독서로 명쾌하게 정리된 객관적 지식을 얻는다는 지적 포만감을 손쉽게 얻는다. 하지만 이런 포만감은 영양의 균형을 상실한 식단처럼 사람의 지성을 편벽되게 만든다. 단순화된 지식이란 비대한 종양이 그의 영민한 사고활동을 방해한다.

그로 인해 나타나는 가장 흔한 폐해가, A가 옳으면 B가 틀리고 혹은 A에 동조하면 B에는 동조할 수 없다고 쉽게 단정하는 단세포적 사고방식이다. 이런 식으로 철학의 역사와 사상을 단정하는 책이나 논문 몇 편을 읽거나 쓰고 대단한 지식이라도 얻은 양 우쭐해 한다면, 그야말로 진짜 얼간이들이다.

앞서도 인용했지만, 노자 역시 말했다. "아는 자는 함부로 지껄이지 않고, 지껄이는 자는 알지 못한다."[92] 저잣거리에서조차 남에 관해 이러쿵저러쿵 말하기는 쉽지만, 누군가의 의식과 경험 세계를 진정으로 깊게 알고 공감하기는 어려운 법이다. 하물며 인류 지성사에 뚜렷한 족적을 남긴 철학자라며, 그들의 견해를 무슨 주의자의 무슨 사상으로 간단히 단정하는 게 결코 사려 깊은 지성의 접근은 아니다.

그러니 고전의 독서가 중요하다. 텍스트를 정독하면서 깊이 새겨보자. 대다수의 사례에서, 그 글들이 나름대로의 진정성과 감동을 담고 있음을 발견하게

---

91. 에르빈 슈뢰딩거, 김태희 옮김, 『물리학자의 철학적 세계관』(필로소픽, 2013), 31쪽. 인용문 아래의 진술도 슈뢰딩거의 글에서 영감을 얻었음을 밝힌다.

92. 『老子』 56장.

된다. 그리고 "그들이 서로 다른 판단을 내린 이유는 그 대상이 다르기 때문이라고, 아니면 적어도 대상 중의 아주 다른 측면이 그들의 성찰 속에서 각각 다르게 부각되었기 때문이라고" 하는 슈뢰딩거의 말을 비로소 수긍하게 될 것이다.

대상이 다르거나 혹은 한 대상의 다른 측면이라는 언명은, 그 대상과 측면들이 동시에 공존하거나 병행한다는 것을 의미한다. 그리고 각각의 측면들은 그 자체로 똑같이 본질적이다. 예를 들어 내가 사회적으로 하는 일이나 직위가 아무리 중요하다고 해도, 동시에 내가 자연의 일부이고 누군가의 가족이며 혹은 우주적 존재라는 차원이 사라지는 건 아니다.

다만 이런 사태에서 무엇을 본질적이고 비본질적이라고 판정하는 것은, 철두철미하게 관찰자에게 달려 있다. 만약 경제학자라면 재정상황을, 심리학자라면 마음을, 의사라면 신체 상태를, 정치인이라면 지지하는 정당을, 자식이라면 부모라는 역할을 나의 본질적인 속성으로 간주할 것이다.

그 가운데 무엇이 더 중요한가는 속성 자체보다, 관찰자의 관심에 의해 결정된다. 그런데 현대사회에서는 직업의 세분화, 지식과 기술의 전문화가 극도로 심화되었다. 그러자 인간성의 여러 측면을 대립으로 보거나, 단지 자기 영역에만 관심을 집중하는 경향이 팽배해졌다. 그 결과로 인간성의 파편화, 소통의 단절, 자아집착증 같은 병폐가 만연하다. 반면 인류역사의 모든 시대에 미덕으로 여기던 전인성全人性의 기반은 거의 붕괴되었다. 현대인은 인간성과 마음의 심각한 분열증을 앓고 있다.

그런데 위기와 전환은 동전의 앞뒷면 같다. 인간성의 분열 가운데서, 현대인은 자기 번민을 하는 중이다. 사람들은 세상이 모두 돈과 물질에 미쳤다고 말하지만, 이는 곧 돈과 물질을 만물의 척도로 삼는 극단적 편향에서 벗어나고 싶다는 절규이기도 하다. 이것은 인간성의 분열이지만, 동시에 분열된 전인성의 회복을 갈망하는 요청이기도 하다. 그러므로 전인성의 위기 가운데서, 신체성과 사회성, 인지와 정감, 마음과 도덕 등 인간의 고유한 속성을 하나의 전체상으로 재결합하려는 융합이 시작된다.

도교의 정신수련과 유교의 마음공부, 그리고 현대 심리학의 과학적 탐구도 마찬가지다. 그 각각은 정신·마음에 관심을 집중하는 층위와 방법이 다르다. 거기서 정신과 마음의 다른 측면들이 부각되었다. 하지만 곰곰이 따져 보면, 이런 차이를 반드시 대립으로 간주할 이유가 없다.

서우의 통찰처럼, 각각의 경험을 결합할 때 오히려 상승효과가 기대된다. 예를 들어 내단학의 정신수련과 유교의 거경공부를 병행할 수 있다. 이른바 '마음의 고양'과 '정신의 응결'을 따로따로 고집하기보다, 양자를 병행한다면 공부가 훨씬 효율적으로 진화하게 된다.

현대 심리학자가 정신(마음)수련을 병행한다고 해서, 그의 과학적 탐구와 대립되거나 연구를 방해한다고 주장할 하등의 근거도 없다. 오히려 과학자가 심신수련을 통해 정신과 마음을 고양한다면, 공정한 관찰자로서 그의 명징한 정신과 마음의 평정을 유지하는 데에 훨씬 도움이 될 것이다. 다만 관건은 택일의 사유방식에서 벗어나는 것에 있다. 입지점이 다르다고 해서, 상대의 경험을 배척해서는 안 된다.

그러니 나는 어떤 주의자나 학파(학문)이고, 저쪽은 그와 다른 어떤 것이라는 택일적 자의식에 빠지는 자체가 실은 어리석은 짓이다. 그러므로 서우가 말했듯이, 뭔가를 기준으로 다른 것을 "이단이라고 하며 배척하는" 편협함에서 벗어나야 한다. 슈뢰딩거의 말처럼 "서로 다른 측면들을 하나의 전체상으로 결합하려고 애써야 한다."

물론 그렇다고 해서, 근거도 없는 수련법이나 사이비 도사들을 적당히 허용하라는 말은 아니다. 그런 허용을 통해서는 언제나 엉터리 공부법들, 애당초 틀릴 수밖에 없는 술법들만 나타난다. 그런데 이런 엉터리들을 판가름하는 척도는 의외로 간단하다.

자기들이 늘 최고라고 자부하고 자기만을 따르라고 하는, 독단에 빠져 근엄하게 도사연하는 얼간이들을 만난다면, 그들이 곧 사이비라고 보면 거의 틀림없다. 왜냐하면 이런 태도야말로 인격의 미숙함을 반영하는 확연한 표징이기 때문이다. 그러므로 의당 존경받을 만한 덕성과 지성, 견실한 철학의 근거를 결여한 모든 술법은 사이비다.

한편 서우도 강조했듯이, 사람의 정신작용은 뇌신경계의 특징과 기능에 의존한다. 그런데 과학의 관찰대상은 외적으로 구현되는 현상과 행동에 국한된다. 따라서 그 간극을 정신수련의 경험과 실험으로 보완할 수 있다. 그 경험이란 관찰자 자신의 뇌 안에서 일어나는 사건, 특히 정신에너지의 미묘한 작용에 대한 내적 관찰로 얻어진다.

이런 문맥에서 전병훈은 내단학의 수련가들이 "뇌 가운데서 원신과 도심의 이치를 선구적으로" 관찰하고, "뇌수가 단이 맺히는 장소이며 뇌궁은 원신이 머무는 신의 거처"임을 경험과 실험으로 밝혀냈다고 칭송했다. 하지만 대부분의 과학자들은 이를 '실험'으로 부르는 데 동의하지 않을지 모른다.

즉 자기 자신이 관찰자인 동시에 관찰대상인 '내적 관조'라는 개념 자체에 과학자들은 시니컬한 반응을 보이기 십상이다. 하지만 그것은 자기에게 익숙하지 않은 것에 대한 당혹감이나 거부의 표현이거나, 가보지 않은 미지의 세계에 대한 두려움의 발로인 경우가 많다. 또한 엄정한 관찰자(주체)로서 대상을 관찰한다는 과학의 소명에 대한 긍지의 소산이기도 하다. 대개는 이런 복합적 감정이 혼재하는 반응일 것이다.

하지만 과학 내지는 과학적인 것을 신봉하는 서구 근대의 탐구방식만이 인간과 세계를 올바르게 경험하는 유일한 길이라고 단정하는 건 교만이고, 독단이다. 종종 '절대 객관'의 지식에 대한 신념이 과학자들의 그릇된 오만의 근거가 된다. 하지만 과학이 역사성과 사회성 그리고 문화에 국한된다는 사실을 간과하면 안 된다. 만약 백 년 혹은 천 년 뒤의 미래로 간다면, 지금의 과학에서 얼마나 많은 지식이 타당성을 인정받을지는 아무도 장담할 수 없다.

과학이 위대한 이유는 그것이 절대 객관의 지식이라서가 아니라, 반증의 가능성이 열려 있는 무한한 진화과정 중의 지식이기 때문이다. 따라서 현 시점의 과학 지식을 절대적인 객관으로 신봉하는 독단이야말로 비과학적이다. 그리고 독단에서 자유로워지기 위해서라도, 과학자들은 과학이 아닌 영역에서 얻어진 지성(정신, 마음)의 경험을 겸허하게 존중할 필요가 있다.

게다가 과학이 자랑하는 경험적 도구와 방법을 동원해서, 마음을 고양하는 사람들의 뇌에서 일어나는 사태를 연구하는 '실험'마저 거부할 이유는 없다. 미지의 탐구대상이 있다면 기꺼이 그 부름에 응하는 것, 그편이 오히려 한결 과학다운 태도이다.

그리고 도교와 유교 어디서 유래했든, 동아시아의 오래된 정신수련과 마음공부를 한층 합리적인 공공의 학술로 재정립해야 한다는 서우의 간곡한 제안에 인문학자들 역시 귀를 기울여야 한다. 선조들이 남긴 고귀한 정신적 유산이 유사종교의 사이비 교설 정도로 남발되는 걸 언제까지나 방치할 수는 없다. 전통적 지식을 현대 과학과 결합해, 궁극적으로 마음에 관한 '하나의 학문체계'로 조제한다는 목표 역시 추구할 만한 충분한 가치가 있다.

한 세기 전, 전병훈이 제시한 비전은 그 자체로 융합적 마음연구의 한 지표가 된다. 그 비전은 단지 인문학에만 국한되지 않고, 과학에도 의미심장하다. 어떤 분야에 종사하건, 서우는 현대 지식인에게 두루 울림을 주는 통합적 지성의 메시지를 던졌다. 그는 언제든 자기만의 세계에 연연하기보다는, 각 분야의 경험을 용인하고 진지하게 함께 미래를 개척하는 지성의 창조적 연대를 이루라고 요청한다.

닫힌 생각과 학문별 방법의 국한을 넘어서는 것, 그게 결국 관건이다. 유·불·도의 철학 그리고 서양철학에서 과학에 이르기까지, 각 학문의 권리와 소명을 자각하면서 또한 선조가 남긴 위대한 과업을 계승할 책무를 느낀다면, 아마도 이런 비전을 실현하는 창대한 발걸음을 내디딜 수 있을 것이다.

6. 마음의 신체성과 정신에너지의 작용

뇌, 정신, 마음

앞서도 말했듯이, 전병훈은 이렇게 평론했다. “유가 심학은 심령이 반드시 뇌 부위의 신경에 의지한다는 것을 알지 못했다.” 이는 무엇보다 동아시아 중세의 도덕형이상학에 볼모로 잡혀 유폐됐던 마음의 신체성을 회복하는 선언이다. 둘째로는 뇌신경과 마음의 관계를 기반으로 유·불·도와 현대의 심리학을 통합적으로 재구축하려는 시도의 출발점이기도 하다. 그러니 이제 그가 말하는 마음의 신체성, 다시 말해 뇌와 육신에 마음이 깃드는 메커니즘을 논구할 차례이다.

서우는 서구 심리학에서 뇌신경을 연구하기 훨씬 전부터, 도교에서 이미 뇌에 주목했다는 사실을 강조한다. 이는 내단학의 정신수련 원리에 기반을 둔다. 그는 도교 전적에서 관련된 몇몇 문구를 인용했다.[93] 하지만 제1부에서 논한 범위를 크게 벗어나지 않으므로 일일이 소개하지는 않겠다. 다만 서우의 해설을 따라가 보자. 그는 “뇌가 마음과 정신이 조화를 이루는 근원”[94]이라고 한다. 그 의미는 다음과 같다.

> 정기를 운용해 위로 니환에 들어간다. 무릇 단공丹功이란, 정을 되돌려 뇌를 보호하기(還精補腦)가 아닌 것이 없다. 뇌 가운데 신神이 응결되면 ‘마음(心)’이라고 한다. 변화하여 출신出神하면 ‘단’이라고 한다. 신통변화가 하늘

93. 『黃帝內經』曰 “萬化生乎身者, 何謂也?” 廣成子對曰 “萬化者, 神也. 精不散而神不離神室者. 萬神聚會之鄉, 在昆侖之中. 五炁聚於內, 人能將精炁結成神胎, 朝於鼎上.” 廣成子曰 “精滿於腦, 故用火煅煉成丹.” 廣成子曰 “按於地土中有二經通於腦. 腦中有府, 名靈陽之府. 有二穴, 左曰太極之穴, 右曰沖靈之穴. 上通天炁, 下至海源. 故呼吸天氣下降, 地氣上騰. 二氣相接, 以養眞精, 久煉成丹, 乃陽神超於身外.” 又曰 “天無二道, 聖人無二心.” 『통편』, 115쪽. 여기 보이는 글은 모두 『음부경삼황옥결』에서 가져온 것이다.
94. 腦髓以爲心神造化之原. 『통편』, 115쪽.

에 합하면(神通合天) '도의 완성(道成)'이라고 한다.[95]

전병훈은 뇌 가운데 신이 응결하면, 이를 곧 마음이라고 한다. 여기서 '신'이란 정·기·신의 문맥에서 말하는 신이다. 이미 독자에게 익숙한 촛불의 유비를 다시 떠올려 보자. 우리 몸의 '정'이 초의 밀랍이라면, 촛불의 빛이 곧 '신'이다. 그리고 촛불에서 퍼지는 광명이 '마음(본성)'에 해당한다. 한데 이런 빛과 광명이 그저 은유나 유비에 그치는 것만은 아니다. 왜냐하면 신은 우리 뇌 안에 빛에너지로 존재하며, 그 작용으로 뇌의 각 부위에 불이 켜지는 상태가 곧 마음을 표상하기 때문이다.

윗글에서 이른바 '단공'은 체내, 특히 하단전의 정기를 주천화후로 돌려서 뇌 안의 신으로 환류하는(煉精化氣, 煉氣化神) 공부를 가리킨다. '정을 되돌려 뇌 보호하기(還精補腦)'라고도 한다. 그 최종목표는 뇌 안에 정신에너지를 고도로 응결시키는 데에 있다. 그것이 뇌 중앙에 응결되는 장소를 '니환(궁)' 등으로 부른다. '단'에 대한 정의는 일정치 않지만, 서우는 주천화후의 수련을 통해 뇌 안에 신이 고도로 응결된 것을 비로소 '단'으로 인정한다.

이런 정신수련의 기제에서, 마음 비우기가 필요한 이유를 뇌신경의 측면에서 고찰할 수도 있다. 과도하게 마음을 쓰는 것은, 곧 뇌의 각 부위에 끊임없이 불이 들어오는 상태를 함축한다. 이런 상태가 지속되면, 뇌 안의 신이 안정되기는커녕 늘 과도하게 자극받아 피로도가 높아진다. 마치 손전등을 밤낮없이 켜둔 채 그 배터리와 전구가 멀쩡하기를 바라는 것과 같다. 전등을 끄고 배터리를 충전시키듯이, 정신도 그 빛을 내면(뇌 안)으로 돌려 응축하는 게 필요하다.

이런 마음의 휴식에 관해서, 서우는 『노자』의 저명한 명구들을 예시했다. "그 마음을 비우고 그 배를 채운다." "텅 빔의 극치에 이르고 고요함을 돈독히 지킨다." "명백히 알고도 어둡게 지킨다." 또한 도교 전적에서 노자의 말로 부회한 "마음이 항상 청정하면 천지가 돌아온다"는 문구까지 들었다.[96] 그리고

95. 運用精炁, 上入泥丸. 凡丹功, 罔非還精補腦, 腦中神凝曰心, 變化出神曰丹, 神通合天曰道成也. 『통편』, 115~116쪽.

다음과 같이 의미를 해석했다.

이는 모두 맑게 텅 비우고 무욕하기를 말한다. 마음을 수양하고 하늘을 섬기는 요체가 된다. 마음은 뇌에 있으며, 신은 눈에 깃든다. 그러므로 보는 것이 곧 요령이 된다. (마음과 정신을) 아울러 수양하는 사람은 '지극한 텅 빔과 돈독한 고요함(虛極靜篤)', '명백히 알고도 어둡게 지키기(知白守黑)', '마음이 항상 청정하면 천지가 저절로 돌아오는' 효험을 저절로 징험하게 된다.[97]

"보는 것이 곧 요령"이라고 한다. 즉 시각을 어지럽히지 말라는 의미다. 여러 감각 중에서도, 시각이 특히 정신과 직결된다. 예로부터 눈빛은 거짓말을 못한다고 했다. 눈빛으로 총기聰氣를 가늠한다. 보는 것이 현란하거나 부정하면, 따라서 눈빛도 혼탁해진다. 그만큼 눈은 정신의 거울이다. 견물생심見物生心, 사물을 보는 것에 따라 마음도 흔들린다. 그러므로 정신과 마음을 안정시키려면, 보는 것을 각별히 유념하라고 한다.

마음은 뇌에서 일어나는 심상心象, 이미지로 이뤄진다. 하지만 시각은 외부의 정보를 뇌 안으로 전달하고, 정신이 밖으로 향하는 매개감각이다. 즉 마음이 내면에 있다면, 시각은 파동 상태의 정신이 몸 안팎을 넘나드는 것을 매개한다고 말할 수 있다.

그러므로 윗글에서 "아울러 수양"한다는 것은 마음과 정신을 함께 조절한다는 문맥이다. 또한 외적 경험을 매개하는 감각과 뇌 안의 심상을 더불어 다스린다는 뜻이기도 하다. 즉 '보이지 않는 마음'과 '눈으로 보는 시각'을 아울러 단속하는 것이 마음공부에 긴요한 요령이 된다.

---

96. 老子曰 "虛其心, 實其腹."[『老子』 3장] 又曰 "致虛極, 守靜篤."[『老子』 16장] "知其白, 守其黑."[『老子』 28장] 又曰 "心常淸靜, 天地歸焉." 『통편』, 116쪽. 이 마지막 구절은 『노자』에 보이지 않는다. 『태상노군설상청정경太上老君說常淸靜經』에 "人能常淸靜, 天地悉皆歸"라는 구절이 있는데, 여기서 가져온 것으로 추정되다.

97. 此皆言淸虛無欲, 爲養心事天之要. 心在腦而神棲於眼, 故視卽爲要. 而幷致修養者. 虛極靜篤, 知白守黑, 心常淸靜, 則天地自歸之効, 自可驗矣. 『통편』, 116쪽.

마음의 신체성에는 여러 층위가 있다. 첫째, 마음이 뇌에 수반된다. 둘째, 신체 감각기관의 감수작용이 마음을 움직인다. 셋째, 몸을 기반으로 하는 정·기·신의 에너지 운용이 마음과 연관된다. 마음의 신체성은 이처럼 중층적이다. 그러므로 정신·마음·감각·뇌의 작용을 제각각 다루거나 어느 요인을 배제한다면, 이는 모종의 결여를 함축한다.

전병훈은 유교 심학과 서양 심리학에 각각 결여가 있다고 판단했다. 유교는 마음이 뇌에 수반되는 것과 정·기·신의 에너지 운용에 어두웠다. 서양은 정신의 에너지 운용과 마음을 고양하는 이치를 몰랐다. 하지만 도교는 위의 요인들을 두루 섭렵했다. 이런 문맥에서 서우는 먼저 『관윤자關尹子』의 학설에 주목했다.

심성의 본용本用과 체상體象

『관윤자』는 노자가 『도덕경』을 전해 주었다는 관윤의 저술을 표방한다. 그러나 실은 후대의 위작이다. 그 제작연대는 확실치 않으며, 수당에서 남송 시기까지 여러 설이 분분하다. 하지만 이 저술이 도교 심리학의 오래된 텍스트라는 데는 학계의 의견이 합치한다. 서우는 이 책에서 여러 구절을 인용한다. 특히 본성(性)·마음(心)·감정(情)의 관계를 말하는 진술에 주목했다.

> 관윤자가 말했다. "…… 만물이 도래할 때 나는 이를 모두 본성으로 대하며, 마음으로 대하지 않는다. 본성이란 마음이 아직 싹트지 않은 것이다."[98]

> 관윤자가 말했다. "감정은 마음에서 일어나고, 마음은 본성에서 일어난다. 감정이 물결(波)이라면, 마음은 흐름(流)이고, 본성은 물이다. 내게 닥치는 일들이 부싯돌에 튀기는 불(石火)처럼 한순간에 일어나도, 본성으로 이를

98. 關尹子曰 "…… 萬物之來, 我皆對之以性, 而不對之以心. 性者, 心未萌也." 『통편』, 116쪽.

받아내면 마음이 일어나지 않는다. (내리는 눈과 비를 물이 다 받아내듯이) 소록소록 사물을 다 받아낸다."[99]

그런데 본성에서 마음이 일어난다는 심성론이 다만 『관윤자』의 독창은 아니다. 서우가 말한다. "본성이 근원(母)이고 마음이 그 소산(子)이라는 데서, 3교의 성인이 심성을 논하는 바가 일치한다." 다만 본성을 물로, 마음을 그 흐름으로, 감정을 파도로 유비한 관윤자의 논설이 대단히 친절하고 명쾌하다고 찬상했다.[100] 하지만 보다 중요한 것은 본성과 마음의 관계를 넘어, 서우가 그것을 뇌 안의 신의 작용과 연루해 해석한다는 사실에 있다.

관윤자의 심성·혼백 이론에서 밝고 명철한 것을 다 게재하기는 어렵다. 단지 이로써 볼 때, 그가 영명한 신의 섭리를 심성의 본체와 작용(本用)으로 삼는 것을 알 수 있다. 신이 뇌 안의 거처(腦宮)에 머물며 관장하지 않는 바가 없으니, 마음의 실체와 현상(體象)이다.[101]

여기서 본용本用과 체상體象 개념에 주목할 필요가 있다. '본용'이란 본체와 작용을 가리킨다. 따라서 '심성의 본용'이란 신이 뇌 안에서 본체를 이루고, 그로부터 마음이 작용한다는 문맥이다. 그리하여 영명한 신의 섭리가 곧 심성의 본체와 작용이 된다.

개별적인 사태에 반응하는 마음은 심성의 본체에서 일어나는 말단의 작용에 불과하다. 따라서 유불도 삼교는 모두 심성의 근본에 주목한다. 그리고 지엽말단에 일희일비하지 않는 것을 마음공부의 관건으로 삼는다.

---

99. 關尹子曰 "情生於心, 心生於性. 情波也, 心流也, 性水也. 來於我者, 如石火頃, 以性受之, 則心不生, 物浮浮然." 『통편』, 116쪽.

100. 然則性爲母, 心爲子. 勘合三教聖人之論心性一也, 而喻以性水·心流·情波, 則尤爲親功明快也. 『통편』, 117쪽.

101. [關]尹子心性魂魄理論之明透者, 不可勝載. 只以此觀之, 可知其以靈明神理, 爲心性本用也. 神居腦宮, 無所不管, 心之體象也. 『통편』, 118쪽.

"만물이 도래할 때 이를 모두 본성으로 대하며, 마음으로 대하지 않는다"는 『관윤자』의 언명도 이런 문맥이다. 다만 무엇이 심성의 근본인가에 대한 논법은 일정치 않다. 유불도 삼교의 이·도·불성 등을 떠올릴 수 있다. 그런데 서우는 심성의 근본(본체)이 뇌 안에 영명하게 응결한 정신에너지(神)에 다름 아니라고 한다.

그리고 이런 정신에너지를 '마음의 체상(心之體象)'이라고 한다. '체상'은 실체성이 있으며 현상으로 구현되는 것, 혹은 실체와 현상을 가리킨다. 서우의 심리철학에서 주목할 점이다. 심성의 본체가 되는 정신에너지에 실체성이 있다. 또한 뇌신경에 수반된다는 문맥에서 신체성[102]도 있다.

그런데 정신에너지(원신)와 의식에너지(식신)의 차이를 앞서도 논했거니와, 심성의 본체가 되는 것은 엄밀하게 말해 '원신'에 국한된다. 이런 근원의 정신에너지는 비록 모든 사람 안에 내재하지만, 일상의 마음씀씀이에서 그 본용과 체상이 죄다 드러나지는 않는다. 일상생활에서 뇌신경의 전기적 자극에 흔히 수반되는 것은 다만 '식신'이다.

'식신'은 본성에 해당하는 물(水)보다는, 다만 물의 흐름(流)이나 물결(波)처럼 유동하는 마음과 감정 그리고 의식을 반영한다. 반면 정신에너지(원신)는 누구에게나 잠재하지만, 대개 비활성의 상태로 머무른다. 내단 수련은 잠들어 있는 정신에너지를 일깨우고, 그 체상을 원만하게 구족하는 것을 목표로 한다.

내단의 심리학: 단의 마음(丹心)

다시 말해, 내단 수련을 통해 뇌 안에 정신에너지가 응결되고, 그 체상이 뚜렷해진다. 이렇게 활성화된 정신에너지의 다른 이름이 곧 '단'이다. 그러므로 서우는 "단이 곧 마음이고, 단의 마음이 곧 도"라고 언명하기에 이른다. 이와 관련해, 그는 먼저 여동빈의 말이라며 다음 구절을 인용했다.

---

102. 여기서 '신체성'이란 정신에너지에 신체가 있다는 의미는 아니다. 다만 응결된 정신에너지가 신체기관인 뇌에 수반되며, 신체적 장소성을 가진다는 문맥이다.

여순양이 말했다. "…… 마음이 곧 단이고, 단이 곧 마음이다. 능히 이를 깨닫는 사람은 '단의 마음(丹心)'을 지킬 수 있다. 단의 마음이 곧 도道다. 피와 살(血肉)의 마음이 아닌 것을 곧 '원신'이라고 일컫는다. 중심에 하나를 보존하고 현빈에 관통하여, 천정天庭에 이르도록 운행한다."[103]

이는 앞서 소개한 바 있는 『팔품선경』에서 가져왔다. 여동빈의 저서는 아니고, 후대에 그의 이름을 가탁해 지은 위작이다. 하지만 저자가 여기서 중요한 것은 아니다. 다만 전병훈이 수다한 도서道書 중에 굳이 이 글을 뽑아 제시한 이유에 주목할 필요가 있다. 서우의 의도는 다음과 같은 사실을 말하려는 데에 있다.

원신이 현빈 속의 뇌궁腦宮에 거주한다. 여기서(『팔품선경』의 윗글에서) 말하는 '마음'은 곧 원신이다. 이는 뇌신경을 가리켜 말하는 것이로다![104]

그는 장백단의 유명한 『오진편』에서 이른바 '취감전리取坎塡離'의 요결도 가져왔다. "감(☵)괘 중심의 양(實)을 취해서, 리(☲)괘 가운데의 음에 점화點化한다. 이로부터 건乾의 강건한 몸체가 변해 형성된다. 그것이 잠겨서 숨었다가 비약하니, 총괄적으로 마음에서 말미암는다."[105]

취감전리 요결의 의미는 앞 장의 '정신철학' 편에서 이미 설명했다. 물(坎, 신장) 안의 참된 불(眞火)과 불(離, 심장) 안의 참된 물(眞水)이 만나 진종자를 이루고, 주천화후로 아랫배의 정기를 뇌로 환류해서 '건의 강건한 몸체'인 순양의

103. 呂純陽曰 "…… 心即是丹. 丹即是心, 能悟之者, 可保丹心, 丹心是道. 非血肉心, 乃云元神. 存一於中, 貫乎玄牝, 達運天庭." 『통편』, 119쪽. 이는 본래 긴 문장 안에서 따로 떨어진 몇 개의 구절들인데, 전병훈이 뽑아 재배치했다. 『팔품선경 · 신실달도품信實達道品』 第5에 보인다.

104. 元神位住玄牝內腦宮. 此云心乃元神者, 其指腦神經而言乎! 『통편』, 119쪽.

105. 張紫陽曰 "取將坎位中心實, 點化離宮腹內陰. 從此變成乾健體, 潛藏飛躍總由心." 『통편』, 119쪽. 『오진편』에 보인다.

정신에너지(神丹)를 응결하는 공부이다.

그런데 심리철학을 말하면서 굳이 이를 재론하는 이유는 무엇일까? 취감전리의 공부가 "총괄적으로 마음에서 말미암는다"는 『오진편』의 마지막 구절에 방점이 있다. 내단공부는 단지 기수련의 차원을 넘어, 마음을 다스리는 것으로 비로소 완성된다.

여기서 "마음에서 말미암는다"고 함은, 앞서 "마음이 곧 단이고 단이 곧 마음"이라는 구절과 호응한다. 순수하고 올바른 마음이 아니라면, 정신에너지가 응결된 신단을 뇌 안에 안정시킬 수 없다. 역으로 뇌 안에 정신이 응결되지 않는다면, 또한 마음이 안정되기를 기대할 수도 없다.

서우는 이것이 정을 되돌려 뇌를 보호하는 이른바 '환정보뇌還精補腦의 참된 법'이라고 확언했다. 그리고 마침내 "뇌가 마음의 신경이 되는 것이 역시 분명하다"[106]고 명언한다. 이런 일련의 논설은 내단공부로 뇌 안에 응결되는 정신에너지, 즉 단이 마음의 체상이 된다는 문맥의 연장선에 있다.

앞서 전병훈이 시견오와 석행림의 말을 언급하고, "신이 신을 부린다"고 해석했던 것을 독자들도 기억할 것이다. 여기서 부림을 받는 신이 곧 '식신'이다. 식신을 부리는 신은 물론 '원신'이다. '식신'의 의식에너지는 몸 전체에서 일어나는 감각과 마음을 반영한다. 위의 『팔품선경』에서 말한 '피와 살의 마음(血肉之心)', 즉 인심을 일으키는 것이 곧 의식에너지이다. 따라서 서우는 이를 '몸뚱이의 식신'으로 부르기도 한다.

반면 '원신'의 정신에너지는 뇌 중앙에 감춰진 비밀의 궁전에 거주한다. 따라서 '뇌 안의 원신'이라고 부른다. 서우가 말한다. "뇌 안의 원신은 순전한 천리로, 곧 도심이다. 몸뚱이의 식신은 형기形氣의 사욕으로, 곧 인심이다."[107]

그런데 현대의 관점에서 보면, '몸뚱이의 식신' 개념은 어폐가 있다. 자칫하면 식신이 '사지에 직접 분포하는 신'이라는 문맥으로 읽힐 수 있기 때문이다. 하지만 이 경우에도 의식은 몸뚱이가 아니라, 뇌에서 일어난다. 다만 그 의식

---

106. 此是道家取坎填離, 還精補腦之眞法. 腦爲心神經, 不亦明乎!『통편』, 119쪽.
107. 腦中元神者, 純全天理, 即道心, 肉團識神者, 形氣私慾, 即人心.『통편』, 96쪽.

작용이 사지의 감각과 육체의 욕망에 연루된다.

그러므로 전병훈의 의도를 살려 말하자면, '몸뚱이의 식신'이란 '몸의 감각과 욕구에 반응하는 의식에너지' 정도로 재정의할 수 있을 것이다. 그렇다면 평범한 개인들의 일상적 의식이 대개 식신의 범주에 포함된다.

하지만 육체의 감각적 욕망에도 불구하고, 뇌 안의 정신에너지(원신)는 천리天理의 의연함을 잃지 않는다. 이런 원신이 곧 참된 본체로 마음의 작용을 일으킨다(본용本用). 또한 심성의 실체와 현상이 된다(체상體象). 또한 육신에 구속되는 식신을 통솔하고 주재하는 권능을 가진다. 즉 '원신'은 유동하는 온갖 마음의 최종적 근거이며, 그 작용을 다스리는 지고의 통치자다. 따라서 "원신은 능히 식신을 통솔할 수 있다."[108]

하지만 군주인 원신은 통치의 대상인 식신처럼 온갖 감각과 욕망에 호응하지 않는다. 다만 순전한 천리를 구현하는 무욕한 주재자로, 뇌 안에 고결하게 거주한다. 원신과 식신의 이런 간극은 에너지의 속성과도 연관이 있다. 식신, 즉 일상의 의식에너지는 신체의 물질대사로 생성되는 후천적 에너지원에 의존한다. 따라서 그 작용이 감각 및 욕망에 구속되기 쉽다.

하지만 원신, 즉 근원의 정신에너지는 별도의 선천적 에너지 시스템을 전제로 존립한다. 내단 수련 자체가 곧 정화된 에너지를 뇌에 직접 보충하는(還精補腦) 과정이다. 주천화후로 정제된 에너지를 뇌 안으로 환류하고, 천지의 정기를 호흡한다. 원신은 그렇게 선천의 정신에너지로 존립하며, 또한 그 자체에 운동능력을 내재한다.

서우가 말한다. "원신은 태극이며, 태극은 운동능력이 있다. 그러므로 한 몸을 주재하고, 몸의 온갖 곳을 통솔할 수 있다."[109] 원신은 이처럼 선천적인 운동능력을 내재하므로, 신체의 욕망에서 벗어난다. 그리고 감각과 욕망에 구속되는 식신을 제어하며, 더 나아가 몸 구석구석까지 통솔하게 된다.

즉 육신의 감각과 충동이 정신을 구속하지 못하고, 역으로 정신에너지가 육

---

108. 元神能司令識神. 『통편』, 120쪽.

109. 元神是太極, 太極有動能力, 故能主宰一身, 司令百體也. 『통편』, 120쪽.

체를 잘 다스리는 것이다. 그럴 때 비로소 심신心身의 이상적인 관계가 정립된다. 원신이 뇌 안에서 활성화되면, 바른 마음(도심)이 자연스레 회복된다.

서우는 여기서 남송의 도사인 백옥섬의 글을 불러왔다. "마음이 곧 도이고, 도가 곧 마음이다. 하늘의 도에 두 이치가 없으니, 성인의 마음이 어찌 두 작용이겠는가?"[110] 이런 마음은 물론 '도심'이다. 백옥섬은 몸(形)·신神·성품(性)·마음(心)의 관계에 대해 이렇게 명언했다.

> 백옥섬이 말했다. "…… 몸 가운데서 신이 군주가 되니, 신이 곧 몸의 목숨(命)이다. 신 가운데 성품이 극치가 되니, 성품이 곧 신의 목숨이다. 몸 가운데의 신으로부터 신 가운데의 성품으로 들어간다. 이를 곧 '근본으로 돌아가 목숨을 돌이킨다(歸根復命)'고 한다."
> 또한 말했다. "마음(心)은 신의 집이다. 마음이 안녕하면 신이 영명하다. 마음이 거칠면 신이 발광(狂)한다. 그 마음을 비우고, 바른 기(正氣)를 응결한다. 그 마음을 담담히 하면, 양의 조화(陽和)가 결집한다."[111]

정신은 몸의 군주이고, 성품은 정신의 극치다. 몸 가운데 정신이 있고, 정신 가운데 성품이 있다. 한편 윗글에서 마음을 '정신의 집(神之舍)'이라고 하는데, 여기서의 '마음'이란 도심은 물론 인심까지 망라한다. 다시 관윤자의 비유를 떠올려 보자.

물의 고요함이 정신의 본성이다. 마음은 그것이 유동하는 상태이다. 따라서 마음이 고요하면, 정신 역시 안정을 찾아 영명해진다. 하지만 마음이 거칠면, 성품이 흔들려서 정신이 흐트러지게 된다. 그러므로 영명한 정신을 응결해 기르

---

110. 白玉蟾曰 "心即道, 道即心. 天之道, 既無二理. 聖人之心, 豈兩用耶?" 『통편』, 120쪽.
111. 白玉蟾曰 "…… 形中以神爲君, 神乃形之命也. 神中以性爲極, 性乃神之命也. 自形中之神, 以入神中之性, 此謂之歸根復命矣." 又曰 "心者神之舍, 心寧則神靈, 心荒則神狂. 虛其心而正氣凝, 淡其心則陽和集." 『통편』, 120쪽. 앞 구절은 『잡저지현편雜著指玄篇』에서, 뒤 구절은 『해경백진인어록海瓊白真人語錄』(卷之三)에서 가져왔다.

려면, 마음의 수양이 반드시 전제되어야 한다.

즉 "마음을 비우고, 바른 기운을 응결하며, 성품을 담담히 한다." 이를 통해 결집되는 '양의 조화(陽和)'란 곧 순양의 기운이다. 봄날에 만물의 생성을 촉진하는 기운처럼, 따뜻하고 조화로운 에너지를 가리킨다. 서우는 내단의 심리학을 다음과 같이 총평했다.

> 동아시아의 학술에서 특히 뇌신경(腦神)과 심단(心丹)의 이치를 발명한 사람은 오직 우리 광성자와 황제이다. 그러나 옛 유학자(先儒)들이 말한 '사방 한 치의 마음(方寸)'이란 단지 몸뚱이의 마음에 불과하다. 그러므로 한 마디도 뇌신경을 언급하지 않았다.
> 오직 도가의 신인과 성인만 이런 독창적 견해를 가졌으니, 어찌 이를 드러내 밝혀 유가에서 마음을 논한 결점을 보완하지 않겠는가? 이것이 내가 (유・불・도・서양철학) 4교의 합치를 고심하여 원만하기를 기대하는 까닭이다. 아! 도교와 유교가 의당 서로 보완하는 것이, 여기에 이르러 역시 명확하지 않은가?[112]

유교 심학은 본성과 도심의 향양을 말했다. 하지만 그 본성과 도심이 단지 이념(理)으로 존립하는 게 아니라, 뇌 안의 정신에너지(원신)에 근본을 둔다는 진실을 애써 외면했다. 반면 서구 심리학은 뇌신경에 마음(정신)이 수반된다는 사실을 밝혀냈다. 하지만 뇌 안의 원신이 마음의 본용과 체상이 되는 이치, 그리고 원신(단)을 응결하는 비결은 알지 못했다. 그리하여 인심에서 도심으로 고양하는 마음공부에 어둡게 되었다.

하지만 서우는 유교 심학의 신독, 거경도 마음공부에 유효하다는 사실을 인

112. 東亞學術, 特發明腦神心丹之理者, 惟我廣成黃帝. 而先儒之云方寸者, 只是肉團心也, 故一言不及腦神經矣. 惟道家神聖有此創見, 安得不表章之以補儒家論心之遺缺處耶? 此余所以苦心合致四家以期圓滿之意也. 烏乎! 道與儒之當互相補完者, 至此不亦明甚乎? 『통편』, 120~121쪽.

정했다. 뇌에 수반되는 정신을 과학적 연구대상으로 삼는 서구 심리학의 장점 역시 승인했다. 그리하여 뇌신경에 원신을 응결하는 도교 심리학을 골간으로, 유교와 서구 심리학의 장점을 모으고 단점을 보완할 수 있다고 한다.

끝으로 서우는 청나라의 도사인 왕사단王士端의 글을 인용하고 해석했다. 선행이 정신이 응취시키고, 악행은 정신을 흩뜨린다는 취지의 언명이다.

> 양진옹養眞翁이 말했다. "사람이 선을 행하면 곧 신이 응취돼 영명해진다. 악을 행하면 신이 흩어져 떠나간다(혼미해진다)." 대개 신이 몸에 들어오면 살고, 몸을 떠나면 죽는다. 아! 악을 행하는 자가 어찌 또한 여기까지 생각하겠는가?[113]

윗글은 선행이 장생의 요결이라고 시사한다. 하지만 악행을 일삼고도 오래 사는 자가 적지 않다. 오죽하면 세간에 "욕을 많이 먹어야 오래 산다"는 말이 있을 정도다. 천인공노할 악행을 저지르고 다중의 욕을 먹으면서도, 자기 목숨만은 끔찍이 아끼는 사람들 때문에 생긴 말이리라. 악인이 뻔뻔하게 오래 사는 것은 유독 사람들 눈에 잘 띈다. 그러다 보니 마치 그게 일반적인 추세인 듯이 착시를 일으킨다.

그렇지만 청정한 환경과 규칙적인 생활, 그리고 마음의 안정이 세계적인 장수마을이나 장수노인의 공통점이라는 것은 익히 알려진 바이다. 당연하지만, 악행을 일삼으면서 마음이 평안할 수는 없다. 그러니 선한 사람들이 오래 사는 것이 실은 보편적 추세일 것이다.

다만 이는 일반론이고, 당연히 예외도 있다. 죽고 사는 것이야 워낙 변수가 많으니, 선을 행한다고 반드시 장수하는 것은 아니다. 다만 선행으로 장수의 확률이 높아지는 것은 맞는 듯하다. 그런데 정신이 혼미한 채로 오래 산다고

---

113. 養眞翁曰 "人爲善, 則神聚而靈, 爲惡, 則神散而去[昏]." 蓋神入身來則生, 離身去則死. 烏乎! 爲惡者, 盍亦念及於此乎? 『통편』, 121쪽. 양진옹養眞翁은 청나라 건륭乾隆 시기의 도사인 왕사단王士端이다. 저서에 『양진집養眞集』이 있다.

한들, 또한 무슨 보람이 있겠는가? 장생은 오히려 다음 문제다.

선행을 하면 정신이 맑고 영명해지며, 악행을 하면 정신이 혼탁하고 어두워진다. 이는 지금까지 논한 심리철학의 원리로 충분히 설명할 수 있다. 그러니 선을 행하는 것은 남을 위하기에 앞서, 자기 자신에게 유익하다. 나 스스로의 영명한 정신과 안정된 마음을 위해 선행을 하는 것이다. 그게 내단학에서 권선勸善을 말하는 진짜 이유라고 할 수 있다.

정신심리학의 과거와 미래
–정신을 떠난 성리학의 마음, 그리고 다시 성장하는 정신

정신의 발견

전병훈은 본성과 도심을 함양하는 유교 심성론의 원리를 소개하고, 성리학의 거경공부를 칭송했다. 그러면서도 유학자들이 단지 '몸뚱이의 마음'밖에 몰랐다고 혹평하기도 했다. 그 근거는 무엇일까? 본문에서 마음의 신체성에 여러 층위가 있다고 말했다. 첫째, 마음이 뇌에 수반된다. 둘째, 정·기·신의 운용이 마음과 연관된다. 셋째, 몸의 감각과 욕구를 마음이 반영한다.

그런데 이런 마음의 작용은 모두 우리의 정신 내지는 의식 에너지와 연관된다. 다시 말해, 마음은 에너지 차원에서 신체와 연관을 맺는다. 에너지는 모양도 없고 형체도 없다. 하지만 에너지에도 종류가 있어서 열·소리·빛·전기 등의 여러 양태로 세상에 존재한다. 초 한 자루가 타면서도 거기서 나오는 열기, 자작거리는 소리, 빛이 모두 에너지의 다른 물리적 표상인 것이다.

우주의 모든 에너지는 상호전환이 가능하다. 또한 물질(질량)과 등가이다. 그렇지만 에너지와 물질은 서로 차원이 다르다. 에너지는 물질의 다른 양태지만, 마치 지킬박사와 하이드처럼 동시에 실체로 현현할 수는 없는 이중의 존재이다. 모든 사물에는 에너지와 물질의 이런 양가兩價적 특성이 구비돼 있다. 『주역·계사전』에서 '형이상의 도'와 '형이하의 사물'을 말한 것도 이런 문맥으

로 이해할 수 있다.

지금이야 질량-에너지의 등가원리, 에너지 간의 상호전환 등이 상식에 속한다. 하지만 눈에 보이는 사물과 그것에서 비롯되는 에너지의 전환양태는 옛 사람들에게도 대단히 흥미로운 관심사였다. 특히 동아시아에서는 일찍부터 사물의 물질성보다 에너지에 관심을 집중했다. 그것이 곧 정기학설로 구현됐다.

이 방면에서는 도가의 역할이 주도적이었다. 앞서도 말했다시피, 선진시기에는 추연鄒衍을 필두로 하는 음양가와 도가에서 정기학설을 정립했다. 한대 이후에는 황로학과 황로도를 거쳐 도교가 정기학설을 계승하고 발전시켰다. 거기서 기는 우주의 궁극적 실체로 이해되었다. 비록 눈에 보이지 않지만, 세계의 모든 운동변화 배후에 기와 그것의 작용이 있다. 근원과 본질에서 보면 우주 자체가 하나로 통합된 에너지(一氣)이고, 그것을 곧 '도'라고 여겼다.

이런 에너지의 운동과 작용을 보다 정밀하게 해명한 것이 곧 정·기·신 학설이다. 지금부터 2천여 년 전의 한대에 그 이론의 기본골격이 완비되었다. 그 대강은 앞서 이미 설명했으므로 다시 부연하지 않겠다. 다만 동아시아의 오래된 심리학에서 마음(心)과 의식(意) 등을 설명할 때, 정·기·신 학설이 어떤 의미였던가를 부연하지 않을 수 없다.

정·기·신 학설은 처음부터 마음과 의식이 곧 에너지의 작용이라는 전제에서 건립됐다. 체계적인 정·기·신 학설 전에 '정기' 개념이 먼저 출현했다. '정'은 물질상태에 보다 가까운 에너지원을 함축했다. 정력·정기 등의 뉘앙스를 반영한다. '기'는 에너지, 혹은 물질에서 에너지로 전환되는(氣化) 과정적 상태를 함축한다. 기운·생기 등을 가리켰다. 본래 '신'은 초자연적인 영혼·귀신·자연신 등을 가리키는 개념이었다. 그러다가 마음과 의식 역시 에너지의 작용으로 이해하게 되면서, 이왕의 '정·기'에 '신' 개념이 보충되었다.

정·기·신은 큰 범주에서 모두 에너지(氣)에 속하지만, 입자성의 물질에서 파동성의 에너지로 전환되는 과정에서 정·기·신의 순서대로 보다 더 순수한 에너지로 간주된다. 즉 신이 가장 순수한 에너지 상태이며, 그것이 곧 의식과 마음의 근원이 된다. 그런데 이런 '신'을 다시 선천적 정신에너지(원신)와 후천적 의식에너지(식신)로 구별할 정도로, 도교 심성론에서 정신은 미세한 고찰의 대상이 되었다.

한편 물질적인 형체(形)와 에너지인 정신(神)의 결합으로 생명을 이해하는 것 역시 도가의 오래된 생명관이었다. 제1장에서 다뤘듯이, 『장자』와 『관자』 등에 그 내용이 담겨 있다. '신'이 곧 '의식에너지(意氣)'로 "그 극한을 알 수 없으며, 천하를 훤히 알며, 사방의 끝까지 통하는 것"[114]이라는 언명이 선진시기 황로학 문헌에 이미 보인다.

물질	에너지		
形	精	氣	神
신체	정력 정기	기운 생기	의식 마음

물질화(形化) ⟺ 에너지화(氣化)

비록 도가로 분류하기는 어렵지만, 동한의 사상가 환담桓譚(BC 24~AD 56)은 초와 촛불로 신체와 정신을 유비했다. "정신이 신체에 머무는 것은 불이 초를 사르는 것과 같다. …… 정신이 몸의 안팎을 윤택하게 하며 두루 미치지 못한다면 곧 기氣가 흩어져 죽는다. 마치 촛불이 다 탄 것과 같다."[115] 이런 유비는 한나라에서 성행한 정기학설의 자연관을 표상했다. 촛불의 비유를 말한 환담의 스승은 양웅揚雄이었다. 양웅은 도가의 자연관에 밝았던 학자로 유명하다.

한 발 더 나아가, 사람의 여러 감정 및 의식 상태를 특정한 에너지의 상태에 대응시키는 사유방식도 오래전에 정립됐다. 무엇보다 이는 음양오행설과 결합해 체계화됐다. 현존하는 최고最古의 동양의학 서적의 하나로, 한대에 편찬

114. 神莫知其極, 昭知天下, 通於四極. …… 是故意氣定然後反正. 『管子·心術下』.

115. 精神居形體, 猶火之然[燃]燭矣. …… 精神弗爲之能潤澤內外周遍, 則氣索而死, 如火燭之俱盡矣. 『新論·祛蔽』.

된 『황제내경黃帝內經』에서 그런 사상의 흔적을 볼 수 있다.[116]

"사람의 오장五臟에서 다섯 종류의 에너지(五氣)가 변화하고, 여기서 환희·분노·슬픔·근심·공포가 생겨난다."[117] 각 장기의 에너지가 감각기관은 물론 감정 및 의식과 관계를 맺는다. 『황제내경』은 그 이법을 매우 구체적으로 진술한다.

예를 들면 나무 에너지(木)가 주관하는 간은 눈과 연관되고, 분노를 관장한다. 따라서 지나치게 화를 내면 간이 상한다. 그리고 불 에너지(火)-심장-혀-기쁨/흙 에너지(土)-비장-입-사념/금속 에너지(金)-폐-코-근심/물 에너지(水)-신장-귀-공포 역시 같은 문맥에서 심신수반의 관계를 맺는다.[118]

훗날 그 구체적인 대응관계를 달리 설정하는 주장도 제기됐다. 하지만 장부의 에너지가 감정·의식과 직결된다는 견해는 오랫동안 이어져서, 지금도 동양의학의 기본원리로 채용되고 있다. 장부에 수반되는 이런 의식에너지는 서우가 말하는 '식신' 개념과도 상통한다.

'정신'으로 불리는 에너지가 마음·감각·본성의 실체로 간주된 역사는 이처럼 장구하다. 고대 동아시아에서, 그것은 마치 촛불의 빛이 밝다고 말하는 만큼이나 익숙한 일종의 상식이었다. 그리고 촛불의 빛이 정신이라면, 그 빛의 밝음이 곧 본성으로서의 마음(양심)이라고 간주되었다.

그런데 초에서 '빛'과 '밝음'을 서로 분리할 수 있을까? 물론 현실에서 그것은 불가능하다. 하지만 사람의 의식 안에서는 그처럼 기이한 일이 종종 일어난다. 관념 안에서 사물의 본체를 분리하고 그 속성·작용·현상·원리를 별도의 실체인 듯이 간주하는 것이다.

빛과 밝음의 분리, 가치이동

유교 성리학에서 그와 같은 일이 실제로 일어났다. 이는 성리학자들의 관심,

116. 『황제내경』은 한대에 등장한 문헌으로 2천 년 동안 전승되었다.

117. 人有五藏, 化五氣, 以生喜怒悲憂恐. 『黃帝內經·陰陽應象大論』.

118. 『黃帝內經·陰陽應象大論』 참고.

그들이 서 있는 관찰자의 지평에서 벌어진 사건이다. 단적으로 말해, 성리학자들의 관심은 도덕성에 집중되었다. 이른바 '정일심학'(『서경』)의 도심, 맹자가 말한 '사단'의 도덕이야말로 성리학이 목표로 삼은 궁극의 고원이었다.

그리하여 성리학자들은 도덕적 본성을 모든 가치의 정점으로 삼고, 물질과 에너지 그리고 이법 등의 요인을 이론적으로 재배치하는 가치이동(Value Shift)을 시도했다. 성리학의 가치이동은 형체 · 에너지 · 본성 · 원리를 각각 두 개의 범주로 나누는 데서부터 시작됐다.

먼저 '본성-원리(性理)'와 '형체-에너지(形氣)'를 각각 같은 계열로 묶어 그 기반에서 이와 기의 대립구도를 만들었다. 즉 사람의 성품을 '본연의 성품(本然之性)'과 '기질의 성품(氣質之性)'으로 나눈다. 이기론으로 말하자면, 전자는 이理에 해당하고 후자는 기氣에 해당한다. 이런 범주화의 의미를 이해하는 데 촛불의 유비가 여전히 유효할 듯하다.

타오르는 한 자루의 초에서 형체 · 에너지 · 본성(도덕성) · 원리(법칙)를 각각 뽑아 보자. 초의 몸체-형체(形), 촛불-에너지(氣), 밝음-본성(性), 연소-법칙(理)[119]의 유비가 가능할 듯하다. 이런 요인들을 성리학의 범주화 문법에 따라 진술할 수 있다. 초의 몸체와 촛불이 곧 초의 '기질지성'이다. 반면 초의 밝음과 연소의 법칙이 초의 '본연지성'으로 '이'에 해당한다. 이 범주화가 성공하려면, 관건은 촛불과 밝음을 분리하는 데에 있다.

그런데 정기학설의 문법에 의하면, 이것은 마치 빛에너지를 떠나 밝음이 존재한다고 말하는 것과 같다. 초의 몸체에서 촛불이 타오른다. 그 촛불이 밝은 것은, 빛에너지가 활성화되기 때문이다. 개념상 '밝음'이 곧 '빛'은 아니다. 하지만 빛을 떠난 밝음은 존재하지 않는다. 빛이 실체라면, 밝음은 빛의 속성 내지는 작용이기 때문이다. 즉 다만 빛이 밝은 것이지, 밝음이 빛을 떠나 따로 존재하는 건 아니다.

---

119. 연소는 통상 '물질이 빛이나 열 또는 불꽃을 내면서 빠르게 산소와 결합하는 반응'으로 정의된다. 연소가 이뤄지려면 타는 물질(원료), 발화점 이상의 온도, 산소의 세 가지 요소가 필요하다.

도덕적 본성에 대한 정신에너지의 관계는, 밝음에 대한 빛의 관계와 흡사하다. 그러니 정신이 선한 것이지, 정신을 떠난 선한 본성이 별도로 존재하는 건 아니다. 그렇지만 성리학은 '기질지성'과 '본연지성'으로 정신과 도덕 본성을 분리했다. 다시 말해, 정신에너지(원신)를 포함한 모든 종류의 에너지를 물질과 뒤섞어 '기질의 성품'으로 한데 묶었다.

즉 물체로부터 정신까지 폭넓게 펼쳐진 물질과 에너지의 스펙트럼을 단지 '기질지성'으로 뭉뚱그렸다. 그리고 도덕적인 '본연지성'을 그 대립지점에 놓았다. 더 나아가, 도덕본성이 보편적인 이법(理)의 지위까지 부여받고, 지고의 '본연의 성품'으로 화려하게 등극했다. '본연지성의 이理'란 곧 정신의 이법에 다름 아니다. 그런데 실체인 정신을 배제하자, '이법'이 마치 몸체 없는 그림자처럼 추상적인 본체가 되었다.

이런 가치이동의 결과로, 정신과 본성의 위치가 뒤집혀졌다. 정기학설의 문법에서 본성의 주인이었던 정신은 기질의 개념 안에 묻혀 은닉되었다. 대신 정신의 속성인 도덕본성이 보편적인 이법의 자리에 올라섰다. 이렇게 '정신'은 유교 심학에서 은퇴한 개념이 된다. 즉 심성의 문제는 마침내 정신과 마음의 관계 차원을 떠난다. 유학자들이 '정신'에 주목하지 않았다고 서우가 탄식한 배경이다.

대신 '본연지성'과 '기질지성', '이'와 '기'의 짝개념이 심성의 논의를 주도하는 새로운 패러다임으로 떠올랐다. 이제 빛은 초의 몸체, 열기 등을 하나로 함축하는 '촛불'이라는 두루뭉술한 개념 안에 숨어 버렸다. 그리고 촛불(초의 몸체, 열기, 빛)은 단지 기질지성으로 내려앉았다.

대신 빛을 떠난 추상적인 '밝음'이 초의 본연지성이자, 보편의 이법으로 등극했고, 모든 가치의 제왕이 되었다. 하지만 촛불과 밝음이 과연 분리되는가의 문제는 여전히 숙제로 남는다. 비록 빛을 관심의 초점에서 지우는 데는 성공했지만, 밝음이 빛의 속성인 이상 촛불과 밝음의 관계가 완전히 단절될 수는 없기 때문이다.

그리하여 촛불과 밝음, 즉 기질지성과 본연지성이 본래부터 별개인가 아니면 한 성품의 두 측면인가를 놓고 의견이 엇갈렸다. 성리학을 집대성한 주희 역시 이 문제를 고민했다. 그는 "인간의 순수한 도덕본성을 기질이 흐려 놓았다"며 도덕본성의 상대적 순수성을 강조했다. 그러면서도 "기질지성에서 독립된 본연지성이 있을 수 없다"고 그 일체성을 시인했다.

기질과 도덕본성을 분리시키려는 강고한 의욕, 하지만 양자의 일체성을 승인할 수밖에 없는 당혹감 사이의 균열이 드러난다. 조선의 유명한 이기논쟁과 인물성동이론도 이런 균열선의 경계에서 발화되었다. 관건은 기질에 대해 상대적인 도덕본성의 독립을 어느 정도로 허용하며, 그 특성과 범위를 어떻게 확정하느냐에 있다.

그리하여 한편에서는 두 성품을 별개로 본다. 즉 기질을 초월해서 선천적으로 도덕적 '이'가 인간의 본성을 이룬다고 간주한다. 다른 한편에서는 기질을 떠난 본성이 따로 없다고 본다. 즉 기질 가운데 수반된 이의 측면이 본연지성을 이룬다고 한다. 이런 견해의 차이에서 본성을 함양하는 방법도 갈라진다. 전자는 상대적으로 독립된 이가 기질을 통제하고 제어해야 한다고 주장한다. 후자는 기질을 정화해서 기에 내재된 이를 함양하고, 본연의 성을 확보하고자 한다.

다시 초의 비유로 돌아가 보자. 초가 연소燃燒의 이법에 따라 순수하게 밝다. 그것이 곧 초의 본연지성이고, 초의 도가 천리天理로 구현되는 상태이다. 반면 초의 몸체와 촛불은 초의 기질지성을 이룬다. 그것은 후천적 요인으로 오염될 수 있다. 그러므로 초의 몸체와 촛불, 즉 기질에 잡티가 혼입되지 않도록 한다. 이런 매뉴얼에 따라 촛불이 광명을 발하는 사태를 설명하고, 또한 관리할 수 있다. 관리의 방식은 크게 두 가지이다.

㉠ 초의 밝음과 연소의 이법에 입각해, 초의 몸체와 촛불의 기질을 검속하고 제어하는 데 힘쓴다. 물론 여기서는 초의 밝음(본연지성)이 그 기질에서 독립된 이법이라는 전제가 강하다. ㉡ 초의 밝기와 연소가 그 몸체와 촛불을 떠나지 않으니, 초의 기질을 맑게 정화해서 순수한 밝기를 얻어 내도록 한다. 여기서는 초의 밝음이 그 기질과 분리될 수 없다는 전제가 강하다. 예컨대 ㉠이 퇴계 이발설理發說의 문맥이라면, ㉡은 율곡의 이통기국理通氣局 문맥이다.

하지만 그것이 성리학인 이상, 본연지성이 모든 가치의 우위에 있는 근본의

'이'라는 기본전제는 철옹성과 같다. '이'는 곧 도덕성의 원리에 다름 아니다. 사단의 도덕성을 인간의 본성으로 삼는 것은 원시유학에서 이미 시작되었으니, 그다지 새로울 바가 없다.

하지만 성리학 설계자들의 야심은 단지 거기에 그치지 않았다. 본연지성의 이, 즉 도덕성의 원리는 천지만물의 근본 이법으로 모든 가치에 대한 지상至上의 척도가 되었다. 그것은 반드시 '있어야만 하는' 당위의 군주, 절대의 준칙으로 새롭게 태어났다.

성리학은 세계를 이와 기로 양분했으며, 그것을 다시 상·하의 위계적인 두 층위로 배치했다. 그리하여 '이'와 '기'는 위와 아래, 귀하고 천함, 상승과 하락, 윗사람과 아랫사람, 지위의 높고 낮음 같은 일련의 위계질서를 표상하는 기표가 되었다. 『주역·계사전』의 저명한 명구가 층위를 나누는 원리로 동원되었다. "형이상의 것을 도道라고 하고, 형이하의 것을 기器라고 한다."[120]

본래 이 명구는 형체가 없는(形而上) 에너지와 유형적인(形而下) 사물 간의 상보적이고도 순환하는 관계를 설명하던 명제였다. 그랬던 것이, 급기야 이법과 기질의 두 세계를 위계화해서 양분하는 원리로 탈바꿈했다. 그리고 심성론 역시 이 구도에 따라 양분되었다.

도심, 양심, 사단이 형이상의 본연지성에 상응하는 도덕적인 이법의 마음이 되었다. 그리고 인심, 사욕, 칠정이 형이하의 기질지성에 상응하는 오염된 기질의 마음으로 정의된다. 그러나 이런 이분법은 처음부터 정신(神)에서 성품(性)을 분리하는 치명적인 결함을 함축한다. 거기서 생기는 이론적 모순이 마음이론에도 그대로 재현되었다.

다만 보는 견지에 따라서, 형이상의 '본연지성-도심-천리-이' 그리고 형이하의 '기질지성-인심-인욕-기'의 조합과 위계적 배치는 대단한 이념적 매혹을 풍기는 게 사실이다. 그 매력의 요인을 특히 심성론의 문맥에서 짚어 보자.

---

120. 形而上者謂之道, 形而下者謂之器. 『周易·繫辭上』.

성리학설의 매력: 집단의식의 시대

첫째, 선한 심성을 보편화했다. 성리학은 선한 본성, 즉 본연지성을 우주적 보편성을 지닌 '이'의 반열에 올렸다. 정기학설의 문법에서, 우주적인 것은 정신에너지이다. 선한 심성은 그 속성에 해당한다. 따라서 바른 마음을 얻으려면, 먼저 정신에너지가 올바로 정립돼야 한다.

하지만 성리학에서는 인의예지와 도심 자체가 절대적 이법의 반열에 올랐다. 그리고 그 이법에 충실하면 누구나 바른 마음을 얻을 수 있다고 정당화되었다. 이런 이론구조는 도덕성을 지고의 가치로 추구하는 유교의 취지에 부합했다. 또한 성리학적 심성을 보편화하는 데도 기여했다.

둘째, 마음을 지성화知性化했다. '마음의 지성화'란, 심성의 원리에 관한 지식이 지성의 핵심역량이 된다는 의미다. '이법(理)' 자체가 곧 선한 본성이 되었다. 한데 이법은 실질적인 요령이나 능력이라기보다는, 원리적 법칙이다. 그것은 무엇보다 지적 탐구의 대상이 된다. 따라서 마음의 이법에 대한 지식의 획득이 강조된다. 다시 말해, 선한 본성에 대해 올바른 지식(이념)을 가지는 것[121]과 마음이 바르다는 것이 거의 동등한 의미로 간주된다.

불교와 도교에 한동안 위축되었던 유교 지식인에게, 이런 이념은 구원의 복음이 되었다. 사대부가 우주적 이법과 바른 마음(도덕성)의 수호계층으로 재탄생했다. 그리고 도덕이 사회 전반의 모든 다른 가치들에 대한 지배권을 가지게 되었다. 더불어 선한 심성과 바른 마음에 대한 온갖 논쟁과 담론도 일어났다. 한편에서는 이런 일련의 추세를 심성론의 심화로 평가하지만, 냉철하게 말하자면 그것은 마음과 도덕의 과도한 이념화에 지나지 않았다.

셋째, 인욕의 철저한 억제와 엄격한 마음공부를 요청했다. 실천적 견지에서 보면, '이'는 반드시 따라야 하는 우주적 당위의 요청이다. 이를 따르는 것은, 이미 정해진 보편의 원칙에 따르는 엄격함을 필요로 한다. 그리하여 철저히 절제하고 불의와 타협하지 않는 선비의 태도가 이른바 '의리정신'의 표상이 되었

121. 주자학에서는 이를 '격물치지格物致知'로 말하고 권장했다.

다. 인욕의 억제와 거경의 공부는 마음을 통제하는 데에 상당한 효과가 있었다. 하지만 마음공부에서 강제성의 한계가 노정되기도 했다. 바른 마음이 내적 자발성에서 유래하기보다는, 반드시 그래야만 하는 당위로 요청되었기 때문이다.

넷째, 사대부를 특권 계층화하는 사회심리학의 기제를 작동시켰다. '바른 마음'은 물론 개인의 심성에서 구현된다. 그러나 사실상, 그것은 개인의 심적인 상태와 사회 상황의 상호작용의 결과로 나타난다. 인간이 처한 상황의 여러 요인들, 예를 들어 자기는 물론 타인의 시선·생각·의도·목표·행동 등이 모두 서로 관련을 갖고 있다. 사람의 마음은 실제로 존재하거나, 상상되거나, 혹은 암시되는 타자의 시선과 판단에 영향을 받는다.

그런데 성리학의 심성론은 마음의 이런 사회심리학적 기제를 개인 중심에서 계층 중심으로 이동시켰다. 원시유학에서 덕성의 함양은 군주 혹은 유학자 각자의 몫이었다. 그런데 성리학은 도덕적 품성이 특정 계층의 전유라는 상상 내지는 암시를 거의 자연법칙의 수준으로 끌어올렸다.

도덕적 올바름이 개인의 심성을 초월하는 보편의 이법으로 존재하며, 사대부가 그 이법을 전담한다는 도덕적 권위가 부여되었다. 형이상의 본연지성에 상응하는 사대부, 그리고 형이하의 기질지성에 머무는 백성의 계층적 간극이 우주론의 차원에서 정당화되었다.

동아시아 고대의 계층질서는 군주-신민臣民의 단순 위계구도에 토대를 두었다. 그것이 성리학에 의해 군주(君)-사대부(臣, 士)-백성(民)으로 중층 위계화되었다. 본연지성과 기질지성으로 이법화한 도덕은 동아시아 중세의 사회질서를 지탱하는 양날의 검이었다. 사대부는 그것으로 절대적인 군주권을 견제하는 동시에 백성 위에 군림했다. 하지만 또한 그 칼날에 의해 위아래에서 가해지는 도덕의 중압을 계층적 의무로 감수해야 했다.

다섯째, 도덕의 집단화를 가져왔다. 누구나 올바른 것을 추구하는 바른 마음이 있다. 그것이 본연지성의 기본전제에 부합한다. 그런데 '올바른 것'의 기준은 대개 내가 옳고, 내가 정당하다고 생각하는 바에 따른다. 어떤 올바름의 원리가 자기 관념 안에 확정되면, 그것이 사고의 틀을 규정하며 인간의 판단을 이끌어낸다.

한데 판단들은 이성적이고 신중할 것 같지만, 대개 이미 정해진 가치기준에 따라 빠르게 직관적인 결정이 이뤄진다. 즉 올바른 것의 기준이 일단 정해지면, 그에 위배되는 행위를 즉각적으로 '나쁜 것'이라고 인식하게 된다. 그런데 이런 판단은 개별적이라기보다 집단적이다.

보편의 이법인 본연지성 역시 단지 개인의 가치 척도에 머물지 않는다. 그것은 사회·국가·문화·예술·종교·이념의 모든 영역에서 판단의 척도이자 심판관이 된다. 문제는 본연의 바른 마음에 하나의 정답만 있는 게 아니라는 사실이다. 자연히 유사한 답을 가진 사람끼리 모여 집단을 형성한다. 혹은 집단을 이룬 사람들이 같은 답안을 공유한다.

이런 집단화는 얼핏 공동체를 결속하고 안정시키는 듯하지만, 동시에 파벌의 항구적인 균열을 만들어 낸다. 올바른 것을 공유하는 '우리'의 층위는 중층적이다. 예를 들어 도교나 불교처럼 근본적으로 다른 집단을 상대로 할 때라면, 유교 성리학의 모든 사대부가 '우리'로 뭉쳐 척불斥佛과 배도背道의 단단한 결속을 형성했다.

하지만 성리학 집단 내부의 견해 차이에 대해서라면, 또 다른 층위의 '우리'들끼리 혈투를 불사하고 나와 다른 남을 배척한다. 왜냐하면 어떤 차원의 문제에 대해서도, 보편의 이법은 언제나 하나일 수밖에 없기 때문이다.

'올바른 것'에 대해 그들만의 신념으로 똘똘 뭉친 파벌은, 예외 없이 자기 밖의 타자에 대한 증오와 배척으로 집단이 존속하는 에너지를 공급받는다. "올바른 정의가 우리를 뭉치게 한다"는 구호는 결국 각자의 이념을 내걸고 편을 갈라 싸우자는 말에 다름이 아니다. 그러다 보면 어느새 '올바른 것'은 사라지고 분열만 남는다.

그런 배타적 집단의식이 횡행하는 한에 있어서, 각 집단들이 자발적으로 서로를 인정하고 화해하기를 기대하는 건 애초부터 당찮은 난센스다. 동아시아에서 마지막까지, 그리고 철저하게 성리학을 신봉했던 조선에서 이런 폐해 역시 가장 두드러졌다.

조선 중후기의 사림은 붕당과 파쟁으로 얼룩졌다. 그러면서도 소중화의 이념에 빠져 외세를 배격했다. 급기야 자기만의 절대적인 보편의 환상에 빠져, 근대화의 세계사적인 조류에 나 몰라라 눈감았다. 그 대가로 망국과 식민지화로 치닫는 참담한 비극을 맞았다.

바른 마음: 도덕의 시대

선한 심성의 보편화, 마음의 지성화, 인욕의 억제, 사대부의 특권계층화, 도덕의 집단화는 성리학의 설계자들이 처음부터 의도했던 목표였다. 그리고 상당한 성공을 거뒀다. 성리학은 동아시아 중세의 지배적인 이데올로기로 안착했다. 하지만 역사상의 모든 이데올로기가 그렇듯이, 그 성공의 요인 안에서 또한 실패의 요인이 함께 자랐다.

따지고 보면 절대적인 보편의 도덕이 권력이 되고, 폭력이 되며, 맹목의 이념이 되었다. 바른 마음(도덕성)의 보편화는, 타인의 시선을 의식하는 위선을 낳았다. 마음의 지성화는 과도한 이념화의 작폐로 이어졌다. 인욕의 금지는 도덕의 억압을 불렀다. 사대부의 특권계층화는 다시 특권의 타락을 가져왔다. 도덕의 집단화에서, 망국에 이르는 파쟁과 패거리주의라는 치명적인 독버섯이 자랐다.

성리학의 '바른 심성'은 '정신'을 은닉하고, 마침내 정신을 떠난 보편의 이념으로 정립되었다. 그것은 곧 뇌 안에 응결된 정신에너지의 빛에서 밝음을 분리하고, 빛(정신에너지)과 밝음을 각각 기질과 본연의 성품에 배속하는 문법이었다. 그리고 급기야 기질을 본연지성의 위계적 하위에 배속함으로써, 빛과 밝음의 지위를 거꾸로 뒤집었다.

쉽게 말해, '밝음'이 본체이자 군주가 되고 '빛'이 작용이자 노예가 된 것이다. 즉 실체이자 본체인 '빛(정신)'을 추방하고, 그 대신 빛의 속성 내지는 작용인 '밝음(본성)'을 마치 실체인 듯이 보편적 이법의 자리에 올린 것이다. 그리고 '정신'은 성리학 이론에서 철저히 유폐됐다. 모든 종류의 에너지를 한데 뭉뚱그리는 '기질의 성품'이라는 개념이 정신의 유폐지 위에 건립되었다.

이런 가치이동의 효과는 물론 유교에서 중시하는 '도덕본성'에 우주론적 권위를 부여하는 것으로 나타났다. 하지만 마음수양의 실천적인 측면에서, 그것은 초의 심지에서 타오르는 불빛을 도외시하고 단지 밝음만을 좇는 격이었다. 결국 실체는 제쳐두고, 그 그림자만 따르는 셈이 되었다.

그러므로 서우가 성리학자들이 단지 "몸뚱이의 의식에너지(식신)를 통제하고 억압할 줄만 알았지, 뇌 안에 정신에너지를 응결할 줄 몰랐다"고 탄식한 것이다. 그런데 본연의 성품, 즉 선한 본성은 뇌 속 정신에너지의 속성에 다름 아니다. 따라서 성리학의 도학 타령은 마침내 점입가경의 그림자놀이로 흐를 수밖에 없다.

정신은 그대로 두고, 그 속성인 성품만을 잡아서 안정시키려고 들기 때문이다. 마치 그림자를 부여잡고, 그 몸체를 주저앉히려는 것과 같다. 독자들도 한번 상상해 보시라. 실체를 주저앉히겠다고 그림자를 따라다니는 괴이한 놀이꾼들을 말이다. 공은 많이 들지만, 노력이 결국 허사로 돌아가는 게 어쩌면 당연하다.

제대로 말하자면, 정신에너지(원신)로 의식에너지(식신)를 자연스럽게 다스려야 한다. 그런데 신체에서 발동하는 의식에너지의 활동을 관념적인 도덕본성으로 통제하려고 하니, 억압된 마음과 감정의 반발을 막기 어렵다. 욕구와 정감이 무의식 깊은 곳에 억눌려 있다가 한순간에 튀어나온다. 그것이 또한 위선과 광기의 발로가 된다.

정작 초의 불빛은 꺼졌는데, 겉으로 항상 밝기를 가장해야 한다고 상상해 보자. 이런 비유는 엄청난 위선의 스트레스를 풍자한다. 그와 같은 억압적 스트레스가 누적되면, 도덕엄숙주의 사회의 위선적 이중성이 극심해진다. 그럼에도 불구하고, 심성수양의 축을 본성에서 정신으로 옮길 수 없는 것은 성리학의 태생적인 한계였다.

왜냐하면 정신을 본성의 주체로 인정하면, 그에 따라 개별자의 해방을 허용하지 않을 수 없기 때문이다. 쉽게 말해, 촛불의 '빛에너지'는 개별적일 수밖에 없다. 본성이나 이법은 추상화·보편화·절대화할 수 있지만 정신은 그렇게 될 수 없다.

주희가 보편의 이법인 본연지성을 월인천강月印千江에 비유한 것이 유명하다. 하늘에 보름달이 휘영청 걸리면, 수천수만의 강에 그림자가 어린다. 우주적 본성이 달처럼 초월적으로 밝고, 그 그림자가 물 위에 비추듯 각자의 마음이 본성을 품는다.

이렇게 궁극적인 '본성(이법)'이 모든 개별적인 마음들을 초월해서, 우주의 궁극적인 본체가 된다. 세상과 마음이 밝다는 것은 곧 하늘의 달빛이 만물에 비추는 것이니, 마치 군주의 덕치에 백성이 호응하는 풍경을 연상시킨다.

그러나 정신을 본성의 실체로 보게 되면, 이 구도는 완전히 뒤집힌다. 하나하나의 촛불이 심지에서 타오르며 제각각 빛을 발한다. 그 촛불들의 광명이 모인 총합이 곧 세상의 밝음을 이룬다. 이런 밝음을 떠나서 실재하는 '세상의 밝음'이 따로 있는 것이 아니다. 마찬가지로 모든 개별자에게는 각자의 정신이 있다. 그 정신의 밝음이 곧 본성에 다름 아니다.

물론 각자의 정신이 우주적 정신의 품부라는 문맥에서, 개별자와 전체의 통합을 말할 수 있다. 하지만 통합은 결국 모든 개별자 각각의 정신과 우주적 정신 간에 이뤄지는 '통신'으로 구현된다. 개별자의 실존을 떠나 존립하는 초월적인 이법(理), 그 절대적 보편성을 모두에게 일방적으로 관철시키는 게 올바른 통합의 길은 아니다. 실제로 그건 실현될 수도 없다.

성리학의 마음(심성)은 실체와 분리된 '이'의 그림자에 갇혔다. 하지만 서우는 그런 질곡을 극적으로 벗어났다. 정신심리학에서 개별자의 운명의 주체는 초월적인 '이'가 아니라, 어디까지나 각자의 '정신'이다. 그런데 만약 정신학의 이런 문법을 인정한다면, 성리학의 신분제적 기반은 일거에 무너질 수밖에 없다.

예를 들어, 모든 사람이 각자 자기 병을 다스릴 수 있다면 인류에게 그보다 좋은 일도 없을 것이다. 하지만 의사들에게 그보다 두려운 재앙도 없다. 마찬가지로, 모든 사람의 정신이 각자 자기 본성의 주인으로 도덕의 주체가 된다면 어떻겠는가?

그것이 백성에게는 복음이지만, 성리학 계층에게는 끔찍한 악몽이 된다. 모든 개인들이 자기 정신의 빛으로 각자의 본성을 밝힐 수 있다면, 본성의 이법과 도덕을 전유한 계층으로서 사대부들의 존립 근거가 붕괴되기 때문이다.

한편 정신을 심성의 주체로 인정하면, '자유'의 가치가 '도덕'을 이끌게 된다. 전병훈은 정신을 응결해서 우주에 합치하는 것이야말로 참된 '자유'라고 한다. 누구나 자기 심성의 주인이 되어, 욕망과 감정에 얽매인 마음의 속박에서 벗어나는 자유를 얻을 수 있다.

어느 경우든, 자기 자신에게서 비롯한다는 의미의 '자유'가 심성과 도덕을 함양하는 기본전제가 된다. 이것은 자유로운 개인을 토대로 성립하는 근대사회에나 적합한 것으로, 중세의 신분제 사회에서는 허용되기 어려운 원리였다.

이런 여러 이유로 성리학에서 정신을 심성수양의 주체로 인정할 수 없었다. 따라서 앞서 말했듯이, 그 마음공부가 단지 정신 언저리를 맴도는 그림자놀이 차원을 벗어나기 어려웠다. 이에 대해 "유학자들이 단지 '몸뚱이의 마음'밖에 알지 못했다"고 서우가 혹평했던 것이다.

본래 자연주의자로, 세속의 권력과 위계질서에 초연한 구도자 집단이었던 도가·도교에서 정기학설이 나왔다. 그런데 이를 가져다가 통속적이고 위계적인 사회질서를 정당화하는 심성론으로 변용하다 보니, 성리학의 마음이론이 애초부터 자기모순을 안게 되었다.

도교든 불교든, 그 궁극의 목적은 사람들 각자가 모두 자신의 본성인 내면의 불성과 정신을 체현하는 데에 있다. 한데 그것은 누가 대신해 주거나, 혹은 집단적으로 성취될 수 없다. 각자 단독으로 성취해야 하는 일이다. 개별자의 자기성찰과 단독성을 이처럼 중시하기 때문에, 어떤 형태의 사회적 차별이나 위계화도 옹호하지 않는 경향이 크다.

중세의 위계적 지배질서를 수호하는 역할을 자임하고, 세습적인 지배계층을 이룬 사대부에게 이런 사조는 큰 위협으로 작용한다. 따라서 유교 성리학이 불교와 도교에서 우주론과 심성론을 수혈받았지만, 종국에는 고집불통의 박해자가 되어 도·불을 혹독하게 배척했다. 물론 앞서 말했듯이, 제한된 역사적 조건에서 성리학의 일정한 역할과 기여가 없었던 아니다.

그렇지만 성리학의 '선한 본성'이 '정신'과 전도되어, 사회의 위계질서를 옹호하는 이데올로기로 변질된 사실을 근본적으로 정당화할 수는 없다. 한데 이런 이유 때문에 '선한 본성'과 '바른 마음' 자체의 가치마저 통째로 부인한다면, 그 역시 과도한 것이다.

성리학 지배질서의 억압에 대한 반작용으로, 억눌린 다중의 욕망과 정감의 에너지가 터져 나왔다. 그리고 그런 반도덕주의 에너지가 전통의 파괴와 물질문명 건설의 동력이 되어, 동아시아의 근대화에 호응했다. 하지만 언제까지 계속 원초적인 욕망과 이기심에 정신을 내맡겨야 하는 것일까?

물질을 숭배하는 극치에서, 양심과 도덕의 궁핍을 불가피한 것으로 받아들이는 황금만능시대의 절정에 이르렀다. 하지만 중세에 추방당한 '정신의 빛'은 여전히 싸늘하게 버려진 채로 있다. 그 영명한 빛을 우리는 언제까지 어두운 유폐지에 그대로 버려둬야 하는 것일까?

욕망의 충동, 정신의 야만시대

정말 사려 깊게 주목해야 할 것은 이제부터다. 중세 성리학이 궁지에 몰리자, 모든 문제가 다름 아닌 '바른 마음'에 대한 강박에서 비롯되었다고 비약하는 물질주의자들의 세속적 복음이 비등했다. 이런 복음에 세뇌된 영혼의 천둥벌거숭이들은, 천부적으로 선한 인간의 본성 같은 게 있을 리 만무하다고 거만하게 위악을 부린다.

바른 마음이란 사회적 환경과 문화에 따라 전부 다른 것이라서, 어떤 공통적 접점도 찾기 어렵다고 혹자는 강변한다. 즉 문화상대주의로 선천적인 '바른 마음'을 무력화한다. 세속의 성공과 자아의 쾌락을 숭배하는 이기주의자들이 볼 때, 천부적 도덕이란 위선적이고 무익할뿐더러, 자연법칙에 위배된다.

도덕성에 반대하는 가장 파괴적인 공격들은 바로 여기서 출발한다. "나는 그저 내 모습대로 있는 것이다. 내 개성을 가로막지 말라! 자연이 내게 심어 놓은 욕망의 충동들이 자유롭게 발현되도록 하라! 자기극복, 자기부정은 헛소리이고 도덕주의자들의 속임수다. '마땅히 그래야 한다'는 당위는 모두 허튼 수작이다."

여기저기서 그런 목소리, 양심과 도덕을 야유하는 성토가 울려 퍼진다. 이는 대단히 단도직입적이고 명료하며, 정당해 보이는 주장들임을 인정하지 않을 수 없다. 그것은 자연에 대한 진솔한 견해에 토대를 두는 듯해서, 실로 반박하기가 쉽지 않다. 여기에 맞서, 이해하기 어려운 퇴계의 이발설理發說을 들이대는 것은 사실 거의 무력한 시도로 보인다.

하지만 아이러니하게도, 20세기의 가장 뛰어난 과학자가 일찍이 지적했듯, 이런 이기적 주장들에 대한 자연과학의 토대는 구멍이 숭숭 나 있다. "유기체들의 발달에 대한 오늘날의 지식에 기초해서, 적어도 우리의 생명 전체가 우리 자신의 원초적 자아와의 끊임없는 투쟁이며 또 투쟁이어야 한다는 점을 훌륭하게 이해할 수 있다."[122]

역시 슈뢰딩거의 말이다. 인간의 생명활동 전체가 원초적 자아, 즉 탐욕적 이기심과의 투쟁과정에 있으며 또한 당위적으로 그래야만 한다는 이야기다. 20세기 양자역학의 역사를 새로 쓴 이 대단한 물리학자는 도대체 무슨 이야기를 하는 것인가?

인간의 악한 본성을 말하는 사람들이 가장 흔히 들먹거리는 레퍼토리가 있다. 그들은 초기 진화론의 적자생존 법칙을 빙자해서 인간 본성이 이기적이고 탐욕적이라고 주장한다. 하지만 그것은 자연과학적 근거가 취약한 철지난 풍문에 지나지 않는다.

인류는 아프리카의 사바나 초원에서 수십 명 정도의 작은 무리로 수렵·채집생활을 하면서 진화 역사의 99퍼센트 이상을 보냈다. 그 과정에서 이기주의를 버리고 이타적으로 행동하도록, 즉 동물적인 원초적 욕구를 억제하고 타인과의 조화로운 관계를 유지하도록 진화되었다.

일반적으로 이기주의적 태도는 홀로 살아가는 동물에게는 미덕이다. 반면, 공동체 안에서 다른 개체들과 더불어 살아가는 동물에게는 종을 해치는 기능

---

122. 에르빈 슈뢰딩거, 위의 책, 141쪽.

을 한다. 그러므로 필연적인 자연법칙에 따라, 이기주의를 벗어나는 변환을 (인간은) 반드시 이뤄내야 한다.

왜냐하면 이기주의를 졸업하지 않은 채 공동체를 형성하는 길로 들어선 동물은 멸종할 것이기 때문이다. 공동체를 이루는 동물은 이런 변화를 이뤄내야만 결국 살아남는다.[123] 그러므로 "양심과 바른 마음을 저버리면 금수와 같다"는 말이 단지 은유로 그치는 것만은 아니다. 그것은 진화인류학의 진실을 반영한다.

그러니 성리학에 중세적 이데올로기의 폐단이 있었다고 해서, 거기서 말하는 '선한 본성'이 곧 도덕주의자들의 위선이나 허튼 수작에 지나지 않았다고 단정할 수 없다. 정녕 인간에게 천부적인 선한 본성, 자연발생적인 양심 따위는 없다고 명언할 수 있는가?

수백 년 동안 치욕스럽게 도덕의 노예로 살았다고 생각하는 사람들, 근대의 물질주의가 인류문명 진화의 최종단계라고 맹신했던 사람들이 일말의 거리낌과 부끄러움도 없이 도덕의 목을 베었다. 사대부의 멸시를 받던 서민들이 '인간'의 자아의 주체성과 천부의 인권을 자각하면서, 자기를 괴롭히던 유학자 양반들에게 조롱을 담은 공격을 가했다.

하지만 근대화된 동아시아인들이 유념하지 못하는 점이 있다. 자연과학이 중시하는 물질적 진화의 추세와는 다른 맥락에서, 태곳적 선조들의 뇌 안에서 일찍이 영명한 정신의 빛을 밝히는 불꽃이 점화되었다는 사실에 주목해야 한다.

그리고 비록 충분치 못했고 심지어 자기의 의무를 저버리기까지 했지만, 그래도 성리학이 선조들의 성스러운 유산을 지키는 마지막 수호자였다는 사실을 망각하면 안 된다. 그러나 성리학의 붕괴와 함께, '선한 본성'과 '바른 마음'의 마지막 환함마저 사라져 버렸다.

아득한 고대에 동아시아의 신시神市[124]에서 피어오른 정신의 빛은 부지불

---

123. 위의 책, 150~151쪽.

124. 여기서의 '신시神市'는 단군신화에서 환웅이 개창한 도읍이기도 하지만, 동시에 인류역사 초기에 건립된 동아시아의 모든 '신성도시'의 의미를 함축한다.

식간에 천천히 거의 다 꺼져 버렸다. 연나라와 제나라의 바닷가에서 불현듯이 출몰한 저 놀라운 방사들이 다시 타오르게 했던 신선과 진인의 정신의 불꽃, 중세의 어두운 밤에도 우리를 비췄던 저 양심의 광명이 죄다 꺼져 버렸다.

급기야 서구 근대문명의 화려한 조명이 지금 우리가 누리는 물질적 결실들을 가져다줬지만, 그 원천에서 빛나던 '이성'의 광채마저 이제는 희미하다. 그리고 사람들은 이제 대부분 정신의 찬란한 빛과 광명에 관해서 잘 알지 못한다. 어디든 의지할 곳도, 인도받을 곳도 없다.

사람들은 이제 신명도 믿지 않고, 신령한 밝음도 알지 못한다. 마을 어귀의 성황당이나 당산나무는 조상들의 고단하지만 신령했던 삶에 깃든 신명을 오랫동안 받쳐 주었다. 하지만 이제 이런 것들마저 모두 사라졌다. 따라서 신명도 송두리째 발판을 잃어버렸다.

교회와 절은 한갓 장마당이나 사교장이 되었으며, 도덕은 단지 성가신 제약으로 간주된다. 대학은 생존경쟁의 두려움에 질린 젊은이들을 시장의 전쟁터로 방출하는 훈련소가 되었다. 아무도 더 이상 고결한 정신과 양심과 바른 마음을 가르치지도 배우려 하지도 않는다. 다만 욕망에 충실하라는, 더욱 이기적이 되며, 원하는 것을 끝까지 갈망하라는, 자아의 충동에 따르는 것이 자연이며 자유라는 탐욕의 적나라한 복음이 누항에 울려 퍼진다.

그리하여 전적으로 역행의 조짐이 나타나고 있다. 사람들이 문명진화 과정에서 제대로 극복하지 못한 이전의 발달단계, 즉 동물적이고 원초적인 탐욕의 노예 상태로 완전히 퇴행할 위험에 처한 것이다. 야만적이고 거리낌 없는 이기주의가 비열하게 웃으며 머리를 쳐들었다. 그리고 우리 인류 종족의 오랜 습성, 탐욕과 전쟁으로 단련된 세속적 물질주의자들의 저 무지막지한 주먹이 이제 항해사가 사라진 배의 키를 대신 잡았다.[125]

---

125. 위의 몇 단락은 1925년 에르빈 슈뢰딩거가 막다른 골목에 이른 서구 지성에 대해 쓴 글을 현대의 추세로 패러디했다. 위의 책, 23~27쪽.

제3의 길: 정신의 시대

현대사회는 욕망의 임계점에 거의 이르렀다. 우리가 도덕이 지배하는 과거로 돌아갈 수는 없지만, 그렇다고 욕망이 이끄는 대로 파멸이 예고된 미래로 나아갈 수도 없다. 그러나 길이 없는 것은 아니다. 뇌 안에 정신을 응결하고, 정신이 심성의 주인이 되며, 정신이 욕망과 감정의 군주가 되는 길이 있다. 그 길은 욕망과 정감의 '해방'이냐 '억압'이냐의 양자택일을 벗어난다.

정신이 욕망과 정감의 주인으로 '성장'함으로써만, 우리는 그 길로 들어설 수 있다. 중세가 욕망과 정감을 '억압'한 시대였다면, 근대는 욕망과 정감을 '해방'한 시대였다. 하지만 인류의 새로운 활로는, 이제 다시 욕망과 감정을 초월해 참된 정신의 '자유'를 구가하는 미래로 향한다. '정신의 성장과 자유'가 모두의 관심사가 되는 시대, 그것이 문명의 풍향계가 가리키는 미래의 방향이다.

정신이 성장하면, 자기 정신의 주도하에 욕망과 감정을 효율적으로 컨트롤하게 된다. 그것은 억압도 아니고, 해방도 아니다. 단지 내 정신이 내 마음의 주인이 되는 것이다. 더 이상 마약은 필요 없다. 신도 필요치 않다. 외부로부터 내 마음을 지배하거나, 혹은 내 정신이 의존할 어떤 대상도 상상할 이유가 없다. 이보다 더 매력적인 길은 없다.

누구라도 자기의 욕망과 정감이 외부로부터 억압받기를 바라지 않는다. 또한 누구라도 욕망과 감정의 노예로 살기를 바라지도 않는다. 인간인 이상, 우리의 인간성 그리고 우리로 하여금 인간으로 진화하게 한 자연의 위대한 섭리 안에서, 사람은 누구나 욕망과 정감의 주인으로, 정신의 자유를 누리며 살고 싶어 한다. 다만 거기에 이르는 안전하고도 검증된 길을 찾지 못했을 뿐이다.

그래도 길은 있다. 그것은 다만 중세와 근대를 거치며 우리 시대에 망각되었을 뿐, 인류가 수천 년 동안 활용하고 검증했으며, 또한 끊임없이 진화된 정신 운용의 지식과 기술과 요령으로 이뤄져 있다. 해답은 우리 안에 있다. 무엇보다 뇌 안에 정신에너지를 응결하고 성장시킬 수 있는 현실적이고도 안전한 방안이 있다.

당신은 어떻게 하겠는가? 뇌 안에 거주하는 참된 자아, 정신에너지가 당신의 선한 본성을 일깨우고 어린아이 다루듯 능수능란하게 욕망과 감정을 컨트롤한다면 당신의 인생은 어떻게 달라질까? 그리고 우리 모두, 인류의 미래는 과연 어떻게 될까? 정신의 성장은 제3의 길이다.

지금까지 인류가 걸어온 여정과는 패턴이 다르다. 그것은 초월적인 신에 대한 맹목적인 숭배, 추상적인 이성의 모호함, 손쉽게 이데올로기로 변질되는 이념의 광기로부터 벗어난다. 하지만 이성적인 사람들이 정신수련과 도술을 불신하는 것은 타당하다. 그럴 만한 충분한 근거가 있다.

오랫동안 정신수련은 거짓 도사와 주술사, 사이비 종교 따위에 의해 오용되고 더럽혀졌다. 신선과 진인을 만나 비법을 전수받았다고 속이며, 도를 통했다고 혹세무민하는 술사들의 폐해는 정신수련의 역사만큼이나 오래된 것이다. 지금도 세간에는 저급한 온갖 술사와 도술과 단체들이 즐비하다.

그러나 깊은 산속, 은밀한 수련처, 영험한 기도처, 현실이나 사이버공간의 도사집, 유사종교화 된 수련단체 어디서도 당신은 참된 신선과 진인을 찾을 수 없다. 그런 데서 만나는 자들은 대개 거짓 술사, 갈데없는 부랑자, 한심한 루저, 신들린 광인, 사이비 교주, 사기꾼, 어설프게 양성된 사범들 아니면 점쟁이 나부랭이들이다. 설령 깊은 산중 모처에 신령한 진인이 은둔하더라도, 세속의 오탁으로 가득한 속인을 만나줄 리 만무하다. 그러니 당신이 찾을 수 있는 참된 진인은, 다만 당신 안에 있다.

순일하게 응결된 뇌 안의 정신은 한낮의 태양과 같아서, 어리석음과 무지와 맹신의 어두움과 함께 거주하지 않는다. 정신에너지의 본성이 곧 양심이다. 바른 마음과 도덕을 결여한 모든 도법은 사이비다. 또한 정신은 지성의 원천이다. 그러니 총명한 이성과 영명한 지성이 결여된 법문은 죄다 헛소리일 뿐이다. 참된 정신은 허령하고 순수해서 어린아이처럼 순결하다. 감언이설로 과시하고 장삿속을 채우는 모든 술법은 다만 협잡꾼의 농간에 지나지 않는다.

예로부터 거짓 선비의 위선과 부패로, 고결한 도심이 땅에 떨어졌다. 거짓 도사의 속임수와 농간으로, 찬란한 정신이 빛을 잃었다. 그러니 사이비 도사와 교주와 장사꾼이 만나서 만들어 내는 세간의 사이비 도술 따위는, 애초부터 기웃거리지 않는 게 좋다. 하지만 그런 자들로 인해 우리가 조상으로부터 물려받고 천지에서 부여받은 '바른 마음'과 '정신' 자체를 포기한다면, 그것은 더더욱 안 될 일이다. 구더기가 무섭다고 장을 담그지 않을 수는 없다.

서우가 제시했듯, 올바른 정신문명의 길은 인류의 오랜 역사에서 떳떳하게 검증받은 4교의 정법을 합치하는 데서 개척해야 한다. 유교의 도심, 불교의 불성, 도교의 참나, 그리고 철학과 과학의 이성을 한데 모아 조제해야 한다. 그래야 뇌 안에 정신이 영명하게 응결되어 인간의 도덕·심성·정신·지성(지능)이 높은 차원에서 함께 밝아지는 미래를 꿈꿀 수 있다.

특히 정신심리학은 과학과 긴밀히 연계할 필요가 있다. 온갖 사이비의 농간과 위험으로부터 정신의 고결함을 지켜야 한다. 정신이 성장하는 효과를 검증하고 그 안전성을 높이는 데에 과학이 가장 훌륭한 도구가 될 것이다. 그렇지만 과학과 기술이 인간 뇌 안의 정신을 지배하려는 의도와 시도는 언제든 결연히 사양해야 한다. 과학과 기술은 다만 도구이며, 인간의 정신이 그 도구의 주인이어야 한다. 그것은 당위의 요구다. 그러나 과학이 언제나 이런 의무를 순순히 받아들일지는 의문이다.

미래사회의 가장 큰 위험은 아마도 정신에너지와 기술의 혼입混入에서 발생할 것이다. 바이오산업과 결합된 뇌과학의 기술적 조작이 가져올 정신적·심리적·윤리적 문제의 근본적 재검토가 필요한 시점이다. 분명한 것은, 나의 명징하고도 영명한 정신이 나를 둘러싼 환경, 마음, 기술, 지식, 관계의 주인이 되어야 한다는 사실이다. 누구든 그를 둘러싼 환경, 마음, 기술, 지식, 관계가 그의 정신을 지배하고 통제해서는 안 된다. 인간인 우리는, 누구나 하늘이 부여한 천부적 정신의 존재이기 때문이다.

이것이 정신심리학의 메시지다. 급속한 뇌과학 기술의 발전 때문에라도, 우리는 어쩔 수 없이 뇌 안의 정신과 만나지 않을 수 없는 시대에 진입했다. 인류는 이미 도덕과 욕망을 넘어선 제3의 문명의 길로 들어섰다. 미래는 시작됐고, 도전은 진행 중이다.

이기론과 중세 성리학의 오류

전병훈의 정신철학과 심리철학을 이해하려면, 동아시아 중세의 성리학이 애초부터 범한 오류들을 살필 필요가 있다. 그 첫째가 실체화의 오류(fallacy of reification)이다. 우주의 원기나 천지음양은 모두 물리적으로 존재하는 실체를 가리킨다. 독자들의 이해를 돕기 위해, 오늘날 잘 쓰지 않아 난해해진 이 개념들을 다시 쉽게 풀어 보자.

앞서도 말했지만 '원기'는 천지만물을 낳는 우주 근원의 에너지, 음양조차 나뉘기 이전의 기운이다. '음양'은 음과 양의 기운으로, 서로 의지하면서도 대립하는 대대待對의 힘으로 만물의 운동변화를 이끈다. 여기서 원기와 음양은 무형인데, 이는 현대물리학에서 말하는 전자·양자·쿼크처럼 통상의 감각경험으로 그 형체를 파악할 수 없다는 문맥이다.

한편 '천지'는 하늘과 땅을 아울러 이르며, 만물이 깃든 세계·대자연의 의미를 함축한다. 천지는 감각경험으로 그 실상과 모습을 알 수 있는 유형의 세계이다. 하지만 유형이든 무형이든, 그것은 모두 물리적으로 존재하는 실체이다.

그러나 '이'는 이런 실체의 속성, 더 정확히 말해 자연적으로 존재하는 세계에서 인간이 파악할 수 있는 이법의 총체이다. 따라서 실체인 자연에서 분리되거나 그것을 초월해서 존재하는 '이'란 단지 관념 안의 상상에 불과하다. 이런 '이'의 초월성을 말하는 것은, 사물의 어떤 추상적 특성을 표현한 개념 혹은 명제가 실제로 존재한다고 믿는 오류의 산물이다.

다시 말해, 실제 사물에서 발견되는 이법을 '이'라는 실체로 관념화해서 거꾸로 사물에서 분리하는 사고형식의 오류를 범하는 것이다. 마치 설탕의 단맛에서 '달콤함'을 따로 떼어낸 뒤, 달콤함 자체가 항존恒存하고 자립하는 실체라고 여기는 셈이다. 게다가 이렇게 실체화된 이가 실제의 기운과 사물을 모두 지배한다고 정당화하려다 보니, 거기서 거듭 논리적인 무리수를 두게 되었다.

물론 성리학자 가운데는 이런 실체화의 오류를 인식하고, 이가 기를 떠나지 않는다는 주장을 편 일군의 학자들도 있었다. 그런데 정작 심각한 문제는, 그 이론적 그룹과 '이'의 초월적 실체성을 주장하는 그룹 간의 논쟁이 성리학의 쟁점으로 부각되었다는 사실이다. 특히 그것이 조선 성리학의 핵심논점이 되었다. 이를테면 '달콤함'이 본래 그 자체로 존재하는 것인지, 아니면 설탕의 달콤함인지를 두고 수세기 동안 논쟁을 해온 셈이다.

그런데 이런 논쟁이 지속될 수 있었던 것은, 그 배후에 범주오류範疇誤謬(category mistake)라는 또 다른 함정이 있었기 때문이다. 앞서도 말했듯이, 중세의 성리학자들은 '이'를 초월적인 당위로 삼았다. 그리고 "형이상자를 도道라고 하며, 형이하자를 기器라고 한다"는 『주역』의 명구를 동원했다. 형이상/형이하, 도/기器를 서로 다른 위계로 분리했고, 거기에 다시 이와 기氣를 재배치해 도식적인 대칭의 조합을 만들어 냈다.

그 결과로, '이-형이상-도'가 하나의 계열로 도덕질서의 상층을 이루고, '기氣-형이하-기器'가 다른 하나의 계열로 그 하층을 이루는 두 개의 세계가 출현했다. 그런데 일견 질서정연해 보이는 이런 도덕의 왕국을 구축하는 과정에서, 아주 전형적인 범주오류의 논법이 동원되었다.

전병훈이 말하듯, 우주의 원기가 분화해 천지음양이 생기고, 그로부터 만물이 생겨나며, '이'는 단지 '천지음양의 이법'일 뿐이라는 설명은 납득할 만하다. 그러나 여기서 천지음양과 그것의 이법을 분리한 뒤, "어떻게 음양과 이가 상호작용을 하지?"라거나 혹은 "어떻게 이가 발 없이 천리를 가나?"라고 묻는 것은 사실 기이한 질문이다.

마치 다리와 (다리의) 운동을 별개의 범주로 나눈 뒤, 어떻게 다리와 운동이 상호작용하는지 혹은 어떻게 운동이 이곳에서 저곳에 도달하는지를 말하는 것과 같다. 하지만 이는 분명한 범주오류다.[126] 다리가 운동을 하는 것이지, 다리 없이 운동만 따로 존재할 수 없기 때문이다.

또 다른 범주오류는 이를 형이상으로, 기氣를 형이하로 양분하는 논법이다. 형이상자形而上者는 문자 그대로 '형체 너머의 것'이다. 그것은 곧 감각기관으

---

126. 프란츠 M. 부케티츠, 원석영 옮김, 『자유의지, 그 환상의 진화』(열음사, 2009), 125쪽.

로 경험되지 않는, 즉 무형의 것이다. 앞서 말했듯이, 우주에는 전자·양자·쿼크처럼 통상의 감각경험으로 그 형체를 파악할 수 없는 실체가 존재한다. 우리는 그것을 '형체가 없는 것'이라고 말할 수 있다.

그러나 이법은 형체가 '있다' 혹은 '없다'로 설명될 수 있는 어떤 것이 아니다. 사물의 추상적인 '특성'을 표현하는 개념을 형체의 유·무로 분별하는 게 사실 우스운 일이다. 예컨대 한번 물어보자. "사랑·정의·평화에 모양이 있나요 없나요? 있다면 어떻게 생겼나요?" "혹시 오늘 당신 집 앞마당에서 정의와 평화를 보셨나요?" 이런 질문이 우스꽝스럽다면, "이에 형체가 있나 없나?"를 묻는 게 또한 얼마나 괴상한 질문인지 쉽게 이해할 수 있을 것이다.

백번 양보해서 "형체가 없다"는 걸 모종의 은유로 인정하더라도, 그것은 단지 '이'만이 아니라 모든 추상명사의 특징이다. 사랑·정의·평화에 형체가 없듯이, 미움·불의·불화도 형체가 없다. 그렇다면 그것들이 다 형이상자인가? 그런데 다시 말하지만, 이런 변론은 정말 무의미하다.

왜냐하면 애초부터 형체의 유·무로 따질 수 없는 추상개념에 '유형'과 '무형'의 잣대를 들이대는 자체가 난센스이기 때문이다. 그것은 마치 사물의 중량을 재는 척도인 그램(g)으로 사랑과 미움을 측량하려는 것과도 같다. "오늘 저녁 당신의 사랑은 몇 그램 정도 되나요?" 비록 로맨틱한 은유일 수는 있겠으나, 사실의 진술로써 그것은 명백한 범주오류이다.

그런데 동아시아 중세의 도덕주의자들은 '형이상'이란 범주오류의 척도로 '이'에 대한 그들의 맹목적인 사랑과 당위적 충성을 정당화했다. 그리고 이를 제외한 모든 것들을 '형이하'의 세계로 끌어내렸다. 그런데 '이'처럼 추상적인 개념과 달리, 물리학적 실체는 형체의 유무를 논할 수 있다.

예로부터 우주의 근원이나 본체를 의미했던 '도', 그리고 사물을 가리키는 '기器'에 대해서 형체가 있고 없고를 말하는 것은 충분히 가능하다. 우주에 편재된 기운 내지는 에너지를 함축하는 '기' 역시 마찬가지다. 이런 개념들은 물리적인 실체성을 전제로 하므로, 형체의 유·무를 말할 수 있다. 그런데 정작 문제는 다음에 찾아온다.

"이는 형이상자이고, 기는 형이하자이다(理形而上者, 氣形而下者)."[127] 다시 말해, 이는 '형체가 없는 것'이고 기는 '형체가 있는 것'이다. 주희가 이처럼 말한 이래, 이 명제는 중세 성리학 불변의 금언金言이자 누구도 거기에 토를 달 수 없는 금언禁言이 되었다. 그런데 정말 그런가?

이 대목에서 모두가 익히 아는 '눈에 보이지 않는 옷'을 입은 왕의 우화가 떠오른다. 처음 왕이 거리로 행차하자 모두 그의 옷을 칭송했다. 그러다가 한 아이가 "임금님이 벌거벗었다"고 말한 뒤에야 사람들이 비로소 진실을 보기 시작했다. 그런데 당신은 혹시 형이상의 '이'에 투철한 도덕주의자들 눈에만 보인다는 '형이하의 기', 즉 실상과 모습이 있는 기운 혹은 에너지를 본 적이 있는가?

'형이상의 이'에 대비되는 '형이하의 기'란, 이처럼 정직한 사람에게만 보인다는 '눈에 보이지 않는 옷' 같은 것이었는지 모른다. 오직 '이'만을 어느 무엇도 감히 범접할 수 없는 형이상의 제왕으로 만들기 위해, 그리고 '기'와 관련한 모든 불순한 자연주의적 소문들을 도덕의 권위 아래 잠재우고자, 단지 도덕적인 사람들에게만 보인다는 '형이하의 기'를 발명했던 것이다.

물론 사물의 형질을 통해 그 에너지의 상태를 가늠할 수는 있다. 하지만 에너지, 즉 기氣 자체가 '형이하의 기물(器)'이라는 사고방식은 단지 성리학만의 기이한 발명이었다. 따지고 보면, 이것은 첫 단추를 잘못 끼우고 아래 단추들이 계속 어긋나 결국 마지막에 옷이 뒤집혀 버린 꼴이었다.

애초부터 유형과 무형 어디에도 속할 수 없는 '이'라는 추상적 관념의 그림자를 불러와 눈에 보이지 않는 형이상의 권좌에 올려놓았다. 그러고는 실상도 없고 모양도 없는 '기'를 다시 억지로 형이하의 장마당으로 끌어내렸다.

즉 도덕적인 사람들의 눈에만 보이는 '형체가 있는 기'라는 또 다른 유령을 호명해 나머지 모든 사물을 이끌고 '이' 앞에 머리를 조아리게 만들었던 셈이다. 그래야 처음부터 '실체화의 오류'와 '범주오류'로 뒤죽박죽된 그들의 도덕 질서가 거꾸로 뒤집힌 상태로나마 안정을 유지할 수 있었기 때문이다.

---

127. 理未嘗離乎氣, 然理形而上者, 氣形而下者. 自形而上下言, 豈無先後? 理無形, 氣便粗, 有查滓.『朱子語類』卷1.

그런데 이런 논리적 오류들은 처음부터 실수로 잘못 끼운 단추라기보다, 다분히 의도된 정교한 기획의 일부였다. 앞서도 말했듯이, 주희는 이미 그 기획의 맹점을 알고 있었다. 그래서 한편에서 "천리天理가 기질에 떨어져서 기질지성을 이룬다. 그러니 기질지성에서 독립된 본연지성이 있을 수 없다"고 말한다. 그러면서 다른 한편으로는 "인간의 순수한 도덕본성을 기질이 흐려 놓았다"고도 한다.

기질에서 독립된 '이'를 말하는 것이 실체화의 오류임을 시사했지만, 그러면서도 기질에서 분리된 순수한 도덕성이 실재하는 듯이 암시해 훗날 이기론의 논쟁이 벌어지는 단서를 열었다. 그리고 이렇게 엇박자로 물린 첫 단추에서 시작해, 훗날 이론의 틈이 점점 벌어져 결국 위아래가 뒤집힌 도덕형이상학의 세계가 펼쳐졌다.

그러나 정신철학을 논하면서 살펴보았듯이, 도가를 위시한 고대의 자연주의자들은 이미 2천여 년 전부터 확산적이고 상호적이며 비위계적인 기화론의 세계관을 발전시켰다. 중세의 도덕이론가들은 이 우주론을 도입해서, 다시 수직적이고 절대적이며 위계화된 도덕질서의 이론체계로 변조했다. 그 과정에서 피치 못할 궁여지책으로 다분히 의도된 논리적 오류들을 동원했고, 그것을 아주 정교하고도 난해한 학문의 언어로 정당화했다.

그리하여 비록 그림자이나마 '이'라는 도덕의 군주를 지상의 전제군주와 짝지웠다. 그런 억지 끼워 맞춤을 통해 몸을 가진 인간인 전제군주가 절대적이고 성스러운 이의 화신, 내지는 수호자로 손쉽게 등극했다. 그러면서 또한 사대부(士)의 역할도 생겨났다. 거친 몸 기운(形氣)의 인욕에 물든 백성 위에 군림하며, 그들을 도덕으로 이끌 막중한 권한과 책무가 사대부에게 부여됐다.

이런 프로젝트가 곧 중세 동아시아에서 사대부가 도덕 엘리트로서 누린 집단적 권위와 힘의 원천이었다. 하지만 그것은 도덕을 독점한 극소수 엘리트에게만 유리한, 극심한 '도덕의 불균형' 체계였다. 이렇게 만들어진 체제 안에서 백성은 마침내 도덕의 노예, 제도적으로 말하면 당위의 도덕을 구현한 왕과 사대부의 보살핌을 받아야 하는 열등한 피지배자(형이하자)로 규정되었다.

그러나 돌이켜 보면, 동아시아의 지성사에서 기를 '형이하자'로 규정한 것은 북송 성리학들이 독보적이었다. 그전까지 기에 형체가 있다고 말한 학자나 사상가는 거의 없었다. 기원전 1천여 년 전의 갑골문에서 '기' 개념이 출현한 이래, "기에 형체가 없다"는 언명은 마치 "공기가 눈에 보이지 않는다"거나 "적외선이나 자외선은 가시광선이 아니다"라고 말하는 만큼이나 자연스러웠다.

또한 형체가 없고 있는 것이 사물의 도덕적 우열을 판명하는 기준도 아니었다. 노자가 일찍이 "천하만물은 유에서 생겨나고, 유는 무에서 생긴다"[128]고 했다. 하지만 이것은 무에서 생긴 유와 천하만물이 도덕적으로 열등하다거나, 유를 낳은 무가 도덕적으로 우월하다는 언명이 아니었다.

오히려 노자는 "유와 무가 상생한다"[129]고 하고, "무는 만물의 시초를 일컫고 유는 만물의 어머니를 일컫는다"[130]고 한다. 없음(혹은 무형)과 있음(혹은 유형)이 상호의존하며, 도의 다른 국면으로 연속한다는 설명이다.

마찬가지로, "형이상자를 도라고 하며, 형이하자를 기器라고 한다"는 『주역』의 언명 역시 도와 사물의 도덕적 우열을 가리는 진술이 아니었다. 그것은 다만 도와 사물이 상호적인 공속共屬관계에 있으며, 유형과 무형 사이를 끊임없이 순환·반복하는 이치를 말하고 있다.

그러므로 전병훈은 "형이상의 천리가 모두 형이하의 사물에 갖춰져 있다"[131]고 명언한다. 이는 곧 형이상과 형이하에 대한 고대의 사유를 회복하는 동시에, 중세 성리학자들이 거꾸로 세운 도와 기의 관계를 제자리로 되돌리는 선언이었다.

---

128. 天下萬物生於有, 有生於無. 『老子』 40장.
129. 有無相生. 『老子』 2장.
130. 無名萬物之始, 有名萬物之母. 『老子』 1장.
131. 形上之天理備具於形下器中. 『통편』, 157쪽.

7. 불교의 성품공부

여래장, 진여의 성품

유교와 도교에 이어, 서우는 불교의 성품공부에 관해 말했다. '성품공부(性功)'란 유동하는 마음을 항복받고 본연의 성품을 깨달아 성장시키는 것이다. 불교의 공부는 마음의 근육을 증진시키는 데 탁월한 효과가 있다. 서우는 이를 마음의 역학力學이라고 부른다. 굳이 번역하자면 '마음 능력학'이라는 뜻이다.

> 이를테면 자비의 능력(慈力), 오묘한 능력(妙力), 자선의 근력(慈善根力), 큰 자비의 원력(大慈悲願力), 부처의 능력(大雄力) 같은 여러 능력의 설은, (마음) 능력학(力學)의 개창이라고 말할 수 있다. 모두 중생을 널리 제도하는 마음의 능력이다. 어찌 바르지 않은가?[132]

불교의 심성론에 대한 서우의 논구는 주로 『능엄경』을 근거로 한다. 먼저 다음 구절에서 논의를 시작하는 게 좋겠다.

> 『금강경』에서 말했다. "그 마음을 항복받는다." 『능엄경』에서 말했다. "여래장如來藏은 오묘한 진여의 성품이다." "성품이 색色인 참된 공(眞空)과 성품이 공空인 참된 색(眞色)이 본래 그대로 청정하고(淸淨本然), 법계에 두루 미친다." "관정灌頂을 거행하니, '관정에 머문다'고 한다." "청정하고 둥근 '성품의 본체(性體)'가 견고히 응결하니, 마치 금강왕金剛王이 항상 머물며 부서지지 않는 것과 같다."[133]

---

132. 如云慈力·妙力·慈善根力·大慈悲願力·大雄力, 諸力之說, 可謂力學之開山, 而皆普度迷生之心能力也. 曷不韙哉? 『통편』, 127쪽.

133. 『金剛經』曰 降伏其心. 『楞嚴經』曰 "如來藏, 妙眞如性." "性色眞空, 性空眞色. 淸淨本然, 周遍法界." "寂妙常凝, 名定心住." "陳列灌頂, 名灌頂住," "淸淨圓滿, 性體堅凝,

윗글은 서우가 『금강경』과 『능엄경』에서 부분적으로 발췌해 모은 것이다. 마음이 항상 요동친다. 그러니 항복받을 필요가 있다. 그런데 누가 마음의 항복을 받아내는가? 여래장이다. 여래는 부처다. 그리고 부처가 은닉된 상태, 그게 곧 '여래장'이다. 그것을 '오묘한 진여의 성품(妙眞如性)'이라고 한다. '진여' 역시 부처다. 그러므로 '여래장'은 사람 안에 누구나 품고 있는 은밀한 불성, 부처의 성품을 가리킨다.

그것은 곧 도교의 원신, 유교의 본연지성과 상통한다. 그러므로 서우는 위 구절들을 전부 뇌 안의 정신에너지에 관한 진술로 귀결했다. '성품이 색인 참된 공(性色眞空)'과 '성품이 공인 참된 색(性空眞色)'이란 각각 에너지와 물질을 암시한다. 무형의 에너지에 물질성이 내재돼 있고, 유형의 물질에 에너지가 내재돼 있다. 그리고 이런 견지에서 보면, 세계의 삼라만상이 모두 '참된 공'인 동시에 '참된 색'이 아닌 것이 없다.

그런데 서우의 견해에 따르면, 여래장 즉 불성은 에너지와 물질이 상호혼입하고 무상하게 전이轉移하는 세계에서 특히 사람의 뇌 안에 응결되는 정신에너지(원신)에 다름 아니다. 위의 『능엄경』에서 "성품의 본체가 견고히 응결한"다고 한다. 이에 대해 서우는 "(그것이) 어디에 견고히 응결하는가?"를 묻는다. 그리고 아래와 같이 답한다.

> 비록 '뇌수'라고 명언하지는 않았다. 하지만 '정수리에 물 뿌리기(灌頂)'를 말한다. 정수리 안이 곧 뇌수로 신의 집(神舍)이다. 신이 응결하는 장소다. 아! 지극하다. 도가에서 현관에 신을 응결하는 취지와 정확히 서로 합치한다.[134]

본래 인도에서 왕의 즉위식이나 태자의 책봉식 때 정수리에 바닷물을 뿌리

如金剛王, 常住不壞." 『통편』, 121쪽.

134. 此云常凝堅凝者, 凝堅於何處耶? 雖不及明言腦髓, 而言灌頂, 則頂內即腦髓神舍也. 神凝之處也, 吁亦至哉! 與道家神凝玄關之旨, 脗然相合. 『통편』, 121쪽.

는 의례가 관정(Abhisheka)이었다. 그 영향으로 불교, 특히 밀교에서 수도자가 계를 받거나 위계가 오를 때 정수리에 향수나 물을 붓는 의식을 행한다. 그런데 『능엄경』에서 '관정'의 의미는 이와 다르다.

구도자의 몸 안에 불성의 성체性體가 도태道胎로 응결됐다가, 완전한 성인으로 자라 태에서 나오는 것을 '관정'으로 함축한다.[135] 육신을 받고 태어난 몸이 부모의 자식이라면, 불성이 뇌 안에 응결돼 자라서 출태하는 '참나'의 성체成體는 '부처의 자식(佛子)'이라고 한다.

전병훈은 『능엄경』의 이런 진술이 현관에서 원신이 자라고 출태하는 도법과 완전히 합치한다고 해석했다. '관정'은 다름 아닌 정수리 안의 현관을 암시한다. 그런데 늦어도 명나라 초에 간행된 『성명규지性命圭旨』[136]에서도 『능엄경』의 내용이 내단학의 양신출태陽神出胎 과정과 일치한다고 보았다.[137] 전병훈과 같은 견해가 일찍부터 있었음을 알 수 있다.

더구나 앞서 언급했듯이, 『능엄경』은 당나라 때에 도교사상과 습합해서 나온 경전일 가능성이 높다. 그러니 위에서 인용한 『능엄경』 경문이 내단학의 원리에 부합한다고 해서, 그리 놀랄 일만은 아니다. 그러나 서우는 『능엄경』의 이런 고증학적 배경에 별로 주목하지 않았다. 그리고 주로 『능엄경』을 통해 불교사상을 이해했다. 그런 사실이 다음과 같은 말에 잘 드러난다.

> 선대 유학자들이 도교의 '허무'와 불교의 '적멸'설을 이단으로 배척하므로, 내가 어려서 양가兩家를 우습게 보고 마음에 두지 않았다. 도를 깨닫고부터

---

135. 『楞嚴經』 卷8.

136. 『성명규지』는 작자 미상의 도교 전적으로, 통상 송에서 명초 사이의 저술로 추정한다. 명나라 신종神宗 만력萬曆 45년(1615)에 『성명규지』를 간행한 기록이 있다. 유불도 삼교합일 사상이 농후하며, 명·청 시기에 큰 영향을 끼쳤다.

137. 至於釋教教人亦不外此. 『楞嚴經』曰 "…… 表以成人, 如國大王, 以諸國事分委太子, 彼刹利王. 世子長成, 陳列灌頂, 名灌頂住." 夫入如來種者, 以種性而爲如來之種子, 以自造化如來也. 故曰道胎, 又曰覺乳, 其與婦人之乳兒, 玄門之胎仙, 亦何以異? 及至形成出胎, 親爲佛子, 豈不是真人出現, 大神通從此, 天仙可相賀耶? 『性命圭旨』.

『능엄경』을 읽다가 제8권에 이르러, 부지불각 중에 마음이 기쁘고 흥분되며, 무릎을 치면서 좋아 미칠 지경이 되었다. (『능엄경』의 내용이) 노자가 마음을 비우고 무욕한 것과 같으며, 극기克己하고 무아에 이르는 유교의 근본취지에 배치되지 않는다.[138]

서우는 불교의 마음학을 극찬했다. 마음에 대한 비유와 분석이 아주 뛰어나고 세밀해서, 서구 근대의 심리학설에 거의 필적할 만하다고 평가했다.[139] 또한 고대의 그리스문화가 인도의 영향을 받은 게 분명하다고 추정하기도 했다. 서우가 말한다. "그런데 그 무욕하고 자비로운 마음의 능력에 관하여, 혹시 서양철학 역시 일찍이 유념했던 것이 아닌가? (그리스문화에 인도로부터 전해진 것이 있는 게 확실하다.)"[140]

서우는 땅·물·불·바람의 이른바 '4대'가 모두 공의 성질(空性)이라는 불교 이론에 주목했다. 그리고 이런 사상이 서양 고대의 자연철학에도 출현한다고 강조한다. 하지만 이를 반드시 어느 일방의 사상적 영향으로 귀결하지는 않는다. 대신 불교와 서양철학이 모두 "그 정신의 총명함을 다했기 때문"에 공통적으로 얻은 통찰로 해석했다.[141]

사상의 전파와 영향관계를 암시하면서도, 인간 정신의 보편성에 더 큰 방점을 찍은 셈이다. 그리고 "사물의 성질을 끝까지 꿰뚫어 본"[142] 데서 불교의 장점을 찾았다. 예를 들어 감각기관, 감각대상, 감각의 인식작용에 관한 불교의 이론을 이렇게 논평했다.

---

138. 余少時因先儒氏, 斥以異端虛無寂滅之說, 故不屑於兩家矣. 因悟道而讀『楞嚴』至八卷, 不覺心悅情酣, 擊節欲狂也. 如老子之心虛而無慾者, 不背於克己而至於無我之孔教本旨也. 『통편』, 126쪽.

139. 其取譬剖折, 極其細微, 正類乎新學之說心理者. 『통편』, 122쪽.

140. 其無慾慈悲之心力, 倘西哲亦嘗致意否耶?(希臘文化有自印度之漸確的.) 『통편』, 121쪽.

141. 地水火風空性論, 亦西哲之所崇尚者, 極其精明故耳. 『통편』, 122쪽.

142. 其文繁不能俱載, 可謂盡見物性者也. 『통편』, 122쪽.

눈으로 들어오는 시각정보(眼入)는 허망하다. 이어서 귀·코·혀·몸·의식 여섯 감각기관(六根)의 감수성이 모두 자연 그대로의 성질(自然性)이 아니다. 형상·소리·냄새·맛·감촉·의식의 여섯 감각대상(六塵)이 모두 허망하다. 그리고 (불교는 육근·육진에 육식을 더한) 열여덟 경계(十八界)를 논한다. 시각을 통한 인식(眼識界), 청각을 통한 인식(耳識界), 후각을 통한 인식(鼻識界), 미각을 통한 인식(舌識界), 촉각을 통한 인식(身識界), 의식을 통한 인식(意識界)이다. (그런 인식에는) 조직적인 비진실성(非眞性)이 있다.[143]

흔히 눈으로 사물을 본다고 여긴다. 하지만 실은 눈으로 들어오는 시각정보가 신경망을 타고 뇌에 전달돼 인식을 일으킨다. 시각경험은 시각정보(眼入), 감각대상의 형상(色), 그리고 뇌에서 일어나는 시각적 인식(眼識)으로 구성된다. 그런데 그 각각의 요인이 곧 사물의 '자연적인 성질(自然性)'은 아니다.

게다가 그런 요인들이 다시 결합해서 시각경험을 일으키므로, 그 경험은 '진실하지 않은 성질(非眞性)'을 포함한다. 단지 시각만이 아니다. 귀·코·혀·몸·의식을 통해 일어나는 모든 감각과 의식의 경험에 이런 거짓 성질이 담겨 있다.

그런데 사람들은 이런 경험을 토대로 세계를 인식하고 판단한다. 또한 그것을 사물의 실상으로 여긴다. 하지만 그것은 분별과 차별로 세계를 인식하는 경험이다. 익히 알다시피, 이를 이른바 속제(俗諦)라고 한다. 경험의 근거 자체가 거짓되므로, 속제는 허망할 수밖에 없다. 그렇지만 거기에서 사람들의 온갖 상념과 유동하는 마음이 일어난다.

그런데 이처럼 허망한 감각·의식·마음을 떠나 세계의 실상을 그대로 파악하는 길이 있을까? 만약 있다면, 그렇게 인식하는 자는 누구인가? 여기서 서우는 『능엄경』의 다음 구절을 인용했다.

네가 죽어 소멸함을 깨달아 알라. 또한 소멸할 때에, 몸 안에 불멸하는 것

---

143. 眼入虛妄, 繼以耳鼻舌身意六根性, 皆非自然性. 色聲香味觸意六塵, 俱虛妄也. 且論十八界, 眼識界·耳識界·鼻識界·舌識界·身識界·意識界, 有組織的非眞性.『통편』, 122쪽.

이 있음도 마땅히 알라. 마음과 성품이 한번 미혹되어, 육신의 안에 매였다. 육신 밖에 산하와 허공과 대지에 대하여, 그것이 모두 오묘하게 밝은 '참 마음(眞心)' 가운데의 사물임을 모른다.[144]

육신이 소멸해도 불멸하는 것이 내 안에 있다. 그게 곧 여래장, 오묘한 진여(부처)의 성품이다. 또한 '참 마음(眞心)'이다. 온 우주의 실상이 이 마음 가운데 있다. 한편 서우는 서양철학에도 이와 맥락관통하는 견해가 있다고 말한다. "서양의 피에르 벨Pierre Bayle이 말하기를 '죽은 몸 안에 파괴할 수 없는 생명이 있다'고 하니, 이와 은연중에 부합한다."[145]

여래장, 진여의 성품, 참 마음, 몸 안의 생명, 원신, 그 밖에 무엇으로 부르건 그 실상은 하나다. 다시 『능엄경』을 살핀다. "성품을 살펴보니 원래 진실하다. 오묘한 깨달음이여, 밝기가 오묘하다. 밝은 마음을 깨달으니, 여래가 본래 오묘하게 둥근 마음이다. 근원의 밝은 마음이 오묘하고, 오묘하게 밝은 마음이 근원이다."[146]

이에 대해 서우가 다음과 같이 논평했다. "여기서 '마음을 밝히고 천성을 깨닫는(明心見性)' 오묘함을 볼 수 있다. '오묘한 깨달음, 오묘한 밝음'이란 말은 실로 맛깔이 있다."[147] '오묘한 깨달음' '여래' '오묘하게 둥근 마음' '오묘하게 밝은 마음' 등이 모두 뇌 안에 응결되는 정신에너지(원신)의 본성에 다름 아니다.

그런데 원신에 대해 식신이 있듯이, 본래 진실한 여래장에 대해 또한 '생멸하는 성품'도 있다. 그러므로 다시 『능엄경』을 인용한다. "같은 생각이 애착이 되고, 애착이 흘러 종자가 되며, 생각을 받아들여 태를 이룬다. 같은 업끼리 끌어당긴다. 그러므로 인연이 있고, (태생·난생·습생·화생하는) 생명이 생긴다."

---

144. 悟知汝滅. 亦於滅時, 當知身中有不滅耶. 心性一迷惑, 爲色身之內. 不知色身之外洎山河·虛空·大地, 咸是妙明眞心中物. 『통편』, 122쪽.
145. 西哲培爾[Pierre Bayle]云 "死體之內, 有不可破之生命"者, 與此暗合也. 『통편』, 122쪽.
146. 觀性元眞, 惟妙覺明妙. 覺明心, 如來本妙圓心. 元明心妙, 妙明心元. 『통편』, 122쪽.
147. 於此可見其明心見性之妙也. 妙覺妙明, 誠有味哉. 『통편』, 122쪽.

서우는 이를 생멸하는 성품, 즉 생멸성生滅性에 대한 진술이라고 한다.[148]

진실한 '여래장'은 깨달음·밝음·진리·근원·불멸 등으로 묘사된다. 반면 '생멸성'은 육신의 감각과 의식, 치우친 생각, 분별, 애착, 업, 소멸과 재생 등과 연관된다. 중생이 번뇌와 업에 의해 윤회전생을 하는 원리가 생멸하는 성품에서 비롯된다. 즉 중생이 소멸한 후 재생할 때, 생멸성의 수준에서 그 애착하는 바에 따라 물질과 에너지가 재배치되어 어떤 존재로 태어날지 결정되는 것이다.

그런데 불멸하는 본성(여래장)의 차원에서 보면, 이런 생멸성은 우주적 바다에서 일어나는 파도의 거품포말처럼 허망하고 찰나적이다.

> "시방세계의 여러 향수바다(香水海)의 성질이 '참된 공'에 합치해서, 오직 하나요 다르지 않다." "나는 물의 성질이 그 근본은 하나라고 본다." "공에 의거해 세계가 존립한다." "공이 큰 깨달음 가운데 생겨나니, 바다에서 한 거품이 일어나는 것과 같다." "공에 의거해 생겨난 것이니, 거품이 소멸하면 공의 근본이다."[149]

윗글은 서우가 『능엄경』 곳곳에서 뽑았다. 불교의 우주신화에는 세계 중심에 수미산이 있고, 이를 여덟 바다가 둘러싸고 있다. 그런데 맨 바깥쪽의 바다만 짠물이고, 나머지는 모두 향기로운 물로 가득한 이른바 '향수바다'이다. 향수바다는 맑고, 시원하고, 감미롭고, 부드럽고, 윤택하고, 온화하고, 갈증을 해소하고, 여러 감각기관을 증진시키는 여덟 가지 공덕을 지녔다.

그런데 이 메타포에서 '바다'는 모든 존재를 관통하는 우주의 근원적인 성질을 은유한다. 그것과 비교해서, 개별적인 감각과 의식에서 일어나는 중생의

148. 其曰 同想成愛, 愛流爲種, 納想爲胎, 吸因同業, 故有因緣. 生(胎卵濕化). 蓋言生滅之性也. 『통편』, 122~123쪽.

149. "十方界諸香水海. 性合眞空, 無二無別." "我以水性, 一味流通." "依空立世界, ……衆生, 空生大覺中, 如海一漚發." "依空所生, 漚滅空本." 『통편』, 123쪽.

마음은 바다의 거품포말로 유비된다. 앞서 『관윤자』가 물과 그 유동 그리고 물결로 본성·마음·감정을 은유했던 대목을 떠오르게 한다. 그러므로 서우도 말한다.

> 이것은 관윤자가 물을 비유한 장절과 서로 합치한다. 성품(性)은 진공묘유眞空妙有다. 공이기 때문에 그 참(眞)을 수용한다. 참은 곧 이理이다. 비유하자면 물이 맑고 투명하며 원만히 밝고 깨끗한 것이니, 곧 진리다. 성품의 본체다. (바다에서) 거품이 일어난 것이 육신이 된다. 거품은 생겼다가 꺼지지만, 물의 본성은 자연 그대로이다. 이것이 곧 죽지도 않고 소멸하지도 않는다.
> 물의 한 가지 성품으로 오행을 깨달을 수 있다. 살리는 성질이 곧 목이다. 증발하는 성질이 곧 화이다. 응결하는 성질이 곧 토이다. 견고한 힘의 성질이 곧 금이다. 이것과 지·수·화·풍의 이치가 거의 합치해 다르지 않다. 단지 진흙으로 그 청결한 본연을 흐리지 않는 것이 곧 성품공부(性功)이다.[150]

고립되고 개별화된 개인의 육체적 욕구와 감정에서 포말처럼 일어나는 마음을 참되다고 할 수 없다. 그것은 각 존재의 개별적 물질성에서 기인한다. 대신 대승불교에서는 여래장, 즉 부처의 성품을 '진공묘유'로 본다. 서우의 문법에 따르면, 진공묘유는 곧 모든 물질을 꿰뚫어서 통하는 우주적 에너지의 보편적 성질이다.

없는 듯하지만(眞功) 물질성 안에 내재해 있는(妙有) 오묘하게 밝은 마음, 오묘하게 둥근 성품인 것이다. 그러므로 '참되다'고 하고, 그 법칙을 '참된 이법(진리)'이라고 한다. 서우는 성품의 본체인 우주적 에너지(元氣, 一氣)를 바다의

---

150. 此與關尹子譬水章相合. 性是眞空妙有, 空故容受其眞. 眞即理也. 譬諸水則湛然圓明而清淨者, 即眞理, 性之本體也. 漚發者爲肉身, 漚生漚滅, 而水性自然矣. 此乃不死不滅也. 以一水性而可悟五行者. 生性即木, 蒸性即火, 凝性即土, 堅力性即金, 此與地水火風之理, 若合無異. 但不以瓦土, 混其清潔本然者, 乃性功也. 『통편』, 124쪽.

물로 비유한다. 개별자의 육신은 바다에서 일어나는 거품과 같다. 그 "거품은 생겼다가 꺼지지만, 물의 본성은 자연 그대로이다. 이것이 죽지도 않고 소멸하지도 않는다."

물로 오행의 성질을 설명하는 것도, 에너지의 작용에 대한 유비이다. 원초적 에너지의 바다에서 보자면, 물질적인 욕구와 감각이 진흙처럼 물을 흐리는 오염원이다. 마음이 거칠게 요동하면, 흙탕물이 일어나지 않을 수 없다. 그러므로 "진흙으로 청결한 본연을 흐리지 않는 것"이 성품공부의 관건이 된다.

유·불·도의 마음, 그리고 인간 본성의 우주적 기원

비록 길게 말했지만, 독자들은 이런 불교 성품공부의 원리가 앞서 언급한 유교와 도교의 심성론과 맥락관통함을 이미 파악했을 것이다. 서우가 여래장, 도심 혹은 단심으로 부르는 성품 역시 '적멸寂滅'과 '무아'를 특징으로 한다. 그러므로 불교의 '적멸'에 대해 그는 이렇게 말한다.

> '적寂'은 곧 공자가 이른바 '고요하여 움직이지 않는(寂然不動)' 성품이다. '멸滅'은 온갖 욕망을 남김없이 소멸함이다. 역시 '자기를 이겨 내가 없음(克己無我)'과 같은 것이다. 그러니 '적멸'설을 가지고 불교를 배척하면, 두렵게도 누가 그 잘못에 책임을 지겠는가?[151]

이단을 배척한 유학자들은 불교가 '적멸'을 주장한다고 비판했다. 그런데 서우는 이런 유학자들의 논지를 재비판했다. '적멸'이 공자의 '무아'와 다르지 않다는 것이다. 독자들은 공자의 절사絶四를 기억할 것이다. 공자에게는 사사로운 의욕, 반드시 관철시키려는 기필함, 고집, '나'라는 자의식[152]이 없었다.

---

151. 佛氏之寂滅者, 寂乃孔子所謂寂然不動之性, 而滅即滅度衆慾, 亦如克己無我者也. 然則以此斥之, 恐誰服其過耶? 『통편』, 126~127쪽.

152. '자절사子絶四'는 『논어·자한』에 보인다. 본 장(4장) 각주 41번 참고.

그런데 이런 네 가지는 개인적인 태도이기도 하지만, 많은 경우에 또한 집단적이기도 하다. '나'가 '우리'로 확장된다. 그러면 조직이나 집단의 의욕, 기필함, 고집, 패거리의식이 된다. 그리고 사람들은 나의 의욕을 유보하는 대신에, 어떤 집단의 의욕에 합류함으로써 자기의 의욕을 대리만족하려는 경우가 많다. 기필함, 고집, 자의식 역시 마찬가지다.

조직이나 집단이 원하는 결과물을 얻기 위해 구성원의 의욕을 희생하길 요구하는 경우가 비일비재하다. 예를 들어 회사가 반드시 더 이익을 내야 한다는 필요성에 대하여, 직원이 자기의 필요성을 희생하는 것이 미덕으로 칭송된다. 그리고 이를 실행할 경우에, 그 직원은 이타적인 행동을 했다고 생각한다. 같은 직장 내에서도 그렇게 평가할 것이다.

그러나 그 조직이 이타적이 아닐진대, 조직에서 그의 이타적 행동은 그 조직 밖에서 볼 때 이타적인 게 아니다. 아무리 그럴듯한 목표와 구호를 표방하더라도, 모든 조직은 대개 그 조직의 어떤 이기적인 구성원보다 더 끈질기게 자기보존에 집착한다. 심지어 가장 선한 목표를 내세우는 종교 집단조차도 그렇다. 따라서 조직과 집단을 위한 이타적인 자기희생이란, 언제나 조직 외부의 타자에 대해 비우호적인 (심지어는 공격적인) 자원으로 동원될 위험이 높다.

게다가 개인 대 개인이라면 함부로 할 수 없는 일도, 조직과 집단의 수준에서는 도덕과 양심에 구애받지 않고 손쉽게 자행한다. 국가 간의 대결이나, 종교분쟁, 지역분규, 권력투쟁, 시장경쟁, 전쟁 등에서 이런 이율배반의 사례는 너무 흔해서 길게 말할 필요조차 없다. 개인으로서는 파리 한 마리도 못 죽일 심약한 청년일지라도, 나치의 게슈타포나 가미카제의 특공대로 잔혹한 살상에 몸을 던진다.

그런데 고작 집단의 욕망과 이념에 헌신하는 것을 가지고, 그 구성원들이 무아와 진리의 고상한 경지에 도달했다고 찬미할 수 있을까? 흔히 종교나 이념 집단에서 이런 사이비 해탈과 거짓 구원으로 구성원들을 세뇌하고, 결속하고, 동원한다. 유학자들이 불교를 배척하며 빠진 자가당착, 즉 서우의 말처럼 "무아를 주장하면서 적멸을 비판하는" 이율배반 역시 마찬가지다. 그것은 집단의식에 빠진 독단의 이념에 불과하다. 서우가 다시 말한다.

> 불교에서 '본마음(本心)'을 말한다. 그런데 (성리학자들이) '마음(心)'과 '이理'을 둘로 보는 논리가 또한 무엇을 말하는 것인가? 불교의 경서는 전적으로 '심성의 서적(心性書)'이다. 그리고 거기서 주로 관찰하는 것이 청정한 성품의 본체(性體)이다. 성품의 이치(性理)가 하늘에서 근원하는 것이 아닌가?[153]

성리학에서 '이'를 말하고 불교에서는 '본마음'을 말한다. 서우가 보기에 이 두 가지는 모두 천연의 본성을 가리킨다. 사실상 맥락관통한다. 그런데 성리학자들은 그것을 굳이 둘로 나누고, 양자가 다르다고 한다. 이런 논법은 사리에 어긋난다. 성리학이 심성을 논하지만, 불교 역시 그 못지않게 전적으로 심성에 주목하기 때문이다. 게다가 양자 모두 청정한 천연의 본성을 말한다.

그런데도 유교는 불교가 말하는 '청정'이 허망하다고 한다. 그리고 불교의 '본심'은 '이'가 아니라고 한다. 하지만 이는 단지 배척을 위한 배척의 논리에 지나지 않는다. 다소 거칠게 말하자면, 편협한 집단의식 혹은 이념틀로 옳고 그름을 일방적으로 규정한다. 따라서 이 지점에서 서우는 다시 질문을 던진다. "성품의 이치란 본래 하늘에서 근원하는 것이 아닌가?"

이 물음은 인간 본성의 자연적 기원에 대한 반문이다. 유교든 불교든, 사람에게는 순결한 우주적 본성이 있다고 한다. 그렇다면 그 본성은 어디서 왔나? 부처가 만들어 낸 것인가? 아니면 유교의 성인이 만든 것인가? 물론 그렇지 않다.

본성의 우주적 기원을 말하는 한에 있어서, 인간성은 종교나 이념을 초월한다. 인간의 본성 자체는 불교와 유교, 혹은 도교와 서양철학 등의 문화적 영향 이전의 것이다. 종교와 철학이 본성을 발명하지 않았다. 종교와 철학은 단지 이미 있는 인간성을 각자의 문맥에서 진술했을 뿐이다.

---

153. 且云本心, 而心與理爲二看之論, 亦何謂者耶? 釋氏書專是心性書. 而其主觀者, 淸淨性體, 則性理非原天者耶? 『통편』, 127쪽.

진화인류학의 문법으로 말해 보자. 수백만 년 전 침팬지의 조상과 갈라진 이래 인류의 본성은 오랜 역사를 통해 진화했다. 고작 1만 년 전에 농업이 발생하고 계급과 국가가 생겼다. 불과 2,500년 전에 석가모니와 공자가 불교와 유교의 문호를 열었다.

따라서 설령 각 종교와 사상의 개념과 문법이 다르다고 해서, 거기서 논구 대상으로 삼는 인간성 자체가 다른 건 아니다. 자연에서 비롯된 인간성의 이법에 대해, 불교와 유교는 각자의 언어로 말한다. 티엔天, 헤븐Heaven, 텡그리Tengri가 다르다. 하지만 가리키는 것은 사실상 하나의 하늘이다.

물론 하나의 대상(사실)에 대해 전혀 다른 가치판단을 할 수도 있다. 그러나 최소한 유·불·도 삼교에서 말하는 심성, 인간 본성의 원리는 대동소이하다. 도심·단심·여래장의 이름이 비록 다르다. 하지만 지금까지 말했듯이, 그것이 함축하는 의미는 일맥상통한다. 서우의 말이다.

> 오묘한 몸과 마음을 깨달아서 정기를 운용하면, 이로써 금강석 같은 성품의 본체를 견고히 응결해 성취한다. 즉 '지극히 참된 최고의 철리哲理'라고 말할 수 있다. 다만 부처가 오탁五濁[154]에 물든 세계를 지나치게 싫어해서, 설산에 들어가 수행하며 그 고결함을 다했다. 일상 속의 배움(下學)의 길을 전적으로 폐지해 버리니, 그리하여 훗날 오히려 폐단이 생겼다. 하지만 어찌 그런 폐단으로 그 지극한 견해를 비방하겠는가? 이(성품공부)는 그(부처)의 가장 뛰어난 가르침이니, 그 방편(權法)과 같이 보는 건 말할 가치가 없다.[155]

---

154. 오탁五濁은 말세에 일어나는 다섯 가지 혼란이다. ① 겁탁劫濁: 말세에 일어나는 재앙과 재난. ② 번뇌탁煩惱濁: 번뇌가 들끓음. ③ 중생탁衆生濁: 악한 중생이 마구 날뜀. ④ 견탁見濁: 그릇된 견해가 걷잡을 수 없이 퍼짐. ⑤ 명탁命濁: 인간의 수명이 단축됨. 『시공 불교사전』(시공사, 2003).

155. 以覺妙身心, 運用精炁, 以凝堅成金剛性體, 則可謂無上至眞哲理也. 但佛氏過厭五濁世界, 入雪山修行, 極其高潔. 專廢下學一路, 故後仍弊生. 然何可以其弊而遂訾其至見耶? 此其最上乘, 而若其權法則不足道也. 『통편』, 127쪽.

서우는 성품의 본체에 대한 불교의 공부가 "지극히 참된 최상"의 철학적 통찰에 이르렀다고 칭송한다. 오히려 그 공부가 너무 지나칠 정도로 순결해서 하학下學을 폐지해 버렸다고 한다. '하학'이란, 곧 일상의 생활세계를 기반으로 하는 공부를 말한다. 다시 말해 유교가 세간에 기반을 둔 공부를 중시하는 반면, 불교는 일상의 생활세계를 버리고 곧바로 도로 상향하는 출세간의 공부라는 문맥이다. 그런데 불교가 출세간에 치우치는 것, 특히 승려의 출가에 대해서는 서우도 다음과 같이 비판했다.

> 음란하고(淫) 죽이고(殺) 훔치는(盜) 것은, 삼교가 모두 금지해 경계하는 것이다. 유독 불가만 출가해서 결혼하지 않음으로 음란함을 끊는다. 이는 석가의 본뜻이 아니며, 뒷사람이 오해한 폐단이다. 아! 저 불교를 숭상하는 사람들이 낳고 화육하는 근원을 끊어 버리니, 이것이 어찌 원만하고 밝은 하늘의 이법이겠는가?
>
> 하늘과 땅이 일 년에 한 번 교합하고, 해와 달이 한 달에 한 번 교합한다. 그러므로 능히 (만물을) 낳고 화육한다. 사람 역시 반드시 몸소 체득해 실행(體行)한 뒤에야, 올바른 이법에 합치한다. 다만 너무 빈번해서 절도를 잃는다면, 의당 이를 '음란하다'고 일컫는다. 마땅히 이처럼 개정함이 옳다.[156]

윗글의 요지는 "낳고 화육하는 근원을 끊어 버리니, 이것이 어찌 원만하고 밝은 하늘의 이법이겠는가?"라는 한 구절에 있다. 유교에서 보는 떳떳한 인륜은 음양의 조화, 부부의 결합에서 시작한다. 천지만물의 탄생과 성장이 죄다 음양화합의 원리에 근원을 둔다. 하지만 승려는 출가를 하고 결혼을 하지 않으니, 인륜을 저버리고 공동체(사회·국가)에 대한 당연한 의무를 등한시한다는

---

156. 淫·殺·盜, 均爲三家之戒, 獨佛家以出家不娶爲斷淫, 此非釋迦之本旨, 而後人誤解之弊也. 噫彼崇佛者, 因絕生化之源, 是豈圓明之天理哉. 如天地一年一交媾, 日月一朔一交媾, 故能生化也. 在人亦須體行, 然後合於正理也. 若頻數無度者, 則宜名之曰淫. 當以此改正, 可也. 『통편』, 124~125쪽.

것이다. 이는 오래전부터 유교에서 불교를 비판하던 논거 가운데 하나이다.

불교의 '적멸'과 '본마음'에 대한 비난도 대개 출세간을 비판하는 논리에서 출발한다. 유교와 달리, 일상의 생활세계를 떠난 적멸과 본마음이 허망하다는 것이다. 물론 승려가 출가하고 결혼을 안 한다고 해서, 인류의 종족번식이나 국가·사회의 존속에 장애가 생길 정도로 심각한 문제가 되지는 않는다.[157] 하지만 승려의 출가를 비판하는 게 꼭 이런 현실적 이유 때문만은 아니다. 그보다는 원리적이고 상징적인 함의가 더 크다.

그것은 첫째, 출세간이 일반화할 수 있는 진리가 아니라는 문맥이다. 만약 도를 깨우치기 위해서 반드시 출가를 해야 한다면? 일체 중생을 남김없이 제도한다는 대승불교의 서원이 정작 이뤄졌을 때, 결혼하지 않는 남자와 여자만 남게 될 것이다. 그러면 인류는 멸종하고 만다. 물론 극단적인 상상이다. 하지만 출세간이 모두에게 적용될 수 있는 보편타당한 당위인가를 묻는 질문이기도 하다.

둘째, 출세간과 세간이 마치 성스러움(聖)과 속됨(俗)을 나누는 경계나 기준인 듯이 인식된다는 점이다. 서우의 비판에서, 실은 이게 중요한 요인이다. 출가한 승려의 세계는 성스럽고 도가 있으며, 세간의 도는 그에 미치지 못하고 속되다는 작위적 경계를 긋는다. 서우는 이것이 "원만하고 밝은 하늘의 이법"이 아니라고 명언한다. 왜냐하면 성스러움과 속됨의 기준은 그 사람의 실질적 공부, 양심과 바른 마음에 있지 출가 여부에 있지 않기 때문이다.

출가를 하고도 본성을 깨치지 못해 온갖 탐욕과 어리석음에 미혹된 중들이 부지기수다. 반면 세간에 머물면서도 "오묘한 몸과 마음을 깨달아서 정기를 운용"하고 "성품의 본체를 견고히 응결해 이룬" 구도자들이 도리어 적지 않다. 그런데 출가자의 겉옷만을 걸치고 성스러움을 가장한다면, 이것이 오히려 바른 도를 해친다. 또한 대중들도 다만 출가자의 겉모습과 신분을 기준으로 성과 속을 구분하니, 이 역시 어리석은 분별이다.

---

157. 물론 티베트나 태국처럼 자식 가운데 반드시 출가를 하는 관습법이 있는 지역에서는 출가가 사회·국가의 구조와 인구동향에 영향을 미친다.

이처럼 출세간과 세간을 나누고, 그것이 마치 성/속의 본질적인 구분인 듯이 오도하는 고정관념이 출가에서 비롯된 폐단의 하나이다. 그러나 출가를 하고도 오히려 축첩을 하고, 부귀를 탐하는 승려들이 즐비하다. 그러므로 결혼하지 않음을 곧 음란함의 단절로 보는 것도 잘못이다. 전병훈은 이것이 "석가의 본뜻이 아니며 뒷사람이 오해한 폐단"이라고 한다. 왜냐하면 음란함의 단절은 마음의 절도에 있지, 출가를 하고 안 하고에 있는 게 아니기 때문이다.

구도에 있어서, 출세간과 세간이란 다만 수단적인 방법(權法)의 차이에 지나지 않는다. 물론 불교의 교리와 교단체제를 수호하는 측면에서 본다면, 출가의 문제가 그리 간단한 사안은 아니다. 하지만 세간과 출세간의 분별은 석가모니의 근본취지가 아니다. 불교의 기본정신은 두 세계가 본래 둘이 아니라는 데에 있다. 게다가 전병훈은 불교에 국한하지 않고, 유·불·도와 서양의 지적 전통까지 아우르는 인류 보편의 철리를 근거로 말하는 것이다.

이런 견지에서 볼 때, 불교의 안과 밖 모두에서 경계할 바가 있다. 출가는 다만 구도의 방편이지 본질이 아니다. 그러니 먼저 불교 밖에서는, 출세간이 마치 불교의 본질적인 폐단인 양 공격하고, 그것으로 불교 마음공부의 가치 자체를 폄하하는 잘못을 범하지 말아야 한다. 앞서 인용했듯이, 전병훈은 이런 논법이 "말할 가치조차 없다"고 일축했다.

한편 불교 안에서는, 승려나 신도들이 출세간과 세간을 경계로 성과 속을 나누는 폐단을 일소해야 한다. 특히 출세간을 신성시하고 특권화하여 승려들이 일상의 도덕과 사업에서 멀어지는 허위의식을 경계해야 한다. 만약 이런 허위의식이 도를 넘는다면, 세간/출세간의 분별이 불교의 본질이 아니라는 항변이 무색해진다.

예를 들어, 역사적 사례로 불교가 크게 성행했던 고려 말에 출세간의 특권화가 극에 달했다. 그로 인한 불교의 부패 역시 극심한 지경에 이르렀다. 그러므로 성리학의 신진사대부들이 불교의 출세간을 근본적인 폐단으로 여겨 배불론排佛論을 펼치고, 민심 또한 거기에 크게 호응했던 것이다.

그런데 지금도 단지 출가했다는 이유만으로 세간을 떠난 성직자라는 자의식에 함몰되고, 떳떳한 윤리적 책임을 도외시하는 사례가 빈번하다. 게다가 출세간이라는 폐쇄적인 종교적 공동체의 특성상, 공인公人에게 요구되는 사회적 책임윤리의 감수성이 무뎌질 가능성이 높다.

새파랗게 젊은 승려가 나이든 평신도에게 막말을 일삼는다든가, 승려가 사찰에서 아무나 하대하며 무례하게 구는 등의 행실을 보면 누구라도 눈살을 찌푸린다. 하지만 정작 승려 본인은 그것이 잘못됐다고 자각하지 못하는 경우가 많다. 물론 이는 출가자의 허위의식에 불과하다.

그런데 이런 허위의식은 승려 집단의 부패와 안일을 부르지만, 그전에 구도자 자신의 양심과 본성을 해치는 해악이 더 크다. 그러므로 서우가 말한다.

> 다만 불교를 숭상하는 사람들이 유교철학의 일상적인 떳떳한 윤리덕행과 실업實業에 더욱 마땅히 합치하기를 바란다. 연후에 거의 비난받을 만한 책임을 지지 않을 것이다.[158]

그러나 다시 말하지만, 불교의 안이든 바깥이든 출세간을 성품공부의 본질적인 요인 내지는 자격으로 여기는 것은 잘못이다. 그렇다면 무엇이 본질적인가?

> 아! 3교의 심리학이 모두 '무욕'을 궁극지점으로 삼는다. 그러므로 다른 신학문의 '심리'도 어찌 (3교와) 서로 결점을 맞바꿔 원만함을 성취하지 않겠는가? '칼로 빽빽한 산의 지옥(刀山地獄)' 같은 여타의 교설은 의문이 남아 있어 취하지 않는다.[159]

유불도 3교가 공히 추구하는 심리학의 목표는 '무욕', 즉 청정하고 고요한 심성의 본체를 회복하는 데에 있다. 그리고 거기에 동의한다면, 3교 모두가 실

158. 惟願尚佛者, 尤當合致儒哲日用彜倫之德行實業, 然後庶不負賦畀之重矣. 『통편』, 127쪽.
159. 烏乎! 三家之心理學, 皆以無慾爲極點焉. 則他新學心理者, 安得不互換缺點, 以就圓滿乎? 餘如刀山地獄之說, 存疑不取也. 『통편』, 127쪽.

은 목적이 아닌 과정이요 수단이어야 한다. 거기서 삼교합일의 지점이 생긴다. 그러나 만약 어떤 종교나 학문이 그 자체로 목적이 된다면, 단지 자기의 옳음만을 고집하는 도그마에서 한 걸음도 움직이기 어렵다.

따라서 3교는 종교보다 공적인 학문과 보편적인 철학의 차원에서 접근하는 게 바람직하다. 더구나 서우는 서구 학문의 장단점까지 서로 교환해서, 이른바 '4교'를 원만하게 조제하는 지평을 열어야 한다고 한다. 이런 융합은 종교나 전공의 전면적인 통합이라기보다는, 마음공부에서 유용한 지식과 경험들을 서로 교환한다는 실천적인 문맥이다.

> 다만 뜬생각・잡념・편벽됨・태만의 싹이라면, 각자(自家)의 마음공부에서 이를 성찰해서 쉽게 제어할 수 있다. 오직 제멋대로 유동하는 사념(流注想)이 가장 제어하기 어렵다. 그러므로 위산선사潙山禪師[160]가 "참선 십여 년에 아직도 유동하는 사념을 끊지 못했다"고 한다. 이는 곧 부지불식중에 화살처럼 흘러왔다 떠나는 마음이다. 배우는 사람들은 모름지기 '근원을 품고 하나를 지키는(抱元守一)' 공부로 이를 제압할 수 있다.
> 『주자어류』에서 "정이천程伊川이 불교의 교설을 훔쳐와 자기가 사용했다"고 말한다. 이게 무슨 말인가? 진실로 그렇다면, 어째서 우리 유교의 일상적 공부(下學)로 그 폐단을 교정하고, 그 참된 견해를 장려하고 허용하지 않는가? 이것이 공정한 이치가 아닌가? 아![161]

위에서 자가自家란, 저마다의 종교나 전공을 가리킨다. 해서 문맥상 '각자'로 의역했다. 승려나 불자라면 '불교'가, 유학자라면 '유교'가, 심리학 전공자라

---

160. 위산선사는 당나라 때의 고승인 승려 영우靈佑(771~853)이다.

161. 自家心功惟浮思・雜念・放僻・怠慢之萌, 則省察而易以制之. 惟流注想者最難制之. 故潙山禪師云 "參禪十餘年, 未斷得流注想"者, 此乃不知不覺中, 流射自去之心也. 學人須用抱元守一之功, 可以勝之也. 『語類』云 "伊川偷佛說以爲己用, 此何言耶?" 苟如是, 則何如矯整其弊以吾儒下學而奬許其眞見? 不是公理耶? 噫! 『통편』, 127~128쪽.

면 '심리학'이 자가인 셈이다. 그들 각자의 마음 다스리기에서, 잡념이나 불량한 마음이 일어나는 초기에 그 징후를 감지해서 제어하기란 그다지 어려운 일이 아니다. 거기에는 저마다 충분한 노하우가 있다.

하지만 부지불식중에 전광석화처럼 나타났다가 사라지는 이른바 유주상流注想, 즉 유동하는 사념을 통제하기는 대단히 어렵다. 그런데 이런 유주상은 뇌 안에 정신에너지를 응결시켜, 하나로 품고 지키는 공법을 통해 효과적으로 제압할 수 있다. 서우에 따르면, 이는 내단학의 정신수련으로 불교의 약점을 보완할 수 있는 사안이다. 그것은 꾸준한 타좌의 공부를 통해서 실제로 증험할 수 있다.

한편 유교 성리학이 처음부터 불교 심성론을 수용했다는 것은 공공연한 비밀이다. 그런데 성리학의 정체성과 이념보존에 골몰하다 보니, 이런 사실을 굳이 은폐하고 유교의 독자성을 강조하는 호교護教적 변론이 증대했다. 또한 이단에 대한 배척도 눈에 띄게 강화되었다. 이에 대해 서우는 유교로 불교나 도교의 폐단을 보완하면서도, 도·불의 참된 견해 역시 정직하게 장려하고 허용하는 게 공정하다고 지적한다.

어쨌거나 궁극적으로는, 특정 종교나 자연인·법인·단체 등이 성품과 마음에 대한 동서양의 지식과 경험을 사적으로 전유專有하는 것은 바람직하지 않다. 그것은 인류 지성의 공동유산이기 때문이다. 대신 체계적이고 공정하게 이 주제를 연구하며, 그에 관한 지식을 관리하는 공신력 있는 학술적 기구 내지는 학문체계(학과, 전공 등)를 건립하는 게 긴요하다. 그리고 그건 동서양의 철학 및 과학의 융복합으로 이뤄져야 한다.

거기서 얻어진 지식과 노하우를 공공의 지식으로 인류전체에 배분하는 시스템도 필요하다. 마치 수학이나 과학을 세계가 공유하듯이, 마음공부의 지식과 이익이 전 인류에게 돌아가도록 해야 한다. 정신심리학을 공공의 학술로 정립해야 한다는 서우의 취지가 곧 그렇다.

8. 서양 심리철학

프롤로그: 형이상학의 무덤, 심리학 실험실

'심리학(psychology)'은 그리스어로 영혼을 의미하는 프시케psyche와 이법·본질·논증·이성 등을 함축하는 로고스logos의 결합으로 이뤄진 개념이다. 이것은 서양 심리학의 역사에서, 최초의 관심사가 어디서 출발했는가를 암시한다. 고대에서 중세까지의 심리학은 곧 영혼에 대한 탐구였다. 이때까지 심리학의 논의는 마음의 실체를 규명하는 데에 모아졌다. 그것은 철학, 특히 형이상학 담론의 일부였으며 또한 신학의 관심사이기도 했다.

심리학은 19세기 후반에야 비로소 인간의 정신과 심리과정을 경험적으로 탐구하는 과학의 한 분야로 독립했다. 1879년 말, 독일의 라이프치히 대학에서 분트Wilhelm Max Wundt(1832~1920)가 유명한 심리실험을 진행했다. 모든 심리학 교과서에서 그 실험을 과학적 심리학의 출발로 삼는다. 그런데 심리학이 이처럼 뒤늦게 독립을 선언하며 과학에 합류한 것은, 비단 그 학문에만 의미심장한 사건이 아니었다.

그것은 19세기 서구 지성사에서 형이상학의 최종적 사망을 알리는 조종의 울림과도 같았다. 흔히 심리학이 천문학·물리학·화학·생물학·생리학 등에 이어 마지막으로 탄생한 과학이라고 한다. 하지만 달리 보면, 그것은 형이상학에서 과학이 하나씩 떨어져 나가는 과정이었다. 즉 형이상학이 물리학으로 변신한 이래, 과학의 제 분과들이 철학에서 독립하다가 막내자식마저 '정신' 혹은 '마음'이라는 마지막 유산을 챙겨들고 집을 떠나 버린 사건이었다.

서구가 19세기에 이룬 대단한 발전은 기술 내지는 실용적 지식이라는 한 방향을 향하며 얻은 결과였다. 이 시기에 서구의 과학이 도달한 최종결론이란, 모든 영역에서 초월자를 제거하는 시도로 나타났다. 2천 년 넘게 형이상학을 이끌어온 신, 도덕, 그리고 영혼이 완전히 거세되었다.

그런데 심리학은 다른 어떤 과학보다 이런 유산들과 밀접하게 연관되었다.

따라서 심리학이 자연과학의 역사에 가장 뒤늦게 모습을 드러낸 것은 우연이 아니다. 그나마 끝까지 남아 있던 형이상학의 재산 물목들, 즉 신과 도덕과 영혼을 소거한 뒤에야 심리학이 과학에 합류할 자격을 얻었기 때문이다.

그리하여 본래 철학의 일부였다가 독립한 자식들이 의기양양하게 늘어섰다. 그리고 마침내 막내아들격인 심리학이 맥없이 고개를 숙인 옛 제왕, 형이상학의 목을 베었다. 마치 로마의 카이사르 앞에 선 브루투스처럼, 심리학은 인간의 마음에서 초월적인 것을 완전히 제거해 버린 19세기 서구의 지적 충동을 막판에 집행한 종결자였던 셈이다.

20세기의 심리학자들은 앞 시대의 선배들이 물려준 학문적 독립의 발판을 더욱 견고하게 다졌다. 다른 모든 자연과학이나 사회과학과 마찬가지로, 심리학 역시 다만 경험의 학문을 자처하며 도덕이나 영혼 등의 심오한 개념을 철저하게 배제하는 길을 걸었다.

그러는 동안, 그들의 실험실이 지난 수천 년간 서구 지성의 제왕이었던 형이상학의 무덤 위에 건립됐다는 사실은 거의 잊혀졌다. 형이상학의 기억은 화석화됐다. 그것은 대부분의 심리학 교과서에서 먼 조상으로 마지못해 진술하는 고대 철학자들에 대한 기억, 그나마 극히 짧은 몇 페이지 혹은 단지 몇 줄에 그치는 코멘트로 남아 있을 뿐이다.

게다가 그런 철학의 유산이 현대 심리학에 거의 아무런 영향을 미치지 못한다고 대부분의 심리학자들은 굳게 믿고 있다. 불과 몇 세대 전까지 서구 지성을 압도했던 정신의 유산에 대해서, 그들은 마치 2억 년 전 중생대의 공룡화석을 다루는 박물관의 학예사와도 같은 태도를 취한다.

그러나 그렇다고 해서, 인간의 마음이 지닌 경험적 내용들로부터 신·도덕·영혼 같은 형이상학의 요소를 제거하는 데 정말 성공했다고 단언할 수 있을까? 과학적 심리학 중에서 아무리 특수한 분야라도, 인간 정신의 실체를 완전히 배제한 채 마음에 대해 체계적으로 진술하는 일은 엄청나게 힘든 일이다. 심지어 그것은 거의 불가능해 보인다.

다소 거친 예를 들어 보자. 그것은 눈앞에 보이는 알록달록한 형상들을 말하면서, 광원光源의 존재를 배제하는 것과도 흡사하다. 사물에 대한 시각정보가, 단지 눈에 보이는 색채 이상의 (즉 경험적 국한을 넘어서는) 태양이나 전등 같은 빛의 특성을 반영한다는 사실을 당연한 듯이 도외시하는 셈이다. 그런데 정작 문제는, 사물의 시각정보를 모두 합친다고 해서 그것이 곧 태양이 되지는 않는다는 데에 있다.

현대 심리학은 행동과 사건으로 관찰되는 마음의 현상에 관한 정보를 수집하고 분석하는 일에 거의 모든 에너지를 집중한다. 그런데 그 모든 데이터들을 슈퍼컴퓨터에서 집약한다고 해도, 다음 질문에 대한 해답을 얻기 어렵다는 아이러니에 맞닥트린다. 질문은 이것이다. "마음 내지 정신이란 무엇인가?" 혹은 "마음의 정체는 무엇인가?"

정직한 심리학자라면, 이런 단도직입적인 질문에 심리학이 답할 수 없다는 사실을 누구보다 잘 알고 있다. 이런 사실에 대해 일반인들은 꽤나 의아해할지 모른다. 하지만 심리학자가 스스로를 과학자로 인식하는 한에 있어서, 이런 태도는 오히려 자명하고도 정당한 것이다. "마음의 본질이 무엇인가?"와 같은 고전적 질문은 해결되었다기보다, 심리학에서 배제되었다.

이와 관련해서, 과학적 인식의 경험적 근거에 대해 칸트가 2백여 년 전에 내린 판결의 효력은 여전히 유효하다. 과학은 관찰된 데이터를 이성적으로 추론해서 사물에 대한 지식을 얻는 '사변이성'의 활동이다. 하지만 관찰이 가능한 현상, 내지는 현상에 대한 지식의 집합이 곧 사물 자체인 것은 아니다.

그러므로 사물 자체, 즉 심리학에서라면 마음 자체가 무엇인가를 단도직입적으로 묻는 것은 과학의 차원을 넘어선다. 그것은 차라리 형이상학, 미학과 신학 그리고 윤리학에 적합한 주제이다. 과학은 다만 관찰이 가능한 경험적 현상에 대한 지식의 체계로 존립한다.

여타의 자연과학과 마찬가지로, 현대 심리학 역시 이런 판결문을 손에 쥐고 과학으로서의 권리를 얻었다. 그리고 이를 근거로, 자기들이 진리로 간주하는 마음의 경험적 데이터들을 수집·보존·분석하는 것으로 심리학의 역할을 엄격히 제한한다. 물론 과학자에게 있어서, 이것은 비난받기보다는 도리어 칭찬

받아야 마땅한 태도라고 할 수 있다. 그런데 심리학의 이런 태생적 특성으로 인해, 오늘날 마음을 다루는 어려움이 생겨난다.

한편에서는 종래의 선험적 도덕이나 종교 신학 등의 전제가 과학연구에 영향을 끼치지 못하도록 쌓은 높은 장벽을 유지해야 한다. 마음에 대한 과학적 탐구가 경험적 근거의 타당성을 얻기 위해서, 이것은 거의 필수불가결한 조건이다. 그러나 동시에 "정신과 마음이란 무엇인가?" 하는 질문에 대한 동·서양의 고전적 통찰에 담긴 진실한 (형이상학적) 가치를 보존하고, 개인들이 그것을 버팀목으로 마음의 안락을 얻을 수 있는 근거 역시 유지돼야 한다.

언뜻 보기에 모순처럼 보이는 이런 어려움은 사실상 균형을 필요로 한다. 누구보다 과학적 인식론의 입법자인 칸트 자신이 이런 필요성을 명료하게 자각했다. 그리하여 익히 알다시피, 거기서 『실천이성비판』이 나왔다. 하지만 칸트가 의도했던 사변이성과 실천이성, 과학과 형이상학의 균형은 서구 지성의 역사적 전개에서 충분히 실현되지 않았다.

18세기에 과학과 형이상학의 분열은 심화됐다. 그리고 19세기에 이르면, 수많은 철학자와 비평가들이 '형이상학의 종언'으로 부르는 분열의 극한지점에 도달한다. 그 과정에서 과학은 날개를 달았다. 하지만 형이상학은 피히테와 헤겔 등에서 잠시 극한의 불꽃을 일으키는 듯하다가, 끝내 빈사지경에 이르렀다.

그리고 여타의 자연과학이나 사회과학 분과와 마찬가지로, 그 분열의 끄트머리에서 현대 심리학 역시 독립했다. 이미 말했듯이, 그것은 형이상학과의 공존 내지 균형보다 완전한 단절을 의미했다. 심리학은 한때 자신의 제왕이자 아버지였던 형이상학의 목을 베었고, 그 무덤 위에 자기의 실험실을 건립했다.

서구 심리학에 대한 전병훈의 총론

20세기 초, 전병훈이 서구 심리학을 접할 당시에 이런 추세를 이미 어렴풋이 알고 있었다. 서구의 심리학이 과학을 표방하며 철학에서 독립했다는 소식이 전해졌다. 하지만 그 결정이 올바르다고 수긍하기는 어려웠다.

앞에서 살폈듯이, 정신과 마음에 관한 탐구는 동아시아의 지성사에서도 언제나 초미의 관심사였다. 심성론은 전통적 지식의 가장 핵심적인 구성요인이었다. 따라서 심리가 서구에서도 철학, 특히 형이상학의 탐구대상이었다는 사실을 납득하는 건 차라리 쉬운 일이었다.

그리고 한 발 더 나아가, 서우는 사물을 경험적으로 관찰하고 거기서 일반원리를 도출하는 과학의 방법론에 늘 찬탄을 금치 않았다. 그러므로 서구 심리학의 과학적 연구를 고무적으로 받아들였다. 그러나 심리학이 철학에서 완전히 독립하는 데는 분명히 반대하는 입장을 취한다. 그는 "심리학 위주로 독립하는 견해는 취하지 않는다"[162]고 명언했다. 또한 말한다.

> 원리의 지식이 철학의 근본이다. 그런데 심리를 표방하며 철학에서 벗어나는 자는, 크게 잘못될까 두렵다. 그러므로 내가 오히려 '심리철학'으로 명명한다.[163]

> 심리와 철학은 두 분야(科)로 나눌 수 없으니, 심사숙고해야 한다.[164]

여기서 이른바 '원리의 지식(原理知識)'이란 곧 형이상학을 가리킨다. 서우는 과학의 방법론으로 심리를 연구하는 것을 고무적으로 받아들였다. 그러나 심리학을 형이상학에서 완전히 분리하려는 시도에는 분명히 반대했다. 따라서 철학(형이상학)과 심리학의 일체성을 강조하는 뚜렷한 의도를 가지고 '심리철학'이라는 용어를 표방한다.

그런데 이것이 전통 지식인의 고루한 통념에서 비롯된 것만은 아니다. 서우의 견해는 서구 심리학의 역사에 대한 포괄적 이해에 근거를 두었다. 또한 비

---

162. 然主心理學獨立則不取也. 『통편』, 144쪽.
163. 原理知識, 爲哲學之本, 而表心理以脫離於哲學者, 恐爲大謬也. 故予仍以命名爲心理哲學也. 『통편』, 136쪽.
164. 心理與哲學. 不可分作二科也, 審矣. 『통편』, 137쪽.

록 제한적이나마, 그는 20세기 초 현대 심리학의 최신 동향을 알고 있었다. 그렇지만 무엇보다 동아시아 심학, 유불도 3교의 마음공부 이론과 실천적 경험에 기반을 두고 서구 심리학을 조명함으로써 주체적이면서 독창적인 시각을 확보했다.

서우는 고대·근세·현대를 나눠 서구의 대표적인 심리학 이론을 조명했다. 먼저 고대 그리스의 형이상학에서 서양 심리학의 기원을 규명했다. 인물로는 소크라테스·플라톤·아리스토텔레스를 들었다. 근대에는 몽테스키외·칸트·베이컨·데카르트·스펜서 등을 꼽았다. 특히 칸트에서 이른바 '심리철학'의 모범을 찾았다.

한편 19세기말과 20세기 초의 심리학 동향을 논평하며, 특히 뇌신경 이론에 주목한다. 그는 마음을 과학적으로 연구하는 데 찬성하면서도, 앞서 말했듯이 심리학이 철학에서 완전히 독립하는 데는 반대했다. 그 과정에서 당시에 생존했던 서양 학자로, 케베르와 회프딩을 참고하고 인용했다. 또한 당대 중국의 저명한 학자들, 예컨대 옌푸와 차이위안페이 등의 견해도 거론했다. 이제 본격적으로 그 내용을 살피기로 하자.

서양 고대의 심리철학: 그리스 3대 철학

전병훈은 "서양철학이 탈레스Thalēs를 시조로 한다"면서도, 소크라테스·플라톤·아리스토텔레스야말로 서양철학의 진정한 개창자라고 평가한다. 그리고 '그리스 3대 철학'으로 불렀다.[165] 특히 소크라테스는 "자고이래의 학문을 일변하여 전적으로 도학과 정의·덕행을 주장하고, 지극한 선을 위주로 하였다."[166]

그(소크라테스)가 사람들을 가르쳐 말했다. "그대의 정신이 바야흐로 진리

165. 西哲以廷禮爲初祖, 著三元論. 然希臘三大哲學, 即西哲之開山也. 『통편』, 129쪽.
166. 梭氏一變古來學問, 專以主張道學, 正義德行, 以至善爲主. 『통편』, 129쪽.

를 품으며 광대하도다. '하늘'을 말하지만, 눈으로 보는 하늘이 아니라 형체가 없고 허령한 지혜이다."
서구에도 이때는 역시 심리학의 분과학설이 아직 없었다. 그렇지만 동·서양의 학술을 막론하고, 어찌 심리 이외의 학문이 있겠는가? 대강이 이미 소크라테스의 철학 가운데 구비돼 있다.[167]

비록 심리학이 별도의 학문으로 정립되지는 않았으나, 소크라테스의 철학 가운데 이미 심리학설을 포함한다고 한다. 윗글에서 말하는 '형체가 없고 허령한 지혜'로서의 하늘, 거기서 비롯된 '진리를 품은 정신' 혹은 '허령한 지혜'가 사람에게도 존재한다. 그것이 곧 심리의 본원이다. 이와 관련해서, 전병훈이 소개한 소크라테스의 언명은 다음과 같다.

소크라테스가 말했다. "우리 사람의 마음 가운데 절로 허령한 지혜가 존재한다. 그러나 이 지혜란 우리가 스스로 만들어 낸 것이 아니요, 반드시 그 본원이 있다. 이 세계와 만물을 제작한 본원을 돌아보면, 바로 우리의 지혜가 유래하는 바인 것이다. 그가 세계를 안다. '절로 하나의 큰 지혜가 있는 자'가 존재하니, 그가 곧 이른바 '신'이다."[168]

소크라테스의 이런 사상을 플라톤이 계승해서 더욱 심화시켰다. 전병훈은 플라톤의 유명한 이데아론을 간략히 소개했다. 익히 알다시피 이데아는 플라톤철학의 핵심용어다. 그것은 사물의 본원이자 본질로, 현상 너머에 존재하는 초월적이고도 영원한 실재다. 전병훈이 접한 플라톤의 초기 번역에서, 이데아는

---

167. 其教人曰 "汝之精神, 方懷孕眞理, 而成爲膨大矣. 談天, 非目覩之天, 而無形虛靈之智慧也." 歐西此時, 亦未有心理學分說. 然毋論東西學術, 豈有心理以外之學耶? 大綱已具於梭氏哲學中也. 『통편』, 129~130쪽.

168. 梭格拉底(西曆紀元前四百三十二年, 希臘人)曰 "吾人之心中, 自有虛靈之智慧存. 然此智慧者, 非爲吾人所自造, 必有其本原也. 顧造此世界造物之本原, 正爲吾人智慧所自出者. 是知世界, 自有一大智慧者存也, 此即所謂神也." 『통편』, 129쪽.

'사물의 근본 성질(物之根性)' '허령한 근본 성질(虛靈之根性)' 등으로 진술된다.[169]

그런데 심리의 견지에서 보면, 사물의 이데아와 함께 그것을 인식하는 마음의 능력에 방점을 두지 않을 수 없다. 이와 관련해, 서우는 지식과 진리의 원인이 되는 이데아의 성질에 주목했다.

> 플라톤이 말했다. "…… 무릇 지혜의 본성이 참으로 온갖 사물에 부합해서 하나가 되지 않는다면, 끝내 스스로 확고해질 수 없다. 그러므로 (사물의) 극치 가운데서도 하나의 큰 극치인 것이 반드시 존재하니, 그로써 온갖 극치 중간의 잡다함을 통합해서 하나가 된다. 근본 성질로 말하자면 곧 완전무결한 일체가 되니, 즉 선善이다.
> 무릇 지극히 크고 오래되고 고요한 선은, 신이 아니라면 무엇이겠는가? 그러므로 '신'이란 곧 사람의 지혜가 층층이 포개진 위의 가장 높은 꼭대기(巓)에 거주하는 것으로, 학문이 극진해지는 지점이다. 다시 말하자면, 곧 신이 생존의 본원이며 지식(지혜)의 본원이다."[170]

플라톤철학에서 모든 이데아 가운데 최고의 이데아는 '선善'이다. 신은 지극히 선하다. 그리고 우주의 모든 것이 자신과 비슷한 상태이기를 바란다. 그리하여 우주는 전체를 아울러 오직 하나인 것이다. 또한 지극한 선으로 존재한다. 우주적 혼(우주혼)이 그 세계에 깃들어 있으며, 지혜(지성, 이성)를 그 본질적 특성으로 한다. 이런 우주혼이 모든 개별자에게 내재한다. 그것이 곧 "생존의 본원이며 지식(지혜)의 본원"이 된다. 이에 대해 서우가 부언했다.

---

169. 『통편』, 130쪽.

170. 柏拉圖(紀元前四百二十年, 希臘人)曰 "…… 夫智慧之性, 苟非合衆物以爲一, 則終不能自固. 是故極致之中, 必有一大極致者在, 以統合衆極致之間雜而爲一也. 就有根性而言, 則爲完粹無疵之一體, 卽善也. 夫至大至久至靜之善, 非神而何也? 是故神者, 乃居人智層累而上最高之智識者, 爲學問極盡之地者. 更而言之, 卽神者生存之本原, 智識之本原也." 『통편』, 130~131쪽.

플라톤은 소크라테스의 수제자로, 그 언설이 더욱 상세하다. 여기서 신이 가장 높은 꼭대기(巔)에 머문다는 것은, 도가에서 원신이 머리의 천궁天宮에 머문다는 취지와 서로 딱 들어맞는다. 아! 동·서양의 도가와 철학에서 신이 뇌수에 머무는 이치를 먼저 보았다고 말할 수 있다. 그러니 근세에 비로소 뇌신경을 발명한 것이 어찌 그들만의 독창적 견해겠는가? 이에 정밀한 좋은 법을 추가로 진술하니, 뒤편에서 다시 상세히 논한다. 그리고 『신약』에서 "하느님이 내 머리 안에 계시다"고 하는 것 역시 여기서 발원한 것일까? 여기서 말하는 "허령한 것"은 마음의 본체이다. 세상에서 보는 바가 한결같음을 알 수 있다.[171]

플라톤은 지혜의 가장 높은 층차(꼭대기)에 신이 거주한다고 언명했다. 서우는 이를 원신이 천궁에 머문다는 의미로 해석한다. 물론 이것은 비약이다. 또한 플라톤철학이 뇌신경 설의 전조라는 해석도 과도한 추론이다. 하지만 우주적 신이 세계에 편재하고 그것이 인간 육체의 특정한 부위, 특히 머리에 머문다는 것은 인류의 여러 신화에서 대단히 광범위하게 나타나는 스토리다. 그것은 수많은 고대문화에서 다양한 버전의 이야기와 상징으로 분포한다.

물론 고대의 이런 신화적 서사와 플라톤철학이 어떻게 연관되는가를 밝히는 데에 기나긴 논구가 필요하다. 하지만 서우의 정신철학에서 볼 때, 신화적 서사들은 뇌에 정신에너지가 깃드는 것에 대한 고대인의 직관적 체험을 반영한다. 그러므로 "세상에서 보는 바가 한결같다"라고 한다. 다시 말해, 뇌에서 일어나는 정신작용에 대한 자각적이고도 원초적인 경험이 여러 신화 및 철학에 두루 새겨 있다는 의미다.

한편 서우는 플라톤철학이 훗날 기독교 신학에 영향을 끼쳤다고 추정했다.

---

171. 柏氏乃梭氏之高弟, 其言加詳. 此云神居最高之巔者, 與道家元神居巔上天宮之旨相胳合. 烏乎! 東西之道哲兩家, 可謂先見神居腦髓之理, 而近世之始發明腦神經者, 豈其創見乎? 乃述益就精之良法也, 更詳於後篇. 而『新約』云 上帝在我頭裡者, 其亦發源於此乎? 此云虛靈者心之本體, 可見宇內所見之同然也. 『통편』, 131쪽.

실제로 플라톤의 신 관념이 초기 기독교에 수용돼 깊은 흔적을 남겼음은 공공연한 사실이다. 그런데 플라톤철학에서 신은 지각될 수 있으며, '지성(지혜)'에 의해서만 알 수 있는 것이다. 하지만 기독교는 신을 지성으로 알 수 없으며, 오로지 '믿음'으로만 구원이 가능하다고 못을 박았다.

이런 결정적인 차이를 전병훈 역시 간파했다. 따라서 그는 기독교에 관해 거의 논하지 않았다. 간혹 말하더라도, 철학의 아류 내지는 세속화된 종교로 논평하는 데에 그쳤다. 그는 기독교를 타력과 맹신에 의존하는 비지성적인 종교로 여겼다. 반면 '신'을 논하는 서양 철학자들의 견해는 적잖이 언급했고, 또한 그 내용을 대개 긍정적으로 평가했다. 예를 들어 플라톤의 다음과 같은 진술을 소개했다.

> 영혼(虛靈物)의 큰 근본이란, 곧 지극한 선의 성품이다. 신이 온갖 영혼에 대하는 것은, 마치 태양이 온갖 유형의 사물에 대하는 것과 같다. 태양이 지극한 선과 함께하여, 근엄하기가 제왕과 같다. 형체가 있는 지경(사물)은 태양이 이를 통솔해 제어한다. 형체가 없는 지경(영혼)은 지극한 선이 이를 통솔해 제어한다.[172]

> 정신은 스스로 운동력이 있는 것이다. 그러므로 정신이 우리 사람의 신체에 대하여, 그 운동의 본원이 된다. 세계의 대정신은 세계의 만물에 대하여, 곧 운동의 본원이 된다. 무릇 본원에 속하는 것은, 움직이지 않는 것(질료)보다 반드시 앞서서 존재한다. 그러므로 신이란 곧 세계의 대정신으로, 엄연히 존재함을 안다. 천지만물을 창조하는 것이 곧 신의 힘이니, 실로 능치 못할 것이 없다.[173]

---

172. 虛靈物之大本者, 即至善之性也. 神之於衆虛靈物, 猶太陽之於衆有形物也. 太陽與至善, 儼然如帝王. 在有形之境, 則太陽統御之. 在無形之境, 則至善統御之.(此是洞見至言, 極好) 『통편』, 131쪽.

173. 精神, 乃自有運動力之物也. 故精神之於吾人軀殼, 即爲其運動之本原. 世界大精神之

신은 아버지다. 실질(질료)은 어머니다. 만물은 자손이다. 신은 천하의 지극히 선하며 지극히 의로운 자이다. 그리하여 온갖 영혼(虛靈物)을 제조하고, 이로써 세상의 아름다움과 선의 전형으로 삼는다. 그러므로 무릇 형체가 없는 이법이 모두 신과 더불어 일체가 되고, 신의 아름답고 선한 덕행이 머무르게 된다. 우리 사람의 정신은 허령한 지혜로 말미암아 말하든지, 활발한 운동으로 말미암아 말하든지 논할 것 없이, 모두 불멸의 것이며 신체와는 멀리 떨어진 다른 성질이다.[174]

서우는 "플라톤의 학문이 실로 서양철학의 원조이며, 우리 학문(我家)의 지극한 언명과 딱 들어맞는 것"[175]이라고 평가했다. 여기서 '우리 학문'이란 넓은 문맥에서 동아시아의 유불도 삼교를 통칭하고, 좁은 문맥에서는 그의 정신철학을 함축한다.

도교나 불교와 마찬가지로 플라톤 역시 자기 의지대로 세상을 좌지우지하는 인격신, 편애하고 시기하며, 복수하고 처벌하는 외재적인 절대자의 존재를 말하지 않는다. 참된 신은 자신으로부터 만물의 영혼을 만들어 내는 세계정신(우주혼)이다.

신은 일체 존재의 근원으로 불멸하며, 우주의 중심에서 찬란하게 빛난다. 자체로 운동력이 있어서 삼라만상과 인간이 살아서 움직이게 한다. 온갖 생명체의 내면 깊은 곳에 깃든 빛, 하나인 것, 모든 사람에게 품부된 신성의 근원이다. 신은 지극히 선하고 의롭고 아름다우며, 지혜와 덕성의 본원이다. 서우는 이런 신을 말하는 플라톤의 철학이 성스럽다고 논평했다.

於世界庶物, 即爲運動之本原. 凡屬本原者, 必先於其所不動而存在也. 是知神者乃世界之大精神, 儼然存在也. 制造天地庶物者即神之力, 固無所不能也. 『통편』, 131~132쪽.

174. 神者, 父也. 實質者, 母也. 萬物者, 兒孫也. 神者, 天下之至善而至義者也. 於是制造衆虛靈物, 以爲下界美善之典型. 故凡無形之理, 皆與神相爲一體, 而爲神美善之德行寓也. 吾人之精神, 毋論由虛靈之智慧以言之, 由活潑之運動以言之, 皆爲不滅之物, 而夐乎與軀殼異性也. 『통편』, 132쪽.

175. 柏氏之學, 誠西哲之祖, 而脗合乎吾家之至言者也. 『통편』, 132~133쪽.

> 플라톤의 철리와 도학이 이처럼 극진하다. 학문이 이미 성스러운 지경에 이르렀다. 세계를 제조한 신을 '지극한 선(至善)'이라고 하고 '하느님(상제)'이라고 일컫지 않은 것은, 대개 번역어에 자세하고 간략한 차이가 있기 때문이다. 그러나 그것이 기독교의 앞선 기원임은 실로 의심할 수 없다.
>
> 하지만 근세에 창궐한 무신론자들이 허령설마저 고루하다고 하기에 이르니, 그 생각이 또한 매우 짧다. 마음에 실로 영靈과 지知가 없다면, 어떻게 물질과 과학의 성질인들 알겠는가? 이로부터 반성해서 외골수에 빠지지 말아야 한다.[176]

앞서도 말했듯이, 플라톤철학은 기독교 교리에 심대한 영향을 끼쳤다. 그러나 외재적 유일신을 섬기고, 교회나 교리의 절대적 권위를 정당화하는 숭배적 종교와는 거리가 멀었다. 플라톤이 말하는 신은 인간 내면에 깃든 영성과 지성의 보편적 근원이다. 그리고 개별자의 신성은 어디까지나 신에 대한 숭배가 아니라, 각자의 허령한 마음과 지성(이성)에 의해서만 성취되는 것이다. 플라톤의 이런 사상을 서우는 '철리'·'도학'으로 일컬었다.

서우는 숭배적 종교에 반대했지만, 또한 근세에 창궐한 유물론과 무신론이 허령설을 부인하는 데도 우려를 표했다. '허령'이란 마음이 텅 비고 고요하여 신령한 것이다. 다시 말해, 내면의 영성이 지극히 밝은 상태이다. 이처럼 허령한 마음에서 사물에 감응해 환하게 통하는 지혜가 생겨난다. 그러므로 플라톤은 윗글에서 마음의 영성(靈)과 지성(知)을 말한다. 이는 다름 아니라 서구에서 심리학의 어원인 '프시케'와 '로고스'를 함축한다.[177]

고대 그리스에서 서구적 정신의 초석을 다진 3대 철학자의 마지막 인물은

---

176. 柏氏之哲理道學, 如是極盡. 學已到聖域也. 制造世界之神稱以至善, 而不云上帝者, 蓋譯語有詳畧故也. 然其爲基督教之先因, 固無疑矣. 近世之刱無神論者, 至以虛靈說亦爲頑固, 其亦不思甚矣. 心苟無靈無知, 則何以知物質科學之性質乎? 於斯可以反省, 毋陷偏隘矣. 『통편』, 132쪽.

177. 서우가 심리학의 어원이 psyche(靈)와 logos(知)의 결합이라는 것까지 정확하게 알았던 것은 아니다. 그럼에도 불구하고 '영靈'과 '지知'로 마음의 허령한 본성을 표상한다.

플라톤의 수제자였던 아리스토텔레스다. 서우는 본성·신·마음에 관한 아리스토텔레스의 짧은 명구를 소개한 뒤에 이렇게 평론했다.

> "신이 본성이 된다(神爲性)"는 아리스토텔레스의 언명은, 도가의 "신이 곧 본성의 참(神即性眞)"이라는 언명과 서로 일치한다. 그가 중용의 도를 주창해 밝힌 것은 '도덕철학' 편에서 상세히 논할 것이다.[178]

간략한 논평이지만 논지는 분명하다. 아리스토텔레스가 언명한 '신'의 함의가 도가(도교)의 '정신'과 일맥상통한다는 데에 재차 방점을 둔다. 거기에는 오해가 있지만, 또한 나름대로 타당한 근거도 있다. 오해는 물론 각론에서 양자의 차이를 간과하는 데에 있다.

하지만 큰 흐름에서 보건대, 서양 고대철학은 분명 동양의 오래된 지혜와 서로 맥락이 통하는 바가 있다. 비록 도·신·우주혼 등으로 이름은 다르지만, 인간의 영성과 지성이 우주의 한 근원적 심연에서 비롯된다는 통찰은 대단히 흡사한 것이다.

인간이 타고난 마음 안에는 고결한 영성과 지성이 빛나고 있다. 그것이 곧 우주적 정신의 본성에서 비롯된다. 동·서양을 막론하고, 고대의 위대한 철인과 성자들이 모두 자기 마음 안에서 그런 정신의 빛을 발견했다. 그러나 현대인은 물질의 발전을 넘어, 세계의 물성을 노골적으로 숭배한다.

영성의 빛은 빠르게 꺼져 버렸다. 인간이라면 누구나 영명한 지성의 잠재력을 타고났지만, 그 또한 증대하는 물욕과 이해득실의 셈법에 가려졌다. 그리고 물질주의자들의 적나라한 탐욕이 밤낮을 쉬지 않고 현대사회를 관류하는 복음이 되었다.

물질의 발전에서 고대는 분명 현대만 못하다. 그렇다고 해서, 현대인의 영성과 정신이 고대의 조상들보다 더 진화했다고 감히 명언할 수는 없다. 현대인

---

178. 亞氏爲柏氏之高足. 其論性神心之言如是, 而神爲性之言, 與道家神即性眞之言相脗合也. 其倡明中庸之道者, 可詳於道德編. 『통편』, 133쪽.

은 성스러운 조상의 깨달음과 가르침을 뒤로 한 채, 다만 눈앞의 달콤한 이익만 탐하는 야만적인 영성의 단계로 퇴화하고 말았다. 그런데 서우는 물질과 과학의 눈부신 발전을 가져온 근원이 다름 아닌 옛 선조의 정신임을 상기시킨다.

따지고 보면, 서구 근대에 물질문명이 약진하게 된 원동력도 그들 문명의 뿌리이자 스승인 고대의 심오한 철학에서 비롯되었다. 고대에 융성했던 서양의 철학은 중세의 도래, 기독교의 번성을 거치며 점차 암흑기를 겪었다. 그러다가 근세에 다시 찬란하게 피어오른 철학의 불꽃이 인류역사상 위대했던 이성과 계몽의 한 시대를 견인했다.

전병훈도 말한다. "하지만 서구의 철학이 세 철학가 이후로 쇠미해져 중간에 단절되었다. 근세에 이르러야 고명한 철학자들이 출현하니, 끊어졌던 학문이 비로소 크게 드러나 빛을 발했다."[179] 그런데 서양 근대철학은 "그 학설이 매우 복잡하고 번쇄하여 요령을 얻기 어렵다"[180]고 서우가 다시 토로했다. 동아시아에 서양철학이 처음 소개되던 무렵이라, 이론의 난맥상이 한층 두드러졌다.

따라서 서우는 서구 근대의 마음에 관한 담론에서 "단지 가장 뛰어난 십여 철학가의 정수를 가려 뽑아" 논의하기로 한다. 선별의 기준은 마음 본바탕(心地)의 실제적 공부에 도움이 될 만한 내용으로 한정한다. 그리고 "골짜기에 피어오르는 안개처럼 분분한 학설들은 도리어 사람의 심리를 어지럽힐까 두려워 채록하지 않는다"고 천명했다.

그가 사례를 파편적으로 선별한 데는, 서양 근대철학이 충분히 이해되지 못한 이유도 있었다. 하지만 그 이전에 서우는 "학문이란 실제로 얻음을 귀히 여기며 단지 박식하기만을 좇지 않는다"는 정신에 투철했다.[181] 그러므로 '마음

---

179. 歐西哲學, 自三家以後, 即衰微中絶矣. 至近紀名哲輩出, 遂大闡絶學而發明之.『통편』, 133쪽.

180. 然其學說甚複雜而繁瑣, 難得要領.『통편』, 133쪽.

181. 是以余即只揀取最高十數大家之精要, 務進心地上之實功也. 餘如如谷騰霧之說, 恐反亂人之心理, 故不錄. 凡學貴實得, 不在徒博也.『통편』, 133~134쪽.

본바탕의 실제적 공부'를 기준으로 삼아, 서양 근대철학에서 마음의 본성을 고양시켰다고 판단한 사례들을 나름대로 선별했던 것이다.

계몽주의 시대의 심리철학: 오해와 가교

그 결과로, 서우는 몽테스키외·칸트·베이컨·데카르트·스펜서 등을 호명했다. 하지만 이런 선별이 그리 보편타당했던 것은 아니다. 예컨대 프랑스 계몽시대의 정치사상가이자 법률가였던 몽테스키외Montesquieu(1689~1755)가 서구 심리학설의 전개에 어떤 족적을 남겼는지는 거의 주목받은 바가 없다. 그런데 서우는 당시 중국에 막 소개된 『법의 정신』에서 다음 단락을 인용했다.

> 우주에 주재자가 있으니, 하느님(上帝)이라고 이름 지어 부른다. 만물에 대하여 하느님은 그것을 창조한 자이다. 그가 만물을 창조함도 이 이법(理)으로써 하며, 그가 만물을 유지함 역시 이 이법으로써 한다. 하늘이 만백성을 낳으니, 사물이 있으면 법칙이 있다. 그것[하느님이 만물을 창조하고 유지하는 것—역자 주]이 이 법칙을 따른다."[182]

윗글에서 흥미로운 구절이 발견된다. "하늘이 만백성을 낳으니, 사물이 있으면 법칙이 있다(天生蒸民, 有物有則)"는 부분이다. 이것은 본래 『시경』의 한 대목이다.[183] 다시 말해, 18세기 프랑스 정치학자의 언설이 기원전 수세기로 거슬러 올라가는 중국 고대 시집의 한 구절로 번역되었던 것이다. 이는 해프닝이다. 다소 엉뚱한 번역은 서로 충분히 이해되지 못한, 그러면서도 호기심 어린 시선으로 상대를 바라보던 생경한 타자들 간의 기묘한 매개를 암시한다.

---

182. 孟德斯鳩(西曆一千六百八十九年, 法國人)『法意』云 "宇宙有主宰, 字曰上帝. 上帝之於萬物, 創造之者也. 其創造之也以此理, 其維持之也亦以此理. 天生烝民, 有物有則, 其循此則也." 『통편』, 134쪽.

183. 『시경·대아·증민蒸民』에 보인다.

몽테스키외는 『법의 정신』에서 서구 근대 입헌군주제의 기틀을 마련했다. 거기서 긴요한 과제는 군주마저도 함부로 넘볼 수 없는 법의 일반적 보편성을 어떻게 정립하는가에 있었다. 이를 해결하기 위해 몽테스키외는 '사물의 본성에서 비롯되는 필연적 관계'의 문맥에서 법을 정의했다.

신의 세계창조, 물리적 자연계와 생명 등의 자연상태에서 국가상태에 이르기까지 사물은 각자의 본성에서 비롯되는 관계의 지배를 받는다. 그 관계는 사물이 처한 자연환경은 물론 경제·종교·관습 등을 포함하는 다층적 환경에 매개된다. 이는 '풍토적 자연법'이라고 부를 만하며, 이성에 의해 파악되고 설명할 수 있는 것이다.

20세기 초에 서양철학을 번역한 중국 사상가들은 이런 법사상에서 유교의 '이'와 불교의 '법'을 떠올렸다. 1909년 옌푸가 세계 8대 명저의 하나로 『법의 정신』을 번역했다(당시 번역서 제목은 『법의法義』였다).[184] 그래서인지 전병훈은 몽테스키외를 말하면서 옌푸의 언명도 함께 소개했다.

"후관候官[185] 옌푸가 말했다. '유교에서 '이'를 말하고 불교에서 '법'을 말한다. 법과 이가 당초부터 둘이 아니다."[186] 이런 문맥의 연장에서 옌푸는 『시경』 구절로 몽테스키외의 문장을 번역하거나, 동서양 법 정신의 맥락관통을 시사했다.

유교의 이理나 불교의 법(Dharma)이 모두 사물의 내재적 본성 내지는 이법을 함축하므로, 사물의 본성에서 법의 근거를 찾았던 몽테스키외의 사상과 상통한다고 본 것이다. 그런 해석이 전병훈에게 깊은 인상을 주었다. 그러므로 서우가 말한다.

"몽테스키외는 근세의 철학 대가이다. 떳떳한 인륜과 사물의 법칙을 앞서서 말했다. 그리고 하느님을 주재자로 삼았다. 사람의 심리란 한 몸을 주재하

---

184. 옌푸가 번역한 『법의』는 1909년 상무인서관商務印書館에서 출간되었다.

185. 옌푸가 복건성福建省의 후관候官 사람이었으므로, '후관엄씨候官嚴氏' 혹은 '후관엄기도候官嚴幾道' 등의 호를 썼다.

186. 候官嚴君復曰 "儒所謂理, 佛所謂法, 法·理初非二物." 『통편』, 134쪽.

는 것으로, 곧 상제가 부여한 것이다."[187] 그리고 다시 언명한다. "몽테스키외가 비록 심리를 명언하지는 않았다. 하지만 심리가 하늘에서 근원하는 것이 이처럼 역시 명료하지 않은가?"[188]

몽테스키외는 귀납적 방법으로 법의 근거가 되는 사물의 본성에 주목했다. 하지만 그 담론은 사물의 일정한 '관계(법)'의 원리에 국한된다. 그가 인간 마음의 본성까지 깊게 탐구했던 것은 물론 아니다. 그러므로 서우의 해석은 과도한 비약이었다. 이는 근대철학에 대한 불철저한 이해, 번역의 자의성 등이 중첩돼 생겨난 서양학문 도입기의 오해였던 셈이다.

이런 오해는 베이컨과 데카르트를 논하는 데서도 재현된다. 서우는 "베이컨과 데카르트가 귀납법과 연역법을 발명해서 철학의 새로운 정채精采를 이뤘으니, 족히 찬미할 만할 것"이라고 한다. 이는 타당한 진술로 별로 문제될 바가 없다. 그런데 전병훈은 "(연역법과 귀납법이) 아래로부터 위에 이르고, 가까운 데서 비롯해 먼 것을 밝히며, 이로써 그 본원을 밝히니, 우리 학문의 이른바 '궁리'의 법과 같다"고 한다.[189]

엄밀히 말해서, 연역법과 귀납법은 사물에 대한 추리의 절차를 체계화한 논리학상의 추론방법이다. 그런데 서우는 이런 추론방식이 인간 마음의 보편적 본성에서 비롯된다는 데에 방점을 두었다. 또한 그것이 유학에서 강조하는 '궁리'의 학문방법과 다르지 않다고 천명했다. 궁리가 언제나 마음을 경건히 하는 거경의 실천적 공부에 수반한다는 취지에서, 연역법과 귀납법이 다소 엉뚱하게도 유교 심학의 학문방법과 상통하는 것으로 이해되었던 것이다.

급기야 "그 방법 역시 우리 마음이 사물을 추리해서 규명하는 것에 지나지 않는다"[190]는 데에 이르면, 철학적 인식론과 심리학의 경계가 모호해진다. 또

---

187. 孟氏乃近世哲學大家. 先言民彝物則, 而以上帝爲主宰焉, 則人之心理, 主宰一身者, 即上帝所賦者也. 『통편』, 134~135쪽.

188. 孟氏雖不明言心理, 而心理之原天者, 於斯不亦瞭然乎? 『통편』, 135쪽.

189. 培根男爵(十八世紀英國人)唱歸納法, …… 笛卡兒(十八世紀法國人)唱演繹法. …… 此兩家發明兩法, 爲哲學之新精采, 有足多者. …… 自下而達上, 因此而明彼, 以窮其本原, 如吾家所謂窮理之法也. 『통편』, 138~139쪽.

한 데카르트와 베이컨이 마치 서구 근대 심리학의 선구자라도 되는 듯하다. 일견 사람의 지식활동과 인식능력이 마음의 작용이라는 넓은 문맥에서 보면, 그다지 억지스러운 진술은 아닌 것처럼 보인다.

그렇다고 해서, 연역법과 귀납법 같은 추론방식이 곧 심리학의 테마가 되는 것은 아니다. 왜냐하면 심리학이 마음을 과학적으로 연구하는 경험과학의 한 분야라면, 논리학은 인간의 사고과정(논리 규칙)과 추리의 원리를 순전히 이론적으로 탐구하는 분야이기 때문이다.

그리고 이런 기준에서 볼 때 베이컨과 데카르트는 논리학의 차원에서 귀납법과 연역법을 정립했지, 심리학 차원에서 마음의 작용을 논구했다고 말할 수 없다. 그러므로 전병훈이 그들을 심리철학의 지평에서 호명한 것이 과히 적절치는 않았다.

하니 단적으로 말해, 몽테스키외의 법의 정신이나 베이컨·데카르트의 논리학이 죄다 마음의 학문이라는 언명은 지나치다. 만약 서우의 논법을 끝까지 밀고 나간다면, 모든 학문이 결국 마음의 학문(심학) 아닌 것이 없게 된다. 학문이 인간 지성의 활동인 이상, 어떤 학문도 마음의 지적 본성과 능력을 초과할 수는 없기 때문이다. 그렇다고 해서 세상의 모든 학문에 대해 "우리 마음이 사물을 추리해서 규명하는 것에 지나지 않는다"고 말할 수는 없는 노릇이다.

따라서 다시 말하지만, 서우의 추단은 근대학문의 분과적 발전경로에 대한 이해의 부족에서 비롯된 오판이다. 서구 근대에 정치학과 논리학 등의 분과학문이 분화한 지적 계보를 서우는 아직 충분히 파악하지 못했다. 더구나 그는 마음에 관한 논의 전반을 포괄하는 동아시아의 '심학', 그리고 인간의 심리과정을 다루는 분과학문(과학)으로 정립된 서구 '심리학'을 뭉뚱그려 이해했다. 이는 서양학문 도입기의 시대적 한계이며, 또한 서우 개인의 철학적 과잉해석으로 지적될 수도 있을 것이다.

설령 백보를 양보해서 17세기 전반의 데카르트와 베이컨 그리고 18세기 전

---

190. 然其法亦不過以吾心推究事物. 『통편』, 139쪽.

반의 몽테스키외가 마음에 관해 말했다고 인정하더라도, 그것은 인간의 이성적 사유와 그 과정에 국한된다. 이 철학자들은 계몽주의 시대의 문호를 열었거나 혹은 그 시대의 한복판에 있었으며, 무엇보다 이성을 신봉했다. 심지어 신의 의도까지 포함해서, 그들은 이성을 넘어서는 어떤 권위나 신비적 진리도 허용하지 않는 대단한 이성주의자들이었다.

예를 들어, 몽테스키외는 신의 만물창조 역시 이성으로 파악되는 합리적인 이법에 따랐다고 보았다. 법을 '사물의 본성에서 비롯되는 필연적 관계'로 정의한 것 역시 법이 이성의 산물이라는 함의를 짙게 드러낸다. 데카르트는 사유과정에서 모든 의심스러운 것을 배제했고, 베이컨은 우상의 타파를 선언했다. 그들은 이성이 지배한 계몽주의 시대의 사상가였다. 이 시기에 마음의 본질, 사물의 본성이란 곧 합리적 이성에 다름이 아니었다.

하지만 전병훈이 말하는 마음(심리)의 함의는 이런 합리적 이성보다 심원하다. 그것은 이성(지성)을 포함해 감성과 의지, 그리고 우주의 본체로까지 파악되는 '본성'의 층위마저 함축한다. 서우가 이처럼 광대한 지평에서 심리를 정의했으므로, 이성을 진리의 근거로 삼는 서구 계몽주의 철학자들까지 마음의 사상가로 포괄했던 것이다.

프로이트와 융 그리고 전병훈: 정신분석학, 분석심리학, 원천심리학

익히 알다시피, 서구에서 이성의 표층을 넘어선 심층의 마음에 주목하게 된 것은 거의 19세기 후반의 일이다. 프로이트Sigmund Freud(1856~1939)가 종래에 은폐되었던 무의식을 끄집어내고 의식 일변도의 심리학을 해체하기에 이르러서야, 비로소 마음의 여러 층위에 대한 논의가 불붙기 시작했다. 그런데 지금까지도 논란이 계속될 정도로, 프로이트의 무의식 이론(정신분석학)은 심리학을 넘어 20세기의 서구 지성계 전반을 달군 뜨거운 화두가 되었다.

돌이켜 보면, 전병훈이 중국 북경에서 『정신철학통편』을 집필하던 즈음에야, 지구 반대편의 오스트리아 비엔나에서 프로이트가 계몽주의적 이성의 단단한 외피를 깨고 무의식의 심연을 들춰내기 시작했다. 그리고 프로이트가 『꿈의 해석』(1900)과 『정신분석학 입문』(1915~1917)을 출판하고 의식을 넘어서는 메타심리학으로서 정신분석학을 창안하던 시기에, 전병훈은 동서양 학문의 경계를 넘나들며 이른바 '원천심리학'의 통합적 마음 이론을 정립하고 실천하기에 열중하고 있었던 것이다.

물론 우리는 이 여정을 동일시할 수 없다. 또 그럴 필요도 없다. 비록 중첩되는 시기에 살았지만 두 사람은 서로를 알지 못했다. 프로이트는 평생 중국 땅을 밟아본 적이 없으며, 동양에 관심도 없었다. 다만 그의 연구는 일찌감치 중국에 소개됐다.

1914년 『동방잡지東方雜志』에서 『꿈의 해석』을 언급한 것을 필두로, 1910년대 후반기에 프로이트가 간헐적으로 소개되었다. 1920~ 1930년대에는 문예사조와 심리학 두 방면에서 프로이트와 정신분석학이 주목받았다.[191] 하지만 『정신철학통편』이 출판되기 전에, 전병훈이 프로이트에 관해 알았던 흔적은 어디서도 발견되지 않는다.

그럼에도 불구하고 전병훈이 언급하지도 않은 프로이트를 여기서 호명하는 이유가 있다. 동·서양 심리학의 학문적 시간대를 겹쳐 보기 위해서이다. 앞서 말했듯이, 계몽주의 시대의 이성주의자들을 마음의 이론가로 해석하기는 어렵다. 그런데 다소 엉뚱할지 모르지만, 서우의 논의에서 몽테스키외·베이컨·데카르트 등을 제외해 보자.

즉 서우가 계몽주의 시대의 사상가들을 호명한 것을 당시의 시대적·학문적 한계에서 비롯된 해프닝 내지는 오해로 가볍게 처리해 보자. 대신 전병훈이 정작 말하려던 핵심논지에 집중하는 게 어떨까? 몽테스키외·베이컨·데카르트의 철학 자체에 대한 학술적 연구는 사실상 서우에게 그다지 중요한 것이 아니었다.

---

191. 石向实, 「弗洛伊德精神分析学说在中国」, 『博览群书』 2008年 05期.

그는 단지 마음의 차원에서 법(혹은 정치)의 원리나 인지활동 등을 논구한 사례를 이들 계몽주의 사상가들에게서 찾으려고 했다. 물론 본문에서도 말했듯이, 그 시도가 과히 성공적이지는 않았다. 하지만 그렇다고 해서, 서우의 입론이 무의미했다고 단정하기에는 아직 이르다. 왜냐하면 서우의 관심사는 도리어 근자의 학문추세에 부합하는 바가 있기 때문이다.

현대 심리학은 마음의 메커니즘으로 다양한 사회적 원리나 인지활동 등을 논구한다. 또한 인지과학은 물론 정치·경제·문화·예술 등의 광범위한 영역에서 마음의 원리를 분석의 도구로 활용한다. 라스웰Harold Dwight Lasswell(1902~1978)이 프로이트의 정신분석 이론을 정치학에 도입한 이래, 20세기 중반에 프롬Erich Fromm이나 아도르노Theodor Wiesengrund Adorno처럼 대중적으로도 크게 환영받은 정치심리학 연구자가 뒤따라 출현했다. 그리고 민주주의 사회에서 정치의 주체로 등장한 대중의 정치행태를 심리적 차원에서 분석하는 다양한 이론 가설과 방법론이 제기됐다.

한편 미국 프린스턴대학교의 심리학 교수인 카너먼Daniel Kahneman은 경제주체들이 각기 다른 심리상태에서 어떻게 비합리적인 의사결정을 주먹구구식으로 내리는가를 심리학 및 그 실험방법으로 규명했다. 이로써 경제주체가 합리적으로 의사를 결정하고 행동한다고 전제하는 정통경제학의 기대효용이론을 뒤집었다. 카너먼은 이른바 전망이론(prospect theory)과 행동경제학을 창안했고, 그 공로로 2002년에 노벨경제학상을 수상했다.

이런 일련의 사례는 마음의 근저로부터 인간의 행태를 분석해 얻은 성과라는 점에서 일맥상통한다. 근대 계몽주의자들은 인간의 본성이 합리적이고, 이기적이며, 취향이 변하지 않는다고 일률적으로 전제했다. 그러나 현대의 정치심리학이나 경제심리학에서는 이런 인간관에 의문을 던진다. "인간은 완전히 합리적이지도, 이기적이지도 않으며, 취향도 불안정하다."[192]

이와 같은 가정은 합리적 의식(이성)을 넘어선 심층적 마음의 개념에 착안한

---

192. 대니얼 카너먼, 이진원 옮김, 『생각에 관한 생각』(김영사, 2012), 345쪽.

다. 프로이트가 무의식의 영역을 개척한 지 백여 년 만에, 정치·경제·문화·예술·과학 등의 제반 현상이 중층적 마음의 메커니즘을 통해 연구되고 있는 것이다. 그러므로 프로이트의 이론을 옹호하든지 비판하든지 간에, 현대의 마음연구자를 위시한 여러 학문의 종사자들이 그의 심층심리학에 심원한 빚을 지고 있다는 사실을 부인할 수는 없다.

그런데 프로이트가 비엔나에서 정신분석학을 개척하던 시기에, 서우는 지구 반대편의 북경에서 마음의 또 다른 심연(본성)에 천착하는 '원천심리학'을 말하고 있었다. 물론 앞서 말했듯이, 그들 사이에는 어떤 사상적 교섭도 없었다. 하지만 내용상에서 볼 때, 그들은 모두 합리적 이성(의식)에 국한하지 않고 인간 내면을 깊숙이 들여다본다는 공통점을 가지고 있었다.

특히 서우의 견해는 프로이트의 동료였다가 훗날 결별한 칼 융Carl Gustav Jung(1875~1961)의 학설에 보다 근접하는 듯하다. 융은 프로이트와 달리 유럽 이외의 문화와 사상에도 관심을 기울였다. 그는 아프리카와 인도를 여행했으며, 영지주의와 연금술을 연구했다.

익히 알다시피, 융은 프로이트보다 더 중층적으로 마음의 층위를 나눈다. 의식에 해당하는 자아, 다층적인 개인무의식과 집단무의식, 그리고 마음 가운데의 '자기' 등이다. 이런 견해는 전병훈의 원천심리학과도 잘 통하는 면이 있다.

물론 프로이트나 융과 비교하여, 전병훈을 현대적인 심리학자로 볼 수 있는가에 대한 논란이 있을 수 있다. 엄밀하게 말해 전병훈은 마음을 경험적이고 과학적으로 다루는 심리학자라기보다, 마음과 정신 등에 관한 형이상학과 공부론(수양론)을 논한 심리철학자였다. 무엇보다 전병훈 자신이 철학과 심리학의 분리에 반대했으며, 그런 문맥에서 '심리철학'이라는 개념을 의식적으로 사용했다.

하지만 20세기 초에 동·서양에서 제기된 심리학설을 비교하는 것은 여전히 흥미롭고도 의미심장한 테마이다. 이는 향후 전문적인 고찰을 필요로 한다. 그들은 중첩되는 시대를 살면서, 심층적인 마음의 탐구로 이른바 '정신분석학'과 '분석심리학' 그리고 '원천심리학'의 영역을 개척했다.

그 각각의 이론과 실천적 성격은 차이를 드러낸다. 하지만 20세기 초에 서구 지성의 패러다임을 뒤흔든 심리학자들은 의식(이성)으로 인간의 마음을 국한했던 이성주의를 넘어서, 이른바 '무의식'으로 불리는 마음의 심층을 여러 경로에서 모색했다. 같은 시기에, 서우 역시 본연지성으로 기질지성을 억압하던 동아시아 중세의 도덕엄숙주의를 넘어섰다. 그리고 하늘(자연)에서 부여받고 누구에게나 내재된 정신의 표층(식신, 의식에너지, 인심, 육단지심)과 심층(원신, 정신에너지, 도심, 본연지성)을 나누었다.

그런데 어디까지나 마음에 대한 과학적 연구자였던 프로이트나 융과 달리, 서우는 '마음 본바탕의 실제적 공부'를 천명한 구도자이자 실천가였다. 그는 표층의 의식에서 심층의 본성으로 들어가는 마음공부를 강조하고 실행했다. 그런데 여기서 심층의 본성이란, 추상적인 원리(理)와 선험적 도덕으로 건립된 동아시아 중세 심학의 강마른 세계와 다르다.

서우가 제시한 마음공부의 목적지는 사람들 각자의 내면에서 정신에너지가 환하게 빛나는 '참나'의 본향으로, 서구 계몽주의 시대의 '이성'보다는 융이 말하는 '자기(Self)'의 층위에 더 근접했다. 그러므로 만약 서우가 프로이트나 융의 연구를 접했다면 그리고 프로이트와 융이 동아시아의 마음을 더 깊게 이해했다면, 아마도 훨씬 풍부한 심리학적 담론과 상상을 주고받았을 것이다.

하지만 아직 동·서양이 그렇게 교섭하는 시대가 아니었다. 그럼에도 불구하고 그들은 각자의 방식으로 보편적 이성이나 추상적 도덕을 넘어섰다. 또한 마음의 메커니즘과 활동을 근거로, 정치·사회·경제·문화·예술·종교 등의 원리와 행태를 해석하는 문호를 열었다. 프로이트와 융 그리고 전병훈은 모두 심층적인 마음의 시대로 들어가는 문턱에 서 있었고, 거기에서 그들의 심리학이 맥락관통하는 지평이 펼쳐졌던 셈이다.

칸트의 심리철학

심리철학의 문맥에서, 전병훈이 칸트에 대해 내린 평가는 다음과 같은 말로 대표된다. "내가 서양철학에서 플라톤이 이미 성스러운 지경이 이르렀다고 추앙했다. 그 뒤로 유일하게 칸트가 그 전통을 다시 빛내 성인에 버금가는 경지에 들어섰다고 말할 수 있다."[193] 서우는 아래와 같이 칸트철학의 개요를 소개하며, 그것을 '유심론唯心論'으로 호칭했다.[194]

> 칸트가 말했다. "우리 사람의 지식에는 반드시 다음 세 가지가 있다. 하나는 감각능력, 다른 하나는 추리능력, 다른 하나는 양지良智가 그것이다. 그런데 '추리능력'이라야, 실로 참된 지식(眞知)과 참된 인식(眞識)을 이룰 수 있다. 이는 다섯 감각기관의 능력으로 미칠 수 있는 바가 아니며, 깊이 생각하고 연구(攷察)하는 공으로 이룰 수 있는 것이다.
> '양지능력'의 종지宗旨를 곧 '정신'이라고 하고, '세계'라고 하며, '신'이라고 한다. 이를 일컬어 양지의 세 의상意象(의식적 표상)이라고 한다. 이 세 가지는 '사물의 근본(사물 자체)'으로, 온갖 이법이 연계된 것이다."[195]

윗글에서 감각능력·추리능력·양지에 관해 진술한다. 그것은 오늘날 보통 '감성感性(Sinnlichkeit)'·'이성理性(Vernunft)', 그리고 '통각統覺(Apperzeption)'으로 번역되는 칸트철학의 개념들이다. 감각능력, 즉 감성은 대상에서 기인하는 감각경험으로 표상을 받아들이는 능력이다. 추리능력, 즉 이성은 사유의 형식에 기초해 추리를 담당하는 고차적인 인식능력이다.

---

193. 愚於西哲推柏氏已到聖域, 其後惟一康氏, 可謂增光其統而進亞聖之域者也. 『통편』, 136쪽.
194. 此乃康氏哲眼大槪. 惟心論也. 『통편』, 136쪽.
195. 康德曰 "吾人之知識, 必須此三者. 一曰感覺之能, 一曰推理之能, 一曰良智, 是也. (耳目口鼻所觸, 幷及心內所感覺, 如耳之聲, 目之色之類.) 如推理能, 固足以爲眞知眞識, 非五官之力所能及, 攷察之功所可爲. 良智之能之宗旨則曰精神·曰世界·曰神, 是謂良智之三意象. 此三者乃物之根本, 而衆理所繫者也." 『통편』, 135쪽.

한편 양지, 즉 통각은 감성과 이성적으로 주어진 바들을 하나의 의식 속에서 통일하는 자기의식이다. 칸트는 이를 '경험적 통각'과 '근원적 통각'으로 나눈다. 전자(경험적 통각)는 경험으로 주어진 바들에 통일성을 부여하는 심리적이고 상대적인 자기의식이다. 후자(근원적 통각)는 모든 의식에 초월적 통일을 가져오는 근원적인 자기의식이다.

하지만 이는 후자를 전자와 구별하기 위한 편의상의 분류일 뿐, 실제적인 의식과정에서 두 통각이 완전히 별개로 작동하지는 않는다. 우리의 인식이 가능하기 위해서는, 개별적 감각기관을 통해서 결코 주어지지 않는, 다양함의 결합을 반드시 전제해야 한다.

한데 그 '결합'은 다양하게 주어진 잡다함을 종합해서 생겨나는 통일의 이미지, 즉 단순한 '결합의 결과'가 아니다. 오히려 모든 결합의 이미지에 선행하는 선험적인 '결합 가능성의 근거'가 필요하다. 이런 최상의 근거가 '통각의 종합적 통일', 즉 '자기의식의 통일'이다.[196]

그런데 칸트에 의하면, '통각의 종합적 통일'은 단지 지성(오성)의 논리적 판단 중에만 성립하는 것이 아니다. 모든 지성작용을 관통하는 최상위의 원칙이 곧 '통각의 종합적 통일'이다.[197] 그것은 감각경험에서 지성의 논리적 작용까지 포함한다. 그리고 이런 종합적 통일을 가능케 하는 선험적인 자기의식, 즉 통각이 윗글에서 '양지'로 번역되었던 것이다.

전병훈은 중국 근대의 계몽사상가인 량치차오梁啓超(1873~1929)를 통해 칸트를 이해했다. 량치차오가 1903년부터 1904년까지 발표한 「근세 제일의 대철학자 칸트의 학설」[198]이 칸트의 생애와 사상을 중국에 처음 체계적으로 소개한 글이었다. 그런데 이는 단지 칸트철학의 대강을 알리는 데 그치지 않고,

---

196. 김재호, 「칸트『순수이성비판』」, 『철학사상』 별책 제3권 제16호(서울대학교 철학사상연구소, 2004), 21쪽.

197. 위의 글, 22쪽.

198. 梁啓超, 「近世第一大哲康德之学说」, 『新民叢報』 25·26·28號(1903), 46~48號(合刊號)(1904).

유식불교와 양명학 등 중국 전통철학을 활용해서 칸트철학을 해석한 것으로 저명하다.[199] 게다가 그 번역은 매우 복잡한 경로를 거쳐 이뤄졌다. 이에 관해서는 뒤의 '정치철학' 편에서 다시 다루기로 한다.

여하튼 윗글에서 칸트철학의 개념이 '양지良智', '의상意象' 등으로 번역된 데에 주목할 필요가 있다. 이는 칸트철학 이전에, 동아시아에서 먼저 널리 유통된 철학 개념들이었다. '양지'는 사람의 선천적인 지능, 혹은 지혜를 가리킨다. 천부적인 능력이라는 문맥에서, 맹자는 이를 '양능良能'이라고도 했다. 특히 양명학에서 '양지'는 사람이 나면서부터 지니는 본성(지성), 우주의 모든 이치를 함축한 마음의 본체를 가리킨다.

한편 '의상' 개념은 『주역·계사전』에서 유래했다. "상을 세워 뜻을 다한다(立象以盡意)"는 구절에서 따온 말이다. 본래는 '괘의 이미지로 사물의 의미를 온전히 표현한다'는 기호학적 함의를 담고 있었다. 그로부터 비롯되어 의식적 표상, 즉 의미를 담은 표상을 '의상'으로 부르게 되었다. 그런데 『주역』의 '의상'은 뜻을 담은 추상적 부호를 가리키는 데에 그친다. 하지만 훗날 그 의미가 확장되어, 주관적 정감과 사물의 이미지가 서로 융합된 심상心象을 함축하는 철학적이고 문예적인 개념이 되었다.[200]

이는 오늘날 칸트철학에서 통상 '표상表象(Vorstellung)'으로 번역된다. 칸트에게서 표상은 우리 인식의 기반인 '직관' 및 '개념'과 관련된다. 더 정확히 말하자면, '직관 중에 주어지는 인식'과 '개념을 통한 인식'이 모두 표상과 관계를 맺는다. 칸트가 말했다. "우리의 인식은 심성의 두 기본원천에서 발생한다. 하나의 원천은 표상을 받아들이는 능력이다. 또 하나의 원천은 이런 표상을 통해서 대상을 인식하는 능력이다. 전자에 의해서 대상이 우리에게 주어지고,

---

199. 김제란, 「양계초 사상에 나타난 서학 수용의 일단면: 유식불교를 통한 칸트의 재해석」, 한국사상문화학회, 『한국사상과 문화』 제46집 (2009), 93쪽.

200. '의상意象'의 문예적 용례로 『문심조룡文心雕龍·신사神思』 제26에 보이는 "獨照之匠, 窺意象而運斤" 구절이 유명하다. "직관적 통찰력으로 뜻을 살펴 기예를 발휘한다"는 의미다.

후자에 의해서 대상의 표상에 관계해서 생각한다."[201]

그런데 '직관'이 개별적인 대상에 대한 '직접적인 표상'이라면 '개념'은 다수의 사물에 공통적인 특징을 매개로 해서 대상과 관계 맺는 '간접적 표상'이다. 단지 인식주관의 상태의 변화를 의미하는 '감각'과 달리, 직접적으로든 간접적으로든 대상과 관계 맺고 있다는 점에서 '직관'과 '개념'은 모두 '객관적 지각'이라고 불린다.[202]

그런데 전병훈이 윗글에서 강조하는 표상은 이런 '객관적 지각'의 표상은 아닌 듯하다. 말 그대로 그것은 '양지의 의상', 즉 선험적 통각의 표상이다. 그리고 그 표상은 다름 아닌 '정신'·'세계'·'신'이다. 익히 알다시피, 그것은 곧 칸트철학에서 '사물 자체(Ding an sich)'에 속한다. 이와 관련해, 서우가 다시 칸트의 번역문을 인용했다.

> 감각에서 얻어진 재료는 재단하고 정돈하는 과정을 거쳐 이를 판단한다. 곧 복잡한 데서 순수하고 간단한 데로 들어가고, 속된 견해에서 참된 인식으로 들어간다. 사물의 근본(사물 자체)을 일컬어 '정신'·'세계'·'신'이라고 한다. 세 가지는 천하만물의 근본이 되며, 사물의 가장 심원한 곳이다. 우리 사람의 지식으로 이에 투철하게 통달하려는 것은, 유독 양지(초월적 통각)의 한 가지 능력만 있을 뿐이다.
>
> 무릇 정신·세계·신의 세 가지 표상(意象)은 과연 어떤 것인가? 세상에서 이른바 이학理學의 3대 이법이 천하 모든 학술의 기초가 되며, 가장 심원한 경지이다. 예로부터의 성리학자(性理家)들이 스스로 아는 능력에 기인하여 우리 마음의 감각, 사상, 결단으로 삼았다. 그리고 정신의 본체를 허령하고 순일하다고 여겼다. 세계가 실로 우주의 안과 영겁의 가운데 있다.[203]

---

201. 임마누엘 칸트, 최재희 옮김, 『순수이성비판』(박영사, 1977), 96쪽; 김재호, 위의 글, 50~51쪽 재인용.

202. 김재호, 위의 글, 51쪽.

203. 感覺所得之材料, 因以裁制整頓而判斷之, 則由複雜而入純簡, 由俗見而入眞識矣. 物

이런 번역은 칸트철학에 대해 선행적인 이해가 없는 중국 독자들에게 일종의 격의格義로 진술된 것이다. 격의 방법론은 중국 사상사 전체에서 낯선 것이 아니다. 대표적으로, 기원 전후의 시기에 도가사상을 통해 불교를 해석했던 사례를 들 수 있다. 마찬가지로 량치차오의 초기 번역에서, 낯선 문화에 속하는 칸트를 중국철학의 개념을 통해 해석하는 경향이 두드러졌다.[204]

그리하여 윗글에서 동·서양의 철학 개념이 뒤엉켜 착종된 칸트의 문장이 펼쳐진다. 정신·세계·신을 '이학의 3대 이법'으로 일컫고, 서양 철학자들이 '성리가'로 호명되었다. 이 정도면, 칸트의 언명인지 아니면 중국 어느 성리학자의 진술인지가 모호할 지경이다. 이는 곧 동양철학을 매개로 이뤄진 칸트 이해, 내지는 오해의 한 전범을 보여준다.

칸트가 말한 '사물 자체'를 량치차오는 맹자에 보이는 '양지'의 문맥에서 판독했다. 혹은 양명학에서 말하는 마음의 본체와 거의 같은 문법으로 읽었다. 그러므로 양지가 곧 정신·세계·신이라는 언명도 생소하지 않았다. 그것은 동아시아적 세계관의 문법에서 (실은 오해였지만) 매우 잘 해독되었다. 서우 역시 이런 프리즘을 통해 칸트를 이해했다. 그리고 칸트가 다음과 같이 언명했다고 추가로 소개한다.

> '검핵檢覈'이란 우리 사람의 지혜 가운데서 세밀하게 조사하여 밝히는 것을 일컫는다. '사전의 인식(事前之識)'이란 고찰과 실험을 할 필요가 없이 얻는 것이다. '사후의 인식(事後之識)'이란 반드시 고찰과 실험을 하여 얻는 인식을 일컫는다. 우리 사람에게는 한 가지 일도 있기 전의 인식이 저절로 존재한다. 곧 '우주'와 '영겁' 두 가지가 그것이다. 그런데 이 두 가지는 실

之根本曰精神, 曰世界, 曰神. 三者爲天下萬物之根本, 事物之最高深遠處也. 吾人之知識, 欲透徹洞達於是者, 獨有良智之一能而已. 夫精神·世界·神之三意象, 果爲何物? 世所謂理學之三大理, 而爲天下萬般學術基礎, 最深遠處也. 古來之性理家, 因自知之能, 以爲我心之感覺·思想·決斷, 而遽以精神之本體爲虛靈·爲純一, 世界固在於宇宙之內, 永劫之中也. 『통편』, 136~137쪽.

204. 김제란, 위의 글, 114쪽.

로 '없는 것(無之)'[205]에 속한다.

(그것은) 우리 사람의 마음에 지나지 않으니, 이로써 사물을 규율할 뿐이다. 무릇 색채·소리·냄새·감촉은 실로 이로써 외물外物의 성질이 된다. 따라서 우리의 다섯 감각기관이 이(외물의 성질)를 접해 인지하니, 그 인식이 밖으로부터 오기 때문이다.

하지만 지금의 우주와 영겁 두 사물은 밖으로부터 오는 것이 아니다. 우리 마음이 사물을 관찰할 때에, 우리가 문득 사물을 가지고 이 두 의미를 좇아 차서에 따를 뿐이다. 이처럼 우주와 영겁 두 가지를 아는 것은 특히 우리 사람의 감각구조 중에 저절로 있는 것이며, 그 밖에는 본래 없는 것이다. 그러므로 이를 일컬어 감각의 형식(款式)이라고 한다.[206]

이 글의 요지는 이른바 '사전의 인식(事前之識)', 달리 말해 '선험적 인식'이 가능한 근거를 마음 안에서 찾는 데에 있다. 곧 '우주(공간)'와 '영겁(시간)'에 관한 인식이 "밖으로부터 오는 것이 아니"라, "우리 사람의 감각구조 중에 저절로 있는 것"임을 밝힌다. 그런데 여기서 우주와 영겁이란, 사실상 칸트철학에서 '사물에 관한 우리의 직관의 형식'으로 불리는 '시간(Zeit)'과 '공간(Raume)'의 번역이다.

이런 입론은 시간과 공간이 '사물 그 자체의 형식'이 아니라, 사물의 존립 이전에 선행하는 관념의 형식이라는 문맥에서 성립한다. 이로부터 칸트는 전통적인 '실재론'의 문제점을 해결하고, '관념론'으로 가는 실마리를 찾았다. 그런

205. 여기서 '없는 것(無之)'의 개념 역시 『노자』에서 비롯된 것이다.

206. 檢覈者, 謂就於吾人之智慧中, 細密以檢覈之之謂也. 事前之識者, 不須攷察實驗而得之, 事後之識者, 必須攷察實驗而得之之謂也. 吾人自有一事前之識在, 即爲宇宙·永劫二者是也. 然二者實屬無之. 不過吾人之心, 以此律物而已. 夫色也, 聲, 臭味也, 堅脆也, 外物實以此爲性. 是以我五官接而知之, 以其自外而來故也. 今之宇宙·永劫二物, 非自外而來者, 不過當我心之觀物時, 我輒以物循此二義, 而就於次序而已. 是知宇宙·永劫二者, 特爲吾人感覺之構造中, 自能有之, 而外此本無之也, 故名之爲感覺之款式. 『통편』, 135~136쪽.

데 량치차오는 시간과 공간이 불경에서도 통용되는 번역이라고 강조했다. 즉 불경에서 말하는 '허공'과 '영겁'이 공간과 시간의 형식에 다름 아니다. 그리고 중국 고유의 개념에서 '우'와 '주' 역시 그렇다고 한다.[207]

본래 중국에서 '우宇'는 공간을, 그리고 '주宙'는 시간을 함축하는 개념이었다.[208] 그러나 이런 시공 개념이 있었다고 해서, 불교나 중국철학의 시공관이 과연 칸트가 말한 '사물에 관한 직관의 형식'을 함축했다고 말할 수 있을까? 물론 이 질문에 대한 응답은 회의적이다. 지구상의 수다한 언어와 철학적 관념 안에 '시간'과 '공간'의 개념은 어디나 분포한다. 그렇다고 해서 어디에나 칸트의 철학이 있다고 말할 수는 없다.

칸트는 시간과 공간이 순전히 우리의 '직관의 형식'이라고 논증했다. 이런 발상은 엄밀히 말해 그의 발명이다. 칸트 이전에 누구도 이런 인식론적 명제를 분명하게 적시하지 못했다. 하지만 그렇다고 해서, 칸트의 인식론을 다른 유사한 철학사상과 비교하는 것마저 근원적으로 봉쇄할 필요는 없다.

예를 들어 이탈리아 파스타의 한 종류인 스파게티가 국수요리이므로 국수가 있었던 어디에나 스파게티가 있었다고 한다면, 그것은 과도한 비약이다. 하지만 중국 서부지역에서도 토마토와 계란을 한데 볶은 소스를 뿌린 국수요리를 오래전부터 만들어 먹어 왔다. 해서 그 두 종류의 국수요리를 서로 비교한다고 해서, 그 시도가 얼토당토않다고 말할 수는 없다. 어쩌면 이런 비교를 통해서 새로운 국수 조리법이 출현할 수도 있다.

국수요리에 레시피가 다르듯이, 구체적인 문법이 완전히 일치하는 철학사상도 실은 그리 흔치 않다. 그럼에도 요리법은 뒤섞이고, 철학사상도 교섭과 변천을 거듭한다. 더군다나 전병훈의 시대처럼 '격의로 착종하는 해석'이 범람하던 동·서양 문물의 교섭기에는 더 말할 나위가 없다. 그러니 이런 시대의 철

---

207. "時間·空間者, 佛典通用譯語也. 佛經又常言橫盡虛空, 豎盡來劫, 卽其義也. 依中國固名, 則當曰宇, 曰宙." 梁啓超, 「近世第一大哲康德之学说」, 『梁啓超哲學思想論文選』(北京大學出版社, 1982), 157쪽.

208. 『회남자·원도훈原道訓』에서 "天地四方曰宇, 古往今來曰宙"라고 한다.

학적 산물을 평가하면서, 어느 일방을 표준으로 착종의 시시비비를 따지는 게 반드시 올바른 척도는 아니다.

즉 칸트철학의 문법에 준거하여 그로부터 이탈한 오해를 따져 묻거나, 혹은 반대로 불교나 중국철학의 고유한 문맥에서 칸트를 끌어들인 걸 힐난하는 게 반드시 능사는 아닐 것이다. 그보다는 우리가 앞서 해왔듯이 칸트를 표준으로 삼지 말고, 또한 불교나 양명학도 기준으로 세우지 말자. 대신 전병훈이 정작 말하려던 핵심논지에 집중하는 게 좋겠다.

지금까지 살펴본 전병훈의 칸트 해석으로 볼 때, 서우가 말하려던 논점은 '양지능력'으로 부르는 마음의 본성(본체)으로 귀결된다. 그것은 곧 칸트가 '통각'이라고 부른 초월적 자기의식이다. 서우가 감각능력(감성) 및 추리능력(이성)을 말한 것은, 그것들과 양지능력을 구별하기 위한 데에 방점이 있다. 정신·세계·신은 양지의 표상으로서 "모든 학술의 기초가 되며 가장 심원한 경지"이다. 그리고 "세계가 실로 우주의 안과 영겁의 가운데 있으"며, 그것은 다만 "우리 사람의 마음에 지나지 않는" 것이다.

서우가 이해한 이런 '양지능력'이 칸트의 통각에 완전히 일치하는 것은 물론 아니었다. 그렇다고 해서, 그것이 왕양명의 양지와 같다고 말할 수도 없다. 서우 심리철학의 문법에서 볼 때, '양지(통각)능력'은 곧 사람들 각자의 참나인 뇌 안의 '원신의 능력'이며, 또한 우주 근원의 원신이 사람 마음 안에 내재한 선천적인 '본성의 능력'을 함축하기 때문이다.

서우는 자신이 통찰한 마음의 이런 본바탕을 서양철학의 선구자들도 이미 알았다고 여겼다. 특히 플라톤에 이어 칸트가 그 요지를 꿰뚫었다고 파악했다. 그러므로 서우가 마지막으로 인용한 칸트의 언명 역시 '양지'에 관한 것으로 종지부를 찍었다.

> 우리 사람의 양지가 유독 사물의 관찰을 목적으로 하지 않으며, 또한 도덕의 이법으로 인도하는 원인이다. ('도덕철학'에서 더욱 상세히 논한다.) 순전한 양지의 능력을 통해 허령한 실상의 세계로 들어가 그 불생불멸의 근본을

연구하면, 오래될수록 아득히 보는 바가 없게 된다.

'신'은 대개 현묘하여 생각할 수 없다고 일컫는다. 이른바 '정신'은 실로 신체와 함께 소멸하지 않는 것이다. 마음 가운데 실로 순수하게 완비된 표상(意象)이 있어서, 또한 세계만물을 보니 찬란하게 질서가 있다. 이것이 세계에서 절로 있으며 더없이 성스럽고 지혜로운 '신'이다. 이에 신이 세상에 감림監臨함을 의심할 수 없다.[209]

여기서 말하는 '신'이 서구 종교의 초월적인 유일신과 다르다는 사실을 재삼 강조할 필요는 없을 것이다. 서우의 문법에서 '신'은 곧 우주에 편재한 원신이다. 그것은 인격적 유일신이 아니라, 오히려 범신凡神이다. 초월하는 신이 아니라 모든 존재 안에 내재하는 신이다. 곧 '내 안의 부처'이며 '참나'인 것이다.

플라톤이 말한 '신'이 그와 맥락관통하며, 따라서 서우는 서양의 대표적인 철학자들이 말한 '신'이 플라톤의 문법을 계승했다고 여겼다. (물론 서양에서 실제로 반드시 그랬던 것만은 아니다.) 여하튼 이와 같은 문맥에서, 서우는 앞서 인용한 칸트의 사상이 "모두 '심리철학'이라고 말할 수 있다"고 명언한다.

그리고 "어째서 꼭 (철학과 심리를) 둘로 나눠야 하는가?" 하고 되묻는다. 심지어 이런 반문만으로도 부족하다는 듯, "심리와 철학은 두 분야로 나눌 수 없으니 심사숙고해야 한다"고 분명히 다짐하기까지 했다.[210] 그리고 매우 의도적이고도 자각적으로 '심리철학'이라는 용어를 사용한다.

원리의 지식이 철학의 근본이다. 그런데 심리를 표방하며 철학에서 벗어나는 자는, 크게 잘못될까 두렵다. 그러므로 내가 오히려 '심리철학'으로

---

209. 吾人良智, 不獨觀察事物爲目的, 亦所以導行道德之理也. (更詳於道德) 專以良智之能, 注入於虛靈實相之世界, 硏究其不生不滅之根本, 則久而久之, 茫無所見. 神皆謂玄妙不可思意. 所謂精神, 是固不與軀殼俱滅者也. 心中固有精粹完備之意象, 又見世界萬物, 粲然而有秩序. 是世界上自有無上聖智之神矣. 乃信神之鑒臨世上爲不可疑.『통편』, 137쪽.

210. 此偉見大旨, 皆可謂心理哲學也, 何必分而二之乎?(心理與哲學, 不可分作二科也, 審矣.)『통편』, 137쪽.

명명한다.[211]

오늘날 경험과학으로서의 심리학이 분과학문으로 성황을 누린다. 그럼에도 불구하고, 심리철학 역시 명맥을 이어가고 있다. 한데 그것이 반드시 서우가 말한 '심리철학'의 문맥에 부합하는 것은 아니다. 왜냐하면 지금의 '심리철학'은 심리학과 철학을 나누는 가운데, 다만 심성 또는 심적인 것을 논리분석의 대상으로 다루는 철학의 한 분과로 성립하기 때문이다.

하지만 전병훈은 철학과 심리학이 분리될 수 없다고 (엄밀히 말해 분리하면 안 된다고) 보았고, 그런 취지에서 '심리철학'을 명언했다. 다시 말해 그는 철학과 심리학을 긴밀히 통합하는 문맥에서 '심리철학'을 요청했지, 양자의 분리를 전제로 '심리철학'을 말한 것이 아니다.

서우의 요청은 심리학이 철학에서 막 독립하던 시기의 학문 분열에 대한 우려를 반영한다. 그리고 이런 우려의 연장에서, 현대의 심리학자보다 오히려 18세기의 칸트에게서 '심리철학'의 모범을 찾았다. 심리학에 있어서도, 서우는 칸트를 서구 지성의 정점으로 인식했다.

하지만 18세기에 칸트가 모색했던 사변이성과 실천이성의 공존, 형이상학과 과학의 병행은 균열을 드러내기 시작했다. 19세기 이후에 서구는 급속히 물질주의로 선회했다. 과학과 기술이 모든 지식을 압도하면서, 수천 년간 융성했던 형이상학의 종언을 고하기에 이르렀다. 칸트의 심리철학을 종결짓는 서우의 언명에는 이런 세계사적 물질주의 조류에 경종을 울리는 우환의식이 짙게 배어 있었다.

> 칸트의 철학은 실로 '원리도학'이라고 말할 수 있다. 그로부터 판단을 검증해 살피는 법을 처음 확립했다. 종전의 헛된 생각과 이론異論의 폐단을 일거에 쓸어버리고, 철학의 신세계를 크게 열었다. 아! 융성하다. 어찌 뭇 철

211. 原理知識, 爲哲學之本, 而表心理以脫離於哲學者, 恐爲大謬也. 故予仍以命名爲心理哲學也. 『통편』, 136쪽.

학을 집대성하며 과거를 빛내고 미래를 개척한 자가 아니겠는가? 학파가 지금까지 성대하니, 그 나라(독일)가 세계에서 학술이 가장 진보된 대국으로 울연히 일어선 것이 실로 그 때문이다. 그러나 그 나라가 오로지 부강만을 숭상해서 도덕에 힘쓰지 않는 것은, 칸트의 도학을 위배한 것이 아닌가? '도덕'과 '정치' 양편에서 다시 상세히 논할 것이다.[212]

현대 심리철학과 뇌신경의 이해

칸트를 정점으로 서구 근대 심리철학을 논평한 뒤에, 전병훈은 19세기 말부터 20세기 초의 심리철학 내지는 심리학으로 눈길을 돌렸다. 서구에서 스펜서 Herbert Spencer(1820~1903)와 케베르Raphael von Koeber(1848~1923)를 언급했으며, 서양철학을 중국에 도입한 옌푸와 차이위안페이蔡元培(1868~1940) 등도 호명했다.

스펜서는 20세기 초에 전 세계적으로 유행했던 사회진화론의 주창자로 널리 알려져 있다.[213] 그는 진화를 우주의 보편적 원리로 보았다. 별들의 생성, 생명과 인류의 탄생부터 인간사회의 도덕원리에 이르기까지 모든 것이 진화의 원리에 따른다고 생각했다. 개인뿐만 아니라 하나의 종種으로서 사람의 심리도 자연법칙에 지배된다고 여겼으며, 1855년에 『심리학 원리(Principles of Psychology)』를 출판하기도 했다.

하지만 20세기 초에 스펜서는 매우 단편적으로 동아시아에 소개됐다. 따라서 그에 대한 전병훈의 논평도 극히 소략하다. "스펜서는 근세 철학 최고의 명

212. 康氏哲學, 誠可謂原理道學也. 於是創立檢察判斷之法, 一掃從前空想異論之弊, 而大開哲新世界. 猗歟盛哉! 詎非集羣哲而大成, 光前啓後者耶? 學派至今爲盛, 其邦蔚然爲宇內學術最進步之大國者, 良有以哉! 然其國專尚富強, 而不務道德者, 無乃違背康氏之道學者耶? 再詳於道德政治兩篇耳. 『통편』, 138쪽.

213. 흔히 다윈이 '진화'나 '적자생존' 같은 개념을 발명했다고 생각하기 쉽다. 하지만 실은 스펜서가 이런 용어를 고안하거나 유행시켰으며 오히려 다윈이 그것을 차용했을 정도로, 스펜서의 진화사상은 당시에 큰 영향력을 발휘했다.

망가이다. 정신이 허령하여 움직이지 않는다는 설이 마음과 정신의 원리를 꿰뚫어 밝힌 것이다."[214] 스펜서를 논하는 전병훈의 언설은 이런 정도에 그친다. 대단히 간략하며, 또한 과히 적합한 논평이라고 보기 어려운 게 사실이다.

케베르는 1893년부터 1914년까지 약 20년간 일본의 동경제국대학에서 철학을 가르친 러시아 출신의 학자였다. 1903년에 차이위안페이가 케베르의 『철학요령哲學要領』을 중국어로 번역해 출판하면서, 중국에도 그 이름이 알려졌다. 하지만 이 책은 케베르가 대학의 강의교재로 엮은 것에 불과했다. 실제로 그것은 다소 엉성한 계몽적 성격의 출판물에 지나지 않았다.

하지만 서양철학에 목말랐던 당시 중국의 식자층 사이에서, 케베르는 꽤 영향력 있는 철학자의 한 명으로 널리 알려졌다. 전병훈도 이 책을 통해 케베르를 접했다고 추정된다. 그 책에서 몇 구절을 인용하기도 했다.[215] 하지만 지금 꼭 되새겨봐야 할 만한 내용은 거의 발견되지 않는다.

한편 서우는 당시 중국에서 저명한 학자였던 옌푸와 차이위안페이를 논하기도 한다. 하지만 그 역시 대개 간략한 언급과 칭송에 그친다. 중국학자들이 동·서양의 철학을 포괄하면서도, 주체적인 시각을 확보하려고 노력하는 데에 찬사를 보내는 정도였다.[216]

서우가 현대 심리철학을 이해하는 데 결정적으로 참고한 인물은 따로 있었다. 덴마크의 철학자이자 신학자였던 하랄드 회프딩Harald Høffding(1843~1931)이다. 회프딩은 1887년에 『심리학개론(Psychologie in Umrissen Auf Grundlage Der Erfahrung)』을 처음 독일어로 간행했다. 라운즈Mary E. Lowndes가 이 책을 영문(『Outlines of psychology』)으로 번역했고, 1907년에 왕궈웨이王國維(1877~1927)가 영역본을 다시 중국어로 옮겨 출판한다.

전문적인 심리학 연구서가 드물던 시대에, 전병훈은 회프딩의 저술을 통해 서구 심리학의 최신 동향과 쟁점을 파악했다. 그리고 철학과 심리학을 분리하

---

214. 此斯氏爲近世哲學最名家, 精神虛靈不動說, 洞明心神之理者也. 『통편』, 140쪽.
215. 『통편』, 140~142쪽.
216. 『통편』, 142~144쪽.

는 견해, 그리고 뇌신경과 마음을 연계하는 과학적 연구에 특히 주목했다. 서우는 회프딩의 다음과 같은 진술을 가장 먼저 도마 위에 올렸다.

> 하랄드 회프딩이 『심리학개론』에서 말한다. "심리학이란 정신의 과학이다. 정신은 일종의 비물질적 본체로, 자기를 위해 (자기를 목적으로) 존재하는 것이다. 완전하다는 증거가 아니겠는가? 인류의 정신은 곧 우주 계통의 일부분이다. 우리 사람은 철학을 형이상학으로 해석하니, 즉 우주의 원리를 추구한다.
>
> 그러나 심리학은 모름지기 독립된 학문으로 철학의 일부분이 될 수 없다. 심리학의 위치는 자연과학과 정신과학이 서로 만나는 접점에서 비롯된다. 물질이 정신의 영향을 받으니, 물질 역시 응당 정신의 성질을 지닌다. 독일의 심리학은 항상 형이상학에 가깝고, 영미의 심리학은 항상 기계적 과학에 가깝다."[217]

윗글의 요지는 크게 두 갈래로 나뉜다. 첫째로 정신이 '비물질적인 본체'로, '자기를 목적'으로 존재하며, '완전'하고, 또한 인간의 정신이 '우주의 일부'라는 형이상학적 원리를 말한다. 둘째로 심리학이 '자연과학과 정신과학의 접점에 위치'하며, 철학에서 '독립된 학문'이라는 것이다. 이 두 가지에 대해 전병훈은 분명하게 엇갈린 평가를 내놓았다.

전병훈이 말한다. "회프딩은 최근의 심리학 대가이다. 그가 심리의 본체(體)와 작용(用)을 논하는 게 매우 복잡하지만, 가장 정밀하고 적절해서 취할 만하다." 곧 회프딩이 말한 정신의 형이상학적 원리를 상찬하는 문맥이다. 그러나

---

217. 海甫『心理學概論』曰 "心理學者, 精神之科學. 精神爲一種非物質的本體, 爲自己存在者, 非有完全之證據乎? 人類之精神, 乃宇宙系統之一部分. 吾人解哲學爲形而上學, 即追究宇宙之原理, 則心理學必須爲獨立之學, 而不可爲哲學之一部分. 心理學之位置, 立於自然科學及精神科學相會之點, 物質受精神之影響, 則物質亦當帶精神的性質也. 德國心理學, 恒近於形而上學, 英國之心理學, 恒近於器械的科學." 『통편』, 144쪽.

다른 한편에서 서우는 노골적으로 회프딩에 반대했다. "심리학 위주로 독립하는 견해는 취하지 않는다."[218]

그런데 이는 단지 회프딩을 반박했다기보다 철학으로부터 심리학이 독립하던 당시의 학문 조류를 우려하는 명언이었다. 심리학과 철학의 통합 필요성에 대한 서우의 확신은 굳건했다. 그렇다고 해서 경험과학의 방법론으로 심리를 연구하는 데에 반대했던 것은 아니다. 그는 또한 '이성'을 숭배하던 서구 정통 철학에서 오랫동안 배제된 '감정'의 복권에도 눈길은 준다. 이와 관련해, 서우는 회프딩의 책에서 다음과 같은 글을 발췌해 인용했다.

> 심리학상의 분류로 오늘날 삼분법이 통용된다. 즉 지식·감정·의지로 분류함이 그것이다. 아리스토텔레스 이후로 심리학에서 사용한 지식과 의지의 이분법을 (18세기) 독일 심리학자들이 모두 계승해 사용했다. 그러나 감정생활의 중요함을 살피면서, 심리학의 분류상 큰 영향이 있었다. 칸트가 이런 삼분법을 응용한 뒤로, 마침내 세상 사람들이 공인하는 바가 되었다.[219]

그런데 이런 '감정'이 우리의 마음과 신체의 어디에 위치하는가를 두고 논란이 일었다. 데카르트 학파는 감정을 위시한 모든 의식이 뇌에서 작동한다고 보았다. 하지만 다른 일각에서 이와 다른 전통적 견해가 상존했다. 그 견해를 지지하는 사람들은 '뇌'가 지식활동으로 대표되는 고도의 이성적 기관이지만, 욕심과 감정은 뇌가 아닌 장기에 위치한다고 보았다. 회프딩은 후자를 지지하며, 다음과 같이 말했다.

---

218. 此是最近心理學大家. 其論心理體用甚複雜, 而最精切可取. 然主心理學獨立則不取也. 『통편』, 144쪽.

219. 心理學上之分類. 今日通用三分法, 即分爲知識·感情·意志是也. 自雅裏大德勒以來, 心理學上所用知識及意志之二分法, (十八世紀)之德國心理學家皆承用之. 但視感情生活之重要, 心理學之分類上大有影響. 自汗德應用此三分法後, 遂爲世人所公認. 『통편』, 144~145쪽.

> 근세 초에 데카르트 및 그 제자들이 비로소 감정을 비롯한 일체의 다른 의식현상이 모두 뇌수에 존재하다고 여겼다. 그리고 근세에 (물질적) 이익의 생산을 가져오는 효시가 되었다. 그러나 고대의 뇌와 마음의 대립론, (뇌와) 오성 및 감정의 대립론은 실로 깨뜨리기 어렵다. 그 이론이 경험을 근거로 하기 때문이다. 뇌수는 지식의 소재지다. 욕정과는 조금도 상관이 없다. 욕정의 유일한 위치는 내장內臟이 맞다.[220]

전병훈은 이런 견해에 상당히 고취되었다. 왜냐하면 그의 원천심리학에서 볼 때, 서구 심리학이 비로소 '원신'과 '식신' 개념에 근접한 것으로 이해되었기 때문이다. 따라서 회프딩의 견해가 "도가에서 '마음이 죽으면 정신이 산다(心死神活)'고 말하는 것과 같다"고 평가하기에 이른다. 또한 다소 격앙된 어조로 찬탄한다. "서양 심리학가들이 근세에 이르러 뇌신경이 심리의 주된 요인이고, 욕심은 반대로 '몸뚱이의 마음'에 귀결된다고 말하기 시작했다. 아! 서양 학문의 발달이 단박에 여기까지 이르렀구나."[221]

서우 심리철학의 문법에서, "마음이 죽는다(心死)"는 것은 신체에 분포하는 의식에너지(식신)의 작용이 진정된다는 의미다. 반면 "정신이 산다(神活)"는 것은 뇌 안의 정신에너지(원신)가 활성화된다는 뜻이다. 욕심과 감정으로 격동하는 마음은 식신에 속한다. 하지만 순수한 마음은 원신에 속하는 것이다. '욕정-의식에너지(식신)-육신'과 '심리-정신에너지(원신)-뇌'로 대비되는 전병훈 심리철학의 독특한 체계에서 그의 언명을 이해해야 한다.

그런데 회프딩의 『심리학개론』을 읽으면서, 서우는 서구 심리학에서도 대뇌를 정신의 핵심중추로 이해하고 있음을 알게 되었다. 아래는 다시 서우가 인

---

220. 近世之初, 特嘉爾及其弟子, 始以感情及一切他意識現象, 皆存於腦髓, 而爲近世生利之嚆矢. 然古代腦與心之反對論, 與悟性及感情之反對論, 固不易遽破之, 以此論經驗爲根據故也. 腦髓者, 知識之所在地也, 與慾情毫不相關, 慾情之惟一位置, 內臟是也. 『통편』, 145쪽.

221. 西洋心理學家至近世始言腦神經爲心理之主要, 而慾心則歸諸肉團之心. 亦猶道家言心死神活之見也. 烏乎! 西學之發達, 一至於此乎. 『통편』, 145쪽.

용한 회프딩의 말이다.

> 대뇌는 신경계통에서 건축의 주춧돌이다. 그 위치가 대뇌에 근접할수록 그 관계가 더욱 복잡하다. 그리고 포함된 신경세포 및 조직이 더욱 많다. '감각작용이 대뇌 각 부분에 있는 것이 어떠한가?' (그것은) 일찍이 학자들이 연구하는 바가 되었다. 하지만 고상한 정신작용이 대뇌의 특정한 부분에 속박되지 않는다는 것은, 그들이 공동으로 인정하는 바이다. 대뇌는 신경에 대하여 중심의 위치이다. 중심의 활동에 대해서는 (함부로 하지 못하도록) 통제함이 옳다.[222]

이런 회프딩의 언명에 대해, 전병훈은 "뇌신경이 심리의 본체와 작용(體用)이 되는 것이 이처럼 명백하다"[223]고 부언했다. 그리고 뇌의 구조에 관해 자신이 아는 바를 간략히 진술했다.

> 대뇌·소뇌·숨골이 있고, 서로 연결되어 척수에 이른다. 척수의 양쪽으로 신경 31쌍이 있으며, 몸 전체에 마치 실처럼 분포한다. 이 신경계통이 정신활동의 중앙기관이다. 뇌신경의 이론이 극히 복잡하다. 그러므로 단지 그 가장 긴요한 것을 뽑아 취했을 뿐이다.[224]

비록 초보적이나마 서우가 뇌의 해부학적 구조에 대해 상당한 지식을 가지

---

222. 大腦者, 神經繫統之建築之樞石也. 其位置愈近於大腦者, 則其關係愈複雜, 而所含之神經細胞及織維愈多. 感覺作用之存於大腦各部分者如何, 尚爲學者所研究. 高尚之精神作用之不縛於大腦一定之部分, 彼等之所同認也. 大腦對低神經, 中心之位置也. 禁制諸中心之活動是也. 『통편』, 145~146쪽.

223. 腦神經爲心理之體用者, 如是明白. 『통편』, 146쪽.

224. 有大腦小腦延髓相連結, 以及於脊髓. 脊髓兩側, 有神經三十一對, 分布於周身如絲. 此神經系統, 爲精神活動之中央機關也. 腦神經之論, 極其複雜, 故只揀取其最要者而已. 『통편』, 146쪽.

고 있었음을 잘 알 수 있다. 그 밖에도 전병훈은 뇌의 메커니즘을 통해 감각·본능 등을 설명하는 회프딩의 언설을 소개한다. 그리고 자신의 견해를 피력하는데, 마치 두 학자가 뇌에 관해 대화를 나누는 듯한 풍경이 연상된다.

【회프딩】 유기체의 감각에서 가장 뚜렷한 것은 미각·근육감각(筋覺)·청각이다. 그런데 촉각으로 잡다히 뒤섞여서 절대로 순일하다고 말할 수 없다. 노년에 오히려 유년의 일을 기억하면서, 최근의 일은 반대로 잊어버린다. (눈이) 가까운 사물을 보지 못하듯이, 기억 역시 그렇다. 그 뇌수의 활동에 새로운 이미지를 기억할 힘이 없으니, 노년에 얻은 바가 사라지기 쉬운 까닭이다.[225]

【전병훈】 이런 미각 등의 이론은, 반드시 불교 교설로부터 부연설명하지 않을 수 없는 것이다. (서양철학에 인도 불교학을 수용한 것이 많다.) 오직 혼백 이론이 우리 유가의 해석과 조금 다르다. 사람에게 혼백이 있으니, 혼魂이 지식활동을 하고 백魄이 기억한다. 어려서는 백이 날마다 자란다. 그러므로 기억력이 강하고, (어려서의 일을) 늙어도 잊지 않는다. 40세부터 백이 앞서 쇠퇴한다. 그러므로 점차 건망증이 생긴다.[226]

순일한 (미각·청각 등의) 개별적 감각에 잡다한 촉각이 혼입된다. 화프딩은 그것이 복합성 지각을 이룬다고 한다. 물론 이런 지각은 뇌에서 일어난다. 그런데 노년에 뇌의 활동력이 저하되면서, 이미지를 기억하는 능력이 저하된다. 이런 주장에 대해, 서우는 감각의 작용을 이해하려면 반드시 불교의 이론을 보

---

225. 有機感覺最明白者, 味覺·筋覺·聽覺, 多混以觸覺, 而決不能謂之純一也. 暮年猶記幼年之事, 而近事則反忘之. 不能視近物, 記憶亦然. 由其腦髓活動, 無保存新印象之力, 而晚年所得. 易於消解故也. 『통편』, 146쪽.

226. 此味覺等論, 未必不由佛說而加演者也. (西哲受印度佛學者多) 惟魂魄論與吾儒之解稍異. 人有魂魄, 魂以知之, 魄以記之. 少時魄日滿, 故記性強而至老不忘. 自四十魄先衰, 故漸至健忘也. 『통편』, 146~147쪽.

충하라고 한다. 즉 육근六根·육경六境·육식六識 등으로 감각과 지각을 설명하는 불교의 교설을 이해할 필요가 있다는 것이다.

전병훈은 또한 노년의 기억력 저하를 '혼'과 '백'의 활동으로 설명했다. 사람의 영혼을 이루는 혼과 백은, 각각 양과 음의 두 에너지에 상응한다. '혼'은 영혼에서 양기陽氣에 해당하며, 하늘에서 유래한다. 반면 '백'은 음기陰氣에 해당하며, 땅의 에너지에서 유래한다. 그런데 서우는 혼이 지식활동(지성)을 담당하고, 백이 기억을 담당한다고 한다. 따라서 노년에 기억력이 감퇴하는 것은, 곧 백의 기운이 쇠약해지기 때문이다.

회프딩은 감각·지각을 뇌라는 물리적 구조물과 직접 연계한다. 하지만 서우는 뇌와 지각 사이를 매개하는 정신에너지, 심령에 주목한다. 서우 심리철학의 문법에서, 뇌라는 물리적 실체와 지각을 하나로 연결하는 것은 정신에너지이다. 게다가 정신은 다만 뇌와 지각을 매개하는 데 그치지 않고, 그 자신이 마음의 본체가 된다. 혼백·심령·영혼·신은 모두 이런 정신에너지의 다른 이름이다. 두 사람의 문법의 차이는 '본능'을 설명하는 데서도 드러난다.

> 【회프딩】 본능의 위치가 아마도 중뇌에 있는 듯하다. (본능은) 순일한 정신력으로, 또한 수많은 정신력이 교차해 움직인 결과보다 손쉽게 발휘된다. 그러므로 유전하기 가장 쉬운 것으로, 본능만 한 게 없다. 우리가 "신이 주는 불"이라고 말할 때, 진정한 불의 관념이 혹은 그 흉금에 떠오르는지 모른다.[227]

> 【전병훈】 대뇌·중뇌·소뇌·숨골, 여러 신경의 허령한 지각이 흉중의 '몸뚱이의 마음(肉團心)'에 집중되어 작용하는 것이 분명하다.[228]

---

227. 本能之位置, 或當存於中腦也. 純一之精神力, 亦易於許多精神力交動之結果. 故遺傳之最易者莫如本能. 吾人說神來之火時, 眞正之火之觀念, 或浮於其胸次也. 『통편』, 147쪽.
228. 大中小腦連腦, 諸神經之虛靈知覺, 貫注於胷內之肉團心, 而爲用也明矣. 『통편』, 147쪽.

회프딩은 본능이 '순일한 정신력'이라고 한다. 그 역시 여느 감각이나 지각과 마찬가지로 뇌의 한 지점, 특히 중뇌에 위치한다고 비정했다. 예를 들어 우리가 뭔가를 듣거나 말할 때, 그것의 관념 혹은 이미지가 부지불식간에 뇌 안에 떠오른다. 회프딩은 이런 것을 곧 '본능'이라고 한다. 하지만 전병훈은 뇌 여러 부위의 신경을 타고 흐르는 "허령한 지각이 몸뚱이의 마음에 집중되어 작용하는 것"을 본능으로 본다. 다시 말해 '본능'은 식신의 일환으로, 뇌보다는 오히려 신체에서 작동하는 의식에너지인 것이다.

그런데 이런 정신이나 의식 에너지가 뇌나 신체의 물리적 기반을 떠나, 순수하게 심적인 존재로 독립해서 몸을 움직이는 것은 아니다. 그렇다고 해서, 정신과 의식 같은 비물질적인 속성도 결국은 물리적인 것으로 환원된다는 유물론이 타당한 것은 더더욱 아니다. 서우의 견해는, 서구적인 유심론과 유물론 가운데 어느 하나로 완전히 귀속되지 않는다. 이와 관련해서, 회프딩과 전병훈의 흥미로운 진술을 일종의 대담처럼 읽을 수 있다.

【회프딩】 근세의 유물론에서는 정신을 물질의 한 작용, 혹은 한 방면으로 여긴다. 오늘날 이 이론은, 사실상 물질 및 힘의 불멸론에 기반을 둔다.[229]

【전병훈】 물질에 고유한 힘이 운동력과 정지력으로 나뉘고, 혹은 기계력·분자력·생명력(生力)·활력·근력(緊力)으로 나뉘어 물질과 함께 변화한다. 그리고 생활력·반사력反射力·본능력本能力·감각력·지각력·감정능력(情能力)·논리력·의지력의 '역학力學'이 곧 '심학'의 힘을 빌린다.
심리능력(心理之能)이 우주를 관통하고, 천지를 움직인다. 더 나아가 말해, 척력(拒力)과 인력(吸力)과 열력熱力이 천지와 일월을 서로 유지한다. 무릇 유기체인 동식물이 어찌 생명력으로 조성된 것이 아니겠는가? 그러므로 내가 일찍이 태극에 능력이 있다고 밝힌 것이다. 이것이 곧 마음의 힘(心力)

229. 近世惟物論, 則以精神爲物質之一作用或一方面. 此論之在今日, 實築於物質及勢力之不滅論耳. 『통편』, 147쪽.

이다. 배우는 사람들이 '힘의 이론(力論)'에서 도를 깨우칠 수 있다.[230]

앞서 언급했듯이 회프딩은 '정신'이 자기를 목적으로 하며, 완전한, 비물질적 본체라고 보았다. 반면 정신이 물질의 한 작용에 불과하며, 물질과 힘이 우주의 불멸하는 본질이라는 유물론적 견해도 있다. 윗글에서 회프딩은 이런 유물론을 소개했다.

그런데 서우는 다시 유물론을 반박한다. 물질과 그 힘을 탐구하는 역학이 "곧 심학의 힘을 빌린다"는 것이다. 더 나아가 "심리의 능력이 우주를 관통하고, 천지를 움직인다"고 명언한다. 사람의 '심리능력' 내지 '마음의 힘'이란, 우주만물의 근원인 태극에 본래부터 잠재된 운동능력의 일부이다.

다시 말해, 우주는 처음부터 단지 물리력으로만 움직이지 않는다. 혹은 물리력이 작용해서 그 결과로 의식이나 마음이 생겨나는 것도 아니다. 그렇다고 해서, 만물의 배후에서 물질을 조종하는 어떤 초월적 정신이나 신이 따로 존재하는 것도 아니다. 태초의 원시상태부터, 우주에는 본래부터 이미 태극의 운동력이 내재한다.

이상이 곧 서우가 말하는 우주적인 '마음의 힘'이며 '심리의 능력'이다. 그러므로 마음은 단지 인간에게만 있는 것이 아니다. 천지만물에 죄다 마음이 있다. 그 마음들이 우주적 마음의 일부로 서로 연결되며, 하나의 큰 네트워크를 이룬다.

모든 사물의 물리적인 운동과 힘은 애초부터 이런 '마음의 힘(心力)'과 함께했다. 따라서 "배우는 사람들이 '힘의 이론'에서 도를 깨우칠 수 있다"고 하는 것이다. 이런 문맥의 연장에서, 서우는 과학적 상상과 물질의 발명 역시 결국

---

230. 物質固有之勢力. 分爲動力·靜力, 或分爲器械力·分子力·生力·活力·緊力, 與物質共進變. 而生生活力·反射力·本能力·感覺力·知覺力·情能力·論理力·意志力, 力學乃爲心學之助. 心理之能洞貫宇宙·動天地, 進而言之, 拒力·吸力·熱力, 相維持天地日月. 凡有機體動植物, 何往非生力之所造成者耶? 是以余嘗發明太極, 有能力者, 是乃心力也. 學人於力論, 可以悟道矣. 『통편』, 147~148쪽.

은 '마음의 힘'에서 생겨난다고 명언한다.

【회프딩】 과학적 상상, 정신상의 자유는 단지 부여된 원질原質의 결합에 있는 게 아니다. 그것은 새로운 사물의 관념을 구성한다. 뉴턴이 사과가 땅에 떨어지는 데서 비롯해 태양계의 근본법칙의 관념을 구축했으니, 곧 그런 것이다.[231]

【전병훈】 이런 실험과 관념이란, 실제로 증험하는 것이다. 감각의 힘으로 중력이 있음을 알았다. 벤저민 프랭클린이 종이 연의 실험으로 전력을 알았다. 그것(이런 실험)은 모두 감각에서 얻어진 결과를 벗어나지 않았다. 그렇다면 (중력이나 전력의 관념은) 오히려 마음의 이치(心理)로부터 얻어진 것이 아니겠는가? 그런데 특히 서양의 학술만 이와 같은 게 아니다.
『선감仙鑒』에서 이르기를 묵적이 나무 연(木鳶)을 만들어 공중을 날고, 또한 자전거(自行車)를 만들었다고 한다. 조선 중엽에는 세계에서 가장 먼저 능히 금속활자를 창조했고, 이순신 장군이 거북선을 발명해 바다 가운데를 잠행하며 적을 격파했다. 이장손李長孫이 진천뢰震天雷를 처음 제작했으나 뒤에 오히려 전하지 않았다. 대개 나라가 무력과 기술을 숭상하지 않았기 때문이다. 하지만 여기서 중국과 한국인의 심령心靈과 심력心力이 매한가지임을 알 수 있다.[232]

231. 科學的想像, 精神上之自由, 不但存於結合所與之原質, 而成新個物觀念. 奈端由蘋菓之落地, 而構成太陽系統之根本律之觀念, 是也. 『통편』, 148쪽.

232. 此試驗觀念者, 從感覺之力而知有重力. 福蘭苦靈氏以紙鳶之試驗而知電力, 皆不外感覺所生之結果, 則非由心理而所得者耶? 然不特西學如是, 而『仙鑒』云墨翟造木鳶飛行空中, 又製自行車. 朝鮮中葉, 最先世界而能創造活字, 將軍李舜臣創造龜船, 潛行海中而破敵. 李長孫刱製震天雷, (其制如今大砲彈.)(入敵陣, 敵以爲神奇而圍觀之. 於是塊破而彈散, 以破晉放城, 史有焉.) 後仍無傳. 蓋國不尚武, 尚技故也. 然此可見華韓人之心靈, 心力之一班也. 『통편』, 148~149쪽.

새삼 강조할 필요도 없이, 사물에 대한 관찰로부터 일반 원리를 도출하는 귀납법의 방법론을 기반으로 근대 과학이 성립한다. 그런데 '사물에 대한 관찰'이라는 개별적이고도 감각적인 경험에서 과학 법칙이 저절로 생겨나는 것은 아니다. 그 경험들은 '사고과정'이라는 대단히 복잡하고도 창의적인 마음의 프로세스를 거쳐야 비로소 '새로운 사물의 관념'을 형성한다.

뉴턴이 관찰한 것은 단지 "사과가 땅에 떨어지는" 시각적 경험이었다. 하지만 그로부터 "태양계의 근본법칙"에 대한 관념을 얻기에 이른다. 그런데 과수원의 모든 사과가 땅에 떨어진다고 한들, 거기서 저절로 만유인력 법칙이 나오는 건 아니다. 고대 그리스나 로마인들도 사과를 즐겨 먹었다. 더구나 그보다 훨씬 이전부터 사과는 언제나 땅에 떨어졌고, 오랫동안 인류는 그걸 두 눈으로 지켜봤다. 하지만 만유인력의 법칙은 뉴턴에 와서야 발명되었다.

'사과가 땅에 떨어지는' 현상을 눈으로 관찰하는 감각경험, 그리고 '태양계의 근본법칙'이라는 일반 원리 사이에는 실상 커다란 간극이 있다. 그러므로 회프딩이 "단지 부여된 원질의 결합"에서 자동으로 '새로운 사물의 관념'이 생겨나는 게 아니라고 한다.

대신 개별적이고 감각적인 관찰 너머에서, "과학적 상상"과 "정신상의 자유"가 작동한다. 여기서도 방점은 과학 이전에, '상상'·'정신' 그리고 '자유'에 있다. 그리고 엄밀히 말해, 그런 상상·정신·자유는 감각경험의 관찰대상이 되는 물질(原質)에 있는 게 아니다. 그것은 다만 우리 마음 안에 있다.

그러므로 다른 무엇보다, '마음의 힘(心力)'이야말로 과학의 성립을 가능케 하는 근원적인 능력인 셈이다. 전병훈은 바로 이 점을 말하고 있다. 윗글에서 이에 관해 잘 설명하므로, 다시 그 진술을 부언하지는 않겠다. 다만 이런 마음의 힘, 사람의 심령이 국가와 인종에 따라 다르지 않다고 서우가 강조하는 데에 주목할 필요가 있다.

단지 서구 근대의 과학만이 과학인 게 아니고, 사람이 일궈낸 모든 문명의 기반에 과학을 가능케 하는 '마음의 힘'이 존재했음을 말하는 것이다. 이런 문맥에서 벤저민 프랭클린과 이순신과 이장손의 발명은 모두 인간의 보편적인 마음의 힘이 발휘된 결과이다.

현대 과학의 기본적인 사고 도구가 신석기시대의 그것과 본질적으로 거의 다르지 않다는 레비스트로스의 '야생의 사고' 개념을 굳이 빌릴 필요까지도 없다. 귀납적 관찰의 방법론을 과학의 유일한 근거로 숭배하는 과학주의자들의 단순함을 드러내는 것은 그다지 어려운 일이 아니다.

다만 과학의 성립과 발전을 가져오는 인간 심령의 상상·자유·심력을 뒤로 한 채, 오로지 물질에 대한 외적인 경험을 추구하는 걸 과학으로 오인하는 통속적 과학주의가 세간을 뒤덮는 게 우려된다. 왜냐하면 단순한 물질주의가 '과학'의 외피를 두른 채 유행하면서, 심령의 자유와 존엄을 무시하는 독단이 더불어 확산되기 때문이다.

물질주의자(유물론자)들은 영성의 존엄에 대한 인류의 오래된 신념을 불완전하고, 부정확하며, 비과학적인 사고처럼 간주한다. 하지만 인간 영성의 우주적 근거와 자율성이 파괴된다면, 과학의 찬란한 발전을 가져왔던 정신의 위대한 상상력과 창의마저도 종국에는 파괴될 것이다.

그리하여 도래하는 미래사회란 물질화된 인간, 기계화된 신체에 속박된 심령의 비명이 마치 유령의 신음처럼 울려 퍼지는 디스토피아일지 모른다. 인류 역사상 물질의 추구가 극에 이르는 20세기의 초입에, 회프딩과 서우 역시 이런 미래에 대한 불안에 휩싸였던 것일까? 설령 그렇지 않더라도, 인간 정신의 자율성과 과학이 반드시 병존해야 한다는 것이 그들에게는 너무나 당연한 요청이었다. 그러므로 서우는 다음과 같은 회프딩의 말을 인용하면서 서구 현대 심리철학에 관한 논의를 끝맺는다.

> 진화의 법칙이 분산(散)에서 집중(聚)으로, 혼란(混)에서 질서(畫)로, 일치一致에서 다양함(萬殊)으로 진행된다. 이로부터 정신생활이 마침내 우주생활과 서로 연결되고, 그 생활 중의 일부분이 된다. 하지만 특히 주의해야 할 것은, 다름 아닌 개성화個性化의 사실이다. 우리 사람이란 유기체는 곧 하나의 소우주이며, 어느 정도의 독립성이 있는 자이다.[233]

서우는 윗글이 "'마음의 본체(心體)'를 말한다"고 명언했다. 특히 사람이 '하나의 소우주'란 견해에 찬사를 보낸다. "그 보는 바가 고원하고 광대하다. 대개 중국 및 한국의 성현과 어찌 다르겠는가? 아! 역시 정교하도다."[234] 여기서 서우가 말하는 마음의 본체란 곧 '정신'을 가리킨다. 인간의 정신이 우주의 정신과 연결되고, 또한 모든 개별자의 정신이 우주정신의 일부가 된다. 그러므로 사람 각자가 하나의 소우주이다.

다시 말해 '하나의 소우주'란 단지 물리적 우주에 대응하는 유기체로서, 인간이 우주와 자연과학적으로 통합된다는 것을 설명하는 데 그치는 게 아니다. 서우 심리철학의 문법에서, 그것은 사람의 심령이 우주적 심령에 대해 소우주라는 형이상학적 일체성의 원리를 함축한다. 이런 소우주론은 물론 동아시아의 전통적인 천인합일 사상과 심오하게 합치한다.

하지만 동·서양의 심리철학에는 또한 "서로 맞바꿔 상호 보충할 점이 있다." 서우가 그 내용을 "결론에서 상세히 논하겠다"고 했으니,[235] 우리도 이제 그 언명이 가리키는 방향으로 '심리철학' 편의 최종 결론을 향해 말머리를 돌리자.

9. 소결: '원천심리학'과 마음의 통합이론

전병훈은 동·서양 심학(심리철학)의 개요를 위에서 간략히 구비했다면서, 다음과 같이 명언한다. "아! 하늘이 성인과 철인을 내니, 그 심령이 만사에 통하고 지혜가 밝아서 위아래로 천지와 함께 유행한다. 크게 밝지 않음이 없고, 세밀하게 갖추지 않음이 없다."[236] 특히 '하늘이 낸 성인과 철인'은 동아시아에서

---

233. 進化之法則, 由散而聚, 由混而畫, 由一致而萬殊. 於是精神生活, 遂與宇宙生活相聯結, 而爲其生活中之一部分, 然當特別注意者, 則個性化之事實. 吾人之有機體, 乃一小宇宙, 而有某度之獨立性者也. 『통편』, 149쪽.

234. 此云心體, 一小宇宙, 則其所見之高遠廣大, 蓋與華韓聖賢何以殊哉? 吁! 亦精細哉. 『통편』, 149쪽.

235. 有可以互換相補之點, 則結論詳之. 『통편』, 149쪽.

유교의 창시자들인 요순과 공맹으로 대표된다.

그들이 제창한 심학의 요체는 "오직 마음을 맑게 하고 욕심을 줄이며, 본마음을 지키고 천성을 길러 하늘을 섬기는 것"으로 귀결된다. 요순의 이른바 '정일심법'과 공맹의 '극기복례'가 모두 그런 마음공부를 함축한다.[237] 다만 "오직 도가에서 뇌신경을 말한 것이 근세 서양철학에서 신경을 새로 주창한 견해와 같다." 하지만 그러면서도 서구의 이론이 더욱 정밀한데, 그것은 연구의 추세가 다르기 때문이다.[238]

여기서 서구의 연구 추세란, 곧 심리학이 경험과학으로 발전하는 것을 가리킨다. 그리고 서양의 "그 감각·촉각 등의 설이 불교 이론에서 말미암은 바가 많되, 더욱 상세하다"[239]고 한다. 서양 심리학에 끼친 불교의 영향이 과장되었지만, 그렇다고 해서 전혀 사실무근이었던 것만은 아니다.

한 예로 일찍이 토마스 만Thomas Mann(1875~1955)이 '모든 근대 심리학의 아버지'라고 불렀던 쇼펜하우어Arthur Schopenhauer(1788~1860)의 경우, 그의 『의지와 표상으로서의 세계』가 삶에 대한 심리학적 통찰과 불교적으로 변주된 인생관을 담은 심리학의 보고였다는 사실을 상기할 필요가 있다.[240]

1819년에 출간된 이 책에서, 쇼펜하우어는 이성을 전적으로 신뢰하던 19세기 유럽의 지적 풍토를 비판했다. 그리고 니체와 프로이트와 융 등의 심리학에 지대한 영향을 미친 '무의식적 의지의 세계'에 대한 심리철학적 성찰의 단초를 열었다.

그런 가운데 쇼펜하우어는 불교를 적극적으로 수용했다. 심지어 자기의 철

---

236. 東西心學之槪要, 畧備於以上所編. 烏乎! 天生聖哲, 其心靈通明, 上下與天地同流, 大無不燭, 細無不該. 『통편』, 149쪽.

237. 繼天以立人極, 即堯舜相傳之精一心法. 洎夫孔孟克復, 以至於今. 惟以淸心寡慾, 存心養性, 以事天爲心學之宗旨. 『통편』, 149쪽.

238. 惟道家言腦神者, 與近世西哲之新唱神經之見同, 而他論愈精微者, 以其硏究趨向之不同故也. 『통편』, 149~150쪽.

239. 蓋其感覺·觸覺等說, 多由佛論而愈詳細. 『통편』, 150쪽.

240. 김정현, 『철학과 마음의 치유: 니체, 심층심리학, 철학상담치료』(책세상, 2013), 32~35쪽.

학과 불교가 궁극적으로 동일한 내용을 가진다고 명언했다. 물론 불교를 염세주의적인 현실도피 사상으로 보는 쇼펜하우어의 불교 이해가 잘못됐다는 평가도 있다.[241]

하지만 19세기 초의 쇼펜하우어가 불교를 오해하는 장면, 그리고 20세기 초의 전병훈이 서양철학을 오해하는 장면이 오버랩되는 것은 대단히 흥미로운 일이다. 어쩌면 이런 오해들이야말로, 서로 다른 문화에서 자라난 이질적인 사상의 요소들이 한데 모여 변주되며 새로운 혼종의 안목을 창조하는 영감의 원천이 되었다.

그러므로 서구의 심리학설이 "불교 이론에서 말미암은 바가 많았다"는 전병훈의 언명이 반드시 타당하지는 않더라도, 그것이 사실이 아니라고 딱 잘라서 부정할 수만도 없다. 다만 이런 언명이 서양에 대한 동양의 사상적 영향력을 딱히 드러내기 위해서라기보다, 동서양 심리철학의 기본추세가 상통함을 강조하려는 문맥이었음에 주목할 필요가 있다. 서우가 말한다.

> 하지만 모두 '정신'과 '의식'을 심리의 본체와 작용으로 삼는다. 그리고 정감·지능·감각·관념을 큰 요지로 세우니, 이것이 곧 동·서양 심학 경험의 올바른 행보이다.[242]

즉 '정신'이 심리의 본체이며 '의식'은 그 작용이라는 언명이다. 그리고 이런 체용體用 관계를 토대로, 정감·지능·감각·관념 등에 주목하는 데서 동서양 심리철학의 바른 길을 찾았다. 하지만 엄밀히 말해, 동·서양의 심리철학에 위와 같은 원리가 공히 관통한다고 말하기는 어렵다. 그것은 어디까지나 전병훈 심리철학의 독특한 관점이었다.

---

241. 박찬국, 「쇼펜하우어와 불교의 인간이해의 비교연구」, 한국하이데거학회, 『존재론 연구』 제23집 (2013).

242. 然總以精神·意識, 爲心理之體用, 而情志·智力·感覺·觀念, 立爲大要, 則此乃東西心學經驗之矩步也. 『통편』, 150쪽.

즉 실제로는, 서우가 자기의 철학적 통찰에 근거해서 동·서양의 심리학설을 재조명했다고 말하는 게 타당할 것이다. (참고로 쇼펜하우어 역시 자기의 철학적 견해를 근거로 불교를 재조명했다.) 여하튼 그런 창조적 해석을 토대로, 서우는 동·서양에 "서로 맞바꿔 상호 보충해야만 하는" 요인이 있다고 적시하기에 이른다.

먼저 서양의 심리학은 "아래부터 배워 위에 도달하는(下學上達)", 즉 마음을 고양하는 동양의 실천적인 마음공부법을 응당 보완해야 한다. 그 구체적 내용은 다음 세 가지로 집약된다.

첫째, 부모에게 효도하고 형제간에 우애하는(孝悌) 떳떳한 윤리의 실행에 마음의 힘을 다한다.

둘째, 마음을 맑게 하고 욕심을 줄이며 천성을 보존해 하늘을 섬기는 마음공부에 힘쓴다.

셋째, 정신에너지(元神)와 의식에너지(識神)를 구별해서 연구한다. 그리고 이로써 마음을 수양하고, 참나를 완성해야 한다.[243]

이 세 가지는 대개 유·불·도의 마음공부에 상응하지만, 서우의 문법에서 말하자면 또한 삼교를 관통하는 원리이기도 하다. 한편 동양이 서양에서 배워 보완해야 할 것도 있다.

"우리 학문은 응당 (서양의) 정신·우주관과 (뇌)신경이 분포하는 작용을 취해야 한다."[244] 여기서 '정신·우주관'이란 서양 고대철학 이래의 정신·우주에 대한 형이상학 담론을 말한다. '신경이 분포하는 작용'이란 곧 마음에 대한 뇌신경학의 연구를 가리킨다. 다시 말해, 서구 형이상학과 과학의 정밀한 논의를 동양에서 보충해야 한다는 뜻이다.

"그리하여 한 덩어리를 이루고, 이로써 합치해 아울러 진작시키면 곧 '원천심리학'으로 부를 만하다." 이런 원천심리학이라야 마음의 학문이 원만하고

---

243. 余謂當互換相補者, 西學當添我下學上達之法, 先盡心力於孝悌彝倫之事, 而清心寡慾, 存心以事天而孝天, 且當研究元神·識神之別, 以養心成眞可也. 『통편』, 150쪽.

244. 吾學當取其精神宇宙之觀, 神經條分之用. 『통편』, 150쪽.

완미해진다. 그리고 비로소 "우리 신·구의 학자들이 또한 원융회통(通融)하여 이로써 원만한 덕과 겸성을 이루는 데에 뜻을 세우게" 된다.[245]

서우는 단지 사람의 마음을 분석해서 그것을 다른 용도에 활용하거나, 혹은 질병상태에 빠진 마음을 치료하는 데에 심리학의 역할이 있다고 보지 않는다. 그에게 있어서, 심리학은 심학 내지는 심리철학과 분리될 수 없다. 마음학은 마땅히 낮은 수준의 마음을 높은 경지로 고양하는 학문이어야 한다.

그리고 전병훈이 말하는 심학의 실험 내지 경험이란, 단지 관찰자로서 연구대상에 대해 심리실험을 하는 것에 국한되지 않는다. 대신 마음공부의 원리를 각자가 실제로 직접 실행해서, 스스로 증험하는 것까지를 포함한다. 이런 자기마음의 실험과 경험은, 실제로 오늘날 서구에서 모색하는 철학적 심리치료의 한 추세와도 무척 닮아 있다.

독일의 철학자인 베르더Lutz von Werder(1939~)의 경우는, 마치 서우의 비전을 실제로 구현하는 사례처럼 보인다. 베르더에 따르면, 철학이 없는 심리치료는 가능하지 않다. 그리고 이와 마찬가지로, 진정한 철학 역시 심리치료 없이 가능하지 않다.

그는 부처와 소크라테스 이래의 자기인식, 스스로 사고하기, 자기극복을 기반으로 하는 자기치유의 과정을 철학적 심리치료로 본다. 그리고 의사-환자를 치료의 주체와 대상으로 설정하는 현대 심리학의 기존 심리치료와 구분한다.[246]

서구에서 최근 주목받는 이런 철학-심리적 자기치료 개념이야말로, 전병훈이 말하는 '원천심리학'의 실천적 마음공부와 그 취지가 일맥상통하는 것이다. 한편 서우는 마음을 고양하는 심리적 경험이 단지 철학자나 종교적 성현, 혹은 학자들에게만 국한된 것이 아님을 강조했다. 심리적인 자기극복은 삶의 모든 영역에서 나타나고, 또한 필요하다. 특히 서우는 뛰어난 경세가들에게서 그 대표적인 사례를 찾았다.

---

245. 以打成一團, 以合致而弁做焉, 則可謂原天心理學, 始臻圓滿而完美者也. 嗟! 我新舊學人, 盍亦通融, 以成圓德兼聖, 立志乎哉.『통편』, 150쪽.
246. 김정현, 위의 책, 147~149쪽.

예를 들어, 이윤은 백성의 고충을 보면 저잣거리에서 매를 맞는 듯이 여겼다. 주공은 정사를 살피느라 앉아서 아침을 기다렸다. 제갈량은 마음을 열고 본성을 깨달았다. 범희문范希文은 백성과 함께 근심하고 즐거워했다. 증국번曾國藩은 학문이 밝고 마음이 깨끗했다. 이순신은 진심으로 나라에 충성했다. 잉글랜드는 종교개혁으로 참된 개화를 이뤘다. 비스마르크는 교육의 대중화[247]를 결심했다.[248]

이와 같으니 "어찌 일을 행함에서 심리가 발동해 작용하지 않은 것이 있었겠는가? 그 공훈과 업적이 동서양의 우주에 밝게 빛나는 자라면, 마음의 힘에서 빛나는 불꽃을 실행하지 않음이 없다."[249] 다시 말해 심학, 즉 마음공부의 자기 실천이야말로 모든 위대한 인물들이 위대해진 궁극의 원동력이다.

그러므로 "무릇 심학이란, 경험의 실행을 더욱 귀하게 여김이 이와 같다"[250]고 한다. 여기서의 '경험'은 물론 심리적인 자기극복의 경험을 가리킨다. 그렇다고 해서 심학의 궁극적 목적이 이런 정치·사회적인 성취를 달성하는 데서 그치는 것은 아니다.

서우가 말한다. "정신과 심리가 지극해지면, 능히 이법에 통달해 성인의 자리에 오를 수 있다. 그리고 (본심이) 본래 태양으로 밝게 빛나니, 『천부경』의 가르침과 같다. 온갖 변화를 주재하면서도 본마음이 움직이지 않으니, 능히 천지와 나란히 할 수 있다."[251]

이것이 서우 심리철학의 궁극적인 지향이다. 마음공부를 통해 자유·평등

---

247. 비스마르크는 근대 최초로 국민교육체계를 정립했다.
248. 然又有經世之證據心理學家, 如伊尹之若撻乎市, 周公之坐而待旦, 諸葛之開心見性, 范希文之憂樂天下, 曾文正之學明心精, 李舜臣之盡心報國, 格蘭之眞開化, 俾士麥之決心教育.『통편』, 150~151쪽.
249. 何往非心理之發用於行事者耶? 其勳業光明東西宇宙者, 罔非實行心力之光燄也.『통편』, 151쪽.
250. 凡心學者, 尤貴乎實行經驗如是哉.『통편』, 151쪽.
251. 但精神心理至到, 可以通理位聖, 而本太陽之昂明, 猶天符之訓, 宰制萬變而不動本, 可與天地參矣.『통편』, 151쪽.

과 같은 인간의 숭고한 가치를 실현한다. 그에 따라서 애국·구세와 같은 사회 공동체적 가치도 더불어 원만하게 구현하는 길이 열린다.[252] 그러므로 서우가 되묻는다. "그러니 먼저 참나를 이룬 뒤에 겸성의 행보를 잇는다면, 학문의 분야를 막론하고 어찌 심리 지식을 벗어나는 학문이 있겠는가?[253]

서우의 심리철학은 옛것을 익혀 새롭게 혁신한다는 '온고유신'의 정신에 충실했다. 그리하여 20세기 초반까지 동·서양의 심리학설을 종합하고, 재조명하는 성취를 이뤘다. 일각에서는 그것이 구시대의 견해라고 치부할지도 모른다. 물론 그것이 현대 심리학의 경험과학적 시각과 궤를 달리하는 것은 분명하다. 하지만 그렇다고 해서, 마음공부의 심리학이 반드시 시대착오적이라고 단정하기는 이르다.

왜냐하면 19세기 후반에 경험과학의 길로 나섰던 다른 사회과학 분야와 마찬가지로, 과학으로서의 현대 심리학 역시 오늘날 막다른 골목에 이른 것처럼 보이기 때문이다. 이 주제는 앞서 이미 논했으므로, 다시 재론하지 않겠다. 하지만 현대 심리학이 갈수록 서우가 말한 '마음의 고양'에 눈을 돌리지 않을 수 없을 것이라는 데에 주목할 필요가 있다.

오늘날 서구 현대 심리학의 패러다임은 서구에서 근대 산업사회가 절정기로 진입하던 19세기 후반의 세계관과 인간관을 토대로 정립되었다. '욕망을 가진 인간'이 정치·경제·사회학은 물론 심리학의 기본전제로 받아들여졌고, 그런 추세가 20세기에 지속적으로 확산되었다. 그러나 이제는 그런 인간관에 근본적인 의문이 제기되고 있다.

현대인은 욕망을 따르는 것이 인간의 본성이고, 욕망을 실현하는 것이 곧 성공이라고 여기게끔 교육받는다. 그리하여 새로운 세대들이 끊임없이 감각과 욕망에 매달리며, 자본주의 사회의 일꾼이자 소비하는 대중으로 편입되도록 만든다. 그렇게 양성된 세대들은 소유하고 소비하는 주체인 '자아'의 환상

---

252. 然則自由·平等·愛國·救世, 何往而不圓融適宜哉?『통편』, 151쪽.

253. 然先致眞我以後, 兼聖爲次第步趨, 毋論諸家百科之學, 安有出心理知識而爲學者耶?『통편』, 151쪽.

에 탐닉하고, 그 자아의 물성物性을 곧 '개성'으로 여겨 거기에 한없이 빠져든다.

역사상 에고의 탐욕이 지금처럼 무절제하게 허용되었던 시대는 일찍이 없었다. 그 결과로, 오늘날 인류는 물질적으로 끊임없이 성장한다는 환상 속에서 인간 자신의 생존을 위협하는 심각한 문제들을 만들어 낸다. 환경파괴, 생태계 교란, 자연재앙, 불확실성의 증대, 윤리성의 붕괴, 온갖 종류의 중독, 세계전쟁의 공포 등 현대사회의 수많은 병폐들을 여기서 일일이 나열할 필요는 없다. 다만 이 모든 문제의 처음과 끝이 죄다 마음의 질병과 연결된다는 사실에 주목해야 한다.

고삐 풀린 욕망은 현대인의 마음을 황폐하게 만든다. 언제나 충족될 수 없는 욕망은 행복감을 증대시키기보다, 훨씬 빠른 속도로 분노와 좌절의 에너지를 키운다. 자신의 욕망에 배반당한 마음의 위기가 가정·학교·일터 어디에나 만연돼 있다. 세대고하를 불문하는 심리적 불안이 개인의 영혼을 잠식하고, 마침내 현대사회의 구조적인 문제로까지 자리 잡았다.

그리하여 늘 허기지고 잠들 줄 모르는 욕망에 지쳐, 이제는 너도나도 '치유'를 호소하는 시대가 됐다. 그러므로 끊임없이 욕망하라고 부추기는 현대사회의 패러다임을 근본에서부터 재고하지 않을 수 없다. 무엇보다 우리 자식과 후손들에게 이처럼 황폐한 마음과 영혼의 유산을 물려줄 수는 없다. 그런데 이를 치유하려면, 심리학부터 근대 산업사회를 배경으로 성립된 패러다임에서 벗어날 필요가 있다.

실제로 서구사회에서 먼저 동·서양의 다양한 전통을 융합한 심리적 자기치료, 자기성찰의 명상과 마음공부에 눈을 돌리고 있다. 서우의 말처럼, 도심을 고양하는 심학의 전통에서 새로운 돌파구를 여는 시대가 바야흐로 도래하고 있는 것이다. 이런 요청은 21세기에 들어와 전문적인 심리학을 넘어, 사회 각 분야에서 뚜렷한 '힐링(치유)'의 조류를 만들어 낸다.

그런데 정작 한국의 심리학은 구미, 특히 미국의 경험과학적 심리학을 거의 전적으로 수입해서 답습하는 전형적인 수입 학문에 머문다. 오늘날 한국 심리학의 세분화된 분과별 연구는 서우의 시대와 비교할 수 없을 정도로 발전했다고 자부할지 모른다. 하지만 정작 서우처럼 종합적이면서도 주체적인 시각을 확보하는 데서는 성취한 바가 대단히 적다.

특히 한국이나 동아시아의 심(리)학적 전통과 접맥된 연구는 거의 찾아보기 어렵다. 설령 있더라도, 정통 학계에서 권위 있는 학설로 수용되지 않는다.[254] 무엇보다 심리학 연구자들에게 동아시아의 고전과 전통에 대한 기본소양이 크게 부족하다.

게다가 수입된 심리학마저도, 근본적인 이론의 천착보다는 실용적이고 대중적인 연구에 치중하는 경향이 농후하다. 물론 이론적인 심화를 위해 철학 등의 인접 학문과 연계하는 경우도 드물다. 그러므로 세계 심리학의 발전에 기여하는 한국 심리학의 창의적 지평을 열기에는 크게 역부족이라는 비판에 직면해 있다.

게다가 한국의 현실에 기반을 둔 심리학의 이론적합성에 의문을 던지지 않을 수 없다. 왜냐하면 인간 심리에는 단지 개인이나 인류 보편의 차원만 있는 게 아니고, 각 민족과 국가마다 상대적으로 다른 집단무의식의 문화적 지층도 펼쳐져 있기 때문이다.

하지만 한국의 심리학 연구에서 이런 측면을 충분히 고려한다고 보기는 어렵다. 다만 서구인과 서구사회를 기준으로 고안된 이론과 방법을 일방적으로 수입해서, 탈맥락적으로 한국에 적용하는 건 아닌지 반성할 필요가 있다. 한데 이것은 한국문화 안의 심리학적 자산이 빈약하거나, 혹은 한국인의 심리학적 자질이 모자라서가 결코 아니다.

지금까지 서우의 심리철학을 통해 확인했거니와, 한국은 세계 어느 나라에 견줘도 뒤지지 않을 풍부하고도 심오한 심학의 유산을 물려받았다. 또한 마음공부에서라면, 동양에서도 둘째가라면 서러울 이론적 깊이와 근면한 실천의 전통도 보유하고 있다. 한데 그런 전통이 현대 심리학에서 거의 단절되었다.

서우처럼 동·서양 심리학의 지적 자산을 거시적으로 회통하고 융합하며,

254. 한국학중앙연구원, 『한국민족문화대백과사전』 '심리학', http://encykorea.aks.ac.kr.

더 나아가 한국적 창의성을 발휘하는 심리학의 대가들이 거의 출현하지 않았다. 일제강점기 동안 자주적인 학문연구의 기회를 박탈당했으며, 한국전쟁의 동란과 그 뒤에 이어진 압축 근대화 과정에서 줄곧 미국의 학문적 영향을 일방적으로 수용한 여파가 크다.

거기에는 한국의 학문적 토대가 취약했던 원인도 있었지만, 또한 세계적으로 20세기의 심리학을 미국이 주도한 현실에 따른 것이기도 했다. 자생적 학문의 기반이 무너진 상태에서, 미국 학문의 수입을 통해 세계적인 표준을 빠르게 습득하는 데에 매진한 것은 어쩔 수 없는 역사의 추세였다.

그러나 다른 모든 분야와 마찬가지로, 심리학 역시 앞으로는 한국의 독창성에 기반을 둔 창조적 돌파구를 열어야 하는 시대가 되었다. 경제를 비롯해 문화와 학문 그리고 국제정치 등의 전 영역에서, 한국은 이제 단순히 남을 답습하는 데서 벗어나 창조하는 단계로 전환할 시점에 이르렀다.

그 가운데서도 심리학은 한국이 대단히 풍부한 전통의 지적·경험적 자산을 보유한 영역이다. 또한 한국문화와 한국인의 집단무의식에 뚜렷이 각인된 회통적이고 실천적인 융합의 장점이 잘 발휘될 수 있는 분야이기도 하다.

그러나 지금까지 심리학에서 이런 전통은 거의 주목받지 못했다. 자기 문화에 뿌리를 둔 심리학의 내재적 발전을 앞에서 이끌 귀감이 드물었다는 데도 한 이유가 있다. 그런데 전병훈의 '심리철학'이 어쩌면 그런 행도 역할을 할 수 있을지도 모른다.

의심의 여지없이, 서우의 '심리철학'은 동아시아 근대의 매우 이른 시기에 아주 독창적이고도 복합적인 심리학 연구의 지평을 열었던 선구적인 사례였다. 게다가 그는 유·불·도와 서양철학 및 과학을 하나로 합치하는 심리학을 말한다. 곧 마음에 관한 '통합이론'의 필요성을 명언했다.

특히 동서양이 뇌신경에 주목하는 일치점에 이르렀다고 선언하고, 거기서 두 세계의 심리학이 만나는 접점을 찾았던 것은 실로 놀라운 탁견이 아닐 수 없다. 이는 오늘날 뇌 과학과 긴밀하게 결합되는 심리학의 창조성을 자극하는 영감의 원천이 될 수도 있다.

어찌됐건, 전병훈의 심리철학이 한국 근대 심리학의 역사를 풍부하게 하는 유산이라는 데는 이론의 여지가 있을 수 없다. 하지만 이는 단지 과거의 박제된 유산에 그치지 않는다. 그는 자기의 저술로 후대 연구자들의 학문적 상상력이 자극받기를 간절히 원했다.

그리고 실제로, 한국 심리학의 미래를 짊어질 연구자들에게 창조의 메시지를 보내고 있다. 무엇보다 서우는 심리학이 단지 '마음'을 고립적으로 연구하는 데에 그치지 않기를 바랐다. 그는 심리학이 다른 학문에 이론과 실천의 토대를 제공하는 이른바 '총체학統體學'이 되어야 한다고 명언했다.

그러려면 다만 마음이 병든 현대인의 '자아 보존'을 해석하는 데에 급급하거나, 그런 욕망에 영합하는 것으로 제 역할을 다했다고 위안하는 정도로는 곤란하다. 거듭 강조하지만, 심리학은 모름지기 사람의 마음을 낮은 데서 높은 데로 고양시키는 학문이어야 한다. 그래야만 심리학이 '총체학'이 되는 철학 및 실천의 근거가 마련된다. 이것이 서우의 마지막 메시지다.

> 그러므로 심학을 총체학로 삼고, 모두 우리 하느님(上帝)을 대하듯 실천함이 어떻겠는가? '도덕철학'으로 뒤를 잇는다.[255]

사족이지만, 윗글에서 "하느님을 대하듯" 한다는 것은 물론 특정 종교의 신학적인 요청이나 원리에 국한된 언명이 아니다. '총체학'으로서의 심학이란 자기극복·자아초월·자기치유의 마음학을 가리킨다. 그것은 자기 마음의 우주적 영성(신성·정신·천성)을 회복하는 것을 목적으로 한다.

그래야 이를 기반으로 여타의 학문들, 예를 들어 정치학·경제학·사회학 등의 제반분야에서 19세기 이후에 배제됐던 인간의 영성과 신성(정신)을 돌이키는 길이 함께 열리게 된다. 그러므로 인간의 마음을 다루는 심리학이야말로 모든 학문 가운데 가장 신성하다. 그것은 늘 '하느님을 대하듯' 세계와 인간을

---

255. 故以心學爲統體學, 而均以實踐對我上帝可乎? 繼以道德哲學. 『통편』, 151쪽.

경외하는 자기완성과 자비실천의 마음학이어야 한다. 이상으로 '심리철학'을 끝맺자. '도덕철학'으로 바통을 넘긴다.

제5장
도덕철학

도덕은 하늘에서 근원한다. 내면의 정신과 심리가 밖으로 발현돼 일용의 인간사(人事)에서 실지로 행하고, 이로써 지극한 선에 이르는 것이 곧 큰 도(大道)요 올바른 덕(正德)이다. 그러나 (정신과 심리가) 감촉해 움직이는 것이 '천리의 공정함(天理之公)'에서 나오지 않고 '인욕의 사사로움(人欲之私)'에 간섭받는다면, 공명과 이익의 샛길로 흐른다. 이런 것은 이른바 '하늘에서 근원하는 도덕'이 아니다.

아! 우리 동아시아 성현들의 경전으로 도덕 서적이 아닌 것이 없다. 그러나 (내용이) 온갖 만사에 흩어져서 긴요한 골자를 보기 어렵다. 하물며 신진 과학에 접한 지식인들이야 어떻겠는가? 또한 서구 도덕의 새로운 학설을 참고하되, 오직 플라톤과 칸트 등 뭇 철학가의 본뜻을 위배하지 않아야 한다. 하지만 이기를 이타로 호도하고 도덕을 흩트리는 것은, 공명과 이익을 추구하는 사사로운 견해라 논변할 가치가 없다.

최근 '자기를 사랑함(愛己)'과 '남을 사랑함(愛他)'의 구분이 비록 취할 만한 듯이 보인다. 그러나 그것은 하늘에서 근원하는 이치에 어둡기가 한결같다. 또한 하물며 '공적인 덕(公德)'과 '사적인 덕(私德)'의 쟁론이랴! 역시 어찌 (도덕이) 하늘에서 근원하는 이치에 전적으로 어두워 오해한 까닭이 아니겠는가?

이것이 내가 부득이하게 본편을 편찬하는 이유이다. 이로써 온 누리가 통일해 대동하는 지극한 다스림의 시대가 오기를 기다린다. 하늘의 뜻을 체득하고 도를 행하는 영웅과 신선과 성인이 천지의 중심에 서고, 세상을 새

롭게 하는 그날이 반드시 있을 것이다.[1]

전병훈이 말하는 원천도덕을 직역하면 '하늘에서 근원하는 도덕'이다. 하지만 그것은 '하늘의 복음이 곧 도덕이다'라는 식으로 도덕을 절대화하는 언명이 아니다. 우주의 정신이 사람의 정신의 근원이 되고, 그것이 움직여 마음이 일어난다. 그리고 이런 정신과 마음이 밖으로 작용하는 게 곧 '도덕'이다.

즉 어떤 형이상학적인 도덕 원리가 추상적으로 존재하는 건 아니다. 대자연과 통하는 내 정신과 심리가 올바로 작동할 때, 그로부터 나오는 실천이 곧 도덕이 된다. 서우의 문법대로 말하자면, 참나의 본체인 정신과 그 본성이 본연의 공정한 섭리에 따라 밖으로 구현되는 것이 곧 도덕이다.

'원천도덕'은 천지와 인간이 하나로 통일돼 있음을 전제로 한다. 대우주인 전체생명과 소우주인 개체생명을 맥락관통하는 정신의 섭리를 '천리'라고 하고, 그 천리에 따르는 행위가 곧 도덕이기 때문이다. 다시 말해, 온갖 생명이 서로 의존하고 서로 속하는 가운데 펼쳐지는 상호관계의 행위로 도덕은 구현된다.

선과 악의 기준은 드러나는 행위의 공정함과 사사로움에 있다. 사람의 행실이 개체생명과 천체생명의 조화를 지향할 때, '천리의 공변됨'이라고 칭하니 곧 '선'이다. 반면 그 지향이 개체생명과 전체생명의 조화를 깨고 이기적인 자기 보존에만 몰두할 때, '인욕의 사사로움'이라고 칭하니 곧 '악'이다.

즉 나와 타자를 함께 살리면 그것이 선이요, 나만 살고자 하여 다른 생명을

---

1. 道德, 原天也. 精神·心理之存於中者發於外, 踐行之於日用人事, 以至至善者, 即大道也, 正德也. 然所以感動之者, 不由天理之公, 而或涉於人欲之私, 則流入功利之途矣, 非所謂原天之道德也. 吁! 我東亞聖賢經傳, 罔非道德書, 而散爲萬事, 故難見要領, 況新進科學之士乎? 且參攷歐西道德之新說, 不惟背於於柏·康諸哲之本旨, 而謬以利已利他, 解道德者, 即功利之私見, 不足與辨也. 最近愛已愛他之解, 雖若可取, 然其昧於原天之理則一也. 又況公德私德之訟案, 亦豈非專昧原天之理而誤解故耶! 此余所以不得已爰輯此編, 以俟宇內統一大同至治之世. 體天行道之英雄仙聖, 中天地而廓新之其必有日乎? 『통편』, 153~154쪽.

돌보지 않거나 파괴하면 그것이 악이다. 이런 선악의 준거는 관념 안에 있는 게 아니다. 그것은 각자의 행실에 있다. 누차 말하지만 도덕은 내면의 정신과 심리가 밖으로 표출돼 나온 것이기 때문이다. 그러므로 단지 생각으로만 머무는 선, 혹은 자기가 선하다는 관념상의 정당화로 그가 도덕적인 사람이 되는 건 아니다. 도덕은 곧 실천이다.

1. 도덕의 개화

원천도덕原天道德

'도덕철학' 편은 "도덕은 하늘에서 근원한다"[2]는 테제로 시작한다. 돌이켜 보면, '정신철학'과 '심리철학' 역시 그와 같은 문구에서 출발했다. "정신은 하늘에 기인한다." 그리고 "심리는 하늘에 기인한다." 유독 '정치철학'의 테제만 이와 다르다. "정치는 땅에서 기인한다." 여기서 '하늘'과 '땅'이라는 기호가 함축하는 대조적인 의미를 두서없이 나열해 보자. 대략 이런 단어들이 연상된다.

○ 하늘(天): 선천적, 자연, 본성, 법칙, 원리, 정신, 자연법, 천도天道, 천의天意, 상제上帝, 형이상形而上, 양陽, 천진天眞……

■ 땅(地): 후천적, 제도, 풍습, 합의, 적용, 물질, 관습법, 인사人事, 민의民意, 지모地母, 형이하形以下, 음陰, 오탁汚濁……

물론 이것은 동아시아의 지적 전통에서 떠오르는 관념들이다. 다른 문화의 논리에서라면, 여기서 어떤 단어들이 빠지고 또 다른 단어들이 추가될 수 있다. 여하튼 전병훈이 "도덕은 하늘에 기인한다"고 말할 때, 그것은 위에서 나

2. 道德, 原天也. 『통편』, 153쪽.

열한 '하늘'의 함의를 반영한다. 즉 '도덕'이 선천적이며, 자연·본성·법칙·원리·정신·자연법 등과 긴밀히 연계된다는 의미를 함축한다.

그런데 엄밀히 말해 "도덕이 하늘에서 기인한다"는 것은, 도덕의 기원에 관한 진술인 동시에 도덕의 정당화에 관한 언명이다. 즉 자연·본성·법칙·원리·정신·자연법 등에 부합되는 게 곧 올바른 도덕임을 암시한다. 이를 이해하려면, 우선 전병훈이 도덕을 어떻게 정의하는지 다시 한 번 새겨볼 필요가 있다.

> 내면의 정신과 심리가 밖으로 발현돼 일용의 인간사에서 실지로 행하고, 이로써 지극한 선에 이르는 것이 곧 큰 도요 올바른 덕이다.[3]

여기서 '도덕'은 인간 행위의 규범과 판단원리, 행위준칙 등을 가리킨다. 익히 알다시피, 동양철학에서 도와 덕은 상당히 다의적으로 해석된다. 하지만 전병훈이 말하는 '도덕' 개념은 일단 윤리倫理(ethics)로 한정할 수 있다. 단적으로 말해, 전병훈의 도덕철학은 곧 그의 윤리학이다. 즉 윤리가 왜 필요하며, 올바른 윤리의 근거가 무엇이고, 또한 어떻게 윤리를 실현해야 하는지 등을 말한다.

먼저 도덕이 기원하는 원천에 관해 진술한다. 그 관건은, 외적인 행위원리로서의 도덕이 내적인 정신과 심리에서 기원한다는 문법에 있다. 독자들도 이미 알듯이, 전병훈은 정신과 심리가 모두 하늘에서 근원한다고 보았다. 거기서 "도덕이 하늘에서 근원한다"는 테제가 정립한다. 이는 곧 "도덕이 정신·심리에서 나오며, 정신·심리는 본래 하늘에 근원한다"는 명제를 압축한다.

한편 앞의 인용문은 윤리적 행위의 근거가 무엇이고, 어떻게 정당화되는지를 말한다. 인간의 내적인 정신과 심리가 밖으로 떳떳하게 구현된 것이 올바른 도덕의 근거다. 그리고 도덕의 이런 원리는 다만 실천으로 구현된다. 어떤 추상적 원리, 그리고 관념으로만 존속하는 가치나 생각은 아직 도덕이 아니다. 그것은 도덕이라기보다 정신이나 심리의 영역에 속한다.

---

3. 精神·心理之存於中者發於外, 踐行之於日用人事, 以至至善者, 即大道也, 正德也. 『통편』, 153쪽.

'도덕'은 현실에서 실행해서 선으로 구현된 것이어야 한다. 즉 누군가 다만 '착한' 상상을 하거나 '나는 도덕적'이라고 생각한다고 해서, 그가 곧 선하거나 도덕적이 되는 건 아니다. 실행이 따르지 않는 관념은 단지 심리적인 자기암시에 지나지 않는다. 마음의 의지를 실지로 행해서 선에 이르게 될 때, 그제야 비로소 도덕은 구현된다.

그러므로 전병훈은 "인간의 내적인 정신과 심리가 밖으로 구현돼서 지극한 선에 이른 것이 도덕"이라고 명언한다. 이것이 올바른 도덕의 근거를 판정하고 정당화하는 전병훈 도덕철학의 제1원리가 되었다. 그리고 이런 도덕이 하늘에서 기인한다는 문맥에서 '원천도덕原天道德'이라고 불렀다.

그런데 도덕은 선과 함께 선하지 않은 상태, 즉 악 내지는 불선不善의 근거도 설명할 수 있어야 한다. 그러므로 전병훈은 다음과 같이 부언했다.

> 하지만 그것(정신·심리)을 움직이는 동기가 천리의 공변됨(公)에서 비롯되지 않고, 혹은 인욕의 사사로움(人欲之私)에 치우쳐서 공명과 이익(功利)의 길로 흘러들면 이른바 '원천도덕'이 아니다.[4]

동아시아 도덕론에서 전가의 보도였던 천리·인욕의 개념이 다시 등장했다. 천리와 인욕은 '원천도덕'과 '원천도덕이 아닌 것'을 가르는 기준이 되었다. 물론 사사로운 욕심과 공명·이익을 구한다고 해서, 곧바로 악인이라고 할 수는 없다. 그렇지만 착함을 등지고 악으로 내딛는 관문이 인욕에서 열리게 된다. 실로 경계하지 않을 수 없다.

그러므로 서우는 처음부터 공리주의에 반대했다. 앞서 정신철학의 공효를 논하면서, 비록 제한적이나마 '인류의 공익'과 '사람들 각자의 이익'을 옹호했던 것과 대조된다. 그는 이기利己/이타利他, 애기愛己/애타愛他, 공덕公德/사덕私德 등의 대립개념으로 도덕을 설명하는 당시의 공리주의적 윤리학설이 모두

4. 然所以感動之者, 不由天理之公, 而或涉於人欲之私, 則流入功利之途矣, 非所謂原天之道德也. 『통편』, 153쪽.

원천도덕에 위배된다고 비판했다.

전병훈은 그 폐해를 바로잡기 위해서, 부득불 '도덕철학'을 편찬해 후학의 올바른 판단을 기다린다고 천명했다. 하지만 단지 공리주의를 물리치는 것이 최종의 목표는 아니었다. 서우의 도덕철학을 파악하려면, 먼저 시야를 확대해서 그의 철학체계 전반을 조감해야 한다. 그리고 거기서 도덕철학의 위계와 역할을 따져 봐야, 비로소 그 문법을 제대로 이해할 수 있다.

관건부터 말하자. "도덕이 하늘에서 근원한다"고 하지만, 그것은 도덕이 심신활동을 떠난 별도의 독립적인 형이상학적 원리로 존립한다는 의미가 아니다. 다시 말하지만, '도덕'은 사람 내면의 정신과 심리가 밖으로 구현된 것이다. 이런 심신心神의 활동은 심층에서 표층으로 이어진다. 즉 정신<심리<도덕으로 확산되는 층위구조를 이룬다.

'도덕'은 거기서도 가장 바깥에 위치한 표층의 행위덕목이다. 따라서 개별자의 정신과 마음을 떠나, 도덕이 초월적으로 홀로 독립할 수는 없다. 그러나 도덕주의자들은 신체는 물론 정신으로부터도 도덕을 분리했다. 그들에게 '도덕'은 인간의 정신과 정감을 초월한, 추상적인 실체로서의 이법(이념)이었다.

전형적인 예로, 동아시아 중세의 도덕주의를 정초한 주희는 이理를 '음양의 밖' '만물 앞'에 존재하는 형이상학적 실체로 만들었다. '이'는 곧 '도의 본체(道體)'로 천리를 이룬다. 그리고 현상세계는 형이하의 기氣로, 도덕의 지배를 받는다. 그런데 이런 도체란, 사실상 현상과 본체가 전도돼 거꾸로 선 도덕이다.

도덕이 만물 앞에 존립하는 초월적인 본체가 될 때, 인간은 마침내 도덕으로부터 소외될 수밖에 없다. 전병훈의 문법으로 말해 보자. 본래 "내면의 정신과 심리가 밖으로 발현"된 것이 도덕인데, 그런 도덕이 거꾸로 주체가 되어 정신과 심리를 규제하고 구속하는 형국이 된다. 이런 도덕의 절대화에서 이른바 '도덕엄숙주의'의 위험이 증대한다.

역사적으로 도덕엄숙주의는 다중을 도덕의 노예로 만들었다. 그것은 도덕의 원리를 독점한 극소수 엘리트 집단을 제외한, 나머지 대다수에게 억압과 불행을 안겨 주었다. 심지어 그것은 도덕 자신에게조차 독이 되었다. 왜냐하면 도덕의 절대화가, 도리어 도덕에 대한 반감과 조롱을 불러 왔기 때문이다.

다중은 도덕의 억압을 불행으로 인식했다. 그러므로 그들이 사대부 특권층의 지배로부터 해방되자, 도덕의 입지 역시 위축됐다. 사람들은 도덕의 허울을 독점했던 자들과 함께 도덕 자체를 증오하고, 그에 대한 복수심을 불태웠다. 그러므로 도덕주의자들은 흔히 "도덕이 땅에 떨어졌다"고 한탄하지만, 실은 도덕을 저 높은 하늘에 걸어 놓은 그들로 인해 도덕이 사람들로부터 외면받았다.

그렇다고 해서 도덕이 무용하다고 조롱하고, 도덕을 해체하는 게 바른 길이라고 생각할 수도 없다. 도덕주의자의 위선이 싫다고, 위악으로 도덕을 대신하는 게 답이 될 수는 없다. 위악은 대개 위선보다 더 악하다. 혹은 공리주의처럼 도덕을 단지 공동체를 이룬 인간의 사회적 합의로만 간주하고, 여타의 정신적·심리적·미학적 가치로부터 도덕을 분리하는 것이 타당한지도 의문이다.

공리주의는 현대사회의 대표적인 윤리적 의사결정 모델이지만, 거기에는 어떤 식으로든 도덕의 붕괴를 가져오는 본질적인 경향이 내재해 있다. 그런데 세상의 다른 모든 문제와 마찬가지로, 도덕의 위기 역시 단지 도덕의 문제만으로 그치지 않는다. 그런 면에서, 정신·심리·도덕 그리고 뒤에서 논할 정치를 서로 다른 층위로 분할하면서도 긴밀하게 연계하는 전병훈의 철학에 주목할 필요가 있다.

그의 사유에 따르다 보면, 도덕은 멀리 있지 않고, 결국 "내 몸에 있다"[5]는 통찰에 이르게 된다. 그리고 마침내 천지, 즉 생기발랄한 대자연의 생명력과 만나게 된다. 천지가 만물을 살린다. 그것이 곧 천지의 선이다. 이를 본받아 나와 다른 모든 생명을 함께 살리면, 그것이 또한 나의 선이다.

그러므로 도덕을 저 아득한 별처럼 창공에 걸어 놓지 않고도, 나의 도덕은 하늘과 이어진다. 그리고 누항의 취중언설에도 도덕이 깃드는 '자유의 도덕'을 말할 수 있다. 그러므로 서우는 "사람의 자유가 도를 응결하고 덕을 갖추는 이상이 없다"[6]고 한다.

---

5. 道德俱在於我身. 『통편』, 157쪽.
6. 人之自由, 莫如道凝德備者. 『통편』, 153쪽.

공덕公德: 사람의 도덕이 곧 천지의 도덕이다

전병훈은 도덕이 역사적으로 몇 단계에 걸쳐 진화했다고 본다. 그 순서에 따라 역대의 도덕이론을 진술했다. 그는 동아시아에서 도덕이 개화된 첫 번째 사례를 『주역』과 『예기』에서 찾았다. 먼저 『주역』의 건乾(☰)괘와 곤坤(☷)괘에서 저명한 구절을 가져왔다.

> "건은 원元·형亨·이利·정貞하다. 하늘의 운행은 강건하니, 군자가 이를 본받아 스스로 강건하기를 쉬지 않는다." "하늘의 도(乾道)가 변화하니, 만물이 각기 자기 본성을 바르게 한다."[7]

> "땅의 형세가 곤이니, 군자가 이를 본받아 두터운 덕으로 만물을 싣는다." "넓게 포함하고도 광범위하니, 온갖 사물이 모두 형통하다."[8]

서우는 원·형·이·정이 "천도의 큰 운행"을 표상한다고 한다. 하늘의 운행은 계절의 변화를 부르며, 만물이 생기고 자라고 성취하고 거두게 한다. 그런데 이런 천도의 운행은 사람의 신체와 덕성에도 유사한 패턴으로 구현되어 있다.

예를 들어 '원'은 동쪽이며, 계절로는 봄이다. 사람의 신체에서는 간肝이고, 덕목으로는 어짊이 된다. 이와 같은 방식으로 원·형·이·정에 각기 상응하는 방위·계절·신체(장기)·덕성이 있다.[9] 이를 도표로 예시해 보자.

하늘과 사람의 이런 대응에 관하여, 서우는 "하늘의 도가 운행해서 사람 성

---

7. "乾, 元亨利貞. 天行健, 君子以自強不息." "乾道變化, 各正性命." 『통편』, 155쪽. 『주역·건괘乾卦·단전彖傳』의 글이다.

8. "地勢坤, 君子以厚德載物." "含弘廣大, 品物咸亨." 『통편』, 155쪽. 『주역·곤괘坤卦·단전彖傳』의 글이다.

9. 元亨利貞, 爲天道之大行易見者. 元爲東, 於時爲春, 於人爲肝木之仁. 亨爲南, 於時爲夏, 於人爲心火之禮. 利爲西, 於時爲秋, 於人爲肺金之義. 貞爲北, 於時爲冬, 於人爲腎水之智. 『통편』, 155쪽.

원·형·이·정의 운행

천도 \ 운행	하늘		사람	
	방위	계절	신체(장기)	덕성
원元	동	봄	간장(肝木)	어짊(仁)
형亨	남	여름	심장(心火)	예의 바름(禮)
이利	서	가을	폐장(肺金)	의로움(義)
정貞	북	겨울	신장(腎水)	지혜로움(智)

명性命의 도가 된 것"이라고 한다. 다만 여기에는 오행의 '토土'가 빠져 있다. 그것은 토가 방위로 중앙이며, 네 계절의 운행에 모두 깃들어서 왕성하기 때문이다. 신체에서는 위장(胃土), 덕목으로는 믿음(信)에 해당한다. 그 실질적 도리는 인·의·예·지의 사덕 가운데 머물러 있다.[10]

이런 견해는 사실상 동아시아 전통사회에서 기본교양을 이루는 명약관화한 지식, 상식적 세계관의 일환이었다. 하늘이 원·형·이·정의 도를 구현하고 대지가 두터운 덕으로 품어서, 만물을 낳아 기른다. 이는 마치 오늘날 지구가 태양 주위를 공전하고 자전한다고 말하는 만큼이나 "명백하고도 의심할 수 없는"[11] 일이었다.

'도덕' 개념 자체가 곧 '하늘의 도'와 '땅의 덕'을 함축한다. 그리고 인간이 지켜야 할 윤리적 가치는 궁극적으로 천지의 도와 덕에서 기원한다. 이런 자연법적 윤리사상은 동아시아 전통사회에서 도덕의 정립에 확고부동한 원리를 제공했다. 그런데 서우는 여기서 그치지 않는다. 그는 천지가 인간 본성에 자연적인 윤리성을 심어주었다는 데에서 한 발 더 나아가, "사람의 도덕이 곧 천지의 도덕"이라고 명언하기에 이른다.

---

10. 此乃天之道, 流行爲人性命之道者也. 惟土氣寄旺於四季, 故胃土信之實理, 寓在仁義禮智四德之中. 『통편』, 155쪽.

11. 天以元道生化, 地以厚德生成者, 若是其明白無疑也. 『통편』, 155쪽.

사람이 (천지의) 이런 도덕을 타고나서 사람이 된다. 그러므로 사람의 도덕이 곧 천지의 도덕이다.[12]

전병훈의 문법에서, 위 구절은 크게 두 가지 의미를 지닌다. 첫째는 도덕을 실현하는 원리상에서, 사람의 도덕이 천지의 도덕과 같다는 문맥이다. 서우가 말한다. "네 계절의 생장수장生長收藏을 보건대, 역시 사단이 발동해서 효孝·제悌·충忠·신信이 됨과 같다. 그것을 날마다 마땅히 실행하는 길이 곧 '도'이다. 도를 행해서 몸에 젖어드는 것이 곧 '덕'이다."[13]

봄·여름·가을·겨울에 만물이 나서 자라고 수확하고 저장한다. 소위 '나면서부터 아는(生而知之)' 성인이 아닌 이상, 사람의 도덕 역시 처음부터 저절로 완비되지 않는다. 도덕의 단초는 이른 봄의 씨앗처럼 정신과 마음 안에 잠재되어 있다. 그리고 마치 네 계절의 변화에 따라 만물이 자라고 결실을 맺듯이, 도덕의 씨앗(사단) 역시 그렇게 발아해서 성장한다.

그러므로 "사람의 도덕이 곧 천지의 도덕"이라는 언명은, 사람과 천지의 도덕이 모두 미약하게 시작하지만 점차 왕성하져서 마침내 결실을 맺는다는 뜻이다. 다시 도덕수양의 문맥에서 말하자면, 꾸준하고도 근면한 일상의 실행(실천) 가운데서 도덕이 구현된다는 의미를 함축한다.

윗글의 두 번째 의미는, 서우의 '도덕철학'이 최선이자 최상의 도덕을 추구한다는 데에 있다. 서우는 도덕을 상·중·하의 세 등급(三品)으로 나눌 수 있다고 한다.[14] 이런 전제에서, 먼저 아래부터 배워서 나중에 위로 통달하는(下學上達) 공부가 필요하다.[15]

---

12. 人稟此道德以爲人, 故人之道德, 即天地之道德也. 『통편』, 155쪽.
13. 觀夫四時之生長收藏, 亦猶四端之發爲孝悌忠信, 其日用當行之路者, 即道也. 行道而潤於身者, 即德也. 『통편』, 155쪽.
14. 여기서 도덕의 삼품三品은 상·중·하 세 등급을 가리킨다. 노자는 일찍이 도를 듣고 행하는 사람의 자품을 상사上士·중사中士·하사下士로 나눠 분류한 바 있다(『노자』 41장). 한나라의 동중서도 사람의 성품을 세 등급으로 나누었으며, 이후 왕충王充과 당나라의 한유 등이 모두 '성삼품설'을 말했다.

그러므로 도덕에는 높고 낮은 등급이 있다. 그런데 서우는 자신이 "본성에 따르는, 하늘에서 근원하는 착한 도"를 천명한다고 딱 잘라서 말했다. "덕 역시 이와 같다. 덕이란 모든 선이 모인 것이다. 즉 현철한 이법(哲理)이다."[16] 듣기에 따라서, 전병훈이 일종의 도덕적 독선에 빠진 건 아닌지 의심될 만큼 단호한 명언이다.

하지만 여기서 그가 도덕의 등급을 말하는 것은, 궁극의 도덕을 향한 상향을 고취하기 위한 문법이다. 사람들은 흔히 사회적으로 윤리적이라는 평판을 얻거나, 혹은 비윤리적이라는 비난을 피하는 정도에서 도덕의 만족을 구한다. 그리고 더 이상 높은 도덕으로의 상승을 꾀하지 않는다. 하지만 서우는 이를 낮은 단계의 도덕으로 본다.

노자도 일찍이 말했다. "세상 사람들은 모두 선이 선하다고 알지만, 이는 선하지 않다."[17] 한때의 이념에 휩쓸리는 다중은, 그때그때의 잣대로 도덕과 비도덕을 획정한다. 한데 그런 도덕이 어찌 지극한 '선의 실현'을 목표로 하겠는가? 정치는 다중의 뜻에 따르는 것이 옳다. 하지만 도덕이 반드시 다수결로 정당화되는 건 아니다.

집단적 욕망에 포획된 이기적 다수의 도덕이란, 때론 굶주린 이리떼의 노략질보다 혹독하다. 질시와 폭력, 잔혹한 파괴와 전쟁이 얼마나 빈번히 '정의'와 '도덕'의 기치 아래 미화되는가? 그러므로 "사람의 도덕이 곧 천지의 도덕"이라는 서우의 언명은, 알량한 평판이나 이념에 좌지우지되는 세간의 도덕을 정당화하는 말이 아니다.

사람의 올바른 도덕은, 모름지기 천지의 도덕에 비견하는 높은 경지를 목표로 해야 한다. 이런 도덕은 하늘이 사람에게 부여한 떳떳한 본성에 충실하여 얻어진다. 모든 선이 모여진 덕, 현철한 이법을 몸소 구현하는 것이 고차원의

---

15. 然道德可分爲三品, 要先下學而上達也.『통편』, 155~156쪽.
16. 道有善惡. 余所以闡明者, 乃率性之原天善道也, 德亦如之. 德者, 衆善之所聚也, 即哲理也.『통편』, 156쪽.
17. 天下 …… 皆知善之爲善, 斯不善已.『老子』2장.

도덕이다. 그게 곧 하늘에서 근원하는 '원천도덕'이다.

이런 문맥에서, 전병훈은 『주역·문언전文言傳』에서 다음 구절을 인용했다. "대인은 천지와 그 덕을 합하고, 일월과 그 밝음을 합한다. 네 계절과 그 질서를 합하고, 귀신과 그 길흉을 합한다."[18] 한편 서우는 리離(☲)괘의 괘사도 가져왔다. "밝은 것(☲) 둘이 리괘를 만드니, 대인이 이로써 광명을 이어받아 사방을 비춘다."[19] 서우가 말한다.

> 이는 성인의 도덕이다. 가히 천지와 견주는 것이니, 곧 최상의 등급이다. 하지만 사람이 누구나 배워서 능히 그 본분을 다한다면, 반드시 성스러운 지경에 이를 수 있다. 배우는 사람이 어찌 또한 이로써 뜻을 세우고, 나아가며 닦지 않겠는가?
> 만약 이런 목표가 너무 고원해서 이르기 어렵다고 말한다면, 곧 도를 아는 자가 아니다. 다시 모름지기 하늘이 네 계절을 운행하는 것을 관찰하고, 도를 깨닫는 것이 좋다. 복희·황제·요·순·주공·공자, 그리고 우리 단군과 기자 성조聖祖의 덕이 모두 천지에 비견하는 것이 아니겠는가?[20]

한편 천지에 비견하는 성인의 도덕은 '공정함'을 현저한 특징으로 한다. 이와 관련해, 전병훈은 『예기』에서 이른바 '삼무사三無私'의 저명한 명구를 불러왔다. "하늘은 사사로이 덮지 않고, 땅은 사사로이 싣지 않으며, 해와 달은 사사로이 비추지 않는다. 이를 '사사로움이 없는 세 가지'라고 한다."[21]

---

18. 大人者與天地合其德, 與日月合其明, 與四時合其序, 與鬼神合其吉凶. 『통편』, 156쪽. 『주역·문언전』의 글이다.
19. 明兩作離, 大人以繼明照於四方. 『통편』, 156쪽. 『주역·리괘離卦·상사象辭』의 글이다.
20. 此是聖人之道德, 可與天地准者, 即上級也. 然人皆可學而能盡其分, 則必到聖域矣. 學人盍亦以此立志而進修乎哉? 若或以謂高遠難到, 則非知道者, 更須觀天行四時而悟道可也. 羲·黃·堯·舜·周·孔, 與我檀·箕聖祖之德, 不是准極於天地者乎? 『통편』, 156쪽.
21. 天無私覆, 地無私載, 日月無私照. 奉斯三者以勞天下, 是謂三無私. 『禮記·孔子閒居』.

삼무사를 체득해 큰 공정함으로 천하를 다스리는 것을 '공덕公德'이라고 할 만하고, 왕도로 천하를 다스리는 자의 도덕철학(道德哲理)이라고 할 만하다. 하지만 반드시 성인이 된 연후라야 할 수 있다. 배우는 사람이 지위의 외견外見에 국한될 필요는 없다. 그리고 마땅히 삼무사로 회포를 비우고 뜻을 세우면, 곧 도덕이 날로 진보해서 큰 소임을 맡을 수 있다.[22]

'삼무사'는 본래 군주에게 기대되는 공명정대함의 메타포다. 천지와 일월이 사심 없이 만물을 덮고 싣고 비추듯이, 통치자도 대자연의 섭리에 버금가게 공평무사해야 한다. 서우는 이런 공공성의 획득이야말로 고차원의 도덕으로, 성인이라야 비로소 실현할 수 있다고 명언했다.

그런데 이는 성인의 경지에 이른 군주여야 삼무사를 실행하는 게 가능하다는 언명이 아니다. 대신 공직에 뜻을 둔 자라면, 지위에 국한하지 않고 반드시 삼무사의 도덕을 함양하라고 요청한다. 즉 누구라도 공공의 직무를 수행하려면, 지위고하를 막론하고 높은 도덕적 공공성부터 갖추기를 주문하는 것이다.

그처럼 도덕적 공공성을 함양할 때, 보다 중요한 사회적 직분을 맡아 수행할 자질과 기회가 증대한다. 그렇다고 해서 삼무사의 실천이 단지 공인公人의 입신양명을 위한 도덕적 자격에만 그치는 것은 아니다. 그것은 개인과 사회의 공평무사한 도덕이 함께 공진화하는 밑거름이 된다.

도덕의 체현: 형이상의 천리가 모두 형이하의 사물에 갖춰져 있다

그런데 서우가 이처럼 공공성의 도덕을 강조한 이유는 어디에 있을까? 우선 친친親親의 가족 정서에 기반을 둔 유교 도덕이 편협한 가족주의로 흐르는 폐단을 경계했기 때문이다. 유교의 사랑은 가까운 혈족부터 사랑하고, 그 사

22. 體三無私而治天下以大公者, 可謂公德也, 可謂王者之道德哲理也. 然必聖人然後能之. 惟學人不必局以地位之見, 而當以三無私虛懷立志, 則道德惟日進步而可當大任矣. 『통편』, 156~157쪽.

랑의 외연을 점차 확대하자는 논리에 기반을 둔다.

예를 들어 묵가의 겸애와 불교의 자비에 대해, 유가는 자기 혈육을 어떻게 남과 똑같이 사랑하느냐고 반문한다. 그리고 자기 혈육을 먼저 사랑하는 것이 현실적이고 솔직한 인간적 정감의 발로라고 한다. 다만 그 절실한 마음을 이웃으로 넓힐 수 있으므로, 거기서 도덕을 보편화하는 실질적인 경로를 찾을 수 있다고 주장한다.

그런데 이런 유교 도덕은 현실에서 도덕의 외연을 보편적으로 확대하는 데 더디다. 반면, 패거리 도덕을 정당화하는 데는 빠르게 남용된다. 수많은 역사적 사례가 있거니와, 지금도 혈연·지연·학연 등에 얽매이는 집단적 연고주의의 배경으로 유교를 지목하는 목소리가 결코 근거 없는 것만은 아니다.

더구나 전병훈은 패거리 짓기에 몰두하고 공공성을 상실한 끝에, 마침내 패망에 이른 조선 말 유교사회의 망국적 폐단을 직접 목도했다. 따라서 그는 원시유교에 잠재된 공공성의 도덕을 재조명하고, 그것을 통해 이기적인 패거리화로 흐르기 쉬운 유교 패밀리즘의 병폐를 치유하려고 했다.

한편 어떤 경문보다 먼저 『주역』에서 '원천도덕'의 근거를 찾은 것은, 도덕의 자연법적 기초를 설명하려는 의도에서 비롯한다. 청대에 편찬된 『사고전서四庫全書』의 목차 개요에서 주역의 강령을 이렇게 총괄했다. "(주역은) 하늘의 도에서 인간사를 유추해 밝힌다(推天道以明人事)."[23]

그것이 이른바 '하늘에서 근원하는 도덕(원천도덕)'의 문법과 일맥상통한다. 서우는 '대인의 덕'이나 '삼무사'처럼, 유교에도 '천지와 어깨를 나란히 하는' 자연법적 공공도덕의 단서가 있음을 부각했다. 『주역·계사전』의 다음 구절도 그 근거의 일부로 제시되었다.

> "한 번 음陰이 되고 한 번 양陽이 되는 것을 일러 '도'라고 한다. 이를 이어받은 것이 착함(善)이요, 이를 이룬 것이 성품(性)이다. 어진 자는 이를 어질

23. 『易』之爲書, 推天道以明人事者也. 『四庫全書總目提要·易類』.

다고 하고, 지혜로운 자는 이를 지혜롭다고 한다. 백성들이 매일 쓰면서도 알지 못하니, 그러므로 군자의 도가 드물다."

"형상 위의 것(形而上者)을 '도道'라고 하고, 형상 아래의 것(形而下者)을 '기器'라고 한다. (모양이나 성질을) 바꾸어 재단하는 것을 '변變'이라고 하고, 추진하여 운행하는 것을 '통通'이라고 한다. 천하의 백성에게 일을 베푸는 것을 '사업事業'이라고 한다."[24]

윗글은 워낙 저명하고, 또 그만큼 다양하게 해석되는 명구들이다. 따라서 이를 번잡하게 논구하기보다는, 이에 대한 전병훈의 해석에 곧바로 집중하는 것이 좋겠다. 서우가 말했다.

이것(위의 인용문)은 사람의 도가 천지·음양의 섭리에서 나왔음을 말한다. 그렇지만 사람이 큰 근원을 훤하게 꿰뚫어 보지 못한다면, 천지의 도덕이 내 몸에 구비돼 있음을 인식하지 못한다. 물고기가 물속에 있으면서도 물을 모르는 것과 같다.

오직 나면서부터 지혜로운(生而知之) 성인이 형이상의 천리가 형이하의 기器(사물) 가운데 구비됨을 알아서, 떳떳한 준칙과 제도를 만들어 가르쳤다. 효제·충신·예의·염치의 조목을 밝게 포열布列하여, 인민의 도덕의무를 삼은 것이 이것이다. 이는 선각자의 사업이다. 배우는 사람들이 여기서 도덕의 진리를 깨닫고, 홀연히 절로 체득할 수 있다.[25]

---

24. "一陰一陽之謂道. 繼之者善也, 成之者性也. 仁者見之謂之仁, 知者見之謂之知, 百姓日用而不知, 故君子之道鮮矣." "是故, 形而上者謂之道, 形而下者謂之器, 化而裁之謂之變, 推而行之謂之通, 擧而措之天下之民, 謂之事業." 『통편』, 157쪽. 모두 『주역·계사전』의 글이다.

25. 此言人道出於天地陰陽之理, 而人不能洞見大源, 則不識天地之道德俱在於我身. 猶魚在水中而不知水也. 惟生知之聖, 能知形上之天理備具於形下器中. 而裁制以彝則而教之. 孝悌忠信禮義廉恥之條明布列, 以爲人民之道德義務者是也. 此爲先覺者之事業. 學人於斯, 可悟道德眞理, 恍然自得矣. 『통편』, 157쪽.

앞 장에서도 논했지만, 정통 성리학에서는 '형이상-도-이理'와 '형이하-기器-기氣'로 세계를 양분했다. 그러나 전병훈은 이런 이기론의 사고틀을 벗어났다. 그에게 '이'는 더 이상 음양과 만물을 초월해 단독자로 존립하는 추상적인 본체가 아니다.

이理는 '천지와 음양', 더 나아가 우주의 근원적인 '원기'에 수반되는 이법일 뿐이다. 다만 천지는 너무 크고, 원기와 음양은 형체가 없는(無形, 형이상) 에너지다. 따라서 사람들이 평소 그 존재를 잘 느끼지 못하고 일상을 영위한다.

이와 관련해, 서우는 이런 비유를 들었다. "물고기가 물속에 있으면서도 물을 모르는 것과 같다." 물고기가 물을 잊을 수는 있다. 그렇다고 물을 떠나 살 수 있는 건 아니다. 마찬가지로 인간이 설령 천지와 음양의 기운을 자각하지 못하더라고, 그것을 떠나서 살지는 못한다.

또한 물고기는 물의 섭리를 본능으로 내재한다. 그렇듯이, 인간 역시 누구나 천지·음양의 섭리를 자기 안에 내재한다. 보통사람은 이런 섭리에 어둡지만, 지혜로운 성인은 "형이상의 천리가 형이하의 기器 가운데 구비됨을 알아서, 떳떳한 준칙과 제도를 만들어서" 도덕을 정립하고 가르쳤다.

그런데 여기서 반론이 제기될 수 있다. 인간이 존재론의 차원에서 우주 안에 있으며, 또한 우주의 섭리를 내재한다고 인정하자. 한데 그렇다고 해서, 도덕의 자연법적 근거가 곧바로 정당화되지는 않는다. 왜냐하면 자연과학에서 흔히 볼 수 있듯이, 보편적 자연법칙이 반드시 도덕을 합리화하는 건 아니기 때문이다.

예를 들어, 상대성이론이나 양자역학 같은 물리법칙과 효제·충신·예의·염치 같은 윤리 조목 간에는 커다란 간극이 있다. 결국 이 지점에서, 형이상학의 개입이 요청된다. 거기서 물질적인 세계의 외적 형식만을 탐구하는 과학을 넘어, 우주적인 정신과 마음(영혼) 그리고 허령한 기氣와 도道의 세계로 들어가야 한다.

서우에 의하면, 우주의 모든 존재가 기화氣化로 생성되며 우주의 이법을 내면화한다. 따라서 '형이상의 천리'가 형이하의 '기器'에 내재된다. 이런 '기(그릇)'란, 현상으로 구현되는 일체의 사태를 가리킨다. 즉 현상 세계의 모든 '존재'와 '사건'을 죄다 망라하는 개념이다. 사람이라고 예외가 아니다.

서우는 신체를 가진 존재로서의 사람(human being)을 비롯해 국가와 부자·형제·부부·친구 같은 인간사회(human society)의 제반 관계까지 모두 '기器' 개념으로 포괄했다.[26] 천지의 가장 빼어나고 영명한 기운을 받아 인간이 되었다. 하지만 우주의 견지에서 보면, 그런 인간 역시 다만 천지의 현상적 사태 가운데 일부분이다.

효제·충신·예의·염치 같은 도덕은 이런 사태의 특성을 반영한다. 여기까지 보면, 도덕 준칙은 아직 인간적인 것이다. 그렇지만 인간이란 사태 그 자체에, 이미 대자연의 섭리가 내재돼 있다. 그것은 마치 물의 성질이 물고기에 침투돼 있는 것과 같다. 그러므로 서우가 말한다. "사람의 도가 천지·음양의 섭리에서 나왔다."

이 언명에는 중층적인 함의가 담겨 있다. 무엇보다, 천지·음양은 하나의 '큰 근원(大源)'이다. 그 근원에서 보면, 인간 역시 대자연에서 나온 사태의 일부에 지나지 않는다. 다시 말해 대자연이 인간을 낳은 것이지, 인간이 대자연의 창조자나 주재자가 되는 건 아니다.

그것은 바다와 물고기의 관계처럼 명약관화하다. 바다가 물고기를 낳고 품는 것이지, 물고기의 필요에 따라 바다가 만들어진 것은 아니다. 한편 물고기 없이도 바다는 존재하지만, 바다를 떠나 물고기는 존속하지 못한다.

그런데 물고기가 자기를 바다의 주인이라고 우긴다면, 그건 터무니없다. 인간이 대자연의 주인을 자처하는 것 역시 다를 바 없다. 사람들은 마치 자기가 세계의 주인이라도 되는 듯이 착각한다. 그만큼 인간 본성에 깃든 자연의 섭리를 가볍게 여긴다. 하지만 그것은 천리에 어두운 인간의 어리석은 오만에 지나지 않는다.

인간의 정신과 성품이 대우주에서 근원하는 이치는 이미 '정신철학'과 '심리

---

26. 人身, 形下者, 而國家與父子兄弟夫婦朋友皆器. 『통편』, 157쪽.

철학'에서 논구했다. 누차 말했듯이, 그런 정신과 성품이 외적인 행위로 발출되는 것이 곧 '도덕'이다. 그러므로 도덕은 결코 대자연에서 분리된 인위적인 발명품이 아니다. 도덕의무를 실천하는 것은, 단지 사회적 규범을 준수하는 차원을 넘어선다.

도덕의 실천은 사회적 합의이기에 앞서, 천지의 섭리를 내면화한 양심의 명령인 것이다. 부모형제에게 효제하고, 예의와 염치를 알며, 공공선公共善에 봉사하는 도덕의 준칙과 의무는 그렇게 생겨났다. 서우는 이런 도덕의무의 실현을 '하늘에 대한 효도'라고 불렀다. 천지·음양의 자식인 인간이 대우주의 섭리에 부응하는 것이 곧 도덕이기 때문이다.

따라서 '원천도덕'을 실천하는 군자와 성인은 자연을 정복하고 역행하며 소유하는 인간이 될 수 없다. 그들이 자연에 순응하며, 만물과 화해하고 상생하는 건 당연하다. 그것은 마치 대해의 큰고래가 바다의 섭리에 따라 사는 만큼이나 자연스런 귀결이다.

그런데 이처럼 도덕을 실천하는 인간은 어떤 보상을 받게 될까? 결론부터 말해, '자유'를 얻는다. 어디에도 구속받지 않는 밝은 정신과 떳떳한 양심대로 사는 것이야말로 참된 '자유'다. 그런 자유는 도덕의 귀결이자, 또한 전제가 된다. 다시 말해, 자유의지의 명령대로 행할 바를 마땅히 실행하는 데서 공명정대한 도덕이 구현된다.

서우가 말한다. "사람의 자유가 도를 응결하고 덕을 갖추는 이상이 없다."[27] 이런 문맥에서 볼 때, 사회적 규범이나 규율에 구속되는 도덕은 참된 도덕이 아니다. 참된 도덕의 근거는 다만 자기의 밝은 정신과 떳떳한 양심이다. 그런데 사람의 정신이 흐릿하고 양심이 어둡다면, 도덕은 단지 타율적 속박의 질곡에 그치고 만다.

자기 마음 안에서 도덕을 실천하려는 내면적 동기가 뒷받침되지 않으므로, 도덕 준칙과 의무를 단지 외적 관습이나 권위의 요구로 받아들이게 된다. 이는

---

27. 人之自由, 莫如道凝德備者. 『통편』, 153쪽.

매우 낮은 도덕성의 단계다. 이런 윤리적 피동성을 극복하려면, 다음과 같은 명제에 주목할 필요가 있다. "천지의 도덕이 내 몸에 구비돼 있다."

'천지의 도덕'이란 원·형·이·정의 도와 두터운 덕으로 천지가 운행하며, 만물을 낳아 기르는 것을 가리킨다. 그와 같은 우주적 도덕 품성이 "내 몸에 구비돼 있다." 하늘과 땅이 도와 덕으로 만물을 낳아 기르듯이, 사람이라면 누구나 자기 생명의 충동에서 도덕의 자연법적 계기를 찾을 수 있다는 말이다.

한 번 음이 되고, 한 번 양이 된다. 그리하여 천지가 개벽하고, 밤낮이 이어지며, 암수가 갈려 짝을 이룬다. 음양이 갈마드는 우주적 생명력의 충동, 『주역』은 거기서 '도'를 찾았다. 서우는 이를 '태극의 운동능력'이라고 한다. 이런 대자연의 도를 사람이 이어받는다. 그게 곧 '착함(善)'의 근원이다. 그 도가 인간의 내면에서 환하게 빛나 '성품(性)'을 이룬다.

그러므로 천지의 도덕을 먼 데서 찾을 게 아니다. 그것은 음·양의 섭리대로 우주적인 생명의 충동을 내면화한 "내 몸에 구비돼 있다." 동아시아 중세의 도덕질서를 전복하는 강력한 에너지가 짧은 이 한 구절에 온축돼 있다. 그것은 곧 도덕의 주체로서 '개별자'와 '몸'을 호명하는 '도덕 해방'의 선언이기 때문이다.

정통 성리학에서 도덕의 담지자는 개별적인 '나'를 넘어, 정치·문화적 특권을 독점한 계층인 '사士'로 집단화되었다. 또한 도덕은 '몸'을 떠나, 고도의 관념적 초월자인 '이'로 추상화되었다. 그런데 서우는 중세 도덕의 이런 패러다임을 전복했다.

그는 모든 개별자(我)의 정신이 도덕의 주체가 되며, 몸(身)이 도덕의 성역이 되는 '원천도덕'의 지평을 열었다. 한데 인간을 주체로 선언한 서구 근대철학에서도, 그런 도덕은 찾기 어려운 것이다. 서양에서는 이성을 도덕의 주체로 세웠다. 그러나 서우의 문법에서 볼 때, 그런 이성은 생명을 배제한다.

도덕은 그처럼 강마른 '이성'으로 구현되는 것이 아니다. 대신 천지·음양의 생기生機로부터 비롯되는 정신, 그 우주적 에너지를 기반으로 참된 도덕이 실행된다. 이것은 천지의 허령한 정신에너지를 '내 몸' 안에서 응결하는 고도의 수련을 통해, 서우가 찾아낸 도덕 해방의 길이었다.

서우의 '원천도덕'은 박제된 도덕으로 정신과 몸과 민초 위에 군림했던 중세 성리학의 도덕엄숙주의를 넘어섰다. 또한 이성과 욕망의 불협화음으로 스텝이 꼬여 버린, 근대적 자아의 우스꽝스런 도덕적 퇴행도 지나쳐 버렸다. 여기서 우리는 그의 도덕철학이 중세를 넘어 근대로 진입하고, 곧바로 도덕의 미래를 향해 쾌속의 질주를 하리라고 예감할 수 있다.

실제로 앞서 심리철학이 그랬듯이, 서우의 도덕철학은 고대부터 중세 조선의 이기심성론까지 유교 도덕의 정수를 빠르고 짧게 일직선으로 주행한다. 그러다가 마침내 이륙해 미래의 창공, 오회정중의 도덕문명으로 비상한다. 이제 그 도덕진화의 풍경을 따라가 보자.

2. 도덕의 진화

위에서 전병훈은 『주역』과 『예기』의 몇몇 구절에 주목하고, 그것을 토대로 '공공도덕'과 '내 몸 도덕'의 원리를 정초했다. 그리고 이를 '첫 번째 도덕개화'로 명명했다. 그 뒤를 이어, 서우는 다시 두 번째에서 다섯 번째에 이르는 '도덕진화'에 관해 진술한다. 예고한 대로, 그것은 대단히 빠르고도 경쾌한 질주의 선로를 그린다. 먼저 그 대략의 흐름부터 살펴보자.

'두 번째 도덕진화'는 이른바 삼대三代 이전으로, 상고시대의 전설적 인물들의 사례가 소개된다. '세 번째 도덕진화'는 주공이 예악제도를 정비하고 학교를 건립한 데서 찾는다. '네 번째 도덕진화'는 원시유교의 성립에서 비롯된다. 공자·맹자를 위시하여, 전국시대를 거쳐 한·당에 이르는 여러 사례들을 언급한다. '다섯 번째 도덕진화'는 송대 성리학에서 비롯한다. 주돈이·사마광·소옹·장재·정호·정이·범중엄·주희 등을 조명한다. 이어서 명·청대의 왕수인·황종의·증국번 등을 논평하지만, 이를 별도의 도덕진화 단계로 분류하지는 않았다.

얼핏 보면, 소위 '도덕진화'란 중국의 유교윤리 사상사를 간략히 진술하는 듯하다. 하지만 자세히 보면, 이는 밋밋한 통사적 논술이 아니다. 그것은 도덕에 대한 전병훈의 독특한 견해를 논증하는 문맥이다. 사물이 점차로 발달하는 것을 흔히 '진화'라고 한다. 이런 진화의 함의에서는, 시간상 앞선 것보다 뒤에 오는 것이 더 뛰어나다고 으레 전제한다. 하지만 서우가 말하는 진화가 반드시 이런 '발전'의 함의에 따르는 것은 아니다.

서우의 문법에서, 최상급의 도덕은 '도덕개화'의 초기단계에 오히려 순수하고도 전일하게 구현된다. 이렇게 시작된 도덕은 국가형성 과정에서 처음 일변한다. 도덕의 제도화, 이념의 정비, 그리고 사회적 저변확대가 이뤄진다.

그런데 이런 진화가 반드시 '발전'이라고 할 수만은 없다. 최초의 개화에서 나타났던 순전한 도덕이 규범이나 제도가 되면서 형해화形骸化한다. 이념정비 과정에서 관념화되고, 저변확대 과정에서 통속화되는 것 역시 피할 수 없다. 서우에 따르면, '두 번째 도덕진화' 이후에, 일반적인 도덕의 등급은 도리어 하향평준화했다.

문명의 여명기에 '나면서부터 지혜로웠던' 선각자들로부터 순정한 도덕이 출현했다. 그러나 시간이 지나면서 그것은 보편화했지만, 동시에 통속화했다. 마치 청정한 고원에서 비롯된 물줄기가 강과 하천으로 유동하며 탁류로 확산하는 흐름과도 같다. 거기에는 순일과 확산, 오탁과 정화의 충동이 뒤섞여 있다.

하지만 서우가 겨냥한 도덕진화의 궁극적인 목표는 원대했다. 그는 "누구나 배워서 능히 그 본분을 다하면 반드시 성스러운 지경에 이를 수 있다"고 단언한다. 그리고 "배우는 사람이 성인의 경지에 이르려는 뜻을 세우고 실행하기"를 결코 포기해서는 안 된다고 고취했다.

작지만 순일한 옹달샘에서 시작된 물줄기가 강호를 지나 창해의 넓고도 푸른 바다로 들어가듯이, 광대하고도 청정하게 진화한 도덕을 '모든 사람이 배워서' 체득하는 단계에 이르기를 서우는 염원했다. 곧 도덕이 찬란하게 개화하는 우주의 정오, 오회정중의 신문명을 꿈꾼 것이다.

두 번째 도덕진화

서우는 도덕이 발생하고 진화하는 계기를 다음과 같이 진술했다.

> 복희가 (주역의) 괘를 그리고 교화를 펴니 이로써 인문이 열렸다. 하지만 아직 미개한 시대라 무슨 '도덕'이라고 명할 만한 것이 있었겠는가? 오직 그 지혜의 힘이 보통사람보다 뛰어난 자들이 스스로 부락의 추장이 되어서, 민중을 다스렸음이 틀림없다. 이로부터 성인이 처음 출현했다. 창조적 지혜와 신묘한 식견을 내고, 만물의 이치를 깨달아 뭇 일을 성취하며, 점차 국가를 이루었다.
> 신농이 백성에게 농사를 가르치고, 황제가 기물을 제작했다. 모두 옛사람들이 편리하게 쓰고, 삶을 풍요롭게 하는 바가 되었다. 그 올바른 덕이 곧 하늘의 질서를 베풀어 밝혔다. 이로써 나아가는 방향을 바로잡고, 성품을 닦으며, 직분을 지키게 된 것이다. 하늘을 본받는 도덕의 섭리가 그로부터 비로소 점차 밝아졌다. 한국의 단군·기자·동명의 제도 역시 이와 같다.[28]

문명 초기에 도덕은 어떻게 출현하게 되었을까? 전병훈은 도덕이 자연의 섭리에서 나왔다고 응답한다. "그 지혜의 힘이 보통사람보다 뛰어난 자들"이 자연질서(天秩)를 파악하고, 그로부터 도덕을 직관했다. 즉 인류가 생물학적·정신적으로 진화하면서 도덕이 자연스럽게 발견되었다. 이런 도덕진화의 과정에서, 고대의 '성스러운 자(성인)'들이 구체적으로 누군지는 오히려 그다지 중요하지 않다.

---

28. 伏羲畫卦設敎, 以開人文. 然尚草昧時代, 有何道德可名哉? 惟其有智力過人者, 自爲部落之酋長, 以統御民衆必矣. 於是聖人首出, 創智神見, 開物成務, 漸成邦國. 神農之教民稼穡, 黃帝之制作器用, 皆爲前民之利用厚生. 其正德則叙明天秩, 以正趨向, 以修性分, 以守職分者, 即體天道德之理, 於是乎始乃漸明. 東韓之檀·箕東明制作, 亦猶是也. 『통편』, 158쪽.

마치 개미나 꿀벌 무리에서 여왕개미나 여왕벌이 나타나듯, 본유의 지혜와 신명에 이끌려 거의 본능적으로 도덕을 자각하는 선각자들이 출현하기 때문이다. 모든 민족과 문명의 처음에는 어디나 이런 성스러운 조상의 본보기가 있다. 예컨대 동아시아에서는 복희·신농·황제·요·순·단군·기자 등이 곧 그런 표상이다. 그들이 개인과 공공의 역사에서 공히 "떳떳한 준칙"과 "도덕의무"를 실행했다. 그리하여 도덕의 개화 및 진화의 역사가 펼쳐졌다.

이런 도덕의 시작이 언제부터였다고 명언할 수는 없다. 다만 지상의 생명체 가운데 유독 영명한 영성이 깨어나던 인류 진화의 한 시점, 뇌 안에 지혜의 불꽃이 점화되던 그 순간부터 도덕의 역사는 이미 시작되었다고 말할 수 있다.

그런데 애초부터 인간이 죄인이라는 자학적 원죄론, 혹은 인간의 본성이 본래부터 이기적이라는 통속적 인간관을 되뇌며, 누군가는 도덕의 자연발생적 기원에 의문을 제기할지도 모른다. 하지만 도덕이야말로 사람을 사람이게끔 만들어 준다. 그것이 인간의 자연발생적 품성에서 비롯되었음을 부인할 하등의 이유도 없다.

수백만 년에 걸친 인류의 발생, 문명 이전의 오랜 진화과정에서 이타적이고 도덕적인 품성이 인간의 DNA에 각인되었다고 말하더라도 전혀 이상할 게 없다. 윤리학을 자연질서의 기초 위에서 이해할 가능성이 여기서 열린다. 앞서 '심리철학' 편에서 종종 경청했던 물리학자 슈뢰딩거의 자연과학적 견해를 다시 한 번 참고하는 게 유익할 것이다.

> 일반적으로 이기주의적인 태도는 홀로 살아가는 동물들에게는 종을 유지하는 미덕인 반면에, 공동체 안에서 다른 개체들과 더불어 살아가는 동물들에게는 종을 해치는 기능을 한다. 그래서 가령 개미나 꿀벌처럼 계통발생에 있어 오랫동안 공동체를 이뤄왔던 동물들은 이미 오래전에 이기주의에서 벗어났다. ……
>
> 오히려 나는 정상적인 성질을 가지고 태어난 오늘날의 인간이 이타심을 지당한 가치규범으로 여기고 (실제 자기 행동에서는 이런 표준의 근처에도 이르

지 못할 수도 있지만) 행동의 이상적 표준으로 여긴다는 그 사실, 인간의 실제 행동과 비교할 때 전혀 납득할 수 없는 이런 매우 기이한 사실을 볼 때, 우리가 이기적 태도에서 이타적 태도로 생물학적 형태 변화를 시작하고 있다는 징후를 감지한다. 그러니까 내가 보기에, 이것이 윤리적 가치판단의 생물학적 역할처럼 보인다. 그것은 사회적 동물로 나아가는 인간 형태 변화의 첫걸음이다.[29]

인간 본성을 이기적으로 보는 서구 전통의 암묵적 통념을 염두에 둔 듯, 슈뢰딩거는 우리가 근자에야 비로소 "이기적 태도에서 이타적 태도로 생물학적 형태 변화를 시작하고 있다"고 조심스럽게 말한다. 하지만 전병훈의 문법에 따르면, 인류는 이미 오래전에 도덕적인 "인간 형태 변화의 첫걸음"을 내디뎠다. 도덕의 개화는 문명 초기에 이미 시작되었다.

태초에 도덕이 있었다는 신념은 동아시아 문명에서 아주 오래된, 그러면서도 매우 진실하다고 믿어져 온 이야기에 토대를 둔다. 『상서』나 『예기』 등의 고전이 도덕에 관한 진술로 가득하다는 것은 사실 놀라운 일이다. 후대에 유교의 관점에서 재편되었음을 감안하더라도, 거기서 다루는 사건들은 대개 기원전 1천 년대 전후를 배경으로 한다.

인류의 다른 문명에서, 이 시대의 기록은 주로 신들과 신의 영향력 아래 처한 인간의 운명을 테마로 한다. 그런 기록에서 "태초에 신이 있었다"고 말할 때, 고대 중국인은 "태초에 도덕이 있었다"고 언명했던 셈이다.

인간의 도덕에 대한 낙관적 신념은, 중국을 넘어 동아시아 문명 전반에서 현저하게 나타난다. 전병훈은 이런 전통을 근거로 도덕의 진화를 재구성했다. 농사의 발명자 신농, 기물을 제작한 황제, 그리고 한국의 단군과 기자 등이 모두 두 번째 도덕진화의 주역들로 간주되었다.

여기서 '두 번째 도덕진화'란, 태초의 도덕개화를 지나서 도덕이 점차 제도

---

29. 에르빈 슈뢰딩거, 김태희 옮김, 『물리학자의 철학적 세계관』(필로소픽, 2013), 85~86쪽.

화되고 체계화되는 과정을 가리킨다. 전병훈은 그것을 공공도덕과 개인도덕의 두 차원에서 접근한다. 공공도덕으로서 '사회 보통의 도덕', 그리고 개인도덕으로서 '수신修身의 도덕'을 강조한다.

서우는 요순시대에 오륜의 '다섯 가르침(五教)'이 이미 정립되었다고 본다. 즉 부자가 친애하고(父子有親), 군신 간에 의리가 있고(君臣有義), 부부에게 서로 침범치 않는 분별이 있고(夫婦有別), 어른과 어린이의 질서가 있고(長幼有序), 친구 간에 믿음이 있다(朋友有信). 그것은 인생에 수반된 하늘의 섭리다. 그 조리를 밝히는 것으로부터 '사회 보통의 도덕', 즉 공공의 도덕이 비로소 극진히 천명되었다.[30]

한편 『상서·고요모皐陶謨』에서는 개인도덕으로서 '수신의 도덕'이 진화된 사례를 찾을 수 있다. 이른바 '구덕九德'의 조목이다. 즉 "너그럽되 엄격하고, 부드럽되 꼿꼿하고, 질박하되 공손하고, 잘 다스리되 경외하고, 유순하되 과감하고, 강직하되 따듯하고, 간결하되 치밀하고, 강건하되 독실하고, 굳세되 정의로운" 아홉 가지 덕목이다.[31]

서우는 우임금의 치수사업 역시 도덕이 구현된 사례로 본다. "우임금이 자기봉양은 박하게 하면서, 수리·토목사업으로 민생을 다졌다. 하늘의 섭리를 체현한(體天) 도덕이 천지와 그 광대함을 같이하는 것이 어찌 아니겠는가?"[32] 천지의 도덕은 만물을 살리는 데에 있다. 우임금의 수리·토목사업 역시 만백성을 살리려는 도덕의 동기에서 비롯되었다.

다만 이는 수리·토목사업 자체가 도덕적이라는 문맥은 아니다. 주목할 것은, 우임금이 '자기봉양은 박하게 하면서' 공공사업에 헌신했다는 전제에 있

---

30. 此教民以天敍人倫之條目也. 即父子有親, 君臣有義, 夫婦有別, 長幼有序, 朋友有信. 是乃人生帶來之天理也. 今此條明而序列人類, 以爲修身相安之道耳. 從此而社會普通之道德, 始克闡明. 『통편』, 159쪽.

31. 「皐陶謨」曰 "寬而栗, 柔而立, 愿而恭, 亂而敬, 擾而毅, 直而温, 簡而廉, 剛而塞, 彊而毅[義]." 謹按 此是九德之條目, 可謂修身之道德進化者也. 『통편』, 159쪽.

32. 禹以菲薄自奉而平水土, 以奠民生. 萬世永賴. 此非體天之道德與天地同其廣大者乎? 『통편』, 159쪽.

다. 만약 그의 수리·토목사업이 자기의 이익과 권력을 추구하는 동기에서 비롯되었다면, 그것은 '하늘의 섭리를 체현한 도덕'이라고 말할 수 없다.

오늘날 이권과 결탁한 정치인과 관료들이 무분별하게 공공의 토목사업을 벌이는 경우가 비일비재하다. 그런 토목사업을 우임금의 사례에 비유한다면, 실로 아전인수요 곡학아세가 아닐 수 없다. 실제로는 탐욕을 동기로 일을 꾸미면서도 표면상 민생이나 국가발전 같은 명분을 내세우니, 그야말로 심각한 도덕의 타락을 보여주기 때문이다.

허울로만 제시되는 도덕, 이기적인 동기를 은폐하는 도덕이라면 차라리 도덕을 말하지 않느니만 못하다. 그것은 도덕도 뭣도 아니다. 다만 저열한 속임수요, 실질을 거세한 이념에 지나지 않는다. 전병훈은 문명 초기의 순박한 도덕을 허울뿐인 이념(이상)상의 도덕과 동일시해서는 안 된다고 명언했다.

> 이상에서 삼대 이전에 백성의 윗사람이 된 자의 도덕을 간략히 서술했다. 그 당시에 윗자리의 성인은 대부분 군주와 스승의 직책을 겸해 행했다. 군주로서 다스리고, 스승으로서 가르쳤다. 근세에 정치와 교육이 나뉘기 시작한 것과 다르다. 그러므로 (정치와 교육을) 뒤섞어 말했다. 순박했던 세상을 개괄해서 보면, 순전히 어질고 하늘을 체현한 도덕을 실제로 경험했던 것이 이처럼 융성했다. 배우는 사람이 행할 만하되, 이상적인 입론과 동일하게 논할 수는 없다.[33]

서우는 삼대 이후로 정치권력이 교화(교육)의 직분을 떠나면서, 군주의 도덕이 실질적인 경험의 차원을 벗어났다고 지적한다. 상고시대의 통치자는 군주인 동시에 사표師表로서, 그 도덕적 행실이 만인의 귀감이 되었다. 그러나 후대의 위정자들은 더 이상 도덕의 모범을 보이는 자가 아니라, 다만 권력을 가진

33. 以上畧敘三代以上爲民上者之道德. 蓋其時在上之聖人, 多而兼行君師之責. 君以治之, 師以教之, 非若近世之始分政教者也, 故混而言之. 概以見醇樸之世, 肫仁體天之道德, 實爲經驗者, 如此其盛也. 學人可以爲的, 而不可與理想立言者, 同一論也. 『통편』, 160쪽.

자로 전락했다.

그러면서 도덕 역시 점차 이상화(이념화)되었다. 다시 말해, 정치상의 도덕이 그 실질을 상실하게 된 것이다. 그러자 참된 도덕을 실천하고 전승하는 것은, 권력자보다 소수의 지혜로운 현자들의 몫이 되었다. 하나라의 걸傑왕이 포악하고 음탕하기 그지없었다. 그러자 군주도 아닌 이윤伊尹이 "천하를 평정하고 백성 구하기"를 자기 사명으로 삼는다. 그리고 탕왕을 도와 상나라를 일으켰다.

상나라 말에 기자는 주紂왕의 숙부였다. 그는 주왕의 폭정에 간언을 하다가 받아들여지지 않자, 미친 시늉을 하여 유폐되었다. 그러다가 상이 멸망하자, 그 유민을 이끌고 주나라의 북쪽으로 망명해서 조선으로 들어갔다.

도덕진화의 문맥으로 볼 때, 이런 이야기는 도덕의 담지자가 선사시대의 신화적 제왕에서 역사시대의 현자로 이동하는 사건을 암시한다. 예를 들어, 서우는 『상서』의 여러 대목을 인용해서 이윤이 얼마나 도덕에 충실했는가를 예시했다.

> 이윤이 말했다. "하늘의 이 밝은 덕을 돌아보라." "검약의 덕을 지켜서 영구히 도모하라." "덕이 순일하면 움직임에 길하지 않음이 없다. 그러나 덕이 두셋으로 갈리면 움직임에 흉하지 않음이 없다. 길흉이 어긋나지 않음은 오직 사람에게 달려 있고, 하늘이 재앙과 복됨을 내림은 오직 덕에 달려 있다."
>
> 또한 말했다. "사랑은 오직 친근한 이로부터 시작하고, 공경은 오직 연장자로부터 시작한다. 집안과 나라에서 시작해서 온 세상에서 마친다." "오직 하늘은 사사로이 친함이 없으며, 지극히 공경하는 사람만을 친애한다. 백성은 늘 따르는 사람이 없으며, 어진 사람만을 따른다. 귀신은 일정하게 흠향하는 이가 없으며, 정성을 다하는 사람의 제사를 흠향한다."[34]

---

34. 伊尹曰 "顧是天之明命." "愼乃儉德, 惟懷永圖." 又曰 "德惟一, 動罔不吉. 德二三, 動罔不凶. 惟吉凶不僭在人. 惟天降災祥在德." 又曰 "立愛惟親, 立敬惟長. 始於家邦, 終于

윗글을 꼼꼼히 읽어 보면, '하늘의 밝은 덕' '순일한 덕' '공경' '효친' '어짊' '정성' 그리고 수신·제가·치국·평천하의 도덕원리가 죄다 망라돼 있음을 잘 알 수 있다. 물론 기원전 16세기 무렵에 이윤이 실제로 이런 언명들을 남겼는지는 의문이다.

그것은 실재했던 과거를 있는 그대로 서술한다기보다, 텍스트를 제작한 후대의 시점에서 과거에 기대했던 교훈을 '역사적인 것'으로 서술하는 방식으로 만들어졌다. 다시 말해, 그 이야기의 내러티브는 역사에 깃든 계몽적 의미를 드러내려는 지적·도덕적 충동에 지배받았다. 따라서 거기서 진술하는 것들은, 대개 역사와 도덕적 우화의 경계선상에 위치한다.

그렇지만 늦어도 기원전 8세기 무렵에는, 이 경전에 담긴 사상이 널리 받아들여졌던 게 틀림없다. 게다가 그 텍스트가 3천 년 가까이 경전의 권위를 지녀왔고, 또한 진실한 이야기로 믿어졌다는 사실의 중요성을 간과해서는 안 된다. 동아시아 전통사회의 지식인들은 이런 도덕적 서사를 오랫동안 역사의 진실로 철석같이 믿어 왔다.

서우의 도덕담론 역시 그런 내러티브 구조 안에서 펼쳐졌다. 아득한 고대에 정교일치사회가 해체되고 왕권이 세습되면서, 권력자 가운데 도덕에서 멀어지는 폭군이 나타난다. 말하자면 태초의 순일한 도덕이 몰락하고, 도덕적 타락의 위기가 찾아온 것이다. 그러자 다시 왕이 아닌 자들 가운데서, 소수의 현자들이 도덕의 담지자로 출현했다.

그들이 군주를 보좌해서, 도덕진화의 두 번째 단계를 개척한다. 이윤은 이 단계를 표상하는 대표적인 기호가 된다. 이윤은 "(현자가) 몸소 탕임금과 함께하고, (군주와 신하가) 다 순일한 덕이 있던"[35] 한 시대를 암시한다. 맹자는 일찍이 '성스러움을 자임한 자'로 이윤을 평가했다. 그런데 서우는 그것으로 부족하다고 명언한다.

전병훈은 '하늘이 내린 통달한 성인'으로 이윤을 추존하고, 그의 도덕정신과

四海." "惟天無親, 克敬惟親. 民罔常懷, 懷於有仁. 鬼神無常享, 享於克誠." 『통편』, 161쪽.
35. 曰躬及湯, 咸有一德. 『통편』, 161쪽.

행동을 칭송했다.[36] 한편 이윤이 하나라와 상나라 교체기에 도덕을 보존한 자라면, 기자는 상나라와 주나라 교체기에 도덕의 계보를 이은 현자를 표상한다.

> 기자는 겸성兼聖이다. 「홍범」으로 무왕을 가르쳤다. 그리고 이로써 조선에 교화를 폈다. 팔조八條로 백성을 교화해서 아름다운 풍속을 이뤘다. (조선이) 나라가 비록 여러 차례 바뀌었다고 하나, 그 인민이 지금까지 오히려 그 덕의 가르침에 젖어 있다.
>
> 부모를 섬김에 그 효성을 다하고, 나라를 섬김에 그 충성을 다하고(순국한 자가 많다), 부부가 유별하다. 연장자를 극히 공경해서 섬기고, 믿음으로 교제하며, 이로써 관혼상제에 이르러 예의를 다 준수한다. 비록 범부와 천민이라도, 3년 상喪을 이행치 않는 자가 없다. 천하에서 사라진 것도 (조선에서) 홀로 실행하여 지금에 이른다.
>
> 어찌 성인 기자의 하늘을 체현한 철리·도덕의 교화가 유구히 불변한 것이 아니겠는가? 아! 지극하다. 성인이 지나가는 곳에서 백성이 그 덕에 감화하고, 성인이 있는 곳에 덕화가 신묘하도다. (기자는) 단군 성조의 겸성에 짝할 수 있으며, 언설에 조리가 아주 분명하다.[37]

물론 기자도 이윤만큼이나 그 역사성이 모호하다. 기원전 16세기의 이윤과 마찬가지로, 기원전 12세기 기자의 이야기 역시 유교적 도덕관념을 정당화하기 위해서 후대에 재구성된 것일 가능성이 대단히 높다. 그게 학계의 통설이다.

기자가 조선에서 왕이 되었다는 전설도 마찬가지다. 그 이야기는 한나라 초

---

36. 孟子稱伊尹以聖之任者. 然今以此道德至論, 則可謂天縱之通聖也. 奚但稱之以任聖而已哉. 始言立愛惟親, 爲道德之精神也, 行動也. 『통편』, 161~162쪽.

37. 箕子兼聖也. 以洪範教武王而以此設敎朝鮮, 加以八條化民成俗. 邦國雖云屢遷, 而其人民至今猶涵濡於其德教. 事親極其孝, 事君盡其忠, (殉國者多)內外有別. 極其嚴敬於事長, 信於交際, 以至冠婚喪祭, 悉遵儀禮. 雖擡夫隷賤, 莫不踐行三年喪之制者. 天下之所無有, 而獨行之到今, 則玆豈非箕聖之體天哲理道德之化, 久而不渝者乎? 烏乎! 至哉, 聖人之過化存神. 可配檀祖之兼聖, 而言甚條明耳. 『통편』, 160~161쪽.

에 처음 출현한다. 전쟁으로 패망한 고조선에 대한 한나라의 역사적 영유권을 정당화하려는 의도가 거기에 숨어 있다. 하지만 기자조선은 고려와 조선에서 역사적 사실로 믿어졌고, 전병훈 역시 그런 역사관의 연장에서 기자를 이해했다.

그렇지만, 역사에 대한 진술로서 윗글의 신뢰성은 그다지 높지 않다. 다만 하·상 교체기의 이윤과 마찬가지로, 상·주 교체기의 기자 역시 두 번째 도덕진화를 표상하는 기호였다. 그러므로 그것을 반드시 사실로 받아들일 필요는 없다.

서우의 문법에서, 기자 이야기는 "군주와 신하가 다함께 순일한 덕을 갖추고 있던" 시대를 떠올리는 계몽적 도덕 서사의 일환이다. 다시 말해, 지상至上의 도덕을 체현한 군주와 현자가 공존했던 도덕진화 시대의 한 상징으로 「홍범」의 기자를 읽으면 족하다.

한편 기자는 단지 중국에서만 일찍부터 도덕이 진화한 게 아니었다는 사실을 보강한다. 한국은 상고의 단군시대부터 이미 도덕이 개화되었다. 그리고 다시 기자가 뛰어난 도덕으로 민중을 교화하는 단계로 진입했다.

그것은 다만 한국의 도덕적 자긍심을 고양하는 문맥을 넘어, 문명 초기에 이른바 '두 번째 도덕진화'가 도처에서 두루 발생했음을 예증하는 사례로도 의미가 있다.

세 번째 도덕진화

서우의 문법에 따르면, 도덕은 국가의 체계적인 제도가 정립되는 시기에 세 번째로 진화한다. 특히 주공이 예악제도와 교육 시스템을 정비한 데서 그 진화의 계기를 찾았다. 그는 다음과 같이 말했다.

> 주공이 예악을 제정하여(制禮作樂) 삼대의 통치제도가 주대에 이르러 크게 정비되었다. 학교 보통교육의 법도가 또한 덕행과 도예道藝를 위주로 했다.

한 사람도 가르치지 않음이 없었다.[38]

여기서 "학교 보통교육의 법도"란 이른바 삼물三物을 가리킨다. 『주례周禮』에 이런 글이 보인다. "(주공이) 사도司徒에게 명하여 고을에서 삼물로 만백성을 가르치고, 거기서 뛰어난 인재를 빈객으로 삼아 천거했다."[39] 이른바 '삼물'은 당시 각 고을의 학교에서 가르쳤다는 '육덕六德(智·仁·聖·義·忠·和)', '육행六行(孝·友·睦·制·任·恤)', '육예六藝(禮·樂·射·御·書·數)'의 세 과목을 가리킨다.[40] 각 과목의 상세한 내용은 '정치철학' 편에서 다루므로, 여기서 일일이 설명하지 않겠다.

다만 그 교육강령이 윤리적 품성(육덕)과 행실(육행)을 기본으로 하며, 사회적으로 필요한 기술·지식(육예)을 연마하는 것임에 주목할 필요가 있다. 물론 이런 보통교육이 기원전 12세기의 주공시대에 실제로 시행됐는지는 불분명하다. 하지만 늦어도 2천 수백 년 전 『주례』가 저술될 무렵에 삼물의 보통교육 목표가 제시되고, 그것을 실행하려는 노력이 있었다는 것은 분명하다.

아득한 옛날, 인류의 조상이 자기 내면의 우주적 생명 충동에서 도덕을 발명했다. 그리고 역사 초기에 소수의 군장과 현자들이 그 도덕을 구현하여 문명의 여명기를 밝혔다. 그 이후에 도덕이 사회제도와 교육의 공식적인 체제로 정립되는, 역사상의 새로운 도덕진화 단계로 접어든 것이다.

이런 도덕진화의 추세를 논구하는 데서, 그 시점이 3천여 년 전인지 2천여 년 전인지는 사실상 그다지 중요하지 않다. 그것은 이 담론에 본질적인 영향을 끼칠 만한 연대기적 시차가 아니다. 여하튼 전병훈에 따르면, 주공은 도덕이 제도화되는 도덕진화의 제3단계를 표상한다.

---

38. 周公制禮作樂, 三代之治制, 至周大備. 庠序學校, 普通教育之法, 亦以德行道藝爲主. 無一民不教. 『통편』, 162쪽.

39. 『주례·천관天官·대사도大司徒』에 보인다.

40. 一曰 '六德', 智·仁·聖·義·忠·和. 二曰 '六行', 孝·友·睦·制·任·恤. 三曰 '六藝', 禮·樂·射·御·書·數. 『통편』, 162쪽.

거기서 주공은 군주와 백성 간의 상호적 도덕의무를 강조했다. 군주는 권력을 누리며 안주하기에 앞서, 백성의 생업이 고단하다는 것을 몸소 체득할 필요가 있다. 이에 서우는 『상서·무일無逸』편에서 저명한 다음 구절을 먼저 인용했다.

> 주공이 말했다. "군자는 안일함이 없어야 한다. 먼저 농사일의 어려움을 알고 난 뒤에 안위를 누린다면, 비로소 백성이 무엇을 원하는지 알 수 있다."[41]

서우는 윗글을 먼저 거론하고 난 뒤에, 다시 『주례』의 삼물 교육을 언급했다. 군주와 귀족의 신분에 상응하는 도덕적 책무를 우선 강조하고, 그 다음에 보통교육의 이념을 설파했던 것이다. 사회공동체가 존속하고 발전하기 위해서, 상·하 계층의 상호적인 도덕의 교환은 필수불가결한 전제이다.

윗사람이 먼저 아랫사람의 노동이 고단함을 알아야 한다. 그런 뒤라야, 백성들이 원하는 게 뭔지도 깨우칠 수 있다. 군주의 도덕적 책무란, 그런 소망에 호응하는 것 이상이 없다. 이런 책무를 다해야, 또한 모든 사회구성원을 올바른 도덕의 길로 이끌 수 있다.

그러므로 사회지도층을 양성하는 데서는, 이른바 '삼물'로 대표되는 기본 보통교육만으로 부족하다. 그들에게는 훨씬 심화된 수준의 도덕이 필요하다. 따라서 도덕진화의 제3단계에 이르면, 사회적 엘리트를 양성하기 위한 고등교육도 함께 이뤄졌다. 이를 논증하기 위해서, 서우는 『예기·대학』에서 아래의 명구를 인용했다.

> '대학의 도'는 밝은 덕을 밝히는 데 있다. 백성을 새롭게 하는(新民) 데에 있으며, 지극한 선에 머무는 데 있다. 옛날에 천하에서 밝은 덕을 밝히려는

---

41. 周公曰 "君子所其無逸. 先知稼穡之艱難, 乃逸, 則知小人之依." 『통편』, 162쪽. 본래 『상서·무일無逸』에 보인다.

자는, 먼저 그 나라를 다스렸다. 그 나라를 다스리려는 자는, 먼저 그 집안을 가지런히 했다. 그 집안을 가지런히 하려는 자는, 먼저 그 몸을 닦았다. 그 몸을 닦으려는 자는, 먼저 그 마음을 바로잡았다.

그 마음을 바로잡으려는 자는, 먼저 그 뜻을 정성스럽게 했다. 그 뜻을 정성스럽게 하려는 자는, 먼저 그 앎의 극치에 이르렀다. 앎의 극치에 이르는 것은 사물을 깊게 궁구하는 데에 있다. 천자에서 서민에 이르기까지, 한결같이 모두 몸을 닦는 것을 근본으로 한다.[42]

윗글은 워낙 저명해서 두말할 필요가 없는 명구다. 다만 위에서 "백성을 새롭게 한다"는 뜻의 '신민新民'은 『예기』에서 본래 '친민親民'이었다. "백성과 친밀하다"는 의미다.

그런데 북송의 성리학자인 정이程頤가 이를 '신민'의 잘못된 표기라고 주장했다. 주희를 위시한 주류 성리학자들이 그 견해를 따랐다. '신민'으로 읽으면, 먼저 자기의 덕을 밝힌 선각자가 백성을 교화해서 새롭게 변화시킨다는 취지가 강조된다. 전병훈 역시 이 의미를 따랐다.

하지만 훗날 왕수인은 '친민'의 '친'을 굳이 '신'으로 바꿀 필요가 없다고 꼬집었다. 그는 백성을 교화의 대상으로 삼는 것을 거부한다. 대신 군주와 사대부가 백성과 친밀해져야 한다고 강조했다.

한편 정약용은 "백성들이 서로 친밀하게 된다"는 의미로 '친민'을 해석했다. 위정자가 도덕의 귀감을 보이면, 이를 본받아 백성들이 자기들끼리 친밀한 도덕을 회복한다는 문맥이다. 글자 하나를 두고, 이처럼 해석이 벌어지는 데는 그만한 배경이 있다.

송대의 성리학들은 당시 성행한 불교와 도교에 대항하여, 유교로 백성을 교

---

42. 『禮記·大篇』曰 "大學之道, 在明明德, 在新[원문에는 '親']民, 在止於至善. 古之欲明明德於天下者, 先治其國. 欲治其國者, 先齊其家. 欲齊其家者, 先修其身. 欲修其身者, 先正其心. 欲正其心者, 先誠其意. 欲誠其意者, 先致其知. 致知在格物. 自天子以至於庶人, 一是皆以修身爲本." 『통편』, 162쪽.

화시켜야 한다는 절체절명의 사명감으로 무장했다. 그것이 '신민'에 대한 강조로 나타났다. 그런데 본래 사대부의 학문이었던 성리학은 빠르게 관학이 되었고, 더 나아가 통치이념으로 자리 잡았다. 그러자 '백성을 새롭게 한다'는 사명이 백성 위에 군림한 사대부의 도덕적인 우위를 정당화하는 신분제적 특권의식으로 변질됐다.

그러자 사대부 계층이 백성에 대한 책임은 소홀히 하면서, 도덕적 우월과 특권만을 앞세우는 폐단이 심해졌다. 이른바 양명학을 건립한 왕수인이 '친민'의 회복을 말하게 된 배경이다. 그는 백성을 단지 교화의 대상으로만 삼는 관념적인 특권의식을 비판했다. 그리고 군주와 선비들이 백성에게로 직접 들어가서 덕행을 실천하라고 요청한다. 그래야 비로소 모두의 밝은 덕이 계발된다고 보았다.

그런데 주자학이든 양명학이든, 위정자와 사대부를 도덕행위의 일방적 주체로 설정한다. 그리고 백성을 다만 교화나 친밀함이 미치는 교화의 대상으로 취급하는 한계가 드러났다. 정약용은 이런 사고방식에 의문을 제기했다.

그는 서로 친해지는 도덕행위의 주체가 백성(친민)이라고 명시했다. 그리고 어쭙잖게 백성을 가르치거나 백성 안으로 들어가려 하기보다는, 위정자와 선비들 자신부터 백성의 모범이 되는 도덕적 품성과 덕행을 철저하게 닦으라고 요청했다. 그러면 자율적인 도덕 주체인 백성이 이를 귀감으로 여겨 스스로 도덕을 지키게 된다.

다산은 관념적 공리공론에 빠진 조선 후기의 위정자와 사대부들에게, 엄정한 도덕의 실천과 책임을 요구한다. 또한 백성을 타율의 대상이 아닌 도덕적 자율의 주체로 호명한다. 이런 문법에서, 그의 근대지향성이 드러난다는 분석도 있다. 그렇다면 '신민'을 말하는 전병훈은 여전히 전근대적인 인식에 빠져 있는 것일까? 아니 지도층의 도덕적 모범과 도덕교화의 책무를 강조한다면, 그것은 죄다 전근대적인 것인가?

결론부터 말해, 그런 사고는 과도하게 단선적이다. '신민'과 '친민'으로 반드시 전근대와 근대의 경계를 가를 수 있을지는 의문이다. 왜냐하면 그것은 도덕실천의 주안을 어디에 둘 것인가를 두고, 다분히 공시적共時的으로 제기되는 요청이기 때문이다. 위에서 제기된 세 가지 명제를 곰곰이 생각해 보자.

① 올바른 도덕으로 세상이 교화되도록 이끈다.

② 윗사람으로서 아랫사람과 친밀한 유대를 유지한다.

③ 사회구성원 모두가 자율적인 도덕행위의 주체가 되어야 한다.

①과 ②가 특히 사회지도층 인사에게 요구되는 도덕적 태도라면, ③은 사회구성원 모두에게 해당하는 덕목이다. 그런데 이런 도덕적 요청은, 그 가운데 반드시 뭔가를 택일해야만 하는 것일까? 내가 보기에는, 오히려 이 세 가지 어디에도 치우치지 않는 균형이 요구된다. 상식적인 독자들의 견해도 크게 다르지 않으리라고 믿는다.

어느 시대든 공인으로 남들 앞에 나서는 사회적 지위에는, 그에 상응하는 높은 도덕적 의무가 요청된다(①·②). 동시에 사회구성원 전반의 도덕의식 역시 건실해야 한다(③). 그러므로 사회구성 원리상 '만민이 평등'한 현대에 이르렀다고 해서, 현실에서 실재하는 고위층에게 높은 수준의 도덕적 모범과 의무를 요구하는 게 더 이상 필요치 않다고 말할 수 없다.

오늘날에도 고위층의 도덕적 의무를 뜻하는 '노블레스 오블리주noblesse oblige'의 실천은 여전히 중요하다. 그것은 계층 간의 대립을 해소하고 사회공동체의 결속을 유지하는 가장 유효한 원동력이다. 그런데도 혹자는 사회지도층에게 ①·②의 덕목을 요구하는 게 마치 전근대성의 징표라도 되는 듯이 반박한다.

모두가 자율적인 도덕행위의 주체이므로, 사회지도층에게 별도의 도덕적 모범이나 도덕교화의 책무를 요구할 필요가 없다는 것이다. 한데 그게 정말로 현대적인 것일까? 만약 ③을 핑계로 들어 지도층에게 요구되는 도덕적 의무를 면책하고 불이행한다면, 그것이 도리어 기만적이다.

그런 책임회피는 현대적이냐 아니냐의 뭣도 아니며, 다만 낙후되고 타락한 도덕적 감수성의 징표에 불과하다. 그걸 근거로 근대와 전근대를 가르는 건 어불성설이다. 사실상 정작 심각한 문제는, 공적인 영역에서 지도층의 도덕의무를 배제하는 게 근대적이고 현대적이라고 오도하는 편의적 사고방식에 있다.

이런 편의주의로 인해, 사회 각계 고위층이 도덕의 책무에서 손쉽게 벗어난다. 그 결과는 정치·경제·사회·문화·교육 등의 전 분야에서 지도층의 도덕적 해이(moral hazard)로 이어진다. 자신이 누리는 높은 지위에 각별한 도덕의무가 따른다는 당연한 사회적 요구에 대해, 지도층 스스로 자기인식을 못하게 되는 것이다.

그런데 인류역사상의 어느 시대든, 특정 개인이나 계층에 권력과 부가 집중되면 도덕적으로 해이해졌다. 그로부터 국가·사회의 역동성이 급속히 쇠퇴했다. 익히 알다시피, 전성기의 그리스나 로마는 귀족층의 솔선수범과 자기희생으로 부흥했다. 그러나 말기에 지배층의 도덕적 해이로 결국 멸망에 이른다. 그와 같은 경우는 동서고금에 그 사례가 너무 많아서, 오히려 일일이 열거하기 어려울 정도다.

그러므로 지도층의 도덕적 책임을 일반 대중의 수준으로 낮추는 것은 결코 현대성의 표지가 아니다. 그것은 다만 쇠퇴하는 모든 부패한 사회의 현저한 징표일 뿐이다. 이는 오래전부터 인류의 조상들이 역사의 경험에서 배운 교훈이지만, 또한 언제나 반복되는 불행이기도 하다. 그러므로 고금의 많은 현자와 철인들이 지도층의 도덕적 책무를 각별히 강조했다. "대학의 도는 밝은 덕을 밝히는 데 있다"로 시작하는 『대학』도 예외가 아니다.

그것은 천하와 나라를 다스리는 지도층이 지녀야 할 투철한 도덕적 품성과 솔선수범을 강조한다. 그러면서도 "천자에서 서민에 이르기까지 한결같이 모두 자기 몸을 닦는 것을 근본으로 한다"며, 도덕의 궁극적인 근거가 개별자의 자각과 실천에 있다고 귀결했다. 결국 위에서 말한 ①·②·③의 세 가지 도덕적 요청을 모두 망라하는 것이다. 전병훈은 『대학』의 이런 가르침이 도덕진화의 제3단계에서 나타난 고등교육 이념이었다고 명언한다.

> 이는 고등교육의 이념이다. 집안부터 국가와 천하를 다스리는 것이, 몸을 닦음(修身)으로 귀결된다. 그리고 사물을 깊게 궁구함(格物), 앎의 극치에 이름(致知), 뜻을 정성스럽게 하기(誠意), 마음 바로잡기(正心)가 수신의 근

본이 된다. 이는 대개 요·순 이래의 경험으로 '도덕의 가르침(德教)'을 삼은 것이다. (그것이) 주대에 이르러 크게 행해졌도다![43]

서우에 따르면, 학교교육이 정립되던 시기에 이른바 '보통교육'과 '고등교육'이 분화됐다. 원시공동체사회가 커지고 마침내 국가가 형성되면서, 공동체를 주도적으로 이끌어가는 지배계층이 출현했다. 그리고 군주부터 귀족까지, 지배층이 갖춰야 할 핵심소양으로 '도덕'을 중시하게 된다. 이는 특히 주대 이후에 두드러진 정치·문화적 경향이었다. 그로부터 고대사회의 고등교육 이념이 정립됐다.

훗날 공자의 유교가 이런 전통을 계승했음을 새삼 강조할 필요는 없다. 그런데 전병훈은 도덕진화의 제1단계와 제2단계부터 이어진 전승을 주공과 공자가 서로 이어서 가르쳤다고 전제한다. 다시 말해, '원천도덕'이야말로 『대학』에 담긴 고등교육 이념의 근원이라는 것이다.[44]

이는 도덕의 근본원리와 사회적 체계를 분리해서 사고할 것을 요구한다. 즉 '도덕의 자연법적 근거'와 '도덕의 사회적 체제'는 서로 다른 기원을 가진다. 전자는 인간의 천연적 도덕본성, 즉 태생적인 양심에서 기인한다. 하지만 후자, 예를 들어 보통교육과 고등교육의 분리 및 제도적 시행 등은 계층분화 같은 사회적 사건을 반영한다.

도덕의 진화란, 자연법적 도덕(원천도덕)이 사회적 여건의 변화에 대응해 변용하는 과정이라고 말할 수 있다. 따라서 도덕이 사회적으로 어떻게 구현되든, 그 근저에는 인간 본성에서 유래하는 도덕의 원리와 경험이 작동한다. 서우가 말한다.

삼대에 군주를 보좌하는 어진 신하의 도덕언행이 역사기록에 찬연한 것을

43. 此是高等教育之主義. 自家國天下, 歸重於修身而以格致誠正, 爲修身之本. 此蓋唐虞以來, 經驗爲德教者, 至周而大行歟? 『통편』, 162~163쪽.

44. 意或周孔相承古傳, 而爲教者耶? 誠原天道德之學也. 『통편』, 163쪽.

일일이 헤아릴 수 없다. 하지만 모두 경험의 철리와 도덕을 실행한 것으로, 빈말의 이상적 비유가 아니다.[45]

결국 도덕은 일견 사회적 산물인 듯하지만, 역사에 기록된 각각의 사례를 자세히 살펴보면 실은 궁극적으로 사람 각자의 도덕본성에서 기인하는 경험적 사건이 아닌 게 없다. 그런데도 사람들은 도덕을 단지 공허한 이상으로 간주한다.

그 이유는, 대개 자기 내면에서 도덕본성이 구현되는 경험을 얻지 못하기 때문이다. 단적으로 말해, 자기 양심에 따라 떳떳하게 도덕을 실천하려는 의욕과 경험이 부족한 것이다. 그러면서 도덕은 단지 이상에 지나지 않는다고 단정하고, 인간의 본성이 본래 악하다고 자위한다.

하지만 사실을 말하자면, 단지 자기의 도덕경험이 취약한 핑계를 악한 인간본성이나 사회 환경 등의 탓으로 돌린다. 그런 사람의 도덕 감수성은, 마치 물에 뛰어들어 본 적이 없는 사람이 "수영은 아무나 하는 게 아니"라고 짐짓 너스레를 떠는 만큼이나 빈약하다.

하지만 실은 누구나 수영을 할 수 있다. 태초에 지구의 바다에서 탄생한 최초의 생명체로부터 전해진 수영본능이 DNA에 각인돼 있듯이, 인간의 도덕본성도 본래 그렇게 천연적으로 갖춰져 있다. 다만 수영을 잘하려면, 직접 입수해서 실질적인 훈련을 해야 한다. 도덕본성 역시 몸소 실천하는 경험을 통해서 점차 떳떳한 도덕으로 구현된다.

그런데 입수훈련을 마다하고 투덜거리기만 하는 수영 훈련생처럼, 자기 안의 도덕본능을 자각하지 못한 소인배들이 도덕을 "빈말의 이상적 비유"로 치부한다. 그러나 서우는 도덕본성을 잘 일깨워서 "경험의 철리와 도덕을 실행"한 고금의 수많은 사례로 눈을 돌리라고 한다.

그리고 그것을 귀감으로 삼으라고 후학들에게 요청한다. 그렇다고 해서, 남

---

45. 三代碩輔之道德言行, 燦然史冊者, 不能枚擧. 此其大略也. 然皆是實行經驗之哲理道德, 非空言理想之比也. 『통편』, 163쪽.

들의 도덕언행을 답습하라는 의미가 아니다. 양심의 본능에 따라 도덕을 실천한 역사적 경험을 거울로 삼아, 나라고 왜 양심의 명령을 따르지 못하겠는가를 자각하라는 것이다.

도덕의 구현은 개별자의 밖에 있지 않으며, 결국 자기 행실을 닦는 것으로 귀결된다. 거듭 말하지만 "내면의 정신과 심리가 밖으로 발현돼 일용의 인간사에서 실행된다. 이로써 지극한 선에 이르는 것이 곧 큰 도요 올바른 덕이다."[46] 관건은 다만 '일용의 인간사에서 실지로 행해서' 얻는 나의 도덕적 경험에 있다.

네 번째 도덕진화

공자孔子

도덕진화의 세 번째 단계, 서주(西周, BC 11세기~BC 771) 시대에 예악제도 및 교육체계가 건립됐다. 하지만 안정은 그리 오래 지속되지 않았다. 머잖아 현실 정치와 일상의 삶에서 도덕이 붕괴되는 시대가 찾아온다. 패권이 도덕보다 앞서고, 탐욕이 양심보다 만연한 세상이 펼쳐졌다.

"천하가 큰 혼란에 빠졌다(天下大亂)"고 공자가 탄식한 춘추전국시대가 도래한 것이다. 사회공동체의 군장이 곧 도덕의 선각자였던 태초의 전통은 단절되었다. 왕과 위정자들은 더 이상 도덕에 밝은 성인이 아니었다.

그러자 왕이나 고관이 아닌데도, 도덕을 수호하는 막중한 책무를 스스로 떠맡는 사람들이 나타났다. 도덕의 담지자擔持者를 자처한 현자와 철인들이 도덕진화의 역사 전면에 등장한 것이다. 누구보다 먼저 공자가 사람들 앞에 나섰다. 그리고 그의 가르침을 따르는 자들이 결집해 유교가 성립됐다.

전문적으로 도덕을 궁구하고 그것을 가르치는 최초의 자발적 지식인 결사가 출현한 것이다. 그들 가운데 특히 사표가 될 만한 뛰어난 유자를 '사유師儒'

---

46. 精神·心理之存於中者發於外, 踐行之於日用人事, 以至至善者, 即大道也, 正德也. 『통편』, 153쪽.

로 불렀다. 우리말로 순치하면 '유생의 사표' 정도가 될까? 도덕의 역사에서 바야흐로 '사유'의 시대가 도래했다.

전병훈은 그런 '사유'로부터 네 번째 도덕진화 단계가 시작되었다고 본다. 물론 그 진화의 발단은 공자에 있다. 그리고 공자에서 비롯된 춘추전국시대의 유학이 증자曾子·자사子思·맹자로 이어졌다는 계보가 훗날 정립되었다. 서우 역시 그런 통설을 근거로 논의를 전개했다. 그는 먼저 다음과 같은 명구들을 필두로 공자의 도덕철학을 평론한다.

> 공자가 말했다. "도에 뜻을 두고, 덕에 거처하며, 인仁에 의지하고, 예藝에서 노닐고, 악樂으로 완성한다."[47] 또한 말했다. "널리 여러 사람을 사랑하되, 어진 사람을 더욱 가까이 하라."[48] 또한 말했다. "즐거움(樂)이 그 가운데 있다."[49] 또한 말했다. "어질구나, 안회여! 그 즐거움을 고치지 않는구나."[50]

윗글[51]은 모두 『논어』에서 선별한 명구들이다. 그런데 이는 원본의 내용을 그대로 가져온 것이 아니다. 『논어』의 여기저기서 따온 글들을 이어서 엮거나 혹은 재배치해서, 나름대로 문맥이 통하는 구문의 집합을 만들어 냈다. 원본을 적당히 발췌하는 것을 넘어, 그 배열 자체가 서우의 의도를 담고 있다.

공자의 도덕철학을 논하면서, 가장 먼저 "도에 뜻을 두고……" 운운하는 구문을 제시한 이유는 어디에 있을까? 이는 본래 『논어』의 「이인」과 「태백」편에 따로 보이는 글귀들을 서우가 이어서 재구성한 것이다. 특히 여기서 마지막의 '악樂'은 원본에서 당초에 음악을 가리켰다.[52]

---

47. "志於道, 據於德, 依於仁, 游於藝"는 『논어·이인里仁』의 글이다. "成於樂"은 『논어·태백泰伯』에 보인다.
48. "汎愛衆而親仁"은 『논어·학이學而』에 보인다.
49. "樂在其中"은 『논어·술이述而』의 "飯疏食飲水, 曲肱而枕之, 樂亦在其中矣"에서 따왔다.
50. "賢哉回也, 不改其樂"은 『논어·옹야雍也』에 보이는 글의 일부다. 원문은 "賢哉回也! 一簞食, 一瓢飲, 在陋巷, 人不堪其憂, 回也不改其樂. 賢哉回也"이다.
51. 『통편』, 163쪽.

그런데 윗글 전반의 문맥상 그것은 뒤 구절에 보이는 '즐거움', 즉 안빈낙도의 낙천樂天을 암시한다. 이런 '낙천'은 단지 낙천적이라는 통상적인 의미를 넘어선다. 그것은 천명, 즉 하늘의 뜻 내지는 섭리를 기꺼이 즐긴다는 문맥이다. 다시 말해, 유교 공부의 최종목표가 하늘의 섭리를 즐기는 '낙천'에 있음을 시사한다.

한편 위의 인용문에서 "도에 뜻을 두고, 덕에 거처하며, 어짊에 의지하고, 기예에서 노닐기" 등을 말하는 또 다른 의도가 있다. 일상에서 꾸준히 실천하는 공부, 그리고 낮은 단계에서 높은 경지로 나아가는 도덕의 고양을 강조하는 문맥이다. 서우가 다음과 같이 말한다.

> 이는 성인이 가르침을 세우고, 학문을 하는 차례의 일로 사람들을 가르친 것이다. 실로 오늘 도에 뜻을 두고, 내일 덕에 거처함을 말하는 게 아니다.[53]

보통사람 누구나 도덕을 추구하고, 어짊과 기예를 닦을 수 있다. 서우는 이것을 '제2등급 보통학 도덕'의 초급 단계로 명언했다.[54] 하지만 '사람을 널리 사랑하고(愛衆)' '천명을 즐기는(樂天)' 공자의 뜻은 또한 아주 높은 도덕의 극치이다.[55] 그리하여 낮고 높은 등급의 도덕이 나뉜다.

그런데 그 경계는 서로 완전히 분리된 게 아니다. 오히려 '하학상달'의 공부 방법론을 제시하고 몸소 실천한 데에 공자의 진정한 위대함이 있다고 서우는 강조한다. 즉 누구라도 어짊과 기예를 연마하는 낮은 단계부터 시작해서, 궁극에는 보편적 사랑과 낙천의 높은 경지에 이르도록 공자가 귀감을 보였다는 것이다.

이런 문법에서, 서우는 공자가 찬미한 '훌륭한 도덕(懿德)'[56]의 근거가 먼 데

---

52. 이 구절은 본래 "興於詩, 立於禮, 成於樂"(『論語 · 泰伯』)의 일부이다.
53. 此聖人立教, 教人以爲學次第事也. 實非今日志道, 明日據德之謂也. 『통편』, 163쪽.
54. 然此可爲第二級普通學道德之初級. 『통편』, 163쪽.
55. 愛衆 · 樂天之意, 則亦道德之極致也. 『통편』, 163~164쪽.

있지 않다고 말한다. 그것은 다만 보통사람의 성품과 행실에 있다. "귀와 눈이 있으면 곧 총명한 덕이 있고, 부모와 자식이 있으면 곧 자애와 효의 마음이 있다. 사람의 성품이 모두 선함을 볼 수 있다."

이런 천부적 성품에서 비롯되는 선함을 그는 '도덕의 제2등급'이라고 한다.[57] 다시 말해, 사람이면 누구라도 타고나는 선한 본성이 있다. 그로부터 총명한 지혜, 그리고 부모자식 간의 친밀함을 계발할 수 있다. 그게 곧 '제2등급' 혹은 '보통'의 도덕이다.

더 나아가, 서우는 공자가 '충서忠恕'와 '충신忠信'의 덕목에서 도덕실천의 실질적 관건을 찾았다는 사실도 부각했다.[58] 진심으로 남의 마음을 헤아리는 것이 곧 '충서'다. 한편 '충신'은 "말이 진실하고 믿음직하며, 행실이 돈독하고 공경되다"는 『논어』의 명구로 부연한다.[59] 즉 언행이 진실하고도 미더우면, 그게 곧 '충성과 믿음(忠信)'이다.

특히 '충서'는 수많은 철학과 종교, 도덕에서 말하는 황금률과 일맥상통한다. 『중용』은 "내게 행해지기를 원치 않는 것으로 남에게 행하지 말라"는 원리로 충서를 설명했다. 진실하게 '입장 바꿔 생각하기(易地思之)'가 곧 충서인 것이다.

자공子貢이 종신토록 행할 것을 묻자, 공자가 '서恕'라고 답했다는 고사가 유명하다.[60] 공자가 일찍이 "내 도는 하나로 관철된다"고 말하자, 증삼이 "선생님의 도는 '충서'일 따름"이라고 해석한 일화 역시 저명하다.[61] 서우는 이런 고

---

56. 『詩』曰 "天生烝民, 有物有則. 民之秉彝, 好是懿德." 孔子曰 "爲此詩者, 其知道乎? 故有物, 必有則, 民之秉彝也, 故好是懿德." 『통편』, 164쪽. 본래 『맹자·고자장구상告子章句上』에 보인다.

57. 此言普通人之性行. 有耳目則有聰明之德, 有父子則有慈孝之心. 可見人性之皆善也, 亦可謂道德之第二級也. 『통편』, 164쪽.

58. 此言忠恕·忠信, 爲行道德之實地主要者. 『통편』, 164쪽.

59. 曰 "言忠信, 行篤敬. 雖蠻貊之方行矣. 言不忠信, 行不篤敬. 雖州裏行乎哉?" 『통편』, 164쪽. 본래 『논어·위령공衛靈公』에 보이는 글이다.

60. 『中庸』曰 "忠恕違道不遠. 施諸己不願, 亦勿施於人." 子貢問終身行之者, 子曰 "其恕乎!" 『통편』, 164쪽.

사를 여럿 인용해서, 공자가 평생토록 충서를 견지했다는 증거로 삼았다.

그리고 이런 충서와 충신의 덕목 역시 "보통사람이 모두 힘써 배우고 근실히 행할 수 있는 것"이라고 거듭 강조했다.[62] 즉 도덕은 보통사람 누구나 실천할 수 있는 '역지사지'와 '진실한 믿음'의 언행으로 실현된다. 그것은 결코 고원한 원리나 추상적 이법으로 존재하는 것이 아니다.

그런데 후대의 성리학자들은 '하늘에 따라 움직이는(動以天)' 것이 도덕이라고 해석했다. 이에 대해, 서우는 "그 극치를 억지로 가리켜 말한 것인가?"[63] 하고 되묻는다. 물론 이는 회의를 품은 반어의 질문이다.

서우 역시 '하늘에서 근원하는 도덕'을 말한다. 하지만 그것은 먼 하늘에 걸린 초월적 이법(理)으로서의 도덕이 아니다. 하늘의 섭리는 그렇게 아득히 멀리 있는 게 아니다. 하늘에서 근원하는 도덕은 오히려 생명을 가진 인간의 몸, 개별자의 심신에서 구현된다. 따라서 다만 내 한 몸의 언행을 살피고 닦는 데서 떳떳한 도덕이 비롯된다.

특히 서우에 따르면, 공자가 일관된 도덕을 지켰다는 것은 무엇보다 '어짊(仁)'과 '공정함(公)'을 구현했다는 뜻이다.[64] 그런데 앞서 말했듯이, 이런 도덕은 추상적인 이념으로 존재하거나 어떤 교리를 획득해서 얻어지는 게 아니다. 대신 서우는 기철학의 문맥에서 도덕의 실상을 묘사한다. 어짊이란 '봄날의 온화함으로 만물을 낳는 원기'가 내 몸에 머무는 사태에 다름 아니다.

> '어짊'은 봄날의 온화함으로 만물을 낳는 원기元氣다. 네 계절에 유행하면서 사사로운 뜻을 그 사이에 용납하지 않는 것이 '공정함'이다. 이것이 최고의 철리가 아니겠는가? 이것이 공자가 하나로 관철한다는 종지宗旨가 아

---

61. 孔子曰 "吾道一以貫之." 曾子解之曰 "夫子之道, 忠恕而已." 『통편』, 164쪽. 본래 『논어·이인』에 보이는 글이다.
62. 此言忠恕·忠信, …… 普通人皆可勉學而勤行者也. 『통편』, 164쪽.
63. 先儒氏解之以'動以天'者, 抑指其極至而言耶? 『통편』, 164쪽.
64. 然一貫之旨, 可認作仁·公也. 『통편』, 164~165쪽.

니겠는가?[65]

> 사람에게 있는 '어짊의 도(仁道)'는, 천지의 원기를 바르게 하여 만물을 발생시키는 것이다. 하늘의 도를 크게 체득한 것이라고 말할 수 있다.[66]

화사하고 따뜻한 기운이 천지에 가득한 봄날을 상상해 보자. 마치 그와 같이, 생명 본연의 화락한 원기가 몸에 깃들어 떠나지 않는 상태가 곧 '어짊'이다. 또한 그것이 곧 '하늘의 섭리를 크게 체득한' 경지이기도 하다. 이런 상태는 논리와 이성을 넘어, 몸을 가진 인간 생명의 활력으로 발동한다. 어짊은 단지 지식이나 관념으로 머릿속에 보존되는 것이 아니다.

하지만 보통사람은 이런 상태를 오래 지속하기 어렵다. 욕망과 분별로 정신과 마음이 흔들리고, 희로애락의 감정에 쉽게 사로잡히기 때문이다. 불현듯 마음에 돌개바람이 일어나 흙먼지를 뿌린다. 사나운 불길이 치솟아 한순간에 모든 것을 재로 날려버린다. 마치 그처럼, 절제를 잃은 심신에서 화락한 봄날의 기운은 삽시에 흩어져 버린다. 따라서 '어짊'에서 긴요한 미덕은 무엇보다 오래 지속하는 데에 있다.

> 그러므로 오직 공자가 어짊을 편안히 여겼다. 그리고 단지 안연이 석 달 동안 어짊을 벗어나지 않았다고 승인했으며, 나머지 제자들은 고작해야 하루나 한 달에 그쳤을 뿐이다. 곧 어짊을 체득하고 실행하는 어려움이 실로 이와 같다. 오직 어짊을 편히 여기는 자가 도와 덕을 온전히 할 수 있으니, 사람이 부지런히 힘써 따라야 하지 않겠는가?[67]

---

65. '仁'是春和生物之元氣. 流行四時而不容私意於其間者, '公'也. 此非無上哲理乎? 此非尼師之一貫宗旨乎? 『통편』, 165쪽.
66. 在人之仁道, 正天地之元氣, 發生萬物者, 可謂體天之大者. 『통편』, 165쪽.
67. 故惟尼師安仁, 而只許顔子以三月不違, 餘皆日月至焉, 則體仁行仁之難, 固如是也. 惟其安仁者, 可以全道全德, 人可不黽勉跂及哉? 『통편』, 165쪽.

'어짊'을 체득하기 어렵다. 하지만 그 상태를 오랫동안 지속하기는 더욱 어렵다. 그런데 도덕이 붕괴되고 양심보다 탐욕이 만연한 세상에서, 어떻게 어진 마음을 돌이킬 것인가? 무엇으로 어짊에 이르고, 또 그 상태를 오래 지속할 수 있을까?

독자들의 뇌리에 이런 궁금증이 스치겠지만, 이는 또한 공자와 그의 제자들이 맞닥뜨렸던 질문이기도 하다. 그리고 널리 알려졌듯이, 공자는 가까운 이와 친밀한(親親) 혈연정서를 기반으로 효제를 실천하는 데서 그 해법을 찾았다. 서우 역시 어짊의 근본이 무엇보다 '효도'의 가족윤리를 실천하는 데 있다고 강조했다.

> 성인이 어짊을 추구하라고 사람들을 가르쳤다. '어짊'이란 사랑의 이법이요, 본성의 덕이다. 사랑은 친근한 이로부터 비롯해 먼 데로 미치니, 효도가 어짊을 행하는 근본이 된다. 그러므로 사람의 도에서 가장 큰 것이 효도만한 게 없다.[68]

일상생활 가운데 '아래부터의 공부(下學)'는 효도에서 시작한다. 그것이 모든 덕성의 궁극적 기반이다. 서우가 말했다. "오직 유교만이 반드시 먼저 아래로부터 배우니, 부모 섬기기를 다하고 나서야 하늘에 효도하기로 옮기는 것이다. 이치가 극히 순리에 맞고 올바르다."[69]

그런데 효친의 가족윤리에 대한 이런 강조는, 아이러니컬하게도 가족(혈족)의 의미가 퇴색하는 시대의 위기감을 반영했다. 익히 알다시피, 중국 고대의 국가 시스템을 지탱하던 왕족 간의 종족윤리 질서(宗法)가 서주 말기에 붕괴되었다. 그로부터 천하가 분란에 휩싸인 참혹한 패권주의 시대가 막을 열었다.

그러자 가족관계의 친밀성을 기반으로 효친의 도덕성을 회복하자는 공자

---

68. 聖人教人以求仁. 仁者, 愛之理, 性之德也. 立愛惟親, 孝爲行仁之本, 故人道之最大者莫如孝也. 『통편』, 166쪽.

69. 然惟儒教則必先下學, 以盡事親之道而移孝於天者, 理極順正矣. 『통편』, 166쪽.

의 윤리프로젝트가 제기되었다. 그런데 전병훈은 이와 또 다른 시대의 지평에서, 새로운 윤리적 도전에 대응해 효친을 강조했다. 그의 말을 직접 들어보자.

> (유교와 달리) 다른 종교는 직접 위로 이르려고 한다. 그러므로 부모에게 효도하는 한 가지 절차를 소홀히 빠뜨린다. 생각이 간혹 지극한 이치를 살피지 못하기 때문이다. 그들은 영혼을 중시하는 까닭에, 육신을 낳은 부모를 업신여긴다. 그런데 "사람이 부모가 아니면 이 몸과 영혼이 어디서 생겨나겠는가?"를 어찌 또한 생각하지 않는가.
> 나를 낳고자 힘들여 수고한 부모의 은혜를 잊지 않는다면, 부모에게 효성스런 감정이 뭉글뭉글 솟아올라 언제든 저절로 발동하지 않을 때가 없다. 다른 종교의 뭇 지도자들에게 내심 바라니, 또한 먼저 효도를 다하고 나서 하느님(上帝)에게로 효성을 옮기면, 하느님 역시 반드시 칭찬해 권장할 것이 틀림없다. 아! 우리 온 세계 사회가 이 말을 헤아려 밝혀야 하지 않겠는가?[70]

여기서 이른바 '다른 종교(別教)'가 무엇인지는 명시된 바는 없다. 하지만 문맥상, 이는 전병훈의 시대에 유교의 효친윤리와 충돌하던 기독교를 가리킨다고 추정된다. "직접 위로 이르려고 한다"거나, "영혼을 중시하는 까닭에 육신을 낳은 부모를 업신여긴다"는 데서 기독교가 분명하게 연상된다.

혹은 범위를 넓힌다면, 구도를 위해 출가하는 불교까지 '다른 종교'의 범주에 포함시킬 수도 있을 것이다. 하지만 불교가 딱히 '하느님'을 신앙하는 종교가 아니라는 점에서, 윗글은 기독교 내지는 더 나아가 효친의 윤리의식이 취약한 서구사조 전반을 염두에 둔다고 보는 게 타당하다.

20세기 동아시아의 근대화 과정에서, 유교의 효친윤리는 크게 두 방면의 도

---

70. 如別教則要直上達, 故闕遺孝親一節, 慮或不察至理故也. 他主重靈魂之故, 蔑視肉生之親. 然盍亦念及於人非父母, 則此身此魂, 何由生乎? 生我劬勞之親恩, 若能不忘, 則油然孝親之感情, 無時不自發矣. 竊願別教諸君子, 亦先盡孝道而移孝於上帝, 上帝亦必嘉奬無疑. 噫! 我宇內社會俯燭此言乎否? 『통편』, 166쪽.

전에 직면했다. 하나는 유교의 조상제사를 우상숭배로 거부하는 기독교의 배타적 교리에서 비롯됐다. 다른 하나는 효친의 가족윤리를 봉건사회의 유습으로 밀어내 버린, 서구 근대 개인주의 이념의 영향에서 비롯됐다.

전통적인 가족윤리를 해체하는 쓰나미가 전병훈의 시대에 신학문·서학·천주교(기독교) 등의 이름으로 동아시아 전역에 거세게 밀어닥쳤다. 거기에 더해 서구 제국주의 열강의 적나라한 폭력과 패권, 그리고 일방적인 문화침탈이 수반되었다. 실로 공자가 '천하대란'으로 한탄했던 춘추전국의 혼란이 무색한 형국이었다.

하지만 서우는 서구사조를 배격하는 대신에, 유교의 효친윤리가 다른 종교(사조)의 지향과 궁극적으로 배치되지 않는다며 동·서의 화합을 주선했다. 여기서 다른 종교, 즉 서구 종교의 지향은 "위에 이르려는" 혹은 "하느님에게 효도를 다하려는" 상승(上達)의 의지로 묘사된다. 그런데 서우는 유교의 효친 역시 이런 상승의 의지를 포함한다고 명언했다.

일반인의 부모를 향한 효친은 대개 "보통의 어짊과 효도"에 그친다. 하지만 순임금과 증자 그리고 무왕과 주공 등의 지극한 효도는 "위로 통달하는 도덕"이다.[71] 효도는 단지 부모를 향한 정감의 발현에 그치지 않고, 하늘의 섭리를 실현하는 원천도덕의 행위로 해석되었다. 이런 취지가 아래의 진술에서 분명히 드러난다.

> 성인이 가르침을 세워 (사람들로 하여금) 아래에서 배워 위로 통달하도록 했다. 그렇다면 성인은 하늘을 대리해서 말하는 자이다. 그 '하늘로 자처함'을 이로부터 알 수 있다. 인간사회에서 현자를 희구하고, 성인을 희구하며, 하늘의 섭리대로 도덕을 배우길 희구하는 자가 어찌 이를 모를 수 있겠는가?[72]

---

71. 此蓋普通仁孝者, 而若夫舜·曾之至孝, 武·周之達孝, 則可謂上達之道德也. 『통편』, 166쪽.
72. 聖人立教要使下學而上達, 然聖是代天言之者也. 其以天自處, 於斯可見矣. 社會中希賢·希聖·希天以學道德者, 曷可不知此乎. 『통편』, 167쪽.

"성인이 하늘로 자처한다"는 것은 송대 유학자인 호안국胡安國(1074~1138)이 남긴 명구다.[73] 이를 인용하면서, 서우는 "성인이 하늘을 대리해서 말하는 자"라고 해석했다. 이는 누구보다 공자를 염두에 둔 언명이다. 즉 공자가 하늘의 뜻을 대리해서 도덕을 드러내 밝혔다는 의미다. 그리고 서우는 다시 이렇게 천명했다.

> 공자의 성스러운 덕이 이처럼 하늘에 짝하니, 도덕이 하늘에 근원한다고 내가 말하는 취지 역시 아주 분명하다![74]

이처럼 서우는 도덕이 하늘에서 근원한다는 이른바 '원천도덕'의 문법으로 공자의 도덕철학을 해석했다. 그런데 공자가 비록 "하늘의 뜻을 대리해서 말하는" 성인의 반열에 올랐지만, 하늘의 사자나 종교 지도자 같은 위상에서 천상의 섭리를 일방적으로 하달했던 것은 아니다.

반면 공자는 보통사람 누구라도 실천할 수 있는 어짊과 효친의 언행에서 도덕의 근거를 찾았다. 그럼에도 불구하고, 공자가 말한 도덕의 근원은 하늘에서 비롯되고 도덕실천의 궁극적인 목표 역시 "하늘에 짝하는" 데에 있었다.

서구의 유일신 종교는 현실의 떳떳한 도덕에 소홀하고, 다만 "직접 위로 이르려는" 상승의 구원에 치우친다. 그러나 유교는 '일상의 도덕실천'과 '하늘로의 상향'이라는 두 마리의 토끼를 함께 잡는 길을 열었다. 그리하여 타력적 종교에서 성과 속, 초월과 세속으로 이원화되기 쉬운 하늘과 일상의 균열이 봉합된다.

쉽게 말해, 일상에서 어질고 공정하며 부모에게 효친하는 것이야말로, 사람이 성스럽게 되고 하늘의 거룩함과 조우하는 길이다. 그로부터 성과 속, 종교와 도덕의 대칭적인 긴장이 해소된다. 또한 유교 도덕이 단지 사회공동체 윤리에 국한되지 않고, 자연법적 섭리에 부합하는 교설로 확장되는 계기가 주어졌다.

---

73. "聖人以天自處"는 호안국의 『춘추전春秋傳』에 보인다.
74. 孔夫子之聖德如是配天, 則余謂道德之原天之旨, 亦明甚乎! 『통편』, 167쪽.

그리고 더 나아가, 서우는 인류사적 보편성을 지닌 인물로 공자를 자리매김한다. 이와 관련해서, 그는 "사람이 생겨난 뒤로 공자보다 성스러운 인물은 없었다"는 자공의 찬사를 불러온다. 또한 "큰 덕업으로 만민을 교화하니, 이를 일러 성스럽다고 한다"는 맹자의 언명도 인용했다.[75]

더불어 신학문을 배우는 지식인이라도 "세계 뭇 성인을 참고하여 하늘에서 근원하는 철리와 도덕을 탐구하면, 마땅히 성인 공자를 사표로 삼게 된다"고 단언했다. 유교와 함께 "도교와 (서양)철학을 아울러 궁구한 뒤에, 거의 치우치지 않고 하늘에 짝하는 겸성에 이르길 희구한다"[76]고 천명하기도 했다. 공자의 가르침이 도교 및 서양철학과도 맥락관통한다는 문맥이다.

증삼曾參, 자사子思

한데 공자 사상의 특별한 강령은, 충서와 어짊 등을 강조하면서 그 덕목의 근본에 효친의 가족윤리를 두었다는 데에 있다. 공자를 계승한 유학자들은 이런 강령을 준수했다. 증삼曾參(증자)이 누구보다 효자로 명망이 높았다. 서우가 말한다.

> 증자는 5대 성인의 자리에 있으며, 특히 지극한 효도로 칭송받는다. 배우는 사람들이 표준으로 삼을 만하다. 그 삼귀三貴, 삼성三省, 귀후歸厚[77]가 역

---

75. 子貢曰 "自生民以來, 未有聖於夫子也." 孟子曰 "大而化之之謂聖." 『통편』, 167쪽.
76. 凡新學之士, 參以宇內羣聖, 體訪以原天之哲理道德, 則當以尼聖爲師表. 而兼致道哲然後, 庶乎不偏, 而希作配天之兼聖矣. 『통편』, 168쪽.
77. '삼귀三歸'란 증자가 귀중하게 여겼다는 세 가지다. 용모가 난폭함과 오만함을 멀리한다. 안색이 미덥다. 말이 비루하고 사리에 어긋남을 멀리한다. '삼성三省'은 증자가 매일 자기 몸을 돌이켜 성찰했다는 다음 세 가지 덕목이다. 남을 위해 도모함에 진실하지 못하지는 않았는가? 벗을 사귐에 미덥지 못하지는 않았는가? 배운 바를 익히지 못하지는 않았는가? '귀후歸厚'란 부모의 장례와 조상제사를 신중히 받들면, 백성의 덕이 저절로 두터워진다는 의미다. 曾子曰 "所貴乎道者三. 動容貌, 斯遠暴慢. 整顔色, 斯近信. 出辭氣, 斯遠鄙背." 又曰 "日三省吾身. 爲人謀而不忠乎? 與朋友交而不信乎? 傳不習乎?" 又曰 "愼終追遠, 民德歸厚矣." 『통편』, 168쪽.

시 미덕이 된다.

또한 "책임은 중하고 길은 멀다", "견문이 많은 사람이 도리어 견문이 적은 사람에게 묻는다"고 말했다. 모두 자기를 낮춰 겸손하며, 이치가 절로 도래하는 도덕교화였다.[78]

증삼의 도는 공자의 손자였던 자사子思로 이어졌다. 자사는 『중용』의 저자로 알려졌다. 전병훈은 이 책의 혈맥이 '정성(誠)'에 있다고 단언했다. "자사는 도덕의 근원을 천성에 두었고, '정성'을 성품의 실체로 삼았다." 이런 '정성'은 단지 인간의 도덕을 넘어서는 "우주의 주된 동력"이다.[79] 실제로 『중용』은 천지의 진실하고도 묵묵한 운행에서 자연법적 성실성의 원리를 도출했다.

한편 '공경(敬)'은 『중용』에서 강조하는 또 하나의 핵심개념이다. 정성이 성품의 내실이라면, 공경은 그 성품이 타자를 향해 드러나는 덕목이다. 그것은 '예'의 근거가 된다. 예는 특히 부부윤리에서 시작한다.[80] 서우는 부부간에 손님을 대하듯 공경했다는 『춘추좌전春秋左傳』의 옛 고사를 들었다. 그리고 "공경은 덕이 모인 것이다. 능히 공경하면 반드시 덕이 있다"[81]는 명구를 인용했다.

부부간에 공경하는 예를 토대로 삼아, 이를 사회로 확충할 수 있다. 서우가 되묻는다. "공경이 마음을 조종하는 근본이다. 이를 사회로 넓히면, 어디로 간들 부적합하겠는가?"[82] 공경하는 마음이 있다면, 어디서 무슨 일을 하든지 만사형통한다는 말이다.

『중용』에 따르면, 지극한 정성과 공경이야말로 도덕의 근간이다. 그러므로 "진실로 지극한 덕이 아니면, 지극한 도가 응결되지 않는다"고 한다.[83] 그런데

---

78. 子位於五聖, 而特以至孝稱焉. 學人可以爲標准也. 其三貴三省歸厚者, 亦爲美德. 又有任重道遠, 以多問寡之言, 皆撝謙理到之德教也. 『통편』, 168~169쪽.

79. 『中庸』是執中之傳, 庸是用之無過不及之義, 甚難能也. 子思以道德原於性天, 而誠爲性之實體, 乃宇宙之主動力也. 故以誠爲此篇血脈. 『통편』, 169쪽.

80. 禮始於謹夫婦, 所以修身之在慎獨也. 『詩』云 "刑于寡妻." 『통편』, 170쪽.

81. 敬, 德之聚也. 能敬, 必有德. 『통편』, 170쪽.

82. 敬爲操心之本, 推之社會, 何往而不適哉. 『통편』, 170쪽.

흥미로운 것은, 도덕실천상의 이런 '지극한 도의 응결'을 서우가 정신수련의 경험과 일치시키는 데에 있다.

> 도가 어디에 응결되고 그 현상이 어떤지를 내가 일찍이 스스로 징험했도다. 오직 참된 전승의 도학이라야, 정신이 응결돼 통하는 징험을 정말로 가진다. 그 요령은 모두 현관玄關에 있다.[84]

몸에서 징험되는 '현관'이라는 고도의 정신수련 기제와 『중용』에서 말하는 정성·공경의 도덕이 아무런 균열 없이 절묘하게 만난다. 거기에 전병훈 도덕철학의 묘미가 있다. 앞서 '어짊'을 봄날처럼 화락한 원기의 상태로 묘사하는 대목도 마찬가지다. 이는 단지 문학적 유비의 메타포로 머물지 않는다.

사람들은 흔히 사회공동체의 관계윤리로 '정성'과 '공경'의 도덕을 파악한다. 그러므로 도덕이 하늘에서 근원하며 그것을 체득하는 요령이 현관에 있다는 진술까지, 일반인에게는 실로 난해한 구도 수행의 서사가 아닐 수 없다.

어짊·정성·공경 같은 덕목을 내 생명의 구체적인 활력(生機) 상태로 진술하는 것은, 보통사람이 여간해서는 납득하기 어려운 문법이다. 하지만 세상 어디를 가더라도 떳떳한 관계윤리의 기틀을 다지려면, 역설적으로 세상의 어떤 간섭으로부터도 의연한 도덕적 결단의 근거가 내 안에 마련돼야 한다.

그러므로 정신의 영명한 빛이 떳떳한 발로를 얻은 자라야, 비로소 참된 도덕을 구현한다. 사회적 관계윤리와 내밀한(주관적인) 정신수련의 경험이 교차하는 패러독스가 거기서 고차원의 접점을 찾는다. 서우는 그 접점의 한가운데 자리를 잡고, 이른바 '겸성'의 도덕적 근거지를 마련했다.

거기서 참된 도덕은 타인 내지는 사회와 어떻게 관계하는가를 묻기에 앞서, 자기 내면의 풍경을 관조하고 가꾸는 체험으로부터 얻어진다. 그러므로 "몸을

---

83. [『中庸』……] 又曰 "苟不至德, 至道不凝焉." 『통편』, 170쪽.

84. 余曾自驗道凝於何處而景象何如耶. 惟眞傳道學, 果有凝結神通之驗, 其要都在玄關. 『통편』, 170~171쪽.

닦기(修身)는 홀로 삼가기(愼獨)에 있다"[85]고 단언한다. 서우는 "(도에) 합치하기를 간절히 원하는 자라면, 실로 이로써 해야 한다"[86]며 모든 사람을 내면의 은밀한 궁궐로 초대한다.

그리고 다시 선언한다. "아! 철리·도덕의 학문이 여기서 더욱 분명해진다."[87] 누항에는 여전히 불온한 탐욕과 부도덕의 눈보라가 거세다. 하지만 그럼에도 불구하고, 인간인 까닭에 누군가는 반드시 도덕을 포기하지 않는다.

그리하여 도덕을 구하는 자라면, '신독'의 내밀한 경험세계로 들어가야 한다. 그 안에서 꽁꽁 언 양심을 녹이고, 그의 천성이 마침내 어짊과 정성의 화락한 원기로 되살아나는 것을 보게 되리라.

맹자孟子

아무리 비도덕과 몰도덕의 광풍이 휘몰아치는 시대라도, 사람의 양심 안에는 언제나 도덕의 희미한 불씨를 꺼뜨리지 않고 키울 근거지가 있다. 그러므로 맹자가 말했다.

> "천하의 넓은 곳에 거처하고, 천하의 올바른 자리에 서며, 천하의 큰 길을 간다. 뜻을 얻으면 만민과 함께하고, 뜻을 얻지 못하더라도 홀로 그 길을 간다. 부귀로 미혹되지 않고, 가난으로 변절하지 않으며, 무력으로 굴복시킬 수 없다. 이를 일컬어 '대장부'라고 한다."[88]
>
> "하늘이 장차 그 사람에게 큰 사명을 맡기려고 할 때는, 반드시 먼저 그 마음과 뜻을 고통스럽게 한다. 그 근골을 피로하게 하고, 그 육신을 굶주리게 하며, 그 몸을 궁핍하게 하여, 그가 하는 일마다 어지럽게 한다. 이는 마음

---

85. 所以修身之在愼獨也. 『통편』, 170쪽.
86. 故痴原合致者, 誠以此也. 『통편』, 171쪽.
87. 烏乎! 哲理道德之學, 至此而益加明矣. 『통편』, 171쪽.
88. 孟子曰 "居天下之廣居, 立天下之正位, 行天下之大道. 得志與民由之, 不得志獨行其道. 富貴不能淫, 貧賤不能移, 威武不能屈, 此之謂大丈夫." 『통편』, 171쪽. 본래 『맹자·등문공하滕文公下』에 보인다.

을 움직여서 참을성을 길러주어, 그가 할 수 없었던 것을 더 잘하도록 만들기 위해서이다."[89]

"군자는 도를 깊이 탐구하니, 스스로 터득하려는 것이다. 좌우에서 취하여 그 근원을 만나게 된다."[90] "직위가 높은 사람을 설득할 때는 그를 가벼이 여기고, 그 위세를 보지 말아야 한다."[91] "(높은) 직위에 오르면 천하를 아울러 선하게 하고, (처지가) 곤궁하면 그 몸을 홀로 선하게 한다."[92]

두말할 나위 없이 저명한 맹자의 명언들이다. 부귀권세를 좇는 패권자들이 도덕을 저버린 난세, 즉 도덕진화의 네 번째 단계에서 현자와 철인들이 어떻게 도덕을 지켰는가를 웅변적으로 말한다. 전병훈은 여기서 맹자의 광대한 흉금, 성스러운 웅변의 지혜를 볼 수 있다고 극찬했다.

예전에 '군자'는 곧 군주를 가리켰다. 그런데 권력자가 도덕에서 멀어지자, '군자'의 이름 역시 군주를 떠났다. 공자는 권력을 가진 자가 군자가 아니라, 도가 있는 사람이 '군자'라고 명언했다. 맹자가 말하는 '대장부' 역시 도덕군자의 다른 이름이다. 지금처럼 다만 호기나 부리는 건장한 사내를 대장부라고 호명했던 것이 아니다.

대장부는 '어짊'과 '정의'의 큰 도에 머문다. 도덕의 실질적인 쓸모는 단지 어짊과 정의에 있다. 그러므로 성품이 어질고 정의롭지 못하다면, 아무리 건장한 사내라도 그를 '대장부'로 부르기에는 부족하다.[93]

한편 맹자는 왕도정치와 호연지기, 그 밖에도 저명한 여러 학설과 개념을

---

89. 又曰 "天之將大任於是人也. 必先苦其心志, 勞其筋骨, 餓其體膚, 空乏其身, 行拂亂其所爲. 所以動心忍性, 增益其所不能." 『통편』, 171쪽. 『맹자·고자하告子下』에 보인다.
90. 又曰 "君子深造之以道, 欲其自得之也. 取之左右逢其源." 『통편』, 171쪽. 『맹자·이루장구하離婁章句下』에 보이는 구절이다.
91. 又曰 "說大人則藐之, 勿視其巍巍焉." 『통편』, 171쪽. 『맹자·진심하盡心下』에 보인다.
92. 又曰 "達則兼善天下, 窮則獨善其身." 『통편』, 172쪽. 『맹자·진심상盡心上』에 보인다.
93. 孟子此論可見其博大胸襟, 雄辯之聖智也. 孔子稱有道者曰君子. 此云大丈夫, 亦有道者也. 廣居大道本仁義, 以爲道德之實用. 『통편』, 171쪽.

발명했다.[94] 그 가운데 '자포자기'도 있다. 이 단어는 자기 스스로를 돌보지 않으며, 제멋대로 행동하는 것을 의미한다. 그런데 본래 맹자가 말한 것은 이보다 한결 섬세하다.

> 자기를 해치는 자와는 더불어 말할 수 없다. 자기를 버리는 자와는 더불어 일할 수 없다. 입만 열면 예의를 비난하니, 이를 일러 '자기를 해친다(自暴)'고 한다. 내 몸은 어질고 정의로울 수 없다고 하니, 이를 일러 '자기를 버린다(自棄)'고 한다.[95]

이를 전병훈은 한층 친절하게 설명했다. 인성이 본래 선하므로, 사람은 누구나 요·순처럼 될 수 있다. 그런데 그 본성이 물욕에 덮이면, 자기 몸을 망치고 도덕을 업신여기는 지경에 이른다. 그런 자가 양심을 저버리고 온갖 잘못을 저지르니, 그걸 곧 '자포'라고 한다.[96]

그러므로 자포자기에 빠진다는 것은, 곧 자기를 성찰해서 덕업을 쌓으려는 노력을 포기하는 유약한 도덕의 상태를 일컫는다. 그런 자포자기에서 사람들이 벗어나려면, 무엇보다 교육이 중요하다. 도덕진화의 네 번째 단계에서 나타난 중요한 사건의 하나가, 국가에 의한 공교육을 대신하는 사학私學의 확대에 있다.

물론 그 출발은 공자에서 비롯된다. 하지만 전국시기에 이르면 이미 수많은 학파가 출현하고, 사학이 크게 성행했다. 맹자 역시 예외가 아니었다. 맹자는 "천하의 영재를 얻어서 교육하니, 군자의 세 번째 즐거움"[97]이라는 명구를 남겼다.

---

94. 言王道以明經國之大法, 而養氣論諸說, 發前人之所未發之哲理道德也. 『통편』, 171쪽.
95. 又曰 "自暴者, 不可與有言也. 自棄者, 不可與有爲也. 言非禮義, 謂之自暴, 吾身不能居仁由義, 謂之自棄也." 『통편』, 172쪽. 『맹자·이루상離樓上』에 보인다.
96. 人性本善, 故人皆可爲堯舜, 而其或蔽於物欲, 敗身蔑德者, 放其良心之咎, 是乃自暴者也. 『통편』, 172쪽.
97. 又曰 "得天下英才而教育之, 三樂也." 『통편』, 172쪽.

나머지 첫째는 부모가 모두 생존하고 형제가 무탈한 즐거움이다. 두 번째는 자기 행실이 떳떳해서 하늘과 사람 모두에게 부끄럽지 않은 즐거움이다.[98] 여기서 첫째와 두 번째 즐거움은 누구나 공감할 수 있는 보편적인 도덕 정감이다. 이와 달리, 세 번째 즐거움은 교육자로서의 보람을 피력한다.

즉 도덕을 확산하는 적극적인 교육을 '군자'의 사명에 추가한 것이다. 전병훈이 맹자의 글에서 유독 '세 번째 즐거움'을 강조하는 문맥도 다르지 않다. 서우는 교육을 통해 도덕이 많은 사람들에게 미칠 수 있다면, 그것이 곧 커다란 즐거움이라고 명언했다.[99] 물론 이는 맹자에 대한 해석이기 전에, 서우가 자신에게 부여한 사명이기도 했다.

전병훈이 맹자에게서 마지막으로 주목한 것은 도덕의 심화를 설명하는 개념들이다. 맹자가 말했다. "할 만한 가치가 있는 것을 '착하다(善)'고 한다. 자기에게 선이 있는 것을 '미덥다(信)'고 하며, 선이 충만한 것을 '아름답다(美)'고 한다. 충만하고도 밝게 빛나는 것을 '위대하다(大)'고 하고, 위대하게 교화시키는 것을 '성스럽다(聖)'고 한다. 성스러우면서도 이를 헤아릴 수조차 없는 것을 '신령하다(神)'고 한다.[100]

서우에 따르면, 이런 개념들은 도덕적인 앎(知)과 행위(行)의 심화과정을 함축한다. 즉 행실의 '착함'에서 시작해 점차 내면이 깊고 충만하고 밝아지며, 마침내 성스럽고 신령한 데에 이르는 도덕실천의 공부를 진술한다. 그리하여 궁극의 경지에 이르면, 누구라도 그 덕이 천지에 합치한다.

다만 이런 '성스러움'이란 착함의 지극한 극치라서, 드러나는 소리도 없고 향기도 없다.[101] 다시 말해, 겉으로 노출되는 보통의 아름다움이나 미덕과는 그

---

98. 군자삼락君子三樂은 『맹자 · 진심상』에 보인다.

99. 三樂者, 實道德之及於人者衆故, 可樂也. 『통편』, 172쪽.

100. 又曰 "可欲之謂善, 有諸己之謂信, 充實之謂美, 充實而有光輝之謂大, 大而化之之謂聖, 聖而不可知之之謂神." 又曰 "達則兼善天下, 窮則獨善其身." 『통편』, 172쪽. 『맹자 · 진심상』에 보인다.

101. 此言知行表裏, 由淺及深, 極至於聖神, 蓋造道入德之功. 至於聖神, 則與天地合其德矣. 然聖則至善之極致, 無聲無臭. 『통편』, 172쪽.

차원이 다른 것이다. 한편 서우는 과거의 순수로 회귀하려는 원시반본의 충동에서 도덕의 근원을 운위했다.

> 이른바 '신령함'이란 위대하게 교화시키는 것보다 한층 높은 경지다. 아득한 옛날 하늘에서 강림한 거룩한 사람(皇人)들이 곧 신령한 사람(神人)이 아니겠는가? 중국의 광성자와 기백岐伯 그리고 한국의 단군이 모두 그런 사람들이다.[102]

물론 이는 인류 시원의 도덕과 영성을 말하는 초역사적 문법의 일환이다. 서우는 태초의 이런 도덕을 공맹의 유교가 이었다고 천명했다. 그리고 이를 '유학의 원천도덕 전통'이라고 불렀다.[103] 그렇다고 해서 그가 단지 유교의 도덕철학에만 주목한 것은 아니다.

당시 서구의 신문물을 받아들인 지식인들은 유교를 비판하는 대신, 도가를 호평하는 경향이 있었다. 이런 추세를 언급하면서, 전병훈은 도가의 도덕 역시 마땅히 승계해야 한다고 명언한다. 다만 그의 글이 역사의 문체가 아니므로, 반드시 시간 순서대로 진술할 필요는 없다고 해명했다. 실제로 도가(도교)의 도덕철학은 뒤편에 별도의 장절로 독립해서 다루게 된다.[104]

또한 서우는 춘추전국시대의 인물인 정나라의 자산(鄭子産), 진나라의 숙향(晉叔向), 제나라의 안영(齊晏嬰), 오나라의 계찰(吳季札), 초나라의 자서(楚子西) 등을 '도덕경제가道德經濟家'로 불렀다. 도덕을 기반으로 나라의 경제를 일으킨 경세가들이라는 뜻이다.

그리고 관중, 열자, 장자, 순자, 신불해申不害, 회남자, 양웅 등 여러 학자들의

---

102. 所謂神者, 大而化之以上也. 邃古之天降皇人者非神人乎? 如中之廣成·歧伯, 韓之檀君, 皆其人也. 『통편』, 172~173쪽.

103. 吾儒原天道德之統傳, 固如是也. 『통편』, 173쪽.

104. 然近世傳聞新學之士, 至論儒之哲理觀, 不及道家云云. 於斯當繼以道家之道德, 然此非史體, 故不必盡從序次, 而載於後篇也. 『통편』, 173쪽.

저서가 족히 찬미할 만하다고 거열한다. 다만 그들의 이론이 순전한 도덕에 관한 것은 아니어서, 전문적으로 논구하지는 않는다고 해명했다.

한편 전국시대의 송경宋牼이 전쟁의 종식을 말했으며, 진나라의 기해(晉祈奚)는 크게 공정해서 사사로움이 없는 심덕을 보였다고 칭송한다. 기해가 왕에게 자기 자식과 원수를 함께 추천했다는 고사에서 비롯된 평가였다.[105]

그 밖에도 도덕진화의 네 번째 단계에서 전병훈이 손꼽은 도덕군자와 사상가들은 다음과 같다. 전국시대 말기에 제나라 현자였던 노중련魯仲連(魯連子), 서한의 동중서, 삼국시대 촉한의 제갈량, 위진남북조의 도연명, 수나라의 사상가로 삼교일치를 논한 왕통王通, 당나라의 육지陸贄(陸宣公), 곽자의郭子儀(郭汾陽), 한유韓愈 등이다.

서우는 그들 각자에 대해 짧은 코멘트를 달았다. 하지만 그 평론을 여기서 일일이 소개하지 않겠다. 왜냐하면 대부분이 앞서 말한 도덕의 내용을 부연하거나, 혹은 그런 도덕을 각별히 실천한 사례라고 논평하는 데 그치기 때문이다.

춘추시대에서 당나라 말까지, 이른바 도덕진화의 네 번째 단계는 1,500여 년에 이른다. 하지만 맹자 이후로, 서우가 두드러지게 주목한 도덕가는 눈에 띄지 않는다. 다만 공맹 이후 원천도덕의 패러다임을 이어받아 도덕을 실천한 본보기로 몇몇 인물을 거열하는 정도에 그친다.

다섯 번째 도덕진화

한기韓琦

서우에 따르면 북송 성리학, 특히 주희를 계기로 유교가 다섯 번째 도덕진화 단계로 접어들었다. 하지만 이론과 실천 어느 방면에서든, 이 단계의 도덕이 전에 비해서 특별히 도약했다고 평가하는 건 아니다. 다만 예로부터 이어진 원천도덕의 전통이 끊이지 않고 이어졌다는 문맥에서, 이 시기의 경세가와 학자

105. 『통편』, 173쪽.

들을 평론한다. 공맹의 고대 유학과 구별해서, 성리학을 이른바 '신유학'의 독보적 발전단계로 평가하는 유학계의 통론과는 온도 차이가 상당하다.

서우는 송대의 어느 성리학자보다 먼저 한기韓琦(1008~1075)를 호명했다. 한기는 북송 최고의 정치가로 손꼽힌다. 젊어서 벼슬길에 올라 굶주리는 백성을 구제하고, 변경을 방비하는 등 큰 공을 세웠다. 평생 조정과 백성에 헌신하고, 또한 겸손하고도 덕망이 높아 역사에 이름을 남겼다. 서우는 한기에 대해 다음과 같이 논평했다.

> 한기韓琦(韓魏公)의 덕량과 풍모는 세상에 드물게 기품이 있고 뛰어나게 슬기로웠다. 마치 큰 산에 신령이 강림한 듯하니, (서주의 명재상인) 윤길보尹吉甫의 재능에 문무를 겸비했던 사람이다. 문인 학자가 감히 견주어 비교할 바가 아니어서, 곧 참된 철인이자 덕이 높은 현자였다. 일찍이 자객을 만났으나 편안히 누워 그가 하는 대로 맡겨 두니, 자객이 항복하고 정성을 다했다. 그 덕이 사람을 감화하는 것이 거의가 이러하였다.[106]

서우는 북송 성리학의 어느 이론가보다, 명재상으로 이름난 현실정치가를 앞세웠다. 한기야말로 참된 철인이자 덕이 높은 현자로, "문인 학자가 감히 견주어 비교할 바가 아니"라고 칭송한다. 번쇄한 이념보다는 실질적인 도덕실천을 강조했기 때문이다. 몸소 도덕을 체현하고 현실에서 투철하게 실천한 한기를 부각해서, 이른바 '원천도덕'의 정통성을 우선적으로 부여했던 것이다.

한기 다음으로 서우가 호명한 송대의 도덕가들은 주돈이周敦頤(1017~1073), 사마광司馬光(1019~1086), 소옹邵雍(1011~1077), 장재張載(1020~1077), 정호程顥(1032~1085), 범중엄范仲淹(989~1052), 주희朱熹(1130~1200), 장식張栻(1133~1180)이다.

---

106. 韓魏公之德量道範是間氣英賢, 如嶽降神, 尹吉甫之才兼文武者也. 非文人學士所敢比擬之, 乃眞哲碩德也. 曾逢刺客而偃臥, 任其所爲, 則客降服輸誠. 其德之感人者, 類皆如此. 『통편』, 177쪽.

각 인물의 생몰연대에서 알 수 있듯이, 한기부터 정호까지 여섯 사람은 11세기 북송의 학자이자 정치가였다. 그들 가운데 소옹만 단지 일생토록 초야에서 은거했다. 나머지 다섯 사람은 현실정치 일선에서, 이른바 '경력의 치세(慶曆之治)'로 불리는 인종仁宗 황제의 통치기를 추동했다. 그들이 북송대 관료와 학자의 모범을 이뤘다.

남송의 주희가 주돈이, 사마광, 소옹, 장재, 정호 다섯 사람에 정호의 동생인 정이程頤를 포함해서 '북송 육현六賢'으로 명명했던 것은 주지의 사실이다. 서우는 주자학의 이런 전통적 계보관념을 부분적으로 승인했다. 하지만 주희의 문법과 달리, 북송 도덕가에서 정이를 제외하는 대신, 한기와 범중엄을 추가했다. 북송의 명재상으로 이름 높았던 두 사람을 부각함으로써, 도덕이란 이념보다 현실에서의 구현이 더 중요하다는 메시지를 은연중에 발신하고 있는 것이다.

주돈이周敦頤

실제로 서우는 송대의 번쇄한 성리학 이념에 대해서는 거의 눈을 돌리지 않았다. 대신 유교에서 통시적通時的으로 승인되는 실천적인 도덕, 그리고 그것을 현실에서 구현한 사례에 주목했다. 예를 들어 주렴계가 "태극을 천명해서 송대의 이학을 열었다"고 천명한다. 그리고 주렴계의 도덕이론이 매우 "순수하다"면서, 아래 명구를 인용했다.[107]

> 주렴계가 말했다. "움직여서 올바르면 '도'라고 한다. 작용해서 조화로우면 '덕'이라고 한다. 인의예지신이 아니면 모두 사특하다. 사특한 것이 발동하면 욕되다. 그러므로 군자는 움직임에 신중하다."
> 또한 말했다. "성인의 도는 어질고 의로우며(仁義) 치우치지 않고 올바를(中正) 따름이다. 이를 지키면 귀하고, 이를 행하면 이롭고, 이를 확충하면 천

107. 此文元公, 闡明太極, 以啓宋之理學. 其道德之論, 亦如是醇粹哉.『통편』, 177~178쪽.

지와 짝한다. 어찌 쉽고 간단하지 않은가? 어찌 알기 어렵겠는가?"[108]

윗글은 모두 주렴계의 『통서通書』에 보인다. 그런데 말미의 평론처럼, 그 내용은 쉽고 간략하다. 행실이 올바르고 두루 조화를 이루면, 그게 곧 '도덕'이다. 인의를 위시한 오상五常의 덕목을 지키고 행하면 귀하고 이로우며, 더 나아가 천지와 덕을 나란히 한다. 이런 주렴계의 언명은 서우의 말마따나 '순수'하다. 그게 또한 '원천도덕'의 문법에도 잘 들어맞는다.

사마광司馬光

한편 주렴계에 이어서 서우가 호명한 도덕가는 사마광이다. 후대의 역사서에서 "독실하고 충후忠厚하며 몸소 도덕을 행해서 당대에 모범이 되었다"[109]고 평하는 명재상이다. 서우가 말한다. "공이 재상으로 쌓은 업적이 한기의 덕업과 함께 역사서에 휘황해서 군더더기 말을 덧붙일 게 없다." "도덕에 관해서 대략 순서를 매기면 첫째 둘째일 따름이다."

사마광이 남긴 『가훈家訓』이 유명하다. 서우는 거기에서 "집안을 교화해서 나라에 미치는 도덕"을 볼 수 있다고 평했다.[110] 송대의 도덕가에 대한 서우의 평론은 이처럼 간략하고, 평이하며, 실천지향적이다. 이런 문법은 다른 인물의 논평에서도 반복된다.

소강절邵康節, 장재張載, 정명도程明道, 범중엄范仲淹

소강절·장재·정명도·범중엄을 평론하는 글을 차례대로 읽어 보자. 그러면 서우가 무엇을 중점으로 북송 유학자들의 도덕을 평가하는지 일목요연하

108. 周子濂溪曰 "動而正曰道, 用而和曰德. 匪仁·匪義·匪禮·匪智·匪信, 悉邪也. 邪者, 動之辱也, 故君子愼動." 又曰 "聖人之道, 仁義中正而已. 守之則貴, 行之則利, 廓之而配乎天地. 豈不易簡哉? 豈爲難知哉?" 『통편』, 177쪽.

109. 司馬溫公, 篤實忠厚, 躬行道德, 以作模範於當世. 『통편』, 178쪽.

110. 公之相業, 與魏公之德業, 輝煌史冊, 不須贅論, 而略敘其關於道德者一二而已. 公之『家訓』, 誠可見化家及國之道德一斑也. 『통편』, 178쪽.

게 알 수 있다.

소강절은 수數로 얻어서 이理로 귀결했다. 그의 『황극경세서』는 천지와 인물의 이법에 통달했다. 백세 이전을 견줘서 백세 이후를 알 수 있었으니, 우주가 열렸다 닫히는 정해진 섭리다. 이 논의와 같다면, 성인의 도덕이 만물일체의 평등계에 들어가는 것이라고 말할 수 있다. 그 우주관과 철리의 진실한 경험이 실로 최고로 뛰어나고 슬기롭다.[111]

(장재의) 『서명西銘』에서 '내 몸'이란 곧 천지의 자식을 뜻한다. 부모에게 극진히 효도하고, 하늘을 위하는 효자의 도리가 찬연히 다 갖춰져 있다. 사람의 도덕을 더욱 경계하는 것이, 지극히 위대하다. 옛 선비가 비평하기를 (『서명』은) "맹자 이후로 단지 한 편의 글로 일컬을 만하다"고 했다. 실로 지나친 논평이 아니다. 그리고 태허와 합심하는 우주론의 여러 설 역시 모두 정밀하고 해박하다. 그렇지만 전부 실을 수는 없다.[112]

정명도는 실로 도덕이 있었다. 한 덩어리의 조화로운 기운, 온화하고 순수한 기운이 뒤섞여서 온몸에 넘쳐흘렀다. 제자가 수십 년을 따라 공부했지만, 일찍이 그가 성내는 모습을 본 일이 없었다. 송대의 현자 가운데 가장 후덕했던 대현인이라고 말할 수 있다.[113]

---

111. 康節得之以數, 歸之以理. 其經世之書, 窮盡天地人物之理, 等百世以上, 可知百世以來, 闔闢之定理也. 如此論, 則可謂聖人之道德, 入萬物一體之平等界者也. 其宇宙觀念·哲理眞驗, 誠最高英賢也. 『통편』, 178~179쪽.
112. 此『西銘』吾身, 即天地之小子. 克盡孝道于親, 而爲天孝子之理, 粲然悉備. 其爲人之道德之儆益者至大也. 先儒批評, 以孟子以後只曰一篇文字者, 實非過論也. 且太虛合心, 宇宙論諸說, 亦皆精博, 而不能俱載耳. 『통편』, 180쪽.
113. 明道實有道有德. 渾是一團和氣, 和粹之氣, 盎於面背. 門人從游數十年, 未嘗見其忿厲之容, 可謂宋賢中之最有德大賢也. 『통편』, 181쪽.

> 범중엄은 한기와 더불어 모두 한미한 출신으로 재상의 지위에 올랐다. 임금과 백성에게 미치는 뛰어난 공훈이 세상의 모범이 되었다. 더구나 범중엄은 가문마다 공유농지(義莊)를 설치해 가난한 혈족을 구휼토록 했으니, 역시 공공의 도덕을 크게 한번 확충한 여파였다. 역시 후세의 모범이 될 만하다. 그가 말했다. "선비는 마땅히 천하의 근심을 앞서서 근심하고, 천하의 즐거움은 나중에 즐겨야 한다." 참으로 지극한 말이다.[114]

희대의 이론가와 명재상들이 북송의 문치 시대를 풍미했다. 그들은 인종 황제의 인재중용으로 한 조정에 모여 명론탁설을 펼쳤다. 저마다 모두 출중했으므로, 제각기 정론을 내놓아 조정의 논의가 분분했다. 훗날 이를 '경력의 당의黨議'로 부르기도 한다.

정치적 공론이 활발했으나 붕당 간의 쟁론이 과도했다는, 이중적 함의가 담겨 있다. 어쨌든지 현실정치의 공과를 떠나, 11세기 북송의 도덕가들은 동아시아에서 신화가 되었다. 그들은 근 10세기 동안 성리학의 비조로 추앙받는 영광을 누렸다. 그런 명사들에 대한 평론치고는, 서우의 묘사가 너무 소략한 정황마저 있다.

앞서 삼대 이전의 성인과 공맹을 예찬하던 힘찬 논조는 차분히 가라앉았다. 도덕의 근거로 초경험적이고 추상적인 '이理'를 찬미하던 중세 성리학의 전형적인 화법은 더 이상 반복되지 않는다. 대신 서우는 원천도덕의 문맥에서 자연법적이고 공적인 도덕을 강조한다. 그리고 이념이나 관념이 아니라, 몸에 실제로 체현되는 도덕 및 그 경험에 방점을 찍었다.

소강절은 "우주가 열렸다 닫히는(闔闢)" 순환변화의 수리적 섭리에서 도덕의 근거를 찾았다. 그것은 일체만물에 평등하게 적용된다. 『서명』은 장재가 서쪽 창에 걸어 놓고 늘 새겼다는 저명한 좌우명이다. 거기서 '나'는 천지의 자식

---

114. 范公與韓魏公俱以寒微致位. 其致澤巍勳, 模範宇宙. 況其置義莊, 救恤貧族, 亦一推廣公德之餘波, 亦可爲後世之模範也. 其曰 "士當先天下之憂而憂其憂, 後天下之樂而樂其樂." 誠至言哉. 『통편』, 181쪽.

으로, "만민과 동포이고 만물과 한 무리"라고 명언한다.[115] 서우에 따르면, 이런 자각이야말로 "하늘을 위하는 효자의 도리"이며 그로부터 "사람의 도덕"이 비롯된다.

정명도의 위대함은 온화한 기운이 늘 몸에 머물던 "실제의 도덕"에 있었다. 범중엄은 자기보다 천하를 먼저 근심하던 "공공의 도덕"으로 천하의 모범이 되었다. 서우가 발굴한 송대 도덕가의 모습은, 이처럼 자연친화적이고 탈이념적이며 소박한 실천가의 면모를 띤다.

그리고 그것은 한 시대의 도덕가에 국한되지 않고, 이른바 '원천도덕'의 정수를 얻은 사람이라면 언제 어디서나 나타나는 보편적인 특징처럼 진술된다.

주희朱熹, 여조겸呂祖謙

이런 문법은 남송의 주희에 대한 묘사에서도 반복된다. 주희의 방대한 저술에서, 서우는 아래의 몇몇 구절들을 도덕론의 핵심으로 가려 뽑았다.

> 주희가 말했다. "거경居敬으로 그 뜻을 세우고, 독서로 그 이치를 궁구하며, 힘써 행하여 실천한다." 또한 말했다. "양기陽氣가 일어나는 곳이면 쇠와 돌도 또한 뚫린다. 정신을 한데로 모으면 어떤 일인들 이뤄지지 않겠는가?" 또한 말했다. "도란 일상에서 마땅히 가야 하는 길이다. 덕이란 도를 행하여 마음에서 얻어진 것이다." 또한 '밝은 덕(明德)'을 이렇게 해석했다. "사람이 하늘로부터 받아서 허령하고 어둡지 않으며, 온갖 이치를 갖춰서 만사에 감응하는 것이다."[116]

---

115. 乾稱父, 坤稱母. 予兹藐焉, 混然中處. 天地之塞吾其體, 天地之帥吾其性. 民吾同胞, 物吾與也. 『통편』, 179쪽. 본래 장재張載의 『서명西銘』에 보인다.

116. 朱子晦菴曰 "居敬以立[원문에는 '持']其志, 讀書以窮其理, 力行以踐其實." 又曰 "陽氣發處, 金石亦透. 精神一到, 何事不成."[『朱子語類』 卷八] 又曰 "道者, 日用當行之路. 德者, 行道而有得於心者也."[『四書集注 · 學而篇』] 又釋明德曰 "人之所得乎天而虛靈不昧, 具衆理而應萬事者也."[『大学章句集注』] 『통편』, 181~182쪽. 여기서 [ ] 안에는 출처를 표기했다.

'거경궁리와 실천' '정신의 집중(精神一到)' '일상적인 행실과 마음의 도덕' '천부의 지혜로 얻는 밝은 덕'이 주희의 저술에서 서우가 골라낸 도덕설의 정수였다. 물론 그것으로 주희의 도덕이론 전부를 대표할 수는 없다. 그러기에는 너무 단출하며 소략하지 않은가? 그런데 서우 역시 그것으로 주희의 도덕설을 망라하려던 것은 아니다.

다만 주희가 남긴 텍스트에서 가장 중요하고, 도덕의 실상에 접근한다고 서우가 판단한 글귀들을 가려 뽑았다. 그러므로 위 구절은 주희의 사상 전반을 대표한다기보다는, 오히려 서우의 도덕관을 대표할 만한 것이다. 거기서 중세 도덕의 추상성과 초월적 이념성은 거세된다. 그리고 역설적으로, 주희가 정립한 중세의 도덕 역시 고대의 원천도덕에서 일상성과 실천성을 계승했음을 드러낸다.

어쩌면 이것은 주자학을 위한 전병훈의 '변론'이었다. 서우는 "주자가 여러 현자들의 가르침을 집대성하니, 또한 공자가 여러 성인의 가르침을 집대성한 것과 같다"고 자리매김했다. 그리고 "이로부터 천하의 학문이 찬연히 존숭되니, 조선의 경우에 더욱 심화했다"고 넌지시 과시한다.[117] 또한 "근세의 학자들이 그(성리학의) 폐단을 지적해 비난"하는 현실에 우려를 표시했다.

당시 주자학은 망국의 근원, 봉건왕조의 전제專制이념, 비현실적이고 고루한 공리공담 등으로 비난받았다. 서우는 이런 비난을 전면적으로 반박하지 않았다. "하지만 폐단이 어찌 능히 그 공덕을 가리겠는가?"고 반문한다. 더 나아가, 주희에 대한 비난이 대개 "『주자대전朱子大全』을 읽지 않은 데서 비롯된 잘못"이라고 변론했다.[118]

그리고 주희도 평상의 도덕을 정신·신체상으로 몸소 실행했다고 강조하는 문맥에서, 앞서 살핀 인용문을 가려 뽑았다. 다시 말해, 현학적 이론가 주희 대

---

117. 朱子集羣賢而大成, 亦猶孔子之集羣聖而大成也. 故自是天下之學, 粲然尊尚, 如朝鮮者尤甚. 『통편』, 182쪽.

118. 近世之論學者, 指訾其後弊, 然安能掩其功德哉? 由不讀『大全』之咎也. 先生與呂東萊友善. 呂得於躬自厚而薄責人之旨, 變化粗性, 更不暴怒, 誠變化氣質法也. 『통편』, 182쪽.

신에 소박한 도덕실천가 주희의 면모를 부각했던 셈이다. 한편 서우는 주희와 함께 『근사록近思錄』을 편찬했던 여조겸呂祖謙(1137~1181)의 사례를 들기도 했다.

> 주희는 여조겸과 절친했다. 여조겸은 "자기 책망은 엄하게 하고 남의 책망은 가볍게 한다"는 (공자의 가르침에서) 요지를 얻어, 거친 성정을 변화시켜 다시는 격노하지 않았다. 참으로 기질을 변화시키는 법이다.[119]

윗글은 일상에서 기질을 변화시키는 수행에 강조점을 둔다. 그 논거를 재삼 논구할 필요는 없을 것이다. 그런데 지금까지의 사례들을 가지고 만약 주자학만을 전적으로 변론한다면, 그 논변은 이내 옹색한 궁지에 빠지고 말 것이다.

왜냐하면 설령 위에서 열거한 실천적인 요인들을 십분 수긍한다고 해도, 주자학의 이념적 폐단들마저 사라지지는 않기 때문이다. 그렇지만, 전병훈이 단지 성리학을 정당화하고 보존하기 위해 변명을 늘어놓았던 것은 아니다.

서우가 온갖 학문에서 장점을 취하고 단점을 보완하는, '채장보단採長補短'의 철학자였다는 사실을 잊으면 안 된다. 그는 동서고금을 종횡으로 가로지르며, 수많은 철학의 유산들을 채장보단했다. 종횡무진으로 엮이는 철학적 혼성의 그물망에서, 성리학과 주희 역시 그물코의 한 지점으로 존립한다. 특히 그 좌표에서 '다섯 번째 도덕진화'가 이뤄졌다고 평가했다.

육구연陸九淵, 왕수인王守仁

그러므로 주자학의 장점을 끌어내듯이, 그와 대척점에 있던 다른 학파의 강점도 서우는 대등하게 승인했다. 예를 들어 육왕학陸王學이 그렇다. 서우가 말한다. "발현되지 못한 것을 발현하는 것은 주자와 육상산陸象山 두 파가 공히 인정하는 바이며, 참된 도덕의 근원이다."[120] 여기서 '발현되지 못한 것을 발현

---

119. 先生與呂東萊友善. 呂得於躬自厚而薄責人之旨, 變化粗性, 更不暴怒, 誠變化氣質法也. 『통편』, 182쪽.

하는 것'과 '참된 도덕의 근원'이란 무엇을 가리키는가?

육상산의 제자인 양자호楊慈湖(1141~1226)가 일찍이 말했다. "역易이란 자기의 변화이지, 남의 변화가 아니다. 『주역』을 단지 책으로 여기고 역易으로 자기를 위하지 않는다면, 그건 옳지 않다. '천지'란 나의 천지이고 '변화'란 나의 변화이지, 다른 사물이 아니다."[121]

여기서 전병훈이 부언했다. "이는 우주 변화가 내 마음의 변화에 다름 아니라는 것을 말한다. 그것이 도의 큰 근원이다."[122] 그렇다면 '발현되지 못한 것을 발현하는 것'이란, 곧 내 마음 안에 내재된 천지의 도덕을 발현한다는 문맥이다. 결국 주자학이든 육왕학이든, '참된 도덕의 근원'은 실천적인 '내 마음의 변화'에 다름 아니라는 말이다.

이런 문법에서 서우는 왕수인王守仁(1472~1528)도 극찬했다. "왕양명 선생이 상산학(陸學)을 중흥하여, 양지·양능과 지행합일설을 종지로 삼았다. 그 학설이 비록 주자와 많이 상반된다. 하지만 그 위대한 공훈과 정치업적은 참으로 드물게 보는 유학자의 철리와 도덕이다."[123]

황종희黃宗羲

그리고 유교의 도덕진화를 찬술하는 붓끝이 마침내 명·청대의 사상가들을 향한다. 서우는 전제군주제 아래서 미진했던 사회적 진보와 정의를 향해 눈을 돌렸다. 무엇보다 군주 한 사람이 천하의 이해득실 권한을 독점하는 폐단에 문제를 제기한다. 그는 명말청초의 사상가 황종희黃宗羲(1610~1695)의 명문을 불러왔다.

---

120. 發所未發者, 朱陸二派之所公認, 而眞道德之源也. 『통편』, 182쪽.
121. 明楊慈湖先生曰 "易者, 己也, 非他也. 以易爲書, 不以易爲己, 不可也. 天地者我之天地, 變化者我之變化, 非他物也." 『통편』, 183쪽.
122. 此說以宇宙變化, 不外乎我心之變化者, 道之大源也. 『통편』, 183쪽.
123. 王陽明先生乃重興陸學, 而良智良能·知行合一之說爲宗旨. 其學說雖與朱子多相反, 然其偉勳政蹟誠爲儒子罕見之哲理道德也. 『통편』, 183쪽.

황종희 선생이 말했다. “후에 군주가 된 자들은 천하의 이해득실 권한이 모두 내게서 나온다고 여겼다. 천하의 이익을 모조리 내게 돌리고 천하의 손해를 모조리 다른 사람에게 돌리더라도, 역시 안 될 것이 없다고 한다. 천하의 인민은 감히 사리사욕을 추구하지 못하게 하면서, 나의 커다란 사사로움은 천하의 큰 공익으로 삼는다.”[124]

윗글은 황종희가 찬술한 『명이대방록明夷待訪錄』의 한 구절이다. 황종희는 ‘천하의 이해득실 권한’을 독점한 군주가 “천하의 이익을 모조리 내게 돌리고 천하의 손해를 모조리 다른 사람에게 돌린다”고 준엄하게 비판했다.

이는 17세기 동아시아의 전제왕조에서 대단히 혁신적이고도 대담한 발언이었다. 서우는 이렇게 찬탄한다. “(황종희는) 탁월한 절개가 참으로 천고에 드물게 덕스러운 현인이다. 그는 학계의 지주이자 서광으로, 서구의 칸트와 동일하게 성인에 버금가는(亞聖) 자질과 인망을 갖췄다. 훌륭하고 훌륭하다!”[125]

하지만 혹자는 이미 민주화된 근대사회에서 황종희의 사상 정도가 뭐 그리 대수냐고 반문할지 모른다. 군주 1인에게 모든 정치권력이 독점된 전제군주제도의 폐해를 문제 삼는다면, 이런 반문이 일견 타당할 것이다. 현실상의 전제적 요소는 차치하더라도, 일단 정치원리상 오늘날 지구촌에서 전제의 시대는 거의 막을 내렸기 때문이다.

그러나 곰곰이 생각해 보면, 황종희가 지적한 폐단이 단지 과거의 병폐로 그치는 것은 아니다. 그와 같은 비판이 실은 지금 오히려 더 적실適實하다고 명언할 수 있다. ‘신자유주의’ 등으로 불리는 세계적인 금융독점자본주의 시스템에서 새로운 도덕적 타락이 재현되기 때문이다.

---

124. 黃梨洲先生曰 “後之爲君者, 以爲天下利害之權皆出於我. 我以天下之利盡歸於己, 以天下之害盡歸於人, 亦無不可. 使天下之人不敢自私, 不敢自利. 以我之大私, 爲天下之大公.” 『통편』, 183쪽.

125. 誠卓絕千古之逸德大賢. 其爲學界之砥柱曙光, 蓋與歐西之康德氏, 同一亞聖之資望也. 懿哉懿哉! 『통편』, ~183184쪽.

오늘날 '천하의 이해득실 권한'을 독점한 지구상의 1퍼센트, 심지어 0.1퍼센트가 "천하의 이익을 모조리 내게 돌리고 천하의 손해를 모조리 다른 사람에게 돌리"는 극심한 경제적 부조리가 심화되고 있다. "천하의 인민은 감히 사리사욕을 추구하지 못하게 하면서, 나의 커다란 사사로움은 천하의 큰 공익으로 삼는" 것 역시 다른 시대의 이야기가 아니다.

보통시민과 중산층은 몰락하는데, 자기 소유의 재산과 주식이 증대하는 것을 "천하의 큰 공익"이라고 유세하는 자산가와 권세가들의 뻔뻔스런 낯빛이 오버랩되지 않는가? 기업이 살아야 나라가 산다면서도, 정작 기업을 자기들의 사유물로 간주하고 온갖 불법·탈법으로 기업을 세습하는 한국 재벌의 부끄러운 도덕성도 민낯 그대로 투영된다.

더 큰 문제는 언론과 문화, 종교, 그리고 대학 등에 파고드는 기업논리를 현대인이 거의 유일한 복음처럼 맹신한다는 데 있다. 중세의 군주는 "나의 큰 사사로움이 곧 천하의 큰 공익"이라고 여기며, "짐이 곧 국가"라고 선포했다. 그런 이념을 '애국'과 '충성'의 명예로운 이름으로 받아들인 옛사람들의 무지몽매를 현대인은 비웃는다.

그런데 마치 그처럼, 오늘날 거의 금융자본의 노예가 된 사람들이 눈앞에서 펼쳐지는 황금만능의 배금주의를 '자유'와 '경제발전'의 이름으로 숭배한다. 그리고 천박한 기업논리, 극심한 경제적 불균등, 도덕적 타락을 당연한 현실로 내면화하고 있다. 그러니 17세 황종희의 일갈이 뭐 그리 대수냐고 핀잔할 자격이 현대인에게 있는지 알 수 없다.

오늘날 인류의 파탄을 초래하는 근본 원인은 경제적 위기를 넘어서, 어쩌면 밑동부터 썩어가는 도덕의 타락에 뿌리를 둔다. 1992년 미국 대통령선거에서 "문제는 경제야, 바보야!(It's the economy, stupid!)"라는 슬로건이 화제를 불러 모았다. 하지만 이제는 "문제는 도덕이야, 바보야!(It's the morality, stupid!)"라는 선언이 필요한 시대인지 모른다. 그런데 우리는 언제쯤 그런 도덕정화의 슬로건이 내걸린 대통령선거를 볼 수 있을까?

유정섭兪正燮과 여성문제

한편 중세사회의 또 다른 병폐로 여성 문제가 심각했다. 정절과 순종을 요구하는 성리학적 도덕주의가 여성에 대한 억압을 가중시켰다. 그 악습은 20세기 초까지 이어졌다. 서우 역시 이 문제를 그릇된 도덕의 중대한 사례로 거론했다. 특히 이와 관련해서, 19세기 전후의 청나라 학자였던 유정섭兪正燮(1775~1840)의 언명을 불러왔다.

> 유정섭 선생이 말했다. "야만인은 강자를 두려워하고 약자를 깔보는 습관이 있다. 문명인은 강자에게 맞서고 약자를 돕는 습관이 있다. 강자에게 맞서는 것은 자기를 보호하려는 인격이다. 약자를 돕는 것은 다른 사람을 보호하려는 인격이다.
>
> 서양에서는 일부일처제가 일찍 정해지고, 기사가 국가의 전쟁에서 용감하고 부녀자를 존중한다. 강자에게 맞서고 약자를 돕는 미덕을 실행하는 것이다. 그런데 우리나라(중국) 부녀자의 도덕은 순종하고, 질투하지 않으며, 소극적인 것이다.
>
> 송나라 이후에 정감(情)을 버리고 도리(理)를 말했다. 정이천 같은 사람은 과부의 재혼을 절개의 상실(失節)로 지목하여, '굶어 죽는 것은 작은 일이지만 절개를 잃는 것은 큰 일'이라고 말했다. 이로부터 부녀자가 더욱 궁지에 몰리고, 하소연할 데가 없는 지위로 떨어지고 말았다. …… 재혼자는 마땅히 비난하지 말아야 하며, 재혼하지 않는 자에게는 공경하는 예를 표해야 한다. 이것이 옳다."

위의 사안과 관련해, 서우는 이렇게 명언했다. "부부가 동등한 한 몸이므로, 중국인과 한국인의 일부다처제는 이미 하늘의 법칙에 맞지 않는다." 더구나 한국에는 한번 결혼하면 남편이 죽더라도 재혼하지 않는 풍속이 있다. 서우는 이것이 몹시 심각한 병폐라고 지적한다. 그리고 유정섭의 논의가 "더할 나위 없이 뛰어난 독창적 견해로, 천지가 만물을 낳아 기르는 섭리"라고 찬탄했다.

유정섭의 논의가 세상에서 통용되도록 하고, 여성에게 가혹한 정절을 요구하는 허례허식을 제거해야 마땅하다. 서우는 그것이 서구에서 흑인 노예를 폐지한 도덕과 다르지 않다고 언명하기도 했다.[126] 돌이켜 보면 불과 한 세기 전, 동아시아에서 부녀자의 처지가 흑인 노예에 비견될 만큼 열악했던 것이다.

그런데 지금은 여권이 신장돼 여성이 국가 최고통수권자가 될 정도로 바뀌었으니, 실로 격세지감이 아닐 수 없다. 하지만 여성 억압은 모든 전근대 시대의 문제라기보다, 중세 성리학의 도덕적 엄숙주의가 초래한 병폐였다. 고대사회에서 여성의 사회적 지위는 중세사회보다 오히려 양호했으며, 도덕적인 제약도 그리 가혹하지 않았다.

한국 역사에서 고려 이전에 여성의 지위 역시 그가 속한 사회적 계급으로 결정되었을지언정, 남성에 대해 여성이라는 조건만으로 극심한 신분적·도덕적 불평등과 제약을 감수해야 하는 처지는 아니었다. 과부의 재혼이 금지된다거나 하는 일도 없었다.

유정섭이 말하듯 "송나라 이후에 정감을 버리고 도리를 말했던" 것이 여성 억압의 도덕적 기제가 되었다. 감성과 이성, 정감과 도덕이 갈라지면서 그 분열논리의 연장에서 여성과 남성을 존비의 관계로 나누는 사고방식이 고착되었다.

본래 양과 음의 사고방식은 남성과 여성의 생물학적 차이에서 비롯되는 자연법적 질서의 함의를 가졌다. 그런데 거기에 양존음비의 사회적 고하귀천 관념이 부여되고, 그것이 다시 '정감-여성' '도덕-남성'의 분열로 이어졌다.

그러므로 유정섭은 성리학 이념에서 극단적으로 갈라진 정감과 도덕의 과도한 불균형을 바로잡아야 한다는 취지에서 여성의 재혼 문제를 언급했다. 그리고 "재혼자는 마땅히 비난하지 말아야 하며, 재혼하지 않는 자에게는 공경하는 예를 표해야 한다"는 절충점을 찾는다.

---

126. 夫妻同等同體, 而華韓人一夫多妻之制, 既不合天則. 況韓俗有結婚而夫死, 不改嫁者, 不亦甚乎! 兪公此論, 可謂卓絶創見, 可贊天地化育之理也. 苟能祛除假飾而通行此議, 則何異乎歐西之廢黑奴之道德者乎? 『통편』, 185쪽.

다시 말해, 남녀의 자연스러운 정감에 따르는 '재혼자'를 비난할 수 없고 또 그래서도 안 된다. 하지만 부부간에 한번 맺은 의리를 소중히 여겨 '재혼하지 않는 자'의 도덕적 태도 역시 경의를 표할 만하다는 문맥이다. 이에 대해 서우도 확실하게 부언했다.

> 서양 역사에도 간혹 절개가 굳은 부인이 남편을 따라 죽은 사례가 있으니, 역시 하나의 천부적 양심이다. 이는 실로 자유 중의 미덕이니, 누가 능히 이를 말릴 수 있겠는가?[127]

앞서 말했듯이, 부부간의 상호 존중과 공경은 도덕의 출발점이다. 부부로부터 가정윤리가 시작되며, 그것이 모든 사회윤리의 기반이 된다. 금실 좋은 부부로 살다가 한날한시에 죽기를 소원하거나 혹은 배우자를 잃고 그리워하는 사람들을 보면, 동서고금을 망라하고 누구라도 경외감을 느낀다.

그런 부부간의 의리는 아득한 고대부터 수많은 신화와 문학과 예술에 영감을 불어넣는 매우 보편적이고도 숭고한 소재였다. 부부간의 믿음과 의리는 인간 공동체의 근간을 이루는 덕목일 뿐 아니라, 서우의 말처럼 "천부적 양심"에서 비롯되는 도덕을 대표한다고 말할 수 있다.

하지만 그것은 어디까지나 자연스러운 정감의 발로여야 한다. 서우가 말하듯 "자유 중의 미덕"으로 발휘돼야 한다. 부부간의 의리가 도덕적 의무나 사회적 제도로 강요될 때, 그것은 오히려 바람직한 부부윤리를 훼손하는 억압의 기제로 돌변한다.

중세 도덕의 정감과 도덕의 분열 역시 그런 부작용을 불러왔다. 그렇다고 해서, 현대사회가 그런 분열을 극복했다고 말하기도 어렵다. 도덕이 정감을 압도하는 시대는 벗어났지만, 그렇다고 정감과 도덕이 균형을 회복했는지는 여전히 의문이기 때문이다.

---

127. 然西史, 或有節婦之殉夫者, 亦一天良也. 是固自由中之美德, 孰能制之乎. 『통편』, 185쪽.

도리어 이제는 정감이 도덕을 압도하는 새로운 불균형이 문제가 된다. 남녀 사이는 단지 감정이 개입하는 관계로만 이해되고, 부부간에 서로를 존중하고 의리를 지키는 도덕이 개입될 공간이 도리어 매우 협소해졌다. 하지만 익숙한 경구처럼, 언제나 "지나친 것은 모자란 것만 못하다(過猶不及)."

남녀 간의 감정은 일시적이고 충동적이며 유효기간이 극히 짧다. 그것은 다만 짝짓고 번식하기를 위해 진화된 생물학적 본능의 일환이다. 반면 가정윤리의 근본을 이루는 부부간의 신뢰와 의리는, 서우의 말처럼 인간의 '천부적 양심'과 '자유의 미덕'에서 발휘되는 것이다. 또한 그런 자유의지야말로 인간이 천부의 양심을 키워 나가는 밑거름이 된다.

역으로 말해, 사람의 양심이 바르지 않다면 부부간에도 서로를 신뢰하고 존중하는 도덕의 정서가 싹트지 않는다. 그러므로 남녀 간의 감정만으로 부부관계와 가정윤리가 바르게 확립될 수 없다. 각자의 감정에만 충실한 남녀가 결혼해서 화목한 부부로 해로하기를 기대하는 것은, 마치 손에 횃불을 들고 영원히 타지 않는 종이집을 짓겠다는 만큼이나 무모하다.

그러므로 자연은 남녀의 만남과 관계의 지속을 함께 이루기 위해 '정감'과 '도덕'이라는 두 개의 선물을 함께 주었는지 모른다. 남녀는 '사랑'의 정감으로 짝을 이루고, '양심'으로 신뢰를 구축하며 건전한 가족공동체를 구성하는 것이다.

그런데 중세 도덕이 정감을 억압해서 가정이 감옥으로 변했다면, 현대사회는 감정이 도덕을 압도해서 가정이 늘 파탄 나기 일보직전의 살얼음판이 되고 말았다. 감옥과 살얼음판 어디서도 인간은 행복할 수 없다. 감정만을 앞세우고 떳떳한 양심이 사라진 부부, 윤리와 공경의 미덕을 망각한 구성원들로 이뤄진 가족공동체는 언제든 부서질 쇠약한 거푸집에 지나지 않는다.

따라서 감정에 솔직해야 부부관계가 좋아진다고 믿는 현대인은, 윤리강상을 지켜야 가문이 번듯해진다고 믿던 중세인만큼이나 외눈박이인 셈이다. 특히 올바른 도덕교육을 받지 못한 현대사회의 젊은 세대가 중세의 도덕주의자들만큼이나 편향되고, 근시안적이며, 고집스러운 감정주의자들로 양육되었다.

그 폐단은 단지 가족의 해체를 넘어, 사회·국가 및 인류 공동체의 유기적 결속마저 훼손하는 국면으로 이어지고 있다. 사적인 도덕을 잃어버린 인간은 단지 물욕과 감정에 휩싸인 즉물적인 존재로 전락한다. 공적인 도덕을 잃어버린 인간은 상호간의 신뢰를 저버리고 혐오와 불신의 늪에 빠진다.

욕망에서 도덕의 굴레를 벗기자, 1 대 99의 극심한 균열을 부른 금융자본주의가 지구촌 인류의 운명을 파탄으로 몰아가고 있다. 감정이 도덕을 압도하자, 가족을 위시한 모든 공동체가 붕괴하는 양상으로 치닫고 있다. 그리하여 멀지 않은 훗날, 우리 후손들은 어쩌면 지금을 인류 진화의 시간표에서 정신·도덕적으로 매우 야만적이고도 초보적인 단계로 퇴화했던 한 시대로 기록할지 모른다.

결국 과유불급이다. 한때는 도덕이 너무 과도해서 문제였다. 그러나 이제는 도덕이 너무 과소해서 위기를 부른다. 전병훈은 전제군주제도의 허위를 폭로하고, 도덕엄숙주의로 인한 여성의 억압을 강력히 비판했다. 하지만 끝내 올바른 도덕의 회복을 통해 문제를 해결할 수밖에 없다고 통찰했다.

근대화와 산업화를 거치면서, 정치·경제·사회·교육은 물론 가정에서조차 도덕을 외면했다. 한데 오늘날 해체 일로를 걷는 가족 및 공동체의 심각한 병폐들이 증명하듯이, 도덕의 포기는 결코 문제의 해결방법이 아니다. 황종희와 유정섭도 도덕의 왜곡을 비판했지, 도덕을 방기하자고 주장한 것은 아니다.

전조망全祖望, 증국번曾國藩

서우의 담론 역시 끝내 원만한 도덕의 회복으로 귀결된다. 그는 "천지가 하나의 정성일 따름"[128]이라며 '정성(誠)'을 중시한 청나라 초의 전조망全祖望(1705~1755)을 호명했다. 하지만 다섯 번째 도덕진화의 대미를 장식하는 인물은 누구보다 증국번曾國藩(1811~1872)이다. 서우는 증국번을 이렇게 칭송했다.

---

128. 天地一誠而已矣. 『통편』, 184쪽.

> 증국번은 최근의 명망가이다. 그가 벼슬에 오르고 무력을 떨친 공훈, 학문을 쌓고 세속을 도야한 도덕은 송나라의 한기·범중엄·사마광과 동일하게 뛰어나고 슬기롭다. 학식이 광대해서 꿰뚫어 보지 않음이 없고, 세밀하여 완비되지 않음이 없다. 훌륭하고 성대하도다! 이 어찌 하늘에서 근원하는 철리와 도덕을 실천한 것이 아니겠는가? 아! 역시 위대하다.[129]

서우가 위대하다고 찬미한 증국번은 19세기 말의 학자이자 경세가였다. 대단히 박학다식했으며, 또한 뛰어난 도덕실천가로 명성이 높았다. 그의 관심은 자연질서부터 사회의 이법, 동식물에서 귀신의 활동까지 미치지 않는 바가 없었다. 그런데 증국번은 삼라만상의 모든 작용을 결국 자기의 본성과 연결된 것으로 이해했다.

> 증국번이 말했다. "하늘이 이 백성을 낳으니, 나는 음양·오상의 본성으로 스스로 정숙할 따름이다. 다만 장차 백성을 기르고 세상을 구제하여 천지의 결함을 미봉하려 한다. 천하의 사물에 대해, 마땅히 궁구하지 않을 것이 없다.[모든 것을 궁구해야 한다.—역자 주]
> 음양의 배열, 일월성신의 질서, 인류의 생성, 귀신의 정황, 동식물의 감화, 청소하고 응대하며 들고나는 일, 모두가 내 본성에서 나뉜 일체의 일이다. 그러므로 말한다. '만물이 모두 내게 구비돼 있으며, 사람이 천지의 마음이다.'"[130]

---

129. 曾公乃最近名碩, 其立朝振武之勳業, 積學陶世之道德, 可謂與宋之韓范司馬同一英賢, 而學識大無不燭, 細無不該. 偉歟盛哉. 此非實踐原天之哲理道德也耶? 吁亦賢哉. 『통편』, 186쪽.

130. 曾文正公曰 "天生斯民, 予以健順五常之性, 豈以自淑而已. 將使育民淑世, 而彌縫天地之缺憾. 其於天下之物, 無所不當究. 二儀之奠, 日月星辰之紀, 庶氓之生成, 鬼神之情狀, 草木鳥獸之咸若, 灑掃應對進退之事, 皆吾性分之所有事. 故曰 萬物皆備於我. 人者, 天地之心也." 『통편』, 185~186쪽.

유교 도덕의 총론

서우는 하늘에서 근원하는 '원천도덕'이 어떻게 시작됐는지부터 도덕진화의 역사를 말하기 시작했다. 그리고 마침내 "만물이 모두 내게 구비돼 있으며, 사람이 천지의 마음이다"라는 명언으로 도덕진화의 역사에 종지부를 찍었다.

또한 이른바 '도덕진화'를 모두 다섯 단계로 분류했다. 하지만 엄밀히 말해서, 그것은 서우가 도덕의 본질로 확신한 '원천도덕'이 시대에 따라 그 유형을 달리하며 구현된 '변용'의 양상을 진술하는 문법이다. 따라서 그가 말하는 유교의 도덕진화는, 여느 사상사 연구자가 객관을 표방해 서술하는 '유교 윤리사상사'와도 다르다.

그는 유교의 윤리사상사를 규명하고자 '원천도덕' 개념을 고안한 것이 아니다. 대신 '원천도덕'을 설명하기 위해서, 지금까지 살핀 여러 인물들과 그들이 남긴 텍스트를 불러왔다. 그러므로 엄밀히 말해서 '도덕진화의 역사'란 서우가 원천도덕을 논증하는 문체이자, 서사의 양식이다.

전병훈은 중국의 유교 전통에서 수많은 인물과 글귀들을 호명했다. 한데 그 물목 자체가 곧 서우의 독창적인 '원천도덕'을 정당화하며, 또한 원천도덕을 말하는 고유한 문법의 일부가 된다. 이런 방식의 서술을 통해 끝내 말하려는 메시지를 서우는 「총론總論」으로 이렇게 찬술했다.

> '원천도덕'의 철리를 논하는 데서 증국번에 이르기까지, 역대에 도덕을 실행한 정치가와 성현들은 도덕의 큰 근원이 천지로부터 나오며 천지가 (나의) 한 몸에 갖춰져 있음을 모두 훤히 꿰뚫어 보았다. 행하고 말하는 바가 하늘의 덕(天德)과 하늘의 섭리(天理)가 아닌 바가 없었다.
> 그들이 도덕을 행한 경험과 사실이 어찌 그 시대의 모범이 되는 것으로 그치겠는가? 만세의 규범이 될 만한 것이 많다. 하지만 근세에 도덕을 논하면서 새것과 옛것을 분별하는 자들이 있으니, 도덕이 하늘에서 근원함을 모르기 때문이다.

무릇 물질적인 도구와 물리·화학 같은 분야에는 혁신적인 진화가 없을 수 없다. 그런데 도덕마저 전적으로 공리功利에 따라 해석하니, 시험 삼아 묻건대 선을 남에게 보이려고 욕심내는 것도 '참된 선'으로 지칭할 수 있다는 말인가? (그러니 신·구의 윤리학이) 서로 결점을 맞바꾸고 도덕의 의미를 보완하면, 반드시 인륜의 행복이 될 것이다.

아! 경험의 도덕이 참으로 위에서 진술한 바와 같다. 그런데 『춘추』는 성인의 경세서로, 근엄하게 권선징악하며 중화를 높이는(尊華) 데 치중했다. 그러나 중화가 예를 잃으면 오랑캐로 전락하고, 오랑캐에 예가 있으면 곧 중화로 진입한다. 하늘의 섭리를 체득한 성인이 인륜의 진화를 권장하는 공적인 도덕심(公德心)을 가히 볼 수 있다.

이것이 곧 유가 도덕의 정맥正脈이다. 아! 선도와 불교와 과학을 전적으로 숭상하는 식자라도, 어찌 모를 수 있겠는가? 이처럼 본성을 다하고 세상을 다스리는 (유교의) 도덕을 어찌 또한 목숨을 보존하고 참나를 이루는 (도교의) 도덕에 합치하지 않겠는가? 그런 뒤에야, 비로소 성스러움을 겸하고 지극히 명철하며 원만한 도덕이라고 말할 수 있다. 근세에 공적인 도덕심을 논하는 학설은 하편에서 상세히 다룬다.[131]

윗글은 앞서 말한 내용을 총괄한다. 도덕은 천지의 질서와 본성에서 근원한다. 또한 우주적 질서를 내면화한 소우주인 인간, 그 각자의 몸에 천지의 질서

---

131. 自論原天道德哲理, 至此曾公. 历敘實行道德之政治家聖賢, 皆洞見道德大源出於天地, 而天地備乎一身. 所行所言, 無非天德也·天理也. 其爲道德之經驗事實, 奚啻爲當世之模範而已哉, 可以爲萬世法則者多也. 然近世論道德者, 有新舊之辨, 由不識其原天故也. 凡物質器用, 理化之類, 不無維新進化者, 而專解道德以功利, 則試問善欲人見者, 亦稱許爲眞善乎? 庶可以互換缺點, 補完道德之義, 則未必不爲人道之幸福矣. 烏乎! 經驗之道德, 洵如上所述, 而『春秋』乃聖人經世書, 謹嚴彰善癉惡, 尊華爲重. 然華而失禮, 則黜之以夷. 夷而有禮, 則進之以華. 可以見體天聖人, 勸奬人道而進化之公德心也. 此乃儒家道德之正脈. 噫! 彼專尚仙佛科學之士, 安可不識? 而盍亦於斯盡性經世之道德, 合致以住命成眞之道德乎? 然後始可謂兼聖極哲之圓滿道德矣. 惟近世之論公德心說. 具詳下篇. 『통편』, 186~187쪽.

가 구비돼 있다. 옛 선조들은 본능에 갖춰진 이런 섭리를 일찍이 자각해서 인간의 도덕을 발명했다.

후대의 도덕가들 역시 자기 성품에서 하늘의 덕과 섭리를 경험적으로 구현했으며, 또한 시대의 추세에 따라 원천도덕을 적절하게 '변용'했다. 그러므로 서우는 도덕의 근거를 전적으로 '공리'에서 찾는 입장, 공리주의적 윤리관에 반대한다.

물질적인 도구·자연과학·공학 등에서 공리적 효율성을 추구하는 것은 타당하다. 그러나 도덕마저 그와 같지는 않다. '참된 선'이란 개인과 공동체의 이익의 차원을 넘어, 훨씬 근원적인 자연법적 기원을 가지기 때문이다.

서우에 따르면, 유교의 도덕진화는 하늘의 섭리에 따르는 '공적인 도덕의 마음(公德心)'을 구현한 역사에 다름 아니다. 한데 이런 자연법적 섭리에 중화와 오랑캐의 구별이 따로 있을 수 없다. 그러므로 "중화가 예를 잃으면 오랑캐로 전락하고, 오랑캐에 예가 있으면 곧 중화로 진입한다."

이는 민족·인종적 견지에서 피아彼我를 나누는 중국인의 통속적 중화주의에 일침을 가하는 문법이다. 여기서 '중화'와 '오랑캐'란 단지 중국과 타국을 구분하는 개념에 그치지 않는다. 그것은 '문명'과 '야만'의 차이를 함축한다. 특히 서우는 도덕과 윤리의 문맥에서 중화와 오랑캐를 말한다.

그가 찬미하는 것은 '민족적인 중화'라기보다, '도덕적인 문명'이다. 바른 도덕과 윤리를 갖추면 곧 문명(중화)이요, 도덕과 윤리를 잃으면 야만(오랑캐)이 된다. 따라서 누구라도 문명인이 될 수 있으며, 또한 누구라도 야만인으로 전락할 수 있다.

그런데 이런 원리를 설명하기 위해서, 오늘날 여전히 중화(華)/오랑캐(夷)의 낡은 짝개념에 의존할 필요는 없을 것이다. 더구나 일각에서 '중화'로 여전히 민족주의적 문화우월주의를 표상하는 현실에서는 더욱 그렇다.

민족적 우월성을 과시하는 자문화중심주의에서 다른 민족을 업신여긴다면, 그런 중화주의야말로 실은 "오랑캐로 전락"하는 첩경이다. 그게 전병훈의 문법이다. 다소 거칠게 말하면, 민족적 중화를 표방하는 야만인이 되느니 차라리 그런 중화를 조롱하는 문명인이 되는 게 낫다.

그러므로 서우는 민족국가의 도덕을 넘어, 지구촌 시민의 도덕으로 진화하는 '공적인 도덕심'을 명언한다. 또한 거기에서 "유가 도덕의 정맥"을 찾았다. 그런데 민족적 우월주의, 자문화중심주의가 폐기된 유교는 정녕 가능할까?

서우는 '원천도덕'의 문맥으로 그것이 가능하다고 응답한다. 왜냐하면 "하늘의 섭리를 체득"하는 데서 유교 도덕이 근원하며, 단지 민족문화를 전승하는 것만으로 도덕이 성취되는 건 아니기 때문이다. 여기서 '하늘'로 표상되는 자연법적 질서는 비단 유교에 그치지 않고, 인류의 모든 도덕과 조우하는 근거가 된다.

그리하여 유교가 중화주의를 탈각한 전제에서, 서우는 불교와 도교 그리고 서양철학 등에서 유교 도덕을 적극적으로 수용할 필요가 있다고 강조한다. 유교 역시 이왕의 배타적 태도에서 벗어나 도교, 불교, 서양철학의 장점을 받아들여야 하는 것은 물론이다. 특히 그는 유교와 도교의 화해에 방점을 두었다.

유교 도덕의 진면목은 본성을 다 발휘하는 '진성盡性', 그리고 세상을 다스리는 '경세經世'에 있다. 한편 도교 도덕의 진면목은 목숨을 보존하는 '주명住命', 그리고 참나를 이루는 '성진成眞'에 있다. 이 두 종류의 도덕이 결합돼야 비로소 "원만한 도덕"을 이룬다. 하여 이제 도가(도교)의 도덕을 논구할 차례가 됐다.

3. 도가(도교)의 도덕

생명의 도덕

"본성을 다 발휘하고 세상 다스리기"를 추구하는 유교 도덕은 인간의 사회성에 주안을 둔다. 한편 "목숨을 보존하고 참나 이루기"를 겨냥하는 도교는 본원의 생명에서 도덕의 주안점을 찾는다. 그런데 자연적 생명과 인간의 사회성은 과연 서로 대립하는 것일까?

물론 양자가 조화를 이뤄야 한다는 모범답안이 곧바로 떠오른다. 누구나 건강한 생명과 사회적 성취가 조화를 이루는 삶을 꿈꾼다. 하지만 모두가 바란다고 해서, 그 모범답안이 그리 쉽게 그리고 충분히 실현되는 것은 아니다.

전병훈의 표현대로 "목숨을 보존하고 참나를 이루"면서 "본성을 다 발휘해 세상 다스리기"를 더불어 실현하기란 결코 녹록지 않다. 더구나 나의 생명에 그치지 않고 타인, 보편적 인류, 더 나아가 생물학적으로 다른 종, 심지어 천지만물까지 돌봄의 영역이 확장되면 사안이 훨씬 복잡해진다.

당위적인 문맥에서, 인간과 자연이 공존하는 지구공동체를 잘 보존하는 것이 인류 존속의 기본전제임을 모르는 사람은 드물다. 하지만 이는 누구나 알지만, 누구나 일상에서 쉽게 간과하는 사안이기도 하다. 삶의 생태적 조건이란 마치 공기나 물 같아서, 평소에 잘 의식하지 못한다.

그러다가 심각한 위기가 닥쳐야 비로소 그 소중함을 깨닫곤 한다. 하지만 많은 경우에 그 깨달음은 너무 뒤늦게 찾아온다. 끊임없이 성장을 도모하는 산업화된 세계에서, 인간과 자연의 공존을 실현하기란 얼마나 어려운 일인가?

모두가 익히 알다시피, 국제사회는 20세기에 이미 '지속가능한 발전(Sustainable Development)' 개념을 제안했다. 일정한 주기로 세계정상회담도 열린다. 하지만 늘 시급한 국익과 경제성장 등의 현실적 목표 앞에서, 지속가능성 같은 인류 공동의 과제는 뒷전으로 순위가 밀려나기 일쑤다. 그리고 인간에 의한 지구생태계 훼손은 급격히 악화일로를 걸어 왔다.

자연과의 공존은 고사하고, 사람들 간에라도 먼저 생명이 존중되는 사회를 건설한다면 그나마 다행이다. 하지만 현대인은 사회적 이익과 가치를 실현하기 위해 다른 인간을 해치고, 급기야 살상조차 서슴지 않는 지구생태계의 괴이한 돌연변이가 되었다. 경쟁, 배타, 지배, 동원, 억압, 폭력, 전쟁의 충동이 지구촌을 뒤덮었다.

국가와 기업에서, 심지어 병원과 학교와 종교 교단 등에 이르기까지, 각급 단위의 조직체에서 '명예'와 '헌신'과 '번영'의 이름으로 어떻게 생명을 도외시하고 더 나아가 파괴하는지 반추해 보라. 가족, 사회, 국가, 세계의 어느 수준에서도 부귀보다 생명을 존중하는 양심은 잘 보이지 않는다.

그렇다고 해서 생명의 사회성, 내지는 사회성 근저의 생명을 나 몰라라 할 수도 없다. 생명은 그 자체로 사회성을 담고, 사회성 역시 고귀한 생명을 기반으로 성립하기 때문이다. 어느 개인의 목숨도 단지 그 개인만의 것이 아니다. 천지가 부여한 생명이고, 지난 세대가 물려준 몸이며, 다음 세대를 만들어 가는 소중한 터전이다.

그러므로 인의·충신 같은 덕목이 비록 귀중하지만, 생명을 보존하는 자체가 어떤 사회적 가치보다 근본적으로 더 중요하다. 단도직입적으로 말해, 생명을 살리는 것보다 고귀한 도덕은 없다. 도교(도가)는 바로 그 지점에서 도덕의 궁극적 근거를 찾는다.

이는 '생명도덕'이라고 일컬을 만하다. 그것은 생명에 대한 경외와 존중, 생명 본연의 가치를 자각하는 데서 출발한다. 서우는 광성자와 황제 같은 상고의 전설적인 인물들로부터 도교 도덕의 기원을 진술한다.

> 광성자廣成子가 말했다. "지극한 도의 정수는 깊숙하고 까마득하며, 지극한 도의 극치는 어둑어둑하고 고요하다. 나는 그 하나를 지키고, 그 조화에 머문다."[132]

> 황제黃帝가 말했다. "마음을 기르고 몸을 다스리며, (천지간에서) 정신이 노닐어 지혜를 얻는다. 도는 밖에서 구할 수 없다. 문 안으로 들어가고, 근본으로 되돌아간다. 신神으로 보고, 기氣로 듣는다. 무심(象罔)으로 구슬(珠: 道)을 얻는다." 또 말했다. "내가 장차 수레를 멈추고 곤륜의 궁전(玄圃)에서 쉬며, 나의 참됨을 돌이키리라!"[133]

---

132. 廣成子曰 "至道之精, 窈窈冥冥. 至道之極, 昏昏嘿嘿. 我守其一, 以處其和." 『통편』, 195쪽.

133. 黃帝曰 "養心服形, 神游惺得. 道非外求, 入門返根. 神視氣聽, 象罔得珠. 無道得道. 又曰 吾將息駕玄圃, 以返余眞." 『통편』, 195쪽.

위에 보이는 광성자의 진술은 『장자』에서 가져온 것이다.[134] 황제의 말은 『장자』·『열자』·『문자文子』 등의 텍스트에서 가려 뽑았다.[135] 그런데 이는 광성자와 황제가 직접 언명했다고 믿기 어렵다. 후대인들이 전설시대의 인물에 기대어 가탁한 글로 보는 편이 타당할 것이다.

하지만 거기에는 도교의 핵심사상이 담겨 있다. 아니 엄밀히 말하자면, 도교의 도덕론을 대표하기 위해 서우가 여러 전적에서 골라 간추린 글귀들이다. 그 메시지는 실로 간명하다. 우주 근원의 도를 지켜야 한다. 한데 그것은 밖에서 구할 수 없고, 오로지 내 안에 있다.

심신을 수양하고, 내면에 정신을 응결하라. 그러면 참나를 찾고 도를 얻을 수 있다. 물론 이는 정신수련의 비결을 계시한다. 서우는 도교의 이런 가르침이 "병들지 않도록 수양하는 조상대대의 비법을 일깨운다"고 명언했다. 또한 그것이 "생명을 구제하고 사람들을 무량하게 인도하니, 참으로 '지극한 덕'이라고 말할 수 있다"고 한다.[136]

이렇게 말하는 근거는 '정신철학' 편에서 이미 논구했으므로, 독자들이 그 문맥을 충분히 이해할 것이다. 한데 서우는 중국에서 가장 오래된 의학서인 『황제내경』에서 관련 내용을 보충한다. 이 텍스트는 황제와 그의 신하인 기백岐伯 등의 대화 형식을 빌려서 의약에 관해 진술한다. 서우는 거기서 기백의 이

---

134. 『장자·재유在宥』에 보인다.

135. "養心服形"은 "退而閑居大庭之館, 齋心服形"(『列子·黃帝』)에서 기인한다. "道非外求, 入門返根"은 "精神本乎天, 骨骸根於地, 精神入其門, 骨骸反其根, 我尙何存? 故聖人法天順地, 不拘於俗, 不誘於人, 以天爲父, 以地爲母, 陰陽爲綱, 四時爲紀"(『文子·九守』)에서 기인한다. "神視氣聽"은 "唯黃帝與容成子居空峒之上, 同齋三月, 心死形廢. 徐以神視, 塊然見之, 若嵩山之阿. 徐以氣聽, 砰然聞之, 若雷霆之聲"(『列子·湯問』)에 보인다. "象罔得珠"은 "黃帝游乎赤水之北, 登乎昆侖之丘而南望. 還歸, 遺其玄珠. 使知索之而不得, 使離朱索之而不得, 使吃詬索之而不得也. 乃使象罔, 象罔得之. 黃帝曰 '異哉, 象罔乃可以得之乎?'"(『莊子·天地』)에서 유래한다. "無道得道"는 "無從無道始得道"(『莊子·知北游』)에 보인다. "吾將息駕玄圃, 以返余眞"은 "我勞天下久矣, 息駕玄圃, 以反餘真也. 玄圃在崑崙上, 有黃帝宮"(『廣黃帝本行記』(『正統道藏·洞真部·記傳類』))에 보인다.

136. 此啓脩養不病之祖法, 以濟生度人無量, 誠可謂至德也. 『통편』, 195쪽.

런 말을 인용한다.

> 청정 담박하고 허무하면, 참된 기(眞氣)가 따라온다. 정신을 안으로 지키면, 병이 어디서 찾아오겠는가?[137]

이는 "목숨을 보존하고 참나를 이루는" 정신수련의 원리를 간명하게 부언한 것이다. 그리고 서우는 이어서 노자에 주목한다. 특히 오랫동안 전해진 도교 계보학의 문법에 따라 "노자의 학문이 실로 광성자와 황제에 연원을 두고 올바른 전통을 닦았다"[138]고 천명한다. 그리고 『노자』에서 몇몇 구절을 인용했다.

노자의 메타윤리학

하지만 여기서 그 내용을 일일이 열거하지는 않겠다. 워낙 널리 알려진 명구들인 데다가, 노자에 대한 전병훈의 해석에 관심을 집중할 필요가 있기 때문이다. 먼저 서우는 "어떤 사물이 혼연히 이뤄졌으니, 천지보다 먼저 생겨났다"는 『노자』 25장의 명구에 각별히 유념했다.

이 구절은 노자의 형이상학을 잘 보여준다. 여기서 '어떤 사물'은 물론 '도'를 암시한다. 서우는 노자의 '도'에 대한 탐구가 다른 어떤 학파도 비교할 수 없을 만큼 높은 경지에 도달했다고 단언했다.[139] 하지만 그것은 너무나 고원하고 막막해서, 때로는 세간의 혼탁한 현실에 어울리지 않는 경향이 있다.

> 그런데 (노자가) 정치의 방법을 논하는 데 이르면, 곧바로 '순일함'을 회복하고 '질박함'을 돌이켜서 자연으로 돌아가고자 한다. 뜻밖에도 사람의 사대四大와 육근六根이 모두 욕망임을 생각지 못하는 것이다. 하지만 성인이

---

137. 『黃帝內經』岐伯曰 "恬澹虛無, 眞氣從之. 精神內守, 病安從來?" 『통편』, 195쪽.
138. 老子之學眞是廣成黃帝之淵源, 修養正傳也. 『통편』, 196쪽.
139. 其曰 有物混成, 先天地生者, 可見其探形上之哲理, 非他家可比也. 『통편』, 196쪽.

> ‘절제’를 통해 세상을 다스리는 까닭은, 모두 극단론에 반대하는 데에 있다. 즉 사람의 정감에 어긋날까봐 두려워하는 것이다. 그렇다면 세간의 도덕이 또한 어찌 진화하겠는가?[140]

높고 먼 이상보다는 자기 몸 가까운 곳부터 살피는 유교의 근사近思 정신이 잘 배어 나오는 비평이다. 윗글에서 잘 표현되듯이, 전병훈은 노자의 도덕론이 일반인의 욕망과 정감을 과소평가한다고 우려한다. 노자처럼 “곧바로 순일함을 회복하고 질박함을 돌이켜서 자연으로 돌아가”는 것은 보통사람이 일상에서 실천하기 어려운 일이다.

하지만 이는 사람의 욕망과 감정을 있는 그대로 인정하라는 문법이 아니다. 욕정에 흔들리는 인심人心을 도심道心으로 바꾸려는 취지는 유교와 도교가 다르지 않다. 그런데 그 취지를 달성하는 데서, 노자는 단도직입의 진솔함을 선호한다. 반면 공자는 한 발 한 발 나아가는 길을 택한다.

비유컨대 세간에 더럽혀진 오탁을 씻고자 강물에 몸을 담그려는 사람을 떠올려 보자. 이를테면 노자가 높은 언덕에서 다이빙해서 강물로 뛰어드는 선수라면, 공자는 조금씩 몸에 물을 적셔 가며 신중히 강으로 발을 내딛는 샌님을 연상시킨다.

타고난 품성과 자질이 뛰어난 인재라면 예외겠지만, 보통사람은 욕망과 감정에 예사롭게 물든다. 그런 사람들이 단박에 욕정에서 벗어나기를 기대하기는 어렵다. 그러니 서우는 “절제를 통해” 차츰차츰 세간의 도덕이 진화하기를 유도하는 편이 낫다고 한다. 결국 이는 방법론의 문맥에서 “극단론에 반대”한다.

방편에 기대지 않고 곧장 청정한 도덕으로 직입하는 노자의 스타일이 “사람의 정감에 어긋날까봐 두려워하는” 것이다. 그런데 노자와 공자의 도덕론은 공히 인간의 선한 본성을 회복하는 길로 귀결된다. 따라서 이런 방법론상의 차

---

140. 然至論治世之法, 則正欲回醇反樸以歸自然者. 殊不知, 人之四大六根, 皆欲也. 聖人所以節制以治世者, 皆反對以偏激之論, 則恐未免違咈人情, 而世道, 亦何可進化乎? 『통편』, 196쪽.

이는 얼마든지 서로 절충하거나 혼합할 수 있다.

편파적인 방법론에 매달려서 어느 편이 반드시 옳거나 혹은 그르다고 단정하는 것이 도리어 전병훈의 스타일에 어긋난다. 그러므로 그는 위의 논평이 노자의 "부분적인 폐단을 바로잡는 논의에 불과하다"[141] 고 분명하게 선을 긋는다.

다시 말해 도덕에 단도직입하는 방법론이 일반인에게 어려울 것을 우려했을 뿐, 노자가 아주 고원하고도 현묘한 도덕을 추구했다는 사실을 부인하지는 않았다. 오히려 노자철학의 이치가 몹시 심오해서, 범상한 도덕론(윤리학)을 훌쩍 넘어선다고 찬탄했다. 그것은 윤리학 이전에 정신철학, 즉 이른바 '뇌의 철리(腦之哲理)'에 근거를 두기 때문이다.

> 만약 진정으로 뇌의 철리를 위주로 한다면, 한편에서 성선成仙을 닦는 지극한 덕을 성취하고, 다른 한편에서는 공화와 지극한 정치의 요도要道를 이룬다. 어찌 도덕론을 척도로 논하겠는가?[142]

뇌 안의 정신, 내면 심층의 심리가 생활세계에서 구현된 것이 곧 도덕이다. 도덕철학의 이런 전제를 기억한다면, 윗글의 문맥을 어렵지 않게 판독할 수 있다. 유교가 평상의 윤리적인 규범과 실천에 천착한다면, 도교는 윤리학(도덕론)을 가능케 하는 형이상학적 근거로서의 '도'와 '정신'에 집중한다. 앞서 말했듯이 그것은 '생명의 도덕'이라고 부를 만한 것인데, 생명도덕의 입장에서 정초되는 윤리학은 이를테면 메타윤리학이다.

유학은 옳음과 그름, 좋음과 나쁨, 해야 할 것과 하면 안 되는 것 등에 관한 예악의 규범을 정립하고 그것을 실천하는 데 역점을 둔다. 그런데 '선하다'거나 '악하다'는 윤리적 판단이 다만 형식적인 규범이나 행위의 판가름에 그칠 우려가 있다. 그렇기에, 도가는 그런 판가름 자체가 '선하지 않다'고 문제 삼는

---

141. 然此不過矯弊之論也. 『통편』, 196쪽.

142. 若其眞正主腦之哲理, 則一以爲修養成仙之至德, 一以爲共和至治之要道. 何可以尋常道德論, 論哉? 『통편』, 196쪽.

다.[143] 더 나아가 도덕적 판단과 규범이 궁극적으로 어떻게 가능한지를 묻는다.

단적으로 말해, 그 근거는 일상의 윤리규범을 넘어서는 형이상학적 '도'에 있다. 노자는 윤리강상을 도의 현상적 차원 내지는 하위범주로 파악한다. 우주 근원의 도에 통하고 천지에서 비롯하는 생명 본연의 정신을 보존한다면, 인·의·예 같은 윤리의 문제는 자연스럽게 해결된다고 보는 것이다. 하지만 전통 유교 윤리학의 관점에서 보면, 도가의 메타윤리학은 일상의 윤리를 이탈하며 심지어 반윤리적이라고까지 비춰졌다.

그에 대한 전병훈의 평가는 절충적이다. 도덕의 최종 근거는 우주적 도와 생명 본연의 정신에 있다. 이런 문맥에서 서우는 노자의 메타윤리학이 "도덕론의 척도"를 넘어선다고 칭송했다. 즉 노자의 도덕철학은 정신·심리·정치까지 망라하는 거시적 철학의 전망에서야 비로소 그 의미가 드러난다. 특히 서우는 "'정치철학' 편을 읽는 데에 이르러야, 그 도덕의 지극한 언어와 진리를 절로 체득할 수 있을 것"[144]이라고 명언한다.

이는 노자의 도덕철학이 주로 통치자의 도덕적 의무에 관한 것임을 시사한다. 하지만 보통사람의 도덕은 일상의 현실에서 실천적으로 구현돼야만 한다. 그러므로 서우는 자기 한 몸의 안위만을 구하며 사회현실을 도외시하는 초월적 생명론을 경계했다. 동시에 형식적 사회규범에 치우치는 도덕 역시 경계했다.

그런데 유교의 도덕론은 사회규범에 편중돼 허위적 위선으로 흐르기 쉬운 반면, 도교는 생명가치에 치우쳐 방일한 일탈의 함정에 빠지기 쉽다. 이에 대해 서우는 중용을 견지하고, 극단에 쏠리는 태도를 비판했다. 예를 들어 장자에 대해 다음과 같이 비평했다.

> 세간에서 '노장老莊'을 말한다. 그러나 장자의 학문은 비정상이 아주 많다. 요순 이래의 정치를 전부 배척한다. 도덕의 담론 역시 매우 과격하다. 그러므로 취하지 않는다. 그러나 세간의 논객들은 장자의 이론이 최근의 사회

143. 天下皆知美之爲美, 斯惡已. 皆知善之爲善, 斯不善已.『老子』2장.
144. 讀至政治編, 其道德之至言眞理, 可自得之.『통편』, 196쪽.

주의에 가깝다고 여긴다. 그리고 순수한 철학에 속한다고도 한다. 그것이 과연 도리에 맞는 말이겠는가? 내가 믿지 않는 것이다.[145]

서우는 『장자』에서도 적잖은 문구를 인용했다. 하지만 장자철학 전반에 대한 평가는 상당히 비판적이다. 장자가 탈속의 자연주의에 치우치고, 일상의 윤리규범과 정치의 공공성을 홀시했다고 여겼기 때문이다. 장자의 도덕담론은 매우 과격하며, 그러므로 취하지 않는다는 게 서우의 기본관점이다.

한편 위진시대의 현학玄學에 이르면, 현실의 사회제도와 윤리규범을 벗어나서 개인의 절대자유를 추구하는 풍조가 성행했다. 서우는 그 역시 방종에 치우친 사조라고 비평하고, 거의 언급하지 않았다. 대신 '심리철학' 편에서도 여러 차례 인용했던 『관윤자』에 주목한다.

신선과 도덕

앞서도 말했지만, 현존하는 이 책의 판본은 관윤에 가탁해서 당송唐宋 간에 저술된 것으로 추정된다. 그 시기에 관윤자를 문시진인文始眞人으로 추존했고, 『관윤자』 역시 『문시진경』으로 경전화했다. 그 뒤로 이 책은 도교의 5대 경전 가운데 하나로 존숭되었다.[146] 그만큼 도교 교단에서 이 문헌을 중시했다.

『관윤자』는 『노자』와 마찬가지로 현묘한 도를 말한다. 하지만 또한 일상생활과 평범한 사물에서 도를 구한 것으로 유명하다. 예를 들어 서우는 이 책에서 "정성껏 조심하고 간소하게 행동하며 충서로 대하고 묵묵히 응하니, 내 도가 무궁하다"[147]는 구절을 원용했다. 익히 알다시피 정성(誠), 간소함(簡), 충서

---

145. 世稱老莊, 然莊學尤多反常. 擧唐虞以來之政治, 詆斥備至, 且論道德, 亦極偏激. 故不取也. 然論世之士, 以爲其論近於最近之社會主義, 且屬於純粹哲學云者. 果知言否? 余所不信也. 『통편』, 197쪽.

146. 『음부경陰符經』·『도덕경道德經』(『老子』)·『남화진경南華眞經』(『莊子』)·『황정경黃庭經』·『문시진경文始眞經』을 흔히 도교의 5대 경전이라고 한다.

147. 關尹子曰 "操之以誠, 行之以簡, 待之以恕, 應之以默, 吾道不窮." 『통편』, 197쪽. 본래

(恕), 묵묵함(黙)은 유교에서도 강조하는 일상의 자기수양 절목이다.

한편 관윤자는 작은 일이라고 경시하지 말고, 사소한 감정부터 절제해야 도와 덕을 얻는다고 강조한다.[148] 더 나아가 인·의·예·지·신 오상五常의 덕목을 말하기도 했다.[149] 서우는 관윤자의 이런 철학이 대단히 순수하다고 찬탄했다. 또한 그 도덕론을 '순정順正한 철학'으로 호칭했다.[150]

『관윤자』의 도덕론은 사실상 유교와 도교가 습합하던 시대의 흔적을 담고 있다. 도교 윤리관의 기본특징은 청정무위와 은둔양생을 추구하는 데에 있다. 그렇다고 해서, 세상을 피해(避世) 목숨을 보존하는 은둔의 생명윤리가 전부는 아니다. 비록 장자와 현학처럼 피세에 치우친 사조나 학파도 있었지만, 그것을 도교 윤리학의 주류로 보기는 어렵다.

도교가 교단 종교로 성립된 뒤에, 은둔양생과 일상거취를 조화하는 문제가 도교 윤리학의 과제로 대두되었다. 도교 신도들 역시 생활인이었으므로, 현실에서 제기되는 윤리적 책임과 의무를 회피할 수 없었기 때문이다. 그리하여 도교는 사회윤리의 적극적인 실천을 신선이 되는 전제로 부각하기에 이른다.

다시 말해, 인애仁愛·자효慈孝하고 사회 및 국가 공동체에 대한 의무를 다하는 덕성을 구도자의 윤리적 자질로 강조한다. 더 나아가, 유교의 오상을 도교 윤리에 포함했다. 이런 윤리적 소양을 갖춘 자라야 비로소 선도仙道에 입문할 수 있다. 그리고 떳떳한 윤리의 실천과 정신수련을 병행해야 마침내 신선의 반열에 오른다. 한 예로 서우는 여동빈의 다음과 같은 말을 인용했다.

여순양이 말했다. "충효는 도를 행하는 시작이다. 예로부터 지금까지 충효

『관윤자·약藥』에 보이는 글이다.

148. 又曰 "天下之理, 小不制而至於大, 大不制而至於不可制. 故能制一情者, 可以成德. 能忘一情者, 可以契道." 『통편』, 197쪽. 본래 『관윤자·감鑑』에 보이는 글이다.

149. 又曰 "聖人之道, 或以仁爲仁, 或以義爲仁, 或以禮爲智. 以信爲仁. 仁義禮智[信], 各兼五者, 聖人一之不膠. 天下名之不得." 『통편』, 197쪽. 본래 『관윤자·극極』에 보이는 글이다.

150. 尹子之哲理正論極其純粹. 觀此道德之言, 亦可謂順正哲學也. 『통편』, 197쪽.

하지 않은 신선은 없다. 지극한 효도는 천지를 감동시키고, 귀신을 울게 만들고, 바람과 우레를 움직이고, 강과 바다를 춤추게 하고, 쇠와 돌을 쪼개며 ……"[151]

서우는 여동빈을 '어진 신선(仁仙)'으로 호명했다. 여동빈이 신통변화로 많은 사람들을 구제했지만, 도덕을 권면하는 언설 역시 헤아릴 수 없이 많다고 칭송했다.[152] 비록 그것이 실제로 모두 여동빈의 언설인지는 확실치 않다. 하지만 그의 명성을 빌려서 말했을지라도, 신선이 되려면 윤리적이어야 한다는 게 도교의 기본강령이었음은 분명하다.

허손許遜(239~374)은 진晉나라의 저명한 신선이다. 그는 애초에 정양旌陽[153]의 수령이 되어 두터운 음덕을 쌓고 수많은 백성을 구활했다. 특히 지극한 효도로 하늘을 감동시켰다. 그러자 일찍이 효행을 닦아 신선이 된 난공蘭公이 하늘의 뜻을 받아 도를 전했다고 한다. 그리하여 마침내 허손 역시 백일승천해서 천선天仙이 되었다.[154] 전병훈이 주목한 이 고사故事는 도교에서 매우 유명한 것이다.

효도로 신선이 된 허손의 신앙은 당나라 때에 확산되기 시작했으며, 송대에 와서 국가적으로 숭배하게 되었다. 실제로 허손은 훗날 도교 정명충효도淨明忠孝道('정명도'로 약칭)의 조사로 추존됐다. 정명도는 도교 역사상 7대 파벌의 하나다. 유불도 삼교합일을 주창했고, '충효'를 수도의 주된 방편으로 삼았다. 한편 남방의 여산파閭山派도 허손을 조사로 추앙했다. 이런 사례는 도교가 유교 윤리학을 받아들인 대표적인 경우였다.

---

151. 呂純陽曰 "忠孝爲行道之始. 古今無不忠孝神仙. 孝之至, 可以格天地, 可以泣鬼神, 可以動風雷, 可以蹈江河, 可以開金石 ……" 『통편』, 199쪽. 이 글은 본래 『여조전서呂祖全書』의 『충효고忠孝誥』에 보인다.

152. 純陽眞仁仙也. 用神化度人已多, 而勸勉道德之言, 亦不能枚擧. 『통편』, 200쪽.

153. 지금의 쓰촨성四川省 더양시德陽市에 있었다.

154. 許旌陽[旌陽], 乃晉之天仙. 以旌陽令, 厚行陰德, 救活者甚衆, 竟成天仙也. 且至孝感天, 故降眞授銅符鐵券書於孝子蘭公以成道也. 『통편』, 199쪽.

한나라 이후에 유교(경학)가 도가의 우주론을 수용했다면, 도가(황로)는 유교의 윤리학을 수용했다. 그 여파가 훗날의 도교로 이어졌다. 이미 살폈듯이, 수많은 도교 전적에서 현실의 '윤리적 의무 이행'을 신선의 도를 이루는 선행 조건으로 강조했다.

하지만 그 이전에, 일찍이 노자부터 도탄에 빠진 백성과 세상을 구제하는 데 역점을 두었다는 사실을 간과해서는 안 된다. '구세救世'는 도가의 확고한 사상 전통의 일부였다. 노자가 비록 형식적인 윤리규범을 비판했지만, 그렇다고 해서 세상을 버리는 피세와 은둔에 치우쳤던 것은 아니다.

노자는 위선과 지략(도구적 지성)의 증대, 법망의 확대, 예의 제도와 인의 도덕의 남용에서 문명의 위기가 발생한다고 진단했다. 하지만 인간 본연의 생명 본성에서 우러나오는 참된 효도(孝), 자애(慈), 충심(忠), 믿음(信) 등을 긍정했다. 그리고 청정·무위의 정신수양으로 그런 본성이 회복되기를 원했다.[155]

그러려면 더 많이 알고, 가지고, 누리는 것이 능사가 아니다. 반대로 가지고 아는 것을 비우는 것으로부터 인간의 자기구제가 이뤄져야 한다. 노자는 이런 자기구제 경험을 기반으로, 병든 인류문명의 치유가 함께 이뤄져야 한다고 처방했던 것이다. 그러므로 역대의 많은 사상가들이 노자에게서 구세救世의 지혜를 발견했다.

난세의 구제, '태평太平'의 도덕

한 예로 청나라의 사상가인 위원魏源(1794~1867)은 『노자본의老子本義』에서 이렇게 말한 바 있다. "『노자』는 세상을 구하려는 책이다." "노자가 책을 지어

---

155. 노자는 규범화된 인仁·의義를 비판하지만, 그 목적은 진솔한 효孝·자慈를 회복하는 데에 있다. 絶仁弃義, 民復孝慈(『노자』 19장). 또한 형식화된 예禮를 비판하지만, 그 이유는 형식화된 예가 충忠·신信을 훼손하기 때문이다. 夫禮者, 忠信之薄, 而亂之首(『노자』 38장). 결국 노자가 추구하는 것은, 효·자·충·신의 덕성을 손상치 않고 두텁게 하는 것이다. 이런 덕성이 곧 인간 본연의 성품이며, 그 성품은 도道에서 비롯된다.

도를 밝히고 시대를 구하고자 했다." "그것은 노자가 시대를 근심하고 세상을 구하려 했던 마음이다."[156] 서우 역시 이런 문맥에서 도교 윤리학을 해석했다.

옛날에 도를 닦았던 인물들이 단지 세속을 피해 은둔하기만 했던 것이 아니며, 세상을 구제하는 사회적 의무에 결코 소홀하지 않았다. 서우는 이런 사실을 입증하고자 했다. 실제로 앞서 말했던 허손 등의 고사가 주로 효친의 가족 윤리에 방점을 두었다면, 난세를 다스리고 덕업을 쌓았던 도인들의 사례도 적지 않게 전한다. 그 가운데 서우는 몇몇 본보기를 들었다.

안기생安期生은 진나라 때의 전설적인 신선이다. 진시황이 그를 초빙해서 빈객의 예의로 우대했다. 하지만 안기생은 끝내 도를 전하지 않고, 바다의 삼신산에서 신선을 찾겠다고 청탁했다. 그리하여 진시황이 비용으로 황금과 비단을 후하게 제공하자, 안기생은 그것을 모조리 고향마을에 나눠 주었다. 그리고 노자를 만나 도리어 진시황의 폭정을 고발하고, 진나라가 빨리 멸망하는 도를 행하도록 주청했다. 이를 통해 백성을 구했다.[157]

물론 이는 사실이라기보다 꾸며낸 이야기다. 안기생의 전설에 여러 버전이 있는데, 그 가운데 하나이다. 이 고사는 원나라 때의 도사 조도일趙道一이 찬술한 『선감仙鑒』에 보인다. (『선감』의 정식 명칭은 『역세진선체도통감歷世眞仙體道通鑑』이다.) 한데 굳이 이 고사를 소개하는 연유에 관해, 서우는 이렇게 설명했다.

"노자가 (안기생에게) 진나라를 멸망시키는 비책을 가르쳤다. 안기생 역시 도덕을 은밀히 행해서 세상을 구제한 자라고 말할 수 있다."[158] 그런데 다시 말하지만, 이것은 신화적인 이야기다. 노자가 신격화되고, 안기생 역시 설화 속의 인물로 묘사된다.

하지만 거기에는 또한 도교에서 모범으로 삼는 윤리관이 투영돼 있다. 신선

---

156. "『老子』, 救世之書也." "老子著書, 明道救時." "此老子憫時救世之心也" 魏源, 『老子本義』.

157. 安期生, 聘於秦, 始皇待以客禮, 然竟不傳道. 稱託求仙於海, 始皇厚遺金帛. 期生盡散鄉裏, 而遇老子告以秦暴, 宜施速滅之道, 以救生靈. 『통편』, 198쪽.

158. 老子教以滅秦之策. 如安生亦可謂陰行道德以濟世者也. 『통편』, 198~199쪽.

의 도를 구하는 자라면 부귀에 영합하기보다, 마땅히 온 생령의 삶을 살피는 구세의 책임과 의무를 다해야 한다. 설화는 노자도 이런 도덕의 실행을 적극 지지한다는 메시지를 담는다. 그 밖에도 서우는 역사상의 여러 인물들을 도가 도덕의 실천가로 지목했다.

장량張良(?~BC 186)은 이른바 '장자방張子房'으로 널리 알려진 인물이다. 그는 할아버지와 아버지가 연이어 한韓나라의 재상을 지낸 명문가 출신이었다. 진나라에 조국이 패망하자, 장량은 시황제의 암살을 시도할 정도로 기개가 남달랐다. 훗날 유방의 책략가가 되어 한나라의 개국에 큰 공을 세웠다. 서우는 "장량의 공훈업적이 우주에 휘황하여 일일이 들어서 말할 수 없다"고 극찬하며, 다음과 같이 평론했다.

> 장량은 한漢나라를 보좌하여 진나라를 멸망시켰고, 이로써 한韓나라의 원수를 갚았다. 하지만 뒤에 벼슬을 사절하여, 헌신짝 버리듯이 했다. 그는 뜻이 높고 덕이 맑아서, 삼대 이후로 자기 의무를 다한 한 사람이라고 부를 만하다. 주자가 칭찬해 말했다. "노자가 말하기를 '유약한 것이 도의 작용'이라고 했다. 오로지 장자방의 평생사업이 그 한 구절을 올바로 활용해서 성취를 이뤘다." 참으로 그러하다.[159]

중국은 물론 한국에서도 '장자방'은 오랫동안 군왕의 책사를 대표하는 인물로 손꼽혔다. 장량은 황석공黃石公이란 은자로부터 병법서를 전수받았다고 알려졌다. 한편 황석공은 귀곡자鬼谷子에서 울료자尉繚子로 연결되는 전국시대 병법가의 계보를 이었다고 한다.

그런데 『선감』에 의하면, 그들은 모두 노자의 도를 계승했다. 이런 설법은 그 사실성이 다소 모호하다. 그렇다고 해서 전혀 터무니없는 것만도 아니다.

---

159. 良之勳業輝煌宇宙, 不須枚舉, 而其佐漢滅秦, 以報韓讐. 然後即謝絕爵祿, 如脫弊屣. 其高志清德, 可謂三代以下之了債一人也. 朱子贊曰 "老子有云 '弱者, 道之用也.' 惟子房之平生事業, 善用此一言而成就, 誠然也. 『통편』, 199쪽.

중국 역대의 이름난 군사전략가치고 노자의 영향을 받지 않은 자가 드물었다. 난세를 평정하는 영웅들에게 노자의 사상은 그만큼 큰 지혜와 영감의 원천이 되었다.

하지만 『노자』를 단지 정치·군사적 모략의 방편으로만 활용한다면, 이는 노자의 본뜻을 심각하게 왜곡하는 것이다. 도덕을 수반하지 않는 지략은 한갓 교활한 모략과 속임수에 그치고 만다. 노자는 그런 지략이야말로 세상을 망치는 꼼수(智巧)라고 신랄하게 비판했다. 현묘한 도와 청정한 덕을 바탕으로 할 때만, 노자의 지혜는 세상을 구제하는 묘약이 된다.

서우에 따르면, 장량은 "뜻이 높고 덕이 맑았"으며 "자기 의무를 다한" 도덕실천가였다. 장량의 목표는 한나라를 건국해 천하의 전쟁을 종식시키는 데에 있었다. 그러면서도 권력에 연연하지 않고, 마침내 은둔해서 신선의 도를 이뤘다. 지금은 중국 최고의 관광명소로 각광받는 장자제張家界가 본래 장량이 은둔했던 곳으로 그 이름을 얻었다.

앞서도 언급했지만, 신선의 도를 이루려는 자의 밑천으로 세상을 구제하는 공덕만큼 든든한 게 없다. 장량은 도교 윤리학의 그런 문법을 표상하는 전형적인 아이콘이었다. 따라서 장량의 공덕이 조야는 물론 도교에서 널리 칭송되었고, 그와 같은 사례가 후대에도 계속 출현했다.

이필李泌은 당나라 중엽에 여러 조대의 군왕을 보좌했다. 또한 평생토록 신선과 불교를 연마하여 '백의산인白衣山人'으로 불리기도 했다. 그는 안록산의 난 때 숙종肅宗(재위 756~762)의 부름을 받고 군사전략을 자문했다. 덕종德宗(재위 779~805) 때는 황제의 스승이자 명재상으로 드높은 명성을 날렸다. 이필이 밖으로 근심을 드러내면 덕종이 연유를 묻고, 언제나 그 의견에 따랐다고 한다.[160]

서우는 "삼대 이후에 군주의 신임을 얻어서 그 철리와 도덕을 행한 인물의 한 사람"[161]으로 이필을 지목했다. 이필이 참된 신선의 도를 전수받았으며, 세

---

160. 史云泌憂形於色, 則德宗問而無不從之. 『통편』, 200쪽.
161. 蓋三代以後, 亦可謂得君, 以行其哲理道德者, 又一人也. 『통편』, 200쪽.

상에서 사람의 도리를 행하고 백성을 구제하는 도덕의 본보기를 보였다고 칭송했다.[162]

반면 이런 사례와 달리, 처음부터 사회를 등지고 산속으로 들어가는 은둔자들이 있다. 서우는 그들의 협소한 덕량을 강한 어조로 힐난했다. "저들이 입산해서 홀로 청결하려는 것은, 도대체 무슨 마음보로 그러는가?"[163]

그런데 도교 역사상 정치 현실에 간여해서 도를 행하고, 백성을 구휼했던 인물로 장춘진인長春眞人 구처기丘處機(1148~1227)만 한 본보기도 없었다. 구처기는 원나라 때 도교를 널리 확산시킨 희대의 종사宗師로, 중국 도교의 최대 문파인 전진도 용문파龍門派의 시조가 되었다.

서우는 원 세조世祖 쿠빌라이칸이 출병할 때마다 구처기가 동행했으며, 비밀리에 구활한 백성이 아주 많았다고 진술한다.[164] 하지만 이는 구처기가 칭기즈칸의 서역 정벌에 동행했던 사실이 다소 와전된 것이다.[165]

구처기는 칭기즈칸의 초대에 응해서 73세의 고령으로 1220년에 산동의 호천관昊天觀을 출발해, 1222년 현재의 아프가니스탄 북부에서 칭기즈칸을 알현했다. 그리고 양생의 비법을 묻는 세계의 정복자에게 살육을 멈추고 백성을 구휼하라는 메시지를 전한 것으로 유명하다. 서우는 당시의 대화를 다음과 같이 전한다. 물론 여기서 '원 세조'가 실제로는 '칭기즈칸'이다.

> 구장춘이 원 세조의 초빙에 응하자, 세조가 '구신선邱神仙'으로 부르며 정성스럽게 도를 물었다. (이에 구장춘이) 응답해 말했다. "몸을 닦는 법이 밖으로 음덕을 쌓고, 안으로 정신을 견고히 하는 데 있다. 백성을 구휼하고 다

---

162. 烏乎! 眞有得於眞傳者, 行世濟民之道德, 固如是哉. 『통편』, 200쪽.
163. 彼入山獨潔者, 抑何心哉. 『통편』, 200쪽.
164. 元世祖每行軍時, 長春同之. 其密秘救活者甚衆. 『통편』, 201쪽.
165. 쿠빌라이칸은 1266년에야 북경에 도읍하고, 1271년 국호를 원으로 정했다. 그리고 구처기는 그보다 전인 1227년 장춘관長春觀(지금 북경의 백운관白雲觀)에서 임종했다. 따라서 구처기가 원 세조를 종사했다는 것은 사실이 아니다. 하지만 원 세조가 구처기를 '장춘연도주교진인長春演道主教真人'으로 추존하여 높이 기렸던 일은 있다.

중을 보전하며, 천하를 안녕케 하는 것이 밖으로의 덕행이 된다. 욕심을 줄이고 몸을 보전하는 것이 안으로의 수행이 된다. 단지 능히 욕망을 절제한다면, 곧 도에 가깝다."[166]

구장춘은 정신을 응결하는 전통적인 내단 수련 외에, 천하와 백성을 구제하는 '밖으로의 덕행(外行)'을 강조했다. 비단 군주에게만 그런 덕목을 요구한 게 아니다. 자신이 몸소 백성을 은밀히 구활하는 덕행을 두텁게 쌓았다. 이런 '음덕'에 대해 서우는 "사람들 모르게 내가 천부적 양심으로 편안히 행하며, 하려는 바가 없이 저절로 하는 것"[167]이라고 정의했다.

안기생에서 구장춘에 이르기까지, 앞서의 사례는 모두 신선의 도를 구하면서 사회적으로 두터운 '음덕'을 쌓은 인물들에 관한 것이다. 서우는 "세상에서 도를 배우는 자라면, 노자와 율료자가 사람들의 형편을 고려해 세상을 구제하려던 본뜻을 마땅히 우러러 본받아야 한다"고 명언했다. "그리고 장자방·이필·구장춘이 세상에 나와 백성을 구제하려고 고심했음을 살피라"고도 했다.[168] 한데 그런 덕행은 결국 음덕이어야 한다.

'음덕'은 남을 의식하지 않는 선행, 타고난 양심에서 우러나와 저절로 행하는 무보상의 덕행이다. 서우에 따르면, 음덕 베풀기는 선택이 아닌 필수다. 그것은 구도자가 마땅히 행해야만 하는 도덕의무다. 모름지기 도를 구하는 자라면 "절실하게 산 사람들의 목숨을 구하고, 인간 세상을 돕는"[169] 음덕을 반드시 베풀어야만 한다. 그런 "뜻을 세운 뒤라야, 지극히 참된 철리도덕의 본원을 거의 위배하지 않는다."[170]

---

166. 邱長春, 應聘元世祖, 號以邱神仙, 訪道以誠. 對曰 "修身之法, 外修陰德, 內固精神. 恤民保衆, 使天下懷安, 爲外行也. 省欲保身爲內行. 但能節欲, 則幾於道矣." 『통편』, 200쪽. 이 내용은 본래 『장춘조사어록長春祖師語錄』에 보인다.

167. 凡所謂陰德者. 人所不知而我以天良安行, 無所爲而爲之者也. 『통편』, 201쪽.

168. 世之學道者, 當仰法老子·尉繚, 因人濟世之本旨. 且觀子房·李泌·長春之出世救民之苦心. 『통편』, 201쪽.

169. 切以救活生民, 有補人世. 『통편』, 201쪽.

여기서 '지극히 참된 철리도덕의 본원'이란, 곧 도덕의 자연법적 근거를 가리킨다. 생명을 존중하는 도교의 가치관에서, 그것은 모든 생령을 살리는 우주의 섭리에 다름 아니다. 특히 절체절명의 위기에 처한 사람 목숨의 구활보다 더 절실한 도덕명령은 없다. 그러므로 도교 윤리의 구현자들이 장량이나 이필처럼 군사전략에 능통하거나, 혹은 구장춘처럼 직접 전장을 누비는 절묘한 아이러니가 성립되는 것이다.

신선과 군사전략가, 전혀 어울릴 것 같지 않은 조합이다. 한데 거기서 인류의 고상한 정신과 문명의 참극이 얄궂게 교차한다. 도교는 '태평'의 이상세계를 추구한다. 천하가 화평하여 분규와 전쟁이 종식되고, 굶주리고 헐벗는 백성이 없으며, 누구나 무병장수해서 천수를 누리고, 사람마다 지혜가 밝아지는 지상선경地上仙境을 꿈꾼다. 하지만 그런 염원은 줄곧 먼 과거의 황금시대, 혹은 아직 도래하지 않은 유토피아의 미래로 투사된다.

대신 현실은 비루하고 부조리로 가득하다. 무엇보다 전쟁이란 얼마나 비참한가? "저 처참한 병사들을 보게! 훈련 중에는 먹는 빵보다 맞는 매가 더 많고, 전투가 벌어지면 매를 맞지 않는 대신 죽거나 다치거나가 아닌가. 농민들의 고통은 그보다 더 심하다네. 인간이 견딜 수 있는 최대한의 고통을 견디다가, 결국 굶어 죽게 되지. …… 우리가 지금 수행하고 있는 이 전쟁, 이보다 더 참혹한 전쟁은 아마 없을 거야." 18세기 유럽의 7년 전쟁 도중 프로이센의 프리드리히 2세는 이렇게 탄식했다.[171] 하지만 그가 목도한 전쟁만 참혹했던 것은 아니다.

동서고금을 막론하고, 전쟁은 언제나 참혹했다. 노자가 말했다. "군대가 머문 곳에는 가시엉겅퀴가 돋고, 대군을 일으킨 뒤에는 반드시 흉년이 든다."[172]

---

170. 立志然後, 庶不背至眞哲理道德之本源矣. 『통편』, 201쪽.
171. 함규진, 『전쟁사』 '7년 전쟁', 네이버캐스트(http://navercast.naver.com/contents.nhn?contents_id=13384).

또한 "훌륭한 무기는 상서롭지 못한 물건"이라고 했다. 무기란 "군자의 기물이 아니"며, "도를 지닌 사람은 거기에 마음을 두지 않는다"고 딱 잘라 말한다.[173] 전란이 그치지 않던 참담한 춘추전국시대에, 노자가 바라던 궁극의 이상은 전쟁의 항구적인 종식에 있었다.

그러나 온 세상이 전란에 휩싸인 한복판에서, 평화를 위해 어느 날 갑자기 모두 다 무기를 내려놓는 기적은 여간해서 일어나지 않는다. 그러므로 노자는 '부득이한 전쟁'을 필요악으로 여겼다. 다만 마지못해 전쟁을 해야 한다면, 어떤 경우라도 고요하고 담담한 마음을 지니는 것이 최선이다.

결단코 전승을 찬미해서는 안 된다. 만약 승리를 찬미한다면, 그는 곧 살인을 즐기는 자이다. 살인을 즐기는 자는 천하에서 절대로 그 뜻을 이룰 수 없다. 도가 있는 사람이라면, 전쟁에서 수많은 사람이 죽는 것을 슬퍼하고 통곡하는 게 정상이다. 설령 전쟁에서 이기더라도 죽은 자를 장사 지내는 예로 대처해야 한다.[174]

노자의 도를 계승한 구도자들, 신선과 태평의 도를 구하던 도인·달사들이 뛰어난 군사전략가의 면모를 보였다. 그것은 악독한 현실의 모순에 대응하는 패러독스였다. 전쟁은 평화와 모순된다. 하지만 인간은 전쟁을 혐오하면서도 늘 전쟁을 벌였다. 전쟁을 종식시키고자 전장에 나서고, 평화를 갈구하면서 전쟁을 치르는 모순에 빠진다.

그러니 독으로 독을 치료하듯이, 무력으로 무력을 종식시키는 것이 제세濟世의 한 방편이 된다. 장량·이필·구처기가 군사전략을 자문한 것도 그런 맥락이다. 난세의 학정과 혼란을 끝내고, 백성을 도탄에서 구하려는 도덕실천의 발로였다. 그런데 대포로 정녕 평화를 얻을 수 있는 것인가.

---

172. 師之所處, 荊棘生焉, 大兵之後, 必有凶年.『老子』30장.
173. 夫佳兵者, 不祥之器, 物或惡之, 故有道不處. …… 兵者不祥之器 , 非君子之器.『老子』31장.
174. 不得已而用之, 恬淡爲上. 勝而不美, 而美之者, 是樂殺人. 夫樂殺人者, 則不可得志於天下矣. …… 殺人之衆, 以哀悲泣之, 戰勝以喪禮處之.『老子』31장.

전쟁의 참상에 몸서리를 치면서도 전쟁을 피하지 않고, 오히려 선제적으로 전장을 누비는 구도자들의 역설이 논리적으로나 도덕적으로 과연 정당화될 수 있을까? 이런 근본적인 질문은 여전히 미완의 과제로 남는다. 어쨌든 전병훈이 역대의 도가에서도 유독 군사방면에 뛰어났던 인물들의 미덕을 칭송했던 것은 의미심장한 일이다.

서우가 마지막으로 호명한 도덕가 역시 저명한 군사가였다. 유기劉基(1311~1375)는 명나라의 개국공신이었다. 서우는 "유기 역시 세상에서 뛰어나게 맑은 덕망가"[175]라고 칭송했다. 또한 "그의 신통한 병법이 앞일을 훤히 알아서 여상·장량과 엇비슷했으며, 공을 이루고 난 뒤에 역시 은둔하여 세속과 인연을 끊었다"고 강조한다.[176] 그리고 "도가는 장자방·이필에서 유기에 이르기까지, 세상을 경영하는 도덕이 두세 번 진화했다"[177]고 평론했다.

그런데 이런 도교 도덕의 계보에는 종종 신비주의 색채가 덧씌워졌다. 예를 들어 "노자가 일찍이 여상呂尙에게 도를 전해 세상을 구제했다"거나, 율료자가 "어린 제갈공명을 방문해서 세상을 구제할 재목임을 알아보았다"는 등의 신이한 설화가 세간에 유포되었다. 심지어 율료자가 "유기에게 도를 전해 세상을 구했다"고도 한다. 서우 역시 "율료자가 유기의 시대까지 생존한 것이 또한 기이하다"고 말했다. 그는 『선감』에서 그런 기록을 보았다고 진술했다.[178]

서주 초의 여상(강태공)이 수세기 뒤인 춘추시대의 노자로부터 도를 전수받았다거나, 전국시대의 율료자가 삼국시대의 제갈공명과 명나라 초의 유기에게 가르침을 준다는 것은 물론 역사적으로 납득하기 어렵다. 도교에서 노자가 '태상노군'으로 신격화되고, 율료자가 은둔한 신선으로 추앙되면서 그런 설화가 만들어졌다.

---

175. 劉公亦高世清德也. 『통편』, 201쪽.
176. 劉基, 乃明之開國功臣. 其神通兵法, 誠明前知, 有類乎呂尚張良, 而功成後亦肥遯絕世也. 『통편』, 201쪽.
177. 道家自子房·李泌, 至劉公, 則可謂經世道德, 再三進化也. 『통편』, 201쪽.
178. 老子嘗傳道呂尚以救世, 尉繚子亦嘗訪諸葛幼時, 知爲濟世之才. 今又傳道劉基以救世, 吁亦奇絕哉. …… (尉繚至劉生存, 不亦奇哉. 『仙鑒』有.) 『통편』, 201쪽.

한데 일상의 시간대를 초월한 이런 설화에 대해, 역사의 사실 여부로만 그 의미를 판정하는 것은 부적절하다. 왜냐하면 설화란, 본래부터 있지 않거나 혹은 있더라도 상상이 더해 부풀려진 일을 사실처럼 말하는 것이기 때문이다.

설화와 신화는 은유와 상징의 문법으로 진술되는 이야기다. 따라서 거기에 합리적 이성과 역사적 사실성의 잣대를 들이대는 것은 가혹하다. 반대로 설화를 곧이곧대로 역사라고 우기거나 믿는다면, 그 역시 무지몽매하기는 매일반이다.

설화와 신화에는 나름대로의 진실을 구성하는 문법이 있다. 따라서 역사가 아닌 신화의 문법에 따라, 이야기의 구조와 기능을 분석할 필요가 있다. 하지만 이 주제는 나중에 다시 별도의 여담으로 말하기로 하자. 대신 본 단락에서 논구할 마지막 주제는 묵자墨子의 겸애설이다.

보편적 사랑, 자연법적 공공도덕

도교의 도덕을 말하다가 말고 뜬금없이 묵자의 겸애설이라니, 의아해할 독자도 있을 것이다. 익히 알다시피 묵자의 이름은 묵적墨翟이다. 기원전 4세기 전국시대 초에 활동한 사상가로, 이른바 묵가墨家로 불린 학파의 시조다. 그는 천하에 아울러 이익이 되는 겸리(兼相利)의 원칙을 천명하고, 모든 사람을 하나같이 사랑하는 겸애(兼相愛)를 주창한 사상가로 유명하다.

흔히 묵자의 철학이 공자에 반박하는 입장이었다고 알려져 있다. 공자가 예악의 회복을 말했다면, 묵자는 보편적 다수의 공리公利를 말했다. 공자가 혈연에 입각한 차별적 사랑을 말했다면, 묵자는 무차별적 박애를 말했다. 한데 그런 묵자를 노자와 관련짓는 주장이 훗날 제기되었다.

한당漢唐 이전에는 거의 없던 견해였는데, 공교롭게도 이 주장을 제기한 사람은 남송의 주희였다. 주희는 성리학의 입지를 공고화하면서 노장과 불교를 이단으로 혹렬히 배척했다. 그러다가 일찍이 맹자가 양주楊朱와 묵적을 비판했어도, 노장을 비판한 적은 없지 않느냐는 반론에 직면했다. 그러자 주희가 응답했다.

맹자가 노자·장자를 배척하지는 않았지만, 양주·묵적을 비판했다. 양묵이 곧 노장이다.[179]

맹자가 양묵을 배척한 것이 곧 노장을 배척하는 취지였다는 명언이다. 다시 말해, 양주와 묵적이 노장과 사상적으로 연계됐다는 주장이다. 양주가 노자를 계승한 도가의 일파였음은 예로부터 널리 공인됐다. 하지만 묵적을 노자와 연계시키는 경우는 드물었다.

그런데 남송 이후로 묵자 역시 노자의 도를 계승했다는 견해가 대두된 것이다. 비단 주희뿐만 아니라, 도교에서도 그런 인식이 확산되기에 이른다. 전병훈은 『선감』을 근거로, 열자·범려·편작·묵적·귀곡자·율료자·황석공 등이 노자의 도를 전수받았다고 한다.[180]

서우가 일찍이 『주자어류』를 독파했으므로, 양주·묵적을 도가로 간주하는 주희의 견해를 익히 접했을 것이다. 거기에 더해 원대의 조도일이 편찬한 『선감』을 읽고, 묵적이 노자를 계승했다고 여기게 된 것이다. 그런데 이런 입론은 철학적으로 과연 근거가 없는 것일까? 서우는 『묵자墨子』에서 다음과 같은 대목에 주목했다.

묵자가 말했다. "본받지 않을 수 없구나. 하늘의 운행은 광대하고도 사사로움이 없다. 그 혜택이 두텁지만 공덕을 내세우지 않는다. 그 밝음이 장구하지만 쇠하지 않는다. 그러므로 성스러운 왕(聖王)은 이를 본받는다. 이미 하늘로 법을 삼으니, 동작과 행위가 반드시 하늘을 기준으로 삼는다. 하늘이 바라는 것이면, 곧 이를 행한다.

---

179. 孟子不闢老莊, 而闢楊墨, 楊墨卽老莊也. 『朱子語類·老氏』.

180. 嘗攷『仙鑒』, 列子·范蠡·扁鵲·墨翟·鬼谷子·尉繚子·黃石公, 皆受道於老子, 以各成其技器也. 『통편』, 197쪽.

하늘은 반드시 사람이 서로 사랑하고 서로 이롭게 하기를 바란다. 사람이 서로 미워하고 서로 해치기를 바라지 않는다. (하늘/성왕은) 모두를 아울러 사랑하고, 모두를 아울러 이롭게 한다. 하지만 도적은 자기 몸만 사랑하고, 남을 사랑하지 않는다.

대부들이 서로의 집안을 어지럽히고 제후들이 서로의 나라를 공격하는 것은, 모두 서로 사랑하지 않는 데서 기인한다. 만약 천하가 아울러 서로 사랑하게(兼相愛) 할 수 있다면, 나라와 나라 간에 서로 공격하지 않고, 집안과 집안 간에 서로 싸우지 않을 것이다. 도둑이 사라지고, 군신과 부자가 모두 능히 효성스럽고 자애롭게 된다. 그러면 곧 천하가 다스려진다."[181]

묵자가 노자의 철학을 계승했다고 단언하기는 어렵다. 하지만 묵자 역시 만물에 두루 미치면서도 사사로움이 없는 하늘의 도를 말한다. 두터운 혜택을 베풀지만 그 공덕을 내세우지 않는 부덕不德의 큰 덕, 장구하지만 쇠하지 않는 밝음을 말하는 문법이 노자에 근접한다. 더구나 성스러운 군왕이 이런 하늘의 도를 정치의 척도로 삼는다는 데서 노자의 정치사상과 일맥상통한다.

그런데 "하늘은 반드시 사람이 서로 사랑하고 서로 이롭게 하기를 바란다"는 구절에 이르면, 그 대척점에서 "천지는 어질지 않으니(不仁) 만물을 추구芻狗로 여길 뿐"이라는 노자의 명구가 떠오른다. 여기서 '추구'는 짚이나 풀로 만든 강아지로, 옛날에 제사를 지낼 때 희생 대용으로 쓰던 제물이다. 그런데 노자는 천지와 마찬가지로 "성인도 어질지 않아서, 백성을 추구처럼 여긴다"고 한다.[182]

---

181. 墨子曰 "莫若法夫, 天之行廣而無私, 其施厚而不德, 其明久而不衰. 故聖王乃之既矣爲法. [故聖王法之. 既以天爲法] 動作有爲必度於天, 天之所欲則爲之. …… 天必欲人之相愛, 相利, 不欲人之相惡, 相賊也. 以其兼而愛之, 兼以利之也. 賊愛身不愛人. 雖至大夫之相亂家, 諸侯之相攻國者, 皆起不相愛. 若使天下兼相愛, 則國與國不相攻, 家與家不相亂, 盜賊無有, 君臣父子皆能孝慈, 則天下治." 『통편』, 197~198쪽. 이 글은 『묵자·법의法儀』의 글이다.

182. 天地不仁, 以萬物爲芻狗. 聖人不仁, 以百姓爲芻狗. 『老子』 5장.

노자의 이런 언명에 대해, 혹자는 '천지와 성인이 만물을 사랑하지 않는다'고 해석한다. 심지어 그런 무정한 천지와 성인을 원망하는, '원천怨天'의 의미까지 담겼다고 한다. 노자의 텍스트를 이렇게 곡해하는 것은 실로 일차원적이다. 그것은 실소를 머금게 하는 독법이다. 노자가 부인한 것은 다만 차별적인 친애로서의 '어짊(仁)'이기 때문이다.

천지와 성인이 만물을 추구로 대한다는 것은, 친소관계를 따져 가까운 이부터 친애하는 유교의 차별적 사랑을 비판하는 패러독스다. 다시 말해, '어질지 않음(不仁)'이란 만물 가운데 어느 무엇도 '각별히 편애하지 않음'을 의미한다. 그것은 역으로 만물을 차별 없이 두루 사랑한다는 박애의 다른 표현인 것이다.

그러므로 노자는 "사람을 사랑하고 나라를 다스림에, 능히 무위할 수 있는가?"[183]를 묻는다. "만물을 사랑하고 기르면서도 주인 노릇을 하지 않는다면, 가히 '위대하다'고 할 수 있다"[184]고 명언하기도 했다. 노자가 "사랑하지 말라"고 말하는 게 아니다. 다만 사람을 사랑하고 만물을 기르되, "각별히 친애하지 말라"고 주문하는 것이다. 그것도 특히 남들의 윗자리에 있는 공인公人들에게 하는 말이다.

누군가를 "각별히 친애한다"는 것은, 달리 말해 다른 누군가는 그처럼 친애하지 않는다는 차별의 다른 표현이다. 보통사람은 차별적으로 사랑한다. 그게 인지상정이다. 자기의 부모자식이 어찌 다른 사람과 같을 수 있겠는가? 내 일가친척, 동향사람, 동창과 선후배를 각별히 사랑하고 챙기는 건 어쩌면 자연스러운 정감의 발로이다.

그런데 이런 사적 친애의 정감이 사회의 공적 영역으로 확대되면, 사정이 달라진다. 그것을 반드시 미덕으로만 볼 수 없다. 멀리 갈 것도 없다. 사회의 온갖 분야에서 학연·지연·혈연 등의 차별적 연고주의가 작동하는 한국사회의 병폐를 떠올려 보자. 불법과 탈법으로 기업을 친인척에게 세습하는 재벌의 행태는 또 어떤가?

---

183. 愛人治國, 能無爲? 『老子』 10장.
184. 愛養萬物不爲主, 可名於大. 『老子』 34장.

부귀와 권력이 공공재임에도 불구하고, 그것을 사적으로 전유하는 것이 악덕이라는 관념이 상대적으로 희박하다. 그런데 한국인은 이런 부패친화적 환경에 어째서 그리도 관용적인가? 사실 이런 문제는 어제오늘의 일이 아니다. 노자와 묵자 같은 사상가들이 '불인不仁'과 '겸애兼愛'를 말했던 까닭이 바로 거기에 있다.

서주의 종법宗法과 예악제도는 혈연·친족 간의 차별적 친애에 근거를 두고 작동했다. 왕이 만백성의 지도자이기에 앞서 자기 혈족의 수장이었고, 제후나 대부들 역시 백성보다는 집안을 우선시했다. 한데 그런 혈연 연고주의로 인해 부패친화적 사회 환경이 만들어졌다. 또한 대를 거듭할수록 혈연의 결속력이 약화되어, 사회불안 요인이 증대했다. 그것이 춘추전국의 참담한 난국으로 이어졌다.

그리하여 묵자가 말하듯이 "대부들이 서로의 집안을 어지럽히고, 제후들이 서로의 나라를 공격하며" 누구도 서로 사랑하지 않는(不相愛) 증오사회가 되었다. 이에 대해 묵자는 공자가 말한 차별적 사랑을 넘어, 천하가 '아울러 서로 사랑하기(兼相愛)'를 강조했다. 노자는 윗자리의 지도자들에게 만백성을 도리어 '추구'처럼 여기라고 역설했다. 각별히 친애하느니, 차라리 담담하고 공정하라고 요청한 것이다. 또한 "만물을 사랑하고 기르면서도, 주인 노릇을 하지 말라"고 경고한다.

예를 들어 선생님이 나만 친애하기를 바라는 학생이라면, 학생을 두루 사랑하는 스승은 마치 나를 친애하지 않는 듯이 보인다. 대통령의 특혜를 바라는 주민이라면, 지역감정을 초월한 대통령은 몰인정한 지도자로 비춰질 것이다. 그러므로 만물·만백성을 차별 없이 아끼는 큰 사랑이란, 개별자의 견지에서 보면 도리어 무정하고 몰인정한 듯하다. 묵자의 '겸애'와 노자의 '불인'은 이렇게 공적 도덕으로 조우한다.

노자와 묵자는 그런 공적 도덕의 모범을 공히 '천지' 내지는 '하늘'에서 찾았다. 하늘의 해와 달이 친소관계를 따져 특정 지역이나 소수의 동식물에게만 빛을 비춘다면, 지구의 생태적 질서가 일거에 교란될 것이다. 그런 편애는 결국 지상의 모든 존재에게 불행을 안겨 준다. 그러므로 남들의 윗자리에 있는 사람이라면 반드시 '겸애'하는 동시에 '불인'해야 한다. 그리고 이런 문맥에서, 묵자와 노자의 사상적 일치를 수긍할 수 있다.

그런데 불편부당한 사랑의 도덕을 말한 것이야말로, 묵자와 노자가 유가로부터 배척받는 이유가 되었다. 서우가 이렇게 말한다. "묵자의 겸애설이 맹자에게 배척받았다. 무차별적으로 사랑하니 '아비를 아비로 여기지 않는다(無父)'는 까닭이다."[185] 한편 맹자는 양주의 생명존중(貴生)을 극단적인 위아爲我사상으로 몰아 '군주를 업신여겼다(無君)'고 비판하기도 했다.[186]

'아비 없는' 묵자와 '임금 없는' 양주는 부자유친父子有親과 군신유의君臣有義를 훼손한다. 그리고 결국 사람들을 금수로 타락시킨다. 이것이 유교에서 이단을 배척하는 기본문법이 되었다. 이런 문법은 훗날에도 계속 반복되었다. 주자학은 노자와 장자를 '무부'와 '무군'의 이단사설로 몰아갔다. 불교의 경우에는 선학禪學이 양주와 같으며, 보시普施가 묵자와 같다고 비난했다.[187] 서양에서 기독교와 서양철학이 들어오자, 그 역시 같은 논리로 배격했다.

이처럼 유교는 혈연적 친소관계에 입각한 '차별적 친애'를 모든 도덕의 표준으로 삼았다. 그리고 '아비 없는' '임금 없는'이란 독설로 전가의 보도를 삼았다. 그것은 유교와 다른 일체의 도덕을 배척하는 칼날이 되었다. 전병훈은 이런 극단적인 배척논리에 대해 "그 뜻이 아쉽다"[188]고 안타까움을 나타냈다. 그리고 유교의 차별적 친애와 묵자의 보편적 사랑 간에 화해를 주선한다.

> 내가 다른 사람의 부모를 사랑하면, 다른 사람 역시 내 부모를 사랑한다. 그러니 오직 '가까운 사람에게 먼저 사랑을 베풀어 점차 먼 사람에게 미치기(立愛惟親)'를 근본으로 삼되, 단지 '하늘을 본받아 아울러 사랑함(法天兼

185. 墨子兼愛之說, 見斥于孟子, 以愛無差別爲無父. 『통편』, 198쪽.
186. 楊氏爲我, 是無君也. 墨氏兼愛, 是無父也. 無父無君, 是禽獸也. 『孟子 · 滕文公下』.
187. 今釋子亦有兩端, 禪學楊朱也. 若行普施, 墨翟也. 『朱子語類 · 老氏』.
188. 惜其意. 『통편』, 198쪽.

愛)'으로써 분란을 종식시키자는 묵자의 견해를 취한다면 거의 무방할 것이다.[189]

두 가지 사랑의 원리가 있다. 하나는 '입애유친立愛惟親', 즉 가까운 사람에게 먼저 사랑을 베풀어 점차 먼 데로 미치는 것이다. 이는 본래 『상서·이훈伊訓』편에 보이는 구절로, 유교의 차별적 친애의 원리를 대표한다. 다른 하나는 '법천겸애法天兼愛', 하늘을 본받아 두루두루 사랑하는 것이다. 묵가와 도가, 그리고 불교와 기독교 등의 보편적 사랑의 원리가 여기에 해당한다.

전병훈은 일상의 삶에서 '입애유친'을 근본으로 삼을 것을 말한다. 하지만 사회적인 분란을 종식시키는 차원, 달리 말해 사회통합을 이루고 모두가 조화로운 태평의 이상을 실현하기 위해서는 '법천겸애'를 취해야 한다고 말한다.

누구의 삶에도 사적·공적인 영역이 있다. 가족·친구·이웃 등의 사적 영역에서는 '입애유친'의 친근하고도 차별적인 사랑이 필요하다. 하지만 직장·사회·국가 등의 공적인 영역에서는 '법천겸애'의 공정하고도 무차별적인 사랑이 요청되는 것이다.

사랑조차 이처럼 사적이고 공적인 영역이 나뉜다. 또한 친애와 공정, 차별과 무차별의 원리가 따로 작동한다. 그것이 서로 혼동될 때, 사적인 도덕과 공적인 도덕이 상호침범하면서 혼란을 일으킨다. 그 결과로 가족에서 직장·사회·국가 등에 이르기까지, 다층적 공동체 및 윤리가 동시에 위협받는다. 또한 과도한 연고주의로 인한 부패사회, 사랑이 메마른 증오사회와 분노사회 등의 폐단이 동시다발로 발생하는 것이다.[190]

---

189. 蓋我愛人之親, 則人亦愛吾親矣. 然'立愛惟親'爲宗, 而只取其'法天兼愛', 以息亂之見, 庶乎可耳. 『통편』, 198쪽.

190. '가족·지역 공동체 및 윤리의 해체'는 주로 사적인 도덕의 약화에 기인한다. '연고주의로 흐르는 부패사회', '사랑이 메마른 증오사회와 분노사회'는 공적인 도덕의 상실과 관련이 있다. 하지만 또한 전반적으로 사적·공적 도덕 간의 상호침범이 문제를 악화시킨다.

보론: 도덕은 언제나 실현되었다

지금까지 논한 도교(도가)의 도덕은 생명의 도덕, 반전평화의 도덕, 난세극복 및 태평의 도덕, 보편적 사랑의 도덕, 자연법에 근거를 둔 공공성의 도덕 등으로 집약된다. 그런데 계산적인 현실주의자들은 이런 도덕의 이상이 세상에서 한 번도 실현된 바가 없었고, 실현될 수도 없다고 비웃을지 모른다.

그렇다고 해서 지레 좌절하거나 비관할 까닭은 없다. 도달하기 어렵다는 그 이상마저 없다면, 인간의 가련한 현재를 개선할 어떤 비전과 동력도 얻을 수 없기 때문이다. 게다가 분명한 것은, 도덕이 "한 번도 도달해 본 적이 없던" 이상이 결코 아니라는 데에 있다.

도덕적으로 나약한 사람들이 '세상'의 악덕을 말한다. 하지만 그런 '세상'이란 대개 '나를 제외한 다수'를 핑계로 내세우는 회피성 관념에 지나지 않는다. 정작 자기의 부도덕은 외면한 채, 추상적 다수에 불과한 '세상'을 방패로 '나'의 악덕을 정당화한다.

그렇지만 도덕은 언제나 결국 개별자인 '나'로부터 구현되는 것이다. 본질적으로 볼 때, 자연법적 양심에서 비롯하는 도덕은 다수성으로 그 존립여부가 결정되는 게 아니다. 따라서 설령 단 한 사람이라도 숭고한 도덕을 체득하고 실천한다면, 그것만으로도 도덕은 실현된다.

도덕이란 인간 본성에서 비롯되는 무보상의 자기 실천이므로, 언제 어디나 참된 도덕을 닦고 체현하는 사람들이 있게 마련이다. 그들은 과거에도 있었고, 현재에도 있으며, 미래에도 있을 것이다. 그러므로 서우가 "최상의 철리"로 찬미한 도덕은 사실상 늘 실현되었고, 또한 실현될 수 있는 것이다.

비록 동어반복의 명제지만, 부도덕한 자들은 언제나 참된 도덕에 등을 돌린다. 그들은 숭고한 도덕이 없거나 불필요하다고 간주하므로, 거기에 이르지 못하는 게 당연하다. 그러나 내가 이르지 못했다고 해서, 그것이 없는 것은 아니다. 모두가 에베레스트 정상에 오르는 것은 아니지만, 그렇다고 설산의 고봉이 없다고 비웃지는 말라.

하지만 대개 무지의 목소리가 높고, 경박한 악덕의 위세가 등등한 법이다. 그런즉 『노자』에서 다음과 같이 말했다. 그 언명을 끝으로, 도교의 도덕을 논하는 단락을 마감하기로 하자.

> 높은 경지의 인사(上士)가 도를 들으면 능히 그 핵심을 실행하고자 힘쓴다. 중간 경지의 인사(中士)가 도를 들으면 들은 듯 만 듯 여긴다. 낮은 경지의 인사(下士)가 도를 들으면 크게 비웃는다. 만약 (낮은 경지의 인사가) 크게 비웃지 않는다면, 도라고 하기에 부족하다.[191]

신선영웅의 설화와 도덕

안기생·장량·이필·구처기 그리고 유기에 이르기까지, 도교 도덕가에 관한 이야기는 설화의 요소를 다분히 함축한다. 노자가 시대를 초월하여 도법을 관장한다. 노자의 도법을 여러 시대의 도덕가에게 전하는 율료자와 황석공 같은 대리자들도 출현한다. 마치 불교에서 석가모니 부처가 불법을 관장하고, 관음보살이나 문수보살 등이 어느 시대나 현현해서 자비와 지혜로 중생을 구제하는 이야기와 흡사하다.

불교의 승려와 신도가 문수보살이나 관음보살 등을 친견하는 설화는 대단히 많다. 그것은 때와 장소, 국가와 민족을 가리지 않고 되풀이되는 성스러움의 계기를 이룬다. 비록 등장인물은 다르지만, 그와 유사한 형식의 설화가 도교에서도 다양하게 반복된다. 다만 주목할 것은, 도교의 신들이 유독 난세에 더 자주 모습을 드러낸다는 점이다.

도교의 도덕가들은 대개 왕조가 교체되거나 전란이 일어나는 시기에 그들 앞에 현현한 노자와 신선들로부터 도법을 전수받는다. 그리고 낡은 왕조를 유

---

191. 上士聞道, 勤能行於其中. 中士聞道, 若聞若無. 下士聞道, 大笑之. 弗大笑, 不足以爲道矣. 『老子』 41장; 초간본(乙本) 5장; 백서본 4장. 여기서는 백서본에 따라 번역했다.

지하기보다는, 새로운 국가나 체제를 건립하는 데에 앞장서는 면모를 보인다. 본문에서 살핀 사례들이 대부분 그렇다. 다시 말해 기존 체제에서 보면, 반역자이자 혁명가였던 셈이다. 쇠락한 왕조의 말기 내지는 혼란기에 유독 도교적 영웅들의 활약이 두드러지는 까닭은 어디에 있을까?

이는 유교 도덕가들과 사뭇 대조를 이룬다. 비록 공자와 맹자가 춘추전국의 난세를 살았지만, 그 뒤에 서우가 거론했던 유교 도덕가들은 대개 상대적으로 안정된 시기에 출현했다. 그리고 체제 수호자의 면모를 풍긴다. 하지만 도교의 도덕가들은 거의 난세의 영웅이며, 도탄에 빠진 민생의 구원자들이다. 이는 유교와 도교에 거는 세상의 기대가 그만큼 다르다는 것을 시사한다.

유교의 인의는 평상의 사회질서를 유지하는 데 주효하다. 하지만 침략과 정복전쟁의 소용돌이에 휩싸인 춘추전국의 한복판에서, 인의예악으로 전쟁을 중단시키겠다는 공맹의 의욕은 사실 너무 낭만적이었다. 한편 노자는 자연법적인 '도'를 최고의 원리로 삼는 기반에서, 일체의 사회적이고 도덕적인 쟁점을 생명존중의 패러다임에 집합시켰다. 군신 간의 의리, 사회규범과 질서, 심지어 국가와 체제조차도 천지가 살리려는 생령의 목숨보다 귀하지는 않다.

도교사상의 문맥에서, 생명을 살리라는 천지의 명령은 그 중요성에서 언제나 다른 모든 가치에 앞선다. 참혹한 전란으로 숱한 백성의 목숨이 경각에 달린 시기라면 더욱 그렇다. 어떤 사회가치와 윤리규범도 도탄에 빠진 만백성을 구하는 도덕의무보다 우선하지는 않는다. 그러므로 만약 선택의 기로에 선다면, 도교의 도덕가들은 자연법의 명령에 따라 먼저 생명을 살리는 길을 택한다. 그리고 필요할 경우에는 체제의 전복도 서슴지 않는다.

안기생은 진시황을 배신했고, 장량은 진나라를 멸망시켰다. 구처기는 금나라 선종宣宗의 '어질지 못한 악덕'과 남송 영종寧宗의 '실정의 죄'를 물으며, 그들의 초빙에 응하지 않았다. 하지만 칭기즈칸이 부르자 유라시아 대륙을 횡단하는 먼 길을 가서, 살육을 그치고 백성을 구휼하는 도를 설파했다. 유기는 원나라에서 벼슬을 했으나, 주원장을 보좌해 명나라를 건국했다.

충절과 의리를 중시하는 유가는 체제를 뒤흔드는 난세의 결단에 대개 머뭇거린다. 그러다가 난국이 수습되면 그 때야 비로소 다시 전면에 나선다. 조선의 사림이 건국공신인 정도전을 뒷전으로 밀어내고, 고려 말의 정몽주를 충절의 아이콘으로 떠받들던 아이러니를 상기해 보라. 군왕들 역시 마찬가지다. 낡은 체제에 맞서 일어설 때는 도교의 구세정신에 매료되지만, 새로운 군주로 등극하면 이내 유교의 충의에 입맛을 다시게 된다.

혁명의 시기에는 자유로운 영혼을 가진 영웅들이 세상을 구원한다. 하지만 일단 체제가 안정되면, 자유자재한 도사들보다는 고분고분한 유생들이 지배자의 기호에 더 부합한다. 하지만 권력자의 태도만 바뀌는 게 아니다. 유교 도덕의 주안점이 '세상 경영하기(經世)'에 있다면, 도교 도덕의 골자는 '세상 구제하기(濟世)'에 있다. 그러므로 난세가 마침내 평정되면, 도교 도덕가들 역시 권력을 초개처럼 버리고 은둔하는 면모를 보인다. 서우가 열거한 위의 사례들 모두가 이런 문법에 충실하다. 이는 대개 다음과 같은 의미를 함축한다.

무엇보다 위기에 처한 생령을 난세에서 구하는 사회적 의무를 다했으므로, 나의 정신을 지키고 천지의 도·덕에 합치하는 자연인 본연의 모습으로 돌아가는 것이다. 한편 새로운 지배체제를 건립하는 과정에서 반드시 따르게 마련인 권력암투와 지위다툼 등에서 초연하게 몸을 피하는 의미도 있다. 이는 노자의 오래된 가르침에 따르는 것이기도 하다.

"공을 이루면 몸을 물리는 것이 하늘의 도"[192]라는 『노자』 9장의 명구는 구세의 사회적 실천에 나선 도교 도덕가들에게 수천 년간 불멸의 지침이 되었다. 장량은 노자의 이런 사상을 실천한 영웅의 아이콘으로 중국에서 오랫동안 추앙받았다.

지금도 장량의 사당과 묘역에서는 '재상신선(相國神仙)' 혹은 '영웅신선' 등의 칭호와 함께, "공을 이루면 몸을 물린다(功成身退)"는 노자의 명구를 새긴 현판과 석각을 쉽게 볼 수 있다. 도교의 이런 제세구민과 퇴은退隱정신은 유교의 경세사상과 더불어 중국의 전통적 도덕윤리관의 한 축을 형성했다.

---

192. 功成身退, 天之道. 『老子』 9장.

그런데 이런 사상은 비단 중국뿐만 아니라, 한국에서도 버전을 달리하며 예로부터 널리 성행했다. 예를 들어 『삼국유사』의 단군신화를 모르는 한국인은 거의 없다. 단군이 1,500년간 고조선을 다스렸다. 그러다가 무왕이 기자를 조선에 봉하니 "장당경藏唐京으로 옮겼다가 뒤에 아사달로 돌아와 은거하다가 산신이 되었다. 그때 나이가 1,980세였다"고 한다.[193]

기원후 5세기에 건립된 〈광개토왕비〉에도 흥미로운 기록이 보인다. 추모왕(주몽왕)이 고구려를 건국했으나, 이내 나라 다스리기에 싫증을 냈다. 그러자 하늘이 왕의 뜻을 알고 황룡을 내려 보냈다. 이에 추모왕은 아들인 유류왕(유리왕)에게 나라를 잘 다스리라는 유언을 남긴 채, 황룡을 타고 하늘로 올라갔다.[194]

한국에서 가장 오래된 고대국가의 신령한 건국자들은, 이처럼 강력한 정복군주나 유교적 성인과는 거리와 멀다. 외부 도래자에게 무력하게 나라를 내주거나, 혹은 나라를 세우자마자 정치에 염증을 느끼는 대책 없는 낭만파 영웅들이다. 그리고 마치 호시탐탐 떠날 핑계만 찾던 사람처럼, 기회가 오면 뒤도 돌아보지 않고 신령한 산악이나 하늘로 귀환해 버린다. 그런 행적은 심지어 무책임해 보이기까지 한다.

하지만 거기에는 대단히 미묘한 복선이 깔려 있다. 〈광개토왕비〉가 어떤 상징물이던가? 고구려 역사상 가장 출중한 정복왕의 업적을 기리고, 그의 무덤을 수호하기 위해 세운 장엄한 기념비이다. 게다가 비문은 5세기 당시의 기록이다. 다시 말해 후대에 김부식과 일연이 유교와 불교의 견지에서 역사를 편찬하기 훨씬 전에, 고구려인의 손으로 직접 돌에 새긴 글이다. 그것도 왕실과 조정에서 직접 제작한 공식적인 추모글이다. 즉 5세기 고구려가 국가적으로 공인하고 대내외에 천명하는 이념을 담고 있는 것이다.

---

193. 『三國遺事·古朝鮮』.

194. 惟昔始祖鄒牟王之創基也, 出自北夫餘, 天帝之子, 母河伯女郎. …… 然後造渡, 於沸流谷, 忽本西, 城山上而建都焉. 不樂世位, 因遣黃龍來下迎王. 王於忽本東罡, 履黃龍負昇天, 顧命世子儒留王, 以道興治. 임기중 편저, 『廣開土王碑原石初期拓本集成』(동국대출판부, 1995), 255쪽.

한데 거기에 묘사되는 고구려의 시조는 의외로 광개토왕 같은 정복군주가 아니다. 추모왕은 하느님의 아들로 세상에 강림했다가, 나라를 세우고 미련 없이 하늘로 퇴은한다. 영락없는 신선왕神仙王이다. 물론 그런 이야기는 역사라기보다 신화다. 비석이 세워질 당시에 광개토왕이 현실의 왕이었다면, 추모왕은 이미 신화 속의 영웅이었다. 단군 역시 마찬가지다. 그들은 당연히 고대 한국인이 상상했던 가장 위대한 조상과 왕의 원형(archetype)을 표상한다.

물질주의적이고 자만심으로 가득한 현대인의 시각에서 보면, 단군과 추모왕 같은 신선왕을 걸출한 영웅의 아이콘으로 삼는다는 게 언뜻 납득하기 어려울지 모른다. 하지만 이런 신화를 기록으로 남긴 선조들의 세계관, 그들이 생각했던 위대함의 근거를 지금과 같은 시각에서 볼 수는 없다. 그러므로 현대인의 사고방식으로 신화의 문법을 어설피 재단하는 건 결코 좋지 않다.

한국 고대국가 신선왕들의 탁월성은 중국 도교의 신선영웅들과 흡사한 면이 많다. 그들은 누구도 넘볼 수 없는 비범함으로 세속의 사명을 완수한다. 그러고 나서, 하늘의 도덕을 완성코자 퇴은한다. 그것은 그들에게 있어서 필수불가결한 자기완성의 요건이다. 그들은 제세구민의 영웅이지만 언제든 권세영화를 초개처럼 버릴 수 있고, 또 실제로 그렇게 하는 존재들이다. 세속과 탈속을 자유롭게 오가는 무애함이야말로, 그들을 비범하게 만드는 권능의 궁극적인 원천이다.

그 권능은 지위와 권세가 아니라, 하늘에서 기인하는 청정한 품성에서 비롯된다. 보통사람들은 현세의 권력과 부귀에 매달린다. 하지만 그런 세속의 오탁에서 초연하려면, 남달리 빼어난 도덕적 천품을 갖춰야 한다. 고대 한국인들은 신선의 천품이야말로 군왕의 자격이라고 여겼던 것이 틀림없다. 그렇지 않고서야, 고대국가의 거의 모든 건국신화에서 신선왕의 메타포가 반복되는 이유를 설명하기 어렵다.

그런데 이 대목에서, 한국의 신선왕과 중국의 신선영웅 간에 미묘한 차이도 감지된다. 한국의 단군이나 추모왕은 날 때부터 하늘의 자손으로 강림한다. 그들이 지닌 신선으로서의 자질은 천부적이다. 왕들이 세속의 지위를 버리고 산악과 하늘로 퇴은하는 것 역시 본향으로의 궁극적 귀환을 의미한다. 이런 모티프는 중앙아시아 여러 유목민족의 천손강림 건국신화와도 일맥상통하는 바가 있다.[195]

그런데 중국 도교의 신선영웅은 이에 비해 한층 역사적이고 탈신화적이다. 중국의 신선영웅들은 단군이나 추모왕처럼 태생적으로 성스러운 존재가 아니다. 더구나 그들은 군왕도 아니다. 안기생과 장량 등은 후천적으로 구세의 음덕을 쌓고, 양생의 도를 닦아 신선의 반열에 오른다. 고대 한국에서 신선왕은 국가·왕실의 신령함과 권위를 상징했다. 하지만 중국의 신선영웅들은 대개 난세의 개혁가이며, 때로는 혁명가였다.

이는 고대 한국과 중국의 문화지층 사이에 있었던 심층적인 간극, 그리고 신선사상이 구현된 역사적 맥락의 차이를 반영한다. 그렇지만 신선왕이든 신선영웅이든, 그들의 이야기에는 공통된 문법이 있다. 제세구민의 사회적 책무를 다하면서도, 필히 탈속의 도덕적 품성을 겸비한다는 것이다. 단군이 장당경에 은둔해 산신이 되고, 정치에 염증을 느낀 추모왕이 황룡을 타고 승천하는 이유가 거기에 있다.

그들은 정치적으로뿐만 아니라, 도덕적으로도 완성된 가장 위대한 조상이자 왕으로 남아야 했다. 따라서 그런 서사적 결말은 필수불가결한 것이다. 지금으로 치면, 임기를 마치고 산림에 은둔해 세속의 오탁을 씻으며 소박한 자연인으로 돌아가는 대통령을 떠올리게 한다.

그런 정치지도자가 고대 한국에서 가장 인기가 높던 이상적인 최고통치권자의 모델이었던 셈이다. 이런 탈속의 도덕을 실천할 수 있는 자라면, 세상을 다스리더라도 만백성을 살리는 홍익인간, 제세구민의 정치를 실현할 수 있다는 믿음이 저변에 깔려 있었다.

이와 같은 신선왕의 서사는 고대 한국의 여러 건국신화에서 버전을 달리해 반복된다. 국가의 공식 영역부터 민간에 이르기까지, 신선사상의 전통이 그만

195. 조현설, 『동아시아 건국신화의 역사와 논리』(문학과지성사, 2003).

큼 폭넓고 깊었음을 시사한다. 박혁거세 역시 최후에 승천했으며, 7일 만에 다섯 개로 갈라진 유체만 땅에 떨어지는 일종의 시해선尸解仙이 되었다. 문무왕은 사후에 동해의 용왕으로, 신라의 호국신이 되었다.

반면 중국의 경우에는, 예악을 중시하는 정치·문화적 전통이 일찍부터 확립됐다. 또한 예악문명의 토대 위에, 현세지향적인 유교가 탈속과 둔세遁世의 도덕에 결연히 반대했다. 그러므로 한국의 신선왕처럼, 군주가 퇴은해서 산림이나 하늘로 돌아가는 것이 미덕이라는 관념은 상상조차 할 수 없는 것이 되었다.

대신 노자의 구세제민 철학과 양생의 도법이 도교에서 결합되었다. 그 영향 아래서 구세와 탈속의 도덕을 겸비한 신선영웅들이 출현했다. 또한 그들의 설화가 도교적으로 윤색돼 세간에 널리 유포되었다. 그럼에도 불구하고, 도교의 구도자는 단지 탈속의 자기구제에 골몰하는 산림 은둔자일 뿐이라는 통념이 널리 퍼졌다. 거기에는 유교가 유포한 도교에 대한 부정적 이미지가 짙게 배어 있다. 하지만 도교 스스로 자초한 바도 적지 않다.

실제로 은둔자의 이미지를 가장하고, 산중에 들어가 도사연하며 혹세무민하는 무리가 예로부터 무수히 많았다. 그들 가운데는 사회적 무능력자·도피자·무당, 혹은 사기꾼들이 언제나 뒤섞여 있다. 전병훈 역시 이런 사이비 도사들을 혹렬하게 비판했다. 그러나 지금까지 살펴보았듯이, 도교의 둔세는 구세의 사회적 책무를 다한 자라야 누릴 수 있는 최고의 도덕적 완성을 의미한다. 다시 말해, 둔세의 자기수양에 뜻을 둔 구도자라면 구세의 사회적 공덕을 먼저 쌓지 않으면 안 된다.

혹은 이렇게 반문할 수 있을 것이다. 공적 도덕의 자질을 갖추고 세상을 위해 두터운 음덕을 쌓지 못했다면, 언감생심 도를 이루고 신선의 반열에 오르길 꿈꿀 수 있겠는가? 그러므로 전병훈은 구세와 둔세의 미덕을 겸비한 신선영웅들이 "원천도덕 최상의 철리"를 얻었다고 극찬했다. 또한 세상의 "탐악을 다스리는" 도교의 도덕을 "유가에서 어찌 아울러 취해 결합하지 않을 수 있겠는가?"[196]고 되묻는다.

여기서 "탐악 다스리기"란, 언제든 모든 것을 버릴 태세를 갖출 때만 결행할 수 있는 혁신적 도덕의 실현을 암시한다. 유가는 관료적 성향이 강하고, 입신출세와 가문의 영광 같은 공동체적 가치를 귀하게 여긴다. 그러니 앞서도 말했듯이, 사회규범과 군신의 의리 등에 얽매여 난세의 탐악에 결기 있게 맞서는 동력이 부족하다. 유가는 난세의 혁신이나 왕조의 교체 같은 근본적 변혁에 취약하다.

반면 도교의 구도자는 언제라도 공명과 직위를 뒤로하고 산림으로 퇴은할 마음의 준비가 되어 있다. 아니 엄밀히 말하자면, 그들은 무엇보다 산림에 들어가 도를 닦고 신선의 반열에 오르길 갈망하는 자들이다. 다만 난세의 도탄에 빠진 생민의 고통을 외면할 수 없어, 생령을 살리라는 자연법의 명령에 호응한다. 그들이 "탐악 다스리기"에 능한 것은, 난세의 탐악이 그들의 영혼을 잠식하기 어려운 까닭이다.

언제든 돌아갈 본향이 분명한 사람을 길 위의 무엇으로 유혹할 수 있겠는가? 신령한 자연은 언제든 귀환할 본향이다. 권세와 지위란 다만 여행길에 잠시 앉아 머무는 자리에 불과하다. 만약 부귀공명에 영혼을 빼앗긴다면, 그는 신선의 길에서 멀어진 자이다. 그렇다고 난세의 탐악에 눈감고 산림으로 퇴은한다면, 또한 정신이 이미 쇠락한 자의 가련한 도피에 지나지 않을 것이다. 그러므로 부귀공명의 집착과 사회적 책임회피는 모두 신선영웅의 몫이 아니다.

사람의 눈귀를 가리는 것은 오직 탐욕과 두려움이다. 그로부터 벗어나야 세계의 실상을 근본적으로 적시하는 지혜에 눈뜨게 된다. 청정한 도덕에서 사물의 진면목을 보는 안목이 열리고, 그런 안목에서 난세를 다스리는 지혜를 얻는다. 그런 지혜는 도구적 지성으로 모략이나 꾸미는 정치공학배의 경박한 책략 따위에 견줄 바가 아니다.

장량·이필·구처기·유기 등이 모두 그렇게 구세의 지혜를 얻어 발휘했다. 또한 지혜로운 영웅을 얻은 군주들이 난세를 평정하고, 끝내 천하를 제패했다.

---

196. 其原天道德之無上哲理, 乃如是哉. 然則儒家, 安得不幷取其經其貪惡, 而合致哉? 『통편』, 201쪽.

하지만 천하를 얻는다고 한들, 신선의 도를 품은 자의 영혼마저 구속할 수는 없다. 구세의 사명을 완수한 영웅은 이내 뜬구름 따라 신선의 길로 돌아간다.

"공을 이루고 몸을 물리는" 자는 다만 하늘이 내리는 은택과 복락을 바랄 뿐이다. 그러니 세속의 권세와 명리名利가 그의 허령한 정신을 더럽힐 수 없다. 전병훈이 "원천도덕 최상의 철리"라고 찬탄한 것은 바로 그런 '자유'의 철리였다.

4. 한국의 도덕

프롤로그: 한국의 도덕 서설序說

현대의 제반 학문, 심지어 철학조차 도덕이 인간공동체의 생활양식이나 생활관습에서 발생하는 일종의 '사회적 의식'이라고 대개 간주한다. 마르크스주의처럼, 역사적으로 조건 지워진 특정한 '생산양식'에 기반을 두는 '계급의식'의 일부로 도덕을 파악하는 경우마저 있다.

반면 도덕이 인간 본성에서 기인한다는 고전적인 견해는 오늘날 별로 인기가 없다. 도덕이 하늘이나 신으로부터 인간에게 부여되었다는 형이상학적 관념은 거의 끊어졌다. 물론 종교적 도그마는 예외지만 말이다.

이런 통념에서 보면, 전병훈이 말하는 '원천도덕' 역시 철지난 레퍼토리에 지나지 않는가? 그 또한 하늘에서 비롯된 인간의 선천적 본성에서 참된 도덕이 발현된다고 천명하기 때문이다. 그런데 서우의 주장을 비평하기에 앞서, 선험적 도덕을 확신했던 사람들이 쉽게 빠지는 함정에 관해 먼저 말하고자 한다.

서둘러 핵심을 말하자면, 하늘에서 기인하는 도덕은 역사적으로 대부분 특정 이념이나 종교의 독단과 결합했다. 그리하여 '하늘' 혹은 '신'이 인간의 도덕본성의 신성함을 뒷받침하는 근거이자, 수사적 기호가 된다. 악은 그런 본성으로부터의 일탈을 의미한다. 이런 문맥에서 도덕은 자연법적 함의를 지닌다. 그것은 유교나 서양철학, 기독교 등이 대동소이하다.

그런데 이런 자연법적 도덕이 다시 특정한 민족, 문화, 문명 내지는 종교에서 독점적으로 구현된다는 기괴한 믿음이 더해진다. 보편적 자연법과 배타적 독선의 이런 괴이한 조합은 자기우월주의에 빠진 서양의 철학과 기독교 교리에서 분명하게 드러나지만, 동양의 철학과 종교에서도 명시적으로 나타난다.

그들에게 있어서 도덕은 어떤 문명(문화)의 성스러운 조상이나 종교 지도자의 출현을 통해서만 비로소 완전하게 구현된다고 간주된다. 모든 문명의 기원을 중화로 집합시키는 유교, 아브라함의 후손을 자처하는 기독교는 그 대표적인 예이다. 그것은 자연에서 비롯되는 인간의 선한 본성을 특정 민족이나 종교의 전유물로 만들어 버린다.

그러나 '원천도덕'의 문법에서는 이런 도덕의 독점을 인정할 수 없다. 왜냐하면 도덕의 독차지란 다만 독단주의자들이 만들어 낸 관념상의 허구이며, 끝내 도덕이 하늘에서 근원하다는 자연법의 섭리를 위배하기 때문이다.

그런데 한국의 도덕을 진술하는 데서 역사적으로 유교와 불교, 서양철학과 기독교가 유포한 매우 진부한 망상이 있다. 외부세계에서 우월한 학문과 종교가 유입되기 전에, 한국은 참된 도덕의 황무지였으며 미개의 야만상태였다는 것이다.

유학자와 불교도, 서양철학자와 기독교인들이 지난 천여 년간 이런 망상의 쳇바퀴를 되풀이해서 돌리며 그들만의 독단과 허위의식을 정당화했다. 하지만 이런 도덕이 망상인 이유는 분명하다. 특정한 민족과 종교만이 자연에서 비롯되는 인간성을 독차지할 수 없기 때문이다.

유학자와 철학자들, 종교인들이 근엄하고도 고상하게 오랫동안 이렇게 명언했다. "하늘에서 비롯되는 선은 절대적이다." 자연법적 선은 하늘에 해가 뜨고 지는 질서만큼이나 무조건적이고 명약관화하다는 문맥이다. 그런데 선과 도덕이 절대적인 자연법적 본성에서 비롯된다면, 그것은 언제 어디서나 구현되어야 마땅하다.

그럼에도 불구하고 유교·불교·서양철학·기독교가 전래되지 않았다면, 한국은 도덕이나 문명이라고 부를 만한 것이 없는 미개한 야만상태에 지나지 않았다고 전제한다. 그건 마치 어디에나 뜨는 아침 해가 한국에만 뜨지 않았다는 것과 같다. 외부세계에서 누가 와서 가르쳐 주기 전에는, 한국인들이 마시고 먹을 줄을 몰랐다고 말하는 것과 같다. 이 얼마나 이율배반적인 기만의 관념인가?

다시 말하자면, 이렇게 생각하고 또한 말하는 것이다. 사람은 누구나 요순처럼 될 수 있는 선한 본성을 하늘에서 부여받았다. 하지만 유교가 전파되기 전의 한국에는 요순처럼 위대한 도덕적 지도자가 없었다. 사람은 모두 부처의 본성을 지닌다. 그런데 불교가 전래되기 전의 한국은 다만 미개한 원시종교의 상태였다.

인간성의 본질은 천부의 이성에 있다. 그러나 서양철학을 몰랐던 한국인과 한국문화는 비이성적이었다. 신은 인간을 통해 자신의 도덕과 섭리를 실현한다. 그러나 기독교가 전파되기 이전의 한국은 사탄의 왕국이었다.

이런 관념은 자기가 신봉하는 학문과 종교에 대한 과대망상, 그리고 이념적 타자에 대한 왜곡과 경멸이 만들어 낸 허구에 불과하다. 이는 비도덕적일 뿐만 아니라 비역사적이다. 그것은 본래 중국이나 유럽 등에서 자기 문화를 우월한 것으로 꾸미고자 만들어진 이념이었다. 그런데 그런 중화주의와 서구우월주의를 여과 없이 받아들여 내면화하는 가운데, 한국인들 스스로 다시 그 허상에 길들여졌다.

그리고 불행하게도, 이런 학문과 종교의 논리가 오랫동안 한국을 지배했다. 그 이유는 무엇보다, 사람들이 자기에게 내재된 본연의 도덕을 있는 그대로 자각하지 못하는 데서 기인한다. 그리하여 다만 특정 이념과 종교의 텍스트에서만 도덕을 구하고, 정작 자기의 천연적 도덕본성(양심)은 어두워지고 만다.

대개 그런 자들이 외부의 권위자를 찬미하고 동경하는 허구의 관념에 절로 취해서, 그런 이념을 배워서 아는 자기가 마치 훌륭한 사람이라도 되는 듯한 착각에 빠진다. 그리고 자기 내면의 본성에서 도덕을 구현하기보다는, 밖에서 주워들은 지식과 이념으로 부실한 자기의 도덕을 합리화하는 것이다.

이런 허세는 한국인의 삶 전반에 엉터리 도덕문법을 제공한다. 비근한 예로, 여러 논쟁적인 사안에 대해 서구에서는 이러저러하다고 끌어오는 것이 언제나 더 유력하고 더 그럴듯하게 비춰진다. 물론 예전에는 그 잣대가 서구가 아닌 중국이었다.

그리하여 외부세계의 사례가 더 존중받을수록, 결과적으로 현실에서 자기를 극복하려는 자각적 도덕실천이 하찮게 취급당하고 만다. 하지만 외적 권위에 일방적으로 의존하는 이런 도덕이란, 사실상 자기 자신과 세계를 있는 그대로 대면하지 못하는 허세와 맹목의 가면에 지나지 않는다.

그런 허위에 사로잡힐수록, 자기가 얼마나 선하고 도덕적인가를 진솔하게 성찰하는 데는 무관심해진다. 눈앞의 현실을 경멸하고 깎아내리며, 대신 다른 나라의 사례를 끌어다가 짐짓 아는 체를 하느라 바쁘다. 그럴수록 자기가 지적·도덕적으로 우월하다고 착각한다. 하지만 입만 열면 '글로벌 에티켓' 운운하는 자가 실은 대개 몹시 무례하다.

그런 허위의식에 빠진 도덕의 오퍼상들이야말로 공공연한 '도덕의 파괴자'들이다. 그들의 논법이 창궐할수록, 사람들의 삶 전반에서 도덕의 자각과 실현이 어렵게 된다. 세상은 부조리로 가득하다. 그렇다고 해서 세상이 온통 잘못된 것은 아니다. 돼지 눈에는 돼지만 보인다는 경구가 오히려 진실이다. 자기 현실이 한심하다고 무책임하게 경멸하는 자들이야말로, 실은 그들이 경멸하는 오염을 만드는 당사자들이다.

한데 문제는 자기 문화의 일방적 멸시에 빠진 '도덕의 오퍼상'들이 단지 몇몇 바보로 국한되지 않는다는 데에 있다. 외부세계의 지적·도덕적 권위에 의존하고, 정작 자기 현실에 대해 주체적인 도덕판단을 내리지 못하는 건 한국에서 상당히 일반적인 현상이다. 더욱 심각한 문제는, 이런 도덕오퍼의 허위적 문법이 한국 역사에서 반복적으로 재현돼 왔다는 데에 있다.

사실 중화주의나 서구우월주의, 기독교 근본주의 같은 독단의 이념은 그 자체로 이미 허위적이다. 절대의 도덕이라는 허구의 중심을 만들어 내는 자들은,

그 반대편에 반드시 경멸과 폄하의 세계를 같이 구축한다. 그리하여 중화(華)는 언제나 오랑캐(夷)와 짝을 이루고, 문명과 야만, 믿는 자와 이교도, 선과 악의 세계가 본질적으로 분리된다.

이것은 더 나아가, '초월적인 진리'와 '일상적인 비진리'의 영역을 극단으로 가르는 경직된 도덕형이상학의 논법으로 이어진다. 그러므로 이처럼 굳어진 이분법의 도식을 해체하는 게 하나의 과제가 된다. 그런데 중국이나 서구로부터 이런 허위의 이념을 받아들여 그것을 다시 내면화한 한국에서는, 문제의 해법이 한결 더 중층적이 된다.

왜곡된 중심부의 시선을 그대로 수용하는 데서 비롯된 주변부의 자기소외를 해결해야 하는 과제가 더해지기 때문이다. 예를 들어 『삼국사기』와 『삼국유사』를 읽으면서, 특정한 이념과 종교의 시선에서 자기 조상의 역사와 도덕조차 얼마나 비대칭적으로 일그러지는가를 확인하는 건 어려운 일이 아니다.

유교·불교·서양철학·기독교 등을 잣대로 한국의 도덕을 재단하는 사례는 많다. 그렇지만 그런 편파적 시선을 초월해서, 모든 이념과 종교의 도덕적 가치들을 전도시키는 시도는 드물다. 여기서 '전도顚倒'란, 개별적 이념의 가치를 부인하자는 게 아니다. 다만 객체에서 주체로, 진술되는 대상에서 진술자로 그 위치가 뒤바뀌는 걸 의미한다.

예를 들어 유교의 관점에서 한국의 도덕을 평가할 게 아니라, 한국의 도덕에서 유교를 평가한다. 서양철학이나 기독교를 근거로 한국의 도덕을 재단할 게 아니라, 한국의 도덕을 토대로 서양철학과 기독교를 재단한다. 그렇다면 한국의 도덕이란 대체 무엇인가? 물론 유교·불교·서양철학·기독교 등이 전래되어 한국화한 도덕을 이루고 있다. 그렇지만 그것만으로 충분치는 않다.

앞서 말했듯이, 도덕이 하늘에 근원하는 인간의 선천적 본성에서 발현된다고 일단 전제하자. 왜냐하면 그게 곧 우리가 논구하는 원천도덕의 기본 문법이기 때문이다. 그렇다면, 여러 외래 학문과 종교가 전래된 뒤에야 비로소 한국인의 도덕이 계발되거나 성립된 것이라는 전제를 벗어나는 게 중요하다.

어떤 이념이나 종교가 들어와서 한국인의 도덕에 자극을 더하기 전에, 그런 자극을 수용할 수 있는 도덕심의 본바탕이 있었다고 전제하는 게 옳기 때문이다. 그런데 지금까지 한국의 도덕은 대개 이와 반대되는 문맥에서 진술되었다.

유교가 전래되어 비로소 도덕문명이 개화됐고, 불교가 들어와서 종교도덕이 진화했다. 근래의 서양철학과 기독교는 다시 서구에 편향된 시선에서, 다만 외래의 도덕을 이식하는 데 열을 올렸다. 거기 어디에도 한국의 도덕을 주체로 삼으려는 시도는 부족했다. 그러나 도덕의 주체로 그것을 현실에서 구현한다는 것은, 결국 자기를 대면하는 일로 귀결된다.

그것은 어떤 이념이나 종교를 택일해서, 그것을 도덕의 근거로 삼는 문법을 넘어선다. 오히려 특정한 이념과 종교를 초월할 때만, 현실의 삶에 뿌리내린 도덕의 참된 주인이 된다. 왜냐하면 도덕이란 인간 세상 저편에서 찾는 추상적 이법이나 신의 복음이 아니라, 역사적인 삶을 살아가는 인간의 도덕본성이 현실에서 발휘되는 자기구현 과정이기 때문이다.

그렇다고 해서, '한국의 도덕'이라고 부를 수 있는 어떤 형이상학적 원리가 처음부터 확정되어 있었다고 말하려는 건 아니다. 더구나 중화주의자나 서구우월주의자들이 그러듯이, 한국의 도덕이 세상 모든 도덕의 원본이며 가장 우월한 문명의 원리라고 우스꽝스럽게 강변하려는 것은 더더구나 아니다.

다만 '한국의 도덕'이란, 장구한 역사적 계기에 조응하여 한국인의 도덕본성이 창조적이고도 복합적인 현실로 구현된 것이다. 거기에는 자생적인 도덕문명의 토대가 있다. 밖에서 전래되는 문화의 흐름도 있고, 또한 밖으로 전달되는 요인도 있다. 다양한 사상과 종교의 교섭이 한국의 도덕을 형성하는 데 일조했다고 말할 수 있다.

그렇지만 단지 이념과 교리로서 확립된 도덕, 내지는 이론적 도덕사상의 전개를 곧 '한국의 도덕'으로 등치할 수는 없다. 그처럼 관념화된 도덕은 인간의 자연적 도덕본성을 도리어 배반하고, 실제의 체험적 삶으로부터 괴리되기 때문이다. '한국의 도덕'에 대한 서우의 진술은 곧 이런 통찰에 뿌리를 두고 전개된다.

한국 고대의 도덕: 단군에서 왕인까지

한국의 도덕개화: 단군과 동명왕

편협한 전문가와 이데올로그, 그리고 종교인들은 대개 이념으로 도덕을 진술한다. 하지만 그것은 전병훈의 스타일이 아니다. 대신 한국의 역사적 현실에서 체험적 삶으로 도덕을 구현한 사람들의 사례를 따라 '한국의 도덕'을 진술한다. 앞서 중국 유교와 도교의 도덕을 진술하던 방식과 마찬가지다.

그 가운데는 군왕, 정치가, 관료가 있고 군인과 학자도 있다. 실천적인 도덕가와 이론가들이 함께 거명되었다. 그 첫머리에서 서우는 가장 먼저 고조선의 단군, 그리고 고구려의 동명왕을 호명했다.

> 신인이 태백산(지금의 묘향산) 꼭대기의 박달나무 아래 있어, 나라사람들이 군주로 세우고 '단군'으로 불렀다. 단군은 신령한 지혜와 성스러운 덕이 있었다. 농기구를 제작하고, 백성에게 농사를 가르쳤다. 글자를 만들어 옛사람들이 사용토록하고, 덕을 바로 세우는(正德) 정사를 펼쳤다. 동명왕이 생산을 발달시키고 민생을 풍요롭게 하는(利用厚生) 사업을 계승하여, 더욱 확장시켰다. 이것이 동방 한국(東韓)이 창시된 역사적 사실이다.[197]

이는 전병훈이 재구성한 단군과 동명왕의 건국사이다. 신화와 설화의 요소를 거의 탈각하고, 고조선과 고구려가 건국주의 덕업으로 일어난 고대국가임을 설파한다. 덕을 바로 세우기(正德), 생산의 촉진(利用), 민생의 안정(厚生)이 건국시조의 주력사업이었다.

단군이 농기구를 제작해 농사를 가르치고, 문자를 제정하는 등의 정사를 펼쳤다. 그리고 동명왕이 그것을 계승했다. 이는 중국에서 복희·신농·황제가 펼

---

197. 有神人于太伯山頂(今妙香山)檀木下, 國人立以爲君, 名曰檀君. 君有神智聖德, 制耒耜教民稼穡, 造書契爲前民用, 敷設正德之事. 東明王繼以利用厚生之業, 益拓, 是爲東韓創始之史實也. 『통편』, 202쪽.

쳤던 사업과도 크게 다르지 않다. 그런데 이런 문명의 건설이 단군의 '신령한 지혜와 성스러운 덕'에서 비롯된다는 언명에 주목할 필요가 있다.

이는 무엇보다 고조선이 자주적이고 창조적으로 문명화되었음을 의미한다. 인류의 모든 고대문명에서 일어났던 도덕교화의 정치가 한국에서도 자연스럽게 구현됐다. 그런 정치는 인간 본성의 천연적 도덕이 발현된 결과이다. 사실 이것은 대단히 상식적이고도 합리적인 수준의 진술이다.

단군시대의 고조선이 유교의 영향을 받았을 리가 없고, 더구나 불교는 두말할 나위도 없다. 그렇다고 해서 고조선의 문화가 같은 시대의 다른 지역에 비해 야만적이었다거나, 도덕이 부재했다고 말하는 게 오히려 괴이하지 않은가? 그런데 앞서 말했듯이, 외래의 문화전파 이전에 한국의 고대국가가 미개했다는 진부한 망상이 있다.

하여 그게 중국이 되었든 하다못해 중앙아시아나 인도가 되었든, 한반도의 선주민은 외래의 문물을 받아들인 뒤에야 비로소 문명화되었다고 전제한다. 일제강점기에 유포된 식민사관의 영향도 있지만, 그전에 외래사조의 신봉자들이 오래전부터 만들어 낸 관념이기도 하다.

지금까지 유학자와 외래종교의 신봉자들이 끊임없이 그런 관념의 쳇바퀴를 맴돌았다. 왜냐하면 그래야 유교나 다른 종교의 유입으로 한국이 비로소 문명화되었다는 그들만의 이념을 정당화할 수 있기 때문이다. 그러나 따지고 보면, 그런 기대야말로 환상에 지나지 않았다.

그런 사람들은 단지 각자가 신봉하는 이념과 가치의 언저리를 늘 서성거릴 뿐, 외래사조가 유입되기 이전의 한반도 고대국가에 대해서 실제로 아는 것이 거의 없다. 그러면서도 각자의 이념을 근거로, 모르는 데도 마치 아는 듯이 여기는 망상에 사로잡혀 있다.

한데 고조선이 그들의 선입견처럼 정말 미개했을까? 그렇다면 그 나라가 어떻게 수천 년간 존속하고, 기원 전후 시대에 지구상에서 가장 강성했던 제국의 하나인 한나라와 수년간의 전쟁을 치를 수 있었겠는가? 비단 고조선뿐만이 아니다.

같은 시기에 중앙아시아와 현재의 몽골지역에 방대한 제국을 건설했던 흉노 같은 성대한 민족의 문화와 도덕에 대해서도 유학자들은 아는 바가 거의 없었다. 혹은 알더라도 심하게 굴절된 편견이 대부분이었다. 그것은 굳이 알 필요가 없는, 그리고 다만 가능한 최고 수준에서 경멸하고 불신하는 게 마땅한 '오랑캐'에 지나지 않았기 때문이다.

한데 그런 환상 안에 있던 흉노나 고조선이 과연 실제로 미개하고 열등한 국가였을까? 단적으로 말해, 그런 관념은 중화문명에 대한 유교의 일방적이고도 맹목적인 찬미, 그리고 야만적인 오랑캐에 대한 무조건적 폄하가 만들어 낸 비대칭적 허구에 지나지 않는다.

여하튼 고조선의 옛 조상들이 흉노를 단지 야만인으로만 보지 않았던 것은 분명하다. 『한서』에서 한나라가 고조선을 정벌해서 "흉노의 왼팔을 꺾었다"고 기록할 정도였으니 말이다.[198] 고조선이 흉노의 왼팔로 운위될 정도로 두 세력의 관계가 친밀했다는 이야기다.

게다가 고대 중국 안에서조차, 중화와 오랑캐를 양분하는 화이관에 일침을 놓는 비판이 일찍이 제기되었다. 비록 서우가 언급한 것은 아니지만, 참고로 불러온다.

> 사방 이민족(四夷)의 예법이 서로 다르지만, 모두 군주를 받들고 부모를 친애하며 형을 존경한다. 북방 이민족(獫狁)의 풍속도 (중국과) 상반되지만, 모두 자식을 사랑하고 윗사람에게 근엄하다. …… 호胡·맥貉·흉노匈奴의 나라에서는, 머리를 길게 늘어뜨리고 기마자세로 앉으며 혀 말린 소리로 말한다. 그런데도 나라가 망하지 않으니 반드시 예가 없는 것은 아니다. …… 어찌 노나라 유학의 예법만을 예라고 할 수 있겠는가? 그러므로 그 나라에 들어와서는 그 나라의 풍속에 따르고, 남의 집에 들어가서는 그 집에서 꺼리는 바를 피해야 한다.[199]

---

198. 東伐朝鮮, 起玄菟樂浪, 以斷匈奴之左臂.『漢書·韋賢傳』.
199. 四夷之禮不同, 皆尊其主, 而愛其親, 敬其兄. 獫狁之俗相反, 皆慈其子, 而嚴其上. …

기원전 2세기 문헌인 『회남자』는 중국 유교와의 동질성보다 차이에서 이민족 문화의 특징을 찾는다. 풍토가 다른 곳에서 서로 다른 문화가 생기는 것은 자연스러운 일이다.[200] 그러므로 유교에만 유일하고 올바른 예법이 있는 게 아니다. 모든 민족들 나름대로 합당한 정치질서, 윤리도덕, 생활방식, 예법이 있다. 그러니 이를 존중해야 한다. 거기에는 우리 민족의 한 갈래로 추정되는 '맥貉'의 호칭도 보인다.

그런데 비록 예법과 풍속이 서로 다르지만, 사방의 어느 민족이나 "모두 군주를 받들고 부모를 친애하며 형을 존경한다." 또한 "모두 자식을 사랑하고 윗사람에게 근엄하다." 이런 진술이야말로, 도덕이 인간의 보편적인 선한 본성에서 비롯하는 자연법적 규범이라는 사실을 암시한다. 그런 도덕이 발현되는 데는 중화와 오랑캐가 따로 없다. 다시 전병훈으로 말머리를 돌리자. 서우 역시 육구연陸九淵(1139~1192)의 다음과 같은 말을 인용했다.

> 육상산陸象山이 말했다. "동쪽 바다와 서쪽 바다에 천백세千百世 전에 성인이 출현했어도, 그 마음은 한결같으며 그 이법도 한결같았다"[201]

성인의 마음은 시대와 장소를 초월해서 한결같다. 그렇다고 그들이 보통사람과 근본적으로 다른 특별한 존재인 것은 아니다. 여기서 '성인'은 인간에게

… 胡貉匈奴之國, 縱體拖髮, 箕倨反言, 而國不亡者, 未必無禮也. …… 豈必鄒魯之禮之謂禮乎? 是故入其國者, 從其俗, 入其家者, 避其諱. 『淮南子·齊俗訓』.

200. 『회남자』는 서로 다른 문화의 자연스러움에 대해 이렇게 말한다. "북쪽의 흉노 지역에서는 모피가 생산되고, 남쪽의 오월 땅에서는 시원한 옷감이 난다. 각자가 살아가는 데 필요한 의복으로 건조하거나 습한 기후에 대비하고, 각자가 거처하는 지역의 조건에 따라 서로 다른 의복으로 추위나 더위를 막는다. 이 의복들은 모두 적절한 것으로, 각각의 지역에서 사용하기에 편리하다. 이로써 볼 때 만물은 본래 자연스러움(自然)에 따르는 것이다." 匈奴出穢裘, 干越生葛絺, 各生所急, 以備燥溼, 各因所處, 以御寒暑, 竝得其宜 物便其所. 由此觀之, 萬物固以自然. 『淮南子·原道訓』.

201. 陸象山云 "東海西海, 千百世之上, 有聖人出. 此心同, 此理亦同." 可謂知言哉. 『통편』, 202쪽.

보편적인 도덕 본성과 지혜를 최고로 발휘한 자이다. 그런 성인은 비단 중국만이 아니라, 세상의 동쪽과 서쪽 끝 어디나 언제든 출현한다.

이는 곧 인간 본성에서 비롯하는 도덕심에 본질적인 차이가 없다는 언명이다. 인간이 '생각하는 존재(homo sapiens)'라는 정의가 널리 받아들여진다. 한데 그에 못지않게, 우리는 또한 '도덕적 인간(homo moralis)'이다. 사고능력처럼, 도덕성 역시 장구한 진화를 통해 인간의 본능적인 성향으로 발전했다.

그렇다고 해서, 모든 인간이 반드시 올바르게 생각하고 착한 행위를 하는 것은 아니다. 사람이라면 누구나 생각한다. 그럼에도 불구하고 누구나 고도의 지성에 도달하는 건 아니다. 누구나 도덕적 인간이지만, 그렇다고 누구나 양심에 따라 행동하는 건 아니다.

'지혜'와 '도덕'을 인간의 본성에서 최고도로 탁월하게 끌어올리는 사람은 대개 언제나 소수였다. 해서 예로부터 그런 이들을 '성인'으로 부르고, 특별한 위인으로 존경했다. 그런데 성인으로 불릴 만한 사례가 드물다고 해서, 그들을 성인으로 만드는 자질이 인간성의 밖에 있다고 말할 수는 없다.

인류 가운데 언제나 출중한 지혜와 도덕을 발휘하는 자들이 있었으며, 또한 지금도 있다. 이런 사실이야말로 지혜와 도덕이 인간에게 잠재된 보편적 본성의 일부라는 점을 증명한다. 고대 중국에서 문명의 기초를 놓은 이른바 '삼황오제'가 출현하고, 성인으로 추앙받았다. 한데 그런 일은 인류역사 초창기에 어느 민족 어느 지역에서나 발생했다. 전병훈은 고대 한국에서도 그와 같은 사건이 발생했다고 진술한다.

> 동방 한국에 신령한 성인이 처음 출현한 것이 요임금과 같은 시기였다. 문물을 제작하고 만물의 이치를 깨닫는 신령한 지혜, 성스러운 덕 역시 한결 같았다. 책 첫머리의 『천부경』을 보고 이런 사실까지 고려하면, (한국이) 가장 오래된 신성한 나라임을 누군들 공인하지 않겠는가?[202]

---

202. 東韓之首出神聖, 與堯同時, 而制作開物之神智聖德, 亦同也. 觀首篇『天符經』而至此, 孰不公認以最古神聖之邦乎? 『통편』, 202쪽.

문물을 제작하고 만물의 이치를 깨닫는 '신령한 지혜(神智)'는 곧 호모사피엔스의 지능이다. '성스러운 덕(聖德)'은 호모모랄리스(도덕적 인간)의 본성이 발휘된 것이다. 그러므로 한국 고대국가의 여명기에 인간 본연의 지능과 덕성을 발휘하는 '신령한 성인'이 출현해서 나라를 건립하고, 문명의 토대를 놓았다는 게 뭐 그리 놀랄 만한 일이란 말인가? 그 역사는 중원에서 문명이 출현한 시기보다 결코 뒤늦지 않는다. 사실 이것은 대단히 평이하고도 합당한 진술이다.

그런데 단군과 고조선을 말하면, 그것이 편협한 민족주의이며 역사의 왜곡이라고 눈에 쌍심지를 켜는 인사들이 적지 않다. 심지어 역사학의 영역에서조차 그렇다. 요·순의 명호는 입술이 닳도록 거명하면서, 단군이나 동명왕이라면 마치 불경스런 이름이라도 들은 듯이 시큰둥해진다. 유일신 야훼(여호와, 알라)가 인류를 창조했다고 믿고, 혹은 아브라함의 후손이기를 갈망하면서, 단군은 곰의 자식이라고 비아냥거리는 것은 또한 어떠한가?

종교적 믿음을 비난하는 것이 아니다. 다만 어떤 일방적 믿음을 근거로, 그 믿음의 체계 안에 포섭되지 않는 사건들을 폄하하고 배제하는 '비대칭적 왜곡(asymmetrical distortion)'의 사고방식에 관해 말하는 것이다. 대비되는 여러 상태 가운데, 다만 한 가지의 모든 구간을 합당한 간격보다 더 길거나 짧게 만드는 관념상의 일그러짐 내지는 변조가 작동한다. 그게 곧 비대칭적 왜곡이다.

한 고무줄만 길게 잡아당기고 다른 고무줄들은 수축된 채로 여러 고무줄을 대조한다면, 거기에는 처음부터 심각한 왜곡이 존재한다고 간주해야 옳지 않겠는가? 중화주의나 기독교주의, 혹은 서구우월주의 같은 비대칭적 사고방식에 물든 상태가 그와 다르지 않다.

유학자들의 관념 안에서, 요순부터 공맹을 거쳐 정주程朱에 이르는 유교의 계보는 양끝을 잡아당긴 고무줄처럼 길게 늘어나 있다. 아브라함 자손들의 이름과 가계를 줄줄이 외우는 기독교인의 문명사에 대한 인식 역시 마찬가지다.

반면 그들에게 있어서, 유교나 기독교의 계보 밖에 있는 사건들은 마치 오그라든 고무줄처럼 짧고 보잘것없이 방치돼 있다. 사고의 이런 왜곡을 바로잡으려면, 역시 비대칭을 '교정(calibration)'하는 방식을 사용해야 한다. 지나치게 늘어난 것은 수축하고, 너무 오그라든 것은 적당히 당겨줘야 한다.

예를 들어, 중국이나 유럽처럼 자문화중심주의가 과도하게 작동하는 사례가 있다. 무리하게 팽창된 그들의 자의식에서 중화주의나 오리엔탈리즘 등이 만들어졌다. 그것은 다원성의 허용, 타자의 존중 같은 '수렴의 미덕'으로 교정되어야 한다.

반면 한국처럼 스스로를 주변화하는 의식에 길들여진 사례가 있다. 중화주의나 오리엔탈리즘처럼 타자에 의해 주어진 비대칭적 사고를 내면화하면서, 자기 자신의 역사와 문화를 스스로 오그라뜨린다. 그것은 자기 역사의 재발견, 자문화의 존중 같은 '자긍의 미덕'으로 교정되어야 한다.

그렇다고 해서 이런 비대칭의 교정을 단순한 위치교환 정도로 오인하면 곤란하다. 예를 들어, 한민족과 단군이 인류의 조상이며 모든 문명의 뿌리라고 강변하는 식으로 잘못을 교정할 수는 없다. 그것은 중화주의자나 기독교주의와 매일반으로 패권적이고 배타적인 문법이다.

오리엔탈리즘에 대한 반작용으로, 옥시덴탈리즘Occidentalism의 병폐가 나타났다.[203] 그와 마찬가지로, 배타적인 한민족우월주의는 중화주의나 헤브라이즘과 동등한 사고방식으로 비대칭의 왜곡을 거꾸로 재현하는 단순한 교대(rotation)에 지나지 않는다.

전병훈은 그와 같은 비대칭적 민족주의를 주창하지 않았다. 그가 단군의 '신령한 지혜'와 '성스러운 덕'을 말한다고 해서, 또한 『천부경』을 단군의 진전으로 받아들이고 그 이법을 칭송한다고 해서, 그것이 곧 편협한 민족주의의 발로였다고 예단하는 것은 성급하다.

단언컨대 서우는 세계주의자였으며, 온 인류가 한 집안이 되어 세계통일정부를 건립하는 높은 이상을 품었다. 다만 그런 이상을 실현하기 위한 기본전제로, 각 민족이 자결의 권리를 가진 단위로 동등하게 존중돼야 한다고 생각했다.

---

203. 오리엔탈리즘이 '서양에 의해 구성되고 날조된 동양'에 관한 인식이라면 옥시덴탈리즘은 '동양에 의해 구성되고 날조된 서양'에 관한 인식으로, 동일한 병폐가 관찰자의 위치만 교대해 반복되는 것이다.

전병훈이 단군과 동명왕을 호명한 것은, 그들로 하여금 황제와 요·순의 자리를 찬탈하게 만드는 문맥이 아니었다. 서우가 시도한 것은 '비대칭의 교대'가 아니라, 정확히 '비대칭의 교정'이었다. 과도하게 부풀려진 중화의 거품은 빼고, 지나치게 위축된 동방 한국(東韓)의 자긍심은 회복시켰다. 황제에 대해 단군이 우월하다고 싸움을 거는 것이 아니라, 황제와 단군이 모두 위대하다고 화해시켰다.

기자 箕子의 도덕

중화와 동한의 비대칭을 교정하는 문법은 기자의 도덕을 말하는 데서도 나타난다. 여느 민족주의자들이 기자조선 자체를 부인하는 것과 달리, 전병훈은 기자의 동래를 역사적 사실로 받아들였다. 하지만 그것이 과연 사실史實인가를 따지는 것은 역사가들의 몫이다.

게다가 전병훈이 역사가는 아니다. 또한 서우 본인이 말하듯, 그의 저술이 역사서도 아니다.[204] 따라서 여기서는 조선의 기자를 해석하는 서우의 철학적 문법에 주목할 것이다. 다만 그전에, 기자조선 이야기가 본래부터 담고 있던 의미를 잠시 되새겨보자.

기자의 동래는 한나라의 고조선 정벌과 더불어 『사기』에 비로소 등장했다. 그 사실 여부는 둘째로 치고, 기자 동래의 설화가 느닷없이 중국 역사서에 실린 배경은 비교적 분명하다. 한나라가 새로 영유권을 확보한 지역의 옛 국가가, 본래 중원왕조에 대해 종속적이었다고 암시하는 데 그 이야기가 동원되었다.

그것은 고조선의 옛 땅에 설치된 한나라 군현의 정체성을 정당화하는 데 유리한 서사였다. 더 나아가 '기자'는 조선의 유민들이 유교 규범을 받아들이고, 그것을 자기 것으로 여기며, 정신적 만족을 얻도록 유인誘引하는 상징이 되었다. 물론 그것은 옛 조선의 원주민에 대한 한군현의 관료적 통치에도 도움이 되었을 것이다.

---

204. 然此非史體, 故不必盡從序次……. 『통편』 173쪽.

그리하여 한나라가 고조선을 정벌했던 기원전 2세기 말부터, 중국 역사가들은 조선의 연원을 '기자'와 '위만衛滿(滿)' 등의 기호로 계보화했다. 기자가 은나라에서 조선으로 오고 위만이 연나라에서 나오는 것은, 중국의 본원성本源性에 대한 조선의 파생성派生性을 생산하고 증식하는 기호의 반복이었던 셈이다.

하지만 이런 기자동래설은, 삼국시대까지 고대 한국에서 거의 비중이 없었다. 그러다가 고려 중엽부터 유교가 정치이념으로 득세하면서, 역사의 사실로 재조명됐다. 조선의 유학자들은 이를 더 적극적으로 확대해석하고, 전에 없이 기자를 받들어 숭배했다. 여하튼 이 문제는 다음의 '정치철학' 편에서 본격적으로 다룰 것이다. 다만 이렇게 전승된 기자 이야기를 전병훈이 어떻게 소화하는지를 살피는 게 지금은 더 중요하다. 서우가 말했다.

> 단군의 겸성兼聖에, 또한 기자의 겸성이 아울러 더해졌다. 실로 세계에 없었던 겸성의 오래된 국가(古邦)로다! 『선감』에서 조선을 단지 기자의 성스러운 국가로만 여기는 것은, 일찍이 단군의 겸성이 있었음을 몰랐기 때문이다. 「홍범」에서 하늘을 본받아 세상을 경영하는 이법이 실로 최고의 철리 도덕이다.
>
> 하지만 애석하게도 무왕이 그 도를 천하에 다 쓰지 않고, 또한 (기자를) 은나라 땅에 봉해 은나라 백성을 다스리게 하지도 않았다. 그리고 기자가 백마를 타고 동쪽으로 간 뒤에야, 그를 조선에 봉하고 요동을 아울러 다스리게 했다. 내 생각에 동한 백성의 행복이요, 은나라 백성의 불행이로다. 아![205]

기자에 대한 서우의 인식은 대단히 독특한 지평에 위치해 있다. 우선 그는 기자를 일방적인 문명의 전파자로 파악하지 않는다. 세종대왕 때 기자의 사당

205. 檀君之兼聖, 又箕子之兼聖幷臻. 誠可謂世界所未有之兼聖古邦乎. 『仙鑒』以朝鮮只爲箕子之聖國者, 不識曾有檀君之兼聖, 故云也. 蓋「洪範」之體天經世之至理, 誠最高之哲理道德. 然惜武王不盡用其道於天下, 而又不封殷地, 以治殷民. 而白馬道東之後, 封以朝鮮, 兼治遼東. 竊爲東民之幸福, 而殷民之不幸也. 吁! 『통편』, 202~203쪽.

을 중수하면서, 변계량이 묘비명을 쓴 바가 있다. 거기에 "(기자가) '동이를 중화로 만들었다'고 당나라에 그 비문이 있네"[206]라고 찬탄하는 대목이 보인다.

이것이 중국에서 기자에게 기대하고, 조선의 유학자들이 한 목소리로 수긍했던 기자의 역할이었다. 그런데 서우는 이 문법을 교정한다. 기자가 "동이를 중화로 만든" 게 아니다. 다만 본래 문명국으로 단군 때부터 겸성의 나라였던 고조선에 기자가 와서, 그의 지혜와 도덕을 더했을 뿐이다.

또한 기자의 동래를 중화문명의 일방적 전파로 이해하지도 않는다. 중화와 동한이 대등한 문명의 고국으로, 문물의 교류에 있어서도 서로 손익을 주고받는 관계로 묘사되고 있는 것이다. 주나라 무왕이 기자를 조선에 봉한 것은, 중화문명의 '확장'이 아니라 '손실'의 문맥으로 이해되었다.

기자의 동래가 "동한 백성의 행복이요, 은나라 백성의 불행"이라는 언명에서 한·중이 주고받은 문화적 손익의 대차대조가 이뤄진다. 통속적으로 말해, 무왕은 기자를 품지 못해서 밑지는 장사를 했고 조선은 기자를 받아들여 남는 장사를 했다. 기자 이전에, 조선이 기자를 포용할 정도로 본디 위대했다는 문맥이다.

서우에 의하면, 한국 고대의 도덕문명은 단군에서 비롯되어 기자가 증익하고 동명왕이 계승해 확충한다. 거기에는 자생적인 동력이 있고, 밖으로부터 더해지는 문화의 흐름도 있다. 하지만 어떤 경우든, 고대의 성스러운 통치자들은 하늘에서 근원하는 천부의 지성과 도덕을 발휘했다.

을지문덕의 문무겸비

성스러운 조상과 왕들에게 숭고한 지성과 도덕이 있었다. 그리하여 예로부터 '군자의 나라'로 불린 동방의 도덕국가가 출현했다. 한국의 도덕에 대한 서우의 진술은 자주적이면서도 개방적이고, 또한 도덕의 보편성을 전제로 한다. 그렇게 면면히 이어진 도덕의 바통은 이제 을지문덕에게로 넘어간다.

---

206. 『朝鮮王朝實錄·世宗』 40권 10년.

을지문덕은 고구려 평양 석다산 사람이다. 재능이 문·무를 겸하고, 영웅으로 세상을 바로잡은 덕이 있었다. 그가 동쪽 나라(東邦)에서 나가서는 장수가 되고, 들어와서는 재상이 되었다. 임금에게 충성하고 백성에게 은택을 베푸는 도덕의 공훈업적이 이윤·제갈량·한기·범중엄과 동일한 마음의 궤적이었다. 그의 위대하고 탁월한 정치책략이 천하를 널리 구제하는 데에 미치지 못하고, (동방의) 한 귀퉁이에 머물렀음이 애석하다. 마침내 후세의 영웅과 철인들이 원통해 마지않았다.[207]

고대의 성스러운 왕들이 도덕을 표상하던 시대는 동방에서도 막을 내렸다. 중국에서 이윤·제갈량·한기·범중엄 등의 영웅이 출현했듯이, 한국에서도 그와 같은 유형의 도덕실천가들이 출현했다. 그중에도 을지문덕은 특히 걸출한 구세제민의 도덕영웅이었다.

일찍이 신채호는 "한국 4천 년 역사에서 가장 위대한 사람"으로 을지문덕을 손꼽았다.[208] 그것은 "동양 고대 역사상 일찍이 없었던 전쟁"[209]에서, 바람 앞의 촛불 같은 나라를 구한 출중한 장수로서 을지문덕의 위업을 기리는 문맥이었다.

한데 전병훈은 전쟁영웅 이전에, 도덕가로서의 을지문덕에 주목했다. 을지문덕은 "임금에게 충성하고 백성에게 은택을 베푸는 도덕"의 탁월한 실천가요, "재능이 문·무를 겸하여 영웅으로 세상을 바로잡은 덕이 있던" 한국의 도덕영웅이었다. 참된 도덕은 이념이나 관념에 그치는 것이 아니라, 삶의 구체적인 현실에서 구현된다는 도덕론이 이런 판단의 근거가 되었다.

누란의 위기에 처한 나라를 구하고 백성을 도탄에서 건진 을지문덕 같은 영

---

207. 文德是高麗平壤石多山人, 才兼文武, 有英雄造世之德. 其在東邦, 出將入相, 致君澤民, 道德勳業, 與伊·葛·韓·范, 同一心跡. 而惜其偉絶政略, 未及廣濟天下, 而限於一隅. 遂使後世英哲, 慷慨不已. 『통편』, 203쪽.

208. 신채호는 『대동사천재 제일대위인 을지문덕大東四千載第一大偉人乙支文德』이라는 제목의 위인전을 1908년 광학서포廣學書鋪에서 발간했다.

209. 신채호, 박기봉 옮김, 『조선상고사』(비봉출판사, 2006), 402쪽.

웅에게 가장 긴요한 재능은 무엇일까? 흔히 장수로서의 용감성, 탁월한 정치 책략, 풍부한 경륜 등을 떠올릴 것이다. 그런데 이런 능력을 갖춘 용맹한 장수(勇將)나 책략가(智將)들은 어느 시대나 적지 않다.

반면 을지문덕이나 이순신 같은 절세의 영웅에게는, 남들이 결코 쉽게 넘볼 수 없는 각별한 소양이 있었다. 사사로움을 버리고 공의를 받드는 위대한 도덕적 자질이다. 그들은 말로만 떠벌리는 '멸사봉공'이 아니라, 참담한 현실 한가운데서도 공정하고 의로운 도의를 실천하는 떳떳한 양심의 역량을 갖췄다.

설총의 문덕文德

한데 그런 공공성의 도덕은 전란의 와중에만 필요한 게 아니다. 난국의 극복뿐만 아니라 문화의 창달에 있어서도, 일신의 영달을 넘어 공공의 복리를 위해 헌신하는 도덕가의 자질이 필요하다. 이런 문화영웅(culture hero) 관념은 인류의 고대사회 어디나 출현한다.

사람들이 필요로 하는 지식과 기술을 창달하고, 제도와 규범을 확립하는 데서 그들의 도덕이 빛을 발한다. 한국에서는 '홍익인간'을 목표로 나라를 세우는 단군부터 이런 문화영웅의 소질을 지녔다. 동명왕과 기자 역시 마찬가지다. 하지만 역사시대로 접어들면서, 그런 신화적 문화영웅들의 역할은 점차 퇴조한다.

고대사회의 신화에 등장하는 민족의 조상이나 왕, 혹은 하늘에서 강림하는 초인적인 영웅들은 이제 더 이상 문명창조의 전면에 나서지 않는다. 대신 그 덕업을 잇는 새로운 유형의 인물들이 출현한다. 그들은 뛰어난 학문과 지성을 지니며, 또한 신화 속의 옛 문화영웅들처럼 사사로움을 버리고 공의를 받드는 남다른 도덕심을 갖췄다. 그런 문명창달의 도덕가로, 서우는 신라의 설총薛聰과 백제의 왕인王仁을 손꼽았다. 먼저 설총에 대해 말한다.

> 설총이 말했다. "음절은 천지가 절로 내보이는 글자다." 마침내 국문 27자를 창제하여, 자음과 모음이 서로 통해 쓰여 천만 글자가 한없이 이어지기

에 이르렀다. 역시 하나의 창조적 지혜요 신묘한 식견이다. 창힐蒼頡이 글자를 만든 것과 동일하게 크고 훌륭한 덕이다. 하지만 간편하고 쉽게 통해 극히 편리하니, 한자나 다른 문자로 비교할 수 없다.[210]

설공은 신라인이다. (우리말로) 중국의 경전과 역사서를 번역해 풀이했으며, 이로써 나라 안에 두루 보급하여 학문과 도의가 마침내 크게 일어났다. 비록 우둔한 사람이라도 열흘이면 깨우칠 수 있었다. 어찌 이처럼 쉬운 문자가 있겠는가?[211]

설총은 신라 중대 7세기 후반의 인물로, 자가 '총지聰智'였다. 고승 원효의 아들로 유명하지만, 그의 자가 암시하듯이 총명한 지혜가 남다른 대학자였다. 강수强首·최치원과 더불어 신라의 3대 문장가로 일컫는다. 『삼국사기』에 따르면, 설총은 "우리말로 구경九經을 읽고 후생을 훈도했다."[212] 『삼국유사』는 "우리말로 중국과 이민족의 풍속 및 사물 이름에 통달하고, 육경과 문학을 훈해訓解했다"[213]고 한다.

설총은 이두의 발명자로 흔히 알려졌다. 하지만 그에 대한 반론도 만만치 않다. 한자의 음과 뜻을 빌려 우리말을 표기하는 이두가 설총 이전부터 쓰인 흔적이 있기 때문이다. 한편 『삼국사기』와 『삼국유사』의 기록은, 한문에 우리말로 토를 달아 읽는 구결口訣을 가리키는 것이라고 추정하기도 한다. 여하튼 한문을 읽는 신라만의 독특한 방식이 있었으며, 설총이 그것을 창안 내지 집대성했다는 사실은 대개 인정된다.

---

210. 薛聰曰 "音節, 天地自示之文也." 遂創制國文二十七字, 子母音互相通用至千萬字而不窮, 亦一創智神見, 與蒼頡之造書同一盛德也. 然簡易易通極便捷, 非漢字別文比也. 『통편』, 203~204쪽.

211. 薛公是新羅人. 自是譯解中國經史, 以遍國中, 文學道義, 遂大興也. 雖下愚旬日可通矣. 不知環球, 寧有若是易文乎? 『통편』, 204쪽.

212. 以方言讀九經, 訓導後生. 『三國史記·薛聰傳』.

213. 以方音通會華夷方俗物名, 訓解六經文學. 『三國遺事·元曉不羈』.

그런데 전병훈은 더 나아가 설총이 한글의 문자를 발명했다고 추정한다. 윗글에서 자·모음이 서로 조합돼 무궁무진한 문자를 이룬다고 한다. 그것은 훗날 세종대왕이 창제한 훈민정음을 가리키는 게 분명하다. 한데 서우는 그 글자를 본래 설총이 만든 것으로 보았고, 다음과 같이 말했다. "나라 글자를 비록 설총이 창시했지만, 세종대왕이 이를 교정하고 보완하는 데 이르러 극히 완선完善해졌다."[214]

지금은 거의 분명해졌지만, 근세에는 한글의 기원에 관해 여러 설이 분분했다. 한글학자 김윤경金允經(1894~1969)은 1932년 「한글 기원 제설」이란 논문에서 전병훈의 견해를 '설총 창작설'로 소개했다. 한편 박은식朴殷植(1859~1925)은 신라 승려 요희窈熙가 한글을 만들었다고 하고, 김택영金澤榮(1850~1927)은 상고시대부터 있던 글자를 고려의 중 요의了義가 후대에 전했다고 추정했다. 일본 에도시대의 국학자인 히라타 아쓰타네平田篤胤(1776~1843)는 일본 신대神代의 문자가 한국에 전해졌다고 주장하기도 했다.

하지만 김윤경은 이런 제 학설이 "학계에서 청산된 지 오래"[215]라고 표명한다. 만약 한글 창제의 역사적 기원을 논구하는 것이 주목적이라면, 다른 여러 설과 함께 전병훈의 '설총 창작설' 역시 폐기하는 게 마땅하다.

그렇지만 서우가 설총을 언급했던 목적이 한글의 기원을 밝히는 데 있었던 것은 아니다. 그보다는 한국의 문화를 창달한 도덕가로 설총에 주목했다. 따라서 여기서의 핵심논점은, 설총이 문자학상의 어떤 혁신을 이뤘는가의 지평을 넘어선다.

대신, 설총의 문자학적 혁신이 한국 도덕의 역사에서 어떤 의미가 있는지를 논하는 게 관건이다. 전병훈은 역사상의 하고많은 문인·식자들 가운데, 왜 설총을 굳이 문덕文德의 모범으로 지목했을까? 설총이 구경九經에 밝았던 유학자였기 때문일까? 사태는 그리 단순하지 않다.

신라 중대에 당나라와의 문물교류가 활발해지면서, 학문과 종교(불교)가 크

---

214. 國文雖創始於薛公, 至世宗校正而補益之乃克完善也. 『통편』, 206쪽.
215. 김윤경, 「한글 起源 諸說」, 『한글』 제5호(한글학회, 1932), 395~396쪽.

게 일어났다. 더불어 신라인의 삶에서 문자의 중요성이 폭발적으로 증대했다. 귀족과 엘리트들은 충분한 한문교육을 받았으므로 문자생활에 그다지 불편함이 없었다. 하지만 하급 관료와 백성들에게 한자는 난해하기 이를 데 없는 외국어였다.

설총이 우리말(方言, 方音)로 한문을 독해하는 데에 관심을 가진 것은 백성들의 그런 고충을 안타깝게 여겼기 때문이다. 만약 설총이 개인의 영달과 입신출세에만 뜻이 있었다면, 당대 최고의 석학으로서 굳이 백성들의 편의를 위한 문자학 연구에 뛰어들지 않았을 것이다.

분명한 사실은 설총의 문자학 프로젝트가 소수의 엘리트를 위해서라기보다는, 다수의 일반 백성들을 위한 공공의 사업이었다는 점이다. 세종대왕이 한글을 창제할 때 문화기득권을 누리던 유학자들이 얼마나 격렬하게 반대했던가를 기억해 보라.

세종의 한글 창제를 반대하며 최만리崔萬理 등이 올린 상소에 보면, 설총의 이두가 하급 관리나 노비들이 사용하는 '비루한 속된 말(鄙俚)'이라고 한껏 비하하는 대목이 보인다. 한데 그나마 한자를 빌려서 쓰므로 학문에 작은 도움이라도 되지만, 한글은 그나마도 도움이 안 되며, 다만 학문을 방해하고 정치에도 무익하다고 비판했다.[216]

이처럼 이두나 한글은 유학자들이 선망하던 문자가 아니었다. 그런데 설총은 탁월한 식견과 지적 창의성을 토대로, 신라 문자학의 혁신을 주도했다. 백성을 긍휼히 여기는 각별한 공적 도덕심이 아니라면, 이런 혁신을 가져온 동기와 목적을 설명하기 어렵다. 이는 훗날 세종대왕이 한글을 창제했던 배경과도 크게 다르지 않다.

'백성을 가르치는 올바른 말(訓民正音)'이란 이름이 암시하듯이, 훈민정음의 저

---

216. 新羅薛聰吏讀, 雖爲鄙俚, 然皆借中國通行之字, 施於語助, 與文字元不相離, 故雖至胥吏僕隷之徒, 必欲習之. …… 故因吏讀而知文字者頗多, 亦興學之一助也. …… 今此諺文, 不過新奇一藝耳, 於學有損, 於治無益, 反覆籌之, 未見其可也. 『世宗實錄』 권103, 26년 甲子 2월 庚子.

명한 서문에 문자창제의 동기가 잘 나타나 있다. "일반 백성이 말하고자 하나 제 뜻을 능히 펴지 못할 자가 많은지라, 내 이를 불쌍히 여겨 새로 28자를 만들어 사람마다 쉽게 학습해 일상생활을 편케 하고자 할 따름이다."[217]

지적 능력과 학식이 뛰어난 사람들은 어느 시대나 많다. 하지만 아무리 두뇌가 우수하고 지식이 풍부하더라도, 사사로움을 버리고 공의를 받드는 도덕심이 부족하다면, 그는 기껏해야 똑똑한 한갓 지식인(전문가)에 그친다. 그런 능력만으로 설총이나 세종임금 같은 절세의 문화영웅이 될 수는 없다.

게다가 문화영웅이란 이왕의 지식을 답습하고 이념의 권위를 따르는 데서 벗어나, 탁월한 창의성을 발휘해야만 한다. 그러므로 전병훈은 설총의 공덕을 "창힐이 글자를 만든 것과 동일하게 크고 훌륭한 덕"으로 칭송했던 것이다.

'창힐'은 중국의 원시사회에서 처음 글자를 창안했다는 황제의 신하(史官)다. 물론 그는 실재했던 인물이라기보다, 문자의 발명을 상징하는 전설 속의 한 기호이다. 그런데 창힐은 창조적 지혜를 상징했지만, 그에 앞서 '성스러운 덕(聖德)'의 표상으로 추앙받았다.

문자의 창조처럼 위대한 사업에서 가장 필요한 소양은 물론 지적 창의성이다. 그렇지만 또한 그것은 단순한 지식활동의 능력을 넘어선다. 그리고 서둘러 결론부터 말하자면, 도덕이야말로 가장 고차원적인 창의성의 원천이 된다.

독창적이고도 유용한 것을 만들어 내는 창의성이란, 다만 한 개인의 머리에 떠오르는 생각만으로 구현되는 것이 아니다. 아이디어가 아무리 독창적이고 새로워도, 사회·문화적 맥락에서 의미를 부여받지 못하면 그건 한갓 몽상에 그치게 된다.

즉 세상이 필요로 하는 게 뭔가를 알아차려야 한다. 또한 창의성이란 새로운 것을 창출하려는 성향이므로, 기존에 있던 것을 벗어나려는 동기와 의도가 분명해야 한다. 결국 사회·문화적 필요에 대한 인식, 그리고 그런 필요를 실현하려는 동기에 창의성의 관건이 있다.

---

217. (國之語音, 異乎中國與文字, 不相流通.) 故愚民有所欲言, 而終不得伸其情者多矣. 予爲此憫然, 新制二十八字, 欲使人易習使於日用矣.『世宗御製訓民正音』.

한데 그런 동기가 사적인 차원에서 제공될 수도 있다. 즉 개인이나 집단이 물적·사회적 보상을 기대하며 창의성을 발휘하도록, 그들에게 이기적인 동기를 부여하는 것이다. 예를 들어, 창의활동을 촉진하기 위해 금전적 보상이나 직위 등의 인센티브를 제공할 수 있다.

이런 수단은 낮은 차원의 창의성을 발휘하는 데서 효과를 발휘한다. 하지만 그런 유인책에 의존하는 것만으로는, 결코 고차원의 창의성에 이를 수 없다. 왜냐하면 사리사욕에 따라 판단하는 사회·문화적 필요란, 모든 것을 개인의 이익과 연관시키는 협애한 사고의 틀을 좀처럼 벗어날 수 없기 때문이다.

오늘날 시장주의 정치경제학은 기업이나 소비자가 사리사욕을 추구하는 게 합리적이라고 전제한다. 심지어 정치가와 관료들 역시 개인의 이익을 위해서 활동하는 게 당연하다고 한다. 한데 그처럼 협소한 사고틀에 갇히면, 나의 이익과 관계없는 것에는 도무지 관심을 두지 않게 된다. 그런 사람들이 어떻게 '나'를 벗어나 '세상'이 무엇을 필요로 하는지 제대로 파악할 수 있겠는가?

만약 오늘날의 여느 정치가와 관료·학자들처럼, 설총이나 세종대왕이 다만 그들의 이익을 추구하는 것이 합리적이라고 생각했다면 어떻게 되었을까? 지금처럼 우리가 한글을 쓰는 일은 아마 없었을 것이다. 을지문덕이나 이순신이 현대의 공공선택이론에 따라 개인의 이익을 우선시하며 이기적인 동기에 따라 움직였다면 또한 어떻게 되었을까? 한국이라는 나라가 일찌감치 지구상에서 흔적을 감췄을지도 모르는 일이다.

한데 그들은 도대체 어떤 동기에서 문자를 창제하고, 거북선을 만들었으며, 세계사에 길이 남을 경이로운 창의성을 발휘했던 것일까? 앞서도 말했지만, '내'게 필요한 게 아니라 '세상'이 필요로 하는 것을 고심하는 안목과 이타적인 덕성이야말로 그들이 발휘한 창의성의 원천이었다.

그들은 모두 사적인 이해를 넘어, 거국적으로 당면한 사회·문화적 필요에 눈을 돌렸다. 개인의 이익을 벗어난 사회공동체의 보편적 복리에 마음을 쓸 줄 알았다. 이런 마음씀씀이야말로 곧 '공적인 도덕심(公德心)'에 다름 아니다.

그러므로 도덕이야말로 창의성의 원천이다. 특히 고차원적이고도 위대한 창의성을 발휘하는 사람에게는, 언제나 도덕이 최고의 동기가 된다. 서우에 의하면, 을지문덕과 설총 같은 인물들이야말로 도덕적 동기에서 최고도의 지혜를 발휘한 영웅이다.

을지문덕의 신묘한 전략은 단지 그의 머리에서 나온 게 아니라, 난국에서 나라와 백성을 구하려는 진실한 도덕의 충정에서 비롯되었다. 설총의 문자학적 발명 역시 마찬가지다. 그것은 단지 뛰어난 두뇌와 학식의 소산이기 전에, 문맹으로 고통 받는 백성들의 고충에 공감하는 유다른 도덕심의 발로였다.

왕인의 포덕布德

서우가 고대 한국에서 지목한 또 한 사람의 문화영웅은 백제의 왕인이었다. 왕인 역시 탁월한 도덕심을 발휘하기는 매한가지였다. 서우가 말한다.

> 조선이 비록 별개로 하나의 나라가 되었지만, 그 강토가 중국과 같은 영역으로, 단지 압록강을 경계로 한다. 그리하여 천지가 개벽한 뒤로, 신령한 성인이 먼저 중국에서 출현하면 한국 역시 그와 같았다. 그러므로 문명개화가 함께 시작해 하나의 궤도를 달렸다. 하지만 일본의 문명교화로 말하면, 그 (왕인의) 때에 여전히 미개하였다. 따라서 왕인 성자(王聖)가 일본에 가서 교화한 것이다.
>
> 대개 사람이 지극히 어진 공적 도덕심(公德心)이 아니라면, 같은 나라의 동포일지라도 오히려 경계를 나누는 편견을 벗어나지 못한다. 하물며 국경을 초월해 몸소 가서 교화하는 것은, 어찌 성인의 지극히 어진 공적 도덕심이 아니겠는가? 내가 그러므로 왕공을 성인으로 추존한다. 오직 그가 국경의 편견을 초월했으니, 실로 노자가 서역으로 건너간 것과 마찬가지다. 세계 만국에 없었던 바이니, 어찌 위대하지 않은가?[218]

---

218. 朝鮮雖別爲一國, 而其地疆與中國同一分野, 而只以鴨綠一水爲界限也. 是以擧天地開闢後, 神聖先出中土, 而韓亦如之. 其亦天定也. 故文明開化, 同出一軌. 至若日本文教, 其時尚未開. 故王聖乃往教之. 蓋人非至仁之公德心, 於同國之同胞, 猶難免畛域之

왕인은 백제의 근초고왕 혹은 아신왕 때의 학자다. 5세기 초에 왕명을 받아 일본으로 건너갔다. 태자 우지노와키 이라츠코兎道稚郎子의 스승이 되었으며, 왕실과 조정의 군신들에게 학문을 가르쳤다고 한다. 『고사기古事記』와 『일본서기日本書紀』 에 그에 관한 기록이 전한다.

왕인은 일본에서 '학문의 신'이 되었다. 그를 모시는 신사 등이 지금도 일본 각지에 산재해 있다. 전병훈은 그런 왕인을 특히 존숭했다. 평소 거처에 상제·단군·황제·노자·공자·부처·칸트와 함께 왕인을 여덟 성자(八聖)의 하나로 모시고, 늘 향을 올려 축원했다고 한다.[219] 윗글에서도 "내가 그러므로 왕공을 성인으로 추존한다"고 명언했다.

서우가 이처럼 왕인을 높게 평가했던 데는 각별한 이유가 있었다. 무엇보다 왕인은 민족을 넘어 사해동포를 지향하는 서우의 철학적 이상에 부합하는 사표였다. 국경을 초월해 학문과 도덕의 교화를 펼친 한국의 성인으로 왕인을 받들었다.

또한 서우 본인이 이국땅에서 도를 닦고 학문을 연찬하며, 중국 현지의 기라성 같은 제자들을 이끌고 있었다. 따라서 그 자신의 처지가 왕인에 오버랩되었고, 천 수백 년 전 일본으로 건너가 아스카문화飛鳥文化의 토대를 놓았던 왕인의 '지극히 어진 공적 도덕심'에 공명하는 감회가 남달랐으리라고 추정된다.

한국 고대국가의 도덕을 표상하는 을지문덕·설총·왕인은 공교롭게도 고구려·신라·백제의 삼국을 대표한다. 또한 각각 무인의 덕(武德)과 문인의 덕(文德), 그리고 학문과 진리를 널리 펴는 포덕布德을 상징한다. 균형 있게 인물을 배치하고자 고심한 흔적이 엿보인다.

한편 앞서 중국의 사례와 마찬가지로, 서우는 한국 도덕의 역사를 단지 도덕이론의 역사로 국한하지 않는다. 이는 다분히 의도적인 도덕 진술의 문법이다. 을지문덕·설총·왕인은 도덕이론가, 즉 도덕을 지식의 논구대상으로 삼는

見, 況乎破國界而身親赴教者, 詎非聖人之至仁公德心乎? 余故推王公以爲聖人, 惟其能破國界之見, 誠如老子之西渡, 而世界萬國之所未有也, 曷不偉哉? 『통편』, 204~205쪽.

219. 所居崇奉上帝·檀·黃·老·孔·佛·王仁·康德, 八聖而香祝. 『통편』, 31쪽.

전문적인 윤리학자를 넘어선다.

대신, 그들은 구체적인 역사와 삶의 현실에서 남다른 도덕을 몸소 구현했던 탁월한 도덕가들이었다. 여기서 도덕가란, 통상적인 문맥에서 '도덕심이 크고 인격이 높은 사람'을 가리킨다. 그런데 오늘날 대학은 물론이고 각급 학교의 도덕교육은 대개 도덕에 대한 지식, 즉 윤리학 이론의 탐구에 치중한다.

여기서 서우는 현대 윤리학자들이 숙고해야 할 근본적인 화두를 던진다. '도덕에 대한 지식'과 '도덕적 인간'의 간극은 결코 만만한 게 아니다. 어학이나 수학 혹은 과학이라면, 해당 분야의 지식을 갖추는 것으로 곧 어학자나 수학가가 되고 과학자가 된다. 그러나 도덕에 관한 지식, 즉 윤리학 이론을 획득한다고 곧 도덕가가 되는 건 아니다.

윤리의 문제에서 결국 중요한 관건은, 올바른 도덕이 현실화되는 데에 있다. 도덕이 단지 관념적인 지식이나 이념에 그치고 정작 도덕심을 높이는 데 무효하다면, 그런 윤리지식이 무슨 의미가 있겠는가? 설령 이런저런 윤리학 이론을 잘 모르더라도, 본인의 양심에 떳떳하게 산다면 차라리 그게 도덕적으로 더 값진 삶이다.

물론 그렇다고 해서, 윤리학 지식의 무용론을 말하려는 건 아니다. 이론의 탐구도 중요하고, 전문적인 윤리학 연구자도 필요하다. 그러나 서우의 언명처럼 도덕은 "정신과 심리가 밖으로 발현돼 일용의 인간사에서 실지로 행하고, 이로써 지극한 선에 이르는 것"[220]이다. 그게 곧 도덕의 근본이다.

그러므로 단도직입적으로 말해, 윤리학의 목표는 도덕지식의 획득이 아니라 '도덕적 인간'이 되는 데 있다. 서우는 그런 소박한 도덕적 진실을 상기시킨다. 그리고 너나없이 도덕이론을 떠벌리지만 정작 그의 삶이 도덕을 떠난 '천박한 유자(淺儒)'들의 허위를 꼬집는다.

실제로 수많은 이론적 윤리학자보다, 만인의 귀감이 되는 도덕실천가 한 사람이 세상에서 한결 귀한 인재가 된다. 서우가 실천가 위주로 도덕의 역사

220. 精神·心理之存於中者發於外, 踐行之於日用人事, 以至至善者, 即大道也, 正德也. 『통편』, 153쪽

를 술회하는 까닭이 거기에 있다. 이어서 고려 말부터 조선 후기까지 서우가 진술한 도덕가의 면면을 살필 것인데, 그 역시 대개 실천적 사례를 중심으로 한다.

정몽주와 전오륜: 도덕 파토스

"올곧은 선비라면 나라에 충성을 다해야 한다"는 테제와 "고려를 무너뜨리고 유교 국가를 건립해야 한다"는 안티테제가 고려 말에 도덕적 이율배반을 구성했다. 유교이념에 입각한 조선의 건국을 지지하면서, 또한 패망하는 고려에 충성을 다하는 것은 이율배반이다. 실제 역사에서 그와 같은 일치는 불가능하다. 그것은 도덕의 자기모순이다.

이런 종류의 모순에 직면해서, 도덕적 대의명분을 역사의 평가기준으로 삼는 공자의 이른바 '춘추필법春秋筆法'이 유교의 기본논법이 되었다. 은나라를 멸한 주나라의 무왕이 성군으로 기록되었다. 하지만 정작 도덕의 표상은 무왕에 반대하며, 주나라 곡식 먹기를 거부하다가 수양산에서 굶어 죽은 백이·숙제에게로 돌아갔다.

왕조를 교체한 창업군주를 칭송하면서도, 신하는 망국에 절의를 지킨 인물들을 후하게 평가했던 것이다. 조선의 군왕과 유학자들 또한 왕조교체를 역사의 진보로 승인했지만, 그러면서도 이미 망한 왕조에 충성을 다한 인물들을 도덕의 표상으로 부활시켰다.

조선 건국을 기획하고 주도한 정도전 등은 역사 저편으로 사라졌다. 대신, 끝까지 고려에 충절을 지킨 정몽주와 길재 등이 탁월한 도덕실천의 귀감으로 부각되었다. 서우 역시 그런 문법에서 정몽주를 높이 평가했다.

> (정몽주) 선생은 고려 말의 대신으로 충심을 다해 나라의 보존을 도모했다. 그러나 마침내 몸을 바쳐 순국하니, 그 핏자국이 개성 선죽교의 돌 위에 지금도 얼룩져 있다. 충의를 다한 큰 절개가 해와 달처럼 빛나서, 동방 성리

학의 조종(東方理學之宗)이 되었다. 선생이 동한에 사람의 도리를 세우고 성스러운 학문을 무궁토록 창도했다. 어찌 한 시대의 뛰어난 인물이 아니겠는가?[221]

정몽주가 일찍이 이렇게 말했다. "맹자가 말한 '호연지기'란 곧 천지의 올곧은 기운(正氣)이다."[222] 서우는 정몽주의 이런 언명에서 충절의 근거를 찾는다. 서우의 말을 그대로 옮긴다.

사람에게 있는 올곧은 기운이 발동해 움직여서 효제·충신의 행위가 된다. (그런 정기의 움직임이) 조리와 절차를 갖추면, 그것이 또한 심리를 이룬다. 이를 행하는 것이 '사람의 도리(人道)'이다. 그리고 이를 축적하는 것이 '덕'이다. 그러므로 능히 하늘을 아는 자라면, 하늘을 본받아 사람의 도덕을 수립할 수 있다.[223]

단적으로 말해, 목숨을 바쳐 고려에 절의를 지킨 정몽주의 도덕적·심리적 결단이 그의 '올곧은 기운'에서 비롯되었다는 언명이다. 물론 이는 서우의 정신·심리 철학에서 비롯된 해석이다. 정몽주가 천지의 정기正氣를 체득해 알았으며, 그리하여 "하늘의 섭리에 따라 사람의 도덕을 수립"했다는 것이다.

서우는 '동방 성리학의 조종'으로 정몽주를 받들었다. 그렇다고 해서, 한국의 성리학이 곧 그로부터 시작됐다는 문맥은 아니다. 서우가 말한다. "고려 말에 뛰어난 문장가와 도덕가들이 출현했다. 김부식金富軾·이제현李齊賢·이색李穡·전원발全元發 등이 중국에서 벼슬에 올라 원나라 한림이 되었다. 이로부터

221. 先生以麗季大臣盡忠圖存, 而竟以身殉國, 其血痕尚斑於松京善竹橋石上. 忠義大節, 爭光日月, 爲東方理學之宗. 先生植人道於東韓, 而倡啓聖學於無窮, 則詎非命世者乎? 『통편』, 205쪽.

222. 鄭圃隱先生(夢周)曰 "孟子所謂浩然之氣, 即天地之正氣也." 『통편』, 205쪽.

223. 正氣之在人者發而爲孝悌忠信之行, 具有條理節次者, 即心理也. 行之者人道, 而蓄之者德也. 然能知天者, 可以體天而植人之道德. 『통편』, 205쪽.

정주程朱의 이학이 동쪽으로 전해졌다. 이씨 조선시대에 철리도덕 사상이 크게 드러나, 이름난 현자와 뛰어난 도덕가들이 무성하였다."[224]

원나라 한림을 역임했던 신진사대부에 김부식의 이름이 오른 것을 제외하면,[225] 고려 말의 성리학 전개를 무난하게 술회하는 내용이다. 한편 서우는 자신의 방계 조상인 전오륜全五倫에 관해서도 언급했다. 전오륜은 고려 말의 명문가 출신으로 고관을 두루 역임했다. 그러나 이성계가 조선을 개국하자, 망국의 절의를 품고 두문동杜門洞에 몸을 숨겼다.

'두문동'은 역성혁명에 반발한 고려의 유신遺臣들이 집단으로 들어가 외부와의 관계를 단절했던 저명한 은둔지였다. 중국 진나라의 공자건公子虔이 문을 걸어 잠그고 집 밖으로 나서지 않았다는 '두문불출杜門不出' 고사에서 그 이름이 유래했다.[226] 하지만 고려 잔당의 소굴로 간주된 두문동은 곧 소탕되었고, 전오륜은 강원도 정선의 서운산瑞雲山으로 옮겨 생을 마감했다.

서우에 따르면, 매달 초하루와 보름이면 전오륜이 관복을 차려입고 개성을 향해 통곡했다고 한다.[227] '채미헌採薇軒'이라는 전오륜의 호는 고사리를 캐먹다 죽었다는 백이·숙제의 고사에서 따왔다. 이런 충절에 대한 자부심이 대대로 정선 전씨 집안의 가풍으로 전해졌다. 누구보다 전병훈 자신이 전오륜의 후손임을 자랑스럽게 천명했다.

전오륜 채미공은 또한 나의 방계 조상이다. 목은 이색의 외삼촌이 된다. 학

---

224. 麗季文章道德輩出. 如金富軾·李益齊(齊賢)·李牧隱(穡)·全菊坡(元發), 入仕中國, 爲元翰林. 自是程朱之理學東漸, 丕闡哲理道德思想於李王朝鮮時代, 名賢碩德, 於斯爲盛. 『통편』, 205쪽.

225. 김부식(1075~1151)은 고려 중기의 유학자로, 남송에 사신으로 다녀온 적은 있어도 원나라의 한림이 되었던 사실은 없다.

226. 公子虔杜門不出, 已八年矣. 『史記·商君傳』. '두문불출'은 진秦나라 태자의 스승이었던 공자건公子虔이 코를 베이는 형벌을 당하자, 8년간 문을 닫아걸고 밖으로 나오지 않았다는 고사에서 유래한다. 상앙商鞅의 변법이 초래한 대표적인 악형의 사례로 널리 회자되었다.

227. 遂隱旌善瑞雲山, 每朔望具朝服望松京痛哭. 『통편』, 206쪽.

문과 정의로운 실천에 실로 철리 도학을 터득한 바가 있었다. 절조를 지켜 굽히지 않고, 참됨을 지키는 맑은 덕이 백대百代의 후손을 감화시켰다. 아! 존경스럽구나.[228]

그렇지만 불사이군不事二君의 충절은 평상의 도덕이 아니다. 또한 낙관의 도덕도 아니다. 그것은 역사의 격동기에 극단의 선택에 내몰린 사람들에게 요구되는 비극적 도덕의 한 유형이다. 이런 도덕의 주인공들은 일상을 넘어서는 비범한 결단을 요청받는다. 그리고 결단을 실행하는 용기로 인해 고통을 겪거나 심지어 죽음에 이른다.

계산적인 사람들의 눈에, 그런 도덕의 결기는 무의미한 희생을 자초하는 어리석은 충동처럼 보인다. 한데 역사는 그런 비극적 도덕의 주인공들을 더 열렬히 더 오래 그리고 더 특별하게 기억한다. 어째서 그런 것일까?

사람들이 옳다고 믿는 것과 현실의 전개 사이에는 늘 간극이 있다. 그 간극이 최고도로 벌어질 때, 비극적 도덕의 정조情操 역시 최고도로 고조된다. 그런 극한의 균열지점에서 '옳다고 믿는 것'을 선택하는 결단, 그리고 그로 인한 파국이 도덕가를 비극의 운명으로 몰아간다.

그런데 아리스토텔레스가 말했듯이, 비극에는 연민과 공포의 상반되는 정서를 불러일으키고 다시 그것을 정화淨化(catharsis)하는 힘이 있다. 훌륭한 극예술에서 한 편의 비극처럼, 정몽주나 전오륜 같은 사람들의 이야기는 사람들에게 미학적 카타르시스를 선사한다.

그들의 "덕이 백대의 후손을 감화시킨다"는 서우의 언명처럼, 숭고하면서도 비극적인 도덕의 충정이 연민과 공포의 균열을 파고들며 사람들의 영혼을 정화한다. 또한 그것은 정치적 효용성마저 가진다. 새 왕조는 옛 왕조의 비극적 충신과 화해함으로써 새로운 정치공동체를 도덕적으로 순화하는 계기를 마련한다.

---

228. 此採薇公亦余之傍祖也, 爲李牧隱之表叔, 而文學行義, 誠有得於哲理道學. 抗節不屈, 眞逸淸德, 可風百代. 吁! 可欽哉.『통편』, 206쪽.

물론 미학적이라고 해서, 숭고한 비극의 도덕이 곧 미美라고 말하려는 건 아니다. 그러나 '미'와 '숭고'에 대한 칸트의 기념비적 탐구가 환기시키듯, 아름다움과 숭고함은 서로 긴밀히 연계되며 또한 도덕의 상징이 된다.

칸트에 의하면, 인간의 여러 느낌은 외부 사물의 성질에 있는 게 아니라 사람 각자의 고유한 감정에서 비롯된다. 그런 감정들 가운데 "인간의 마음속에 살아 있으며, 다른 어떤 감정보다 더 깊게 뿌리내린 것"이 있다. 그것은 모든 인간에게 내재된 어떤 보편적 원칙에서 기인한다.

한데 그 원칙들은 사변적인 규칙들이라기보다, 감정적인 의식이다. 칸트는 그것을 '아름다움의 감정'과 '인간 본성의 위엄에 관한 감정'으로 포괄할 수 있다고 확고하게 단언했다. 여기서 아름다움의 감정은 '보편적인 호의'의 근거이고, 인간 본성의 위엄에 대한 감정은 '보편적인 존경심'의 근거이다.

"섭리는 그처럼 유용한 충동을 덕의 보충으로서 우리 안에 놓아두었다."[229] 다시 말해 아름다움과 숭고함을 느낀다는 것은, 곧 인간 내면에서 우주적 섭리의 어떤 보편적 원칙을 발견하는 것이다. 그리고 보편적 원칙에 의해서만 '참된 덕'이 증진된다는 문맥에서, 미와 숭고는 곧 도덕(인륜성)의 표징이 된다.

그렇지만 숭고와 미는 서로 다른 종류의 감정이다, 그것은 극예술에서 비극과 희극의 차이로 설명된다. "비극에서는 숭고함의 감정이 생겨나고, 희극에서는 아름다움의 감정이 생겨난다. 비극에서는 타인의 행복을 위한 위대한 희생, 위험에 처했을 때의 대담한 결단, 그리고 모든 시련을 통과한 충성심 등이 그려진다. …… 타인의 불행은 관객의 마음을 움직여 공감을 주며, 타인의 고뇌 앞에서 그 관객의 관대한 심장을 뛰게 한다. 그는 조심스럽게 감동하여, 자신의 고유한 본성이 지닌 위엄을 느끼게 된다."[230]

그렇다고 해서 아름다움과 숭고함이 물과 기름처럼 나뉘는 것은 아니다. 비극 안에도 아름다움이 있고 희극 안에도 고상함이 있듯이, 사람의 본성에서 미

---

229. 임마누엘 칸트, 이재준 옮김, 『아름다움과 숭고함의 감정에 관한 고찰』(책세상, 2005), 30~31쪽.

230. 위의 책, 22쪽.

와 숭고의 감정이 한데 뒤섞이고 또 상보작용을 일으킨다. "두 가지 감정을 자기 안에서 하나로 조화시킨 사람들은 숭고함의 감동이 아름다움의 감동보다 훨씬 더 강력하다는 점과, 그리고 아름다움에서 비롯한 감동의 수반이나 변형이 없다면 숭고함의 감동도 사라져 버리고 그 즐거움 또한 오래갈 수 없다는 점을 알게 될 것이다."[231]

숭고와 미에 대한 칸트의 논의를 길게 말하는 이유는, 그것이 한국의 도덕에 대한 전병훈의 진술을 미학적 차원에서 보충하기 때문이다. 한국 사람으로 선죽교의 핏자국이 상징하는 정몽주의 죽음을 모르는 이는 거의 없다. 그런데 숭고한 도덕을 표상하는 14세기의 이 오래된 사건이 어떻게 그처럼 오랫동안 사람들의 기억에 남았던 것일까?

어떤 역사기록이나 진지한 윤리학 텍스트보다, 누구에게나 익숙한 이방원의 「하여가何如歌」와 정몽주의 「단심가丹心歌」 같은 저명한 시가詩歌로 이야기의 절조가 고양됐다는 데 주목할 필요가 있다. 시가의 절제된 미학과 선죽교의 혈흔 같은 이미지에 비극적 숭고의 정감이 수반되었다. 즉 칸트의 말처럼 '아름다움에서 비롯한 감동의 수반이나 변형'이 있었고, 그리하여 숭고함의 감동이 더 오랫동안 더 강렬하게 지속되었다.

이런 사실은 정몽주처럼 '의로운 사람'의 죽음에서 사람들이 느끼는 숭고의 감정이 도덕적이기 전에 먼저 미학적인 것임을 암시한다. 이런 미학적 숭고의 감정은 평온한 도덕에 비해 한층 격렬한 충동을 야기한다. 그것은 특히 시련기에 사람들의 내면에 천둥번개를 일으킨다.

이와 관련해, 조선의 역사에 유독 비극적인 도덕의 자취가 선명하다는 사실이 흥미롭다. 아직 전부를 살피지는 않았지만, 정몽주를 위시해서 전병훈이 호명하는 도덕가의 태반이 절의를 지키다가 죽음을 맞거나 고난을 겪는 인물들이다.

그 밖에도 널리 알려진 사육신死六臣과 생육신生六臣, 절세의 영웅이자 비극

231. 위의 책, 21쪽.

적 운명의 주인공인 이순신, 그리고 임진왜란에서 일제강점기까지 불의에 분연히 맞서 희생한 의병과 열사들이 헤아릴 수 없이 많이 회자된다.

어쩌면 한국인의 민족적 특성이 숭고함의 도덕적 충동(pathos)에서 다른 민족과 구별된다고 말할 수 있을지조차 모른다. 이른바 '한恨의 민족', 모호하지만 파토스적인 짧은 묘사가 그런 숭고와 도덕의 정감을 함축하는 것은 아닐까?

세종대왕과 황희: 도덕 에토스

그러나 다시 칸트의 말을 빌리자면 "숭고함의 느낌은 영혼의 힘을 더욱 강력하게 확장시키기 때문에 곧 지치게 한다."[232] 숭고로 격앙된 충동은 일상의 성실성을 기반으로, 안정되고도 일반적인 도덕적 성격(ethos)으로 안착되어야 한다.

세종대왕은 조선왕조에 그런 도덕적 에토스를 안착시켰던 군주라고 할 수 있다. 서우는 "세종대왕의 하늘을 본받은 도덕, 문물을 제작한 성스러운 지혜가 삼대 이후의 군주 가운데 서로 견줄 바가 없을 만큼 뛰어난 것"이라고 칭송했다. 다만 세종의 덕업을 뒤의 '정치철학' 편에서 상세히 논하므로, 평론이 더 이상 길지는 않다.[233]

하지만 세종대왕은 한국 도덕의 역사에서 '네 번째 철리·도덕의 진화'를 이룬 주인공으로 지목될 만큼 중요하다. 서우에 의하면, 단군에서 처음 비롯된 한국의 도덕은, 기자에서 '두 번째 원천철리·도덕의 진화'를 거쳤다. 왕인이 '세 번째 문덕文德의 진화'를 이루고, 세종대왕에 와서 다시 네 번째로 진화했다. 물론 그 사이에 동명왕·을지문덕·설총, 고려 말의 신진사대부들에 이르기까지 여러 도덕가들이 함께 거론되었다.

유교 성리학의 협소한 계보학적 시야를 벗어나, 한국의 도덕을 이렇게 장구하고도 다채롭게 진술한 조선의 학자는 일찍이 드물었다. 더구나 앞서 살폈듯

---

232. 위의 책, 137쪽 주 5.

233. 世宗之體天道德, 制作之聖智, 非三代以下之君相所可比擬者. 而再詳於禮治篇也. 『통편』, 206쪽.

이, 서우는 유교와 도교를 넘나들며 중국 역대의 수많은 도덕가들을 논평했다.

그렇지만 전설적인 옛 제왕의 시대 이후에, 군왕이 한 시대의 도덕을 표상한 사례는 거의 없었다. 중국과 한국을 통틀어서, 그런 도덕군주는 세종대왕이 가히 유일무이했다. 한편 황희黃喜(1363~1452)는 세종의 이런 황금시대를 뒷받침한 명신으로 유명하다.

> 황희 정승은 경륜과 도덕을 갖추고, 성군의 뜻을 받들어 순종하며, 문물의 제작을 보좌했다. 그러면서도 자기를 굽혀 선비들에게 자기 몸을 낮췄다. 정승의 지위에 있으면서도, 늘 몸을 굽혀 초가의 가난한 선비 아무개들을 방문했다. 이로부터 선비들의 기상이 부쩍 일어났다. 역시 어진 재상으로, 겸손한 덕을 갖춘 사람이라고 말할 수 있다.[234]

황희는 고려 우왕 때 문과에 급제해 벼슬길에 올랐다. 그러나 조선이 개국하자, 청년 황희 역시 세상을 비관하고 두문동에 몸을 숨겼다. 하지만 그런 숭고한 도덕적 절조는 훗날 지혜로운 늙은 재상의 온화한 도덕으로 변형된다.

숭고한 도덕의 파토스가 지배하던 격동기의 정감이 역사상 유래 없는 태평성대의 에토스로 전환된 시대, 황희는 세종시대의 그런 도덕적 안착을 표상하는 '더없이 어진 재상'의 후덕한 아이콘이 되었다. 하여 조선이 유교이념에 입각한 역사상 유래 없는 도덕의 왕국으로 그 기틀을 다졌다.

조광조, 이황, 이이: 도덕 로고스

남은 것은 이제 도덕의 이념을 완성하려는 로고스logos의 충동이다. 그런 도덕 이념의 시대를 연 주역은 누가 뭐래도 조광조趙光祖(482~1519)였다. 새삼 강조할 필요가 없이 조광조는 조선 중기 사림의 도학정치 이상을 대표한다. 서우

---

234. 黃相國有經綸道德, 將順聖君, 輔翼制作, 而折節下士. 位在大僚, 常屈訪白屋寒士某某, 由是士氣蔚興, 亦可謂賢相之有謙德者也. 『통편』, 206~207쪽.

는 조광조에 와서 '다섯 번째 철리·도덕의 극진한 진화'[235]가 이뤄졌다고 천명했다. 서우가 말한다.

> 조정암 선생은 성현의 자질을 갖췄다. 영민하고 순수한 용모에 윤택과 광채가 넘쳐흘렀다. 사람들이 한번 바라보기만 해도, 그가 도를 이루고 덕이 섰음을 알았다. 항상 요순 같은 군주와 백성의 시대를 열고자 자임하며, 날마다 경연經筵에서 강의하였다. 대사헌이 되어 3일간 정사를 보자, 길 가는 사람이 땅에 떨어진 물건을 줍지 않았고, 남녀가 다른 길을 걸었다. 요순의 정치를 며칠 만에 볼 수 있었다.[236]

하지만 조광조는 이상을 좇는 급격한 개혁을 추진하다가 끝내 기묘사화로 희생당한 비운의 개혁가였다. 그리하여 정몽주가 망국의 통한을 품은 충절의 전설로 남았다면, 조광조는 목숨을 걸고 현실에 도의를 실천한 이상적 도덕주의자의 표상이 되었다. 그리고 16세기의 사림은 정몽주·길재吉再·김숙자金叔滋·김종직金宗直·김굉필金宏弼을 거쳐 조광조로 이어지는 도통의 계보를 확립했다.

조선의 모든 유학자들과 마찬가지로, 서우 역시 이 계보를 존중했다. 그는 조선 성리학의 큰 흐름을 이렇게 술회했다. "동한의 철리·도학이 포은(정몽주)과 정암(조광조)으로부터 퇴계와 율곡 두 선생에 이르러 크게 천명된 뒤에, 온 나라의 학문과 도덕이 지극히 발달했다."[237]

한국 성리학에 기초적인 식견이 있다면, 누구라도 한번은 들었음직한 교과서적인 진술이다. 특히 퇴계와 율곡이야 한국의 지폐에 그 초상이 새겨질 정도로 고명한 위인들이 아닌가. 한데 그런 대학자들에 대한 배려치고는, 서우의

---

235. 第五番哲理道德極進化. 『통편』, 207쪽.
236. 趙靜菴先生, 具聖賢之資質. 英粹德容, 盎然玉潤金精. 人一望之, 知其爲道成德立也. 常自任以堯舜君民, 日講經筵. 及其爲大司憲, 行政三日. 途不拾遺, 男女異路. 唐虞之治, 指日可覩矣. 『통편』, 207쪽.
237. 東韓之哲理之道學, 自圃隱·靜奄, 以至退栗兩先生大闡之以後, 通國之學問道德, 極其發達. 『통편』, 208쪽.

평론이 심히 조촐하다. 다만 아래 구절을 인용하는 데에 그친다.

> 이퇴계 선생이 말했다. "도의 본체가 일상생활 간에 유행하여 잠시도 쉬지 않는다. 그러므로 반드시 마음을 써야 할 일이 있으니, 한시도 잊지 않아야 한다. 터럭만큼이라도 스스로 제멋대로 처리하기를 용납지 않아야 한다. 그러므로 모름지기 미리 기대하지 않고, 조장助長하지도 않는다. 그런 뒤에야 마음과 이理가 하나가 된다. 그리고 내 안에 있는 도의 본체가 이지러지지 않고, 막히지도 않는다."
>
> 또한 말했다. "부귀는 얻기 쉽지만, 명예와 절조는 지키기 어렵다. 말세의 문란한 풍속은 쉽게 일어나지만, 공부의 험난한 길은 다 마치기 어렵다."[238]

> 이율곡 선생이 말했다. "'도학'이란 사물의 도리를 밝히고, 지식을 얻어(格致) 착함을 밝히며, 참된 뜻과 올바른 마음(誠正)으로 그 몸을 닦는 것이다. 공부를 몸에 온축하면 하늘의 덕(天德)을 이루고, 이를 정사에 베풀면 왕도王道가 된다. 저들 글만 읽으며 실천이 없는 자들이야, 말하는 앵무새와 무엇이 다르겠는가?"[239]

한데 이런 정도의 언급에 그친다고 해서, 서우가 퇴·율에 무심했다고 생각하면 그건 오판이다. 서우는 퇴계와 율곡을 매우 존숭했다. 또한 그런 대학자들을 낳은 조선의 학문과 문화 전통에 큰 자부심을 지니고 있었다. 다만 퇴·율의 이론을 빌미로 공리공담을 일삼고 교조주의에 빠진, 그런 조선 후기 성리학

---

238. 李退溪先生曰 "道體流行於日用之間, 無有頃刻停息. 故必有事焉而勿忘, 不容. 毫髮安排, 故須勿正與助長, 然後心與理一, 而道體之在我者, 無虧欠, 無壅遏矣." 又曰 "富貴易得, 名節難保. 末俗易高, 險塗難盡." 『통편』, 208쪽.

239. 李栗谷先生曰 "道學者, 格致以明乎善, 誠正以修其身. 蘊諸躬則爲天德, 施之政則爲王道. 彼讀書而無實踐者, 何異於鸚鵡之能言哉." 『통편』, 208쪽.

의 병폐를 미워했다.

율곡 역시 단지 글만 읽으며 실천하지 않는 앵무새 지식인을 책망했다. 어쩌면 그것은 서우가 조선의 속유俗儒들에게 던지고 싶은 질책이었는지도 모른다. 그는 퇴계와 율곡을 비현실적인 희론戲論의 효시가 아니라, 누구보다 자신에게 엄격했던 도덕실천가의 본모습으로 되돌리고자 했다.

그러므로 서우는 퇴계와 율곡의 각별한 도덕실천 태도를 부각시켰다. 윗글을 찬찬히 새겨보면, 성실하고도 진지하게 도의를 구현하는 도덕실천가의 면모가 잘 전해진다. 한시도 허튼 마음을 허용치 않고 진중하게 도덕을 실천하는 퇴계의 풍모가 선연하다. 착한 덕성과 몸가짐을 닦고, 올바른 도의를 정치에 구현하려는 율곡의 영명한 기상 역시 뚜렷하다.

서우는 주자학에 과도하게 편중됐던 조선 지식계의 이념적 폐쇄성을 단호하게 비판했다. 하지만 찬연한 도덕문명에 대한 자부심과 아쉬움, 영광과 좌절의 기억이 또한 그의 흉중에서 희비의 쌍곡선을 그리며 교차했다. 그런 감회가 다음과 같은 언명에 잘 나타난다.

> 갓 쓴 선비와 경전을 외우는 선비로, 도를 이뤄 덕을 세운 자가 나라에 거의 빽빽했다. 그 문채가 찬란한 문명도덕은, 공자 이래 비록 정주程朱가 학문을 창도함이 번성했지만, 역시 (조선에는) 미치지 못할 것이다.
> 그러나 전적으로 정주의 학문을 숭상함이 너무 지나쳤다고 말할 수 있다. 진실로 여기에 도교와 철학을 더하고 아울러 새로운 사상을 겸해서 탐구하면, 곧 원만한 덕을 이룰 수 있다. 아! 역시 늦은 것인가. 어째서인가?[240]

조선의 도덕문명이 주자학의 본향인 중국보다 결코 뒤지지 않았다. 그럼에도 불구하고 주자학 일변도의 병폐가 지나쳤다. 이는 우물 안에 갇힌 조선의

240. 冠儒誦儒, 道成德立者, 殆遍國中. 其斌蔚之文明道德自洙泗以來, 雖洛閩唱學之盛, 亦恐不及也. 然專尚程朱之學, 可謂已甚. 苟於斯若加以道哲, 幷新思想以兼至焉, 則可成圓德矣. 噫! 亦晩矣, 何哉? 『통편』, 208쪽.

유학자들이 마땅히 새겨야 할 비평이었다. 전병훈은 사대에 치우쳐 주체를 망각하고, 교조화한 이념으로 타자를 배제한, 그리하여 결국 유교 자신과 다른 학문 전부로부터 소외된 조선 성리학의 병폐를 안타까워했다.

서우는 조선의 학문과 문화에 누구보다 정통했다. 그러면서도 대승적 철학의 안목에서 조선 유학을 돌이켜 보았으므로, 고언苦言을 던질 수 있었다. 그는 유교 본래의 실천성을 회복하는 동시에, 다른 이념과 학문의 장점을 수용해야 한다고 언명했다. 그리하여 조선의 도덕문명에 대한 자부, 교조적 독단에 대한 비판, 그리고 유교 밖의 타자에 대한 허용이 함께 토로되었다.

퇴계·율곡을 정점으로 고조된 조선의 성리학은 점차 비현실적인 사변에 갇혔다. 그러면서도 조선은 일찍이 동아시아에서 유래가 없던 예치禮治의 실현을 추구했다. 그러니 숭고한 도덕의 열정과 관념의 속박이 혼재하던, 그런 역사상의 한 시대를 단번에 전면 긍정하거나 혹은 전면 부정하는 게 능사는 아닐 것이다.

조선 중·후기의 도덕

서우는 긍지와 반성이 교차하는 시선에서 조선의 도덕문명을 냉철하게 평론했다. 그리고 내우외환에 시달린 조선 중후기의 역사에서, 다음과 같은 인물들을 다시 도덕의 귀감으로 호출했다.

이원익李元翼(1547~1634)은 선조·광해군·인조로 이어지는 격동기에 여섯 차례나 영의정을 지내며, 임진왜란·인조반정·정묘호란 등의 국난을 수습한 지혜롭고도 청렴한 경세가였다. 서우는 이원익과 함께 이항복李恒福(1566~1618) 등을 거론하며 "지혜를 모아 잘못을 바로잡고, 다시 나라의 기틀을 세운 것이 여러 현인들의 도학의 힘"[241]이었다고 평가했다.

거듭된 전란 뒤에 가까스로 안정을 되찾은 17세기 후반에는, 김창협金昌協(1651~1708)의 도학이 "가장 정밀하고 깊으며 공평했다"[242]고 찬상했다. 당시

241. 僉謀匡救, 再奠邦基者, 乃羣賢道學之力也. 吁亦韙哉! 『통편』, 209쪽.
242. 惟此金先生之道學, 最精深公平也. 『통편』, 209쪽.

퇴계와 율곡의 이기설을 앞세워, 갈라진 붕당 간에 반목이 극심했다. 김창협은 이론적 극한 대립의 난맥을 조정하며 절충을 시도했다.

한편 서우는 조선 후기의 중흥군주로 영조英祖(1694~1776)를 호명했다. 더 나아가 "이씨 조선에 현명하고 성스러운 임금 6~7명이 일어나 덕과 예의 정치를 다했다"[243]고 군왕의 덕업을 보충하기도 했다. 한편 18세기 후반에서 19세기 초반까지는, 영조에서 순조 때의 명신인 김재찬金載瓚(1746~1827)의 사례를 소개했다.

> 김재찬이 말했다. "임금은 불과 같다. 멀리하면 너무 차갑고, 가까이하면 너무 열기가 뜨겁다. 요령은 멀지도 가깝지도 않은 데 있다. 임금의 그릇된 마음을 바로잡는 데 힘쓰면, 그것이 곧 제 몸을 돌보지 않고 충성하는 도이다." 항상 그 자제들에게 경계해 말했다. "어찌 자기 몸을 바로잡지 않고, 능히 그 임금을 바로잡을 수 있겠느냐?"[244]

서우는 김재찬이 "최근 동한의 명재상으로 강직하게 임금을 바로잡은 일이 아주 많다"고 소개했다. 정성스럽기가 한결같고 덕이 바른 '고상한 현인'이라고 칭송했다.[245] 19세기 후반 조선 말의 명신으로는 고종 때에 좌의정을 지낸 신응조申應朝(1804~1899)를 들었고, 학자로는 서우 본인이 수학한 박문일朴文一(1822~1894)을 도덕의 사표로 꼽았다.[246]

하지만 19세기 조선의 선비들은 이미 명운이 다한 왕조의 마지막 폭풍전야에 서 있었다. 19세기 말에서 20세기 초, 도덕의 버팀목은 다시 망국의 한을 품은 비운의 열사들에게 넘어간다. 고종의 헤이그 밀사로 유명한 이상설李相卨

243. 李朝賢聖之君, 六七而作, 以盡德禮之治. 『통편』, 210쪽.

244. 金相國(載瓚)曰 "君猶火也, 遠之則太冷, 近之則熱鬧. 要在不遠不近, 務格其非心, 乃匪躬之道也." 嘗誡其子弟曰 "安有不正其身而能正其君者乎?" 『통편』, 210쪽.

245. 公爲最近東韓之名相, 抗直正君之事甚多. 誠一正德哲學之高賢哉! 『통편』, 210쪽.

246. 朴先生是蘗溪李丈恒老之淵源也. 余曾請教, 瞻其動靜語嘿之間, 天理流行, 眞是道成德立之師表. 其門人殆近三千, 嗚乎! 盛哉. 『통편』, 211쪽.

(1870~1917)은 연해주로 건너가 독립운동에 투신했다가 사망했다.[247]

서우가 통탄했다. "이군은 학문이 신구에 통하고, 진심으로 애국을 했다. 나이 50세가 되기 전에 비분강개하며 이국땅에서 죽었다. 아! 슬프다." 한편 이성렬李聖烈(1865~?)은 경상도 순찰사 등을 지냈으며, 을사조약 후에 의병을 규합하다가 발각돼 자결했다.

서우는 이상설과 이성렬 두 사람에게 슬픈 '천고의 지음(千古知音)'이라는 헌사를 보냈다. "두 이군의 철리도덕의 학문이 그처럼 숙성夙成했으며, 천고의 지음이 일거에 일어났다. 슬프다. 아!"[248]

고려 말 정몽주부터 일제강점 초의 열사들까지, 전병훈은 5백여 년 동안 명멸했던 도덕의 화신들을 위와 같이 열거했다. 물론 그들은 무수한 도덕가를 배출한 조선의 도덕문명에서 극히 일부의 사례에 불과했다. 서우는 조선의 문헌이 부족해서 더 소상히 진술하지 못하는 것에 아쉬움을 표했다.

> 동한의 문헌이 수백 권이지만, (조선을 떠나오면서) 휴대할 수가 없었다. 그러므로 단지 만 가지 가운데 하나만 기억해 간략히 기재하는 것이니, 실로 겸연쩍다.[249]

한데 여기서 상기할 점은, 이런 글이 실린 『정신철학통편』이 20세기 초 중국 북경에서 출판됐다는 사실이다. 한국의 역사와 문화에 어둡고, 더구나 종주국 의식마저 가진 중국 지식층이 서우의 제자들이었다. 또한 그가 저술한 책의 주된 독자층이었다. 그러므로 서우는 조선의 도덕전통에 대해 핵심적이고도 균형 잡힌 서술을 하려고 공들였다.

그 과정에서 조선이 세상 어디에도 뒤지지 않는 도덕문명국이었다는 긍지를 내보였다. 그러면서도 냉철한 비평의 시선을 거두지 않았다. 실천적 귀감이

---

247. 李君學通新舊, 眞心愛國. 年未五旬, 慷慨以終於異域. 烏乎! 悲夫. 『통편』, 211쪽.
248. 兩李君哲理道德之學, 如彼夙成, 而遽作千古知音. 悲夫, 嗚乎. 『통편』, 212쪽.
249. 東韓文獻數百卷, 而未克攜帶. 故只此萬一記憶, 以略載者, 誠歉然也. 『통편』, 207쪽.

되는 사례를 주로 발굴한 것은, 중국과 한국의 도덕을 진술하는 데서 일관된 문법이었다. 본 단락의 서술을 마감하며, 끝으로 조선의 도덕문명에 대한 서우의 총평을 소개한다.

> 조선의 입국은 전적으로 덕과 예의 정치에 의거했다. 주나라 전성기의 미덕과 같으며, 면면히 5백 년의 장구한 역사를 이었다. 하지만 글에만 치우쳐 나약해진(文弱) 극치에서, 유신을 하여 과학과 물질을 아울러 다스리지 못했다. 그러니 나라를 어찌 능히 보존할 수 있었겠는가?
> 하지만 조정암(조광조)의 신묘한 덕화와 예치의 구비, (정조 때의) 『향례합편』 반포, 율곡의 『성학집요』, 유형원의 『반계수록』 등과 같은 경제·도덕의 서적이 있다. 장차 세계가 대동하는 날, 어찌 모범으로 채택되지 않으리라고 장담할 수 있겠는가?
> 아! 위에서 살핀 군주와 재상, 이름난 현자들이 모두 덕행을 실제로 징험했다. 그리고 이학理學과 예학(禮儒)의 저작이 고려 말보다 갑절이나 많았다. 아! 물질문명의 시대에 한국이 오로지 홀로 예치문명을 실행한 것이다. 어찌 동주 이후의 일대 징험이 아니겠는가? 단군과 기자가 겸성兼聖했던 기풍이 오래도록 변치 않은 것이 이와 같다. 아![250]

5. 서양의 도덕철학

앞서 살핀 정신철학과 심리철학 그리고 뒤에서 살필 정치철학도 그렇지만,

---

250. 朝鮮之立國, 專以德禮爲治, 有如成周之美, 而綿至五百年之久. 文弱之極, 不能維新而兼治科學物質, 則國何能存乎? 然如趙靜菴神化禮治之具, 頒敎『鄕禮合編』, 栗谷『聖學輯要』, 柳馨遠『磻溪隨錄』等經濟道德之書, 將於五洲大同之日, 安知不取作模範乎? 噫! 以上君相名賢皆實驗德行, 而惟理學禮儒之作倍勝於麗季. 嗚乎! 物質文明之會, 韓惟獨行禮治文明者, 詎非東周以後之一大可驗者乎? 信乎檀·箕兼聖之風氣, 久而不渝者如是哉. 噫! 『통편』, 212쪽.

서양의 도덕철학을 논하며 전병훈은 고대 그리스의 3대 철학자와 칸트에 특히 주목했다. 한편 몽테스키외와 벤담 등을 논평했으며, 19세기 후반 독일의 철학자였던 파울젠Friedrich Paulsen(1846~ 1908)의 윤리학 이론에 각별히 주목하기도 했다.

고대 그리스 3대 철학자의 도덕철학

소크라테스

서우가 서양의 도덕철학을 진술하는 순서에 따라, 소크라테스부터 논의를 시작하기로 하자.

> 소크라테스가 말했다. "천지간에 만물이 벌여 있으나, 반드시 '절로 있는 하나의 큰 지혜'로 만물의 질서를 정리하고, 이로써 지극히 선한 경지로 이르게 됨이 틀림없다." 또한 말했다. "사람이 만약 도덕의 학문에서 일단 터득하는 바가 있다면, 비록 악하려고 해도 다시는 그렇게 되지 못한다. 저들 세상 사람이 악인이 되는 까닭은, 모두 선이 선하게 되는 연유를 진실로 모르기 때문이다."[251]

이는 도덕의 기원에 관한 진술이다. 여기서 '절로 있는 하나의 큰 지혜'란 곧 신의 지혜를 가리킨다. 앞서 '정신철학' 편을 주의 깊게 읽은 독자라면 기억할 것이다. 소크라테스가 말했다. "절로 하나의 큰 지혜가 있는 자가 존재하니, 그가 곧 이른바 '신'이다."[252]

도덕은 이런 신의 지혜, 즉 우주에 본래부터 있는 하나의 큰 지혜로부터 비

---

251. 梭格拉底曰 "天地間庶物羅列, 必自有一大智慧以整理之, 使以達於至善之境, 無疑矣." 又曰 "夫人若一有得於道德之學, 即雖欲爲不善, 不可復得也. 彼世人之所以爲不善者, 皆由不眞知善之所以爲善故耳." 『통편』, 212~213쪽.
252. 自有一大智慧者存也, 此即所謂神也. 『통편』, 129쪽.

롯된 것이다. 서우의 문법에서 말하자면, 곧 '하늘에서 근원하는 도덕(원천도덕)'에 다름 아니다. 소크라테스가 평생 자기 안에서 울리는 신의 목소리 혹은 내면의 속삭임(daimonion)을 들었다는 것은 유명하다.

소크라테스가 말한다. "(다이모니온은) 어릴 때부터 시작된 것이며, 어떤 음성으로 나타난다. 그것이 나타날 때는 내가 무엇을 하려고 할 때 그 일을 하지 못하게 만류하지만, 어떤 일을 하라고 재촉하는 일은 절대로 없다."[253] 그것은 "죽음을 조금도 두려워하지 않고, 부정한 일이나 불의한 일을 절대로 하지 않도록"[254] 마음을 쓰게 만든다.

소크라테스는 대단히 합리적인 사람이었다. 하지만 이런 '내적 속삭임'은 단지 사변적인 이성의 한계를 넘어선다. 그것은 비록 초현실적이었으나, 소크라테스의 도덕적 실존에서는 본질적인 계기였다. 다이모니온은 자유의지를 구속하지 않지만, 옳지 못한 일에는 금지를 명령한다. 그것은 따르지 않을 수 없는 양심의 목소리였으며, 사람을 지극히 선한 경지로 이르게 하는 근거였다.

서우의 문법으로 말하자면, 다이모니온은 곧 인간에게 내재된 우주적 정신(元神)의 발로에 다름 아니다. 그것은 곧 언제나 도덕을 구현하라는 내적 본성(양심)의 명령이었다. 윗글에서 이른바 '절로 있는 하나의 큰 지혜'란 천지만물에 깃들어 온 우주와 하나로 통하는 신, 즉 정신철학상의 '원신'을 떠오르게 한다.

그런 원신이 사람의 뇌 안에 일단 순수하게 응결되면, 악해지려고 해도 결코 악할 수 없다. 소크라테스 이전에, 서우 자신이 누구보다 명확하게 그런 사실을 이해하고 있었다. 따라서 그는 자기의 정신적 체험을 기반으로 소크라테스의 도덕에 공감을 표했다. 서우가 말한다.

> 소크라테스는 과연 서양철학에서 이미 성인의 지위에 이른 자이다. 여기 도덕의 제반이론을 보면 알 수 있다.[255]

---

253. 플라톤, 최명관 옮김, 「소크라테스의 변론」, 『플라톤의 대화편』(창, 2008), 51쪽.
254. 위의 책, 52쪽.
255. 梭氏果是西哲之學已到聖人地位者, 觀此道德諸論可知矣. 『통편』, 213쪽.

소크라테스는 모든 악이 무지에서 비롯된다고 보았다. 윗글에서도 "세상 사람이 악인이 되는 까닭은, 모두 선이 선하게 되는 연유를 진실로 모르기 때문"이라고 한다.

지식이 곧 덕이라는 사상은 소크라테스 윤리학의 현저한 특징이다. 만약 최상의 지식이 있다면, 반드시 덕(aretē)을 얻게 된다. 그리하여 모든 학문이 최고도로 숙성하는 지점에 이르면, 그 지식은 곧 덕으로 완성된다. 이런 지덕일치 사상에 전병훈 역시 주목했다.

> (소크라테스가 말했다.) "학문의 길이 여러 종류의 취지에 따라 구별되고 분류된다. 착함(善)이란 그 최상에 거하며, 다른 것과 서로 뒤섞이지 않는다. 행위를 할 때에 비록 선을 등지려고 해도 역시 그럴 수 없다면, 반드시 덕 있는 사람이 될 수 있다. 그러므로 '학문이 이미 숙성하면 곧 도덕이 장족으로 발전한다'고 한다."[256]

윗글에 따르면, 소크라테스는 학문의 다양성을 인정했다. 하지만 여러 종류의 학문 어디에나 선善에 대한 지식이 있으며, 그것이 모든 학문의 잡다한 지식들 가운데서 언제나 최상의 가치를 점한다. 그러므로 어떤 분야든 그 학문이 성숙한다는 것은, 다시 말해 곧 선에 대한 지식이 무르익는다는 것을 의미한다. 그런 문맥에서 서우는 "'정의'와 '덕행'이 모두 지식"이라는 소크라테스의 언명에 주목했다.[257]

예를 들어 히포크라테스Hippocrates(BC 460~377)의 저명한 선서를 토대로 1948년 세계의사협회에서 제정한 '제네바 선언'을 상기해 보자. 이 선서는 "이제 의업에 종사할 허락을 받으매, 나의 생애를 인류봉사에 바치기로 엄숙히 서약하노라"는 저명한 문구로 시작한다.

---

256. 學問之道, 因諸種義旨而區別分類. 其善者則居之最上, 互不相混. 當其行爲之際, 雖欲背之, 亦不可得, 必能爲有德之人矣. 故曰學問既熟, 則道德長進. 『통편』, 213쪽.
257. 梭氏又曰 "夫正義及德行者, 皆乃知識也." 『통편』, 213쪽.

그리고 스승에 대한 존경과 감사, 의술을 베푸는 데 필요한 양심과 위엄, 환자의 건강과 생명의 우선, 환자 비밀의 준수, 전통과 명예의 보존, 동업자와의 신뢰, 환자에 대한 의무, 생명존중과 인도주의 원칙 등을 단호한 어조로 천명한다.

그런데 소크라테스의 문법대로라면, 이 선언이야말로 의학의 가장 본질적인 상위의 지식에 속하는 것이다. 의사를 의사로 만들어 주는 근본원리는 의료기술을 넘어, 오히려 선서에 포함된 지식에 있다. 의료인 누군가의 의학이 무르익는다는 것은, 곧 이 선서에 나타난 '선에 대한 지식'이 원숙해짐을 의미한다.

역으로 말해, 아무리 의료기술이 뛰어나도 의학적인 '선에 대한 지식'을 등진다면 그의 학문이 아직 미숙한 상태에 있다. 하지만 이는 어디까지나 소크라테스의 문법에 따라 '제네바 선언'의 의미를 되새겨본 것이다. 위의 선서를 한갓 '선언' 이상의 지적·제도적·직업적 의무로 준수하는 의사는 오늘날 거의 멸종했다.

그럼에도 불구하고, 십중팔구로 의료장사꾼이 된 20세기 의사들의 선언에 고대 그리스의 철학적 유산이 어른거리는 것은 경이로운 일이다. 오늘날 대부분의 분과학문들이 도덕의 책임에서 자유롭기를 원한다. 하지만 인류의 오랜 지식의 역사에서 볼 때, 그것은 사실 아주 최근의 동향에 지나지 않는다.

앎이 도덕과 분리되지 않는다는 생각은, 단지 소크라테스에 그치지 않고 보편적 인류에게 대단히 오래된 신념의 일부였다. 비록 도덕의 근거와 정당성을 뒷받침하는 각론이 달랐다고 해도 말이다. 두말할 나위 없이, 동아시아에서도 지식과 도덕의 일치는 대단히 현저했다.

그러므로 서우는 소크라테스가 "'지극한 선'을 위주로 지혜·믿음·정의·용기·과욕寡慾과 함께 도덕을 말했다"고 한다. 또한 그것이 공자 이래 유학의 학설과 딱 들어맞는다고 찬탄했다.[258]

하지만 지식이 분화하고 전문화된 근대학문의 발전과정에서, 지知·덕德의

---

258. 梭氏言道德, 主至善, 與智信義勇寡欲者, 誠與吾師儒之說脗合. 吁, 亦韪哉! 『통편』, 214쪽.

일치를 추구하는 유구한 전통이 뿌리째 흔들렸다. 그 가운데서도 심각한 사례의 하나가 어쩌면 법률과 도덕의 부조화일 것이다. 이에 관해 서우는 소크라테스의 언명을 상기시켰다.

> 소크라테스가 또한 말했다. "당신들은 과연 이 법률이 누구의 손에서 나왔다고 여기는가? 이는 신이 확정하고, 이로써 우리 인간에게 명한 것이다." 또한 말했다. "사람이 정한 문자로 된 법률은, 이를 범해도 법망에 걸리지 않는 자가 아주 많다. 신이 정한 문자가 없는 법률은, 이를 범하면 반드시 도망갈 데가 없다. 신이 바야흐로 이 법률을 만들 때 일찌감치 이미 여기까지 계산하여, 도피할 수 없도록 하였다. 이 법률이란 곧 '선'이다.
> 만약 이를 범하면, 그것이 곧 악(不善)이다. 악을 행하면 반드시 응보를 받는다. 단지 이르고 늦은 차이가 있을 뿐이다. 법률을 확정하고, 사람들로 하여금 그 벌을 피할 수 없게 한다. 인류의 위에 더 높은 자가 아니라면 그것이 어찌 능히 이와 같을 수 있겠는가?"[259]

그런데 윗글은 출처가 불확실하다. 소크라테스가 이처럼 분명하게 신이 정한 불문법(unwritten law)과 인간이 정한 성문법(written law)을 구분했다는 근거는 취약하다. 위 구절은 여러 단계의 중역重譯과 오역誤譯을 거치면서, 소크라테스의 말로 와전된 것으로 추정된다. 그렇다고 해서, 거기 담긴 사상이 소크라테스와 전혀 무관한 것은 아니다.

소크라테스가 인위적인 실정법보다 더 높고도 고귀한 신의 소리, 도덕적 선의 명령을 따랐던 것은 분명한 사실이다. 이런 사상은 그의 제자인 플라톤과

---

259. 梭氏又曰 "汝果以此法律, 出自誰手乎? 是爲神所著定, 以命於吾人者也." 又曰 "人所定有字之法律, 犯之而不羅罪者甚多. 若神所定無字之法律, 則犯之, 必無所逃矣. 蓋神方作此法律之時, 早已計及於此, 而使之不能逃避也. 夫此法律者乃善也. 苟有犯之, 是爲不善也. 爲不善則必獲報, 惟在早晚而已. 夫著定法律, 而能使人不能避其罰, 非高出人類之上者, 其能如是乎?" 『통편』, 214쪽.

아리스토텔레스에게 이어져 그리스 고대 자연법 철학의 전형을 확립했다.

플라톤은 인간이 정한 법률 너머에 있는 숭고한 법의 이데아를 말했고, 아리스토텔레스 역시 어디서나 항상 똑같은 효력을 지니는 자연법의 존재를 역설했다. 불문법과 성문법의 개념을 처음 사용한 것도 (소크라테스가 아닌) 그들로 추정된다.

그런데 벤저민 슈워츠Benjamin I. Schwartz(1916~1999)가 말하듯이, 유가의 신념 역시 본질적으로 일종의 '자연법'이다. 예禮는 자연법과 마찬가지로 스스로 법령을 공포하지 못한다. 옛 성인들이 사회질서를 탄생시키기 위해 했던 것은 예를 임의적 제도로 '창안'한 것이 아니라, 끈질긴 사유과정을 통한 예를 '발견'한 것이다.

여기에서 우리가 플라톤이 말한 영원한 이데아까지 떠올릴 필요는 없다. 그러나 어떤 의미에서, '예'는 광대한 우주적 패턴의 일부이다. 그렇기 때문에 단순한 공리주의적 장치를 넘어선다. 예는 결코 임의적 관습이 아니다.[260] 서우 역시 유교의 도덕을 '원천도덕'의 자연법적 문맥으로 해석했으며, 그 연장에서 고대 그리스의 자연법 철학에 공명했다.

> 소크라테스의 이 논의는 권선징악의 의미가 극히 절실하다. 성문법(有字法律)은 불문법(無字法律)에서 근본을 취한다. 그러므로 일이 정의에 부합하는 것, 그것이 곧 '법률'이다. 또한 곧 '도덕'이다. 이 역시 옛 유학자의 학설, 즉 "도덕은 법률이 숨은 것이고 법률은 도덕이 드러난 것"이라는 설과 더불어 정확하게 서로를 밝힌다. 아! 지극하다, 서양철학이여![261]

---

260. 벤저민 슈워츠, 나성 옮김, 『중국 고대 사상의 세계』(살림, 2004), 461쪽.

261. 梭氏此論, 勸善懲惡之意極切. 蓋有字法律, 即取本無字法律也, 是以事之合於義者, 即法律也, 亦即道德也. 此亦與先儒所謂'道德者, 法律之隱. 法律者, 道德之顯'之說正相發明. 烏乎至哉西哲! 『통편』, 214~215쪽.

플라톤

소크라테스에 이어 서우는 플라톤과 아리스토텔레스를 호명했다. 먼저 플라톤에 대해 말한다. "플라톤은 서양의 성스러운 철인이다. 이제 '참된 사랑(眞愛)'과 '지극한 선(至善)'을 도덕의 목적으로 삼으니, 참으로 지극한 언설이며 성스러운 가르침이다."[262] 여기서 '참된 사랑'이란 곧 에로스eros를 가리킨다. '지극한 선'이란 곧 아가톤agathon이다. 서우는 다음과 같이 플라톤을 인용했다.

> 플라톤이 말했다. "군중의 사랑이 변덕스러운 데는 다른 이유가 없다. 그것이 지극한 선(至善)이 아니며, 감정이 지극한 사랑(至愛)이 아니기 때문이다. 통치자가 될 사람은 마땅히 층층이 올라가 사랑의 극한 지점에 이르러, 몸을 맡기는 장소로 삼아야 한다. 진실로 그렇지 않다면 그 사랑이 바람을 잡고 그림자를 따르듯이 허망하여 마침내 끝이 없을 것이니, 사물의 참됨을 사랑하지 않기 때문이다."[263]

윗글은 여러 단계를 거친 번역으로, 플라톤 본래의 텍스트와는 간극이 있다. 그럼에도 불구하고, 플라톤 윤리학의 개요를 파악하는 데는 크게 무리가 없다. 다만 이데아 설과 같은 플라톤 사상의 핵심개념을 전병훈이 충분히 이해한 것으로 보이지는 않는다.

위에서 '지극한 선'은 본래 '선의 이데아'를 함축한다. 장차 통치자가 될 사람은 반드시 참된 사랑을 배워야 한다. 그리고 선의 이데아를 사랑하는 것이야말로 참된 사랑이다. 그런 플라톤의 사상을 서우가 다음과 같이 보충했다.

---

262. 柏氏是西邦聖哲. 今以眞愛·至善爲道德之目的, 誠至言聖戒也.『통편』, 215~216쪽.
263. 柏拉圖曰 "庸衆之愛, 多所變遷. 是無他, 以其物非至善, 情非至愛故也. 爲君子者所當層累而上, 以達愛之極地, 爲安身之所. 苟若不然, 則其愛如捕風逐影, 終無窮期, 非所以愛物之眞也."『통편』, 215쪽.

> (플라톤이) 또한 말했다. "우리 사람이 사랑하는 바가 있으니, 이는 그 사물을 사랑하는 게 아니다. 반드시 따로 취하는 바가 있다. 오직 지극한 선을 사랑하는 데 이르러야, 이것이 참된 사랑이 된다.
> 그러므로 배우는 자가 일체의 사랑하는 외물外物에 대하여, 삼가 (그것을) 지극한 선이라고 인식하면 안 된다. 참으로 '지극한 선' 외에는, 모두 단지 우리의 마음과 눈(心目)을 기쁘게 하는 데에 불과하다.
> 아! 사람이 오직 마음과 눈을 기쁘게 하는 금은보화를 사랑할 줄만 알고, 참된 사랑이 있음을 모르는 것이 어찌 슬프지 않은가?"[264]

에로스는 본래 보통사람의 감각적 사랑을 의미했으나, 플라톤에 와서 '선함 자체'나 '아름다움 자체'를 향하는 갈망으로 재해석되었다. 위에서 "마음과 눈을 기쁘게 하는 금은보화를 사랑"하는 충동이란, 감각적인 욕망을 추구하는 '욕정적인 것(epithymetikon)'이다. 그것들은 결핍으로 가득하며, 단지 이데아의 그림자에 지나지 않는다. 그런 것들에 대한 사랑은 결코 아무런 덕도 되지 않는다.

참된 사랑은 '지극한 선', 플라톤의 문맥에 따르면 '선의 이데아'를 사랑하는 것이다. 그 사랑은 욕정적인 것에서 결코 생기지 않는다. 다만 '선 자체'를 동경하는 마음의 순수한 충동에서만 일어난다. 그런데 전병훈이 '사랑'과 '선'에 대한 플라톤의 언명을 길게 소개한 까닭은, 마침내 도덕과 정의에 관해 말하기 위해서였다.

이와 관련해, 앞서 "플라톤이 참된 사랑과 지극한 선을 '도덕의 목적'으로 삼았다"고 진술했던 것을 기억할 필요가 있다. 이데아인 '선 자체'는 또한 '아름다움 자체'이다. 오직 지혜로우며 덕이 있는 자만이 그런 이데아에 도달할 수 있다. 서우는 플라톤의 언명을 다시 이렇게 인용했다.

---

264. 又曰 "吾人之有所愛, 是非愛其物, 必別有所取焉. 惟至於愛至善, 斯可得爲眞愛. 故學者於一切所愛外物, 愼勿認爲至善. 誠以至善之外, 皆不過爲怡吾人心目而已. 嗚乎! 人惟知愛怡悅心目之金錢貨寶, 而不知有所眞愛者, 豈不哀哉?" 『통편』, 215쪽.

플라톤이 또한 말했다. "도덕은 '아름다움의 이데아(美之典型)'를 향한다. 그것을 사랑하면, 다시는 외형의 아름다움과 비교하지 못한다." 또한 말했다. "이른바 '정의'란 뭇 덕의 통칭(總稱)이다."

또한 말했다. "이른바 자기에게 이로움이란, 그 이로움을 사랑하는 마음을 넓혀 남기지 않음을 일컫는다. 사람이 그처럼 이로움을 사랑하면, 곧 반드시 타인의 이로움도 사랑하게 된다. 진실로 타인의 이로움을 사랑하면, 곧 반드시 타인의 몸도 사랑하게 된다. 타인의 몸을 사랑하기에 이르면, 그의 어질고 자애로우며 너그럽고 용서함이 실로 두말할 나위가 없게 된다."

다시 말했다. "정의란 사람들 각각의 이익이 될 뿐만 아니라, 또한 국가의 이익이 된다. 그리하여 뭇사람이 함께 경사스런 복의 은택을 입는다. 뭇사람의 지식과 애정 그리고 행위가 지극히 큰 (정의의) 극치로 향하지 않음이 없다. 뭇사람이 동일한 진리의 극치, 정의의 극치, 아름다움의 극치를 모두 나눠 빌리고 있다. 그러니 무릇 인류에 속한 자가 서로 합하여 하나의 큰 가족이 되는 것이다.

도덕·정치의 목적이 대개 여기에 있다. 그러므로 도덕학(道學)이란 우리 사람의 제반 정신능력을 합하는 것이고, 정치란 국가의 제반능력을 합해 하나가 되게 하는 것이다."[265]

플라톤에 의하면, 도덕은 '아름다움의 이데아'를 향한다. 또한 정의는 '뭇 덕의 통칭'이다. 하지만 위의 번역문이 플라톤의 이런 사상을 충분히 섬세하게 반

---

265. 柏氏又曰 "道德之美之典型, 其愛之, 非復形貌之美可比矣." 又曰 "所謂義者, 乃諸德之總稱也." 又曰 "所謂利於已者, 乃博其愛利之心, 而無所遺之謂也. 人能愛利如此, 則必愛他人之利. 苟愛他人之利, 則必愛他人之身. 至於愛他人之身, 是其人之仁慈寬恕, 固不待言矣." 又曰 "義者, 毋論爲人人之利益, 抑爲國家之利益, 而使衆庶共沐慶福之澤也. 衆人之知識與其愛情, 其行爲, 莫不響往彼至大之極致.(即意思) 衆人同一眞理之極致, 正義之極致, 美麗之極致, 皆有所分貸. 是則凡屬人類者乃相合, 以爲一大家族者也. 道德政治之目的, 蓋在於此也. 是故道學者, 乃合吾人精神之諸能面爲一者也. 政治者, 乃合國之諸能而爲一者也." 『통편』, 216쪽.

영하는 건 아니다. 플라톤은 인간의 영혼이 세 부분으로 나뉜다고 보았다. 또한 그것은 각각 서로 다른 덕목과 연관된다.

'이성적 부분(logistikon)'은 지혜와 연관된다. '격정적 부분(thymoeides)'은 용기와 연관된다. '욕구적 부분(epithymetikon)'은 절제의 덕과 관련된다. 이 세 부분이 각자의 덕을 발휘할 때, 그 전체로서 '정의'의 덕이 실현된다. 그게 곧 윗글에서 "정의란 뭇 덕의 통칭"이라고 하는 본래 의미다.

한데 그런 정의는 먼저 국가에서 관찰되고, 그것이 다시 개인 영혼의 특성으로 수렴된다. 지혜·용기·절제는 국가에서 각각 통치자·수호자(군인)·생산자 부류들이 제 일을 감당하기 위해 갖춰야 할 덕이다. 그 세 부류가 각자 제 일에 충실하여 나라가 정의롭게 되듯이, 개인도 영혼의 세 부분들이 각각 제 일을 하여 정의로운 사람이 된다.[266]

이 결론을 얻어 내기 위해 플라톤은 국가의 세 부류가 '자신에게 맞는 일을 하는 것'이 국가의 정의임을 밝힌 후에, 그런 패러다임이 개인에게도 적용되는 것을 입증하는 긴 논설을 펼쳤다. 그런데 위의 인용문에서는, 자기의 "이로움을 사랑하는 마음을 넓혀" 타인에게 이르도록 하는 게 도덕에 이르는 길이라고 말한다. "뭇사람의 지식과 애정 그리고 행위가 지극히 큰 극치로 향하는" 도덕의 확충을 말하고 있다.

그것은 마치 동양철학의 개념과 논술구조 위에 플라톤의 정의관을 얹어 놓은 듯하다. 확연하게도, 이는 '수신'에서 '평천하'로 나아가는 유교적 도덕의 확산을 연상시킨다. 플라톤의 초기 번역이 유교의 문법에 따라 얼마나 순치馴致되었는지가 여실히 드러난다. 어쨌거나 이로써 추정컨대, 서우가 '영혼 삼분설'을 충분히 납득한 토대에서 플라톤의 도덕론을 파악했다고 보기는 어렵다.

그렇지만 서우는 이렇게 말하기도 했다. "플라톤이 또한 지혜(哲)·용기(毅)·절제(節)·정의(正)를 4덕으로 나누니, 대개 지나치거나 모자람이 없는 의견이다."[267] 이른바 '플라톤의 4주덕'에 관해서 말하는 것이다. 한편 "플라톤이 정

---

266. 김인곤, 「플라톤 『국가』(해제)」, 『철학사상』 별책 제3권 제8호(서울대학교 철학사상연구소, 2004), 55~56쪽.

의, 지극한 선(至善), 남을 사랑함(愛人)으로 도덕으로 삼았다"고 한다. 또한 플라톤이 말한 '이익' 개념이 곧 이용후생의 '이용利用'과 같은 의미라고 해석하기도 한다.[268]

거기에 플라톤이 없는 것은 아니다. 하지만 그것은 대개 유교의 프리즘으로 여과된 플라톤의 그림자였다. 이처럼 서우는 이해와 오해의 변곡점을 오르내리며 플라톤의 도덕철학을 조망했다. 소크라테스를 위시한 다른 서양철학자들에 대한 지식 역시 제한적이었다.

1910년대 당시 중국에 서구의 거의 모든 철학이 왕성하게 번역·소개되고 있었다. 그러나 아직 충분히 세밀한 이해의 단계에 도달한 건 물론 아니다. 그렇다고 해서, 서우가 그리스 고대 도덕철학에서 얻은 궁극적인 메시지가 근본적으로 손상됐던 것은 아니다. 서우는 플라톤의 도덕철학에서 다음과 같은 교훈을 얻을 수 있다고 귀결했다.

> 배움이 얕은 식자(淺學)들이 번번이 신·구와 공·사의 도덕을 나누고, 다중을 이롭게 하는 게 새로운 '공적인 덕(公德)'이라고 논한다. 그들이 '원천原天'의 의미와 '공사公私'의 견해에 심히 어두우니, 여러 말할 가치가 없다.[269]

전병훈은 당시에 제기된 '공덕'과 '사덕'의 구분을 비판했다. 사덕·공덕의 논변은 량치차오가 1900년대 초에 『신민설新民說』에서 제안하여, 당시 중국 지식계에 큰 반향을 불러왔다. 변법운동의 실패로 일본에 망명했던 량치차오는 요코하마에서 반월간 잡지 『신민총보新民叢報』를 발간했다. 1902년 2월 창간호

---

267. 又分哲·毅·節·正爲四德, 蓋無過不及之意也. 『통편』, 217쪽.
268. 柏氏以正義·至善·愛人爲道德, 而惟一利益之說, 即所謂利用之義也. 『통편』, 216~217쪽.
269. 淺學之士, 輒分新舊公私道德, 而論利羣爲新公德. 其昧於原天之義·公私之見甚矣, 不足多辨也. 『통편』, 217쪽.

부터 1906년 1월까지 그가 『신민총보』에 연재했던 글이 곧 『신민설』이다.

그는 일본에 도착하자마자 곧바로 당시 일본을 풍미하고 있던 국가주의에 경도되었다. 그리하여 발간한 『신민설』은, 중국의 근대적 민족국가의 건설을 목적으로 한 계몽적 텍스트였다. 거기서 량치차오는 중국인들이 근대국가의 국민으로 갖춰야 할 자격, 근대국가를 이룩할 수 있는 조건으로서 '근대적 도덕'을 갖춰야 한다고 역설했다.

그 근대적 도덕을 '공덕公德'으로 불렀다. 윗글에 "다중을 이롭게 하는 게 새로운 공공의 덕"이라는 견해가 보인다. 그것은 곧 공리주의적 문맥의 도덕이다. 량치차오는 그런 공덕이 중국에 오래된 도덕(구도덕)과 질적으로 다른 것이라고 주장했다.[270]

하지만 전병훈은 이렇게 신·구 도덕을 양분하는 사조에 반대했다. 그리하여 한편으로 동아시아 전통철학에 입각한 '원천도덕'과 '공공성의 윤리'를 천명한다. 그리고 다른 한편으로, 서구의 도덕철학을 재조명하여 동아시아 전통 도덕과의 접점을 찾는다.

윤리학의 견지에서 보면, 그것은 근대적 공리주의에 반대하고 동·서양의 덕윤리(Virtue Ethics) 전통을 함께 부각하는 문맥이었다. 그 과정에서 서구 덕윤리의 전형을 건립한 고대 그리스의 3대 철학자를 호명하고, 또한 근대 도덕철학을 완성한 칸트에 주목했다. 그것은 어쩌면 자연스러운 귀결이었다.

서구의 덕윤리와 동아시아 도덕의 접점을 찾는 과정에서, 서우는 다음과 같은 화두를 던졌다. "동양의 도덕(德)과 서양의 덕(aretē, virtue)은 과연 맥락관통하는가?" "동양의 군자君子는 서양의 철인(philosophers)과 만날 수 있는가?" 그리고 단도직입적으로 말해, "전적으로 그럴 수 있다"는 답변을 내놓았다.

그렇다고 해서, 서우가 동서양 덕윤리의 완전한 합일 내지는 통일을 모색했다고 속단하기는 이르다. 그는 다만 20세기의 공리주의에 대항하는 덕윤리들 간의 조제調劑, 즉 선택적 취합이 가능한가를 물었다. 그리고 보편적 인간성에

---

270. 이혜경, 「양계초 『신민설』」, 『철학사상』 별책 제7권 제5호(서울대학교 철학사상연구소, 2006), 10쪽.

뿌리를 둔 숭고한 도덕에 동의한다면, 각 사상가들의 각론의 차이는 얼마든지 허용될 수 있다고 보았다.

더 나아가, 그런 차이가 오히려 서로를 더 풍부하게 하는 취장보단取長補短의 요인이 된다고 생각했다. 이런 문법을 염두에 두고, 고대 그리스에서 마지막으로 아리스토텔레스를 논할 차례가 되었다.

아리스토텔레스

서우는 먼저 다음과 같은 구절로 아리스토텔레스의 도덕론을 말하기 시작한다.

> 아리스토텔레스가 말했다. "무릇 사람이 실천하는 행동은, 곧바로 그 행위만으로 덕이 될 수 없다. 모름지기 반드시 별도로 고상한 목적이 있어야 한다. 그런 연후에야, 비로소 덕을 이룰 수 있다. 하지만 만약 관념에 이르면 그렇지 않다. 관념이 곧 그 덕행이 되며, 목적이 따로 있는 게 아니다."
> 또한 말했다. "무릇 관념이 덕이 되니, 그 사이에 절로 지극히 큰 즐거움이 있다. 오직 그 즐거움이 있으니, 그러므로 더욱 사람의 관념이 그치지 않게 된다." 아리스토텔레스가 또한 말했다. "우리가 관념에 능한 것은, 인류에서 비롯돼 그런 것이 아니다. 우리 정신 가운데 한 종류의 '신령한 지혜(神智)'가 있어서 그런 것이다. 그러므로 관념의 한결같은 덕(觀念一德)은 실로 우리 인류의 위에 훨씬 뛰어나다."[271]

사실 위의 예문만으로, 그것이 아리스토텔레스의 텍스트에서 어떤 부분을

---

271. 亞里士多德曰 "凡人實踐之行, 不得直以其行爲德. 須必別有高尙之目的, 在然後始可得以爲德. 若至於觀念則不然, 觀念即爲其德行, 非別有目的也." 又曰 "凡觀念之爲德, 其間自有至大之樂. 惟其有樂, 故益令人觀念不已也." 亞氏又曰 吾人之所能觀念者, 非賴其人類而然, 乃賴吾人精神中有一種神智而然. 故觀念一德, 實出於吾人人類之上也. 『통편』, 217쪽.

번역한 것인지 판독하기는 어렵다. 그것이 아리스토텔레스의 원전을 충실히 번역했다고 장담할 수도 없다. 다만 그 문자 위에 어른거리는 아리스토텔레스 철학의 그림자를 살피는 것마저 어려운 건 아니다. 이 인용문의 서두는 '목적으로서의 선'을 말하는 것으로 보인다.

인간의 모든 행위는 목적이 있으며, 그 목적들은 다양하다. 아리스토텔레스가 예를 들어 말했다. "왜냐하면 의술의 목적은 건강이고, 배를 만드는 기술의 목적은 배이며, 용병술의 목적은 승리이고, 부유함은 집안 경영의 목적이기 때문이다."[272] 그런데 이런 목적들은 각기 고립된 게 아니다.

배를 만드는 데서, 절단공의 행위는 소재를 자르는 것이 목적이고 용접공의 행위는 결합하는 것이 목적이다. 하지만 그들의 행위목적은 모두 배의 건조라는 상위의 목적에 종속된다. 만약 배가 군용함선이라면, 그 선박은 결국 전쟁 내지 국방의 목적에 활용될 것이다.

이처럼 목적들은 위계적이고 중층적이다. 그런데 이 모든 목적들에 궁극적인 최종의 목적이 없다면 "이 과정은 적어도 무한히 계속될 것이고, 그래서 욕구는 공허하고 쓸데없는 것이 되고 말 것"이라고 아리스토텔레스는 말한다. 그러므로 위의 인용문에서 말하듯이 "모름지기 반드시 별도의 고상한 목적이 있어야 한다." 여기서 별도의 고상한 목적이란, 개별적 행위 각각의 목적을 넘어선 것이다.

예를 들어, 절단공과 용접공이 일하는 궁극의 목적이 단지 자르고 붙이기에 그치는 건 아니다. 그들은 단순한 절단과 용접을 넘어, 다른 목적을 위해 땀 흘려 일할 것이다. "그렇다면 그 목적이 선善, 말하자면 최상의 선(to ariston)일 것"이라고 아리스토텔레스는 응답한다. 그리고 이 '최상의 선'이 무엇인가라는 질문에 대해서 이렇게 답한다.

"적어도 그 이름에 있어서는 대부분의 사람들이 의견의 일치를 보인다. 그것은 곧 '행복(eudaimonia)'이다."[273] 사람들의 모든 행위는 궁극적으로 '행복'이

---

272. 김남두 외, 「아리스토텔레스 『니코마코스 윤리학』」, 『철학사상』 별책 제3권 제9호(서울대학교 철학사상연구소, 2004), 58~59쪽.

라는 목적을 지향한다. 그렇다고 해서, '행복'이라는 추상적인 개념의 의미를 사람들이 다 잘 알고 있다고 믿기는 어렵다.

과연 독자들은 그것을 알고 있는가? 인생의 목적이 행복이라고 답하는 건 오히려 쉬운 일이다. 그렇지만 행복이 뭐냐고 묻는다면, 그것을 자신 있게 정의할 사람이 과히 많지는 않다. 그러니 다음 문제로, 참된 행복이 무엇인가의 질문에 답해야 한다.

아리스토텔레스는 행복에 대한 통념들을 검토하면서 왜 그것이 진정한 행복이 되기에 부족한지를 분석하고, 참된 행복이 갖춰야 할 조건들을 논구했다. 하지만 그 기나긴 논변을 여기서 죄다 반복할 수는 없다. 단지 결론만을 말하자면, 인간 내면의 '덕에 따르는 영혼의 활동'이야말로 모든 행위가 목적으로 하는 '최상의 선'이며 또한 '행복'이다.[274] 이게 곧 아리스토텔레스가 내린 해답이다.

그런데 다시 언급하지만, 위에서 서우가 인용한 아리스토텔레스의 말은 다음과 같았다. "모름지기 반드시 별도로 고상한 목적이 있어야 한다. 그런 연후에야, 비로소 덕을 이룰 수 있다." 주의 깊은 독자라면, 이 명제로 도덕에 대한 아리스토텔레스의 목적론적 논증을 포괄하기 어렵다는 사실을 눈치 챌 수 있을 것이다.

아리스토텔레스는 "왜 그리고 어떻게 도덕이 인간 행위의 목적이 되는가?"의 질문에 끈질기게 답변했다. 하지만 서우의 인용구는 도덕의 추구를 당연하다는 듯이 전제하고, 그것을 실현하기 위해서 '고상한 목적'이 있어야 한다고 진술된다. 그것은 단지 문체의 차이를 넘어, 동·서양의 의식구조와 그 철학의 기본적 성격 차이까지 반영한다.

서양은 분석하고 논증하며, 동양은 구현하고 진술한다. 아리스토텔레스는 도덕의 필요성을 목적론의 문맥에서 치밀하게 분석하고 논증했다. 엄밀하게 말해, 이런 분석과 논증 자체가 그의 저명한 '니코마코스 윤리학'의 핵심이다.

---

273. 위의 글, 60쪽.
274. 위의 글, 74쪽.

한데 그 사상이 중국어로 바뀌는 과정에서, 도덕을 구현하는 데 필요한 목적을 진술하는 문맥으로 번역되었다. 서양이 목적을 분석하고 거기서 도덕이 왜 필요한지를 논증하는 동안, 동양은 도덕을 실현하기 위해서 인생에서 어떤 목적을 세워야 하는지를 말한다.

서양에서는 분석과 논증으로 문제의 '해답'을 구하지만, 동양은 유비와 종합으로 문제를 '해결'하려고 한다. 누군가의 그럴듯한 비유에 의하면, 서양 사람은 한 가지 문제가 있을 때 그것을 여러 가지 요소로 나눠서 모든 각도에서 철저히 알아본다. 그리고 정확한 해답(正答)을 구한다.

반면 동양 사람은 한 가지 문제가 있으면 그것과 비슷한 문제를 자꾸 모은다. 그리고 큰 지혜 보따리 같은 것에다 계속 집어넣는다. 얼마 후 그 보따리는 우주만큼이나 커지고, 따라서 그 내용에 관한 논쟁도 우주적인 논쟁이 되어 처음의 문제 따위는 어디론가 사라져 버린다.[275]

그리하여 문제가 사라지면, 그것은 마침내 해결(解消)에 이른 것으로 간주된다. 해결된 것을 논증할 필요는 없다. 단지 해결된 상태를 진술하면 그만이다. 이런 비유는 흥미롭게도 전병훈의 철학 방법론을 묘사하는 듯하다.

서우는 마치 등에 커다란 보따리를 짊어진 문수보살, 지혜의 화신처럼 보인다. 동·서양의 별의별 철학이 그의 '지혜 보따리'에 계속 들어가 우주만큼 커진다. 소크라테스의 '선에 대한 지식'도, 플라톤의 '선의 이데아'도, 아리스토텔레스의 '목적으로서의 선'도 모두 보따리 속에 들어간다.

그리고 마침내 하나의 커다란 '착함'만 남는다. 그 착함은 단군도 왕인도 노자도 공자도 모두 동참하는 우주적인 '신령한 지혜'에서 비롯된다. 거기서는 고금이 공존하고, 동서가 따로 없다. 다만 그 지혜와 착함을 각자의 현실에서 서로 달리 구현하는 실존의 계기들만이 나뉠 뿐이다.

다시 아리스토텔레스로 돌아가 보자. 그의 윤리학에서 특히 '중용(to meson)'의 덕이 강조된다. 연속적이면서도 분리할 수 있는 모든 것에서, 지나침과 모자

---

275. 히로나카 헤이스케, 방승양 옮김, 『학문의 즐거움』(김영사, 2001), 121~122쪽.

람의 어떤 중간이 곧 중용이다. 그렇지만 단지 산술적 비례에서 중간은 아니며, 경우에 따라 차이를 고려하는 가장 적절한 중간을 의미한다. 중용은 개인의 품성이나 사회적 정의에서 모두 중요하다. 중용을 취하는 것이 곧 덕이다.

그런데 서우는 이런 아리스토텔레스의 중용을 곧바로 유학의 중용中庸에 유비한다. 그리하여 동·서양의 '중용'이 다시 서우의 지혜 보따리 속으로 들어간다.

> 아리스토텔레스가 도덕을 말하는 것이 중용의 덕을 위주로 한다. 역시 자사子思가 중용을 말한 것과 같다. 그가 서양철학에서 또한 성인의 지혜와 덕을 진술한 자라고 말할 수 있다. 희랍 세 철인의 사상이 실로 우리 유교의 작풍과 같으니, 아! 역시 기이하도다.[276]

'우애(philia)'와 '정의(dikaiosyne)' 역시 아리스토텔레스 윤리학의 핵심개념이다. 그것을 전병훈은 이렇게 소개한다.

> 아리스토텔레스가 말했다. "사람과 교제하는 길에 두 가지가 있다. 충분히 나라를 위하고 가정을 위할 수 있으니, '우애'라고 일컫고 '정의'라고 일컫는 게 그것이다."[277]

먼저 '우애'부터 살펴보자. 우리말에서 '우애'라면 보통 형제 또는 친구 간의 사랑이나 정감을 의미한다. 하지만 필리아는 본래 그보다 더 광범위한 개념이다. 그것은 부모자식이나 부부·사제·선후배, 더 나아가 인류애 등까지 미치는 타인에 대한 사랑이나 정분을 포괄한다.

그러므로 필리아를 흔히 '우애'로 번역하지만, 한자어 우애友愛의 통상적인

---

276. 亞氏之論道德, 主中庸之德, 亦猶聖孫之言中庸. 其在西哲, 亦可謂有述聖之智德者矣. 希臘三哲, 誠如我鄒魯之制作, 吁亦異哉. 『통편』, 218쪽.
277. 亞氏又曰 "與人交之道有二. 足以爲國.爲家, 曰友愛.曰正義是也." 『통편』, 218쪽.

함의보다 훨씬 범위가 넓고 결이 중첩되는 사랑이다. 아리스토텔레스에 의하면, "필리아는 일종의 덕(aretē) 혹은 덕과 함께 가는 것이다."[278] 이런 사랑의 성격을 서우는 이렇게 진술한다.

> (아리스토텔레스가) 또한 말했다. "사랑의 성질은, 곧 타인의 이익을 바라는 일념이 극히 활발해진 것이다. 내가 남을 사랑하면 마음에 지극한 즐거움이 생긴다. 그렇게 되는 까닭은, 사랑이 극히 활발하게 작용하는 것이 사람의 본래 정감에 가장 적합하기 때문이다."[279]

사람의 품성에서 "타인의 이익을 바라는 일념이 극히 활발해진" 상태를 사랑이라고 한다. 여기서 주목할 것은 '사랑'이 타인을 향하는 감정이나 태도이기 전에, 자기 안에서 경험되는 즐거움이라는 사실이다. 사랑이 일어나는 것은, 그것이 "사람의 본래 정감에 가장 적합하기 때문이다."

다시 말해, 필리아는 결국 사람의 순수한 본성에서 일어나는 '지극한 즐거움' 그 자체라고 할 수 있다. 그런데 아리스토텔레스는 사람의 덕이 한결같지 않듯, 필리아의 종류와 등급도 나뉜다고 한다. 특히 앞서 방금 말한 사랑은, 품성의 덕이 훌륭한 좋은 사람들만이 나눌 수 있는 참된 필리아다. 아리스토텔레스가 말했다.

"가장 완전한 필리아는, 좋은 사람들 또 덕에 있어서 동등한 사람들 사이에서 성립하는 필리아이다. 이들은 서로가 잘되기를 동등하게 바란다. 그들이 좋은 사람인 한에서 그렇게 바라며, 또한 그렇기 때문에 그들은 그 자체로 좋은 사람들이다."[280]

그러나 이보다 한참 수준이 떨어지는 필리아도 있다. 예를 들어, 이익이 있

---

278. 김남두 외, 위의 글, 237쪽.

279. 又曰 "愛性者, 乃願欲他人利益之一念, 極爲活潑者也. 蓋我之愛人, 於心極有可樂. 所以然之故, 則以愛爲極活潑有爲, 最適乎人之本情故也. 『통편』, 218쪽.

280. 김남두 외, 위의 글, 253쪽.

어야만 친밀함을 나누는 사람들이 있다. 그들은 사람을 그 자체로 사랑하는 게 아니라, 어떤 유익함을 얻을 수 있는 한에서만 친교를 맺는다. 아리스토텔레스가 말한다. "이런 사람들에게 다른 사람들과 함께 사는 것은 별로이다. 어느 때에는 사실 '함께 사는 것'이 즐겁지 않으니 말이다. 서로에게 유익하지 않다면, 과연 그러한 친교도 필요하지 않다."

그런 필리아는 변덕스럽고 제멋대로이며 쉽게 해체된다. 더 이상 이익이 되지 않으면, 그들의 사랑은 즉각 멈추고 만다. 그들이 본래 서로의 친구가 아니었으며, 다만 이익의 친구였기 때문이다.[281] 일시적 쾌락을 얻고자 사귀는 사람들 역시 마찬가지다. 이런 종류의 친교와 사랑은 윤리적 성품과 관련이 없이 성립한다. 오히려 품성의 덕이 빈약한 사람일수록 이익과 쾌락을 추구하는 필리아에 더 쉽게 빠져든다.

아리스토텔레스에 따르면, 악인이란 자기 내면에 사랑할 만한 것이 거의 없는 자들이다. 그렇기에 그들은 정작 자기 자신을 사랑하지 못하며, 언제나 자기 밖에서 다른 것을 욕망한다. 자신과 대면하기를 피하고, 다른 사람을 진정으로 사랑하지도 못하며, 단지 이익과 쾌락을 나눌 사람을 찾는다. 그렇게라도 시간을 보내고 있으면, 그나마 자신에 대한 역겨운 기억을 잠시라도 잊을 수 있기 때문이다.[282]

하지만 앞서 말했듯이, 자기를 위해서가 아니라 다른 사람이 잘되기를 진심으로 바라는 사람들이 있다. 품성의 덕이 그처럼 훌륭한 사람들만이 진정으로 참된 사랑의 관계를 맺고, 또 자기를 사랑한다. 다시 말해, 자기 내면의 훌륭한 덕성을 사랑하는 '자기애'야말로 진정한 필리아의 관계를 맺는 근거가 된다. 전병훈 역시 그 점을 강조했다.

> (아리스토텔레스가 또한 말했다.) "…… 남을 사랑하는 사람이 되는 것이 바로 자기를 사랑하는 것이다. 무릇 사랑이란, 곧 자기의 온갖 사념 가운데

281. 위의 글, 250~251쪽.
282. 위의 글, 260쪽.

가장 고상하고 가장 깊고 미묘한 데서 일어나는 것이다. 내가 그 사람을 사랑하는 것은, 바로 그 사람의 몸 가운데서 나를 사랑하는 것이다. 내가 그와 같다면, 무릇 어디에 오염된 감정이 있겠는가?

사랑이란, 사랑의 능력을 가리킨다. 무릇 본성에서 좋아하는 것이 저절로 일어나는 것이다. 부모와 자식의 사랑, 부부의 사랑, 친구의 사랑은 그 근원이 모두 한가지다. 그러므로 사람이라면 타인에 대하여 사랑하지 않음이 없다. 이제 세상 사람들이 모두 자기처럼 서로 사랑하도록 한다면, 인류 사이에 정의를 따질 필요가 없을 것이다. 그렇지 않고 인류가 처음부터 애정이 없다면, 비록 정의가 있다 한들 다시 장차 무엇에 쓰겠는가?"[283]

자기애를 사랑의 기반으로 보는 아리스토텔레스의 사상에 서우는 십분 공감했다. 나를 위한 덕성의 공부를 강조하는 유교의 위기지학爲己之學 전통에서, 그것은 결코 낯선 논법이 아니었다. 일찍이 공자가 말했다. "옛날의 학자들은 자기를 위해 공부했는데, 지금의 학자들은 남을 위해 공부한다."[284]

얼핏 생각하면, 아리스토텔레스의 '자기애'와 공자의 '자기를 위한 공부'가 너무 이기적인 게 아니냐고 반문할 수 있다. 남을 위한 공부, 상호간의 이익의 교환이 오히려 이타적이라고 항변할지도 모른다. 하지만 '자기애'의 관건은 내 영혼의 덕성을 밝히고 사랑하라는 데에 있다.

자기의 내면을 닦아 깨끗하게 정화한 자라야, 다른 사람을 진정으로 위할 수 있다. 내 영혼과 진실한 사랑에 빠진 자라야, 비로소 다른 사람과도 참된 사랑을 나눌 수 있다. 영혼이 혼탁하고 독선에 빠졌을 때, 오히려 남들과 분주히 친교를 맺고 세상을 위한답시고 나서곤 한다. 하지만 그건 단지 오염과 악덕

---

283. "…… 凡屬愛人者, 正其自愛也. 夫愛者, 乃於己諸惟念中, 由其最高尚最深微而發者. 我之愛是人, 正於是人身中而自愛, 我如是則夫何有污濁之情哉? 愛者, 愛之能力之謂也. 凡性好之類所自出者也. 父子之愛·夫妻之愛·朋友之愛, 其源皆一也. 故爲人者, 於他人無所不愛. 設今天下之人, 皆相愛如已, 則人類之間無須乎義. 非然者, 人類初無愛情, 則雖有義, 復將何用哉?" 『통편』, 218~219쪽.

284. 古之學者爲己, 今之學者爲人. 『論語·憲問』.

을 확산할 뿐이어서, 나와 세상 모두에 결코 좋지 않다.

아리스토텔레스는 '사랑'을 도덕의 작용으로 보았다. 서우는 그것이 "소크라테스 및 플라톤과 하나의 궤적"이며, "뿌리가 있는 학문"이라고 칭송했다.[285] 물론 고대 그리스의 이런 철학 전통이 인애仁愛를 근본에 두는 유교와 맥락관통한다고 여겼음은 두말할 나위가 없다. 그런데 앞서 예고했듯이, 서우는 아리스토텔레스의 윤리학에서 '정의' 개념에도 주목했다.

> 아리스토텔레스가 또한 말했다. "'정의'란 타인의 이익을 존중함을 가리킨다. 세상의 무엇이 정의처럼 온전히 아름다울까? 해와 달이라야 족히 비교할 수 있다. 교제에서의 정의란, 한편으로는 교역의 정의가 되고, 다른 한편으로는 분배의 정의가 된다. '정의'의 뭇 덕은 지나치거나 모자라는 중간에 공존한다. 역시 마땅히 과도하지 않도록 지켜야 한다. 과도하면 정의가 반대로 변해 불의가 된다."[286]

아리스토텔레스에게 정의란, 한편에서 '법을 지키는(nomimon)' 상태이다. 다른 한편에서는 '공정한' 혹은 '동등한(ison)' 덕의 상태이다. 다시 말해, 정의(dikaiosyne)란 '법을 지키며 이득과 손실에 있어서 마땅한 것 이상이나 이하를 가지지 않으려는 탁월한 품성상태'를 가리킨다.[287]

한데 한자어 '의義'의 함의는 약간 다르다. 그것은 올바름을 지키는 의로움의 상태를 가리킨다. 즉 옳음(是)과 그름(非)을 판단하고, 거기서 항상 옳음을 취하려는 도덕적 품성을 '의로움'이라고 한다. 이런 '의로움'은 반드시 도덕적 판단을 전제로 한다. 그것은 다른 종류의 판단과 다르다.

---

285. 亞氏專以愛爲道德之用者, 亦與梭柏二氏一轍也, 可謂淵源之學也.『통편』, 219쪽.
286. 亞氏又曰 "義者, 重他人利益之謂也. 天下何物有與義齊美者? 雖日月足以比之也. 義於交際, 一爲交易之義, 一爲分配之義. 義之諸德, 同存於過不及之間, 亦宜守不之可過甚, 過甚則義反變爲不義也."『통편』, 219쪽.
287. 김남두 외, 위의 글, 37, 159쪽.

예를 들어, 맞고 틀림, 진짜와 가짜, 참과 거짓 등의 판별이 반드시 도덕과 연관되는 건 아니다. 하지만 옳음과 그름이란, 그 자체로 도덕적 판단을 함축한다. 도덕적인 옳음을 근거로 사물을 판단하고, 그 판단을 실행하는 것을 통상 '의롭다'고 한다. 유교의 문법에 의하면, 이런 의로움의 대척점에 '이로움(利)'을 따지는 태도가 있다.

『맹자』의 첫머리는 이로움과 의로움에 관한 저명한 논변으로 시작한다. 그것은 유교의 정의관을 잘 대변한다. 맹자가 양梁나라를 방문했다. 그러자 혜왕惠王이 맹자를 환대하며, 그의 방문이 나라에 큰 이익이 될 것이라고 말했다. 사실 이는 귀빈을 맞는 일종의 환영사였던 셈이다.

그런데 까칠한 맹자는 "왜 하필이면 이익을 따지냐?"고 대놓고 왕을 핀잔한다. 그리고 "역시 인의만 있을 뿐(亦有仁義而已)"이라는 명구를 던졌다. 이어서 이해득실을 따지는 태도가 어떻게 공동체 구성원들 간의 반목을 초래하고, 국가를 위기에 빠뜨리는지 조목조목 논한다. 그리고 사랑과 의로움(仁義)에 충실해야 하는 이유를 말한다.[288]

그런데 의로움과 이로움은 과연 서로 대립하는 것일까? 의로운 사람이라면 이로움을 따지지 않고, 또한 이로움을 따진다면 그는 의로운 사람이 아닌 것일까? 이해득실 판단과 도덕적 판단의 관계는 생각처럼 그렇게 단순하지 않다. '의로움'과 '이로움'은 일도양단으로 단번에 가를 수 있는 게 아니다.

아리스토텔레스의 경우에는 이해득실을 분명히 따지라고 요청한다. 타인의 이익을 존중하고, 공정하게 이익을 배분하는 것이 곧 '정의'이기 때문이다. 그에 따르면, 법을 준수하고 이해득실에서 공정한 덕의 품성이 곧 '정의'에 다름 아니다. 그것은 아테네 민주정치의 현실을 정확하게 반영한다.

'법'이란 폴리스 구성원 전체의 좋음(公共善)을 목표로 하는 올바른 규범의 총체이다. 그러므로 '법을 지키는 것'이야말로 공민公民의 일반적 덕에 부합한다. 다만 주의할 점은, 여기서의 '법'이 지금처럼 단지 사회적 합의에 의한 규약

288. 『孟子·梁惠王章句上』.

의 체계만을 가리키는 게 아니라는 사실이다. 아테네의 '법'은 사회적 관습·규범과 자연법적 도덕을 모두 함축하는 것으로, 오히려 예禮의 개념에 부합하는 측면도 있다.

한편 법이 정의의 총체라면, 부분적으로 특별한 영역에서 성립하는 정의가 있다. 분배의 정의는 이런 '부분적인 정의' 가운데 특히 정치적 공동체에서 중요한 것이다. 아리스토텔레스가 말한다. "부분적 정의에서…… 하나의 부류는 정치적 체제를 함께하는 공동체의 구성원들 간에 나눌 수 있는 명예 혹은 부富 혹은 다른 어떤 것들의 분배에서 찾아지는 것이다. 왜냐하면 여기서는 한 사람이 다른 사람의 것에 대해서 동등하지 않은 몫을 혹은 동등한 몫을 가질 수 있기 때문이다."[289]

이처럼 분배의 정의는 무엇보다 정치적인 '공동체의 구성원들 간'에서 중요한 것이다. 다시 말해, 폴리스 같은 민주적인 정치공동체에서는 사회적 자원을 고르게 분배하는 품성을 지닌 사람이 곧 정의로운 사람이 된다. 명예·부 그리고 다른 어떤 것들이라도, 그것의 분배에서 지나침과 모자람이 없이 중용을 유지하려는 공정함이 요구된다.

하지만 익히 알다시피, 유교는 혈연공동체인 가족(家)을 기본단위로 구성된 농경사회의 현실을 반영했다. 그러므로 고대 그리스의 민주정치와 중국의 봉건정치를 가지고 바람직한 정체政體에 관한 논의를 시작하면, 그 담론은 전혀 새로운 차원으로 넘어간다. 그러니 이 문제는 일단 유보하자. 그것은 정치철학의 주제로 다음 편에서 다루기로 하고, 여기서는 도덕철학에 논의를 집중할 필요가 있기 때문이다.

인간의 보편적인 품성에서 볼 때, 이해득실과 분배의 올바름을 까다롭게 따지는 것은 가족 간에서 그다지 덕스러운 태도가 아니다. 대신 앞서 말한 고상한 필리아, 서로 잘되기를 바라며 거기서 기쁨을 느끼는 순수하고도 참된 사랑이야말로 가족 간에 기대되는 좋은 품성이다. 아리스토텔레스 역시 이런 훌

---

289. 김남두 외, 위의 글, 164쪽.

륭한 사랑이 "어머니들에게서 가장 잘 나타난다"[290]고 명언한 바가 있다.

그러므로 자연발생적이고도 친근한 가족의 도덕 정서에서, 저마다 각자의 이익을 노골적으로 따지는 것은 그다지 좋지 못한 태도이다. 그것은 혈연공동체의 순수하고도 자연스런 친애의 정감을 훼손한다.

아리스토텔레스의 윤리학에 따르더라도 그건 마찬가지다. 부모자식이나 부부 혹은 형제간에 서로 이익을 추구하는 그런 변덕스런 사랑밖에 나눌 수 없다면, 그건 결코 좋거나 올바른 덕의 상태라고 말할 수 없다.

그런데 유교는 국가와 세계를 하나의 확장된 가족으로 인식한다. 그러므로 가족 간의 순수한 사랑의 정서를 다른 사람에게 옮겨 확충하는 것이 가능하다고 보았다. 그리고 이런 인애仁愛의 확충을 통해 국가와 세계의 안녕을 달성하고자 했다.

그러므로 앞서 양혜왕에 대한 맹자의 핀잔에서 볼 수 있듯이, 백성을 가족처럼 사랑해야 하는 통치자가 대놓고 이해득실을 말하는 것은 그다지 훌륭하지 못한 도덕적 태도로 간주되었다. 가족이 사회 및 국가의 기본 구성단위가 되는 농경국가의 사회구성 원리에서는 그런 도덕관이 자연스러운 것이었다.

하지만 그리스 고대의 폴리스는 다수의 공민이 인위적으로 결합한 정치적 공동체였다. 따라서 도덕의 우선순위가 중국과 다른 게 당연했다. 이해득실과 분배가 공정해야 했다. 그것은 도시국가의 결속과 유지를 위해 무엇보다 긴요한 전제였으며, 모든 공민이 갖춰야 할 도덕적 품성으로 간주되었다.

이런 배경에서 아리스토텔레스 역시 정치적인 공동체의 '부분적인 정의'로서 공정한 분배의 덕을 강조했던 것이다. 이처럼 중국 고대의 국가와 아테네 폴리스의 정체政體 차이로 인해, 국가·사회에서 우선적으로 고려해야 할 윤리적 가치의 순위가 달라졌다.

그렇다고 해서 아리스토텔레스가 정치적 공동체의 공정한 이해득실만을 말하고, 공동체 구성원이 지녀야 할 사랑의 품성을 간과했던 것은 결코 아니다.

---

290. 위의 글, 257쪽.

유교가 단지 인의만을 중시하고, 사회적 자원(이익)의 공정한 분배를 간과했던 것 역시 아니다. 예를 들어 『대학』에서 이렇게 말한다.

> 그러므로 통치자(君子)는 먼저 덕을 쌓아야 한다. 덕이 있으면 사람이 모여든다. 사람이 모여들면 영토가 생긴다. 영토가 있으면 재물이 생산된다. 재물이 있으면 유용하게 쓸 수 있다. 덕이 근본이요, 재물은 말단이다. 근본을 도외시하고 말단에 치중하면, 백성들이 다퉈 서로 약탈한다. 그러므로 (군주가) 재물을 모으면 백성이 흩어지고, 재물을 골고루 나누면 백성이 모인다.[291]

윗글의 말미에 보이듯이, 유교도 "재물을 골고루 나누는(財散)" 분배의 정의를 결코 가볍게 보지 않았다. 그것은 특히 권력자가 갖춰야만 하는 덕의 필수불가결한 요인으로 간주되었다. 그러므로 만약 아리스토텔레스가 이 글을 보았더라도, 그 논지에 이의를 달지는 않았을 것이다.

다만 시대와 여건의 차이를 고려한다면, 사회적으로 기대되는 윤리적 품성의 우선순위가 달라지는 게 오히려 자연스럽다. 그러므로 아리스토텔레스의 정의(dikaiosyne)와 유교의 인의仁義에 틈이 생긴다. 그렇다고 해서 도덕이란 때와 장소에 따라 상대적이라고 곧바로 결론을 내리는 건 성급한 일이다.

윤리적 가치판단의 기준이 비록 상대적일지라도, 인간에게 공통되는 도덕적 품성마저 본래 없다고 할 수는 없다. 좋은 사람이라면 자기의 영혼 깊은 곳에서 남을 위하는 순수한 '사랑'의 정감을 지닌다. 또한 자기의 이익만 구하지 않고, 타인의 이익을 존중하는 분배의 '정의' 역시 인간에게 보편적으로 중요한 품덕이다.

인간의 고귀한 도덕적 품성은 인류라는 종의 속성이자, 천부적 자질이다. 사회적 윤리는 이런 본성을 토대로 한다. 하지만 도덕이 사회화될 때, 본연의 도

---

291. 是故君子先愼乎德, 有德此有人, 有人此有土, 有土此有財, 有財此有用. 德者本也, 財者末也, 外本內末, 爭民施奪. 是故財聚則民散, 財散則民聚. 『大學』 10장.

덕품성이 변형을 일으킨다. 그것은 구속拘束적 행동양식, 즉 사람들의 생활과 행동을 규제하는 규범의 양상을 띤다.

사회적 윤리는 비웃음이나 따돌림 같은 제재를 수반하기도 하고, 더 나아가 집단적 권력의 일부가 되기도 한다. 그러므로 그것은 천부적 양심의 만족과 다른 종류의 쾌락, 즉 윤리적 허영의 잉여쾌락[292]을 주게 된다. 예를 들어 '명예' 혹은 '명성'이 그런 것이다.

명예란 본래 품성(덕)이 훌륭하다고 인정되는 사람에게 주어지는 존엄이나 품위다. 하지만 명예는 그 이상의 의미를 지닌다. 그것은 사람들의 존경과 관심을 불러오는 요인이다. 그러므로 명예는 허영의 잉여쾌락을 불러일으킨다. 즉 도덕 그 자체의 즐거움을 넘어, 타인의 관심을 받으려는 인정욕구를 만족시키는 쾌락이 발생한다.

공자가 말하는 '향원鄕原', 즉 내면의 도덕품성은 형편없으면서도 겉으로 시속에 맞춰 도덕군자 연하는 자들이 그런 잉여쾌락을 욕망한다. 향원은 도덕이 주는 양심의 즐거움 따위에는 애초부터 관심이 없다. 다만 '좋은 사람'이라는 명성에 수반되는 만족, 즉 타인의 훌륭한 평판이 가져다주는 쾌락을 향유하는 데만 반응을 보인다.

그들에게 있어서 윤리의 필요성이란, 다만 타자로부터 쾌락이 주어지는 한에서만 유효한 것이다. 또한 그 쾌락은 안전해야 하므로, 윤리가 강제력을 수반하는 규범 내지는 집단적 권력의 일부로 작동할 때만 그것을 따른다. 이런 허영의 윤리는 천부적 도덕과 종종 불화를 일으킨다.

공자는 윤리적 허영을 좇는 향원이야말로 '도덕의 적(德之賊)'이라고 명언했다.[293] 노자는 '총애'와 '모욕' 전부에 경악했다(寵辱若驚).[294] 자기에게 주어지는 도덕의 잉여쾌락, 또는 그런 잉여쾌락을 좇는 자들의 평판을 모두 거부했던 것

---

292. 여기서 이른바 '잉여쾌락'은 라캉Jacques Lacan의 '주이상스Jouissance'에서 영감을 받은 개념임을 밝힌다.

293. 鄕原德之賊也. 『論語 · 陽貨』.

294. 『老子』 13장.

이다. 소크라테스는 천부의 양심에 누구보다 충실했다. 그러다가 다이모니온(내면의 소리)에 따라 젊은이들의 건전한 윤리를 타락시킨다는 죄목으로 죽임을 당했다.

그들이 견지한 도덕률은 한결같다. 참된 도덕은 내면의 덕성에서 비롯돼 영혼의 즐거움으로 보상된다. 남들의 평판 같은 잉여쾌락을 좇는 허영의 윤리는 사실상 도덕의 껍데기에 불과하다. 전병훈이 말하는 '원천도덕' 역시 천부의 본성에서 비롯되는 참된 사랑과 지극한 선, 지혜와 정의에 다름 아니다.

비록 불완전한 번역으로 서양철학을 이해했으나, 서우의 판단은 크게 빗나가지 않았다. 이해타산을 떠나 다른 사람이 잘되기를 바라는 진실한 사랑이 곧 '인애仁愛'다. 서우는 그런 인애야말로 모든 도덕의 출발점이자 종착지라고 여겼다. 그는 분배의 공정성과 중용을 강조하는 아리스토텔레스의 '정의'에 공감했지만, 다음과 같은 사족을 달기도 했다.

> 그러나 (아리스토텔레스가) '정의'를 위주로 도덕을 말하는 것은, 안타깝게도 우리 유학에서 '인애仁愛'를 위주로 도덕을 말하는 것이 분명함만 못하다. 하물며 하늘에서 근원하는 정의라면, 누가 우리 옛날 성인들 같겠는가?[295]

아리스토텔레스뿐만 아니라, 소크라테스와 플라톤 역시 '정의'의 덕을 강조했다. 앞서 말했듯이, 정의는 고대 폴리스의 긴요한 도덕적 요청이었다. 그것은 서구 윤리학의 역사 전반에서 높은 비중으로 다뤄졌다. 하지만 사랑의 덕성 역시 그에 못지않게 중요하고, 진지하게 논의된 윤리학의 화두였다.

따라서 아리스토텔레스가 반드시 '정의'를 위주로 도덕을 말했다고 단정하면 곤란하다. 다만 아리스토텔레스가 폴리스 공동체의 문맥에서 '정의'를 말하고, 그것이 근대 시민국가의 정의관에까지 큰 영향을 미친 것은 틀림없는 사실이다.

---

295. 但主義以言道德, 恐不如吾儒之主仁愛以言道德之分曉也. 況原天之義, 孰有與我先聖者乎?『통편』, 219~220쪽.

서우는 동양의 '인의'를 더 높이 평가하지만, 다수성과 익명성·다양성 등을 특징으로 하는 현대의 도시공동체와 국가에서는 아리스토텔레스적 '정의'가 더 부각된다. 21세기 자본주의가 무한경쟁과 승자독식의 야만상태에 당면한 현실에서, 공정한 이해득실과 분배의 정의는 공동체를 이루고 사는 인간이 공존하는 세계를 만들기 위한 최소한의 도덕적 요청이다.

하지만 만약 서우의 바람대로 온 인류가 형제임을 깨닫고, 모든 나라가 한 집안이 되는 날을 상상해 보자. 만약 그런 미래가 실현된다면, 동포애적인 '인애'에서 출발하는 정의를 지구촌 윤리의 사상적 자원으로 재조명하게 될 것이다. 혹은 그런 미래를 만들기 위해 우리는 '인애'에 의지해야 한다. 서우가 말하는 '하늘에서 근원하는 정의(原天之義)'는 곧 그런 문맥이다.

그것은 천부의 양심을 지키는 '자기애', 이해타산을 넘어서는 '가족애', 거기서 다시 '동포애' 내지 '인류애'로 확장하는 고차원의 정의를 함축한다. 그게 너무 이상적이라고 지레 자포자기를 하지는 말자. 예로부터 '널리 인간을 이롭게 하기(弘益人間)'를 갈망했던 조상들의 숭고한 영성이 우리의 유전자 어딘가에는 그 흔적을 남기고 있을 테니 말이다.

몽테스키외의 공적 도덕

전병훈은 서구 근대의 도덕철학을 논하며 몽테스키외와 칸트를 호명했다. 칸트의 도덕철학이야 근대 윤리학의 고봉으로 정평이 나 있다. 하지만 몽테스키외의 도덕철학은 일반에게 생소한 게 사실이다.

몽테스키외는 흔히 『법의 정신』을 저술하고 삼권분립을 주창한 정치사상가 내지는 법률가로 널리 알려졌다. 그리고 그것은 적절한 평가다. 몽테스키외가 평생토록 법과 정치의 원리를 탐구한 학자였던 것은 재론의 여지가 없다.

그런데 위에서 살펴봤듯이, 소크라테스·플라톤이나 아리스토텔레스 같은 철학자에게 폴리스의 정치적 원리와 도덕은 결코 서로 분리될 수 없는 하나의 담론 주제였다. 정치학이나 법학 등이 사회과학의 분과로 19세기에 독립하기 전까지, 정치원리를 도덕과 관련해서 논구하는 것은 서구에서 아주 일반적인 지적 전통의 일부였다.

몽테스키외의 정치학 역시 도덕철학과의 밀접한 연관 속에서 전개되었다. 서우는 앞서 '심리철학' 편에서 이미 몽테스키외를 언급했다. 뒤에 논할 '정치철학' 편에서도 몽테스키외를 호명한다. 그리고 여기, '도덕철학'에서도 몽테스키외를 다룬다. 그만큼 서우에게 몽테스키외는 각별한 의미가 있었다.

몽테스키외는 서구 계몽주의 시대를 대표하는 사상가였다. 민주정치와 삼권분립을 정초한 그의 사상은 20세기 초 동아시아 지식계에 신선한 충격을 던졌다. 서우 역시 예외가 아니었다. 그는 먼저 다음과 같은 몽테스키외의 견해를 소개했다. 공화정의 도덕적 토대에 대한 것이었다.

> 몽테스키외가 말했다. "공화정(公治)에서 필요로 하는 도덕은 극히 쉽고도 간단하다. 심오하고 말하기 어려운 것이 아니다. 한마디로 말해, 공공이 다스리는 국가를 서로 더불어 보배롭게 사랑할 뿐이다. 그런 공적인 덕(公德)은 내 마음의 감정에 근본을 두는 것으로, 배워서 얻어지는 게 아니다. 그것이 감정이므로, 귀하고 천하고 어리석고 지혜로운 사람에게 그 도덕은 한결같다.
>
> 매번 평민을 보면, 하나의 명언과 떳떳한 교훈을 지키면서 그것을 순수하게 견지한다. 실제로 지식인과 문인들보다 낫다. 평민은 애국으로 그 덕이 순박해지고, 덕이 순박할수록 그 사랑(조국애)이 더욱 지극해진다. 그게 안 되는 자는, 사욕이 (그의 덕을) 해치는 것이다. 사욕의 지평을 스스로 따르지 않으면, 그가 따르는 바가 공적인 덕에 머물게 된다."[296]

---

296. 孟德斯鳩曰 "公治所需之道德, 乃極易簡之物, 非奥衍難言者也. 一言蔽之. 相與寶愛其公治之國家而已. 故其公德, 本於吾心之感情, 非學而後得之. 惟其爲感情, 故其德爲貴賤智愚之所同. 每見常民, 守一嘉言彝訓, 其持循純固, 實勝於學士文人者. 民以愛國而其德以淳, 又以德淳而其愛彌摯. 其不能者, 私欲害之也. 私欲之地不自縱, 則其所縱在公德矣." 『통편』, 220쪽.

이는 '정치적 국가(도시국가)에 있어서 덕(vertu)이란 것'이란 소제목을 달고 있는 『법의 정신』 5편 제2장의 일부로 추정된다. 오늘날의 번역과 대조하면 그 의미가 더욱 분명해진다. "공화국에 있어서 덕이란 매우 단순한 것이다. 그것은 공화국에 대한 사랑이며, 또한 온갖 지식의 귀결이 아니고 하나의 감정이다. 따라서 국가에서 가장 뒤에 있는 인간이라 할지라도 가장 앞에 있는 자처럼 이 감정을 가질 수 있다."[297]

이는 본래 몽테스키외가 폴리스 공화정체의 정치적 덕성(공민정신)을 설명하는 대목의 일부였다. 폴리스 공민의 덕을 일종의 보편적인 '감정'으로 진술하고, 조국애를 그런 덕의 일부로 설명하는 것은 몽테스키외의 독특한 논법이었다.

한편 위 인용문의 후반부는 원래 다음과 같은 진술이었다. "조국애는 선량한 습속(ethos)으로 인도하고, 선량한 습속은 조국애로 인도한다. 우리는 우리 자신의 개별적인 정념을 만족시킬 수 없으면 없을수록, 그만큼 더 보다 보편적인 정념에 열중한다."[298]

여기서 '개별적'이고 '보편적'인 정념(passion)이 위의 인용문에서 각각 '사사로운 욕구(私欲)'와 '공적인 덕(公德)'으로 번역되었다. '개별적인 정념'을 '사사로운 욕구'로 번역한 것은 거의 근사近似하다. 하지만 '보편적인 정념'을 '공적인 덕'으로 번역한 것은 다소 미흡하다.

몽테스키외의 문맥에서 '보편적인 정념'이란 역시 감정이다. 다만 개별적인 정념에 비해, 그 지향하는 대상이 보편적일 뿐이다. 그런데 이를 '공덕'이라고 하면, 그것이 감정을 넘어선 순수한 덕(aretē)으로 오해될 수 있다. 거기에는 미묘한 뉘앙스의 차이가 있다.

하지만 윗글에서 공덕도 "내 마음의 감정에 근본을 두는 것"이라고 분명하게 명시했으므로, 이런 오해는 일단 차단됐다고 볼 수 있다. 몽테스키외는 덕

---

297. 몽테스키외, 『법의 정신』 5편 제2장; 진병운, 「몽테스키외 『법의 정신』」, 『철학사상』 별책 제3권 제14호(서울대학교 철학사상연구소, 2004), 161쪽에서 재인용.

298. 위의 글.

을 일종의 감정상태로 해석했다. 감정에서도 보편적인 대상에 대하여 개인이 가지는 정감, 예를 들어 조국이나 공동체 등을 향한 사랑의 정념을 공적인 도덕의 근거로 진술했다.

이는 본래 그리스 고대 폴리스에서 구현된 공민의 덕을 설명하는 문맥이었다. 하지만 그것은 모든 개별자가 정치공동체의 평등한 구성원이 되는 근대의 도덕을 암시하기도 했다. 개인은 자기 마음 안에서 이기적인 욕구(개별적인 정념)를 넘어, 공동체에 대한 사랑이나 조국애 같은 보편적인 정념을 일으킬 수 있다. 그것이 곧 근대적 시민사회, 국민국가의 도덕적 원리로 이어진다.

다시 말해 고대 그리스의 철학자들처럼 굳이 신의 섭리나 초월적 이데아 같은 형이상학적 근원까지 말하지 않더라도, 공동체 구성원 각자의 정감에서 공적인 도덕(公德)에 이르는 길이 열리게 된다. 이는 누구보다 평민들에게 조국애와 같은 숭고한 덕에 참여할 수 있는 자격을 부여한다.

왜냐하면 신분고하와 학식의 유무를 떠나, 감정은 누구에게나 평등한 것이기 때문이다. 이런 정감의 도덕론에 의하면, 왕족이나 귀족 혹은 학자가 아니라도, 누구나 자기 마음 안에서 조국을 사랑하고 공동체에 헌신하는 순수한 정념을 일으킬 수 있다. 심지어 감정의 순수성에서 볼 때, 평민의 순박한 덕이 소수의 귀족이나 배운 사람들보다 오히려 더 진실하고 성실한 경향마저 있다. 몽테스키외의 이런 계몽사상은 서우에게 강렬한 인상을 주었다. 서우의 말을 직접 들어보기로 하자.

> 몽테스키외는 실로 근세의 철학 대가이다. 그는 평민의 성실함과 진실함이 배운 사람보다 낫다고 논한다. 여기서 동서양 사람의 심리가 같음을 알 수 있다. 사욕이 (본연의 덕을) 해치지 않으면 공덕이 된다는 것은, 실로 지극한 말이다.[299]

---

299. 孟氏實近世之哲學大家. 其論常民之誠篤, 勝於學士. 此可見東西人心理之同然耳. 如私欲不害則爲公德者, 誠至言也. 『통편』, 220쪽.

여기서 서우는 사욕을 떠날 때 공덕이 되는 것을 심리의 작용으로 이해한다. 앞서 '심리철학' 편에서 감정·마음·본성의 관계를 논했던 바가 있다. 주의 깊은 독자라면, 특히 관윤자의 다음과 같은 말을 기억할 것이다. "감정은 마음에서 일어나고, 마음은 본성에서 일어난다. 감정이 물결이라면, 마음은 흐름이고, 본성은 물이다."[300]

물로 비유되는 인간의 본성에서 일어나는 파도가 곧 감정이다. 그 파도가 고요해지면, 본연의 덕성이 저절로 드러난다. 이런 문맥에서 볼 때, '사욕'은 쾌락을 추구하는 개별자의 감정으로 파도치는 물결과 같다. 그러나 파도가 자면 물이 안정을 되찾듯이, 사욕이 가라앉으면 그 상태가 저절로 '공덕'에 부합하게 된다.

자기의 이익이나 즐거움만을 구하는 사리사욕에서 벗어나면, 누구라도 양심의 도덕을 구할 수 있다. 그 사적인 도덕정감(私德)은 다시 자연스럽게 보편적인 것에 대한 사랑(조국애·인류애 등)으로 향한다. 이런 문맥에서 서우는 "공적인 덕(公德)이 다른 게 아니라, 다만 사적인 덕(私德)으로 공공의 이익을 위하는 것"[301]이라는 몽테스키외의 언명에 동의했다.

실제로 몽테스키외는 덕이 있는 훌륭한 공민의 평등에 대한 사랑, 조국애, 정치적 덕성이야말로 고대 폴리스의 민주정체를 지탱한 골간이었다고 지적했다. "민주정체에 있어서 평등에의 사랑은 (시민들의) 야심을 단 한 가지의 욕망으로, 즉 다른 시민보다도 조국에 더 큰 봉사를 한다는 단 한 종류의 행복에 대한 욕망으로 한정한다."[302]

평등은 공동체의 결속과 일체감을 가져오고, 시민들의 헌신적인 조국애는 폴리스를 더욱 강고하게 만들었다. 그리하여 여러 전쟁에서 승리는 늘 공화국의 몫이었고, 그것은 마침내 공화국 영토의 확장과 부의 급격한 증가를 가져왔다.

그런데 아이러니하게도, 그런 성공이 다시 공화국의 원리이자 영혼이었던

---

300. 關尹子曰 "情生於心, 心生於性. 情波也, 心流也, 性水也." 『통편』, 116쪽.

301. 孟氏又曰 "…… 公德非他, 以私德爲其公益耳." 『통편』, 220쪽.

302. 몽테스키외, 『법의 정신』 5편 제3장; 진병운, 위의 글, 162쪽.

시민들의 덕성을 부패시키고 말았다. 그리고 평등을 향한 사랑, 조국애, 정치적 덕성이 타락했다. 그러자 공화국은 급속히 몰락의 길을 걸었다.[303] 몽테스키외의 이런 분석이 전병훈에게 깊은 인상을 주었다.

민주정체의 성공을 가져오는 요인이 다름 아닌 '시민의 공덕'에 있다고 명언했기 때문이다. '부국강병'은 다만 덕의 결과에 지나지 않는다. 그런데 다시 부국강병에 도취하자, 오히려 시민의 덕이 타락했다. 그것이 마침내 민주정체의 몰락을 가져왔다.[304] 이런 문맥에서, 서우는 덕이 있는 자와 부덕한 자를 나누는 몽테스키외의 언명도 소개한다.

> (몽테스키외가) 또한 말했다. "군자가 그 나라를 사랑함이란, 나라에 이로운 것으로 그 사랑을 보내는 것이다. 소인이 그 나라를 사랑함이란, 자기에게 이로운 것으로 그 사랑을 보내는 것이다."[305]

폴리스의 공화제에서는 공적인 덕의 유무로 자국민을 '훌륭한 공민'과 '소인배'로 분류했다. 그것을 윗글에서 '군자'와 '소인'으로 번역했다.[306] 소인배는 사적인 욕망, 즉 개별적인 정념에 따른다. 그는 나라가 자기에게 이로움을 줄 때만 조국애를 발휘한다. 소인배의 조국애는, 예컨대 일제강점기의 친일파에게조차 있다. 하지만 군자(덕이 있는 공민)는 공적인 덕, 즉 보편적인 정념에 충실한 사람이다. 그의 조국애란 나라에 이로운 바를 사랑하는 것이다. 이순신의 구국충절, 백범 김구와 시인 윤동주의 순결한 조국애가 곧 그런 것이다.

---

303. 위의 글, 163쪽.

304. 그렇다고 해서 몽테스키외가 고대 공화정체의 '시민의 덕'을 자신의 시대에서 반드시 본받아야 할 모범으로 보았던 것은 아니다. 그는 공동체에 헌신하고 절제하는 시민의 덕이 폴리스의 성공과 동시에 몰락을 가져오는 숙명적인 한계로 보고, 근대의 군주제 및 영국의 자유방임적 요소의 장점도 함께 검토한다.

305. 又曰 "君子之愛其國也, 以利於國而致其愛者也. 小人之愛其國也, 以其利於己而致其愛者也." 『통편』, 221쪽.

306. 自注云 "君子, 小人皆自國民之公德而言." 『통편』, 221쪽.

군자와 소인

전병훈은 동·서양이 군자와 소인을 나누는 데서 일치한다고 찬탄했다. 그러면서 사덕과 공덕을 분간하지 못하는 천박한 학자들(淺學)의 주장이 이로써 논박된다고 주장했다.[307] 여기에는 두 가지 논점이 있다.

첫째는 군자와 소인의 구분이 동·서양에서 과연 일치하느냐의 문제다. 둘째는 사덕과 공덕을 분간하지 못하는 것이 왜 잘못인가 하는 문제다. 먼저 첫 번째 문제부터 답하기로 하자.

'군자'와 '소인'이란 짝개념은 오늘날 일상의 화법에서 거의 자취를 감췄다. 이 개념에 대한 현대 한국인의 인상은 별로 좋지 않다. 설령 자기가 '군자'로 불리더라도, 그것은 왠지 케케묵고 고루한 인간이라는 뉘앙스라서 썩 유쾌하지 않을 수 있다. 물론 '소인'이란 말을 듣는 걸 좋아할 사람은 드물다.

하지만 만약 '신사紳士(gentleman)'로 불린다면 뿌듯할 것이고, "신사답지 못하다"는 핀잔을 들으면 자기의 행실을 반성할지도 모른다. 그러나 이걸 가지고 한국인의 서구 편향을 나무랄 생각은 없다. 다만 군자와 소인이란 짝개념에 양반·평민을 나누는 전근대적 신분질서의 기억이 담긴 반면, 신사 내지 부인(숙녀) 개념이 교양을 갖춘 근대적인 상류사회의 남녀를 함축한다는 사실을 상기할 필요가 있다.

그러므로 '군자'의 망각과 '신사'의 선호는, 무엇보다 한국의 역사에서 전근대와 근대의 분열을 표상한다. 그런데 전병훈은 군자와 소인의 구분을 옹호했다. 그렇다면 그는 과연 이 짝개념에 담긴 전근대적 신분차별의 원리를 두둔했던 것인가? 결론부터 말하자면, 결코 그렇지 않다.

모든 언어에는 역사성과 사회성이 있다. '군자' 역시 마찬가지다. 그것은 본래 주나라에서 귀족계층을 가리키는 호칭이었다. 다만 그들의 높은 사회적 지위가 고귀한 덕성의 결과로 간주되었으므로, 처음부터 군자는 '높은 지위'와

307. 此論亦極深切著明. 君子小人之分, 東西一致, 何如是之酷肖哉. 嗚乎! 淺學之不分私德公德者, 盍於此渙然冰釋乎? 『통편』, 221쪽.

'뛰어난 덕'의 이중적 의미를 함축했다.

그러다가 후대에 와서, 지위보다 덕으로 그 의미 중심이 이동한다. 아무리 신분과 직위가 높더라도, 덕이 있어야 비로소 '군자'가 된다는 인식이 확산되었다. 공자야말로 이런 개념의 확장에 일조했다. 군자와 소인을 구분하는 공자의 언명은 명쾌하고도 간결하다.

문제가 생기면 그 원인을 "군자는 자기에게서 찾지만, 소인은 남에게서 찾는다."[308] "군자는 남의 미덕을 성취시키지만, 남의 악덕은 이뤄지지 않게 한다. 소인은 이와 반대로 한다."[309] 공자의 이런 언명 이후로, 오랫동안 군자 개념은 주로 '덕 있는 사람(有德者)'을 표상하는 기호로 그 사회성을 부여받았다. 소인은 그와 반대로 '부덕한 사람(不德者)'을 가리켰다.

물론 그렇다고 해서, 군자에서 '지위가 높은'이라는 함의가 완전히 소거된 것은 아니다. 다만 그것은 부차적인 의미로 내려앉았다. 그런데 전병훈은 군자와 소인에서 다시 신분제적 의미를 거의 제거했다. 그는 다만 덕이 있고 없음에 따라 군자와 소인을 구분했으며, 그런 문맥에서 "군자와 소인을 나누는 데서 동서양이 일치한다"고 말한 것이다.

이런 언명은 전적으로 타당하다. 지금까지 살폈듯이, '덕이 있는' 그리고 '부덕한' 것의 구분이야말로 모든 도덕철학의 기본과제였다. 동서고금을 막론하고, 덕이 있고 없음을 판별하는 건 언제나 종요로운 문제였다. 수많은 철학자가 이 문제를 다뤘다.

철학의 담론을 떠난 일상의 현실에서 보더라도, '덕 있는 사람'인가 '부덕한 사람'인가의 평판은 인간의 삶에서 늘 중차대한 것이다. 비록 덕이 무엇인가에 대한 각론이 다양하다는 사실을 인정하더라도 말이다.

그런데 오늘날 정작 심각한 문제는 '덕'이 무엇인가의 혼란에서 발생하는 게 아니다. 덕에 대한 관심과 개념 자체가 소멸하는 게 진짜 문제다. 군자·소인의 짝개념이 현대 화법에서 거의 사라진 지금, 그것을 대체하여 '덕 있는 사

---

308. 君子求諸己, 小人求諸人.『論語·衛靈公』.
309. 君子成人之美, 不成人之惡. 小人反是.『論語·顔淵』.

람'과 '부덕한 사람'을 지칭하는 일상어가 언뜻 떠오르지 않는다.

하지만 재산이나 지위, 학식과 계급 등과 연관된 개념은 우리의 평상에서 여전히 강력한 힘을 발휘하는 마법의 단어들이다. 가난뱅이와 부자, 서민과 고위층, 고졸과 대졸, 가진 자와 못 가진 자 같은 짝개념이 오늘날 한국사회와 한국인의 삶에서 어떤 의미인가를 설명하는 데 긴 지면을 할애할 필요는 없을 것이다.

언제부턴가 "부자 되세요"라든가 "돈벼락 맞으세요" 같은 속물스런 광고 카피가 민망하게 들리더니, 이제는 어디서나 횡행하는 덕담처럼 너나없이 아무렇지도 않게 말한다. 근자에는 금수저·은수저·흙수저처럼 신분계급을 즉물적으로 표상하는 개념이 유행한다. 그러나 '덕 있는 사람'이나 '부덕한 사람'을 함축하는 개념은 일상에서 거의 사라졌다.

개념의 망각은 사태의 상실을 반영한다. 아무도 '덕 있는 사람'이 되려고 하지 않고, 또 '부덕한 사람'이 되지 않으려고 하지도 않는다. 마치 덕성 따위에는 누구도 관심이 없는 듯하다. 그리하여 젊은 세대에게 '된 사람'이나 '군자'가 되라고 가르치는 건, 마치 화염에서 연꽃을 피우는 만큼이나 어려운 세태가 되어 버렸다.

그것은 소위 '도덕적 해이(moral hazard)'나 '도덕의 위기(moral crisis)'를 넘어, 참담한 '도덕 없음(moral absence)'의 사태를 시사한다. 이는 단지 부도덕한 사회가 되었다는 탄식을 넘어, 국가·사회 공동체의 해체와 몰락을 가져오는 징후라는 점에서 그 심각성을 우려하지 않을 수 없다.

몽테스키외도 명언했듯이, '평등에 대한 사랑'이나 순결한 '조국애' 같은 공적인 덕이야말로 민주주의 체제에서 국가공동체의 결속을 가져오는 요인이다. 그런 덕이 쇠락하고 부와 권력에 대한 소인배의 적나라한 탐욕만이 누항에 가득할 때, 민주정체는 붕괴의 국면을 맞는다.

개별자의 도덕(私德)과 공적인 도덕(公德)

한편 이런 '도덕 없음'의 사태는 위에서 언급했던 두 번째 논점, 즉 사덕과 공덕을 분간하지 못하는 데서 생기는 윤리적 위기와도 연관이 있다. 몽테스키외의 번역에서 '사덕'과 '공덕', '덕 있는 사람(군자)'과 '부덕한 사람(소인)'을 구분하고 그 각각의 특징을 진술했던 것을 독자들은 기억할 것이다. 서우는 거기서 다음과 같은 교훈을 얻을 수 있다고 명언했다.

> 사람들 가운데 사덕과 공덕의 분별에 대해 여러 말을 길게 늘어놓는 자들이 있다. 어찌하여 여기서(몽테스키외의 도덕설에서) 반성해 그 비루한 교설을 고치지 않는가?[310]

'사덕과 공덕의 분별(私德公德之辨)'이란, 앞서도 잠시 말했듯이 20세기 초에 중국사회에서 큰 반향을 불러일으켰던 담론이다. 일본에 망명 중이던 량치차오가 그 담론을 촉발했다. 그가 말하는 '공덕'은 공적인 영역, 특히 '국가'와 같은 사회적 조직체(團體)에서 발휘되는 도덕이다. 반면 '사덕'은 자기 한 몸만을 닦는(獨善其身) 개별자의 덕을 가리킨다. 량치차오가 말했다.

> 중국에서 도덕의 발달은 빨랐다고 할 수 있다. 그러나 사덕에만 치우쳐 있었을 뿐 공덕은 거의 결여되어 있다. 『논어』나 『맹자』 같은 책들은 우리 국민의 목탁이며 도덕의 근원이다. 그러나 그 안에서 가르치는 것은, 사덕이 9할이고 공덕은 1할에도 미치지 못한다.[311]

량치차오는 중국에서 '사적인 덕'이 일찍부터 발달한 반면, '공적인 덕'은 거의 결여되었다고 혹평했다. 그러나 전병훈은 이런 평가에 동의하지 않았다. 그

310. 人之呶呶於私德公德之辨者, 何不反省於此, 以改其陋說乎? 『통편』, 220쪽.
311. 梁啓超, 『新民說』; 이혜경, 위의 글, 166쪽에서 재인용.

렇다고 해서 사덕과 공덕의 구분 자체를 반대한 것은 아니다. 대신 서우는 유교 등의 도덕이 단지 사덕에 그치지 않는 공덕의 체계라는 것을 논증했다. 더 나아가 이기적인 정념(私欲)을 넘어서는 사적인 덕, 즉 개별자 내면의 양심이야말로 공적인 덕을 실현하는 근거라고 주장한다.

그러므로 앞서도 인용했듯이 "공덕이 다른 게 아니라, 다만 사덕으로 공공의 이익을 위하는 것"이라는 몽테스키외의 언명에 서우가 그토록 고무되었다. 또한 '덕 있는 사람'과 '부덕한 사람'이 나라를 사랑하는 방식의 차이에 관한 몽테스키외의 논법에 찬동했던 것이다. "군자는 나라에 이로운 것으로 나라를 사랑하지만, 소인배는 단지 자기에게 이로운 것으로 나라를 사랑한다"는 논법 말이다.

다시 말해, 군자는 공적인 동기와 목적에서 나라를 사랑한다. 그렇지만 소인배는 이기적인 동기와 목적에서 나라를 사랑한다. 그러므로 '나라사랑'이라고 해서 다 같은 조국애가 아니다. 서우의 문법에 의하면 '개별자의 도덕'에 충실한 사람이라야, 비로소 '공적인 도덕'의 실현도 원만해진다.

그러나 내면(양심)의 덕을 결여한 소인배의 나라사랑은 다만 이기적인 충동에 따른다. 그의 조국애는 집단의 이익에 참여하고, 이를 통해서 궁극적으로 자기의 이익을 실현하는 데에 목적이 있다. 그들은 개인의 이기적인 충동을 '국가'라는 큰 집단의 이익에 집합시키고, 집단의 이익을 위해 헌신하는 것을 숭고한 덕으로 찬미한다.

거기서 소인배다운 나라사랑이 뜨겁게 달아오른다. 그리고 이런 소아병적인 나라사랑에서 20세기의 파시즘이나 국가주의 같은 끔찍한 전체주의적 폭력이 자라났다. 그런데 량치차오는 자신의 망명지였던 일본에서, 이런 소아병적 사랑(국가주의)이 성장하는 광경을 부러운 눈길로 지켜보았다.

제국주의 열강의 침탈에 무너진 무기력한 중국의 처지에 비해, 일본의 부국강병은 실로 경이로운 것이었다. 일본의 군국주의가 훗날 중국을 비롯한 아시아 전역에 어떤 참담한 불행을 가져올지 량치차오는 아직 예견하지 못했다. 대신, 그는 일본에서 중국의 미래를 보았다. 그리하여 마침내 '개별자의 도덕'을 배제하는 '공적인 덕'의 위엄을 찬양하기에 이른다. 량치차오가 말했다.

> 도덕의 정신은 한결같이 사회의 이익을 이롭게 하기 위해 발생한 것이다. 이 정신에 위배되면 지선至善이라 할지라도 지악至惡이 될 수도 있다. …… 사회를 이롭게 하는 것은 선이고 사회에 무익한 것은 악이다. 이 이치는 시공을 초월한 이치이다.[312]

사회(국가)의 이익이 최고의 선이다. 개별자의 덕이 아무리 훌륭한 선일지라도, '사회의 이익'에 위배되면 그것을 악으로 처단할 수 있다. 이는 끔찍한 전체주의적 몽상을 함축한다. 량치차오 역시 이런 사상의 위태로움을 깨닫고, 머지않아 '사덕'이 '공덕'의 근거가 된다고 인정하게 된다.

하지만 단지 그가 생각을 돌이켰다고 해서 역사의 수레바퀴가 거기서 멈춘 것은 아니다. 전체주의적인 '공공의 덕(국가·사회의 이익)'을 앞세워 국민을 동원하고 국가를 재건하는 구상은 현실이 되었다. 그것은 동아시아 근대국가의 형성과정에서 대단히 인기가 높은 기획이었다.

그리하여 20세기 동아시아에서 일어난 여러 비극의 배후에 잔혹한 '공적인 도덕'의 몽상이 어른거린다. 일본의 군국주의, 중국의 문화대혁명, 한국의 군사독재, 북한의 유일체제에 이르기까지, 개인의 내면적 양심을 배제하고 초월하고 압도하는 '국가의 도덕'이 언제나 선명한 기치를 휘날렸다.

하지만 돌이켜 보면, 그런 소아병적인 나라사랑은 량치차오의 말과 반대로 늘 '최고의 선(至善)'이 아닌 '최고의 악(至惡)'이 되고 말았다. 결과적으로 말해, 동아시아 근대화 과정에서 빈곤했던 것은 '공덕'이 아니라 오히려 '사덕'이었다.

칸트가 말하듯이 언제나 목적 그 자체인 인간, 도덕의 입법자로서 양심을 가진 개인이 동아시아에서 충분히 발견되지 않았던 것이다. 그러니 이제 자연스럽게 칸트로 말머리를 돌릴 차례가 되었다.

---

312. 위의 글, 164~165쪽.

칸트의 도덕철학

도덕형이상학

"칸트는 성스러운 철인이다."[313] 서우는 칸트를 이렇게 찬미했다. 그는 서양철학의 역사에서 그리스 3대 철학자(소크라테스, 플라톤, 아리스토텔레스)와 칸트만을 '성인' 혹은 '성스러운 철인'으로 호명했다. 서우가 '성스럽다'고 경탄하는 칸트의 사상은 대개 다음과 같은 것이다.

> 칸트가 말했다. "도학에서 원리학이 유래한다. 그러나 원리학에서 도학이 유래하는 것은 아니다. 우리가 만약 의지를 도덕의 경지와 일치시킨다면, 양지良知의 능력이 나로 하여금 도덕의 책임을 알게 할 것이다. 하지만 이는 실로 교육의 효과로 얻을 수 있는 바가 아니다. 또한 제도의 힘으로 정할 수 있는 것도 아니다.
> 사람이 살면서 이(도덕의 책임)를 아는 것은 이른바 '도덕의 선험적 인식에 속하는 것'이다. 도덕의 책임이 곧 도덕의 법령이다. 도덕의 법령은 우주 안에 제한되지 않으며, 영겁 가운데 제한되지도 않는다. 이로 인해 그 존엄과 고귀함이 멀고 가까움을 따지지 않고, 고금을 분간하지 않는다. 그것은 우주 밖에서 광대하게 일어나며, 영겁의 뒤에서 유구하게 일어난다."[314]

오늘날 익숙한 철학개념상, 칸트가 '도학'을 말했다는 게 기이하게 들리지 모른다. 왜냐하면 '도학'이란 좁게는 성리학을 가리키고, 넓게 보더라도 '도에 관한 학문'이라는 동양철학적 함의가 떠오르기 때문이다. '원리학'도 현대 철학

---

313. 康氏聖哲也. 『통편』, 222쪽.

314. 康德曰 "道學者, 乃原理學之所由出. 而原理學則非爲道學之所由出也. 夫吾人若一致意於道德之境界, 則良知之能, 使我知存有道德之責任矣. 然此固非有教育之功所致, 亦非制度之力所定. 乃爲人生而知之者, 即所謂屬於道德之事前之識也. 道德之責任, 道德之法令也.道德之法令, 不限於宇宙之內, 不限永劫之中, 是以其可尊可貴, 無論遠邇, 無分今古也. 其普博出於宇宙之外, 其悠久出於永劫之後也." 『통편』, 221~222쪽.

에서 낯익은 개념은 아니다.

앞서도 말했듯이, 서양철학의 개념들을 한자어로 옮기는 과정에서 초기에 여러 번역어들이 제안되었다. '도학'과 '원리학' 역시 그런 사례였다. 문맥상 판단컨대, 여기서 도학은 칸트의 '도덕학' 내지는 '도덕형이상학'을 가리키는 것이다. 하지만 '원리학'에 이르면, 그 함의가 상당히 모호하다.

'원리(principle)'라는 말이 철학에서 널리 쓰이지만, 그렇다고 해서 '원리학'이라는 철학의 분과를 따로 상정하기는 어렵다. 어찌 보면, 철학 자체가 '원리'를 탐구하는 학문이기 때문이다. 실제로 다양한 종류의 원리를 말할 수 있다.

예를 들어, 서양 근대철학의 비조로 일컬어지는 데카르트는 그의 저서인 『철학 원리』에서 '인식의 원리'와 '사물의 원리'를 각각 제1부와 제2부의 테마로 다뤘다. 물론 그것은 인식론과 자연과학의 원리를 함축한다. 하지만 다른 '원리'도 말할 수 있다.

무엇보다 칸트 본인이 『도덕형이상학 정초』에서 '모든 도덕성의 최상의 원리'를 확정하는 것을 목표로 삼았다.[315] 그런데 위 인용문은 "도덕학에서 원리학이 유래한다"고 하고, 동시에 "원리학에서 도덕학이 유래하지 않는다고 말할 수 없다"고도 분명히 말한다. 그러므로 '원리학'이 최소한 '도덕성의 최상의 원리에 관한 학(도덕학)'이 아니라는 것은 확실하다.

한편 서우가 칸트를 인용하면서 원리학에 관해 약간 더 언급하는 대목이 보인다. 예를 들어 정신의 불멸과 신의 존재를 만약 원리학으로 연구한다면, 얻을 수 있는 게 없다고 한다. 또한 세상에서 원리학과 신학을 근본으로 삼고, 도덕학을 말단으로 여긴다고도 한다.[316]

이런 문맥에서 볼 때, 윗글의 '원리학'은 인식론적 함의가 두드러진다고 추정된다. 다시 말해, 인식론상의 방법론(논리학)을 통해 철학적 탐구대상의 원리

---

315. 김재호, 「칸트 『윤리형이상학 정초』」, 『철학사상』 별책 제7권 제14호(서울대학교 철학사상연구소, 2006), 21쪽.

316. 康氏又曰 "夫精神之不滅, 神之存臨, 兩者若以原理學硏究之, 未有所得. …… 世之以原理學及神學爲本, 而以道學爲末者, 其亦可謂謬矣." 『통편』, 224쪽.

를 논구하는 것을 '원리학'으로 번역한 듯하다. 그런데 논의를 이어가기 위해, 여기서 다른 종류의 질문으로 넘어가자.

'도덕'과 '도덕적인 것'에 대한 생각은 언제부터 인류에게 중요했을까? 물론 시기를 단정하기는 어렵다. 하지만 동·서양의 여러 창세신화부터 도덕관념을 반영할 정도로, 그 역사가 유구하다는 것은 분명하다.

도덕 혹은 윤리에 대한 본격적인 철학(윤리학)적 탐구가 시작되기 훨씬 전부터, 인간은 도덕적인 판단을 해왔다. 또한 지금도 그런 판단은 계속된다. 이런 도덕적 판단은 우리 사고과정의 일부로 전개된다. 그런 점에서, 그것은 인식론적 의미를 지닌다.

다시 말해 사람들은 늘 뭔가가 옳다/그르다고 판단한다. 더 나아가 그것이 왜 옳고 그른지에 관해 그 원리를 숙고한다. 이런 일련의 도덕판단은 대개 경험을 토대로 한다. 그리고 그 판단이 더 나아지기 위해서는, 보다 풍부한 지식이나 관습의 습득이 요구되고 또한 예리한 판단력도 필요하다.

이런 것들은 모두 도덕의 존재·본질·기원·근거 등을 따지는 사고과정의 원리 탐구를 포함한다. 즉 쉽게 말해, 도덕에 대해 사람들은 인식론상에서 이런 저런 원리적 판단을 한다. 그것을 앞글의 개념대로 일단 '원리학'이라고 부르자.

그런데 이런 사고과정과 도덕 사이에는 심원한 간극이 있다. 도덕은 과연 원리학, 즉 인식론적인 원리 탐구에 의해 정립되는 것인가? 더 평이하게 말해, 도덕은 과연 사람들의 도덕적 가치판단에 따라 존립하는 것인가?

이 질문에 대해 '그렇다'라고 답하면, 당신은 도덕을 후천적으로 만들어진 인위적이고도 경험적인 가치판단의 결과물로 간주하는 것이다. 하지만 도덕은 그처럼 단순하지 않다. 일상에서 흔히 '도덕' 혹은 '윤리'라고 부르는 경험적이고도 인식론적인 사태에 관해서라면 칸트 역시 잘 알고 있었다. 또한 이를 그 자체로 평가할 줄도 알았다.

그러나 칸트는 이런 경험적 도덕과 '순수 도덕철학' 즉 '도덕형이상학'을 엄격하게 구별한다.[317] 앞서 인용문에서 "도학에서 원리학이 유래한다. 그러나 원리학에서 도학이 유래하는 것은 아니다"라고 말했다. 이 테제야말로 도덕의 형이상학적 성격과 연관이 있다.

도학, 즉 도덕학(도덕형이상학)을 기반으로 도덕의 원리를 경험 및 이성적으로 논구하는 건 가능하다. 그러나 도덕학의 탐구대상인 '도덕' 내지는 '도덕의 최상의 원리'가 사람들의 인식론적 가치판단의 결과로 발명되는 건 아니다. 왜냐하면 감각으로 경험하는 사태 너머로부터 도덕의 시그널이 오기 때문이다.

도덕의 명령

칸트에 의하면, 도덕의 명령은 사람들의 가치판단 이전에 "우주 밖에서 광대하게 일어나며 영겁 뒤에서 유구하게 일어나는" 것이다. 그러므로 참된 도덕은 형이상학의 논구 대상일지언정, 경험적 인식론으로 파악할 수 있는 한계를 넘어선다. 다만 우리의 의지를 영겁 너머의 도덕과 일치시키면, 선험적인 인식능력에 의해 도덕의 책무를 깨닫게 된다. 칸트가 말한다.

> (도덕적) 책무의 근거는 인간의 자연본성이나 인간이 놓여 있는 세계 내의 정황에서 찾아서는 안 되고, 오로지 순수한 이성의 개념들 안에서만 선험적으로 찾아야 한다.[318]

여기서 소위 '인간의 자연본성'이란, 동양철학에서 말하는 순수하고도 도덕적인 '본성(性)'을 가리키는 게 아니다. 서양철학의 문법상, '본성'은 도리어 '사욕私欲'에 가까운 개념이다. 사람들은 이런 사욕의 정념이나 상황적 조건을 근거로, 영겁 너머에서 유래하는 순수한 도덕을 찾으려고 한다.

하지만 그것은 마치 먹물을 풀어놓은 검은 물속에서 영롱한 달그림자를 찾으려는 만큼이나 난망한 것이다. 칸트에 의하면, 참된 도덕은 오로지 선험적인 순수한 이성으로만 파악할 수 있다. 그런 이성을 앞서 서우의 인용문에서는 '양지良知'로 번역했다.

---

317. 김재호, 위의 글, 20쪽.

318. Immanuel Kant, *Grundlegung zur Metaphysik der Sitten*; 김재호, 위의 글, 45쪽에서 재인용.

이런 양지의 능력으로 인해 사람들은 '도덕의 책무'를 알게 된다. 하지만 그 책무는 후천적인 교육으로 얻어지거나, 사회제도로 제정할 수 있는 성질의 것을 넘어선다. 그것은 다만 순수한 이성, 양지, 양능良能, 양심良心 등으로 불리는 인간의 천부적이고도 고결한 정신의 능력으로만 파악된다.

그런데 우리가 양심에서 '책임'으로 느끼는 것은, 도덕의 견지에서 보자면 또한 '명령'이 된다. 그러므로 "도덕의 책임이 곧 도덕의 법령"이라고 말하는 것이다. 칸트의 말처럼 "우주 밖에서 광대하게 일어나며 영겁 뒤에서 유구하게 일어나는" 도덕의 명령이 있다.

마치 소크라테스의 다이모니온처럼 속삭이는, 그런 숭고한 도덕의 명령이다. 그 명령이 내 마음(양심)에 이르면, 그것이 곧 도덕의 책임이 된다. 서우는 그런 도덕의 명령에서 도가의 '도'를 보고, 또한 유가의 '천명'을 발견했다. 그리하여 다음과 같이 말한다.

> (칸트가) 여기서 도덕원리의 뜻이 우주 밖과 영겁의 뒤에서 일어난다고 논하는 것이, 정확하게 도가의 지극한 철리와 같다. 그리고 또한 유가 근원의 견해에도 들어맞는다.[319]

그런데 우리의 도덕적 책임을 다시 '도덕의 명령(법령)'이라고 말하면, 그것은 마치 외부로부터 주어지고 강제로 집행되어 사람들의 자유를 제한하는 어떤 강압적인 처분처럼 오해되기 쉽다. 그러나 실상은 그 반대이다.

의지의 자율

도덕명령이야말로 자유의 근거이다. 왜냐하면 참된 자유란, 오로지 자기의 이성 안에서 도덕의 책무를 스스로 짊어지는 사람만이 누릴 수 있는 특권이기 때문이다. 서우가 다시 칸트를 인용했다.

---

319. 此論道德原理之義, 出於宇宙之外永劫之後者, 正與道家之極致哲理同, 而亦脗合於儒家本原之見也. 『통편』, 222쪽.

칸트가 또한 말했다. "우리가 이미 도덕의 법령을 존중해 스스로 짊어지게 된다면, 우리 마음에서 반드시 자유의 품성이 없을 수 없다. 만약 마음에 자유가 없다면 밖으로부터 강제로 저지당하게 될 것이니, 어찌 다시 책임이 있겠는가?

그렇다면 도덕의 법령이 있다 한들, 역시 어쩔 방법이 없다. 내가 때때로 혹시 이를 범하더라도, 역시 스스로 뉘우칠 도리가 없다. 내가 이를 범해도 그것이 부득이하다고 여기게 된다.

하지만 이제 도덕의 법령이 있고 내가 스스로 그것이 엄중한 줄 알기에, 한 번 이를 범하면 곧 뉘우치게 된다. 이것은 내 마음의 자유가 크게 밝아져서 분명하게 드러난 것이다."[320]

칸트는 '자유'를 '의지의 자율(Autonomie des Willens)'로 설명한다. 그에 의하면, '의지의 자율'만이 도덕의 유일한 원리이자 최상의 원리이다. 왜냐하면 "윤리성의 원리는 정언명령이어야만 하는데, 이런 정언명령은 더도 덜도 아닌 바로 (의지의) 자율을 지시·명령하는 것"이기 때문이다.[321]

익히 알다시피 정언명령이란, 행위의 결과를 떠나 행위 자체가 선하므로 무조건 그렇게 하라고 요구되는 도덕적 명령이다. 칸트는 "그 준칙이 보편적 법칙이 될 것을, 그 준칙을 통해 네가 동시에 의욕할 수 있는, 오직 그런 준칙에 따라서만 행위하라"[322]고 정언명령을 정식화했다.

다시 말해, 내가 하려고 꾀하는 것이 동시에 누구에게나 통용될 수 있는 수준의 준칙으로 보편타당해야 한다는 문맥이다. 하지만 자유와 정언명령 등에 대한 칸트의 일련의 논증은 아주 치밀하고 철저하므로, 여기서 그 전모를 죄

---

320. 康氏又曰 "吾人旣以道德之法令, 重以自負, 自吾人之心, 必不可無自由之性. 若心無自由, 則爲外來所牽阻, 何復責任之有? 即有道德之法令, 亦無奈之何? 我時或犯之, 亦無自悔之理矣. 蓋以我犯之, 是不得已也. 今有道德之法令, 我自知其可重, 且一犯之, 則有悔恨. 是我心之自由, 大爲彰明較著矣." 『통편』, 222쪽.

321. 김재호, 위의 글, 112쪽.

322. 김재호, 위의 글, 89쪽.

다 밝힐 수는 없다.

다만 칸트의 논증과정을 반드시 답습하지 않더라도, "도덕의 법령을 존중해 스스로 짊어지는" 태도에서 자유의 품성을 찾는 건 자연스런 귀결이다. 거꾸로 말해 보자. 자유의 품성을 지닌 사람이라면, 자기 마음 안에서 반드시 스스로 도덕의 책무를 느낀다.

반면 그런 도덕적 책임을 느끼지 못하는 사람이라면, 그는 단지 자기의 정념이 바라는 대로 하는 것을 '자유'라고 생각한다. 하지만 그런 자유는 언제나 욕구하는 뭔가에 속박되어 있다. 만약 그런 것까지 자유라고 한다면, 그런 자유는 이를테면 동물이나 노예라도 향유한다.

예를 들어 돼지가 여물통 속에 코를 박거나, 발정 난 수컷이 암컷에게 구애를 하거나, 혹은 노예주가 소금에 절인 돼지고기를 던져 줄 때 몰려드는 노예들의 가련한 충동에도 그런 자유는 있다. 하지만 그것을 '자유'라고 부르기에는 부족하다.

그것은 결국 언제나 타율에 머문다. 왜냐하면 돼지는 여물에, 동물 수컷은 암컷에, 노예는 먹을 것을 향한 정념에 속박돼 있기 때문이다. 그리고 실제로 농장주와 노예주는 타율적인 가축과 노예를 사육하고 번식시키고 통제하기 위해, 으레 그런 유혹거리들을 적절히 던져 주며 활용하는 데 능숙하다.

그러므로 단지 정념의 욕구를 따르는 사람들 역시 언제나 타율을 벗어날 수 없다. 그들이 비록 여물통 대신 금고에 코를 박고, 세련된 겉모습에 매혹되고, 많은 보수와 높은 직위를 갈구하지만, 그런 충동에서 비롯되는 행위는 동물농장의 돼지나 노예의 타율과 본질적으로 다를 바가 없기 때문이다.

자기의 이성 혹은 양심에서 올바른 것에 대한 도덕적 책무를 느끼지 못하므로, 결국 그들의 영혼은 타율의 속박을 벗어날 수 없다. 그러므로 칸트의 말처럼, 우리 인간은 '의지의 자율'에서만 자유를 얻는다. 그런 '자유'는 정념의 욕구에 따르는 것이 아니라, 이성(양심) 안에서 옳다고 판단되는 소신을 따름으로써만 얻어진다.

한데 만약 올바름의 판단이 혼자만의 경험이나 편협한 신념에서 비롯된다면, 그런 소신은 독단이나 몽상이 되기 쉽다. 자기 혼자만의 독선은 대개 밖으로부터 강제로 저지당하게 된다. 따라서 그 역시 타율의 굴레를 벗어날 수 없다.

바로 이 지점에서 칸트의 정언명령이 빛을 발한다. 우리의 의지가 진정한 자율을 획득하기 위해서, 자기의 행위준칙이 누구에게나 통용될 수 있도록 보편타당해야 한다는 명령이 요청되는 것이다. 사람이 비록 언제 어디서나 이런 명령에 백 퍼센트 충실하기는 어렵다. 하지만 자기의 의지 안에서 참된 자유를 획득하기 위해서라도, 이런 도덕법칙을 이해하고 실천하려는 노력을 멈출 수는 없다.

그런데 도덕의 실천과정에서 '의지의 자율'에 이르는 길을 칸트가 처음 발명했던 것은 아니다. 비록 칸트의 도덕철학처럼 명확한 개념으로 진술되지는 않았더라도, 칸트가 말하는 도덕적 '자유'에 부합하는 사례들은 언제 어디나 있었다.

예를 들어 늘 다이모니온에 충실했던 소크라테스도 그렇거니와, 공자에게서도 그런 자유의 도덕을 발견할 수 있다. 공자가 나이 일흔이 되어서 "마음 내키는 대로 해도 법도를 어기지 않았다(從心所慾不踰矩)"고 술회한 것은 유명하다. 이런 명언야말로, 의지의 자율로 실현되는 정언명령을 함축한다.

공자는 15세에 학문에 뜻을 세우고(志學), 40세에 의혹을 벗어나며(不惑), 50세에 천명을 알기(知天命)에 이른다. 칸트의 문법으로 말하자면, "도덕의 책임이 곧 도덕의 법령"임을 확고하게 깨우치게 된 셈이다. 그리고 70세에 '종심소욕불유구'에 도달한다.[323]

"내가 예지 세계의 성원이기만 하다면 나의 모든 행위들이 의지의 자율에 항상 알맞을 것"[324]이라고 칸트가 말하는 '자유'의 상태에 이른 것이다. 그런데 이런 도덕적 '자유'에 도달하기 위해서는, 역설적이지만 무엇보다 스스로 '잘 뉘우치는' 능력이 요청된다.

---

323. 吾十有五而志于學, 三十而立, 四十而不惑, 五十而知天命, 六十而耳順, 七十而從心所欲不踰矩, …….『論語·爲政』.

324. 김재호, 위의 글, 127쪽.

반성의 도덕

반성이야말로 자유의 표징이다. 이성(양심)에 따라 자기 행실의 도덕성을 반성하는 것이야말로, '의지의 자율'에 따르는 인간의 현저한 특징이다. 만약 마음에 자유가 없다면, 도덕에 대한 책임의식도 없다. 그리고 도덕의 책무를 알지 못한다면, 자기의 도덕적인 잘못을 스스로 뉘우칠 도리도 없는 게 자명한 이치다.

그러니 예를 들어 타율적인 동물이나 노예라면 도덕의 책임의식이 없으므로, 스스로의 부도덕을 반성하지도 못한다. 그런데 겉으로 멀쩡한 사람이 도덕의 책무를 알지 못하고, 또한 자기의 그릇된 행실을 반성할 줄도 모른다면, 그는 본질적으로 타율에 길들여진 동물이나 노예와 다를 바 없다.

그런 노예와 달리, 타율에 의한 제재가 아니라 '의지의 자율'로 자기의 도덕적 잘못을 반성할 줄 안다면, 이런 사실이야말로 그가 참된 자유인임을 입증한다. 그러므로 다시 인용하지만, 앞글에서 다음과 같이 말했던 것이다.

"이제 도덕의 법령이 있고 내가 스스로 그것이 엄중한 줄 알기에, 한번 이를 범하면 곧 뉘우치게 된다. 이것은 내 마음의 자유가 크게 밝아져서 분명하게 드러난 것이다."

전병훈은 자유에 대한 칸트의 이런 언명이 "일상생활(日用行事)에서 성찰하는 공덕이 아주 절실하다"고 평론한다. 평상의 자기 언행을 늘 성찰하라고 요청하는 유교의 문법으로 칸트를 읽었던 것이다. 그리고 거기서 유교와 칸트의 도덕학 간에 만남을 주선한다.

> (칸트에게) '날마다 세 번씩 내 몸을 살피는(三省吾身)' 덕이 있다고 말할 수 있다. 우리 유학이 마땅히 서양철학과 결합해 원만한 덕을 성취해야 한다. 이런 칸트의 학설을 보면, 그것이 또한 아주 분명하지 않은가?[325]

---

325. 此言亦甚切於日用行事省察之功, 可謂有三省吾身之德也. 吾儒當合致西哲以成圓德者. 觀此康氏之學說, 不亦明甚乎? 『통편』, 222~223쪽.

개별자의 도덕(私德)

그런데 칸트가 사람들 각자의 '의지의 자율'과 '정언명령'을 강조하는 배후에는, 모든 인간을 자유롭고 평등한 합리적 존재로 자리매김하려는 근대적 인간관의 요청이 있다. 자유로운 개인이 도덕의 주체가 되어야 한다.

그런 '개별자의 도덕(私德)'을 자각할 때, 거기서 비로소 개인의 주체성과 합리성, 권리와 의무, 자치와 연대, 불의에 대한 저항 등을 특징으로 하는 시민의식이 성숙한다. 그리고 이런 시민의식을 토대로 건립된 시민사회 내지는 근대국가라야, 마침내 '공적인 덕(公德)' 역시 건강해진다.

그런데 앞서도 말했듯이, 동아시아 근대화의 과정에서는 다만 '국가의 이익'으로 귀결되는 공적인 도덕이 과도하게 부각되었다. 반면 도덕과 자율의 주체인 개인의 '사적인 덕'의 중요성은 거의 도외시되었다. 혹은 공적인 도덕에 유용한 경우에만 사덕이 제한적으로 장려되었을 뿐이다.

그리고 다른 한편으로, 동아시아에서 유구했던 개인적인 '덕의 수양' 전통을 시대에 뒤떨어진 것으로 폄하하고 배제했다. 그러나 앞서 량치차오가 중국철학에는 "사덕이 9할"이라고 말했던 것이야말로, 개인적인 도덕수양 방면의 이론적이고 실천적인 자산이 얼마나 풍부했던가를 역설적으로 웅변한다.

하지만 동아시아의 성마른 근대화론자들은 대개 부국강병과 현세적 공리주의에 경도되었다. 그들은 조상들로부터 물려받은 '군자의 도덕'은 물론 서구 근대성의 최고봉에서 칸트가 말하는 '합리적 인간의 도덕'까지 모두 귀담아듣지 않았다.

그리고 단지 '공익' 내지는 '공적인 도덕'의 이름으로 국가가 개인의 '사적인 덕'을 관리하고, 감시하며, 통제하는 것을 정당화했다. 천부의 양심에 따라 판단하고 행동하는 시민의 덕성과 긍지를 파괴했고, 그리하여 근대적인 시민의 탄생이 지체되었다.

그러나 칸트의 문맥에서 말하자면, 국가는 시민의 도덕을 평가하고 관리할 자격이 없다. 왜냐하면 '도덕'은 우주와 영겁 너머에서 유래하는 명령이 인간의 이성(양심)에 책무로써 인식되는 것이지, 결코 국가로부터 비롯되는 것이 아니기 때문이다.

이런 도덕론의 뿌리는 서양에서 고대 그리스의 철학자들에게까지 거슬러 올라간다. 유·불·도 3교에서도, 도와 덕은 사회나 국가를 넘어서는 우주론적 기원을 가지는 것이다. 결국 동서양 어디서나 도덕실천의 주체는 언제나 인간이며, 도덕의 법령은 인간 영혼의 아득한 심연에서 올라오는 고귀한 계시인 것이다. 서우가 다시 칸트를 인용했다.

> 칸트가 또한 말했다. "우리가 도덕의 법령에 대하여, 만약 반드시 자기 행실을 조심하고 애써야 어기지 않게 된다면, 이는 아직 귀한 게 아니다. 반드시 생각하지 않는 가운데 힘쓰지 않아도 합당하고, 자연스럽게 우러나와 조금도 가식이 없어야, 이에 비로소 순수한 경지에 도달한다.
>
> 하지만 이는 우리 육신의 삶이 능히 얻을 수 있는 바가 아니다. 우리 인생은 단지 육신으로 살지 않고, 반드시 영겁에 유구한 것이다. 만약 그렇지 않다고 여기면, 이런 도덕의 순수한 지경을 우리 인간이 얻어 성취하기를 바랄 수 없게 된다.
>
> 그러므로 도덕의 이치로 추리하건대, 우리 정신은 응당 반드시 육신과 더불어서 생멸하는 게 아니다. 오직 한 번 육신의 속박을 벗어난 뒤에야 오히려 (도덕이) 자연스럽게 수립하고, 자기 수행과 자기 연마를 더욱 증진하여 도덕의 극치에 이르게 된다. 이 역시 자연의 질서이다."[326]

불멸의 영혼, 실천이성

윗글에서 자연스럽고 순수한 도덕을 말한다. 그것은 도가의 무위자연, 그리

---

326. 康氏又曰 "吾人之於道德之法令, 若必須自行惕礪, 乃得以不背犯之, 是仍未足爲貴. 必也不思而中, 不勉而當, 出之於自然, 而少無假借, 斯乃得達於精粹之地也. 然此非吾人肉身之生所能得者. 蓋以吾人之生, 非只生於肉身, 將必有久於永劫者. 若以爲不然, 是道德精粹之域, 爲吾人不可得而期望矣. 以故自道德之理以推究之. 則吾人精神, 當必不與色身俱生滅. 俟一退脫肉身之纏縛後, 猶能自行樹立, 益加以自修自礪, 以至於道德之極點, 此亦自然之秩序也." 『통편』, 223쪽.

고 불교의 해탈적멸마저 연상시킨다. 무엇보다 육신의 속박을 초월하는 정신의 도덕을 진술하는 문맥이 인상적이다. 전병훈도 이 대목에서 "칸트의 학문이 도교와 불교의 극치를 겸해 얻었다"[327] 고 평론했다.

그런데 칸트에 의하면, 사변적인 이성은 불멸하는 영혼을 인식할 수 없다. 하지만 도덕을 실천하는 차원에서라면 불멸의 영혼이 존재한다고 인정하지 않을 수 없다. 거기에서 이른바 '사변이성(순수이성)'과 '실천이성'의 작동방식이 엇갈린다.

칸트의 도덕철학에서 최상의 선은 덕을 얻는 것으로 실현된다. 덕은 도덕법칙으로 제시된 정언명령을 순전히 도덕적인 동기에서 의무로 따를 때 성립한다. 그러나 유한한 인간이 감각적인 육체의 삶에서 이런 덕을 완벽하게 실현하고, 최상의 선에 이르기는 난망하다.

덕의 실현을 보증하기 위해서라도, 필연적으로 영혼의 불멸을 전제하지 않을 수 없다. 여기서 칸트는 실천이성(praktische Vernunft)을 요청하게 된다.[328] 영혼의 불멸성과 신에 대한 칸트의 이런 논법을 서우는 나름대로 충분히 이해했다.

> 칸트가 또한 말했다. "사람 마음에는 '자유의 이법'과 '불멸의 이법'이 있다. 그런데 우리가 지나간 것으로 이를 관찰하고 연구한다면, 역시 모두 망상의 헤아림으로 귀결되어 아무 소득도 없다. 실천이성(實行之智)으로 그 고찰의 방법을 실행해야, 그로써 이 (자유와 불멸의) 두 이법이 모두 도덕의 큰 섭리의 자연스러운 효과라는 것을 알게 되어, 다시는 의심이 없을 것이다. 정신의 불멸, 신의 존재와 강림. 이 두 가지를 만약 원리학으로 연구한다면, 얻을 수 있는 게 없다. 그러나 만약 도덕의 섭리로 이를 관찰한다면, 반드시 그 지극한 이법을 얻는다. 종교의 큰 근본이 이로부터 정립한다. 이처럼 도학(도덕형이상학)을 아는 것이 곧 종교가 성립하는 근거이다. 그렇

---

327. 康氏之學, 可謂兼得道佛兩家之致者也. 『통편』, 223쪽.

328. 박정하, 「칸트 『실천이성비판』」, 『철학사상』 별책 제2권 제6호(서울대학교 철학사상연구소, 2003), 105~106쪽.

지만 도학과 별개로 종교를 세워 유지하려고 한다면, 반드시 이룰 수 없다. 세상에서 원리학과 신학을 근본으로 삼고 도덕학을 말단으로 여기지만, 그 역시 오류라고 말할 수 있다."[329]

칸트가 또한 말했다. "도덕의 법령은 반드시 내 마음의 자유의 섭리를 따르지 않을 수 없다. 이로써 행복의 지극한 즐거움이 생기는 것은, 반드시 내 마음의 불멸의 이법을 구하는 데서 일어나지 않을 수 없다.
그러므로 신의 위엄과 덕이 발현되어도, 무릇 사변이성(觀察之智)으로 이를 탐구할 수 없다. 그것은 반드시 도덕의 지혜로 보아야 한다. 이처럼 (도덕의 지혜로) 고찰하는 방식이 실로 다른 여러 방식을 넘어서는 이유가 거기에 있다."[330]

서우는 "도덕의 순수하고 존엄함을 볼 수 있다"고 위의 논의를 찬탄했다. 또한 칸트의 학문이 성스러운 경지에 이르렀다고 평론했다.[331] "마음에 도덕의 법령이 이미 있다면, 반드시 '행복의 지극한 즐거움(幸福之至樂)'과 서로 표리를 이룰 것"[332]이라고 부언하기도 했다. 그런데 참된 행복이란 과연 무엇인가?

아리스토텔레스가 '덕에 따르는 영혼의 활동'을 최상의 선이자 행복으로 보았다면, 칸트는 그 영혼의 활동을 '정언명령에 따르는 의지의 자율'로 명료화

---

329. 康氏又曰 "人心自由之理·不滅之理, 吾人往者以觀察之·研究之, 亦徒歸於妄想測度, 一無所得. 及以實行之智, 行其檢覈之法, 以知此二理, 皆爲道德大理自然之效果, 無復疑義焉. 夫精神之不滅, 神之存臨, 兩者若以原理學研究之, 未有所得. 若以道德之理察之, 則必獲其至理, 而宗教之大本, 於斯以立矣. 是知道學者, 乃宗教之所由立, 而外於道學, 欲別立以扶持宗教, 則必不可得也. 世之以原理學及神學爲本, 而以道學爲末者, 其亦可謂謬矣. 『통편』, 224쪽.

330. 康氏又曰 "夫道德之法令, 必不可不從斯心之自由之理, 以生幸福之至樂之必不可不求斯心之不滅之理以作. 以故神之威德之有發現, 而凡夫觀察之智所不得求之者, 則須夫道德之智見. 此所以此檢覈之法式, 實過於他諸法式者也." 『통편』, 224~225쪽.

331. 康氏此論, 可見其道德之純且尊焉. 苟非學到聖處者, 能若是乎? 『통편』, 224쪽.

332. 既有道德之法令, 則必有幸福之至樂相爲表裏. 『통편』, 224쪽.

했다. 그런 의지의 자율에서 극진한 즐거움이 생겨나니, 그게 곧 행복의 조건이 된다.

전병훈은 칸트가 이런 도덕의 즐거움을 실제로 경험했다고 확신했다. 그리고 "이런 지극한 즐거움이 아니라면 도덕의 정취라고 말하기에 충분치 않다"고 명언했다.[333] 그럼에도 불구하고, 거기에는 아직 미흡한 구석이 있다. 서우가 말한다.

> 하지만 정신을 응결해 참나를 이루는 오묘함에 있어서는, 아마도 참된 가르침을 반드시 다 얻지 못한 듯하다. 이것이 내가 서양의 벗들에게 한 칸만 뛰어넘기를 참마음을 다해 촉구하고 바라는 이유다.[334]

'정신을 응결해 참나를 이루는 오묘함'이란, 물론 '정신철학' 편에서 다뤘던 정신수련의 비결을 가리킨다. 고대 그리스의 3대 철학자부터 칸트에 이르기까지, 서양철학의 주류를 이뤘던 철학들이 모두 불멸하는 우주적 정신(영혼)에 관해 논구하고 형이상학 이론을 건립했다. 칸트의 문맥에서 '사변이성'은 논리학·과학의 원천이고, '실천이성'은 도덕·종교·미학의 근거가 된다. 서우는 그 역시 한 '정신'이 서로 다른 방식으로 작동된 것으로 보았다.

그런데 그 '정신(영혼)'의 실체에 어떻게 접근하는가의 문제에 있어서, 칸트는 과연 전병훈의 말처럼 그 실체를 향해 '한 칸 넘기(透一間)' 일보직전의 경계에서 끝내 머뭇거리는 것으로 보인다. 그에게 있어서 육체를 떠나 불멸하는 영혼, 영혼의 자유, 그리고 그 궁극의 근거가 되는 신은 모두 이른바 '물자체(Thing in Itself, Ding an sich, 物自體 혹은 自在之物)'로서 결코 우리의 이성으로 파악할 수 없는 것이다.

---

333. 以至樂言道德者, 亦實得之驗也. 苟非至樂, 則不足以言道德之趣味矣. 『통편』, 225쪽.
334. 然其凝神成眞之妙, 則恐未必盡得眞傳矣. 此余所以拳拳屬望於西友之要透一間者也. 『통편』, 223쪽.

'물자체(Ding an sich)'와 '참나(眞我)'

칸트의 본래 문장 안에서 '물자체'는 인식주관에서 독립한 선험적 대상이었다. 한데 그게 전병훈이 인용하는 번역문에서 '참나(眞我)'로 번역된다. 다시 말해, 칸트의 본래 문장 안에서 미지의 타자인 '물자체'였던 것이 전병훈이 읽은 칸트의 텍스트에서는 자기 자신인 '참나'로 전환된다. 이런 전환은 실로 의미심장하다.

칸트는 이성의 언덕에서, 강 건너 둔덕의 어른어른한 영혼(정신)을 가리켜 '물자체'로 불렀다. 반면 전병훈은 정신(물자체)의 언덕에 서 강 건너편의 이성을 대면하고, 자기 스스로를 가리켜 '참나'로 진술한다. '이성'의 강나루를 경계로 하여, 동·서양 철학의 문법이 어떻게 극적으로 대치하고 전환되는가를 잘 보여준다.

> 칸트가 또한 말했다. "사물의 현상은 변하는 것이다. 사물의 본질은 불변하는 것이다. 변하는 것은 실로 허공과 영겁 사이에 그 삶을 위탁하며, 생기면 소멸하지 않을 수 없다. 하지만 불변하는 것은 시간·공간과 조금도 교섭함이 없다. (공간은 횡으로 말하고 시간은 종으로 말하니, 우리 '우주'의 뜻과 같다.)
> 우리 사람이 여기서 하등생명(오장·육체적 생명)의 밖에 다시 고등생명으로 존재한다. 고등생명이란, 곧 본질이며, 곧 '참나'이다. 이런 '참나'란 항상 초연하게 시간과 공간의 밖에 존립하고, 자유롭고 활발한 하나의 사물이 되어, 다른 것이 능히 속박할 수 있는 게 아니다. 그러므로 '자유의 이법'과 '어길 수 없는 이법'이 함께 존재해 등지지 않는다고 말하니, 곧 그것이다."[335]

---

335. 康氏又曰 "物之現象, 其變者也. 物之本質, 其不變者也. 其變焉者, 固託生於虛空與永劫之間, 有生而不能無滅. 至其不變者, 則與時間空間, 了無交涉. (空間以橫言, 時間以竪言, 如吾宇宙之意.) 吾人於此下等生命之外(五官肉體之生命), 復有其高等生命者存. 高等生命者, 即本質也, 即眞我也. 此眞我者, 常超然立於時間空間之外, 爲自由活潑之一物, 而非他之所能牽縛. 故曰 '自由之理, 與不可違之理, 幷存而不背者'此也. 『통편』, 225쪽.

위에서 괄호 안의 내용은 전병훈이 해설을 더한 부분이다. 윗글의 '참나'가 '물자체'의 번역이라는 것은 문맥상 의심의 여지가 없다. 이에 대해 서우가 말한다. "여기서 '참나'가 사물의 현상(物表)을 초월해 존립하여 '자유'가 되는 것은, 비단 불교의 지혜에서 보일 뿐만 아니라 더불어 도교의 진수를 얻은 것이다."[336]

그런데 칸트와 전병훈의 입지가 아주 가까운 듯 보이지만, 실은 근원적인 단절이 있다. 그들은 마치 거울의 안과 밖처럼 서로를 바라본다. 그 차이를 이렇게 묘사할 수 있을지 모르겠다. 칸트가 철학과 구도求道의 경계에 선 철학자였다면, 전병훈은 구도와 철학의 경계에 선 구도자였다.

칸트에게 '이성理性(Vernunft)'은 인간 인식활동의 최상위 사유능력이다. 그것은 감성을 거쳐서 가공된 지성을 원리적으로 통일하는 능력이다. 한데 그것이 사유능력인 한에 있어서, 감각으로 경험할 수 있는 대상(현상)을 넘어서 사물 자체(물자체, 선험적 대상, 본체)를 인식할 수 없다.

그럼에도 불구하고, 이성은 늘 물자체로 접근하려고 시도한다. 하지만 물자체는 본질적으로 감각기관이 경험할 수 있는 현상 너머에 있으므로, 이성은 그것의 존재에 대하여 긍정도 부정도 할 수 없다.

칸트는 이성의 특징과 작용 그리고 한계까지 철저하게 논구한 철학자였다. 일찍이 칸트 이전에 누구도 인간의 사유능력을 그처럼 투철하게 들여다보지 못했다. 그의 모든 철학적 비판은 궁극적으로 이성에 대한 것이었다. 한편 그 비판 자체가, 곧 이성의 사유능력이 빚어낸 최고의 결과물이기도 했다.

하지만 그런 이성도 물자체 앞에서는 속수무책이었다. 아니 엄밀하고도 치밀하게 분석하면 할수록, 물자체가 이성을 넘어선다는 게 분명해졌다. 앞서 말했듯이 칸트는 영혼의 불멸, 자유, 신에 대해 말했다. 하지만 그런 물자체는 어디까지나 실천이성이 '요청'한 것이지, 이성으로 그 존재를 경험하거나 '아는' 상태에 이른 것이 아니다.

---

336. 此云眞我超然立於物表以爲自由者, 非但有見乎佛海, 而兼有得於道眞也. 『통편』, 225쪽.

이는 마치 그림자가 몸을, 천애고아가 부모의 모습을 연상하는 것과 비슷하다. 그림자와 고아가 자기의 존재 근거를 곰곰이 따져 본다면, 자기 자신의 특성으로부터 몸체와 부모가 반드시 있어야 한다고 '요청'하게 될 것이다.

하지만 그렇다고 해서, 그림자와 고아가 그의 몸체와 부모를 '안다'고 말할 수는 없는 노릇이다. '이성'으로 불리는 인간의 사유란 언제나 물자체의 그림자요, 우리의 영혼이 낳은 가련한 고아일 수밖에 없다. 이성이 존재의 그림자나 고아일 수밖에 없는 이유는, '사유'가 숙명적으로 그 사유의 대상으로부터 분리되기 때문이다.

사유란 언제나 대상적인 인식이다. 설령 인식 주체, 즉 '나'에 대한 인식이라고 할지라도, 그 사유 안에서 나를 대상화하지 않는다면 주체에 대한 인식은 성립하지 않는다. 이성의 사유가 작동하는 한에 있어서, 모든 것을 대상화하는 유한한 관념을 벗어날 도리는 없다.

그러므로 이성, 즉 인간의 사유능력은 우주와 영겁 너머의 (비대상적 실재인) 영혼·자유와 정신(신)의 세계로 넘어갈 수 없다. 이성의 결과물은 다만 관찰대상으로부터 분리된 형상(像)으로만 존립한다. 몸체로 인해 생겨나지만, 언제나 몸체와 분리될 수밖에 없는 것이 그림자의 숙명이듯이 말이다.

이성이 만약 물자체의 경계 너머로 넘어간다면, 그것은 더 이상 이성이 아닐 것이다. 칸트는 이성의 이런 특성과 한계를 누구보다 명확하게 알고 있었다. 이성에 대한 그의 비판은 정직했다. 그리고 전병훈 역시 서양철학자들, 그가 친애해 마지않던 '서양의 벗(西友)'들이 물자체 일보직전의 경계에서 서성거린다는 사실을 잘 알고 있었다.

그러므로 서우는 그들에게 한 발짝만 더 넘어오라고 간절하게 손짓한다. 왜냐하면 서우의 정신은 이미 존재 그 자체, 칸트가 이른바 '물자체'로 지칭한 세계로 넘어가 거기서 자기 자신(정신)을 스스로 '운용'하는 요령을 터득하고 있었기 때문이다.

칸트는 실천이성으로 물자체를 요청했다. 그러나 서우는 '정신을 응결해 참나를 이루는 오묘함'의 비결을 얻어 물자체의 세계로 들어갔다. 그리고 "서양의 벗들에게 한 칸만 뛰어넘기"를 간절하게 촉구한다. 한데 그러려면 반드시 이성 너머 피안彼岸의 둔덕으로 건너가야만 한다. 이성을 존재의 본질로 삼는 철학자에게 있어서, 서우의 그런 재촉은 철학자로서 자기의 존재 근거 자체를 전복하는 두려운 요청이 된다.

그림자는 늘 몸체의 가장 가까이에 있다. 그렇다고 해서 그림자에게 몸체가 되라고 하면, 그림자에게 그것은 마침내 그 존재의 상실을 의미한다. 그러므로 그림자가 몸체를 따르면서도 몸체 안으로 들어갈 수 없듯이, 이성 역시 결코 물자체로 넘어가지 못한다. 이성에게 '물자체'란 가장 가까이 있고 또한 가장 흠모하면서도, 숙명적으로 언제나 그의 집 문턱을 넘을 수 없는 영원한 타자의 이름인 것이다.

이성과 정신, 철학자와 구도자

칸트는 이성의 경계 끝에서, 그 너머로부터 희미하게 투영되는 실재(정신)의 세계를 뚫어져라 응시하고 관찰하며 묘사했다. 서우는 참나(정신)의 처소 입구에서, 정신을 향하는 이성의 갈망과 구애에 경탄하고 응답하며 진술했다.

마치 계곡의 소리와 메아리처럼, 정신과 이성이 '존재 그 자체'와 '존재의 확인'을 주고받는 셈이다. 그렇지만 이성과 정신은 또한 서로를 요청한다. 정신을 떠난 이성이란, 목표를 잃고 미로를 헤매는 떠돌이의 발걸음처럼 공허에 빠지기 쉽다. 반면 이성을 등진 구도란, 제 모습을 비출 거울을 잃고 산발한 집시의 그림자처럼 음산한 골짜기로 향하기 십상이다.

하여 '지혜'는 불멸의 정신과 냉철한 이성이 조우하는 순간에 그 빛을 발한다. '도덕'은 시공을 초월한 참나의 본성과 일상의 삶을 잇는 영명한 자유의 마차다. 지혜의 교각 위로 도덕의 마차가 달릴 때, 비로소 극진한 복락의 관문이 열린다. 그리고 영겁과 현재가 교차하는 찰나에, 정신과 이성이 만나 마침내 하나가 된다.

칸트가 또한 말했다. "우리 사람의 평생 행위는, 모두 내 도덕상의 성질이 표현된 것이다. 그러므로 내 성품이 자유로운지 아닌지를 알려면, 몸뚱이의 현상론으로 치우칠 것이 아니라 마땅히 본성의 도덕론으로 하여야 한다. 무릇 도덕상의 성질이라면, 누가 그것이 조금이라도 자유롭지 않다고 말하겠는가? 도덕상의 성질은 나지도 소멸하지도 않으며, 시간과 공간에 제한되거나 속박되지도 않는 것이다. 과거도 없고, 미래도 없으며, 항상 현재인 것이다.

사람이 각자 모두 이처럼 시공을 초월하는 자유권에 의지하며, 이로써 그 도덕의 성질을 스스로 만들어 낸다. 그러므로 나의 '참나'가 비록 내 육안으로 스스로 볼 수 있는 바가 아니라도, 도덕의 섭리로 추론컨대, 그것이 '현상 위로 엄연하게 멀리 나와 그 밖에 존립하는 자'라는 것을 알 수 있다. 과연 이런 '참나'는 반드시 항상 활발하고 자유롭다. 육체가 항상 불가피한 이법(제약)에 둘러싸여 있는 것과 다름이 분명하다.

이른바 '활발하고 자유로움'이란 무엇인가? 내가 착한 사람이 되고자 하고 악인이 되고자 하는 것이, 모두 나로부터 말미암아 스스로 선택하는 것이다. 이미 선택이 정해지면, 곧 육체가 그 명령을 따른다. 이로써 선인과 악인의 자격이 굳어진다. 이를 통해 볼 때, 우리 사람의 몸에는 이른바 '자유의 성질(自由性)'과 '부자유의 성질(不自由性)' 양자가 동시에 병존하니, 그 이치가 뚜렷하여 쉽게 이해할 수 있다."[337]

'물자체'가 '참나'로 번역되면서, 서우는 칸트가 정신의 실상을 실제로 보고

---

337. 康氏又曰 "吾人畢生之行爲, 皆我道德上之性質所表見也. 故欲知吾性之是否自由, 非可徒以軀殼之現象論, 當以本性之道德論. 夫道德上之性質, 則誰謂其絲毫不自由者哉? 道德上之性質, 不生不滅, 而非被限被縛於空劫之間者也. 無過去, 無未來, 而常現在者也. 人各皆憑藉此超越空劫之自由權, 以自造其道德之性質. 故我之眞我, 雖非我之肉眼所能自見, 然以道德之理推之, 則見其有儼然迥出於現象之上, 而立乎其外者. 果爾則此眞我, 必常活潑自由, 而非若肉體之常範圍於不可避之理明矣. 所謂活潑自由者, 何也? 吾欲爲善人, 欲爲惡人, 皆由我所自擇. 既已擇定, 則肉體乃從其命令, 以鑄成善人惡人之資格. 由是觀之, 則吾人之身, 所謂自由性與不自由性兩者, 同時竝存, 其理較然易明也." 『통편』, 226쪽.

경험한 철학자였다고 판단하게 된다. 서우가 말했다. "여기서 '현상 위로 엄연하게 멀리 나와 그 밖에 존재하는 자'라고 하니, (칸트는) 진실로 자기의 정신을 본 바가 있는 듯하다."[338]

하지만 만약 칸트에게 이 말을 전한다면, 정작 칸트 본인은 그렇지 않다고 부인할 것이 틀림없다. 왜냐하면 칸트에게 있어서 정신(영혼) 같은 물자체는 결코 '본다'는 경험적 인식으로 파악되는 대상이 아니기 때문이다.

대신 윗글에서 "도덕의 섭리로 추론컨대"라는 전제야말로, 물자체에 대한 칸트의 철학적 입지를 드러낸다. 다만 여기서 '추론한다(推之)'는 번역어가 다소 부적절하다. 왜냐하면 추론이란, 감성과 지성의 여러 소여들을 근거로 사변이성이 종합적으로 사유하는 과정을 암시하기 때문이다.

칸트에 의하면, 이성은 사변적인 추론을 통해 물자체에 대해 어떤 객관적 지식도 얻을 수 없다. 하지만 인간은 또한 도덕법칙에 따르며, 이런 도덕의 필요야말로 실천이성이 영혼(정신)·자유·신과 같은 물자체의 존재를 요청하는 근거이다.

"도덕의 섭리로 추론컨대"라는 인용문의 전제는 곧 이런 문맥이다. 실천이성이 우리에게 제시하는 도덕법칙은 영겁 너머의 불멸하는 정신에서 올 수밖에 없다. 그것은 우리가 '의무'라고 부르는 도덕의 명령에 따르기를 요구한다.

도덕의 동기와 의무, 목적으로서의 인간

만약 도덕적으로 가치 있는 행위가 어떤 경우냐고 묻는다면, 칸트는 단지 '의무로부터' 생겨났을 경우라고 답할 것이다. 칸트는 의무에 어긋나는 모든 행위를 도덕적 가치의 영역에서 제외한다. 의무와 대립하는 여러 행위가 비록 유용할 수는 있지만, 그것이 결코 도덕적일 수는 없다.

또한 단지 '의무에 맞는'다고 해서, 그 행위가 또한 모조리 도덕적 가치의 영역에 들어갈 수 있는 것도 아니다. 어떤 행위가 우연히 의무와 일치할 수는

---

338. 此云儼然逈出現象之上, 立乎其外者. 誠若有見乎自己之精神者. 可謂聖矣哉. 『통편』, 226~227쪽.

있다. 하지만 그것의 의도가 의무 때문인지, 아니면 다른 이기적인 의도에서 비롯한 것인지는 다시 따져 봐야 한다.

만약 어떤 행위가 '의무에 맞는' 것일지라도, 이를 행하는 주체가 그 행위를 하려는 '직접적인 경향성(unmittelbare Neigung)'을 가지고 있다면, 이런 행위는 단지 사적인 의도에 의한 것이지 결코 도덕적인 의무로부터 생겨난 것이 아니기 때문이다.

칸트는 가게주인의 예를 들어, 비록 그가 물건 값을 속이지 않는다고 해도 그런 행동이 '모든 사람을 정직하게 대한다'는 의무로부터 나왔다고 판단하기는 이르다고 말한다. 만약 그런 행동이 오히려 그의 이익에 맞아서 행했다면, 이는 순전히 사리私利를 탐하는 의도에서 일어난 행위이기 때문이다.

그러므로 '의무로부터' 나온 행위는 단순히 '의무에 맞는' 행위와 구별돼야 한다. 그리고 칸트에 의하면, 오직 '의무로부터' 비롯된 행위만이 도덕적이다.[339] 이와 관련해, 서우는 다음과 같이 칸트를 인용했다.

> 칸트가 또한 말했다. "무릇 명령을 수반하는 성질의 것은, 모두 '법률'로 부를 수 있다. 명령에는 두 종류가 있다. 첫째는 '하는 바가 있는 것(有所爲者)'이라고 한다. 둘째는 '하는 바가 없는 것(無所爲者)'이라고 한다.
>
> 예를 들어, 사람들에게 '당신이 건강해지기를 바란다면 당신이 먹는 것을 삼가고 욕심을 절제하시오'라고 말한다고 하자. 이런 것을 일러 '하는 바가 있다'고 한다. 대개 그 명령 가운데, 반드시 하나의 목적을 함유한다. 그리고 '반드시 이렇게 하면 곧 목적을 달성할 수 있고, 그렇지 않으면 달성할 수 없다'고 말한다. 하지만 그 사람이 이런 목적을 달성할지 안 할지는, 실로 그 사람이 내키는 대로 하기에 달려 있다.
>
> 여기 어떤 사람이 있는데, 스스로 질병을 자초하고도 뉘우치지 않는 자라고 하자. 그렇다면 비록 아침저녁으로 자기 성품을 해치는 패악에 탐닉하

339. 김재호, 위의 글, 62쪽.

고 퇴폐적인 음악에 눈알이 빠질지라도, 실로 다른 사람이 금지시킬 수가 없다. 무릇 이익을 목적으로 하는 자는 모두 이런 부류에 속한다. 대개 이를 일러 '하는 바가 있는 명령'이라고 한다. 하는 바가 있는 명령은 도덕과 티끌만큼도 관계하지 않는다.

도덕의 책임은 이와 다르다. 무릇 '책임'이라고 말하는 것은, 모두 '하는 바가 있어서 하는 것'이 아니다. 그것을 수단으로 삼아 다른 목적을 달성하려는 것이 아니다. 어째서인가? 수단이 곧 목적이다. 그러므로 사람들에게 '당신의 자유를 존중하고 행여나 포기하지 마시오'라고 말한다면, 이른바 '자유를 존중함'이란 그 수단이 아니다. 그가 존중하는 '자유' 밖에 또한 다른 목적이 존재하지 않는다.

무릇 도덕의 책임이란 모두 이런 부류에 속한다. 대개 그가 부담하는 책임이 실로 귀중하고 커서, 다른 종류의 이익과 절대로 비교할 수 없다. 저들처럼 수단을 행하여 이익을 구하려는 자들과는 다르다. 언제 어디서든, '나(吾)'의 자기 선택에 따른다."[340]

앞서 말했듯이, 칸트는 '직접적인 경향성'이 있고 없음에 따라 도덕적인 것의 여부를 판단한다. 윗글에서는 이를 "하는 바가 있는 것(有所爲者)"과 "하는 바가 없는 것(無所爲者)"으로 각각 번역했다. 이는 대체로 칸트 본연의 취지에 잘 부합한다.

---

340. 康氏又曰 "凡帶命令之性質者. 皆可謂法律. 命令有兩種. 其一曰有所爲者. 其二曰無所爲者. 譬諸語人曰, 爾欲爾康強, 則愼爾飮食, 節爾嗜欲, 此之謂有所爲. 蓋其命令中, 必含有一目的者存焉. 曰必如此乃足以達而目的, 不然則否也. 雖然彼之欲達此目的與否, 則固其人所得自肆矣. 有人於此, 甘自罹疾苦而不悔者, 則雖日夕自躭於伐性之斧, 目湎於腐腸之樂, 固非他人所得而禁也. 凡以利益爲目的者, 皆屬此類. 皆謂之有所爲之命令. 有所爲之命令, 與道德釐然無涉也. 若夫道德之責任, 則異是. 凡曰責任云者, 皆非有所爲而爲者也, 不得以之爲手段, 而求達他之目的者也. 何以故? 手段即目的, 故此諸語人曰, 尊重爾之自由, 無或放棄, 則所謂尊重自由者, 非其手段也. 其所尊重之自由之外, 更無有他目的者存也. 凡道德之責任皆屬此類. 蓋其所負之責, 實貴重而莫京. 與他種利益, 絶比較. 非如彼行手段以求利益者, 或趨或舍, 聽吾之自擇也." 『통편』, 227~228쪽.

도덕의 동기와 의무를 강조하는 칸트의 이런 사상에 대해, 서우는 "이익을 경계하는 말"[341] 이라고 평가했다. 그리고 사욕私欲을 넘어서는 공심公心의 문맥에서 그 의미를 해석했다.

> 이는 진실로 성스러운 철인의 극진한 말이다. '하는 바가 있는 것'이란 사사로운 욕심(私欲)이다. '하는 바가 없는 것'이란 곧 '공정한 마음(公心)'이다. 오직 하늘의 섭리에 따르는 공정한 마음이 곧 도덕이다. 장식張栻의 의리에 관한 변론이 이것과 의미가 같다. 그러면서도 (칸트의) 말이 더욱 친절하다. 지극하다! 성인이여. 아! 저들 근세에 오로지 이익으로 도덕을 해석하는 자들은 또한 칸트의 이런 말을 듣지 못했던 것일까?[342]

한편 서우는 인간을 수단이 아닌 목적으로 대하라는 칸트의 정언명령을 언급했다. '목적으로서의 인간'은 도덕의 기초가 될 뿐만 아니라, 또한 제도와 법률의 근본이기도 하다.[343] 행위의 동기와 의무를 강조하는 칸트의 이런 도덕철학은 서구의 근대윤리학에 큰 영향을 끼쳤다. 그것은 자율적 인간의 숭고한 도덕적 존엄과 긍지를 세웠으며, 근대사회의 시민에게 요청되는 도덕적 의무와 책임에 관해 심오한 철학적 원리를 제공했다.

공리주의 비판

칸트는 서구 덕윤리의 오랜 전통을 수호했다. 그러면서도 중세에 종교의 영

---

341. 至哉戒利益之言乎!『통편』, 227쪽.
342. 此眞聖哲之至言也. 有所爲者是私欲, 無所爲者乃公心. 惟天理之公心, 即道德也. 此與張南軒義利之辨, 意同而語尤親切. 至哉! 聖乎. 噫! 彼近世專以利益解道德者, 抑未聞康氏此言否耶? 嗚乎!『통편』, 228쪽.
343. 康氏又曰 "尊重人身, 而無或以之供我之手段, 是不特爲道德之基礎而已, 亦制度法律之本原也. 蓋法律有二種. 一曰制之於中者, 道德是也. 二曰制之於外者, 則尋常所謂法律是也.『통편』, 228쪽.

역에 속했던 도덕과 도덕적 의무를 근대적 개인의 '의지의 자율'로 재해석했다. 또한 그는 단지 이익에 따르고, 결과적으로 쾌락을 가져다주는 게 선이라는 세속적 쾌락주의에 반대했다. 이런 칸트 도덕철학의 의의와 교훈에 대해, 서우는 다음과 같이 평가했다.

> 서구에서 예로부터 내려오는 철리와 도덕학이 칸트에 이르러 비로소 적절히 조합하고 추려져 집대성되었다. 그 광명이 해가 하늘 가운데 걸린 듯하며, (그 언설이) 극히 친절하다.
>
> 그러나 저들 이타·이기, 공·사, 신·구의 설을 구구절절이 늘어놓는 자들은 반드시 자기를 그르치고, 다른 사람을 그르치며, 나라를 그르침이 많다. 경계해야 하지 않겠는가?[344]

여기서 서우가 비판한 "이타·이기, 공·사, 신·구의 설"은 대개 공리주의를 염두를 둔다. 익히 알다시피, 공리주의는 벤담을 필두로 19세기 중반 영국에서 출현했다. 이른바 '최대 다수의 최대 행복'이 그 원리를 대표한다.

벤담에 따르면, 인간의 쾌락과 이익을 증대하는 것이 곧 선이며 고통과 손실을 늘리는 것은 악이다. 그리고 이를 정당화하기 위해 인간이 단지 이기심에 따라 쾌락과 행복을 추구하는 존재라고 전제한다. 그런데 이런 공리성의 원리가 19세기 영국에서 제기되자마자, 유럽 대륙의 철학자들이 즉각 반론을 제기했다.

서양철학의 주류 전통에서조차 공리주의는 인간의 존엄을 모욕하는 논리로 비춰졌다. 벤담이 전제하듯이 인간이 만약 이기적 쾌락만을 추구하는 존재라면, 그런 사람이 예를 들어 돼지 같은 동물과 다를 게 뭐냐는 조롱어린 비평이 쏟아졌다.

---

344. 歐西古來之哲理道德學, 至康氏始乃調劑陶汰而大成也. 其光明如日中天, 極其親切, 而彼尚呶呶於利他利已公私新舊之說者, 其必自誤誤人誤國多矣, 可不戒哉? 『통편』, 228~229쪽.

그러자 쾌락의 질적 차이를 인정하는 방향으로 공리주의 원리를 수정하는 시도가 나타났다. 존 스튜어트 밀J. S. Mill이 그런 시도를 대표했다. 밀은 한편에서 쾌락이 곧 선이라는 공리주의적 원리를 수호하고, 다른 한편에서 '양적인 쾌락'만을 말하던 초기 공리주의를 수정했다.

그의 저명한 비유는 어쩌면 밀 자신보다 더 널리 알려졌다. "만족한 돼지가 되기보다는 불만족한 인간인 것이 낫고, 만족한 바보천치보다는 불만족한 소크라테스가 되는 것이 더 낫다." 쾌락은 단지 양적인 것으로만 환원될 수 없으며, 질적인 쾌락의 차이를 인정해야 한다는 것이 이 유명한 명제의 함의이다.

그리하여 비로소 꿀꿀거리며 먹을거리를 찾는 돼지의 쾌락, 주는 대로 만족하는 바보천치의 쾌락, 그리고 이성의 만족이나 인류애 같은 소크라테스(군자)의 고상한 정신적 쾌락을 공리주의에서 구분하게 되었다. 이후에도 현대 공리주의 담론은 여러 보완적 논의를 거쳐 전개되었다.

공리주의와 합리주의를 토대로 출현한 미국의 실용주의(Pragmatism) 역시 그 연장선상에 있다. 하지만 불행하게도, 20세기 동아시아의 공리주의는 이런 다각도의 철학적 논의를 거의 반영하지 않았다. 다만 '최대 다수의 최대 행복'이라는 명제를 통속적인 슬로건으로 변질시킨 물질주의 이념으로 전개되었다.

공리주의는 서구에서 정치·경제적 자유주의를 뒷받침했다. 그러나 동아시아에서는, 물질적 풍요와 양적 성장을 최고의 가치로 삼는 국가주의적 경제발전의 이데올로기로 변질되었다. 한편 서구에서 공리주의가 민주주의 정치제도와 복지사상의 발전에 기여했던 것과 같은 효과는 거의 나타나지 않았다.

한 세기 전 "(공리주의가) 반드시 공명과 이욕 그리고 권세와 이익을 다투는 폐해의 근원으로 흐르게 된다"고 예견한 전병훈의 경고는 현실이 되었다. 20세기 동아시아의 현세적 공리주의자들은 그들의 이념이 서구의 최신 윤리학설이며, 구미의 번영을 가져온 원동력이었다고 내세웠다. 하지만 그 철학적 깊이는 매우 낮은 수준이었다.

'공리'는 탐욕에 빠진 물질주의자들의 도덕적 타락을 정당화하는 전가의 보도(傳家寶刀)로 남용되었다. 현세적 공리주의자들은 특히 양적 공리주의에 경도되었으며, 고상하고 진지한 도덕을 낡고 걸리적거리는 것으로 욕보였다.

그들은 '덕 있는 것'과 '부덕한 것'의 질적인 차이에 무심하며, 다만 인간에게 쾌락과 이익을 가져다주는 공리성(utility)의 총량을 윤리적 가치판단의 기준으로 삼았다. 개인과 가정 · 사회 어디서나, 다만 계량할 수 있는 쾌락의 총량으로 도덕이 환산된다.

그렇게 계량화된 효율성의 수치가 물신주의를 뒷받침하는 맹목적인 교리가 되어, 많은 부분에서 합리적 이성의 판단을 대신한다. 그리하여 단지 많이 가지고, 더 높은 숫자로 측정되고, 다수결(다수자)로 나타나는 것이 최선의 결과를 가져오는 올바름의 지표로 간주된다. 이처럼 통속적이고 물량적인 공리주의가 특히 맹목적으로 신봉되는 나라가 지금의 대한민국이다.

국민소득을 행복의 총량과 동일시하고, 학업성취도로 학생과 학교의 훌륭함을 결정짓고, 졸업생 취업률이 좋은 대학의 기준이 되며, 오로지 높은 연봉이 좋은 일터와 훌륭한 사회인의 지표가 되고, 자식에게 물려줄 유산금액이 좋은 부모의 척도가 되는 그런 괴이한 세상에 지금 우리는 살고 있다.

이는 '좋음'과 '훌륭함'의 윤리적 기준을 모조리 물량과 효율성의 지표로 대체한 자연스런 귀결이다. 그리하여 칸트가 말했던 '의지의 자율', 서우가 찬미했던 '공정한 마음'을 지닌 도덕적 인간은 점차 사라지고 없다. 이렇게 도덕적 인간이 멸종한 빈자리에는, 최대 다수의 돼지와 바보들의 최대 행복이 서우가 경고했던 '비루한 복음(陋說)'으로 울려 퍼진다.

동물과 인간, 바보와 소크라테스가 느끼는 행복의 질적 차이를 말하는 공리주의자 밀의 유비조차 거기서는 이상주의가 된다. 마치 이런 미래를 예견이라도 했던 것처럼, 서우는 양적인 공리주의가 가져올 폐해를 경고했다.

그는 고대 그리스의 쾌락주의자인 에피쿠로스Epicuros(BC 341~270)와 근대 공리주의를 개척한 벤담(1748~1832)을 대비하기도 했다. 이를 통해 사람들이 얻는 쾌락과 행복에 질적인 차이가 있음을 부각하며, 단지 '이익'만을 추구하는 공리주의에 문제가 있다고 지적했다. 그리고 다시 한 번 칸트의 위대함을 찬미한다.

에피쿠로스가 항상 마음을 맑게 하고 욕심을 줄이며, 담담하게 안정하여 자기 수양을 하면서 이를 가장 큰 행복으로 여겼다. (실로 어진 철인이다.) 벤담의 공리주의(樂利主義)는 우리 각자 개인의 '사적인 이익(私利)'과 공중의 '공적인 이익(公利)'이 본래 서로 합치한다고 인식한다. 그리하여 내가 만약 하는 바가 있어서 다른 사람에게 이익이 된다면, 역시 반드시 내게도 이익이 있다고 한다. 이른바 실제적인 조화의 설이다.

그러나 서양철학에서 이처럼 이익을 논하는 설은, 반드시 공명과 이욕(功利) 그리고 권세와 이익(權利)을 다투는 폐해의 근원으로 흐르게 된다. 아! 칸트의 성스러움이여. 서구에서 하늘을 찌를 듯이 솟아오르고 대지에 우뚝 섰으며, 아울러 온 세계에 파급되었다.[345]

공리주의 비판과 함께, 서구 도덕철학의 최고봉으로 평가했던 칸트에 대한 평론 역시 자연스럽게 일단락됐다. 그런 연후에, 서우는 근대에 도덕을 실천한 모범으로 몇몇 정치가를 호명했다.

조지 워싱턴과 요·순의 '공적인 도덕심(公心)'

미국 건국의 아버지 조지 워싱턴George Washington(1732~1799), 독일의 철혈재상 비스마르크Fürst Bismarck(1815~1898), 이탈리아의 첫 수상인 카보우르Camillo Cavour(1810~1861)가 그들이었다. 그들은 유럽과 미국에서 근대국가를 건설한 주역이었다.

서우는 특히 워싱턴이 "8년간의 혈전 끝에 마침내 영국에서 벗어나 독립하여 민주공화국을 창건한 대통령"이라고 적시했다. 그리고 다소 엉뚱해 보이겠

345. 伊壁鳩魯, 常澄心寡慾, 恬澹安靜以自養, 而以爲最大幸福. (誠賢哲哉) 邊沁樂利主義, 以爲吾人一己之私利, 與衆之公利, 本相和合. 故我苟有所爲而益於人, 則亦必有益於我, 所謂實地調諧之說也. 然西哲如此論利益之說, 必流爲功利權利之弊源矣. 嗚乎! 康聖, 可謂撐天柱地於歐西, 而幷及宇內乎. 『통편』, 229쪽.

지만, 18세기 말 미국의 민주주의 전통을 확립한 정치지도자를 기원전 수천 년 전의 요·순에 비교하기도 한다. 서우는 (워싱턴의) 그 순수하고 올바른 도덕심이 "세계 만대에 요임금의 하늘을 다시 열었다"고 찬탄한다.[346]

그렇다고 해서, 제도적인 측면에서 선양과 민선을 동일시했던 것은 아니다. 서우 역시 "민선으로 (대통령을) 교체하는 제도가 요·순의 선양에 비해 (제도적으로) 조리가 상세히 구비되었다"[347]고 전제했다. 더 나아가, "워싱턴의 영웅도덕이 요·순에 비해 더욱 이루기 어렵고 더욱 빛나는 것"[348]이라고 평가했다. 다만 선양이든 민선이든, 권력을 사적으로 전유하거나 세습하지 않고 공적으로 운용하는 '공정한 마음(公心)'이 근원에서 서로 만난다.

> 무릇 도덕을 논하는 자는 요임금과 조지 워싱턴의 공정한 마음을 살핀다면, 홀연히 그 근원을 보게 될 것이다.[349]

아득한 상고시대의 전설과 근대 민주제도를 같은 선상에서 비교하는 건 당연히 무리가 있다. 그건 마치 신석기시대의 움집과 현대 도시의 가옥을 나란히 견주는 만큼의 비약으로 보인다. 건축가나 역사가라면 대번에 그런 대조의 비과학성과 몰역사성을 지적할 게 틀림없다.

그러나 사물의 본질을 꿰뚫는 시인, 혹은 레비스트로스 같은 인류학자라면 다르게 이야기할 것이다. 사람들은 첨단 과학과 문명의 이기를 누리는 현대인보다 원시적인 인간이 열등했다고 생각하는 경향이 있다. 그러나 인류의 본질에서 볼 때, 고대인은 결코 열등한 존재가 아니었다.

그들은 우리와 똑같은 인간이었고, 오히려 더 순수한 인간이었다. 신석기인

---

346. 華盛頓血戰八年竟能離英而獨立, 創建民主共和國統領. …… 可謂重開堯天於宇內萬世者也. 『통편』, 230쪽.

347. 民選替代之制, 比堯舜相禪條理詳備. 『통편』, 230쪽.

348. 然概此表出華氏之英雄道德, 以譬唐虞, 則尤有難焉, 而尤有光焉. 『통편』, 230쪽.

349. 凡論道德者, 觀堯華之公心, 可以恍然見其源矣. 『통편』, 230쪽.

이나 그 선조들 역시 현대인과 다름없는 정신을 소유했다. 그들은 긴 과학적 전통의 계승자였다. 고대와 근대 과학의 차이는, 다만 과학적 인식이 자연에 접근하는 전략의 차이에서 비롯된다.[350]

게다가 토기를 만들고 농사를 지으며 가옥을 만드는 등의 신석기시대 발명은 여전히 우리 문명의 기초를 이룬다. 레비스트로스가 이른바 '신석기시대의 역설'이라고 부른 인류학적 모순이다. 그런데 이런 역설이 단지 과학에만 그치는 건 아니다. 도덕에서도 그런 역설을 찾을 수 있다.

사실 근대 민주제도의 기원이 몇 세기밖에 안 된다는 자체가 사회과학자나 역사가들이 충분히 고려하지 못하는 문제를 제기한다. 근대적 인간의 도덕이 반드시 근대의 발명은 아니다. 선사시대부터 인간은 다른 사람에게 관대하고, 이타적이며, 자기희생을 하는 등의 도덕을 구현했음이 분명하다.

그런 도덕이 특정한 민족이나 종교의 발명이라거나, 혹은 제도화된 문명이나 교육의 산물이라고 믿는 게 오히려 인류학적으로는 모순이다. 공적인 도덕의 품성은, 우리가 상상할 수 있는 사회적·정치적 조직 가운데서 가장 빈약하고 원초적인 미개인의 공동체에서조차 발견되기 때문이다.

1930년대에 브라질 서부 고원지대를 방문했던 레비스트로스가 묘사한 남비콰라족의 정치적 생활상은 그 한 사례를 제공한다. 그 부족에서 정치적 권력은 세습적인 것이 아니다. 족장이 연로해져서 병이 들거나 또는 더 이상 무거운 임무를 부담할 수 없다고 느낄 때, 그 자신이 후계자를 결정한다. 하지만 그 임명권은 실질적이라기보다 형식적이다.

다른 경우와 마찬가지로, 이 문제에서의 최종 결정은 공중의 여론에 달려 있다. 먼저 여론을 살펴본 다음에, 족장이 대중들로부터 가장 호감을 받는 사람을 최종 후계자로 지명한다. 대중의 동의가 권력의 근원을 이루며, 또한 동의가 족장의 지위에 정당성을 부여한다.

족장의 현명함이란 전권을 장악한 군주의 수완이라기보다는, 불확실한 다

---

350. 클로드 레비스트로스, 안정남 옮김, 『야생의 사고』(한길사, 1999), 68~69쪽.

수의 '동의'를 유지하려는 정치가의 능력에 가깝다. 그리고 대부분의 미개민족들 사이에서는, '관대함'이 권력의 본질적인 속성을 이룬다.

족장은 그가 가지거나 관리하는 물품들을 필요에 따라 언제든 주민들에게 나눠 주며, 정작 본인은 늘 빈곤한 상태에 있다. 또한 훌륭한 족장은 언제든 솔선수범하는 능력과 기술을 증명해야 한다.[351] 이런 미개사회 족장들의 정신적·심리적인 특징에 관해 레비스트로스는 다음과 같이 결론지었다.

> 족장들이 존재하는 모든 인간집단에는 자기의 동료들과 달리 (공동체의) 중요성 그 자체를 사랑하고, 그것을 책임지는 데서 즐거움을 느끼며, 그의 동료들이 회피하는 공적 생활의 부담 그 자체에서 충분한 보상을 발견하는 사람들이 있다.[352]

20세기의 이 기념비적 인류학자는 고유한 역사를 탐구할 필요조차 없는, 그런 원초적인 미개사회로 들어갔다. 그리고 거기서 그가 "인간 심리상의 미가공의 재료"라고 표현한 순수한 공동체적 인간의 품성을 발견했다. 그가 말한다. "나로서는 루소가 말한 '원초시대의 거의 감지할 수 없는 진보'를 찾아서 지구 끝까지 갔던 것이다."[353]

권력을 사적으로 전유하거나 세습하지 않고 공적으로 운용하는 '공정한 마음'이 오늘날의 민주사회와 마찬가지로 원시 밀림의 미개사회에서도 정확하게 주목을 받고, 또 적절하게 운용되고 있었다. 그것은 서우가 말하는 요·순의 '공심公心'과도 맥락관통한다.

그에 비하면, 21세기의 정치 현실에서 오히려 이런 공적 덕성이 일관되게 유지된다고 단언하기 어렵다. 오늘날 민주국가의 정치공학은 더 이상 지도자의 덕성을 강조하지 않는다. 대신 정치의 목적과 기술이 선거에 승리해서 권력

351. 클로드 레비스트로스, 박옥줄 옮김, 『슬픈 열대』(한길사, 1998), 563~577쪽.
352. 위의 책, 575쪽.
353. 위의 책, 576쪽.

을 획득하는 데 있다고 공공연히 책동한다.

한데 그런 정치공학으로 만들어진 정치인이 본질적으로 미개사회의 족장들, 혹은 신석기시대의 군장들보다 더 훌륭한 리더십을 보인다고 과연 말할 수 있을까? 이런 지평에서, 조지 워싱턴과 요순의 공적인 도덕심을 비교했던 서우의 논점으로 돌아가 보자.

단적으로 말해 오늘날 고작 제도적 절차로만 존립하는 형식적 민주주의를 운영하면서, 요·순의 선양 이야기에 담긴 의미를 경시하는 건 역설적인 모순이다. 왜냐하면 선양의 역사적 사실 여부는 둘째로 치고, 거기에는 '공심'으로 공중의 '동의'를 얻는 지도자의 도덕적 품성에 대한 원초적 메타포가 담겨 있기 때문이다.

서우가 인간의 공적 도덕성에 '요임금과 조지 워싱턴의 공정한 마음'이라는 초역사적 가교를 놓았던 것은 곧 이런 문맥이다. 만약 그가 제도나 역사의 차원에서 요순의 선양과 워싱턴의 건국을 대등하게 비교했다면, 그것은 당연히 사리에 맞지 않는다.

하지만 서우는 공동체를 이루는 인간(human beings), 그 인간성 본연의 공동체적 심성(公心)에서 '도덕의 근원'을 찾았다. 그러므로 그의 문법에서, 요임금과 워싱턴을 한결같은 도덕 심성의 구현자로 나란히 호명하는 것은 이상한 일이 아니다. 서우는 하늘에서 근원하는 원천도덕을 말하고, 칸트는 심지어 우주와 영겁 너머에서 도덕의 기원을 찾기 때문이다.

그런데 거기에는 근대 국민국가의 도덕을 어떻게 볼 것인가의 문제도 함께 연루되어 있다. 서우는 앞서 살폈던 서구 도덕철학의 문법에 따라 근대 공화국의 성격을 이해했다. 구체적으로 말하자면, 칸트가 말한 내면적 도덕률 등을 근대 국민국가 건립의 윤리적 토대로 판단했다.

즉 역사상의 다른 모든 시대와 마찬가지로, 근대의 도덕적 원리 역시 궁극적으로는 범우주적 도덕이 발현된 한 형태라고 보았던 것이다. 그리고 조지 워싱턴이나 비스마르크 등의 정치가를 그런 보편적 도덕의 현실적 구현자로 인식했다. 서우가 말한다.

워싱턴의 도덕심은 성스럽다고 말할 수 있다. 비스마르크의 재상 업적을 생각하면, 역시 지혜·용기·정의·믿음의 4덕을 다 갖춰 온전한 사람이다. …… 아! 융성하다. 여기에 그치지 않는다. 이탈리아의 카보우르가 아주 작은 나라의 한 조정으로 이탈리아 통일의 사업을 시작했으니, 그 심덕과 공훈이 역시 위대하지 않은가![354]

워싱턴은 공적인 일에서는 물론, 개인적으로도 늘 '정직이 항상 최고의 정책'이라는 신념으로 일관했다고 정평이 났다. 그의 도덕성은 권력의 유혹을 스스로 뿌리치고 미국 민주주의의 토대를 건립하는 데서 절정에 이른다. 독립전쟁 이후의 정치동향과 그에 대한 국민의 지지로 볼 때, 워싱턴은 미국의 최초의 왕이나 종신 대통령이 될 수도 있었다.

그의 주변에서 실제로 그런 움직임이 일어났다. 그러나 워싱턴은 자신을 종신 대통령으로 추대하려는 모든 시도를 미연에 차단했다. 1796년 9월 17일 재선 대통령직의 임기를 6개월이나 남겨두고, 그는 아무도 예상치 못한 저명한 〈고별연설〉을 발표했다.

거기서 워싱턴은 도덕적 정의와 미덕의 실현을 촉구한다. 모든 공적 사안에서 도덕성과 선의를 호소했으며, 그것은 여느 도덕철학자의 언명 못지않게 고결한 메시지를 담고 있다. 참고로 워싱턴의 연설문에서 이런 구절을 음미해 보자.

…… 정치적 번영으로 이끄는 모든 자질과 관습 중에서 종교와 도덕은 없어서는 안 되는 지주가 됩니다. 인간의 행복을 위한 이 커다란 지주, 인간과 시민의 의무를 가장 확고하게 떠받치는 이 지주를 무너뜨리려고 하는 사람은, 아무리 애국의 공덕을 외치더라도, 공염불로 끝날 것입니다. 순수

354. 華氏之道德心, 可謂聖矣. 惟俾公之相業, 亦可謂智勇義信四德俱全者也. …… 烏乎! 盛矣. 不特此也. 如加布兒之以尼亞蕞爾之一小朝廷, 刱意大利統一之業, 其心德事功, 不亦偉乎. 『통편』, 230쪽.

한 정치가들은 성직자에 못지않게 종교와 도덕을 존중하고 소중히 해야 합니다. …… 미덕 또는 도덕이 대중정치에 필요한 원천이 된다는 것은 본질적인 진실입니다. 도덕은 힘의 강약에 차이가 있을지 모르나, 모든 범주의 자유 정부들을 지배합니다. ……[355]

비록 워싱턴만큼은 아니더라도 비스마르크 역시 국가의 힘을 구성하는 요인으로 도덕적 합의를 중시했다. 인재의 육성에서 올바른 품성이 중요하며, 어릴 때부터 도덕과 예의를 갖추도록 노력해야 한다는 비스마르크의 명언이 세간에 널리 회자된다.

근대의 도덕적 비대칭: 서구의 시민도덕과 동아시아의 국가도덕

하지만 19세기 유럽은 이미 근대적 국민국가들 간의 힘의 각축장이 되었다. 계몽주의 시대의 숭고한 도덕적 이상은 점차 퇴조하고 있었다. 그러므로 전병훈이 비스마르크와 카보우르 등을 충실한 도덕실천가로 보았지만, 독자들은 그런 견해에 언뜻 동의하기 어려울지도 모른다. 왜냐하면 그들은 도덕보다 부국강병과 국가의 통일에 더 매진한 현실주의적 재상들로 널리 알려져 있기 때문이다.

그럼에도 불구하고 전병훈이 그들을 도덕실천가로 호명한 데는, 동아시아의 현실에 대한 자조적 대비가 맞물려 있었다. 서우는 서구 근대 정치가들의 도덕적 면모를 부각하는 한편으로 "동아시아에서 그런 사례를 구하니 역시 논할 것이 희소하다"[356]고 탄식했다. 그리고 이것은 어느 정도 사실이었다.

서구의 과학기술과 군사력에 압도된 19세기 동아시아 주변부의 시선에서 볼 때, 유럽의 성공은 무엇보다 산업혁명과 그로부터 비롯된 사회·경제적 변

---

355. 조지 워싱턴, 「고별연설」, 『미국의 역사와 민주주의』, 2004, 미국 국무부, 주한 미국대사관 공보관. http://infopedia.usembassy.or.kr/KOR/_f_0109.html
356. 求之東亞, 亦罕其倫. 『통편』, 230쪽.

혁에서 비롯된 것으로 인식되었다. 동아시아의 현실에서 이에 따른 도덕적 반응은 대개 두 갈래로 나타났다.

부국강병으로 서양 따라잡기는 어디서나 급선무였다. 그런 가운데 근대적 시민의 자유로운 도덕은 뒷전이거나, 혹은 국민총화에 부응하는 수단 정도로만 활용되었다. 일본의 근대화에서 그런 경향이 우세했다. 그리고 훗날 한국과 중국의 근대화 과정에서도, 대동소이한 국가주의적 도덕관이 반복됐다.

한편 동아시아의 정치가와 이론가들 가운데는, '동양의 도덕'을 앞세워 동·서양의 대립을 부각하고, 아시아의 연대를 호소하는 사람들도 출현했다. 서양은 공리와 강권에 기반을 두는 패도霸道문화이며, 동양은 도덕과 인의에 근거하는 왕도王道문화라는 이분법이 제시되었다. 그런 이념은 또한 뒤섞이고 서로 영향을 미치면서, 나라마다 여러 국면에서 변용되었다.

근대 중국의 국부로 일컬어지는 쑨원孫文이 1920년대에 동양의 도덕(왕도)을 앞세우며 '대아시아주의'를 천명했다.[357] 1930년대에 일본은 '대아시아주의'의 패권적 변용으로 '대동아공영권'을 주창했다. 새로운 동아시아질서의 건설을 위해서, 중국을 중심으로 한 '왕도유교王道儒教'가 일본을 국체로 한 '황도유교皇道儒教'로 변경돼야 한다고 천명하기에 이른다. 물론 그것은 일본의 군국주의, 그리고 중국의 중화주의적 근대지향을 각각 함축한다.

역사가 증명하듯이, 무사의 나라 일본의 전반적인 기조는 분명했다. 한 일본학 연구자의 말처럼 "문명의 탈을 쓴 근대적 법과 제도, 군사력, 그리고 정보와 사법기관, 푸코의 표현을 빌리면 '기기器機(apparatus)'와 '권력의 그물망(web of power)'에 의존한 비문명적이고 억압적인 지배"[358]의 길을 걸었다. 거기서 '동양의 도덕'은 다만 허울이었다.

쑨원의 '왕도문화론'은 일본과 중국이 함께 영도하는 아시아 제민족의 연합, 곧 대아시아주의를 내세우고 그에 대한 일본 측의 호응을 얻어 내려는 문

---

357. 쑨원이 사망하기 6개월 전인 1924년 11월, 일본 고베神戶에서 그가 발표한 저명한 연설인 〈대아시아주의〉에 그 사상이 잘 나타나 있다.
358. 한상일, 「에필로그: 역사의 기록과 기록의 역사」, 『이토 히로부미와 대한제국』(까치, 2015).

맥이었다. 하지만 그는 장래에 중국이 강대국이 된다면 이전의 조공국들이 다시 중국에 복속할 것이라는 기대를 공공연히 드러내기도 했다.[359]

결국 쑨원이 말한 '왕도'란 결코 순수한 도덕이 아니었다. 그것은 근대 이전의 동아시아체제에 나타났던 중국 중심의 세계질서를 표상하는 휘장과도 같은 기호였다. 그것은 곧 도덕의 허울을 쓴 중화주의적 패권욕의 다른 얼굴이었다.

그러므로 전병훈이 우려한 것은, 동아시아에서 근대 국민국가를 수립하려는 정치세력 가운데 실로 진실하게 '도덕'을 구현하려는 자들이 보이지 않는다는 데에 있었다. 그들의 도덕은 대개 천박하며, 아전인수 격의 패권적 몽상을 '왕도'(혹은 '황도皇道')로 덮어 버렸다.

그러므로 서우가 동아시아에 워싱턴이나 비스마르크·카보우르 같은 인물이 희소하다고 탄식했던 것이다. 이것은 일본인도 중국인도 아닌, 고국을 잃어버리고 마침내 세계시민(cosmopolitan)이 된 조선의 한 디아스포라의 엄정하고도 진솔한 양심의 소회였다.

서구 근대 정치가들의 도덕은 최소한 그들 자신으로부터 비롯되었다. 그러나 동아시아의 근대화를 주도한 세력은 단지 서구의 패권주의를 답습하거나, 고작 서구의 대립항으로 자기를 정당화하는 허약한 수준의 도덕에 머물렀다.

서우는 그것이 서구문화, 특히 철학에 대한 경박한 인식에서 비롯된다고 판단했다. 그런 판단은 적절했다. 왜냐하면 실제로 유럽 내부의 시선에서 볼 때, 근대사회가 정치·경제적으로 성공한 근저에는 분명히 견실한 도덕의 기반이 있었기 때문이다.

서구 열강이 비록 주변부 식민지에서 인간성과 문화를 유린하는 반인륜적 참극을 벌였지만, 최소한 그들의 국가 안에서만큼은 도덕의 존엄이 숭상되었다. 워싱턴의 〈고별연설〉이 함축하듯이, 위대한 국민의 의무를 떠받치는 도덕에 대한 존중, 그리고 선의와 정의를 지키려는 자유로운 시민들의 의지 및 긍지

---

359. 배경한, 「손문의 중화의식과 한국 독립운동」, 『역사비평』 1999년 봄호, 통권 46호 (1999), 138~142쪽.

가 서구 근대문명의 번영을 뒷받침한 눈에 보이지 않는 원동력이었다.

그러므로 전병훈이 서구 근대의 정치가들을 호명한 것은 단지 그들의 개인적 위업을 부각하려는 의도를 넘어선다. 서우는 시대정신의 총아인 정치가들을 본보기로 삼아, 숭고한 '개별자의 도덕(私德)'이 '공적인 도덕(公德)'의 토대가 되는 서구 근대 민주공화제의 도덕적 성격을 드러내려고 했다.

그리고 앞서 중국이나 한국의 도덕을 논하면서도 그랬듯이, 서우는 다만 이론에 그치지 않고 현실로 구현되는 도덕을 더 중시했다. 그리하여 서구의 정치가들을 통해서도 "실제로 증험하는 도덕을 깊이 인식한다면 바야흐로 유익할 것"[360]이라고 천명했다.

이처럼 전병훈은 서구 근대의 도덕철학과 그 현실적인 구현 사례를 피력하는 한편, 동·서양을 대립시키는 일종의 진영 논리로 '도덕'을 동원하는 동아시아 일각의 시류를 꼬집었다.

서우가 결국 논증하려던 것은, '모든 위대한 시대에는 반드시 위대한 도덕이 있다'는 소박하지만 명징한 진리였다. 도덕은 다만 천부적 본성, 인간 내면의 떳떳한 양심에서 비롯하는 것이다. 거기에는 동·서양이 따로 없고, 고금이 영겁으로 통한다. 도덕은 바로 여기, 언제나 지금 당신 안에 잠재한다.

파울젠의 윤리학

서우는 마지막으로 파울젠Friedrich Paulsen(1846~1908)의 윤리학 이론을 평론하는 것으로 서양의 도덕철학에 대한 논구에 마침표를 찍는다. 파울젠은 윤리학을 철학의 근본으로 삼은 독일의 저명한 철학자이자 교육학자였다. 우리나라에는 상대적으로 덜 알려졌지만, 20세기 초 중국에는 제법 큰 영향을 미쳤다.

당시 중국에 소개된 서양철학서의 상당 부분이 일본을 거쳐 중역重譯되었

360. 然亦須以實驗之道德體認, 方能有益矣. 『통편』, 230~231쪽.

는데, 파울젠 역시 그와 같은 경로로 중국에 소개되었다. 1899년 일본의 가니에 요시마루蟹江義丸가 파울젠의 *System der Ethilk*의 일부를 『윤리학원리倫理學原理』라는 제목으로 번역해 출간했다. 그리고 북경대학 교장을 역임했던 차이위안페이蔡元培가 이 일어판을 1910년에 다시 중국어로 번역해 출판했다.

그 뒤로 이 윤리학 저술이 중국 독서계에 끼친 여파는 실로 적지 않았다.[361] 이 책은 5·4운동의 주역이었던 천두슈陳獨秀에게 영감을 주었으며, 저명한 국학자인 왕궈웨이王國維를 철학으로 인도했다고 알려져 있다. 하지만 무엇보다 청년 마오쩌둥毛澤東이 탐독하고 큰 영향을 받은 책으로 유명하다. 어쨌거나 이것은 여담이고, 전병훈이 파울젠의 책에서 가장 먼저 손꼽았던 구절을 살펴보기로 하자.

> 파울젠이 말했다. "자기 한 사람의 양심이 인류 양심의 표준이 된다. 그렇다면 어떻게 해야 가능한가? 반드시 객관의 표준에 따라 양심의 내용을 정해야 한다. 객관의 표준이란 어떠한가? 곧 '지극한 선'을 중심으로, 각종 행위가 지극한 선과 연계되는 정도를 보고 그 가치를 정하면 된다."[362]

서우는 파울젠이 '지극한 선'을 위주로 도덕을 논하는 데서 깊은 인상을 받았다. 또한 그의 학설이 고대 그리스의 철학자 및 칸트의 취지와 같다고 평론했다.[363] 파울젠을 서양 윤리학설의 착실한 계승자로 파악했던 것이다. 따라서 윗글 이외에도, 파울젠의 책에서 꽤 많은 구절을 인용하고 해설했다.

하지만 그 취지는 앞서 논한 기조에서 크게 벗어나지 않는다. 게다가 지금까

---

361. 1910년 상무인서관商務印書館에서 초판이 발간된 이후로 1927년까지 8판이 발행됐으며, 1940년에 다시 거듭 간행하여 '한역세계명저漢譯世界名著' 총서에 포함되었다.

362. 泡爾生曰 "一已之良心, 爲人類良心之標准. 然則如何而可? 則必由客觀之標準, 而定良心之內容. 客觀之標準如何? 則以至善爲中心, 而各種行爲, 視其與至善關繫之疏密而定其價值是也." 『통편』, 232쪽.

363. 泡氏乃最近道德家, 而其論道德主至善而言, 亦猶希哲及康德之主旨. 偉哉, 偉哉! 『통편』, 232쪽.

지 상당히 긴 지면을 서양 도덕철학의 해설에 할애했다. 그러므로 여기서 파울젠에 관한 서우의 논평을 일일이 다 나열하지는 않겠다. 다만 서우가 결말을 장식했던 글을 소개하고, 이로써 본 단락의 논의를 마친다.

> 파울젠의 윤리학 저서(道德書)는 다른 윤리학자들의 말에 비해 정교하고 명확하며 순정하여, 견줄 데 없이 뛰어나다. 최근의 윤리학 서적 가운데 금과옥조로 삼을 만하다. 이는 일본의 가니에 요시마루(蟹江君)가 처음 번역하고, 차이위안페이(蔡孑民君)가 거듭 번역해서 세상에 펴냈다. 거기서 가장 긴요한 말을 삼가 가려 뽑았으며, 이로써 본 편을 종결한다.[364]

6. 소결: 도덕의 효용과 통합이론

조제調劑

동아시아의 전설시대부터 20세기 초 서구의 윤리학까지, 실로 장구하고도 광활한 도덕의 지평을 따라왔다. 그런데 이 여정을 마감하면서, 정작 서우는 "도덕의 요지를 간단히 말하면 단지 두서너 줄로 해석하면 족하다"[365]고 말문을 연다.

도대체, 그렇다면 무엇 때문에 이처럼 길고도 장황한 논구가 필요했단 말인가? 서우의 해명을 직접 들어보기로 하자.

> 아! 세계가 바야흐로 점차 문명화하면서, 심리학과 윤리학이 날로 정밀해

---

364. 泡氏道德之書, 比他倫理諸家之言, 尤爲精明純正, 卓絕不羣. 可以爲最近道德書之第一金科玉律也. 是以日儒蟹江君始譯, 而重爲蔡孑民君所譯而惠斯世者也. 僅選其最要之言, 以終此篇焉. 『통편』, 241~242쪽.

365. 道德之旨, 簡而言之, 則只以數行解之足矣. 『통편』, 242쪽.

져서 이렇게 홍성하다. 하지만 옛것을 지키는 자는 도리어 신학문을 업신여기고, 신학문을 하는 자 역시 옛 경전을 멸시한다. 신·구 학문의 섭리와 동·서양 성인의 견해가 하나임을 생각지도 못한다. 하지만 역시 (동서, 고금) 두 가지를 서로 적절히 조합한 뒤에야 비로소 원만해진다.

세계를 장차 영구평화와 통일로 이끌 정치의 방책으로, 실로 이처럼 원만하게 조제된 최고의 도덕을 사용치 않는다면, 어찌 그날이 오겠는가? 우리 공자가 대동의 정치이론을 창립했으며, 루소와 칸트 같은 여러 철인들 역시 서양에서 논의를 일으키니, 또한 위대하지 않은가? 내가 곧 이로써 지금 반드시 오회정중에 있다고 말하는 것이다.[366]

심리학이든 윤리학이든, 그 이론과 분야가 갈수록 세밀하게 나뉘는 추세가 심화된다. 그리고 헤아릴 수 없이 많은 연구가 쏟아져 나온다. 한데 왜 현대인의 마음은 갈수록 더 깊이 병들고, 도덕은 땅에 떨어져 수습하기 어려운 지경에 이르는가?

미세하게 현미경으로 들여다보는 눈은 깊어지지만, 정작 사람의 '마음'이나 '도덕' 그 자체, 있는 그대로 온전한 전체(whole)의 진실은 안중에서 사라지기 일쑤다. 소위 '전공'과 '전문가'라는 칭호는, 그가 알고 이해하는 것이 대개 어느 한 분야에 고착돼 있음을 의미한다.

또한 서우의 지적처럼, 거기서 다시 옛것과 새것의 연구가 나뉜다. 그런데 새로운 것이 언제나 '발전된 것'인가? 과학기술 등은 그렇다. 하지만 마음이나 도덕처럼 오래된 관심사라면, 새로운 것이 반드시 진보를 의미하는 건 아니다. '현대적'이란 개념에는 '시류에 따르는', 내지 '시류를 반영하는'이라는 의미가

366. 烏乎! 世界方漸文明, 心理道德之學, 日臻精密如彼其盛, 而守舊者尚藐視新學, 新學者亦蔑棄舊經. 殊不知新舊學理, 與東西聖人之見則一也. 故亦有兩相調劑, 然後始臻圓滿者焉. 世界將永久平和統一政治之策, 苟不用此調劑圓滿無上之道德焉, 則寧有其日乎? 惟我孔子唱立大同政論, 而勒氏·康德諸哲, 亦刱論于西, 不亦偉哉? 余則以謂其必在午會正中乎. 『통편』, 242쪽.

더 많이 담겨 있다.

그런 가운데 정작 문제는, 수많은 학문 분야가 분열되고 서로 이해되지 못하며 심지어 반목한다는 사실이다. 심지어 가장 오래되고 본질적인 진리를 탐구하는 철학에서조차, 고금이 나뉘고 동서가 반목한다. 마치 코끼리를 더듬는 장님처럼, 온갖 철학의 분열은 진리 앞에 맹목으로 선 우리 시대의 협애한 지성을 표상한다.

한데, 서우는 정반대의 길로 가라고 지시한다. 동·서와 고·금은 "서로 적절히 조합한 뒤에야 비로소 원만해진다." 조합의 요령은 크게 두 가지에 있다. 첫째는 언뜻 보기에 서로 어긋나더라도, 본질에서 궁극의 접점을 찾는 것이다. 둘째는 부족한 것을 서로 상대로부터 보완해서 "원만하게 잘 통해 펼쳐지도록(圓滿通暢)" 한다. 즉 도덕의 상승(시너지)효과를 구한다.

> 위대하다! 서양과 동양의 견해가 모두 '지극한 선(至善)', '널리 사람을 사랑하기(愛衆)', '즐거움(快樂)'으로 도덕의 체와 용을 삼는 것이 다르지 않다. 이른바 '조제調劑'란 [다음과 같은—역자 주] 것이다. 서양철학은 하늘에서 근원하는 섭리와 일상에서 효친하는 범절에 마땅히 더욱 힘써야 한다. 우리 동양은 사회단결, 물질의 사용을 공적으로 증익하는 데에 더욱 힘써야 한다. 그러면 비로소 '원만하게 잘 통해 펼쳐진다'고 말할 수 있을 것이다.[367]

융합을 말할 때 흔히 회통會通, 화해和諧, 통일統一, 통섭統攝 등의 개념을 널리 사용한다. 한데 전병훈은 그 대신 '조제調劑'라고 한다. 모두 알다시피, '조제'는 본래 의약용어다. 여러 약재료를 적절히 배합해서 약을 만드는 것이다.

그러므로 조제는 합목적적이다. 약의 조제는 무엇보다 병의 '치유'를 목적으로 하기 때문이다. 그렇다면 철학의 조제는 무엇을 목적으로 하는가? 그 역

367. 韙歟! 西東之見, 均以至善·愛衆·快樂爲道德之體用者不殊, 而所謂調劑者, 則西哲當加勉以原天之理, 下學孝親之節, 而吾則益勉團結社會·公益物質之用, 始可謂圓滿通暢矣. 『통편』, 242~243쪽.

시 '치유'에 있다. 그리고 동양이든 서양이든, 치유는 전체성의 회복을 함축한다. 동양의학의 견지에서 치유란, 곧 음양과 오행의 에너지가 실조失調한 데서 비롯되는 심신의 부조화를 본연의 자연상태로 되돌리는 것이다. 서양에서 '치유(healing)' 개념은 본래 그리스어 '홀로holo'에서 유래했다. 그것은 완전한(complete, integral)을 의미한다. 거기서 온전한(whole), 건강(health), 치유하다(heal), 신성한(holy) 등의 단어들이 파생되었다.

즉 동·서양 어디서나 '치유'란, 일그러진 뭔가를 온전하고 건강하며 원만한 상태로 회복함을 의미한다. 그것은 또한 세파에 찌들고 오염된 영성을 본연의 신성함(holy)으로 되돌리는 것이다. '조제'란 이런 치유를 지향하는 합목적적인 약제 조합의 과정이다. 다시 말해, '조제'는 치유를 목적으로 암시한다.

그런데 이런 조제와 달리, 회통·화해·통일·통섭 등은 자기목적적(autotelic)이다. 또한 그것은 행위 주체 각자의 의도와 이념을 짙게 반영한다. '회통'과 '화해'는 두루뭉술한 절충을 암시하고, '통일'은 차이를 인멸하는 획일성을 함축하며, '통섭'은 인위적인 단방향의 뉘앙스를 담는다. 그것은 모두 통합 자체를 목적으로 하고, 개념 안에 무엇을 위한 통합인지를 내포하지 않는다.

따라서 그 활용은 통합 주체 각자의 의도에 따라 제멋대로 변용된다. 예를 들어 권력을 지키기 위한, 전쟁을 감행하기 위한, 심지어 도둑질이나 약탈을 위한 회통·화해·통일·통섭마저 얼마든지 말할 수 있다. 그러므로 시대와 장소를 막론하고 '사회통합'처럼 모든 독재자들의 환영을 받는 언사도 드물다.

그러나 '조제'는 그렇게 말할 수 없다. 그것은 다만 치유를 위해서만 작동한다. 유·불·도 3교와 서양철학 그리고 과학까지 한데 섞어 조제한다는 서우의 표현은, 인간의 완전성 회복(치유, holo)을 위해 여럿이 잘 조합되어 훌륭한 약제가 되도록 한다는 합목적성을 내포한다.

한데 이런 치유의 범위는 단지 개별자에 그치지 않고, 자연과 우주 전체를 망라한다. 다 허물어진 집에 살면서 단지 제 몸뚱이만 건사한다고, 그의 삶이 온전할 리 없다. 그러니 완전성을 회복하는 '치유'란, 개별자를 넘어 인간과 자연(우주)의 부조화를 조화로 되돌리는 것까지 반드시 포함해야만 한다.

학문과 지식이 왜 필요한 것인가? 유·불·도 3교든 서양철학이든, 인류와 세계를 치유해야 한다는 소명의식이 있다면 서로 잘 '조제'하지 못할 이유도 없다. 그러나 학문의 목적이 전공에 있고, 단지 해당 분야의 지식을 구하는 데 그친다면, 조제란 다만 번쇄하고 성가신 일이 될 뿐이다.

대체 뭣 때문에 이것저것을 조합해서 '조제'해야 한단 말인가? 그러므로 서우처럼 학문으로 '자기를 완성하고 세상을 구제'하려는 순수한 소명의식을 가진 경우라야, 비로소 '조제'의 참된 의의를 이해하게 된다.

한편 조제가 필요한 또 다른 이유는, 어느 한 단방單方만으로는 복잡다단한 세계의 문제를 치유하기 어렵기 때문이다. '조제'란 기본약재들의 성질을 잘 살펴서 넣고 뺄 것을 정하며, 약재마다의 강점은 살리고 약점을 보완하는 처방으로 이뤄진다.

예를 들어, 윗글에서 서양은 '하늘에서 근원하는 섭리'와 '일상에서 효친하는 범절'을 동양에서 보완하라고 한다. 반면, 동양은 '사회단결'과 '물질의 사용을 공적으로 증익하기'를 서양에서 보충하라고 한다. 다시 말해 서양은 자연친화적이고 예의 바른 도덕을 동양에서 배우고, 동양은 사회·경제적 민주주의(공공성)의 덕목을 서양에서 배워야 한다.

한 세기 전, 동양과 서양에 각각 무엇이 뛰어나고 부족했는지 정곡을 찔러 갈래를 타는 문맥이다. 한편 서우는 동·서양이 제각기 '정의'와 '어짊'을 중시하는 데서 도덕적 추세의 차이가 생긴다고 진단했다.

> 올해 이 책을 편찬하며 다시 서양 학설을 고찰하니, 늘 '의로움(義)'을 위주로 말하는 것이 또한 우리가 '어짊(仁)'을 위주로 말하는 것과 같다. 대개 『주역』에서 말하길 "어진 사람이 보면 어질다고 말한다"는 부류인 것인가?[368]

---

368. 今玆編役, 再攷西說, 每主義而言, 亦猶我主仁而言者. 殆『易』謂'仁者見之謂之仁'之類者耶? 『통편』, 243쪽.

주역의 언설은 소박한 품성론 상의 관점주의를 말한다. 보는 사람의 품성에 따라 같은 것도 달리 보인다. 해서 어진 사람이 보면 "어질다"고 말하고, 지혜로운 사람이 보면 "지혜롭다"고 말한다는 것이다.[369] 그렇다면 인仁을 강조하는 동양인은 어진 품성이 발달하고, 의義를 강조하는 서양인은 정의로운 품성이 발달했다는 말인가?

서우는 "딱히 그런 것만은 아니"[370]라고 한다. 그러면서도, 동·서양 사람 간에 기질적인 차이가 있으며 그것이 자연질서의 일정한 경향성을 반영한다는 취지로 부언한다.

> 천지의 올바른 도리가 동쪽은 목木과 인仁으로, 양의 방위(陽方)가 된다. 서쪽은 금金과 의義로, 음의 방위(陰方)가 된다. 그러므로 음의 고요함(陰靜)에 뿌리를 두고 생기는 것은 활동을 귀히 여긴다. 양의 움직임(陽動)에 뿌리를 두고 생기는 것은 고요함을 귀히 여긴다.
> 동서양 사람의 체격(서양 여성은 건장하고 동양 여성은 약하다), 교법의 선교(동양은 가서 선교하는 법이 없다)에서 관찰하면, 서양인은 활동을 귀하게 여기고 동양인은 고요함을 귀하게 여기는(귀인은 매양 외모가 침착하고 정숙하다) 것을 증험해 알 수 있다.[371]

윗글은 음양오행설에 따라 동·서양의 차이를 설명한다. 동방은 오행에서 나무(木)의 기운이며, 오상五常의 덕목 가운데 어짊(仁)에 해당한다. 서방은 오행에서 금속(金)의 기운이며, 오상의 덕목으로는 정의(義)에 해당한다. 이런 설명은 동아시아에서 이천여 년간 거의 원형 그대로 전해진 음양오행 관념에 뿌

---

369. 仁者見之謂之仁, 知者見之謂之知. 『周易·繫辭傳』.

370. 然不特此也. 『통편』, 243쪽.

371. 天地之正理, 東爲木仁之陽方, 西爲金義之陰方. 故根陰靜而生者, 以動爲貴, 根陽動而生者, 以靜爲貴. 觀於西東人之體格. (西女壯, 東女弱.) 教法之往教. (東無往教之法) 可驗西人以動爲貴, 東人以靜爲貴(貴人每多外貌沉靜)也, 审矣. 『통편』, 243쪽.

리를 둔다.

윗글은 '어진 동양'과 '정의로운 서양'의 대비는 물론, '활동적인 서양'과 '정적인 동양'까지 음양오행의 패러다임에서 논한다. 심지어 선교사를 멀리까지 파견해 적극적으로 교법을 전파하는 서양 종교의 확장적인 선교방식도 이를 통해 설명한다.

그러나 유비에 의한 추정은 논증이라고 할 수 없다. 그것은 다만 개연성이 있는 추론에 그친다. 서우 역시 이런 추론이 "대개 상식적인 이치(常理)로 미뤄 말한"[372] 것에 지나지 않는다고 그 한계를 인정했다. 그럼에도 불구하고 음양오행설로 동·서양을 대비하는 숨은 의도는, 동·서양의 특색을 '우열'이 아니라 다만 '차이'로 보라는 데에 있다.

다시 오리엔탈리즘이나 옥시덴탈리즘의 폐해를 거론할 필요도 없다. 오직 일방의 장점을 보편적이고 우월한 것으로 표준화하고, 부정하고 싶은 자기의 단점이나 결함을 모조리 타자에게 전가시키는 피아彼我의 이분법으로는 결코 '조제'에 이를 수 없다. 그것은 동양과 서양, 정의와 어짊 가운데 어느 것이 우월하고 열등한가를 결정하라는 단방향의 택일만을 요구한다.

그런 독단의 보편주의가 종종 '과학적'이라는 미명으로 강요된다. 그에 비하면, '상식적인 이치'의 유비추론으로 자연에 접근해서 사물 간의 필연적 연관성을 파악하는 게 더 유연하고 종합적일 수 있다. 다시 말해, '감각적 직관에 가까운'[373] 경험주의가 현실에서 유용한 조제의 지혜를 제공하기도 한다.

게다가 위에서 말한 정의와 어짊의 도덕설은, 결국 '조제'의 필요를 역설하기 위한 일종의 메타포였다. 그것은 과학적 논증이라기보다, 철학적 세계관으로서 일정한 의의를 지닌다. 이를 통해서, 서우는 시야를 넓혀 편견을 넘어서라고 요청한다.

---

372. 上述根陰而生者, 以動爲貴之論, 蓋推常理以言也. 『통편』, 247쪽.

373. 여기서 '감각적 직관에 가까운' 경험주의란, 지각이나 상상력의 차원에 시선을 집중시키고 자연에 접근해 사물 간의 필연적 연관성을 파악하는 과학의 전략을 가리킨다. 레비스트로스가 '신석기시대의 역설'로 부른, 근대 이전 과학의 전략을 가리킨다.

동·서양이 상대를 멸시하거나 배타하지 말고, 차이를 인정하며, 거기서 또한 서로의 장단점을 교환하는 철학적 세계관을 확장하라는 것이다. 그런 인식의 전환이 가져오는 효과는, 예를 들어 다음과 같은 것이다.

> 아아! 일본인이 감수한 『만국사萬國史』에서 논하기를, 스위스의 풍경이 비할 데 없이 뛰어나고 인물이 맑고 수려하여, 조선 사람과 같다고 한다. 가히 공평하다고 할 수 있다. 하지만 어찌 맑고 수려함뿐이겠는가? 도덕이 높은 성스러운 철인이 예로부터 성대했다. 하지만 세상에서 아는 이가 없게 된 지 오래되었다.[374]

지금이야 예사로운 언명이다. 하지만 20세기 초에 영락한 조선과 유럽의 스위스를 대등하게 비교하고, 그 절경이나 인물을 유비하는 것이 당시로서는 꽤 인상적이었던 모양이다. 게다가 서우는 거기서 한 발 더 나아간다. 조선이 예로부터 성대한 도덕군자의 나라였는데, 세계적으로 그 사실이 망각되었다고 안타깝게 토로한다.

자연과 인물은 물론 도덕에 있어서도 동양과 서양이, 혹은 한국과 서구의 여느 나라가 다르면서도 대등하다는 인식을 드러낸다. 음양오행의 자연적 추세로 동·서양의 차이를 포괄하는 것도 이런 문법의 일환이다.

서우는 그로부터 동·서양의 도덕을 모두 수긍하고, 더 나아가 각각의 장점을 취해 '조제'하고자 했다. 그리고 이렇게 조제된 도덕이야말로 인류를 '대동'의 평화세계로 이끌고, 세상을 구원하는 영약이 될 것이라고 확신했다.

> 세상에서 장차 사람마다 도덕을 실천한다면, 군대를 쓰지 않을 것이다. 경찰과 법률 또한 어찌 사용하겠는가? 믿어지는가? 도덕이 인류가 대동하는 태평세의 기본이 되니, 역시 매우 분명하지 않은가? 이것이 실로 저자(나)

374. 噫嘻! 日人監本『萬國史』論瑞士風景絶勝, 人物之清奇, 若朝鮮人. 可謂公評矣. 然奚特清奇而已哉? 道德聖哲, 自古爲盛, 而世無知者久矣. 『통편』, 243쪽.

의 소망이다. 어찌 그것이 멀겠는가?[375]

그런데 앞서 말했듯이 (동·서양 등의) 도덕 간의 차이를 강조하다 보면, 도덕이 단지 일종의 사회적 관습이나 규약으로, 시대와 장소에 따라 변하는 상대적인 가치에 불과하다는 주장이 고개를 들게 된다. 이런 도덕상대주의는 사물의 현상에 나타나는 차이를 확대해석하여, 본질적인 속성이 없다고 비약하는 오류를 흔히 범한다.

그러나 윤리적 현상이 다채롭다고 해서, 그것이 인간의 '도덕본성(양심) 없음'을 증명한다고 주장하는 건 비약이다. 현상의 다양성이 반드시 본질적 '속성 없음'의 징표는 아니기 때문이다. 예를 들어 비록 해바라기의 종이 매우 다양하지만, 그것이 모두 양지바른 곳에서 잘 자라고 해를 향하는 속성마저 없다고 할 수는 없다.

그러므로 차이를 인정하는 데서 도덕을 '조제'할 가능성이 열리지만, 동시에 그 도덕이 결국은 인간 본성에서 유래한다는 사실을 인정할 때 또한 '조제'의 접점이 찾아진다. 그 접점은 곧 천부적 양심, 본연의 성품, 정언명령 등으로 귀결된다. 원천도덕의 문맥에서 볼 때, 그런 접점을 만약 부인한다면 그것은 곧 도덕을 포기하자는 주장과 같다.

현실에서 흔히 나타나는 문제는, 그런 윤리상대주의가 자기 양심을 속이는 사람들의 '비도덕'을 방어하는 논리로 남용된다는 데 있다. 도덕적 책임을 져야 할 사안에 대하여, 세속적 윤리상대주의자들은 자기의 '양심 없음'을 여간해서 인정하거나 반성하지 않는다. 대신 자기의 부도덕을 정당화는 논거로 윤리상대주의를 동원한다.

윤리란 가변적이어서 절대적 가치기준이 없다고 빠져나갈 구멍을 찾는다. 그러나 인간 본연의 양심을 부인하는 이런 논리는 다만 '악덕의 핑곗거리'에 불과하다. 서우는 그런 윤리상대주의로는 결코 도덕을 논할 수 없다고 단언한

---

375. 世將人人踐行道德則兵可不用, 而警察法律, 亦安用哉? 信乎! 道德爲大同太平世之基本也, 不亦明甚乎. 此誠編者之願欲也. 何遠乎哉? 『통편』, 243~244쪽.

다. 그것은 다만 하류인생으로 전락하는 지름길이다.

> 가는 곳마다 습관을 바꿔 변하는 자는 (착한 사람과 함께 처하면 선해지고, 악인과 함께 처하면 악해진다.) 늘 변하며 하류로 흐르니, 어찌 도덕을 논하겠는가?[376]

서우는 도덕철학의 이론을 논하는 한편, 동서고금의 역사적 현실에서 실제로 도덕을 구현한 여러 사례들을 널리 소개했다. 하류인생의 궤변을 차단하고, 모범으로 삼을 만한 도덕의 모범을 드러내려는 취지였다. 즉 도덕은 늘 어디나 있고, 또 서로 통한다는 걸 드러냈다.

도덕에 대해, 소피스트처럼 사변적인 희론이나 늘어놓는 건 그리 유익하지 않다. 그보다는 양심의 명령에 따르는 탁월한 도덕실천가들의 본보기를 부각하고, 공공을 위해 헌신한 도덕영웅들의 실제적 경험을 밝히는 게 훨씬 중요하다. 도덕은 곧 실천이기 때문이다. 그게 서우의 판단이었다.

> 본 편의 처음부터 끝까지, 특히 군주·재상과 성현이 실행한 도덕을 서술하여 이로써 경험의 증거로 삼았다. 실로 빈말의 이상으로 그치는 비유가 아니니, 배우는 사람들이 스스로 터득할 수 있을 것이다.[377]

민생과 균등

도덕이 현실과 괴리되는 또 다른 이유는, 생업과 도덕의 부조화에 있다. 장사꾼이나 서민들은 시쳇말로 "먹고살기도 어려운데 어느 겨를에 도덕을 닦겠

---

376. 若夫隨地而遷異習慣以變化者, (與善人處則善, 與惡人處則惡.) 則無常下流, 何論道德哉. 『통편』, 244쪽.

377. 此編自首至末, 特敍君相聖賢實行之道德, 以作經驗之證據, 誠非空言理想之比也, 學人可自得之乎. 『통편』, 244쪽.

는가?"고 되묻는다. 통속적이지만, 또한 삶의 극명한 진실을 함축하는 그런 돌직구 앞에서 진땀을 흘리지 않을 도덕군자는 드물다. 서우 역시 그런 곤혹스런 질문에 봉착했다.

어느 객이 난색을 표하며 말했다. "선생께서 이 책을 편찬하니, 이로써 옛것과 새것을 적절히 조합하고, 중국과 외국을 포괄하며, 식자들이 원만한 덕을 이루고, 세상 사람들이 어질고 장수하기를 희망하는 것입니다.

그러나 정전井田제가 폐지된 뒤에, 민생경제(民産)가 탕진하여 불균등이 이미 극치에 달했습니다. 글 읽는 자가 입에 풀칠할 방책도 없는데, 어느 겨를에 도덕을 닦겠습니까?

관중管仲(管子)이 말하기를 '창고가 가득 차야 예절을 알고, 의식이 족해야 영예와 치욕을 안다'고 했습니다. 군자가 부유하면 덕을 행하기 좋아하고 인의가 따릅니다. 이것이 실제적인 말이 아니겠습니까?"

내가 여기에 생각이 미치지 못한 것을 안타깝게 반성했다. 그렇다고 정전井田과 균산均産을 갑작스레 논의해 당장 회복할 수도 없다. 그러니 나라의 정무를 맡은 사람들이 어째서 먼저 실업과 지방자치제도에 주력하지 않는가?

(하지만) 세상에는 반드시 성스러운 영웅이 있다. 천지의 도덕을 능히 체득하는 자가 출현해서 (세상을) 잡아 고정시킨 연후에, 천하의 도가 있는 사람들을 독려하여 세계의 통일과 공화의 사업을 함께 다스릴 것이다. (그러면 성인이) 좌계左契를 손에 쥔 것과 같을 것이다. 아![378]

---

378. 客有難者曰 "子編是書, 欲以調劑新舊, 範圍中外, 士成圓德, 世躋仁壽之希望也. 然向自廢罷井田以後, 民産之蕩然不均, 已達極點. 讀書者糊口沒策, 何暇修行道德乎? 管夷吾云 倉廩實而知禮節, 衣食足而知榮辱. 君子富, 好行其德, 仁義附焉. 此非實際語乎?" 余於斯不覺戚然儆省也. 然井制均産, 有不可遽然議複者. 惟當國之人, 盍先致力於實業與地方自治制乎. 世必有聖雄, 能體天地之道德者出, 秉軔然後驅策天下之有道, 共濟一統共和事業, 如執左契. 嗚乎! 『통편』, 244쪽.

옛 속담에도 "곳간에서 인심난다"고 했다. 빈곤한 서민에게 도덕은 언감생심이다. 그러니 맹자 역시 백성은 "일정한 생업이 없으면 일정한 마음도 없다(無恒産, 無恒心)"고 말했다. 서우도 민생이 도덕의 기틀이라는 사실을 십분 인정했다. 특히 그의 시대에 중국과 한국의 민초들은 절대빈곤의 늪에 빠져 있었다. 그러므로 민생의 해결이 무엇보다 급선무라는 데 전적으로 동의했다.

그런데 정작 문제는 그 다음에 찾아온다. 빈곤에서 벗어나더라도, 사람들이 저절로 도덕을 회복하는 건 아니라는 사실 역시 분명하기 때문이다. 민생과 도덕을 함께 돌보지 않으면, 세상은 이내 빈곤과 부패로 얼룩진다. 곳간이 차도 인심이 후해지기는커녕, 더 큰 곳간을 짓고 더 많이 쌓으려는 탐욕의 불길이 맹렬하게 타오른다. 물질만능의 화염 앞에서 도덕은 눈 녹듯이 사라진다. 그렇다고 해서 다시 가난해지는 게 도덕을 회복하는 길은 아닐 것이다.

윗글을 주의 깊게 읽어 보면, '성장'과 '분배'를 함께 이뤄야 한다고 강조하는 걸 발견할 수 있다. 서우는 민생경제(民産)와 균등경제(均産)가 함께 안정되어야, 비로소 도덕과 공화(민주주의)의 기틀이 굳건해진다고 인식한다. 다만 여건상 "정전과 균산을 갑작스레 논의해 당장 회복할 수는 없다"고 전제하고, 우선 민생경제를 일으킨 뒤에 분배의 균등을 실현할 것을 말한다. 하지만 이 역시 순차에 따라 자동으로 이뤄지는 건 아니다.

도덕은 성장보다 분배와 더 긴밀히 연관된다. 성장은 '사사로운 욕망'으로 뒷받침되지만, 분배는 '공정한 마음(公心)'으로 뒷받침되기 때문이다. 서우가 누누이 강조하듯이, 공심이 곧 도덕의 근거이다. 하지만 곳간이 풍족하다고 부자들의 공심이 저절로 넉넉해지는 건 아니다. 경제적 균등이 실현되지 않으면, 국가와 사회 공동체의 도덕 역시 피폐해진다.

평등하게 대우받는다고 느끼지 않는 공동체에서는, 누구도 도덕의 긍지를 지니지 않기 때문이다. 성장만 강조되고 분배가 뒷전인 사회나 조직은, 그러므로 반드시 도덕의 붕괴를 겪게 된다. '도덕'과 '균등'의 선순환을 이탈하면, 시민사회·국가·기업 그 무엇도 오래 지속될 수 없다.

앞서 몽테스키외도 지적했듯이, 시민의 평등권이 무너진 공화국은 도덕의 부패와 함께 역사 저편으로 사라졌다. 도덕과 균등을 버린다면, 그것은 곧 사회와 조직을 방치하고 마침내 세상 전부를 버리는 것과 같다. 거기에는 누구도 승자가 없다. 그러므로 막대한 부를 쌓은 이들에게 공심(도덕)이 없다면, 그것이야말로 국가적이고 세계적인 재앙의 조짐이다.

근자에 로버트 라이시Robert Reich는 금융자본주의 체제의 1퍼센트 가운데서도 가장 탐욕스러운 최상위 이너서클에 대해, 민주주의와 국가의 발전을 되돌리는 '역행주의자'들이라고 불렀다. 경제활동의 이익 대부분을 독식해 개인의 부를 불리는 반면, 국가가 발전할 기회를 감소시키고 결국은 민주주의와 공동체의 존속을 위협하기 때문이다.

그런 악당들이 가장 선호하는 정치적 전략은 사회구성원들의 '도덕성 파괴'와 국민들 '분열시키기'이다. 그리고 윌리엄 섬너William Graham Sumner(1840~1920)로 대표되는 극단적 사회진화론이야말로 그들이 열광하는 복음이다.[379] 섬너의 다음과 같은 언명이 널리 회자된다.

"백만장자는 자연선택의 산물이다. …… 이렇게 선택되기 때문에, 그들 자신의 것과 그들에게 위탁된 양쪽 모두의 부가 그들의 수중에 모이는 것이다. …… 그들은 어떤 역할을 다 하기 위해서 자연적으로 선택된 사회의 대리인으로 간주되어야 마땅하다."[380]

이런 논조는 백만장자가 마치 신의 부름이라도 받은 듯이 자못 엄숙하다. '자연선택'을 '신의 선택'으로 바꿔도 문맥상 하등의 어색함이 없을 정도다. 실제로 섬너는 사회진화론과 자유방임주의를 기독교적 이념과 결합시킨 것으로 유명하다.

그런데 비록 섬너가 융통성 없이 고집스럽기는 했지만, 그렇다고 해서 부자들을 변호한다는 오명을 뒤집어쓸 정도로 경망한 사회학자는 아니었다. 철저한 자유주의자였던 섬너는 시장을 독점하는 트러스트와 보호무역을 비판했

---

379. 로버트 라이시, 안기순 옮김, 『로버트 라이시의 1 대 99를 넘어』(김영사, 2015).

380. Richard Hofstadter, *Social Darwinism in American Thought 1860~1915*(University of Pennsylvania Press, 1945), p.44.

고, 오히려 미국 보수층의 권력자와 부자들로부터 공격을 받기도 했다.[381]

하지만 섬너의 교설은 자유방임설과 사회진화론의 이종교배에서 나온 통속적 변형물이었다. 그것은 19세기 말 서구 산업사회의 물질주의를 토대로 성립했다. 그런 이념이 이른바 '역행주의자'들의 탐욕스런 복음으로 변질되리란 것은 처음부터 충분히 예견된 바였다. 실제로 섬너와 거의 동시대를 살았던 전병훈은 자연선택과 우승열패를 말하는 사회진화론이 가져올 폐해를 다음과 같이 진술했다.

> 또한 서양 이론에서 생존경쟁의 자연선택(天擇物競)과 우승열패優勝劣敗의 설을 말하는 것을 고찰해 보자. 비록 학계의 환영을 받지만, 내가 보기에 이는 공리功利와 강권强權이 자라도록 인도한다. 덕을 숭상하는 자가 취하고 버릴 것을 알아서, 현혹되지 않을 수 있겠는가?[382]

라이시에 의하면, 오늘날의 역행주의자들은 국민들을 분열시켜 정복하는 것을 목표로 삼는다. 그들은 노조 근로자를 비노조 근로자에, 공무원을 일반인 근로자에, 본토박이 미국인을 이민자에 맞서게 한다. 또한 연금을 받을 나이 많은 근로자를 젊은 근로자에 맞서게 하고, 중산층을 빈곤층에, 심지어는 종교적 보수주의자를 세속주의자에 맞서게 한다.[383]

그들은 또한 공공의 도덕을 조롱거리로 만든다. 사회지도층과 정치적 반대세력, 심지어 같은 편의 멤버들에 대해서조차 선정적인 도덕성 논란을 일으켜 대중의 시야를 어지럽힌다. 그들이 사회 곳곳에 풀어놓은 선동꾼들은 정치와 문화 전반에 존재하던 도덕과 예의를 모조리 파괴한다.

그들의 목표는 정치와 정치인을 혐오하는 사회분위기를 조성해서, 견실한

381. 위의 책, p.64.

382. 又攷西論云, 天擇物競・優勝劣敗之說. 雖爲學界之歡迎, 而愚見則此啓功利強權之漸也. 尚德者知所取舍, 而可以不眩乎?『통편』, 246쪽.

383. 로버트 라이시, 위의 책, 128쪽.

도덕을 가진 사람들이 아예 국회와 정부에 발을 들여놓지 못하게 만드는 데에 있다. 그리하여 서우가 예견했듯이, 스스로를 자연선택과 우승열패의 승자로 여기는 자들이 바야흐로 '공리'와 '강권'의 전성기를 구가한다.

도덕 파괴와 공동체의 분열이 그들의 전략이다. 그런데 라이시가 말하는 '역행주의' 이전에, 그것은 양심과 도덕을 저버린 모든 소인배들의 상투적인 책략이다. 그러므로 서우의 도덕철학을 총괄하는 논조에서 약간 비껴나더라도, 오늘날 심각한 도덕 파괴의 문제를 짚고 넘어가기로 하자.

누가 도덕을 파괴하는가? 소인배 사회(immoral society)의 도덕사회학

언제 어디나 소인배는 있다. 소크라테스는 아테네 청년들이 지혜를 낳도록 정신적 산파 역할을 했다. 하지만 소인배들은 모든 조직과 집단에서 분란을 야기하는 산파 노릇을 한다. 유언비어를 퍼뜨리고, 남에게 누명을 씌우고, 사람들 사이를 이간질하며, 암암리에 상대방을 옭아매는 등 그 수법 또한 다채롭고 악랄하다. 그러니 예로부터 소인배와는 무조건 거리를 두라고 경고했다.

공자부터 소인배를 다스리기 어렵다고 푸념했다. 소인배란 "가까이하면 불손하게 굴고, 멀리하면 원한을 산다."[384] 관자는 "차라리 군자에게 잘못할지언정 소인배의 미움을 사지는 말라"[385]고 한다. 앞에서 친근한 체하며 뒤에서 모략하는 소인배의 악랄함을 경계하기 때문이다. 그 기개 호연한 맹자조차 소인배는 "아무리 꾸짖어도 소용이 없다"[386]고 아예 포기해 버렸다.

동서고금의 수많은 기록들, 심지어 신화적 서사에조차 그런 인간 유형이 보인다. 도덕군자만큼이나 소인배의 역사 또한 유서가 깊다. 그런데 옛날의 소인배는 음산한 골방에서 모략을 꾸미고, 사람들 사이를 은밀히 오가면서 이간질

384. 女子與小人, 爲難養也. 近之則不孫, 遠之則怨.『論語・陽貨』.
385. 寧過於君子, 毋失於小人.『管子・立政』.
386. 人不足與適也.『孟子・離婁上』.

이나 하는 이미지였다.

하지만 현대의 역행주의자들은 대중매체를 공공연하게 지배하면서 사회구성원 간의 예의를 파괴하고, 국민을 이간질시키고, 정치를 혐오스러운 것으로 만들어 버린다. 개인과 조직의 명예 및 도덕성을 실추시키는 법적 조치와 소송을 남발하고, 별의별 수준에서 공동체의 분열을 조장한다.

그들의 책략은 '도덕의 파괴'로 집약된다. 그것이 핵심이다. 소인배 사회의 지배자들은 온갖 사교모임과 교회당과 토크쇼와 관변단체에 자기들의 세력을 풀어놓는다. 또한 그들이 키워 놓은 댓글부대와 온라인 악당들이 온 사이버 공간을 헤집고 다닌다.

그 세력을 통해 극단적인 사회진화론을 유포하고, 도덕을 조롱하고, 이기심을 찬미하고, 예의를 파괴하며, 이간질을 하고, 정치도덕을 실추시키는 악행을 노골적이고도 스스럼없이 자행한다. 그들이 살포한 혐오와 분노와 이기심의 바이러스가 사회 곳곳에서 증식한다.

도덕과 공동체의 파괴자들이 인류역사상 미증유의 소인배 사회(비도덕적 사회, immoral society)를 만들고 있는 것이다. 그들은 마치 가능한 모든 수단을 동원해서 정치·사회적 권위를 형성할 수 있는 모든 개인과 조직(학교·지역·언론·기업·국가 등)의 온건한 도덕을 욕보이고, 예절과 정치를 혐오하게 만들려는 듯이 보인다.

법과 제도, 정보와 사법기관 등 근대적 지배를 뒷받침했던 전통적인 권력의 그물망에 더해, 제반 대중매체, 정보사회의 새로운 기술과 소셜미디어는 물론 심지어 해킹 수단 등까지 동원하는 도덕의 파괴가 진행 중이다.

그런 분노와 혐오의 바이러스는 대중과 젊은이들에게 실로 강한 전파력을 지녔다. 그것은 온건한 시민의 도덕과 민주주의를 빠르게 파괴한다. 값싼 경박함에의 동조가 마치 자유의 징표라도 되는 듯한 환각을 불러일으키며, 공중의 도덕과 예절을 조롱거리로 만들어 버린다.

그런데 사람들의 통념 안에서, 그것은 사실 잘 납득이 가지 않는 일이다. 왜냐하면 공동체의 결속과 예의범절은 언제나 지배계층이 원하는 것이며, 어떤 국가나 조직이든 최상위에 있고 가장 보수적인 사람들이 지키려는 가치라는 게 일반적인 통념이기 때문이다.

그런데 이미 막대한 부와 권력을 누리는 소인배 사회의 지배자들은 왜 그런 오서독스orthodox를 스스로 더럽히고 우스갯거리로 만들며, 헌신짝처럼 내다 버리는 것일까? 몇몇 학자들은 이런 현상이 21세기 들어서 본격화된 전 지구적인 자본주의 세계화, 다국적기업을 넘어서는 세계 금융자본의 팽창과 무관하지 않다고 지적한다.

단적으로 말해, 가족·지역·학교·시민사회·국가 같은 전통적인 공동체를 지키는 게 초국가적 금융자본의 이익에 더 이상 부합하지 않는다는 것이다. 민주주의, 인간의 존엄, 조국애, 인류애, 공동체에의 헌신 등과 같은 근대 국민국가의 전통적인 미덕은 이제 그다지 매력적인 자원이 아니다.

오히려 그 모든 걸 갈아 뒤집고, 상시적인 분노와 정치적 무관심에 빠진 탈국가적 대중을 지배하는 게 훨씬 수월한 일이다. 따라서 최상위 소수자들의 세계지배 전략이 갈수록 퇴행적인 양상으로 나타난다. 그것은 단지 어느 한 국가에 국한되지 않는 세계적인 현상으로, 오늘날 정치·경제학의 견지에서 다각적인 분석이 시도된다.

하지만 본 장의 주제인 도덕의 문제와 연관해서도 우리는 숙고해야 한다. 대중은 분노와 혐오의 바이러스에 왜 그토록 취약하며, 또한 노골적인 '도덕 파괴'를 왜 심각한 문제로 느끼지 못하는 것일까?

그 이유의 하나는, 대중이 한편으로 도덕과 예절을 존중하면서도, 다른 한편으로 지도층의 위선과 가식을 혐오하는 복합적인 마음을 가지기 때문이다. 조선시대에 양반들의 도덕적 흠결을 조롱하는 탈춤이나 가면극이 평민들에게 카타르시스를 주었듯이, 오늘날의 대중도 그런 취향을 가지기는 마찬가지다.

그리고 예로부터 소인배란, 대중의 그런 이중적 취향을 자극해서 누군가를 모략하고 곤경에 빠뜨리는 데 천부적인 재능을 가진 자들이다. 그런 소인배의 후예들이 지금 미디어를 지배하고 여론을 조작하면서, 막대한 부와 권력을 동원해 전통적인 공동체와 도덕을 파괴하고 있는 것이다.

그런데 이런 비열한 책략에 대중이 쉽게 동요한다고 해서, 인간의 본성이 본래부터 사악하고 야비하다고 단정하기는 이르다. 인간은 본디 그렇게 어리석기만 한 존재가 아니다. 원시 미개사회의 부족 구성원들조차 족장에게 청렴과 도덕성을 기대한다.

윗사람의 허위에 대한 민중의 조롱은, 역으로 자기들의 지도자가 청렴하고 도덕적이기를 바라는 열망의 다른 표현이다. 다만 문제는 오늘날 어떤 지도자·사회단체·조직·정당도 '도덕'에 그다지 민감하지 못하다는 데 있다. 그러니 누구도 국민이 바라는 수준의 도덕적 자산을 충분히 축적하지 못한다.

산업화와 민주화라는 사회제도적인 이슈가 보수·진보를 양분하는 동안, 도덕의 가치와 중요성은 거의 망각되었다. 진보나 보수가 되는 데, 누구든 반드시 도덕군자가 돼야 할 필요는 없다. 어떤 정당이든 당원으로 가입하기 위해, 도덕인증서 같은 게 필요한 건 아니다.

그러자 소인배들이 예의 야비함을 드러내며, 국가·사회 지도자들의 아킬레스건인 '도덕성'을 전방위로 공략하고 나섰다. 이욕과 권력욕에는 둘째가라면 서럽지만 어차피 도덕은 밑바닥인 걸 세상이 다 아는 바에야, 누구누구를 가리지 않고 눈에 띄는 족족 상대를 더럽혀 자기들의 비도덕을 희석하기로 작정하고 나선 듯하다.

소인배 집단의 노골적인 먹이사냥이 시작된 것이다. 그러자 모두 자신들의 빈약한 도덕성에 지레 겁을 집어먹고 말았다. 게다가 이런 물귀신 전략은 무도한 악당들에게 도착적 쾌감마저 안겨 준다. 그리하여 사자가 사라진 황야에서 하이에나들이 누런 이빨을 드러낸다. 역행주의자들의 전략은 확실히 성공하는 듯이 보인다.

"악화가 양화를 몰아낸다"는 그레셤Thomas Gresham의 화폐유통 법칙은 도덕의 유통에도 적용된다. "악덕이 미덕을 몰아낸다." 오늘날 인류는 위대한 선조로부터 물려받은 고결한 도덕을 거의 탕진했다. 천박한 불량도덕, 악덕이 어디서나 남발된다. 심각한 도덕 파괴가 광범위하게 진행 중이다. 그렇지만 잠시 숨을 고르고 보자.

난세가 영웅을 낳고, 진창에서 연꽃이 핀다. 무례함이 극치에 이른 비도덕의 난장이야말로, 어쩌면 출중한 도덕의 출현을 예고하는 서막인지 모른다. 상상을 초월할 정도로 촘촘하고 광대하게 작동하는 소인배 사회(비도덕적 사회)의 악의적인 도덕 파괴를 넘어서기 위해서라도, 대중 앞에 나서는 지도자라면 무엇보다 각별한 '도덕의 자격'을 갖출 필요가 있다. 결국 세상은 다시 사자의 귀환을 기다린다.

"털어서 먼지 안 나는 사람 없다"는 물귀신 전략과 온갖 중상모략에 의연할 수 있는, 실로 '털어도 먼지 안 나는' 도덕영웅이야말로 소인배 사회의 말세적 준동을 잠재우고 미래를 이끌 희망의 아이콘이 된다. 예견되는 별의별 모략과 난관을 '도덕'으로 극복하는 청렴한 인물이나 세력이 실제로 출현한다면, 반드시 다중이 그(들)의 손을 들어 줄 것이다.

왜냐하면 다중은 명망가들의 허위적 위선을 조롱하는 것이지, 도덕의 몰락을 바라는 게 아니기 때문이다. 그런 대중의 요구에 소인배는 이간질로 호응해 사람들을 악으로 이끌고, 군자는 도덕으로 호응해 사람들을 선으로 이끈다.

그러므로 교과서의 한 대목처럼 들릴지 모르지만, 대중의 흔들리는 마음에 확신을 주고 사람들을 선으로 이끌 위대한 도덕적 지도자의 출현이 그 어느 때보다 더 절실히 요청된다. 서우가 예시했듯이, 세종대왕이나 조지 워싱턴이 그랬고, 장군 이순신과 마하트마 간디가 그랬던 것처럼 말이다.

앞서도 말했지만, 모든 위대한 시대에는 위대한 도덕이 있다. 게다가 현대사회가 직면한 제반 과제들, 즉 심화되는 1대99의 불평등, 민주주의의 위기, 국가의 무력화, 사회적 안전망의 파괴, 공동체의 분열, 지역 및 세대 갈등의 심화, 정치적 혐오와 무관심, 국제분쟁의 증대 등에 이르기까지, 어느 것 하나 '도덕의 위기'와 직결되지 않는 것이 없다.

그러므로 도덕 위기의 심각성을 깊이 깨닫고, 이를 이슈화하는 새로운 지도자들이 출현하기를 바라는 게 필자만의 기대는 아닐 것이다. 혹은 이왕의 정치세력 가운데서 도덕의 문제를 각성하는 그룹(정파, 정당, 세력연대 등)이 등장할 수도 있다. 비도덕적 사회의 병폐가 최고도에 달하는 지금이야말로, 어쩌면 역으로 과거 어느 때보다 도덕이 요청되는 시점이다.

이런 시대정신에 부응하려면, 거듭 강조하지만 출중한 도덕의 재탄생이 필요하다. 그러니 "천지의 도덕을 체득한 자가 출현"하고, 그런 도덕영웅이 "천하의 도가 있는 사람들을 독려하여 세계의 통일과 공화의 사업을 다스리기"를 말하는 서우의 갈망을 한갓 이상주의자의 꿈으로 치부할 수 없는 것이다.

도덕실천

다시 전병훈으로 돌아오자. 앞서 서우가 "도덕의 요지를 간단히 말하면 단지 두서너 줄로 해석하면 족하다"고 했던 것을 독자들도 기억할 것이다. 그것이 진실이다. 그러므로 다시 묻건대, 왜 이처럼 긴 논변이 필요하단 말인가?

본 편의 첫머리에서 "사람의 자유가 도를 응결하고 덕을 구비하는 이상이 없다"고 했듯이, 타율로 도덕을 강제하거나 성취할 수는 없기 때문이다. 진정한 '도덕'은 자율적인 인간의 의지와 노력에 의해서만 달성된다.

이를테면 공자가 말한 '뜻을 세우기(立志)'야말로 모든 것의 출발점이 된다. 도덕실천의 자발성을 이끌어 내지 못한다면, 실제로 이룰 수 있는 도덕의 성취는 거의 없다. 그러므로 율곡도 "입지가 아니면 만사가 이뤄지지 않는다"고 했다.

그런데 사람이 뜻을 발휘하려면, 먼저 납득할 수 있어야 한다. 다시 말해 도덕을 함양하는 의지를 세우고 실천하려면, 우선 사람들이 도덕의 본질을 깨닫고, 도덕의 필요성을 인식해야 한다. 그게 바로 철학의 이성과 지혜가 필요하고, 또한 '도덕철학'의 논변이 요청되는 이유다.

하지만 일단 이해가 되고 의지가 확고해졌다면, 사변적 이성이나 박학다식과는 다른 차원의 자질이 요구된다. 단지 두뇌 회전이 빠르고 아는 게 많은 것을 넘어서, 도덕의 함양에는 진실한 마음의 자질과 실천의 노력이 필요하다. 그러므로 칸트 역시 도덕을 사변이성이 아닌, 실천이성의 과제로 넘겼는지 모른다. 이와 관련해서, 서우가 말한다.

지금까지 서술한 도덕의 요지는 다시 남은 내용이 없다. 하지만 학문은 실천을 귀하게 여기며, 두루뭉술하게 범박한 데 있지 않다. 옛날에 조보趙普(922~992)가 말했다. "『논어』 절반을 가지고 국가의 창업을 보좌하며, 나머지 절반을 가지고 나라를 지키며 태평에 이른다." 핵심을 지키며 신묘하게 운용한 것이라고 말할 수 있다.

그러므로 말이 간단명료한 것이 도에 가깝다. 공자도 말했다. "말 잘하는 사람이 반드시 덕이 있는 것은 아니다. 하지만 덕이 있는 사람은 반드시 (도리에 맞는) 말을 한다." 대개 말을 삼가고 행실을 근실하게 하는 것이 한 가지로 덕을 이루는 요령이다.

내가 경전을 상고해도 '진眞' 자를 보지 못했다. 아! 사람이 반드시 진실한 마음자리를 써서 부지런히 도로 나아가고, 검소하게 덕을 기르면, 성취하지 못할 것이 없다. 어찌 역시 진실함과 근검으로 남을 나와 비교하지 않는가?[387]

『논어』 한 권만 읽으면 만사형통이라는 의미로 윗글을 단순히 해석하는 독자는 없으리라고 믿는다. "핵심을 지키며 신묘하게 운용한다"는 것은 곧 정곡正鵠을 함축한다. 활쏘기에서 과녁의 한복판을 맞추듯이 '간단명료한 것'이 도에 가깝다.

하지만 타고난 명사수라도, 처음부터 활을 쏘는 족족 복판에 적중하지는 않는다. 무수하게 활시위를 당기고 화살이 과녁을 비켜가는 시행착오를 거친 뒤라야, 궁수는 비로소 정곡의 감수성을 얻는다. 그런 연마를 통해 도달하는 정곡의 경지가 곧 위에서 서우가 말하는 '진眞'이다.

한데 그런 '眞'이 "경전에 보이지 않는다"는 것은, 유교의 13경經에 이 글자

387. 右敘道德之旨, 無復餘蘊. 然學貴踐實, 不在汎博. 昔趙普云 "以論語半部, 佐成創業, 半部守成致平." 可謂守約而神用者也. 是以言簡者近道. 孔子曰 有言者不必有德, 有德者必有言. 蓋愼言勤行, 爲一成德之要也. 余攷經傳未見眞字焉. 嗟夫! 人必用眞實心地, 勤以進道, 儉以養德, 未有不成就者矣. 盍亦以眞實勤儉, 爲自況乎? 『통편』, 244~245쪽.

가 한 번도 나오지 않는다는 뜻이다. 이는 사실이다. 왜냐하면 이 글자는 본래 선가仙家의 용어였기 때문이다. 중국 최초의 자전인 『설문說文』에서 '眞'을 "신선이 형체를 바꿔 하늘에 오르는 것"[388]으로 풀이했다.

여기서 '匕'는 신선의 진아(원신)를, '目'은 눈을, 'ㄴ'은 은밀한 타좌를, '八'은 올라앉는 자리·등걸·좌탁·단상 등을 함축한다. 깊이 정좌를 하고 앉은 구도자의 눈 위, 즉 현관玄關에 응결된 정신이 출신出身하는 형상이 곧 '眞'으로 표상된다. '정신철학' 편의 내용을 상기하면 쉽게 연상할 수 있을 것이다.

이런 함의를 배경으로 『장자』에서 진아를 얻어 도를 체득한 사람을 '진인眞人'으로 불렀다. 고대 유교에서는 '眞' 자를 자기들의 경전 안에 일절 채택하지 않았던 까닭도 충분히 납득할 수 있다. 하지만 한대漢代를 거치며 이 글자의 뜻이 '진실하다' '참되다' 등으로 확장되었고, 지금까지 그런 의미로 널리 사용된다.

서우 역시 '진眞'을 곧 '진실한 마음자리(眞實心地)'라고 해석한다. 그 마음자리가 도덕의 정곡이다. 또한 그야말로 인간의 정신이 하늘의 섭리와 만나는 접점이다. '진실함'에서 구도자의 정신이 비로소 하늘로 날아오르는 관문을 얻기 때문이다. 한편 서우는 권선징악을 말하는 『서경』과 『주역』의 아주 오래된 문법을 상기시켰다.

> 『서경』에서 이르기를 "착한 사람에게는 복이 오고 못된 사람에게는 재앙이 온다"고 했다. 『주역』도 말한다. "착함(善)을 쌓는 집안에는 반드시 경사가 넘치고, 착하지 않음(不善)을 쌓는 집안에는 반드시 재앙이 넘친다." 모두가 어긋나지 않는 하늘의 섭리다. 우연하게라도 혹 어길 수 없는 것이다. 하느님이 강림해서 지켜본다는 의구심이 들고, (하늘의) 조화가 정한 과보가 징험에 들어맞는다.[389]

---

388. 仙人变形而登天也. 『說文』.

389. 『書』云 "福善禍淫." 『易』曰 "積善之家, 必有餘慶. 積不善之家, 必有餘殃." 皆不忒之天理也, 不可以偶然或違者. 遂疑其上帝臨監, 造化審定之果報應驗矣. 『통편』, 245쪽.

'개별자(人)'와 '집단(家)'의 길흉화복은, 모두 그가 선을 행하느냐 악을 행하느냐에 따라 결정된다. 하늘(天) 내지는 하느님(上帝)이 그 응보에 개입한다는 의구심이 들 정도다. 하늘이나 신이 인간의 도덕에 개입한다는 관념은, 고대부터 근대까지 동·서양의 문화에 고르게 나타난다.

하늘 내지 신이 선의 근거이고, 또한 그 선·악의 행위에 대한 정당한 응보가 따른다. 그런데 거기에는 결정적으로 다른 두 종류의 문법이 있다. 하나는, 하늘이 명령하기 때문에 그것이 선이 된다. 신은 선·악을 초월하며, 또한 무엇이 선이며 무엇이 악인지를 결정한다. 인간은 다만 그런 신의 판단과 명령을 따르는 수동적인 처지에 놓인다. 기독교나 이슬람교 같은 유일신 종교에서 이런 문법을 선호한다.

다른 하나는, 그것이 선하기 때문에 하늘이 명령한다. 하늘(신)은 '선' 그 자체와 동일시되며, 선·악을 신이 자의로 결정하지 않는다. 대신 선·악을 판단하는 주체는 어디까지나 인간이다. 즉 인간에게 고유한 신성과 양심이 곧 선을 판단하는 근거가 된다. 플라톤과 칸트의 '선'이 모두 그런 것이다. 서우가 윗글에서 말하는 선악응보 역시 이런 문법에 따른다.

그렇다고 해서 도덕이 단지 사람의 자의적 판단에 따르는 것이라고 섣불리 단정하기는 이르다. 서우가 말하는 '진실한 마음자리', 칸트의 '정언명령', 맹자가 말하는 '양지'·'양능' 등의 양심이야말로, 인간이 자기 본성 안에서 선 그 자체인 하늘(신)과 만나는 접점이다. 그것이 또한 서우가 "핵심을 지키며 신묘하게 운용한다"고 말하는 도덕의 기틀이다.

윗글에서 이른바 '착한 사람'이나 '선을 쌓는 집안' 역시, 엄밀히 말하자면 그런 양심의 자율적 의지에 충실한 개별자와 집단을 가리킨다. '양심'·'자율'·'의지' 이 세 조건을 모두 충족해야 비로소 하늘로부터 착함의 응보를 얻는다. "하늘이 내리는 선의 응보"란, 곧 진실한 양심에 자율적으로 따르는 사람이 개척하는 자기 운명의 다른 이름에 지나지 않는다.

대개 사람의 빈궁과 영달, 영예와 욕됨에 모두 운명이 있다. 하지만 채원정

> 蔡元定이 말했다. "운수가 일정하여 하늘이 이를 바꿀 수 없지만, 오직 사람이 능히 이를 바꿀 수 있다." 아! 오직 덕과 어짊을 쌓고, 사람을 살리고 세상 구하기에 지극하면, 신이 반드시 이를 보우한다. 그 정해진 운수가 바뀌는 것은 이치에 모두 들어맞기 때문이다. 검증된 효험이 실로 많으니, 어찌 역시 '지극한 선'을 스승으로 삼지 않는가?[390]

오로지 내 양심 안에서 명령하는 "'지극한 선'을 스승으로 삼는" 것, 그게 곧 '진실한 마음자리'를 찾고 지키는 최상의 비결이다. 또한 운명을 바꾸는 길이며, 자기의 길흉화복을 스스로 결정짓는 요령이다. 그런데 보통사람들에게 이는 쉬운 일이 아니다. 그러므로 서우가 다시 그 공부 방법을 부언한다.

단계적으로 말해, 먼저 '온화하고 공손하며 겸허한' 것이 도덕의 기틀이 된다. 하지만 그것은 아직 자기의 행위를 의지로 규율하는 단계다. 즉 그러려고 부단히 노력해야 한다. 그러나 마침내 그 단계마저 넘어, '청명함이 몸에 있고 뜻과 기상이 신과 같은' 상태로 나아가야 한다. 거기서 비로소 도덕의 정곡을 얻는다.

> 『시경』에서 말했다. "온화하고 공손한 사람이여, 오직 덕의 기틀이로다." 『예기』는 "흰 바탕에 물이 든다"고 하고, (『서경』은) "겸손하면 이익을 얻는다"고 한다. 대개 온화하고 공손하며 겸허한 것이 덕으로 나아가는 근본이 된다. 그런데 하물며 청명함이 몸에 있고, 뜻과 기상이 신과 같음이랴![391]

"청명함이 몸에 있고 뜻과 기상이 신과 같다"는 것은, 본래 『예기·공자한거孔子閒居』에 보이는 구절이다. 한데 서우의 문법으로 풀자면, 도덕을 성취하

---

390. 蓋人之窮通榮辱, 皆有命存焉. 然蔡西山云 氣數一定, 天不能易之, 惟人能易之. 嗟夫惟其積德累仁, 活人救世之極, 神必佑之. 斡易其定數者, 理勝故也. 攷驗實多, 盍亦以至善爲師哉? 『통편』, 245쪽.

391. 『詩』曰 "溫溫恭人, 惟德之基." 『禮』曰 "白受采." "謙受益." 蓋溫恭謙虛, 爲進德之本, 而況淸明在躬, 志氣如神! 『통편』, 245~246쪽.

는 지름길은 다름 아닌 정신수양에 있다. 사람의 정신이 육체적 의식에너지(識神)의 욕망을 벗어나 순수한 정신에너지(元神)를 돌이키는 게 관건이다. 그러면 청명한 기운이 늘 그의 몸에 감돌고, 뜻과 기상이 자연스럽게 도덕에 부합한다.

그러므로 서우는 "사람이 모두 (덕을 성취하는 게) 가능하다"고 명언한다. 다만 "그것이 불가능한 자는 물욕이 그 청명함을 어지럽히고, 그 뜻과 기상을 나태하게 하며, 마침내 그 의식에너지(식신)가 혼란해져 덕을 손상시킨다." 그러므로 반드시 '겸손'하고 '공손'하며 '욕망을 줄인' 뒤에야 도덕을 말할 수 있다.[392] 그렇지만 결국은 자기 정신 안에서 한 줄기 빛을 징험해야 한다. 따라서 『능엄경』에서 다음과 같은 언명을 보충했다.

> 『능엄경』에서 말한다. "청정함의 극치에서 밝음이 생기고, 밝음의 극치에서 깨달음이 가득하다." 진실로 이치에 맞는 지극한 말이다. 내가 일찍이 정숙한 곳에서 밝음이 생기는 것을 스스로 징험했다. 그러므로 역시 사람들에게 누차 추천하여 권했다.[393]

"정숙한 곳에서 밝음이 생기는 것"이란, 곧 서우가 타좌의 정신수련을 하던 가운데 뇌 안에서 '지혜의 빛(慧明)'이 밝아지는 체험을 했던 사건이다. 아주 고요하고 깊은 정신수련 가운데 도道의 섭리에 통한다.

> (내가) 탐구하여 실험한 지극한 이치에 의하면, 동·서양인을 막론하여 깊이 명상하고 배움의 공을 쌓을(隱几積學) 때는, 반드시 고요함 위주(主靜)의 공부를 써야 이치에 통달해 도를 얻을 수 있다.[394]

---

392. 故人皆可能也. 惟其不能者, 物欲昏其清明, 惰其志氣, 遂亂其識神以喪德矣. 必也謙恭寡慾, 然後可以言道德乎!『통편』, 246쪽.
393. 『楞嚴』曰 "淨極明生, 明極覺滿." 誠理到之至言也. 余嘗自驗明生於熟處, 故亦推而勸人屢矣.『통편』, 246쪽.
394. 上述根陰而生者, 以動爲貴之論, 蓋推常理以言也. 然究以實驗之至理, 則毋論東西人, 於隱几積學之時, 必用主靜工夫, 可以通理得道也.『통편』, 247쪽.

서우는 이런 정신수양의 공부를 통해 얻는 도덕이 또한 우주적 도덕의 동력을 활용하는 것이라고 명언한다. 사람이 세상을 살면서 여러 층위에서 수많은 일을 하고 산다. 가정, 학교, 이웃, 직장, 사회, 국가, 더 나아가 세계와 관계를 맺고 살아간다. 그 복잡다단한 일과 사건들 가운데서 한결같이 도덕을 지킬 수 있는 것은, 곧 태극(원기)의 우주적 운동력에서 일상적 도덕의 동력을 얻기 때문이다.

> 성년에 이른 뒤에, 세상에서 살아가고 만물을 주관하며, 나라를 다스리고 사람들을 구제하는 허다한 덕업이 있다. 실로 하늘의 움직이는 공으로 말미암아 움직이지 않는다면, 곧 어떻게 가능하겠는가? 아! 우리 배우는 사람들이 어찌 태극에 운동하는 능력이 있다는 나의 학설을 더욱 깊이 생각하여, 덕으로 나아가는 수양의 총체적인 오묘함으로 삼지 않는가?[395]

보통사람이 이런 경지까지 깊게 통찰하기는 어렵다. 그래도 비유로써 말해보자. 물고기가 제 힘만으로 헤엄치는 것 같지만, 실은 강과 바다의 물이 유동하는 운동력을 타고 움직인다. 그처럼 우주란 멀리 있지 않고, 우리의 일상이 곧 우주 한가운데서 펼쳐지는 것이다.

사람들은 눈에 보이는 물질만이 있는 줄 안다. 하지만 우주의 광대한 시공時空에는 눈에 보이지 않는 물질과 에너지, 그리고 정신이 마치 강과 바다의 물처럼 언제나 유동하고 있다. 그러므로 서우는 밤하늘에 흐르는 별들을 보며 도덕의 명징함을 깨닫는다.

> 무릇 사람이 밤에 별들이 빽빽이 벌여 있는 현상을 보면, 곧 그것이 인간에 거울처럼 응한다. 사람이 선과 악을 행하는 응보가 역시 (그처럼) 밝고 뚜렷하지 않은가? 오직 성인이 하느님의 천덕天德과 더불어 그 덕을 합한다.[396]

---

395. 至若成年以後, 處世宰物, 經邦濟人, 許多德業, 苟非動以天之動功, 則何可能乎? 嗟! 我學人, 盍益致思乎太極有動能力之鄙說, 爲進德修業之統體至妙乎! 『통편』, 247쪽.
396. 凡人夜觀星辰森羅之象, 則其鑒應人間, 人善惡之報, 不亦昭然乎! 惟聖人與上帝之天

우리의 삶이 그런 우주적 덕성(天德)의 한가운데서 펼쳐진다. 그 운동력에 힘입어서, 모든 개별자들의 도덕도 발휘되고 있다. 그 이치가 실로 장엄하고도 명료하지만, 또한 모두가 그런 섭리의 오묘함을 잘 알지는 못하니 그것이 안타깝다.

그렇지만 결국 도덕은 다만 그 자체로 존립하는 것이 아니다. 우리 각자의 우주적 정신과 성품에서 비롯되어 밖으로 발출되는 것이 곧 도덕이다. 정신수양으로 그 이치를 깨달으면, 인간 본성이 악하다며 '공리'와 '강권'을 구하는 공리주의나 사회진화론이 헛소리임을 몸소 체득하게 된다.

또한 허세로 도덕군자연하며 향원鄕原 짓이나 일삼고, 사이비 도사 노릇으로 혹세무민하는 동아시아 문화 속의 허위적 작풍도 저절로 감별된다. 원죄를 지었느니, 인간본성이 악하다느니 하며 신에 귀의하라고 겁박하는 서구 유일신 종교의 교리는 두말할 거리도 못 된다.

그런 폐단에 빠지면 단지 인간성의 언저리만 맴돌 뿐, 도덕의 참된 정수를 보지 못한다. 그런 자들과 도덕을 논하느니, 차라리 서우처럼 밤하늘의 빽빽한 별들과 지음知音을 나누면서 내면의 덕성을 살찌우는 편이 낫다. 서우가 말한다.

> 배우는 사람들에게 삼가 말한다. 정신·심리·정의·공정한 도리(公道)를 능히 밝히며, 도덕을 익히고 실천해 점차 숙성되면, 곧 도덕에 대해 더욱 분명히 깨닫고 충만해진다. 뿐만 아니라, 공리와 강권의 설이 자연스럽게 물러난다. 그리고 동아시아의 글월을 숭상해 문장을 꾸미는 폐단, 도를 배반하고 도를 손상하는 풍조도 모두 흩어져 제거된다.[397]

지금까지 살폈듯이, 동·서양의 심오한 철학과 걸출한 도덕영웅들의 위업

德合其德也.『통편』, 247쪽.

397. 惓言學人, 能明乎精神·心理·正義·公道, 習踐道德漸熟, 則於道德明益進覺彌滿. 不惟功利強權之說自然退聽, 而東亞之尚文文朽之弊, 叛道道喪之風, 一切泮渙消除.『통편』, 246쪽.

이 한결같이 '원천도덕'의 섭리를 웅변한다. 세계를 경영하고 만물을 다스리는 공덕이 모두 거기서 비롯된다. 그러나 다시 말하지만, 그처럼 위대한 우주적 도덕도 결국은 마침내 나의 정신과 마음에서 발현되는 것이다.

그러므로 서우는 '자유·평등·애국 같은 것'은 오히려 말할 거리도 못 된다고 한다. 그게 중요하지 않다는 말이 아니다. 내 정신의 진아를 응결하고 내 성품 안에서 온 누리의 생명평화를 바라는 공심公心을 일으킨다면, 누가 시키지 않아도 자유·평등·애국 같은 공동체의 덕목을 자연스레 구현하게 된다.

그런데 사람들은 정신이 혼란스럽고, 사심을 제어하지 못한다. 그러면서 사회적인 자유·평등·애국을 말하니, 그것이 한갓 이념에 그치고 만다. 더 나아가 인류역사에 숱하게 나타났던 집단주의나 국가주의, 공권력의 폭력, 심지어 극악한 테러의 불쏘시개로 변질된다.

그러니, 근본과 말단이 무엇인지를 분명히 깨달아야 한다. 도덕이 근본이고, 집단화된 이념은 말단이다. 말단을 벗어나 근본을 회복해야 암울한 디스토피아를 청산하고 우주의 정오에 이를 길이 열린다. 서우가 던지는 마지막 메시지다.

> 신·구와 동·서의 도덕을 적절히 조합한다. 도를 응결하고 덕을 갖춰 높고 넓게 하늘에 닿는다. 그러면 곧 만민을 제자리 잡게 하고, 만물을 육성하는(位育) 공에 이를 수 있다.
> 자유·평등·애국 같은 것은 말할 거리도 못된다. 그러니 진인으로 성스러움을 겸해(兼聖) 세계를 개조하고, 하늘에 합하는 사업으로 나아간다. (그러면 자유·평등·애국 등은) 어찌 자연스럽게 손에 넣어 성취할 수 있는 것이 아니겠는가? 유·불·도·서양철학의 4교를 합해 원만한 덕을 이루는 실험은, 정치에서 더욱 (그 효과를) 볼 수 있다. 이어서 '정치철학' 편이다.[398]

---

398. 而調劑新舊·東西道德, 而道凝德備, 峻極于天, 則可致位育之功矣. 如自由平等愛國不足道, 而兼聖之造世合天事業, 詎非自然到手以成者乎? 合四家以成圓德之實驗, 於政治, 尤可以見矣. 繼以政治篇. 『통편』, 246~247쪽.

제6장

정치철학

정치제도는 땅에 근본을 둔다

도덕은 하늘에서 근원하며, 정치제도는 땅에 근본을 둔다. 그러므로 정치제도를 논하려면, 반드시 먼저 형이하의 기器를 가지런히 바로잡는다. 그러고 나서 형이상의 도를 빠짐없이 실어야 한다. 그런 뒤에야 완전하고 완미하다고 말할 수 있다.

그러나 동아시아의 정치학은 오직 『상서』와 『주례』 외에 전문서적이 없고, 경전들 가운데 말이 두서없이 뒤섞여 학자가 요령을 얻기 힘들다. 이에 진서산眞西山(眞德秀, 1178~1235)이 『정경政經』을 편찬했으나, 전제왕조시대의 어설픈 저작에 불과해 엉성함을 면할 수 없다. 하물며 다른 것을 논하겠는가?

정자程子(程頤)가 "천 년간 참된 선비가 없고 백 세대에 좋은 정치가 없었다"고 탄식했으니, 예로부터 그랬다고 말할 수 있다. 슬프다! 근세에 하늘이 어찌 그 인물을 서구에만 돈독히 낳아서 물질과 정치와 법률의 문명을 크게 열고, 반대로 동양에는 문을 닫고 인색하였는가!

그러나 하늘의 뜻을 이어 법도를 세우고 신묘한 식견을 창의한 성스러운 제도는, 옛날에 지금보다 뛰어난 것이 있다. 경험과 혁신의 제도를 깊고 정밀하게 연구하는 것은 지금이 옛날보다 뛰어난 것이 또한 많다. 이는 서로 결점을 맞바꿔 종합할 수 있다. 그런 뒤에야 천지의 원만한 정치가 충분히 육성된다고 말할 수 있다. 내가 고루하고 식견이 없음에도 불구하고, 부득

이하여 끝내 이 ('정치철학') 편을 짓는 이유이다.[1]

전병훈은 동아시아에서 오랫동안 정치학이 발전하지 못하고, 정치현실도 낙후됐다고 탄식한다. 반대로 근대 서양에서는 '물질과 정치와 법률의 문명'이 크게 일어났다고 경탄했다. 이는 서세동점西世東漸이 한창이던 19세기에서 20세기 초의 국제정치 현실을 정확히 반영했다.

하지만 서우가 서구를 추수하며 동아시아를 부정한 것은 아니다. 또한 양자택일의 갈림길에서 동서양 문명의 우열을 판정하지도 않았다. 대신, 동서양이 "서로 결점을 맞바꿔 종합할 수 있다"고 천명했다. 한데 이런 장단점의 교환은 역사의 맥락을 이탈해, 동아시아 고대의 까마득히 오래된 기억과 서구 근대의 문물이 만나는 비대칭적인 시간의 장에서 이뤄진다.

그는 동아시아 고대의 문물제도를 '신명한 식견에서 나온 성스러운 제도(神見之聖制)'라고 칭송한다. 그리고 서양 근대에서는 '경험과 혁신의 제도(經驗維新之制)'를 추어올린다. 서우는 이 두 가지를 조제해서, 새롭고도 원만한 정치제도를 창조할 수 있다고 판단했다. 그러려면 서로 다른 문화전통과 시간대를 교직하는 접점을 찾아야만 했다.

"정치제도는 땅에 근본을 둔다"는 명제가 곧 그 접점을 암시한다. 여기서 '땅'은 동서고금의 모든 정치가 비롯되는 기원, 그리고 정치가 추구해야 할 궁극의 목표를 표상한다. 앞글을 정독한 독자라면, 정신·심리·도덕이 모두 "하늘에서 근원한다"는 서우의 언명을 기억할 것이다. 한데 유독 정치제도만 땅에

---

1. 道德源於天, 政制本乎地也. 是以若言政治制度, 則必先整理形下之器, 而具載形上之道, 然後可謂完善而俱美也. 然東亞政治之學, 惟『尚書』(政史)『周禮』外, 未有專書, 而經傳中, 混雜說去, 故學人難得要領也. 於是眞西山編有『政經』, 然不過專制時代之杜選者, 故猶未免疏漏也, 況論其他哉? 程子云 "千載無眞儒, 百世無善治"之歎, 可謂自古然矣. 嗟乎! 近世, 天何篤生其人於歐西, 大開物質政法文明, 而反閟嗇於東球也耶. 雖然, 繼天立極, 創智神見之聖制, 則古勝於今者有焉. 精益究精, 經驗維新之制, 則今勝於古者亦多. 此可以互換缺點而合成, 然後可謂位育天地之圓滿政治矣. 余所以忘其固陋, 不得已竟成此編者也. 『통편』, 249~250쪽.

근본을 두는 이유가 무엇일까?

인간은 대우주에 상응하는 소우주로서, 하늘로부터 그 내면의 천성을 부여받았다. 정신·심리·도덕은, 본질적으로 인간 존재의 우주적인 근원에 뿌리를 둔다. 그러므로 "하늘에서 근원한다." 거기에는 모두 자연법적인 근거가 있다. 또한 각 개별자의 내적인 자기수양이 강조되는 영역이다.

정신·심리·도덕의 함양은 궁극적으로 하늘과의 합치를 목표로 한다. 하지만 그 목표의 달성 여부는, 마침내 각 개별자의 몫으로 귀결된다. 누구라도 본연의 천성을 밝혀 참나[2]를 완성하고, 이로써 정신·심리·도덕의 자유를 얻을 수 있다. 하지만 그렇지 못해, 인욕의 사사로움에 갇혀 내면이 황폐화할 수도 있다. 결국 그 향배는 사람들 각자의 자각과 실천에 달렸다.

하지만 정치는 지상에서 군집을 이루는 사회적 인간(human society)의 외적 질서의 영역이다. 그것은 땅에 근본을 둔다. 이른바 '땅(地)'은 물리적인 대지인 동시에 거기에 깃든 뭇 생명, 그중에도 만물의 영장인 억조창생이 살아가는 삶의 터전을 가리킨다. 또한 동시에 지상에서 일어나는 현상적인 운동변화의 총체가 곧 '땅'이기도 하다.

따라서 정치는 본질적으로 대지와 대지에 깃든 모든 존재의 안녕을 돌보는 일이다. 다시 말해, 지상에 발을 딛고 사는 인간과 만물을 돌보는 것이 정치가 필요한 이유이자 목적이다. 그러므로 정치와 그 제도를 논하려면 "반드시 먼저 형이하의 기器를 가지런히 바로잡는다. 그러고 나서 형이상의 도를 빠짐없이 실어야 한다."

지상 만물의 현상적 사태를 다스리고, 생민에게 활로를 열어주는 게 정치의 지상명령이다. 정치제도가 형이상의 도, 자연법적 섭리에 부합되는지를 따지는 것은 그 다음 일이다. 인도의 초대 수상 네루의 말처럼 "정치란 백성의 눈물을 닦아 주는 것이다." 단지 이념과 당위만 앞세우고 현실을 돌보는 데 소홀하

---

2. 존재론의 문맥에서, '참나(眞我)'는 우주의 근원적 정신과 일체화된 인간의 진아眞我를 가리킨다. 그것은 한 의식주체가 다른 의식자 및 대상으로부터 자기를 구별하는 근대적 개인의 에고ego가 아니다.

다면, 그건 정치의 직무유기다. 그것은 어떤 경우에도 올바른 정치가 아니다. 그러므로 "정치제도는 땅에 근본을 둔다."

1. 땅(地)의 정치학

민의가 정치의 근본이다

국가는 일정한 영토와 거기에 속하는 사람 및 사물로 구성된다. 정치는 그런 나라를 다스리는 일이다. 곧 나라의 만민이 안정된 삶을 영위하게 하고, 서로간의 이해를 조정하며, 질서를 유지시키는 등의 작용을 한다. 그런데 때와 장소에 따라, 나라를 다스리는 주권과 체제가 다양하게 나타났다.

그리고 정치체제의 성격마다, 주권을 행사하는 정치리더의 제도적 위상과 역할도 달라진다. 가장 먼저 모든 고대국가에서 통치자가 신 내지는 하늘을 대리해 백성을 지배한다는 이념과 제도가 출현했다. '신권정치'야말로 권력의 절대적 독점을 정당화하는 정치적 타락의 가장 오래된 문법이다.

서양의 경우 중세에 비록 신권과 왕권이 분리됐지만, 그래도 신탁은 여전히 정치적 권위의 근원이었다. 동아시아 중세에는 절대화된 도덕이 하늘의 자리를 대신했다. 하지만 그 도덕 역시 거친 형기를 초월한 이법의 세계에서 유래했다. 한편 근대에는, 공산주의나 자본주의처럼 특정한 이념이 과거에 신이나 도덕이 앉았던 권좌를 대신 차지했다.

이처럼 정치체제는 절대화된 신, 하늘, 도덕, 이념 등으로 정당화되었다. 그리고 이는 손쉽게 정치적 권위를 얻으려는 권력자의 로망에 부응했다. 심지어 오늘날에도 이런 유혹은 어디나 상존한다. 그들의 로망에서, 국민은 신이 피조물을 대하듯이 돌보는 대상이 된다. 거기서 국민은 피동적 미완성체, 주인에게 예속된 노예, 권력에 복종해야 하는 피지배자의 처지를 벗어날 수 없다.

그리고 이런 체제에서는 "정치제도가 땅에 근본을 둔다"고 말하지 않는다.

대신 정치는 신에, 하늘에, 형이상의 도덕에, 혹은 절대적이거나 보편적인 이념에 근본을 둔다. "정치제도가 땅에 근본을 둔다"는 서우의 언명은 이런 오래된 권력의 문법을 전복한다.

앞서 말했듯이, 이른바 '땅'은 인민과 그들의 삶의 터전을 표상하는 기호이다. 따라서 땅이 정치제도의 근본이라는 언명은 곧 '인민이 정치의 근본'이라는 의미를 함축한다. 다시 말해, 정치의 원리와 제도는 언제나 땅을 딛고 사는 생민(民)에서 비롯된다. 그리고 정치에 있어서는, 그 어떤 신탁과 하늘의 뜻과 이념도 민의民意보다 앞설 수 없다. 전병훈의 말을 직접 들어보자.

> 군장이 생겨난 이래 정치행위에서 천명天命의 경외를 준칙으로 삼지 않았던 바가 없었다. 천명을 경외하되, 민심의 향배로 이를 알지 않았던 바가 없다. 백성이 좋아하는 것을 좋아하고, 백성이 싫어하는 것을 싫어했다.[3]
> 그러므로 옛날에 비록 '군주'의 이름이 있었으나 실제로는 백성이 모두 그를 좌지우지했다. 군장이 된 자가 백성의 뜻을 감히 위배할 수 없었다. 군중이 논의해 총명한 사람을 추대해 세우고, 이로써 군장을 삼아 나라를 열었다.
> 그런즉 (군장은) 반드시 산천풍수와 기후조건과 수륙교통과 편안한 땅을 살펴, 민의民意에 따라 도읍을 세우고 관부를 설치했다. 그것을 역대 도읍의 터에서 분명하게 고찰할 수 있다. 지금 서양의 수도 건설 역시 어찌 다르겠는가?[4]

3. "民之所好, 好之, 民之所惡, 惡之"는『대학』에 보이는 구절이다. 詩云 '樂只君子, 民之父母. 民之所好, 好之. 民之所惡, 惡之.'『大學』.
4. 自有君長以來, 施政擧措, 罔不以敬天畏命爲則. 敬天畏命, 罔不以民心向背知之. 民之所好, 好之. 民之所惡, 惡之. 是以古者, 雖有君主之名, 而其實則民皆主之. 爲君長者, 莫敢違拂民志也. 僉謀羣議, 推立聰明, 以爲君長而開國, 則必占察山川風氣, 寒溫適宜, 舟車交通, 顺便之地, 而詢從民意, 以建都開府者. 曆代都邑之地, 班班可攷也. 今歐西之建都者, 亦何以殊哉?『통편』, 253~254쪽.

동아시아에서도 '천명'은 정치권력을 정당화하는 근거였다. 하늘의 명령, 그것은 준엄하고 절대적이며, 그러면서도 모호하고 자의적인 권위의 출처였다. 그리하여 '하늘'과 '하늘의 의지'는 세상의 권력자들이 거의 모든 시대에 선호하고, 실지로 활용한 정치적 상징조작의 기호가 되었다.

그러나 지배자들이 천명을 자의적으로 행사할수록, 이를 어떻게 견제할 것인가에 대한 고민도 함께 깊어졌다. 한 예로, 고대 동아시아에서는 공자와 그의 제자들이 현실에서 천명의 남용을 보다 효과적으로 통제하기 위해 고심했다. 심지어 순자는 "(인간이) 천명을 제어해 활용한다"[5]며, 천명의 권위에 도전했다. 하지만 유학자들은 대개 천명의 권위를 보전하면서도 '백성의 뜻(民心, 民意, 民志)'을 천명의 척도로 삼는 절충안을 선호했다. 그리하여 하늘이 직접 군주에게 명령하지 않고, 백성을 통해 간접적으로 명령을 전달한다는 정치사상을 발전시켰다.

이런 배경에서, 익히 아는 "민심이 천심"이라는 정치이념이 동아시아 전통사회에 뿌리내렸다. 전병훈은 이런 민본사상을 계승했다. 위의 인용문에서 "백성이 좋아하는 것을 좋아하고, 백성이 싫어하는 것을 싫어한다"는 명구는 본래『예기』제42편이었던『대학』에서 가져왔다. "민심의 향배로 천명을 안다"는 것도 유교의 전형적인 민본사상으로 보인다. 그런데 다시 주의를 집중해 서우의 글을 읽으면, 유교의 전통적인 논리와 다른 문법이 눈에 띄기 시작한다.

인류 보편의 경험: 군중群衆의 군주君主 추대

공자와 그의 제자들은 그들 문화에서 중요한 가치의 기원을 자기가 속한 공동체의 조상에게 집합시켰다. 이를 통해, 자기들 세대에 그 가치를 되살리는 정당성을 확보하고자 했다. 또한 신성한 조상의 전통을 공유하는 공동체의 결속

5. 制天命而用之.『荀子·天論』.

을 촉구했다.

그리하여 문명화된 모든 정치제도가 (하·은·주) 삼대의 옛 성인에게서 근원한다는 스토리가 정비됐다. 그리고 요·순·주공이 가치 있는 모든 문물의 기원을 대표하는 기호가 되었다. 이런 스토리와 기호가 곧 유교 계보학(Confucius Genealogy)의 근거였다. 그리고 이 계보에 따라, 유교의 문화질서와 중화를 절대화하는 이념이 자라났다.

이런 이념에서는 중화가 아닌 이민족, 즉 오랑캐도 나름대로 가치 있는 정치 비전을 발명할 가능성이 처음부터 차단됐다. 그런데 이는 뜻밖의 결과라기보다, 다분히 의도된 효과였다. 유교가 애초부터 중화를 주변의 오랑캐와 구분하고, 중화를 중심으로 세계를 평정하는 문화통치의 질서를 세우는 것을 자기의 사명으로 삼았기 때문이다.

다시 말해, 유교는 '보편적인 민본'의 정치이념과 '우월한 중화'의 문화적 선민의식을 동시에 내재한 이념체계였다. 유교가 이렇게 문화적 차별화의 문맥에서 민본정치를 정당화했다면, 전병훈은 그것을 다시 인류 보편의 정치적 경험으로 환치했다.

예를 들어 정치제도는 민의에 따르고, 민의는 땅의 순치를 요구한다. "민심의 향배로 천명을 가늠하는 것"은 인류사에서 보편적으로 나타난 정치이념상의 경험이었다. 그것은 단지 고대 중국에서만 발견되는 게 아니다.

인류 초기의 모든 정치공동체가 민의에 의해 주도되었다. 공동체 구성원이 중의衆意로 군장을 추대했으며, 군장은 자연스럽게 민의에 따라 정사를 폈다. 그런데 민의를 따르는 일로, 특히 땅을 다스리는 것보다 긴요한 사업도 없었다.

여기서 '땅'은 지상의 자연질서, 그리고 그 질서에 적응해 살아가는 뭇 생령의 삶의 터전을 상징한다. 그러므로 산천풍수, 기후조건, 수륙교통, 그리고 여타의 지형과 지세를 살펴 백성의 삶의 기반을 정비하는 게 모든 정치공동체의 급선무였다. 때와 장소를 불문하고, 땅의 순치馴致가 모든 군장들에게 부여된 가장 중요한 사명이었다.

이것이 "정치제도가 땅에 근본을 둔다"는 말의 또 다른 함축이다. 앞의 인용문에서, 전병훈은 동서고금의 도시에서 공히 이런 민심의 요구를 반영한 흔적이 발견된다고 덧붙였다. 그리고 이를 통해, 공동체 구성원의 요청에 부응하는 정치가 특정한 문화의 산물이 아닌 인류 보편의 발명이라고 논증했다.

한데 엄밀히 말해서, 이는 역사나 도시에 관한 이야기가 아니다. 이것은 정치제도의 근본을 이해하도록 돕는 서사이자, 그 제도의 기원에 관한 정치철학의 담론이었다. 이 화법의 최종적인 효과는, 민의에 따르는 정치제도의 보편성을 승인하는 것으로 나타난다. 전병훈의 말을 다시 들어보자.

> 아! 동서양의 초창기를 거슬러 탐구하면, 비록 군주의 호칭이 있더라도 '민주'가 아닌 것이 없었다. 어째서인가? 맨 처음 가족에서 부락 추장이 나오고, 추장에서 임금을 세운 것이 틀림없다. 그때부터 줄곧 군중이 합의해서 (군주를) 추대해 세웠다. 그러므로 "민주로 부를 수 있다"고 한다.
> 결코 정복전쟁이나 투쟁으로 (군주를) 세운 게 아니다. 이는 역사의 실증이 없더라도, 가히 의심할 수 없는 바이다. 중국의 복희·신농·요·순, 한국의 단군과 동명東明이 백성이 추대해 세운 군주라는 것은 명약관화하다.[6]

중국의 복희·신농·요·순, 그리고 한국의 단군과 동명이 나란히 호명된다. 익히 아는 중국과 한국의 신화나 서사에서, 이들은 대개 문명을 개창하거나 나라를 건국하는 영웅들이다. 하지만 윗글에서는, 인류의 정치제도가 정립되는 보편적인 추세에 따라 군주로 추대된 인물들이다. 그들을 군주로 세운 주체는 신도 하늘도 도덕도 아닌, 공동체의 다중이다.

여기서 복희와 단군 혹은 요·순과 동명이 실제 역사에서 어떤 영웅이었는지는 사실상 그다지 중요하지 않다. 왜냐하면 그들은 단지 고대문명과 국가의

---

6. 烏乎! 溯究東西草剏之世, 雖有君皇之名稱, 而罔非民主者, 何哉? 始初自家族而部落酋長, 自酋長而立爲君皇者, 必也. 一從人羣之議諧, 推戴以成. 故曰 "可名爲民主也." 決非征戰爭鬪而立矣. 此非曆史之證確, 而可以無疑者乎. 中之羲·農·堯·舜, 東韓之檀君·東明, 爲民推立者, 照然若揭也. 『통편』, 250쪽.

초창기에 출현한 군장을 대표하는 '기호'이기 때문이다. 이 기호는 누구로도 대체될 수 있고, 서로 교환할 수도 있다.

한국과 중국, 동양과 서양, 혹은 어느 민족과 나라의 어떤 인물이 그 자리를 대신해도 이 기원 이야기의 본질은 달라지지 않는다. 이런 화법을 통해, 전병훈은 인류역사 초기에 건립된 정치체제의 본질을 '민의에 따르는 것'으로 귀결했다. 그리고 종국에 그것을 "'민주'라고 부를 수 있다"고 천명했다.

'민본'과 '민주'의 조우

이로써 그의 정치철학이 지향하는 바가 분명해졌다. 정치는 곧 다중의 위임에 의한 '민의'를 따르는 일이다. 모든 정치제도의 궁극적 원리는 '민주'로 귀결된다. 서우의 '정치철학'은 결국 이 테제를 논증하는 철학적 탐사의 기록이다. 이 모험의 여정에서, 그는 동서고금의 정치이론을 종횡으로 가로지르며 논의를 전개했다.

물론 민본사상과 민주주의 간에는 공통점과 차이가 있다. 민본과 민주에 공통된 것은 '정치가 민民에 근본하고, 민을 경외한다'는 정치이념상의 요청이다. 그러나 거기에는 주권의 귀속에 대한 근본적인 차이가 있다. '민본'은 통치의 주권자인 군주가 백성을 본위로 다스린다는 이념이다. '민주'는 주권이 인민에게 있고, 직간접적인 선거제도를 통해서 통치자를 다중이 선발한다는 사상이다.

그런데 서우가 이런 차이를 인식하지 못했던 것은 아니다. 아래서 살피겠지만, 그는 민선에 의한 통치자의 선출을 최선이자 완비된 정치제도로 여겼다. 또한 근대적 민주·민선 제도가 동아시아에 이미 유입된 마당에, 과거의 군주제로 돌아가는 것을 분명하게 반대한다.

서우는 동아시아 고대의 민본정치를 논하면서도 "그 시기가 문명의 초창기라 민선제도가 아직 완비되지 않았다"[7]고 한계를 명시했다. 더불어 근대적 시민의 정치적 책임을 강조하기도 했다. 그럼에도 불구하고, 서우는 정치이념상의 '민본'과 '민주'를 엄격하게 구분하기보다는 하나로 연결시켜 말한다.

따라서 현대의 (내지는 서구적) 민주제를 척도로 삼아, '민주'에 대한 전병훈의 불철저한 인식의 한계를 지적하는 게 그다지 어려운 일은 아니다. 어쩌면 그게 서우의 사상을 '전근대적인 것'으로 단정하고, 또 그런 단정에 대해 아주 손쉽게 지적 권위를 얻는 길인지 모른다.

그러나 만약 현재에 지배적인 어떤 기준으로 그의 철학을 원천적으로 한계 지운다면, 그것은 서우가 던진 철학적 물음들을 처음부터 봉쇄하는 오류가 될 것이다. 예컨대 "민民이 주권자가 아니라면 어떤 정치체제도 '민주'라고 할 수 없다"고 말하는 경우다.

이는 '민주'의 정의를 독점함으로써, 다양한 해석이 제기될 수 있는 원천을 아예 막아 버린다. 이것은 비서구적인 정치체제를 모조리 '시대착오적' 혹은 '비민주적'이라고 단정하고 배제하는 핑곗거리가 된다. 논리학에서 흔히 '우물에 독 풀기(poisoning the well)'라고 부르는 악명 높은 원천봉쇄의 논법이다.

이런 논법에 따라 동아시아의 민본사상을 '서구적 민주에 미치지 못하는 것' 내지는 '전근대적이고 낡은 것'으로 일단 규정하면, 과거의 사상 및 제도적 요소를 현대로 불러와 재해석하는 모든 시도가 원천적으로 무력화된다.

하지만 "옛것을 업신여기고 모멸하면서 스스로 긍지를 느끼는(欺侮自豪)" 이런 태도야말로, 전병훈이 동아시아 천학淺學의 행태로 혹렬히 비판했던 학문적 안일함이다. 이는 쓸 만한 것도 옛것으로 둔갑시켜 박물관에 팔아넘기는 골동품상, 혹은 본래 제 것의 가치를 깎아내리고 남의 것을 들여와 파는 오퍼상이나 환영할 만한 논법이다.

반면, 과거로부터 현재에도 쓸 수 있는 유효한 교훈을 불러와 되살리는 것은 대단히 섬세한 지성이 요구되는 일이다.[8] 거듭 말하지만, 서구의 근대조차 자각적인 '고대의 부흥(Renaissance)'에서 시작되었다. 서우는 동아시아에서도 이런 고대의 재해석이 필요하다고 생각했다.

---

7. …… 但其草創時代, 民選之制, 未及盡備耳. 『통편』, 254쪽.

8. 물론 무조건 과거로 회귀하려는 보수주의나 복고의 고루함은 여기서 제외한다.

또한 그가 '민본'을 재해석한 것은, 민주제도를 공고하게 정착시키고 확산하려는 비전의 일환이었다. 서우는 서구에서 전래된 '민주'의 제도와 이념에 경탄했다. 하지만 20세기 초 동아시아의 복잡한 정치지형에서, 단지 외래의 충격만으로 민주제를 실현하기에는 역부족이었다.

그러므로 동아시아 정치체제에 내재된 '민본' 사상을 재해석함으로써, 민주제도의 시행을 촉구하는 또 다른 동력으로 삼았던 것이다. 동아시아에 오서독스한 정치원리를 토대로, 진시황 이후의 전제專制를 '민본'의 퇴행이자 정치적 타락으로 비판할 근거를 마련한 셈이다.

게다가 서우는 동양과 서양 그리고 옛것과 새것을 잘 선별해서 조제하고, 더 나아가 미래의 문명을 창신하려는 비전을 가진 사상가였다. 그러므로 동서고금에서 각 사상 요소 간의 차이보다, 접점을 찾는 것이 그에게는 매우 긴요한 일이었다.

이런 문맥에서, 모든 정치의 보편적 공통원리로 서우가 찾아낸 접점이 곧 '민의를 따르는 것'이었다. 그것은 고금의 정치제도가 본질에서 만나는 준거점이다. 또한 동서양의 정치가 서로의 장단점을 교환하고, 오회정중의 새로운 정치질서를 건설하기 위한 교두보가 된다.

앞서의 정신·심리·도덕 철학과 마찬가지로, 서우의 '정치철학' 역시 본질적으로 정치와 그 현상에 대한 그의 철학적 해석학이었다. 그는 온갖 지성의 고봉에서 진리를 골라 캐는 약초꾼이었고, 그 약초들을 조제해서 신약을 개발하는 철학의 제약사였다. 여러 사상들의 취장보단取長補短은 불가피했다.

따라서 필자는 전병훈이 펼친 철학의 문법에 최대한 부응해 논지를 전개하며, 그 연장선에서 지금 우리가 당면한 현실을 사유하는 여러 단초를 열어 둘 것이다. 이는 본서 전체를 관통하는 해석학적 의도이자 방법론이라고 보아도 무방하다.

그리하여 프롤로그에서 말했듯이, 서우의 고정된 진술들을 우리 시대의 대화로 변형하며, 지나간 정태적인 과거를 다시 역동적인 현재의 사태 속으로 데려오고자 한다. 앞서 다른 장절과 마찬가지로, 이로부터 정치에 대한 그와의 철학적 '대화'[9]가 시작된다.

요·순의 판타지와 중화주의

공자는 언제나 5백여 년 전의 과거를 계승한다는 태도를 취했다. 그것은 자신의 비전에 정치적 정당성을 부여하는 하나의 방법이었다.[10] 그러나 최근의 고고학은 이런 생각이 대체로 "역사적 창작, 즉 후대의 철학적 공상이 희미하고 선택적으로 기억된 과거에 투영된 것"[11]이라고 말한다. 그렇다고 이런 역사적 판타지가 전적으로 공자의 발명이었던 것은 아니다.

기원전 850년 무렵 서주 말의 예제개혁 직전에, 전설 속의 제왕과 주나라의 시조를 영웅적 인물로 각인시키는 화법이 본격적으로 유행했다. 후대에 유교 경전의 반열에 오른 『시경』과 『상서』 등도 이 시기에 성문화됐다고 추정된다.[12] 거기서 고대의 영웅담에 의탁해 당대의 비전을 정당화하는 이야기들이 창작됐고, 공자는 바로 직전 시대의 이런 지적 전통을 계승했다.

그런데 흥미롭게도, 기원에 빗대 당대의 이념을 정당화하는 문법이 '축의 시대(Axial Age)'[13]에 거의 모든 고대문명에서 동시에 생겨났다. 주나라 사람들

---

9. 이런 '대화'조차 실은 전병훈의 정치철학에 대한 또 하나의 해석학일 수밖에 없다는 건, 물론 사족蛇足이다.
10. 김영민, 「공자의 '보수성'에 대한 재검토: 고고학적 발견에 대한 응답」, 철학연구회, 『철학연구』 제97집 (2012), 27쪽.
11. 로타 본 팔켄하우젠, 심재훈 옮김, 『고고학 증거로 본 공자시대 중국사회』(세창출판사, 2011), 34쪽.
12. 팔켄하우젠은 서주 말의 의례개혁 직전에 주 왕실의 이른 시기 역사가 포괄적으로 재고되었다고 추정한다. "이는 주의 시조를 영웅적 인물로 각인시켜 후대의 철학자들에게까지 그런 인식이 계승되었을 것이다. 후대에 유교 경전의 반열에 오른 『시경』과 『상서』도 당시에 비로소 성문화되었을 것으로 보이는데, 이들 각각에 왕조 창건을 둘러싼 사건들이 아주 강조되어 있다." 위의 책.
13. 독일의 철학자 야스퍼스Karl Jaspers(1883~1969)는 대략 기원전 900~200년 사이에 세계의 네 지역에서 이후 인류의 정신적 발전에서 중심축을 이루는 위대한 전통, 즉 중국의

에게 요·순·주공이 그랬던 것처럼, 이스라엘에게도 나라의 창건자인 아브라함·모세·여호수아·다윗은 영적으로 중요했다. 같은 시기에 인도와 그리스 사람들 역시 기원에 집착했다.

예컨대, 이스라엘 사람들은 기원전 1200년경 여호수아가 이집트에서 나온 자기 백성을 이끌고 그들의 발상지인 가나안을 정복해 돌아갔던 사건에서 민족의 정체성을 찾았다. 그러나 근 반세기에 걸친 발굴과 치열한 논쟁 끝에, 고고학자들은 이 이야기에 역사적 근거가 없다는 합의에 도달했다.

초기 이스라엘 사람들은 가나안을 떠난 적조차 없었으며, 단지 이 지역에 뒤늦게 들어와 원주민들과 겨루며 민족의 정체성을 형성했다고 한다. 성경의 이야기는 기원전 13세기가 아니라, 이 텍스트들 대부분이 기록된 기원전 7세기나 기원전 6세기의 인식을 반영한다.[14]

논의가 다소 확대됐으나, '축의 시대'라는 광범위하고도 까다로운 주제를 깊게 다루는 것이 이 글의 목표는 아니다. 그렇지만 2,500년 전 공자의 시대뿐만 아니라, 지금까지도 역사로 오인되는 이야기에 의문을 던지는 것은 중요하다. 요·순 시대부터 고대 성왕聖王들이 시행했던 문화와 제도를 공자가 단절 없이 계승해 유교문화가 형성됐다는 이야기와 "아브라함과 다윗의 자손 예수"[15]라는 계보학이 어찌 그리도 닮았을까?

축의 시대 사람들은 없던 사실을 창작하면서까지 기원 이야기에 집착했다. 사실 그것은 역사에 대한 호기심보다, 공동체의 상징조작에 필요한 정치이념의 요청에서 만들어졌다. 그것은 각 민족이 자기만의 정체성을 창조하도록 돕는 서사적 이야기이자, 민족의 전설이었다.[16]

기원 이야기는 조직화를 위한 상징이 되며, 축의 시대의 발전은 이 상징을

유교와 도교, 인도의 힌두교와 불교, 이스라엘의 유일신교, 그리스의 철학적 합리주의가 출현한 데 주목하고 이를 '축의 시대(Axial Age)'라고 불렀다. 카를 야스퍼스, 백승균 옮김, 『역사의 기원과 목표』(이화여자대학교출판부, 1986).

14. 카렌 암스트롱, 정영목 옮김, 『축의 시대』(교양인, 2010), 78쪽.

15. 『성서·마태복음』 1장 1절.

16. 카렌 암스트롱, 위의 책, 79쪽.

중심으로 이뤄졌다. 사람들은 자기들의 전설을 발전시키고 바꾸고 꾸미고 보태고 재해석하며 시대의 특정 상황과 연결시켰다. 모든 시인·예언자·선각자가 이 진화하는 이야기에 새로운 층을 보태면서 의미가 더욱 확대되고 심화됐다.[17]

당시의 현자들은 각자가 경험한 문화에서 중요한 가치들을 선택적으로 재해석하고, 이를 자신이 속한 공동체의 기원에 관한 이야기와 연결시켰다. 그것은 개인과 공동체의 차원에서 궁극적인 근원을 묻고 사람들을 결속하게 만들었다. 그렇다고 해서, 이 시기의 기원에 관한 이야기를 죄다 진실하지 못한 '거짓'으로 단정하는 것도 다소 성급하다.

일찍이 베이컨Francis Bacon(1561~1626)은 허구의 역사가 "그림자 같은 만족을 인간의 마음에 준다"고 말했다. 실재의 역사가 위대함이나 선善에 대한 인간의 갈망을 충분히 만족시키지 못하므로, 허구의 역사가 그 공허함을 대신한다는 것이다.[18] 그러므로 고고학으로 밝혀진 공자와 과거의 관계를 '미학적 재현'의 문맥으로 읽어야 한다는 주장도 일리가 있다.[19]

사실 요·순을 계승한다는 의식 자체가 나쁜 건 아니다. 공자가 꿈에서 주공을 보지 못하자 늙었다고 한탄했다는 고사가 유명하다.[20] 기원에 대한 절실한 갈망은, 이처럼 인간 정신을 순수하게 미학적으로 고양시키는 효용이 있다. 그러나 그 미학적 효용과 별개로, 만들어진 기원 이야기는 실제 현실에서 더 빨리 부패하고 남용됐다.

현자들은 현실에서 고귀한 이상을 구현하고자 옛 조상들의 '성스러움'과 '덕성'을 강조했다. 그러나 세속의 권력자와 호사가들은 조상을 신격화하고 숭배하는 문맥에서 '계보'와 '위계'에 방점을 찍었다. 그들이 신성한 조상의 계보를 계승했다고 현시함으로써, 손쉽게 자기들의 권력을 정당화하기 위해서였

---

17. 위의 책, 76~77쪽.
18. 프랜시스 베이컨, 이종구 옮김, 『학문의 진보』(신원문화사, 2007), 180쪽.
19. 김영민, 위의 글, 24~26쪽.
20. 子曰 '甚矣! 吾衰也. 久矣! 吾不復夢見周公.' 『論語·述而』.

다. 이렇게 남용된 계보는 곧 배타적인 지배와 차별의 도구로 변질됐다.

그리하여 공자가 요·순·주공에게 이상적 도덕과 질서를 투영하며 꿈꿨던 염원이 무색하게, 기원 이야기는 특정 민족과 집단을 조직화하고 동원하는 이념으로 변질됐다. 동아시아에서 기원 이야기는 가장 먼저 중화주의로 세속화했다. '중화주의'는 유교를 유일한 보편의 자리에 놓고 거기에 한족의 우월성이라는 종족주의를 버무린 이념의 체계였다.

그리하여 세계가 '중화'와 '오랑캐'라는 고도로 비역사화된 추상적 기호로 분열됐으며, 마치 실낙원과 지옥처럼 갈라진 두 개의 관념의 왕국이 사람들의 뇌리에 뿌리내렸다. 전병훈은 동서양과 각 민족의 오래된 기원 이야기를 보존하면서도, 중화주의 같은 차별화 담론을 동시에 해체한다.

그것은 단지 '정치철학' 편에 그치지 않고 서우의 저술 전편에서 나타나는 특징이다. 그는 동양과 서양을 차별 없이 논하고, 동양에서도 한국과 중국의 사례를 대등하게 소개한다. 또한 각 논의마다 보편성을 얻으려고 고심한다. 동·서양의 회통, 궁극으로는 세계가 통일돼 지구상에 하나의 정부가 들어서고, '대동지치大同至治'의 영구평화가 실현되는 게 그의 정치철학적 이상이었기 때문이다.

2. 요순 삼대의 민주와 공화

공화·헌법의 예치

전병훈에 의하면, 민의를 따르는 것이 모든 정치의 출발이자 본질이다. 동아시아의 정치도 예외가 아니다. 그는 중국 고대의 요·순·주공이 모두 민의로 정치를 했으며, 사실상 공화·헌법의 입법자였다고 명언한다.

> 세상사를 논하는 지식인이 혹은 요·순·삼대를 군주정치로 지목한다. 하지만 이는 요·순·주공이 모두 백성의 소리를 들어 정치를 했으며, 공화·헌법의 예치禮治를 세워 만세의 도덕문명을 계도한 입법자라는 것을 진실로 모르는 것이다.(요와 주나라 때에 '공화'와 '헌법'의 명칭이 없었으나, 실제로는 이미 시행되었다.)[21]

현대정치의 원리인 '민주', 그리고 이를 구현하는 '공화'와 '입헌'의 제도는 물론 서구 근대의 정치적 혁신에서 촉발되었다. 그런데 전병훈은 이런 사상과 제도가 단지 근대의 발명이기 전에, 정치에 대한 인류의 보편적 염원이 구현된 결과라고 인식했다. 그리고 '공화·헌법의 예치'라는 개념을 제안했다. 다시 그의 말이다.

> 동아시아의 정치제도가 요·순부터 하·상을 거쳐 주나라에 이르기까지 비로소 찬연하게 완비됐으니, 모두 민의를 위주로 했다. 설령 이를 '민주제'라고 하더라도 아마 무방할 것이다. 서구의 로마 민주제부터 근세까지 점차 민주정치를 이룬 것이, 역시 이와 같다. 어찌 하늘의 뜻이 아니겠는가?[22]

여기서 '하늘의 뜻'이라는 언명이 일견 "정치가 땅에 근본을 둔다"는 정치철학의 테제와 상충되는 듯하다. 하지만 이는 군주가 하늘의 뜻을 대리해 백성을 다스린다는 단순한 천명론의 문맥이 아니다. 하늘은 군주에게 직접 명을 내리지 않는다. 대신 천심은 언제나 민심과 동조화하며, 따라서 민의에 따르는 것이 곧 하늘의 뜻에 부합한다.

---

21. 論世之士, 或以堯舜三代, 指爲君主之治, 殊不知堯·舜·周公, 皆聽民爲政, 以立共和憲法之禮治, 啓萬世之道德文明之祖法者也.(堯周之時, 未有共和憲法之名而其實情則已行矣.)『통편』, 251쪽.
22. 惟東亞之政治制度, 自堯·舜曆夏·商而至周, 始乃粲然大備, 皆以民意爲主. 雖謂之民主制, 恐無不可也. 歐西之自羅馬民主制, 以及近世寖成民主之治者, 亦猶是焉, 詎非天意乎?『통편』, 250쪽.

전병훈은 이런 민본사상에서 동아시아 정치제도의 원형을 찾았다. 서구에서 민주제도가 발전한 것도 그런 하늘의 뜻, 엄밀하게 말해 '민의로 구현되는 정치'의 필연적 전개였다고 파악한다. 그리고 동아시아에서 민주·공화의 예치가 제도로 구현된 첫 번째 사례로 요·순의 선양禪讓을 든다.

전설에 따르면 요는 순에게, 순은 우에게 왕위를 선양했다. 전병훈은 천하를 사유화하지 않는 성인의 공심公心이 선양으로 발현됐으며, 그 과정이 또한 민심의 향배에 따랐다고 강조한다. 다만 선거제도가 구비되지 않았을 뿐, 차기의 군왕을 민심에 따라 정했다는 점에서 민주주의의 선구적인 모범이었다는 것이다.

> 요가 순을 천거하면서 12목牧에 자문하고 사방으로 민의의 향배를 살펴 동의를 구했다. 어찌 군권君權의 독단이라고 말하겠는가? 다만 그 시기가 문명의 초창기라, 민선民選의 제도가 아직 완비되지 않았을 뿐이다.[23]

급기야 그는 선양에서 동아시아 공화정치의 원형을 찾는다. '선양'과 '공화'가 비록 명칭은 다르다. 하지만 천하와 국가의 통치권이 사적인 혈통세습의 권리가 아니라는 점은 한결같다.[24] 다시 정리하자면, 요·순의 선양은 다음과 같은 의미를 지닌다. 그것은 첫째로 민의에 따른 '민주'의 정치행위였다. 둘째로 천하와 국가를 사적으로 점유하지 않는 '공화'의 정치였다. 셋째로 사욕에 물들지 않은 성인의 '공심'이 발현된 제도였다.

한데 이것은 전병훈만의 생각이 아니었다. 유교의 이상이었던 요·순·삼대의 민본에서 '민주'의 단초를 찾는 시도가 20세기 초 중국 지식계에서 꽤 유행했다. 물론 이런 주장에 반론도 많았다. 혹자는 요·순의 선양 자체가 "군주의

23. 堯之薦舜, 諮及十二牧, 達四聰觀民意向背, 而詢謀僉同, 則何可謂之君權獨斷乎? 但其草創時代, 民選之制, 未及盡備耳. 『통편』, 254쪽.

24. [禪讓……]誠爲東亞共和之開基祖法也. 禪讓與共和, 名稱雖殊, 而不以天下國家爲子孫家私之利, 則一也. 『통편』, 255쪽.

권한을 남용했다"고 비판했다. 쉽게 말해, 통치권을 제멋대로 입맛에 맞는 사람에게 넘겼다는 것이다. 이에 대해 전병훈은 "사심으로 성인의 공심을 억측한다"고 일축했다.[25] 제도 이전에 '민심의 경청'이 선양의 본질이라는 문맥이다.

동아시아의 민본을 서구의 민주에 비견하는 것은 지금도 여전히 논란거리다. 여하튼 우리는 계속 전병훈의 논지를 따라가기로 하자. 서우가 비록 선양을 높게 평가했으나, 이런 이상적 정권교체의 전설은 그나마 요·순에서 막을 내린다. 하나라의 우禹왕 때부터는 왕권을 자손에게 계승했다고 역사는 전한다. 한데 전병훈은 그 역시 민의에 따른 조치였다고 해석했다. 다시 그의 말이다.

> 우 역시 현자에게 선양을 하려고 했다. 그러나 천하에서 왕을 알현해 송사를 의뢰하는 자들이 익益에게 가지 않고 우의 아들을 찾아갔다.('익'은 우가 선양을 하려던 사람이다.) 그리하여 마침내 천하를 가업으로 다스리게 되었다. 역시 하늘의 뜻이라고 말할 수 있다. 하지만 천하를 세습하는(家天下) 제도가 이로부터 시작됐고, 천하를 공공화(公天下)했던 큰 도가 점차 폐지됐다. 개탄을 금치 않을 수 없다![26]

우임금도 본래는 익益이라는 현자에게 왕위를 양도하려고 했다. 그러나 천하의 백성이 익을 따르지 않고 우의 아들에게 귀의했다. 그리하여 왕위를 대대로 세습하게 됐다. 물론 이것은 왕권의 혈통세습을 정당화하는 기원의 이야기다.

그에 대한 전병훈의 평가는 중층적이다. 먼저 우임금의 권력세습 또한 민의에 따른 조치로, 당시로서는 피할 수 없는 '하늘의 뜻'이었다고 변론한다. 그러면서도, 천하를 공공화했던 상고시대의 전통이 그로부터 폐지된 게 개탄스럽다고 토로한다. 이런 이중의 평가는 유교에서 '예치'의 이상으로 삼는 삼대의

---

25. 或者以堯舜爲君權濫觴. 此以私心揆聖人之公心者也. 『통편』, 254쪽.
26. 禹亦禪與賢者, 而天下之朝覲訟獄者不歸益(益乃禪之人), 而歸禹之子, 故遂以天下爲家也, 亦可以謂天意也. 家天下之制, 自此始焉, 而公天下之大道隨廢矣, 可不興慨乎! 『통편』, 254쪽.

정치적 권위를 보존하는 동시에, 거기서 '민주'와 '공화'의 원리를 찾으려는 의도를 반영한다.

전병훈은 요·순 시대를 이어, 하·은·주 삼대에도 여전히 민주의 원리가 작동했음을 강조했다. 그리하여 왕위를 세습했음에도 불구하고, 삼대의 군장이 "백성을 공경하고(敬民) 백성을 존중하며(重民) 백성을 두려워하는(畏民)" 예치의 전통을 대개 잘 지켰다고 주장했다. 그리고 이를 근대 공화국의 민의존중에 비견했다.[27]

그러나 하나라와 은나라 말에 폭군 걸桀과 주紂의 학정으로 백성이 크게 시달린 사례를 들어, 왕위세습이 요·순의 선양보다는 훨씬 후퇴한 제도라는 점도 분명히 못을 박는다.[28] 그런데 이런 논의는 사실 그다지 엄밀하지 않다.

중국 고대 전설 속의 희미한 기억들을 서구 근대의 민주와 공화의 정치원리로 견강부회한다는 비판을 면키 어렵다. 게다가 앞서도 말했듯이, 요·순·삼대의 예치라는 이상이 공자의 시대 혹은 그보다 약간 앞서서 창작된 '후대의 철학적 공상'이라는 최근의 고고학 연구도 있다.[29]

전병훈이 예시한 요·순·삼대의 사례들은, 실재의 역사가 충분히 만족시키지 못하는 위대한 정치나 선善에 대한 인간의 갈망을 대리 충족시키는 '허구의 역사'일 가능성이 높다. 한데 그렇다고 해서, 정치철학 담론으로서 전병훈의 논의가 죄다 물거품이 되지는 않는다.

공자가 자기 철학의 비전을 제시하면서 불러들인 과거의 기억들이 실제 역사와 다르다고 해서, 그의 철학조차 허구가 되는 건 아니다. 『장자』는 실제와 허구를 분간할 수 없는 우언寓言과 중언重言[30]으로 가득하다. 한데 그 안의 무

---

27. 惟此雖云家國, 而三代之君長敬民·重民·畏民之禮, 則不惟如今共和國之主重民意已也. 『통편』, 255~256쪽.
28. 最初之家天下者, 亦是從順民意而行也. 然桀紂之暴虐, 民有是日曷喪之冤, 其不及堯舜之相禪也, 遠矣. 『통편』, 255쪽.
29. 로타 본 팔켄하우젠, 위의 책, 34쪽.
30. '우언寓言'은 인격화한 동식물이나 사물을 등장시켜 풍자나 교훈을 주는 이야기며, '중언重言'은 널리 알려진 인물의 입을 빌려 풍자나 교훈을 주는 이야기다. 내키는 대로 말하

수한 사건들이 실제 역사보다 더 생생히 사람들 뇌리에 각인되며, 동아시아 문명에 큰 교훈을 남겼다.

공자가 호명해 가치를 부여한 역사는 그보다 훨씬 크고 깊은 영향을 후대에 미쳤다. 특히 '요·순과 삼대'는 유교의 가치와 이상을 대표하는 표상이 되었다. 공자 이후 수천 년간, 그 황금시대는 사람들의 관념 안에서 성스러움의 근원으로 존속했다. 유교의 전승과 확산에 따라, 그 관념의 왕국이 또한 동아시아의 정치·사회·문화 곳곳에 지울 수 없는 흔적을 새겼다.

그것은 유교의 민본사상을 지탱하는 권위의 근거였고, 백성을 위한 정치를 꿈꾸도록 만든 정치적 이상의 보루였다. 전병훈이 다시 호명한 '요·순과 삼대'는 이런 철학의 역사 안에서 전승된 이상의 왕국이었다. 하여 엄밀히 말해 그가 되살린 것은 단지 역사가 아니라, 실은 그 황금시대가 표상하는 철학의 유산이었다.

게다가 서우는 고대 유교의 철학사상을 근대사회의 원리와 회통하려고 시도했다. 그 담론의 핵심은, 유교의 민본과 예치의 사상을 '민주'와 '공화'의 문맥에서 재조명하는 데에 있었다. 이런 그의 시도를 고무한 자극은 공교롭게도 서양 근대철학에서 왔다.

익히 알다시피, 서양의 철학자들은 고대 그리스철학의 유산을 재해석해서 근대철학의 동력을 얻었다. 그럼에도 불구하고, 어떤 사람들은 동아시아의 오래된 철학을 현대화된 세계로 다시 불러들이는 자체가 시대착오적이라고 비난한다.

그러나 서양의 고전 재해석은 위대한 르네상스고, 동아시아에서 고대의 지적 전통을 재조명하는 건 시대착오적이라면, 이야말로 '우물에 독을 넣는' 원천봉쇄의 억지논법에 지나지 않는다. 전병훈도 이 문제를 거론했다.

그는 "희랍의 위대한 철학의 범위를 벗어나지 않고도 신지식을 확충해 이를 경험(검증)했다"[31]며, 서양 근대철학의 혁신을 찬탄했다. 그리고 한 발 더 나

는 '치언卮言'과 함께 『장자』에서 주로 사용한 화법이다.

31. 彼學也, 不出乎希臘大哲之範圍, 而抽廣其新識而經驗之. 『통편』, 25쪽.

아가, 서양 근대철학자들처럼 동아시아의 지식인들도 자기의 철학 전통을 진지하게 재해석해야 한다고 요청했다.

한데 혹은 보수주의에서 혹은 서구문물을 추수하는 견지에서, 고전과 전통철학의 재해석을 일방적으로 폄하하는 식자들이 전병훈의 시대에도 있었다. 서우는 그들을 '동아시아의 천박한 학자(東亞淺學)'로 부르며, "옛것에 어둡고 새것에 조잡하다"고 혹독히 비판했다.[32]

단지 주문을 외우듯 요·순을 읊조리는 고루한 유학자, 혹은 서구를 문명진화의 유일한 표준으로 삼은 식자들과 서우는 그 행로를 달리했다. 단순한 과거의 예찬이 아니라, 철학의 혁신을 모색하는 길에서 요·순·삼대를 호명했다. 그리고 거기서 '공화·헌법의 예치'라는 독특한 정치철학 개념이 출현했다.

예치의 제도와 운용

전병훈은 고대의 민본사상을 민주와 공화의 정치원리로 재해석했다. 그리고 이를 논증하기 위해, 정치·경제·사회·교육의 각 방면에서 구체적인 사례들을 예시했다.

요·순의 책임통치제, 우의 정전제도, 정치와 교육의 일체화, 예치의 실행, 학교교육의 진흥, 형벌최소주의, 임관제도 등을 논구했다. 『상서』와 『주례』 등의 유교 경전에서 그 전거를 찾았다. 항목별로 각각의 내용을 살펴보자.

책임통치제

전설에 따르면, 요는 육부삼사六府三事를 설치하고 백관百官을 세웠다. 순은 여러 현인을 등용해 책무를 전담케 했다. 전병훈은 이런 통치제도를 근대 공화제의 책임정치제도에 비견했다. 특히 순임금이 16명의 어진 재상을 전적으로 신뢰하고, 오랫동안 책임을 맡긴 것을 상기시킨다.

---

32. 固異乎東亞淺學之昧古而粗新者也. 『통편』, 25쪽.

이런 책임정치에 대해 공자도 일찍이 찬탄했다. "(순임금은) 자기를 공손히 하고 남쪽을 향해 앉아 있을 따름이었네. 무위無爲로 다스림이여, 위대하도다!" '무위'는 흔히 도가의 사상으로 알려져 있다. 그러나 공자도 무위를 말했다. 그것은 덕치와 책임정치가 결합된 최고의 정치이상이었다. 서우는 이런 덕치가 근세의 책임내각정치에 부합한다고 주장했다.[33]

요·순의 전설에는 초기 유교의 민본사상이 투영돼 있다. 군주 한 사람에게 모든 권력이 집중되지 않고, 현자를 등용해서 민의에 따라 다스리는 걸 이상적인 정치로 보았다. 관직을 세분하고 어진 재상이 국정을 총괄하는 책임정치제가 거기서 나왔다. 서우의 말마따나, 고대의 이런 정치적 이상은 그 근본취지에서 근세의 내각책임제와 제법 상통하는 바가 있다.

그러나 근대 서양에서는 의무화된 제도상의 법치로 책임정치를 보장했다. 반면 유교는 군주와 재상의 덕성에서 책임정치의 동력을 찾았다. 그러므로 흔히 근대적 법치와 유교의 인치人治를 구분한다. 전병훈 역시 그 차이를 명시한다. "현대에 공리功利의 법치를 숭상하고 궁리에 궁리를 거듭해서 책임제도에 이르렀다. 하지만 요·순은 순전하게 하늘을 본받는 도덕의 지극한 정치를 폈다." 이런 법치와 덕치는, 민의를 따른다는 근본정신에서 합치한다. "그 효과가 자연스럽게 일치하니, 천리天理의 공심公心이 한결같음을 알 수 있다."[34]

이른바 '천리의 공심'이란, 곧 하늘의 섭리에 부합하는 공정한 마음이다. 정치원리상 그것은 곧 민본(민주)을 추구하는 마음이며, 거기에는 동서양이 따로 없다. 다만 그것을 실행하는 방식에서, 각각의 정체政體에 고유한 장단점이 교차한다.

서양은 '공리의 법치'를 중시한다. 또한 '궁리에 궁리를 거듭'하는 이론 및

---

33. 舜擧十六賢相, 久任責成者, 可謂立萬世不易之政治大法者也. 是以孔子稱舜之爲君, 曰 "恭已正南面, 無爲而治, 韙歟!" 其至德之治, 與今責任內閣之治, 不謀而暗合者也. 『통편』, 256쪽.
34. 若夫堯舜, 則純全體天道德之至治, 其効自然躋此也. 可以見天理之公心, 與否已耳. 『통편』, 256쪽.

논증적 사유가 치밀하다. 한편 동양은 '지극한 덕치'를 추구한다. 그리고 '하늘을 본받는 도덕(體天道德)'을 따르는 오랜 전통이 있다. 하지만 어떤 길을 통해서든, 군주의 전횡과 권력집중을 막고 민의에 따르는 정치를 실현하려는 이상은 한결같다.

전병훈은 인류 공통의 그런 보편가치를 끊임없이 환기시켰다. 목표가 같다면 차이는 서로 보충하고 회통할 수 있다. 그리고 서로의 장점을 교환할 때 목표는 한결 가까워진다. 그게 곧 동서고금을 종횡으로 관류하는 전병훈의 철학의 기본문법이다.

정전·균산제

민주·공화의 정치와 함께, 전병훈은 시종일관 균산均産의 경제정의를 강조했다. '균산'이란 재화를 균등하게 분배하는 경제적 평등의 개념이다. 특히 그는 정전井田제도를 동서고금에서 가장 뛰어난 균산제도로 꼽았다. 정전제는 토지를 균등하게 분배해 경작자에게 나눠 주며, 동시에 공동노동으로 국가의 재정적 자원을 충당하는 제도다.

농지를 '井' 자 형태의 9경頃으로 나눈다. 중앙의 1경을 공전公田으로 삼고, 그 나머지 8경을 여덟 가구에 고르게 분배해 사전私田으로 경작케 한다. 사전은 각 가계의 소득원이 된다. 공전은 8가구가 힘을 나눠 공동으로 경작하며, 부세賦稅로 납부한다.

전병훈은 토지와 조세 제도의 변천사를 상세히 논구했다. 그에 따르면, 황제가 창건하여 '황제구정법黃帝邱井法'으로 불리는 정전제가 우임금을 비롯한 삼대에서 공히 시행됐다.[35] 그런데 춘추시대의 혼란으로 정전제가 시행되지 못하다가, 진나라 이후에 결국 그 명맥이 끊겼다.

정전제의 폐지는 곧 소수의 지주들에 의한 토지의 겸병을 의미한다. 그것은 빈부의 극심한 불균등을 불러오는 계기로 이해되었다. "그리하여 부자들은 끝

---

35. 禹平水土, 畫州井田, 實行黃帝邱井法哲理. 『통편』, 256쪽.

없이 토지를 넓히고 가난뱅이는 송곳 꽂을 만한 땅도 없어, 재산의 불균등이 정점에 이른다."[36] 이에 한나라의 동중서 등이 제한적인 토지개혁을 제안했으나, 채택되지 않았다.

그 뒤 당나라 초에 균전법을 시행하면서, 공전의 공동경작이 폐지되었다. 대신 매년 일정량의 곡식을 납부하는 '조租'로 대체됐다. 더불어 향토의 특산물을 납부하는 '조調', 그리고 연간 20일의 부역(役)에 복무하든지 아니면 그 대신 일정량의 명주(絹)를 납부하는 '용庸' 제도가 확립됐다.

그러다가 현대에 화폐가 대량으로 유통되자, 조세를 모두 화폐로 거두게 되었다. 전병훈은 작금의 화폐·조세제도가 폐단도 적고 국민에게 편리하다고 평가했다.[37] 하지만 그가 가장 이상적으로 보았던 것은 어디까지나 정전제였다. 다만 정전제가 폐지된 지 오래되어서, 현실에서 이를 회복하는 게 어렵다고 수긍했다.

서우는 "지금 세상에서 정전제를 회복하려 하면 누가 그것이 황당하다고 웃지 않겠는가?"[38]라고 자인한다. 그렇지만 궁극적인 경제정의의 지표로서, 정전제의 실현에 대한 이상을 포기하지 않았다. 서우가 반문한다. "이 제도를 시행해서 재산을 균등히 하지 않는다면, 단지 헛된말로 선정善政일 뿐 어찌 지극한 정치에 이르겠는가?"[39]

정전제는 단지 조세제도에 그치는 게 아니라, 토지를 공평하게 분배해서 부를 고르게 나누는 제도다. 그런데 사람들은 다음 두 가지 이유에서 정전제의 실현가능성에 의문을 제기했다. 첫째로 부자들의 땅을 억지로 뺏을 수 없다. 둘째로 옛날에는 백성이 적고 땅이 넓었으나, 지금은 사람이 많고 땅이 부족해서 골고루 분배하기 어렵다.

이에 대해 서우는 두 가지 방면으로 응답한다. 하나는 정치적인 측면이다.

---

36. 於是富者跨據州縣, 貧者無立錐地, 民產之不均, 已達極點. 『통편』, 258쪽.
37. 現世雖不行井制, 而但用其法量地, 以正稅則, 亦可爲善政矣. 『통편』, 262쪽.
38. 處今之世, 欲復井田之制, 孰不笑其迂闊乎? 『통편』, 260쪽.
39. 然不行此制, 以均民產, 則徒言善政而已, 安能進於至治乎? 『통편』, 260쪽.

공공의 정의를 실현하려는 강력한 지도자, 내지는 리더 그룹의 결단을 요청한다. "윗사람(들)이 진실로 천하를 공정하게 하려는 마음으로 공전제를 단행한다면, 누가 감히 따르지 않겠는가?"[40]

한데 그런 지도자(들)에게는 경제정의를 실현하려는 공정한 마음에 앞서, 다른 차원의 자질이 요청된다. 그것은 무엇보다 확고한 도덕적 품성이다. 서우가 단호하게 명언한다. "그렇지만 세상에 반드시 영웅이 있어서 확고한 도덕을 겸비해야, 그 뒤에 (정전제의) 거행을 논의할 수 있다."[41]

한편 현실적으로 땅이 충분치 않다는 반론에 대해서는, 실제적인 수치와 역사적 경험을 근거로 제시했다. 그는 한국과 중국의 국토 및 경작지 면적을 인구수와 일일이 대비하여, 땅이 부족하다는 주장을 반박했다. 또한 당나라 이후에도 고려에서 공전제도를 시행했던 역사적 사례를 들어, 정전제의 실행이 결코 불가능한 게 아니라고 논증했다.

서우는 토질에 따라 경작지를 9등분하는 구체적인 방안을 도표까지 곁들여 한 권의 책으로 만들었으며, 이를 북양정권의 위안스카이袁世凱와 리위안홍黎元洪 정부에 제안했다.[42] 그 일부가 『정신철학통편』에 실려, 정전제에 대한 그의 오랜 고심과 해박한 지식의 일단을 엿볼 수 있다.

하지만 전병훈은 정전제가 "지금 실행될 걸로 바라지 않는다"고 고백하기도 했다.[43] 그러면서 당장은 조세만 바로잡아도 훌륭한 정치라고 시인했다. 20세기 초 중국의 토지소유 불균등이 그만큼 심각했고, 과세제도 역시 문란했다. 그러다 보니 이를 개혁하려는 사회 전반의 요구가 비등했다.

한 예로, 중국 국민당의 정신적 지주였던 쑨원孫文은 삼민주의 3원칙의 하나로 '민생주의'를 주창했다. 민생주의는 과세제도의 개혁과 함께, "경작자에게 밭을(耕者有其田)"이라는 토지의 균등분배를 표방했다. 그 바탕에는 20세기 초

---

40. 在上者苟用公天下之心, 斷行公田之制, 則夫孰敢不從乎?『통편』, 260쪽.
41. 然世必有英雄其人, 悍猛道德兼備者, 然後可以議擧也.『통편』, 260쪽.
42. 余既分土品以九等, 圖畫成帳之法, 具有一冊, 進於兩政府.『통편』, 262쪽.
43. 然余所以載, 明井田概略於此者, 實非遽望於今日.『통편』, 261쪽.

전 세계에서 일어난 사회주의 운동의 영향이 있었다. 전병훈도 당시에 "사회균산의 설이 성행한다"[44]고 기록했다.

여하튼 전병훈은 이런 시대 조류를 문명전환의 한 조짐으로 읽었으며, 정전제야말로 궁극의 균산제도라고 확신했다. 그리고 세계가 하나로 통일되는 날, '지극한 덕과 큰 안목'을 갖춘 지도자가 이 제도를 반드시 시행하리라고 예견했다.[45]

그로부터 불과 30년 뒤에 마오쩌둥이 이끄는 공산당이 중국에서 토지국유화를 시행했다. 그러니 어쩌면 전병훈의 이상이 반쯤은 실현됐다고 할 수 있지 않을까? 하지만 거기에는 전병훈이 요청한 '확고한 도덕'의 자질이 부족했다.

앞서 말했듯이, 욕망을 제어하는 도덕의 함양이 균산의 근거가 된다. 단지 계급의 전복을 시도한 공산주의는 한동안 성공하는 듯했으나, 마침내 실패로 막을 내렸다. 그것은 균산의 이상 전부의 실패라기보다, '도덕이 결여된 균산'의 실패였다고 할 수 있다. 이를 예견이라도 한 듯, 전병훈은 윗사람의 마음에 덕이 충만해야 비로소 정전제를 시행할 수 있다고 단언했다.

그는 이윤伊尹이 다섯 번 은나라의 탕湯왕을 찾아가고 또 다섯 번 하나라의 걸桀왕을 찾아가며 천하의 안정을 구했던 사례를 들었다. 이윤은 "어느 한 사람이라도 제자리를 잡지 못하면, 자기가 그를 구렁텅이에 빠트린 듯이 고뇌했다. 한 번만 불의를 행하고 무고한 한 사람을 죽여서 천하를 얻는다고 해도, 그런 일을 하지 않았다."[46] 전병훈은 이런 어질고 공정한 마음이 있어야, 그 뒤에 비로소 균산제의 시행이 가능하다고 명언한다.

> (이윤처럼) 사명감으로 충만한 성인은 하늘이 낸 백성(天民)의 선각자를 스스로 자임한다. 세상을 구제하고 백성을 건지며, 지극히 어질고 자비로운 심

---

44. 社會均産之說盛行. 『통편』, 282쪽.
45. 留待宇內大一統之世, 安知無至德大眼人者, 必來取法乎! 『통편』, 261쪽.
46. 伊尹五就湯, 五就桀. 以一夫之不得其所, 若已推而納之溝中. 行一不義, 殺一不辜而得天下, 不爲矣. 『통편』, 268쪽. 이는 『맹자』의 「만장상」과 「공손추상」 등에 보이는 구절이다.

덕이 "하늘같이 공평하고 만세토록 모범이 되는 것"이라고 말할 수 있다. 후세에 권세와 이익 그리고 사욕에 물들어 부패한 자가 거울로 삼아야 하지 않겠는가? 아! 윗자리의 군주와 재상에게 실로 이처럼 지극히 어질고 지극히 공정한 마음이 있어야 한다. 그 뒤에야 비로소 정전제의 시행을 논할 수 있다.[47]

혁명적인 조치로 일거에 재산을 재분배할 수는 있다. 설령 그렇더라도, 사람들이 여전히 권세와 이욕의 충동에 사로잡혀 있는 한, 언제든 다시 부패한 특권층이 출현할 수밖에 없다. 그러므로 다만 물질적 자원을 공평하게 분배한다고 균산제가 성취되지는 않는다.

단지 사회지도층뿐만이 아니다. 균산의 경제정의를 실현하려면, 사회구성원 전반의 높은 도덕적 품성이 뒷받침돼야 한다. 그것은 결코 간단한 요청이 아니다. 인간의 물욕을 판도라의 상자에서 해방한 근대의 철학적 기획이 전면적으로 재검토돼야 가능한 일이다.

단적으로 말해, 내면의 덕성을 자각하고 공심公心을 회복한 인간(human beings) 그리고 이런 인간의 공동체인 인간사회(human society)가 도덕적으로 공진화해야 한다. 그러므로 전병훈도 "지극히 어질고 지극히 공정한 마음이 있어야 그 뒤에 비로소 정전제의 시행을 논의할 수 있다"고 한다.

정치와 교육의 일체화

전설에 따르면, 요·순·삼대에는 뛰어난 인격을 갖춘 성인이 곧 군장이었다. 플라톤이 '철인정치'를 말했다면, 동아시아 고대에는 '성인정치'의 전통이 있었던 셈이다. 전병훈은 말한다. "군장이 사도師道의 책무를 아울러 자임했다. 이 역시 하늘의 뜻인저!"[48]

---

47. 任聖, 自任以天民之先覺者, 而其救世拯民, 至仁·至慈之心德, 可謂與天同公, 而萬世爲法者也. 後世之昏敝權利·私欲者, 可不鑒乎? 烏乎! 在上之君相, 實有此至仁·至公之心, 然後可以議舉井制矣乎. 『통편』, 268쪽.

여기서 정치는 곧 교육(敎化)과 일체화된 '사회적 모범구현' 행위로 이해되었다. 서우에 의하면, 군주가 곧 스승이던 시절에는 군주의 권위가 비교적 쉽게 백성에게 스며들었다. 그렇지만 군신 간의 예법은 훗날 어른과 아이의 위계에 불과할 정도로 아직 막역했다.

그러나 진시황이 전제를 시행한 뒤부터, 군주를 높이고 신하를 낮추는 군존신비君尊臣卑의 폐단이 극에 달한다. 전병훈은 훗날 이런 병폐를 되돌리지 못한 게 역사의 비극이라고 탄식했다. 그래도 정치와 교육이 분리된 현대에는 우선 교육에 힘쓰는 게 급선무라고도 언급했다.[49]

하지만 그는 정치와 교육이 일체화된 고대 유교의 전통이야말로 '공화'의 제도에 부합된다고 생각했다. 집권자와 국민이 어른과 아이의 관계처럼 친근하게 탈권위화하며, 그러면서도 스승과 제자처럼 도덕적 책무와 존경을 교환한다. 그것이 곧 바람직한 공화의 리더십이다.

그러나 진나라에서 전제가 출현하면서, 군신관계가 양극화되고 강권을 동원하는 체제로 변질됐다. 그리고 한나라 이후 2천 년간 군존신비가 유교의 핵심 덕목이 되었다. 전병훈은 정치적 상하관계의 이런 경색을 '병폐'로 일축하고, 초기 유교의 근본정신을 회복하자고 요청했다.

예치의 실행: 책임정치와 지방자치

공자처럼, 전병훈도 아득한 삼대의 그림자 같은 기억에서 위대한 정치의 모범을 찾았다. 먼저 그는 『주례』에서 다음 구절을 뽑았다. "관청을 세우고 직분을 나눠 백성이 지켜야 할 표준으로 삼았다. 천관총재天官冢宰를 세워 국정을 관장하고 왕을 보좌케 했다."[50]

---

48. 堯舜三代, 則聖人爲君長, 故師道之責, 亦幷自任也. 其亦天意歟! 『통편』, 269쪽.
49. 『통편』, 269쪽.
50. 設官分職, 以爲民極. 立天官冢宰, 掌邦治以佐王. 『통편』, 269쪽. 전거가 『주례·천관총재天官冢宰』에 보이는데, 인용문과 약간의 차이가 있다. 『주례』의 원문은 다음과 같다. "設官分職, 以爲民極. 乃立天官冢宰, 使帥其屬, 而掌邦治以佐王均邦國."

또한 인용한다. "조례에서 군주와 신하가 서로에게 읍하는데, 왕이 침전 문 밖에 서서 먼저 읍했다. 나라에 큰일이 있으면 서민들이 상의하고, 선비들이 의논했다. 고을의 활쏘기 연회에서도 다섯 일(五物)을 뭇사람들에게 물으니, 곧 다수의 의견을 들어 정치를 했다."[51] 서우는 고대의 이런 사례를 공화·헌법의 제도에 비견한다.

> 이때 그 정치가 비록 '공화'의 명칭을 세우진 않았다. 그렇지만 군·신이 서로를 향해 읍揖하는 것은, 지금의 공화·평등의 예법과 서로 부합한다고 말할 수 있다. 서민과 선비가 국사를 논의해 가부를 말하고, 집정자가 그 의견을 듣고 판단해 정무를 집행했다. 지금의 총통·행정·헌법의 제도와 어찌 다르겠는가?
> 다만 그때 비록 '헌법'의 이름은 없었지만, 사실상 주공周公이 이미 앞서 이를 시행했다고 말할 수 있다. 그러므로 어찌 순임금과 주공을 동아시아 공화·헌법의 창시자로 삼지 않을 수 있겠는가? 시대를 앞서는 지식인이 진실로 깊이 성찰해서, 다시는 서구에만 전적으로 미혹되지 않아야 한다.
> 그러나 그 조리와 규범은 뒤에 나온 것이[서구의 제도—역자 주] 정밀히 연구해서 더욱 정교하고 훌륭하다. 이를 몰라서는 안 된다. 지금 또한 『주례』를 상세히 연구하니, 왕을 정치적 책임이 없는 자리에 두는 것이 역시 근세의 책임정치제도에 은연중 부합하는 것이다.[52]

---

51. 朝禮, 君臣相向揖, 王立寢門外, 王却先揖. 國有大事, 則庶民議之, 士論之, 五物詢衆, 乃聽衆爲政也. 『통편』, 269쪽. '오물五物'에 관해서는 『주례·지관地官·향대부鄕大夫』에 다음과 같은 글이 보인다. "退而以鄕射之禮五物詢衆庶. 一曰和, 二曰容, 三曰主皮, 四曰和容, 五曰興舞. 此謂使民興賢, 出使長之. 使民興能, 入使治之."

52. 此時此治, 雖未立共和之名稱. 然君臣之相向揖者, 可謂與今共和·平等之禮相孚者也. 庶民士子, 論議國事, 以陳可否, 而秉軸者聽決行政, 則與今總統行政憲法之制, 何以異哉? 惟其時雖未有憲法之名, 而其實則可謂周公先已行之也. 然則共和憲法者, 安得不以大舜·周公爲東亞開山之祖也耶. 鶩時之士, 誠可以感省而不復專美於西乎. 但其條理規模, 則後出者精究而益進精美, 不可不知也. 今且詳究周禮, 置王於無責任之地, 亦闇合乎近世責任之制者也. 『통편』, 270쪽.

한편 서우는 책임정치와 함께, 지방자치를 예치 실현의 기본전제로 인식했다. 그리하여 한 집(家)을 기본단위로 중층적인 지역공동체를 구축하는 방안을 『주례』에서 가져온다. 그것은 낮은 단계부터 가家→비比→여呂→족族→당當→향鄕으로 묶는 일종의 향당자치제도다.

5가로 1비를 이뤄, 비장比長을 둔다. 5비로 1여를 삼고, 여사閭師를 둔다. 이런 식으로 족·당·향까지 확충해서 조직하고, 각각 족장族長·당정黨正·향대부鄕大夫를 세운다. 주나라에서는 이런 향당체계를 바탕으로 24절기마다 각 그룹별로 회합을 가져, 서로간의 잘못과 악행을 규찰하고 덕행과 도의를 권면했다고 한다.

전병훈은 이런 체제가 "만세태평의 도덕문명을 여는 효시였으며, 주공이 이를 시행해 40년간 형벌을 쓰지 않는 성과를 거뒀다"[53]고 찬미했다. 하지만 현대 학자들은 대개 기원전 4세기 무렵에 무명의 이상주의자가 『주례』를 편찬했다고 추정한다. 즉 이 제도가 실제로 주공에 의해 시행됐는지는 불분명하다. 그렇다고 전병훈이 단지 경전만을 근거로 이 제도의 효과를 확신했던 것은 아니다.

그는 중국으로 망명하기 전에 조선에서 이미 향약鄕約을 조직해 운영한 풍부한 경험이 있었다. 젊어서 동래東萊(지금 부산)의 선비 유중교柳重敎(1832~1893)의 부탁으로 이 지역에 향약을 성공적으로 건립했다. 또한 고향인 평안도에 존도재存道齋 64곳을 세워 근 1천 명의 선비를 양성하고 경로효친 풍속을 고양해 칭송이 자자했던 기록이 있다.[54] 전병훈 본인도 말한다.

> 내가 또한 다른 사람의 부탁으로 이[향당의 예치제도—저자 주]를 한국에서

---

53. 肇啓萬世太平道德文明之祖法者, 非但爲當時實驗, 以收四十年刑措不用之化. 『통편』, 271쪽.
54. 「全成菴夫子實行隨錄」, 『全氏總譜總錄』(전씨대동종약소, 1931), 45쪽; 김성환, 「曙宇 全秉薰의 생애와 저술에 대한 종합적 연구(1)」, 한국도교문화학회, 『도교문화연구』 제40집(2013) 참고.

> 시행해 이미 풀이 바람에 쏠리는 듯한 교화와 그림자가 몸을 따르는 듯한 경험을 본 바가 있다.[55]

한편 그는 향당의 예치를 서양의 지방자치에 비견했다. "스위스와 미국은 지방자치가 크게 발달해서 공화제가 견고하나 프랑스는 그렇지 못해 공화가 오래가지 않는다"는 라트겐Karl Rathgen(1856~1921)의 말을 인용하며,[56] 서구에서도 지방자치가 공화제도의 근간임을 상기시킨다.

그리고 이런 지방자치와 향당제가 서로 표리를 이룰 수 있다고 제안한다. 그것은 곧 현대의 법치와 유교의 예치를 병행하는 방안이기도 했다. 다시 그의 말을 들어보자.

> 지금의 방책은 전적으로 법률을 쓰지만, 주나라 제도는 순전히 도덕의 예치를 사용했다. 장차 이 제도[『주례』의 향당제도—역자 주]를 쓰는 통치자는 실로 그 교화가 세상에 두루 미치고, 형벌을 사용치 않는 경험(사례)을 얻을 수 있다.
>
> 그렇다면 오늘날의 법치 쪽에서도 어찌 이를 취해 모범으로 삼지 않겠는가? 그러므로 내가 감히 단언컨대, 전 세계 인도人道의 밝은 사표와 대동의 기틀이 반드시 여기에 있다.[57]

전병훈은 지역공동체의 예치에 필요한 원칙과 상세한 규약을 제시했다. 덕행과 기예를 닦고, 수신제가하고, 예의를 지켜 사귀며, 공공의 이익을 서로 권면하는 게 그 대강이다. 한편 부모에게 불효하고, 형제간에 반목하고, 생업에

---

55. 余亦因人以施於東韓箕邦, 已見風尚草偃之化, 捷如影響之經驗焉. 『통편』, 271쪽.
56. 德儒那特硜論共和曰 瑞士·美國, 地方自治大發達, 故共和堅牢. 若法國, 參差不齊, 故共和不能持久也. 『통편』, 271쪽.
57. 然時方專以法律, 而周制則純以德禮, 將來用此制者, 苟能化洽天下, 以成刑措不用之經驗, 則彼法治者, 安得不取作師範乎? 故余敢斷爲世界人道之光明導師, 大同基業, 其必在此乎. 『통편』, 271~272쪽.

나태하며, 불경스럽게 정도를 어지럽히며, 법을 어기는 것을 상호간에 경계할 죄목으로 명시했다.

그리고 각 향당 그룹별로 매달 초하루마다 집회를 열고, 규약에 따라 선행을 계도하며 악행을 금지토록 한다. 그래도 이를 어기는 자가 있으면 관에 보고해 다스리도록 했다. 서우는 반년만 이를 시행해도 백성들의 소송이 사라지는 효과를 볼 수 있다고 장담했다.[58]

하지만 그가 상세히 진술한 향당예치의 규약을 여기서 일일이 다 소개하지는 않겠다. 분량이 적지 않은데다가, 위에서 말한 강령을 구체화하는 내용이기 때문이다. 설령 그것을 나열해도, 한 세기 전에 그가 제안한 규약들을 오늘날 그대로 사용할 수는 없다. 전병훈도 이 점을 분명히 인식했다. 다시 그의 말이다.

> (『주례』의 규약이) 비록 보편적인 정치제도지만, 그 대의를 따르되 반드시 시대에 맞게 절충해야 한다. 그래야 이를 행하는 데 장애가 없고, 무량하게 세상을 구제할 수 있다. 곧 변통變通과 성인의 시의적절함(時中)이 귀한 까닭이 바로 여기에 있다.[59]

이런 언명을 되새긴다면, 현대사회에 적합한 예치의 절목들을 개발해 시행하는 게 서우의 본래 취지에 부합한다.

---

58. 余依成制, 條明事例, 擧此六德·六行·六藝·修身齊家·禮俗相交·公益相勉等, 立爲奬勵之目. 如過惡可戒者·不孝·不悌·不勤實業·荒惰悖亂·犯法之罪, 立作條目. 自比閭族黨鄉, 每月朔望, 齊會民人, 父老紳士, 依規則諭之·敎之, 察之·禁之, 猶有不遵者, 報官而治之, 則行之半年, 可見使民無訟之政效矣. 『통편』, 272쪽.
59. 余攷『周禮』本章約劵條例 …… 雖然凡爲邦制度, 必也師其大旨, 而參合時宜, 然後可以行之無礙, 濟世无量矣. 此所以變通, 而聖之時中者爲可貴也. 『통편』, 272쪽.

법치와 예치의 병진并進

오늘날 '예치'를 말하면, 형식에 치우치고 케케묵은 조선시대의 낡은 법도를 왜 다시 끄집어내느냐고 핀잔을 듣기 십상이다. '예절' 하면, 상명하복과 순종을 강요하는 학교와 군대의 잔혹사가 떠오르는 독자도 적지 않을 것이다. 이처럼 우리 사회에서 '예'는 조선 유교의 말기적 증후, 혹은 권위주의와 강압을 연상시킨다. '예'에 대한 이런 나쁜 기억을 한국인의 집단무의식에 각인시킨 건, 물론 조선 말의 타락한 양반들과 일제강점기의 식민통치자 그리고 해방 후의 나쁜 집권자들이다.

잘못 사용되는 '예'는 약보다 독이 된다. 특히 사회적 지위나 권리상에서 윗자리를 점한 사람들이 손쉽게 권위와 힘을 얻고자 예를 동원하는 사례가 많다. 이럴 경우 아랫사람들은 마지못해 예를 지키는 척한다. 하지만 강요되는 예절은 단지 형식에 그치고, 진심어린 자애와 존경이 교환되지 않는다.

윗사람이나 아랫사람이나, 이런 예절에 젖을수록 마음에서 우러나는 도덕의 정감이 오히려 메마른다. 그리하여 끝내 겉으로만 예절을 꾸미고 안으로는 남을 멸시하는 허위적인 인간이 되기 쉽다. 그러므로 『노자』는 "예란 진심(忠)과 믿음(信)이 엷어진 것으로 분란의 으뜸"이라고 했다. "인仁과 의義를 버리면 백성이 다시 효성스럽고 자애로워진다"고도 말한다.[60]

이것은 형식상 강요되는 예절과 윤리의 위험을 경고한 구절로 유명하다. 그런데 이런 위험 때문에 예의를 버린다면, 그 역시 "빈대를 잡자고 초가삼간 다 태우는" 격이 된다. 노자가 예의를 비판한 것도 무조건 그걸 버리라는 말이 아니었다. 노자는 형식적인 예의규범이 과잉이던 시대를 살았다. 그러므로 그 위험성을 경고했지만, 궁극에는 '진심'과 '믿음' 그리고 '효성'과 '자애'의 회복을 강조했다.

그런데 우리는 예의 과잉이 아니라, 예의 소멸 내지는 멸종이 우려되는 시대

60. 夫禮者, 忠信之薄, 而亂之首. 『노자』 38장; 絶仁弃義, 民復孝慈. 『노자』 19장.

에 살고 있다. 특히 모든 예절의 근간인 가족과 친족 사이의 무례함이 도를 넘었고, 가족공동체가 급속히 해체되고 있다. 부모와 자식은 물론 연장자와 아랫사람 간의 기본예절이 무너졌고, 효도와 자애의 미덕은 박물관에나 진열될 지경이다.

예전에 윗사람이 일방적으로 강요하는 '예절'이 문제였다면, 지금은 가정과 마을과 학교에서 적절한 예의를 못 배운 세대의 '무례'가 사회공동체의 기반을 뿌리에서부터 뒤흔들고 있다. 서구의 개인주의를 이기주의로 변질시키고, 전통의 미덕을 죄다 업신여기는 개인들이 누항에 가득하다.

사람 간의 인격적 관계보다 법조항을 먼저 들이대고, 덕성보다는 돈을 따른다. 가족과 친구·이웃 간의 관계를 지켜 주던 예의염치가 사라지는 대신, 법률소송이 더 가까운 비인격적 풍조가 확산되었다. 그 과정에서 증대하는 사회적 비용은 결국 법률사무소와 보험회사의 금고로 들어간다.

예보다 법이 앞서고, 도덕보다 물질이 지배하는 각박한 세상이다. 그런데 정작 심각한 것은, '예의와 도덕 상실'의 병폐가 단지 정서상의 각박함에 그치지 않는다는 사실이다. 그것은 불신사회로 가는 지름길이며, 공동체의 급속한 해체와 인간성의 황폐화를 부른다.

이런 큰 사회적 손실을 겪으면서, 우리는 빠르게 '무례사회(rude society)'로 진입했다. 거기에는 여러 배경이 있지만, 전병훈의 말처럼 "법률로 모든 걸 해결하는(專以法律)" 서구적 법치를 만능으로 숭배하는 풍조 역시 한몫을 한다. 심지어 정부 고위관료와 사회지도층마저 국민과 언론 등을 상대로 소송을 남발하는, 기이한 풍경이 펼쳐진다.

예전 같으면 국민의 시선을 의식해서라도 감히 못했을 일이다. 그런데 이제는 정치적 리더십, 사회적 존경, 예의염치를 불문하고 법원 문을 두드린다. 이는 법치의 과잉이 어떻게 한 사회의 전통적 권위를 무너뜨리고, 윤리적 감수성을 무디게 하는지 단적으로 보여준다.

그런데 서구에서 유래한 법치와 전통적인 예치의 병존이 가능할까? 얼마 전까지만 해도, 이 질문에 대해 필자 역시 회의적이었다. 그렇지만 예의염치가 갈수록 빠르게 사라지면서, 더 이상 이를 방치해선 안 된다는 우려가 커지고 있다. 그리고 그 현실적인 해법의 하나로, 어쩌면 전병훈이 제안한 법치와 예치의 병진幷進(co-evolution) 전략에 주목해야 할지 모른다.

다만 그것이 일방적으로 강요되고 형식에 흐르는 '예절교육' 정도에 그친다면, 처음부터 아예 논의하지 않는 게 낫다. '예치'는 예의로 공동체가 유지되는 사회체제의 건립을 목표로 한다. 그것은 법치 못지않게 체계적인 이론과 제도, 그리고 실질적인 운용체계를 갖춰야 비로소 작동할 수 있다.

그런데 정치영역과 마찬가지로, 오늘날 법학의 영역에서도 법으로부터 도덕을 배제하는 법실증주의적 관점이 폭넓게 받아들여진다. 가치를 함축하는 도덕과 가치중립적인 법규범의 경계를 엄격히 나누고 있는 것이다. 따라서 법치와 예치의 병행은, 법과 예의 이런 이론적이고도 현실적인 간극을 어떻게 극복할 것인지에 대한 논의와 전략을 포함해야 한다.

물론 한 세기 전의 전병훈에게 이런 문제에 대한 완비된 해답을 요구하는 건 무리이다. 하지만 신·구 제도의 균형을 잡으려는 취지는 참고할 가치가 있다. 서우는 예치에서 중요한 게 단지 이념이 아니고, 구체적인 조리와 규범의 운영이라고 강조한다. "케케묵은 유학자들이 예치를 말하면서도 그 조리와 규범을 모른다. 하니 어찌 신학문의 조롱을 피할 수 있겠느냐?"[61] 고 비판한다.

또한 그는 오래된 예의규범을 그대로 고집하는 고루함도 경계했다. 대신 그는 옛 제도의 근본취지를 존중하되 적절히 '변통'하고, 시의에 적절하게(時中) 운용해야 비로소 실효를 본다고 지적했다. 그러니 당연하지만, '예절' 하면 바로 옛것으로의 복고를 연상하는 사고관습에서 벗어날 필요가 있다.

사실 전통사회의 예의규범은 농업경제의 향리사회를 기반으로 만들어졌다. 따라서 도시화와 산업화가 진행된 현대사회에 이를 그대로 적용하긴 어렵다. 또 그럴 필요도 없다. 하지만 새로운 도시환경에서도 가정과 친족, 지역, 학교 등이 공동체의 기능을 수행할 필요성은 있다.

---

61. 老生宿儒者, 雖言禮治, 而不知其條理規模焉, 則安得免新學之譏笑哉? 『통편』, 272쪽.

한데 이런 공동체가 법률상의 계약으로 성립되고 유지되진 않는다. 공동체를 재건하려면, 거기에 걸맞은 예의를 확립하고 시행하는 게 중요하다. '예'는 상호 결속하는 사람들 사이의 관계윤리다. 그러므로 공동체가 전제되지 않는 예치는 사상누각이다.

예를 들어, 지하철이나 광장에 모인 불특정의 다중이 예의로 한데 묶이지는 않는다. 여기에는 다만 소극적인 공공예절 정도만 요구된다. 일상에서 예의가 지켜지는 사회는 혈연, 지역, 학교, 일 등으로 결속된 공동체를 토대로 건립될 수밖에 없다.

이렇게 공동체와 예의는 뼈와 골수처럼 서로를 존속시킨다. 그러므로 무례사회에서 공동체가 해체되고, 공동체가 무너지면서 사람들이 무례해지는 건 어쩌면 당연한 일이다. 한편 예의사회의 회복은 지방자치에서도 중요하다.

한국의 지방자치제도는 역사가 일천하다. 그러다 보니 각급 지역은 정치인들에게나 중요할 뿐 주민들이 자치를 실현하는 공동체로서의 기능이 미흡하다. 하지만 각자의 이해관계로 표가 갈리는 선거행위만으로 공동체가 유지되기는 어렵다.

지나치게 정치화된 지방자치는 오히려 공동체를 해체시킨다. 지방자치 단위가 만약 지금처럼 선거철에나 의미 있는 '선거구'의 기능밖에 못한다면, 그 제도의 실효성에 심각한 의문이 제기될 것이다. 진정한 지방자치를 실현하려면 지역이 공동체 기능을 회복해야 한다. 그리고 지역공동체를 회복하려면, 지역사회에서 예를 어떻게 재건할지에 대한 고민이 필요하다.

그런데 다른 문물제도처럼, 이런 예의마저 서양에서 수입할 수는 없다. '예의'는 관습에 의해 요청되고 집단의 시선으로 유지되는 행동규범의 체계다. 그것은 한 사회의 오래된 전통과 집단무의식에 뿌리를 두고 서서히 변화하는 문화적 유전자의 일부다. 그런 예의체계까지 서양에서 들여와 인위적으로 이식하는 건 필요하지도, 또한 가능하지도 않다.

게다가 전병훈도 강조했듯이, 예치 방면에서는 동아시아가 서양보다 훨씬 오래되고 풍부한 전통을 보유하고 있다. 그러니 예부터 '동방예의지국'으로 불린 우리의 역사적 경험과 생활세계에서 돌파구를 찾아야 하지 않을까? 이를테면 현대판 '향약'의 연구와 재건이 필요한 셈이다. 지역공동체에 뿌리를 둔 지방자치의 발전을 위해서도, 법치와 예치의 병진이라는 전병훈의 비전에 눈을 돌릴 필요가 있다.

학교교육의 진흥

앞서 말했듯이, 정치와 교육이 분리된 현대사회에서 전병훈은 우선 교육에 힘쓰는 게 급선무라고 판단했다. 특히 학교교육의 진흥을 강조했다. 『주례』에 보이는 사교四校와 삼물三物에서 그 모범을 찾았다.

'사교'는 4계절에 따라 설치한 학교였다. 봄·가을에는 예절(禮)과 음악(樂)을, 여름·겨울에는 시詩와 글(書)을 가르쳤다고 한다. 한편 '삼물'은 각 지역의 향교에서 교육한 과목을 가리킨다. 그 교육 내용은 다음과 같다.

첫째는 윤리적인 품성으로서의 '여섯 가지 덕(六德)'이다. 지혜(智)·어짊(仁)·성스러움(聖)·정의(義)·충심(忠)·조화(和)의 덕목을 가르쳤다.

둘째는 실천윤리 과목으로서의 '여섯 가지 행실(六行)'이다. 효도(孝)·우애(友)·화목(睦)·혼인(婣)·책임(任)·구휼(恤)의 행실을 가르쳤다.

셋째는 기술과 지식 과목으로서의 '여섯 가지 기예(六藝)'다. 예절(禮)·음악(樂)·활쏘기(射)·수레몰기(御)·글(書)·수학(數)을 가르쳤다.

전병훈은 삼대에 공히 이런 학교교육이 이뤄졌다고 한다.[62] 그런데 앞서 살핀 다른 제도와 마찬가지로, 그것이 반드시 삼대에 시행됐는지는 의문이다. 하지만 최소한 『주례』가 편찬된 기원전 4세기 무렵에 유교의 교육적 이상이 거기에 반영된 것은 분명하다. 그것만으로도 초기 유교가 설계한 학교교육의 방안을 살피기에 충분하다.

즉 굳이 삼대가 아니라도, 이미 2천 수백 년 전에 공자와 그의 제자들이 제안

62. 『통편』, 278쪽.

하고 건립한 학교의 이념과 제도를 잘 보여준다. 그것은 윤리적 품성을 함양하고 실천하며, 사회적으로 필요한 기술과 지식을 고르게 습득하는 걸 목표로 한다. 하지만 그중에도 윤리덕행에 주안을 둔 것은 물론이다.

또한 그 제도는 선택된 소수가 아닌, 모든 사람의 일반교육(general education)을 목표로 했다. 소학小學만이라도 "배우지 않는 사람이 없고 가르치지 않는 사람이 없기"를 천명했다.[63] 물론 이것도 삼대에 실제로 시행됐다기보다, 초기 유교의 만민교육 이념을 반영하는 것으로 의의가 있다. 거기에는 교육기회의 균등, 그리고 지위에 관계없이 모든 사람에게 최소한의 필수적인 보통교육을 보장하는 제도교육 원칙이 담겨 있다.

그런데 서구에서는 16세기 루터Martin Luther에 와서야 모든 6~12세 아동의 취학을 의무화하자는 의무교육론이 제안됐다. 그리고 이후 시민혁명을 거쳐 근대적인 자유인권사상이 정착되면서, 새로운 교육권 개념이 등장했다. 그리고 국민의 교육권을 보장하는 국가의 의무 차원에서, 지금의 의무교육제도가 정립됐다.

이에 비춰 볼 때, 교육의 기회균등과 모든 사람에 대한 공통교육을 제안하는 초기 유교의 교육론이 "지극히 보편적이고 상세히 구비됐다"[64]는 전병훈의 평가가 과장됐다고 말할 수는 없다. 한편, 예나 지금이나 평등한 교육기회의 제공은 사회적 불평등을 해소하는 근본적인 해결책이 될 수 있다.

소외된 계층과 개인에게 교육은 거의 유일한 신분상승 통로의 의미가 있다. 누구에게나 공정한 교육기회를 보장하고, 거기서 선발된 보다 우수한 인재에게 중책을 맡기는 게 사회발전에도 유익하다. 초기 유교의 교육론에도 이런 원칙과 그 원칙을 실현할 방안이 제시되었다. 전병훈이 말한다.

> 각 고을에서 교육받아 양성된 자를 '조사造士'라고 한다. 거기서 우수한 자를 선발해 조정에서 양성하니, '승사陞士'라고 한다. 조정에서 시험을 거쳐

---

63. 無一民不學, 無一民不教爲法.(小學之制如是) 『통편』, 279쪽.
64. 其教養之道, 極其周盡詳備. 『통편』, 278~279쪽.

> 그 승사 가운데서 뽑아 관직을 주니, '진사進士'라고 한다. 선비의 품계에 대개 세 가지가 있었다. 상사上士·중사中士·하사下士다. 인재의 선발과 승천과 임관의 제도가 또한 이처럼 정밀하니, 사람들이 쉽게 인재가 되고 조정에 준수한 선비가 많았다.[65]

그런데 이처럼 일찍이 정비된 유교의 교육 이념과 제도가 서구의 근대교육처럼 발전하지 못한 이유가 어디에 있을까? 전병훈은 과거제도의 도입에서 결정적인 화근을 찾았다. 초기 유교의 교육 이념과 제도가 무너지고, 당나라에서 측천무후가 시詩와 부賦의 문장을 짓는 시험으로 인재를 선발하기 시작한 게 화근이 되었다.

서우에 의하면, 이로부터 천하의 인재들이 음풍농월이나 하는 쓸모없고 천박한 재주에 죄다 함몰됐다. 그리고 과거제의 폐단이 중국을 넘어 한국까지 미치고, 명·청 시대까지 이어졌다.[66] 물론 초기 유교의 교육이념이 왜곡된 원인을 과거제도 탓으로만 돌리는 건 다소 무리한 논법이다.

유교 경학이 지배한 한나라 이후, 유교 소양으로 무장한 선비계층(士族)이 특권적 지배층으로 부상했다. 그리고 중세에 유교의 교육자원을 독점한 사대부가 폐쇄적인 사회계층을 이루자, 평민이 교육과 인재등용에 참여할 기회가 거의 사라졌다.

그러면서 교육의 기회균등을 천명한 초기 유교의 교육론이 점차 퇴색했다. 그런 와중에 다분히 기능적인 과거제도가 고안되었고, 그것이 인재선발의 주된 통로가 되었다. 사실 과거제도는 특권화한 제도교육의 원인이라기보다, 결과였다. 그리고 이것은 유교의 문호를 열었던 공자조차 예견하지 못했던 추세

---

65. 教養於鄉塾者, 名曰造士, 選舉其優者而賓興於朝曰陞士, 自朝試取其陞士而授之以官曰進士. 士之品, 大概有三, 上士·中士·下士也. 而其選舉陞薦授官之制, 又如是精密. 故人易成材, 而朝多俊彥也. 『통편』, 278~279쪽.
66. 後失其道而至唐女后武則天者, 創行詩賦取人之法. 於是天下人才, 盡壞於風花月露無用之浮技, 然其弊也, 至於東韓及明清矣. 『통편』, 279쪽.

였다.

익히 알다시피, 공자는 신분과 지위에 관계없이 제자를 받아 교육했다. 교육의 기회균등에 대한 초기 유교의 신념은 확고했고, 공자가 몸소 이를 실천했다. 그러나 인류역사상의 모든 위대한 가르침이 그렇듯, 그의 사상 역시 본래 취지와 달리 왜곡되고 오용됐다.

앞서 언급했듯이 중세의 유교는 만민교육을 실현하는 대신, 특권 엘리트의 존속을 위한 이념자원으로 충당되었다. 그리고 시민혁명으로 중세를 극복한 서구와 달리, 동아시아에서 중세의 병폐는 끝내 자기혁신으로 해소되지 못했다. 그리하여 외부의 충격으로 일거에 낡은 체제가 무너졌고, 그 폐허 위에 서구 근대의 학문과 학교 제도가 도입됐다.

그러나 전병훈은 동아시아의 케케묵은 관습과 부패의 여파로 근대 학교교육이 다시 유치하고 초보적인 수준에 머물지 않을까 우려했다.[67] 학교가 교육의 근본적인 이상과 목표를 실현하기보다, 단지 출세를 위한 과거시험의 준비기관으로 전락하는 적폐가 재현될 것을 걱정했다. 그리고 한 세기가 흐른 지금, 그의 우려는 현실이 됐다.

오늘날 동아시아의 교육열은 세계적으로 유명하다. 이 권역의 경제성장이 높은 교육열 덕분이라는 평판도 자자하다. 하지만 자세히 들여다보면, 학교교육이 대개 입시와 취업을 위한 수단에 그치고 학생들의 인성과 창의를 개발하는 교육은 크게 미흡하다. 이른바 '유교문화권' 국가의 교육현실이 대개 그렇다.

전병훈의 말마따나, 교육 본연의 취지는 뒷전이고, 천여 년간 과거시험에 매달린 본말전도의 관행이 21세기 학교에서 재현되는 셈이다. 한 문화의 체질로 굳어진 오래된 유습의 악폐가 이처럼 끈질기다. 따라서 전병훈도 "케케묵은 관습과 부패의 여파"를 걱정했던 것이다.

이처럼 고질이 된 적폐를 해소하려면, 병에 걸리기 전의 상태를 상기할 필요가 있다. 전병훈은 초기 유교의 학교교육 이념과 제도를 반추하고, 그것을

---

67. 近始廢罷而依倣西學以設校焉, 則積習腐敗之餘, 安得免幼稺萌芽之歎乎? 『통편』, 279쪽.

거울로 삼아 후대의 교육이 어떻게 왜곡됐는가를 반성했다. 그리고 서구 근대 교육제도의 장점에 초기 유교가 추구한 보편적 덕성교육의 정수를 더하라고 요청한다.

그리고 학교에서 재능과 덕성을 겸비한 인재를 양성해야 한다고 천명했다. 하지만 그로부터 백 년이 지난 지금, 입시지옥을 벗어난 학교, 미래 세대의 지·덕·체를 고르게 함양하는 공통교육의 실현은 여전히 난제로 남아 있다. 그러므로 다음과 같은 전병훈의 제안 역시 아직 유효하다고 말할 수 있다.

> 아! 신구新舊 지식인들이 분발해 학교교육을 진흥해야 한다. 우리(동아시아)의 도덕과 예의에서 소박하고 아름다운 것을 근본으로 삼고, 타자(서양)의 과학과 물질문명에서 정밀하고 우량한 것을 아울러 궁구하자. 그러면 재능이 통달하고 덕성이 원만해지는 작용을 탁월하게 이룰 수 있다. 다시 어찌 의심하겠는가! 지금 대학교, 중등학교, 소학교의 보편적인 제반 학과學科 제도는 예전에 없이 우수한 것이다.[68]

형벌최소주의

전병훈은 법치주의와 삼권분립을 지지했다. 하지만 법치 일변으로 치닫기보다는, 예치를 병행할 것을 요청했다. 특히 형벌의 남용에 반대했다. 그는 옛 성인의 정치가 교화에 매진했으며, 부득이할 때만 형벌을 사용했다고 강조한다.

서우가 말한다. "(훌륭한 통치자는) 그의 지혜와 충심과 사랑을 다해서 반드시 사형을 완화한다. 형벌을 가하는 것은, 형벌을 없애기 위해서다. 그리하여 마침내 형벌을 폐지해 쓰지 않는 지극한 정치에 이르게 된다."[69] 이런 형벌최

---

68. 烏乎! 新舊人士, 其奮發而振刷之, 宗我德禮之素美者, 而幷致他科學物質之精良者, 則卓然成通才圓德之用, 夫復何疑哉! 今大中小普通諸科學之制, 可謂空前之尤盛者也. 吁! 『통편』, 279쪽.

69. 聖人致治, 克盡教化, 至於不得已而用刑, 則悉其聰明, 盡其忠愛, 必以緩死, 刑期于無刑, 故必至刑措不用之至治也. 後世當司法·行法之任者, 可三致意乎? 『통편』, 280쪽.

소주의에 관해, 전병훈은 다음과 같은 고전의 전거들을 제시했다.

> 주공이 말했다. "혼란한 나라에서 엄한 법률을 쓰고, 새로 건설되는 나라에서는 너그러운 법률을 쓴다."[70]

> 『상서』에서 말한다. "다섯 형벌(五刑)은 다만 인·의·예·지·신의 다섯 가르침(五教)을 보조할 뿐이다. 형벌을 가하는 것은 형벌을 없애기 위해서이다."[71]

> 또한 말했다. "(순임금이) 공경하고 공경해서 오직 형벌을 신중히 삼가셨다."[72]

> 『주역』에서 말한다. "연못 위에 바람이 있는 것이 '중부中孚'괘다. 군자가 이를 본받아서 옥사를 신중히 심의하며, 사형을 완화한다."[73]

> 『상서』에서 말한다. "하늘은 덕이 있는 사람에게 다섯 관작(天子·諸侯·卿·大夫·士)의 명命을 내리고, 죄가 있는 사람에게 다섯 형벌을 써서 벌을 내린다."[74]

> 또한 말했다. "(순임금의 덕이) 아랫사람에게 소탈하고, 백성에게는 너그러

---

70. 亂國用重典, 新國用輕典. 『통편』, 279쪽. 출전은 『주례·추관秋官·대사구大司寇』로 원문은 다음과 같다. "一曰刑新國用輕典, 二曰刑平國用中典, 三曰刑亂國用重典."
71. 『書』曰 五刑以弼五教, 刑期于無刑. 『통편』, 279쪽. 출전은 『상서·대우모大禹謨』로 원문은 다음과 같다. "汝作士, 明於五刑, 以弼五教. 期於予治, 刑期于無刑, 民協於中, 時乃功. 懋哉."
72. 又曰 欽哉欽哉, 惟刑之恤哉. 『통편』, 279쪽. 원문이 『상서·요전堯典』에 보인다.
73. 『易』曰 "澤上有風, 中孚. 君子以議獄緩死." 『통편』, 279쪽. 원문이 『주역·중부괘中孚卦·상전象傳』에 보인다.
74. 『書』曰 "天命有德, 五服五章哉. 天討有罪, 五刑五用哉." 『통편』, 279쪽. 원문이 『상서·고요모皐陶謨』에 보인다.

웠다. 벌은 그 자손까지 미치게 하지 않았고, 상은 후세까지 뻗치게 하였다. 모르고 지은 죄는 커도 용서하고, 알면서 저지른 죄는 작아도 처벌했다. 죄가 의심스러우면 가볍게 처벌하고, 공은 의심스러워도 무겁게 상을 주었다. '죄 없는 사람을 잘못 죽이느니, 차라리 법을 가볍게 여긴다'는 비난을 받는 게 낫다고 했다. 이처럼 살리기를 좋아하는 덕이 백성의 마음에 흠뻑 젖어들었으므로, 백성이 관리들에게 함부로 대들지 않았다."[75]

익히 알다시피, 현대 형법의 기본원칙도 형벌최소주의를 표방한다. 형벌은 필요한 최소한도에 그쳐야 하고, 사회적 도움은 가능한 최대여야 한다. 위의 인용문은 일견 이런 원칙에 부합하는 것으로 보인다. 하지만 '법의 지배(rule of law)'라는 법치주의 원리에서, 위와 같은 예치의 사상을 전면적으로 수용하기는 어렵다.

왜냐하면 근대의 법치주의는 '사람의 지배'나 '폭력의 지배'를 배제하며, 통치자와 국가기관을 막론하고 누구나 법원이 행사하는 보통법의 지배를 받는다는 이념이기 때문이다. 그런데 위의 예치에서는 정치를 통치자의 '사회적 모범구현' 행위로 이해한다. 그러므로 통치하는 사람의 덕성과 교화가 무엇보다 중요하고, 법은 단지 그것을 보완하는 수준에서 집행하는 걸 바람직하게 본다.

이런 예치를 제1원리로 국가를 운용하는 건 '사람의 지배(人治)'를 전제로 하는 약점이 있다. 통치자의 덕성과 소양에 크게 의존하므로, 누가 권력을 행사하느냐에 따라 난세와 치세가 엇갈린다. 그러나 불행하게도, 역사상 성군보다는 범박한 군주나 폭군이 훨씬 많았다.

예치가 이상적으로 구현된 시대는 드물었다. 게다가 전통사회에서 형법은 단지 악행을 억제하는 데 그치지 않고, 공권력으로 지배체제를 확립하고 신분

75. 又曰 "臨下以寬, 御衆以簡, 罰不及嗣, 賞延于世. 宥過無大, 刑故無小, 罪疑, 惟以, 功疑惟重. 與其殺不辜, 寧失不經. 好生之德, 洽于民心, 茲用不犯于有司." 『통편』, 279~ 280쪽. 원문이 『상서 · 대우모』에 보인다. 원문에는 "臨下以寬, 御衆以簡"이 "臨下以簡, 御衆以寬"으로 되어 있다. 번역은 『상서』의 원전을 따랐다.

사회를 존속시키는 수단으로 남용되었다. 그러므로 오늘날 이런 예치의 회복을 말하는 건 아주 조심스런 일이다.

현대사회에서 국가권력과 통치행위는 예전과 비교할 수 없을 정도로 복잡다단해졌다. 따라서 통치자의 도덕적 덕성에 전적으로 의지하는 예치를 다시 국가운영의 기본원리로 삼는 건 가능하지 않다. 하지만 근대적 법치를 골간으로 그 운용상에서 예치를 보완하는 건 여전히 고려할 만한 일이다. 전병훈이 강조하는 예치가, 무엇보다 사회지도층의 '도덕적 모범구현'을 요구하는 원리이기 때문이다.

권력과 국가기관으로부터 국민의 자유와 권리를 보호하려고 근대 시민사회에서 법의 위상을 높였다. 그 근본취지는 개인의 자유를 신장하고, 공정한 사회발전을 도모하려는 데 있다. 이런 문맥에서 볼 때, 권력과 법의 집행자들에게 엄중한 도덕적 책무를 요청하는 '예치'가 근대적 법치의 근본취지에 반드시 위배되지는 않는다. 어째서인가?

이미 말했듯이, 근대의 법치주의는 국민이 국가권력에서 소외될 위험을 제어하는 원리이다. 국가권력이 국민을 소외시킨다면, 국가권력에게 그 문제의 해결을 위임하기 어렵다. 그러므로 국가권력으로부터 국민의 자유와 권리를 보호하기 위해, 법에 매우 큰 권한을 부여했다.

그런데 그 법이 다시 국민을 소외시킨다면, 그 역기능을 법에 맡겨 해결하기는 어렵다. 그러므로 법의 전횡으로부터 다시 인간의 존엄과 사회적 정의를 지키기 위해, 법과 권력의 집행자들에게 높은 수준의 '도덕적 모범구현' 책무를 부여하는 예치를 요청할 수 있다.

물론 이런 예치를 효과적으로 구현하려면, 도덕이 단순한 구두선을 넘어 사회의 공적인 체제의 일부로 제도화되는 방안을 보충돼야 한다. 그러므로 전병훈은 "후세에 사법과 법 집행의 소임을 맡은 자들"을 꼭 집어서, 그 특별한 후손들이 예치에 의한 형벌의 최소화에 깊이 마음을 써주길 당부했다.[76]

---

76. 後世當司法·行法之任者, 可三致意乎? 『통편』, 280쪽.

법치를 보완하는 이런 예치는, 국가권력의 압도적 전횡으로부터 국민의 자유와 권리를 지킨다는 취지에서 근본적으로 자유주의 국가의 법치주의 정신과 충돌하지 않는다. 자유주의 사회의 핵심가치는 시민의 자유를 침해하지 않으며, 모든 사람이 행복을 누리고 살 권리를 보장하는 데에 있기 때문이다.

법치도 궁극에는 이 가치의 실현을 위해 봉사한다. 단적으로 말해, 거기서 중요한 건 어차피 '법'도 '예'도 아니다. 법이든 예든, 인간의 존엄과 행복을 실현하기 위한 수단일 뿐 목적이 아니기 때문이다. 인간의 물질적·정신적 활동에 의해 만들어진 어떤 유·무형의 제도와 가치도 거꾸로 인간 위에 군림하는 괴물이 되면 안 된다.

인간존엄에 대한 이런 철학의 근본을 잊지 않는다면, 법이나 예는 필요에 따라 얼마든지 적절히 조제調劑해서 공익에 유익하게 쓸 수 있다. 자유로운 개인이 정의로운 사회에서 평화롭게 사는 세계를 건설하는 게 인류 공통의 소망이다. 언제든 그 근본을 지키는 게 중요하다.

법치든 예치든, 단지 그 목적을 이루기 위한 도구에 불과하다. 법치와 예치의 병진을 전제로, 전병훈이 이른바 '공화·헌법의 예치'를 말하는 것도 기본적으로 이런 문법에서 벗어나지 않는다.

『주례』의 관작제도

『주례』는 관작을 공公·후侯·백伯·자子·남男의 5등급으로 나눴다. 이것이 동아시아 작위제도의 효시가 되었다. 서양의 귀족 작위 역시 5등작이다. 특히 영국에서 성립된 듀크duke·마르체스marqess·얼earl·바이카운트viscount·배런baron이 전형이다. 이것이 동아시아에 소개되면서 『주례』의 전통에 따라 공작·후작·백작·자작·남작으로 번역되었다.

전병훈은 이런 5등작 제도가 근세에 영국과 일본 등에서 통용되는 사례에 주목한다. 그리고 "성인의 제도가 하늘의 뜻과 사람의 도리에 부합해 만세토록 실행해도 폐단이 없다"고 칭송했다.[77] 그는 근대 입헌제의 책임정치를 옹호하는 문맥에서, 고대의 관작제도를 재조명했다. "왕조는 단지 장관을 임명하고, 장관이 관료를 택했다. 지금의 헌법정치와 다르지 않다."[78]

한편 서우는 주공周公 시절에 총재가 재정의 총괄을 겸했던 사례를 거론한다. 그리고 거기에 아주 깊은 뜻이 담겼다고 말한다. 지금으로 보자면, 국무총리가 경제부총리를 겸했던 셈이다. 전병훈은『대학』의「치평治平」장에서도 경제에 밝은 인재의 등용을 전적으로 강조했음을 환기시켰다. 그러면서 말한다.

> 경제(理財)에 밝은 인재를 쓰지 않으면, 재정이 고갈되고 백성이 궁핍해져 나라가 나라꼴을 갖출 수 없다.[79]

그는 중세의 유학자들이 관념적인 도덕에 빠져서 민생을 방치한 폐단을 비판했다. 그리고 그런 극단적 도덕주의가 유교 본연의 성격이 아니라, 후대에 파생된 병폐라는 걸 강조했다. 그리고 이를 논증하기 위해, 총재가 재정의 총괄을 겸했던 주공 시절의 사례를 부각시켰던 것이다. 서우가 말한다.

> 후대의 유학자들이 정치를 논하며 재정에 관해 말하는 걸 수치로 여겼다. "몸을 덮은 털은 유지하면서 뼈의 골수는 버린다"고 할 만하다. 이것이 어찌 부패의 한 원인이 아니겠는가? 내가 늘 이를 개탄한다.[80]

동·서 문물의 상호교환과 공통의 가치

그 밖에도 전병훈은『주례』의 제도가 일일이 거열하기 어려울 정도로 찬란했다고 칭송한다. 한 예로, 그는 세계 각국에서 나침반을 사용한다고 환기시킨다. 익히 알다시피, 나침반은 제지술·화약·인쇄술과 함께 중국의 4대 발명

---

77. 可見聖人制作, 合於天意人道, 故行之萬世而無弊也.『통편』, 280쪽.
78. 王朝只命長官, 而長官擇任僚佐. 與今憲法之政, 無以異也.『통편』, 281쪽.
79. 如『大學』「治平」章, 不言禮樂刑政, 而專言理財用人者. 蓋用非其人, 則不善理財. 財竭民窮, 則國不爲國矣.『통편』, 280~281쪽.
80. 後之儒者, 論治則恥言財政, 可謂維持皮毛而遺棄精髓也. 此非腐敗之一源因乎? 余常致慨乎此.『통편』, 281쪽.

가운데 하나다.

나침반의 발명과 사용은 기원전 4세기 무렵의 전국시대로 거슬러 올라간다. 당시 '사남司南'으로 불린 지남철이 쓰였는데, 어떤 모양이었는지는 고증되지 않았다. 여하튼 그것은 주대周代 문물의 우수성을 대표하는 사례로 지금도 널리 손꼽힌다.

한편 전병훈은 주나라의 태공망太公望이 발명했다는 구부환법九府圜法 제도를 논구했다. 그것은 금·은·동의 돈을 대·중·소로 나눠 모두 9종으로 주조해 통용하던 화폐제도다. 중국에서는 고대에 이미 폐지됐으나, 유독 기원전 8세기의 관중管仲이 이를 사용해 제나라를 강국으로 만들었다고 한다. 그런데 근대 이후 서구 각국에서 오히려 이런 화폐제도를 시행하고, 그 은행에서 지전을 발행하여 백성의 편리함이 크게 증진되었다.[81]

대략 4천여 년 전부터 인류는 금·은 같은 금속으로 동전을 주조했다. 그런데 18~19세기에 서구에서 은행이 발전하면서, 각국 은행에서 휴대하기 편한 지전을 발행하기 시작했다. 모든 지폐에는 일정 금액이 표기되고 태환이 가능해, 그 액면가만큼의 금과 은으로 바꿀 수 있었다.

전병훈이 경탄한 것은 근대 은행의 이런 화폐제도다. 물론 그가 가까운 훗날 금본위제가 폐지되고, 불환지폐가 출현하는 것까지 예측할 수는 없었다.[82] 하지만 중국 고대의 구부환법을 근대 은행의 태환화폐제도에 비교한 것이 반드시 무리한 해석만은 아니었다.

그는 관작과 화폐 제도 등에서 동서고금의 연결고리를 찾았다. 동양과 서양이 동떨어진 두 세계가 아니며, 고금의 문물이 연결돼 있음을 말하기 위해서였다. 동·서양의 5등 관작제는 공히 책임정치를 추구한다. 고대국가에서 총재가

---

81. 且九府圜法, 乃金銀銅三錢. 鑄以大中小三層而通用之, 故名之也. 後即廢而不舉, 惟管仲能獨行之, 以霸齊國. 今歐西各國罔不舉行. 其銀行紙鈔之法, 利用便民之愈進精美者, 吁亦韙哉. 『통편』, 281쪽.

82. 1930년대의 대공황 이후 세계적으로 금본위제가 폐지됐고, 이에 따라 화폐 역시 더 이상 금·은과 교환되지 않는 불환지폐로 바뀌었다.

재정을 총괄하며 국부를 관장한 제도에는 민생을 돌보려는 의지가 반영돼 있다. 화폐제도는 그 이용에서 백성들의 편리함이 증진되는 방향으로 발전했다.

이런 모든 사례들을 통해, 전병훈은 동서고금의 제도가 궁극적으로 '민본' 내지 '민주'의 가치를 지향한다고 논증하고자 했다.

소결: 예치와 법치의 병행, 민주와 균산의 구현

전병훈에 의하면, 인류사회에서 처음 정치행위가 출현할 때부터 민의가 중요했다. 즉 '민본'과 '민주'야말로 정치의 원초적이고도 근본적인 원리였다. 역사를 거슬러 올라갈수록, 이런 원리에 충실한 정치의 원형을 만나게 된다.

동아시아 고대의 전설적인 성인과 『주례』의 여러 제도에도 공히 그 원리가 관통된다. 그는 이런 근원의 고리를 매개로 동서고금의 정치철학을 회통하는 게 가능하다고 생각했다. 그런 문맥에서 요·순과 주공의 여러 제도를 호명했고, 거기에서 공히 민본과 민주의 원리를 찾았다.

성인의 정치는 백성을 근본에 두는 참마음(眞心)에서 비롯된다. 그러므로 "하늘의 뜻(天意)과 사람의 도리(人道)에 부합해 만세토록 이를 행해도 폐단이 없다."[83] 하지만 이것은 전통을 고스란히 복원하자는 복고의 언명이 아니다.

그는 첫째 정치와 국가운영에서 민주의 근본가치에 충실해야 한다고 선언하며, 둘째 시의적절한 '변통'과 '시중時中'의 지혜를 발휘해 옛 제도를 발전시키는 게 민주주의 본연의 취지에 부합한다고 한다.

또한 비록 근본원리가 상통하더라도, 동양과 서양 그리고 고금의 제도에 각기 장단점이 있다. 그러므로 이를 잘 취사하고 조합해서 써야 한다고 강조한다. 그런 가운데, 전병훈은 특히 "동아시아에서 가장 문명화된 덕치와 예치를 펼쳐 형벌을 멈춘 사람은 오직 주공"[84]이라고 찬미했다.

더 나아가 "주공을 사표로 삼아, 온 누리에서 형벌이 사라지는 (문명의) 서광

---

83. 合於天意人道, 故行之萬世而無弊也. 『통편』, 280쪽.
84. 東亞之最文明德禮之至治, 以致刑措不用者, 惟周公而已. 『통편』, 281쪽.

을 빛어내는" 것이 요·순·삼대의 예치를 논하는 목표라고 밝힌다.[85] 앞서 충분히 설명했듯이, 이런 언명은 초기 유교의 예치사상에 대한 그의 높은 평가를 반영한다.

하지만 거기에는 또한 미래의 정치제도에 대한 비전도 담겨 있다. 그는 교통·통신의 발달로 모든 나라가 연결되고 세계가 통일되는 영구평화의 시대, 인도주의가 꽃피고 전쟁이 종식되는 오회정중의 지극한 문명세계가 열린다고 낙관했다.[86]

이런 시대에 "만약 성인이 일어나 형벌이 사라진 정치를 실현하고자 한다면, (그는) 정전제의 민생제도를 선취해 기본을 세우는 자일 것"[87]이라고 예견했다. 서우가 미래에 출현할 것으로 확신한 정치체제는 곧 '동아시아의 예치와 서양의 법치에서 장점을 교환하고, 정치적 민주와 경제적 균산이 실현되는 세계통일정부'였다.

3. 유교의 정치철학

전병훈은 아득히 먼 과거, 요순 삼대에서 '민주'와 '공화'의 모범을 찾았다. 이어서 그는 이런 전통이 후대에 어떻게 계승되고 발전했으며, 또한 어떻게 타락하고 왜곡됐는지를 논했다. 그 과정에서 공자·『대학』·정자산·맹자·동중서·제갈량·왕양명·고염무 등의 인물과 고전을 호명했다. 그 논평의 요지를 각각 살펴보자.

---

85. 故今編此篇, 以周公爲師則, 將作宇內刑措之曙光者, 乃編者之至願正鵠也. 『통편』, 281쪽.
86. 『통편』, 282쪽.
87. 苟有聖人者起, 意致刑措之治, 則井田民產之制在所先取, 以立基本者也. 『통편』, 282쪽.

공자의 대동, 덕치와 예치

아편전쟁 뒤에 서구문물이 거침없이 중국에 유입되면서 공자를 낡은 봉건의 주범으로 지목하는 흐름이 일어났다. 특히 공자의 정치사상이 "군존신비君尊臣卑에 치우쳐 공화의 시대에 맞지 않다"[88]는 비판이 비등했다.

하지만 전병훈은 이런 논평이 "단지 『논어』 등의 천박한 문답을 근거로 공자를 폄하하는 무지한 주장"에 불과하다고 반박했다.[89] 그는 요·순·주공의 예치에서 민주와 공화의 원리를 찾았듯이, 공자도 '공화'의 제도를 추구했다고 변론한다.

특히 "천하를 가계세습하면서 큰 도가 숨었다"[90]는 『공자가어孔子家語』의 문구에 주목했다. 여기서 이른바 '큰 도'는 곧 왕위를 선양했던 요·순의 도를 가리킨다. 서우는 이를 근거로, 공자가 천하를 세습하는 데 반대했다고 추론한다. 또한 만약 공자가 나라를 다스렸다면, 왕위를 세습하지 않고 선양했을 것이라고 주장했다.[91]

그는 공자가 "비록 '민주'를 언급하지는 않았지만, 요순이 공화의 기반을 다진 것과 어찌 같은 마음이 아니겠는가?"[92]고 되물었다. 하지만 공자의 사상이 민주와 공화에 부합한다는 걸 논증하려면, 한층 설득력 있는 논거가 필요했다.

여기서 전병훈은 대동사상을 호출한다. 익히 알다시피 '대동大同'은 공자와 그의 제자들이 추구한 이상사회의 핵심 키워드이다. 전병훈은 먼저 『예기·예운禮運』의 저명한 구절을 인용했다.

---

88. 偏於尊君卑臣, 不合於共和時代者. 『통편』, 282~283쪽.
89. 世之儒者, 只孜『論語』等淺近問答之說, 便敢以訾及至聖曰 "偏於尊君卑臣, 不合於共和時代者." 豈非無識之論乎? 『통편』, 282~283쪽.
90. 家天下而大道隱. 『孔子家語』.
91. 使尼師得邦國者, …… 與堯舜何以殊哉? 觀聖意以家天下爲不可, 而相禪爲大道. 『통편』, 283쪽.
92. 言雖不及民主, 而與堯舜之共和開基者, 詎非同一心理耶? 『통편』, 283쪽.

> 큰 도(大道)가 행해지면 천하가 공정해진다. 어질고 유능한 인재를 뽑아 쓰니, 신의가 돈독하고 화목해진다. 그래서 사람들은 자기 부모만 부모로 섬기거나 자기 자식만 자식으로 사랑하지 않는다[남의 부모나 자식도 자기 가족처럼 여긴다.-역자 주].
>
> 노인이 안락하게 여생을 보내고, 젊은이들에게 일자리가 있으며, 어린아이들이 잘 양육된다. 홀아비와 과부, 고아, 의지할 데 없거나 병든 사람들도 모두 부양을 받게 된다. 남자에게는 직분(직업)이 있고, 여자에게는 시집 갈 곳이 있다.
>
> 재물이 함부로 땅에 버려지는 것을 싫어하지만, 그것을 주워 자기가 가지는 일도 없다. 힘이 자기에게서 나오지 않는(남의 힘을 빌리는) 것을 싫어하지만, 자신만을 위해 그 힘을 쓰지도 않는다. 그러므로 나쁜 꾀가 생기지 않고, 도적떼가 일어나지 않는다. 그래서 문을 밖으로 열어 두고 닫지 않는다. 이를 일컬어 '대동'이라고 한다.[93]

대동의 '큰 도'는, 앞서 말한 요·순의 '큰 도'와 같은 문맥이다. 그것은 공명정대한 민주와 공화의 세상, 평화롭고 화평한 세계의 복락을 함축한다. 다만 요·순·주공의 예치는 아득한 고대에 민본을 구현한, 소박하지만 실제적인 사례로 인식되었다. 반면 '대동'은 공자가 후세에 실현되기를 바란 미래의 이상이었다. 서우는 그것이 근대의 정치·사회적 이상과도 통한다고 강조했다.

한 예로 18세기 유럽의 칸트가 세계단일정부, 군비철폐, 영구평화론 등을 주창했다. 서우는 칸트의 이런 비전이 공자의 대동과 일맥상통한다고 평가했다. 한편 동아시아에서는 근세에 캉유웨이가 『대동서大同書』를 지어 대동사상을 천명한 사례가 유명하다. 이에 대해 전병훈은 "그 설이 어떤지는 모르지만

---

93. 大道之行也, 天下爲公. 選賢與能, 講信修睦. 故人不獨親其親, 不獨子其子. 使老有所終, 壯有所用, 幼有所長. 鰥寡孤獨廢疾者, 皆有所養. 男有分, 女有歸. 貨惡其棄於地也, 不必藏於已. 力惡其不出於己也, 不必爲己. 是故謀閉而不興, 盜竊亂賊不作, 故外戶而不閉, 是謂大同. 『통편』, 283쪽. 이 글의 출처는 『예기·예운』이다.

그 서원誓願이 클 것"이라고 언급했다.[94]

캉유웨이는 『정신철학통편』의 제호와 서평을 직접 써줄 정도로 전병훈과 친밀했다. 그런데 『대동서』가 1919년에 출판되고, 그 이듬해 2월에 『정신철학통편』이 출간됐다. 그러므로 전병훈이 그의 책을 집필할 무렵에, 아직 캉유웨이의 신간을 읽지 못했던 것으로 추정된다. 서우가 캉유웨이의 대동설을 "아직 잘 모른다"고 하는 게 그다지 이상한 일은 아니다.

하지만 당시 중국사회에서 '대동'은 미래의 이상사회에 대한 기대와 열망을 담은 기호로 이미 널리 거론되었다. 중국 근세의 저명한 사회개혁가와 진보사상가들, 캉유웨이를 비롯해 탄스통譚嗣同·쑨원 등이 이구동성으로 '대동'을 주창했다. 전병훈 역시 그의 저서 곳곳에서 '대동'을 천명한다. 그리고 앞서 말했듯이, 공자가 민주와 공화를 추구한 증거로 대동사상을 들었다.

그런데 당시의 서구화론자들은 공자를 봉건의 주범으로 지목하고, 유교의 예치사상 자체를 낡은 이념으로 규정했다. 그들은 "시대가 법치에 접어든 줄 모르고 예치를 말했다"고 공자를 공격했다. 춘추전국에 이미 서주의 예치가 끝나고 진나라의 법치로 넘어가고 있었는데, 공자가 그 사실을 모르고 역사의 흐름에 역행하며 예치의 회복을 꿈꿨다는 것이다.

그들은 법가의 주도하에 진나라가 전국을 통일한 사례를 들어, 법치가 예치보다 한층 진화한 정치제도라고 주장했다. 하지만 이것은 사실상 서구적 법치를 옹호하는 문맥이었다. 서구의 역사와 경험을 문명진화의 보편적 잣대로 삼고, 그 기준에서 동양을 재단하는 오리엔탈리즘이 기세를 얻은 시대였다. 그러다 보니 서구에서 발전한 법치에 비해 예치가 미개한 정치제도라는 생각이 널리 확산되었다.

이에 대해 전병훈은 "신학문에 놀란 천박한 식자들의 망언"[95]이라고 통렬히 비판했다. 그들이 예치의 체계적인 조리條理, 그리고 도덕으로 백성을 교화하고 감화시키는 이치를 모르면서 함부로 예치를 폄하한다는 것이다. 그러면

94. 聞近世名儒康有爲, 演著『大同書』以唱明之, 未知其說何如. 而其原則弘哉. 『통편』, 284쪽.
95. 驚新學之淺士某人, 妄言……. 『통편』, 284쪽.

서 "덕의 교화로 감화하는 일을 어느 시대인들 행할 수 없겠는가?"고 반문한다. 또한 "공자의 시대가 어찌 법치 위주였다고 말할 수 있는가?"고 되묻기도 했다.[96]

그는 공자가 결코 시대에 역행하지 않았으며, 덕치와 예치가 어느 시대나 보편적으로 적용될 수 있는 정치원리라고 강변했다. 또한 『논어』에서 아래의 저명한 구절을 인용해 공자의 견해를 변론했다.

> 정치상의 명령이나 법령(政令)으로 다스리고 형벌로 질서를 잡으면, 백성들이 죄를 면하려고만 할 뿐 염치를 모르게 된다. 덕으로 다스리고 예로 질서를 잡으면, 백성들이 염치를 알고 또한 품격을 갖추게 된다.[97]

예나 지금이나, 정치상의 명령인 정령政令(政)과 형벌(刑)처럼 통치자의 지배력을 즉각적이고도 강력하게 보장하는 수단도 드물다. 정령과 형벌의 위력은 시스템의 강제력을 동원하는 권능에서 나온다. 그러므로 집권자는 그 막강한 권한을 마음껏 행사하려는 충동에 쉽게 빠진다.

그러나 다른 모든 치명적인 유혹처럼, 거기에는 반드시 부작용이 따른다. 이에 대해 공자는 "백성들이 죄를 면하려고만 할 뿐 염치를 모르게 된다"고 경고했다. 명령의 불이행에 따르는 단죄와 형벌이 무서워서 움직이는 대중은, 타율적이며 냉소적이 되기 십상이다.

그러나 집권자가 덕과 예로 다스리면 "백성들이 염치를 알고 품격을 갖추게 된다." 여기서 공자는 대중을 심복해서 자발적으로 따르게 하는 공감의 정치를 말했다. 그리고 그런 리더십의 원천으로 덕과 예를 들었다. 게다가 엄밀히 말해서, 공자는 군주가 정령과 형벌을 자의로 행사하는 강권적 패도정치를 비판한 것이다. 모든 유형의 법치에 반대하는 것은 아니다.

그런데 이런 문맥을 법치와 예치(덕치) 중에 무엇이 옳고 그르냐의 양자택일

---

96. 『통편』, 284~285쪽.

97. 導之以政, 齊之以刑, 民免而無恥. 導之以德, 齊之以禮, 有恥且格. 『論語 · 爲政』.

문법으로 치환하고, 어느 것이 더 진화된 정치체제인가의 역사발전 문제로 끌고 가는 것은 지나치게 도식화된 비약이다. 전병훈은 서구중심의 단선적 역사관에 경도돼 이런 이분법에 빠진 식자들을 꾸짖었던 것이다.

서우는 서구 법치의 경험적 합리성과 체계성, 동아시아 덕치·예치의 뛰어난 공감능력을 동시에 승인했다. 더 나아가, 그들 양자가 서로의 장점을 교환하고 조제해서 미래에 더 뛰어난 정치체제로 발전할 가능성을 시사했다. 그 밖에도 서우는 『논어』의 여러 구절을 인용해서 공자의 면모를 보충했다.[98]

공자와 같은 성인은 언제나 '하늘의 이치(天理)'를 행하는 데 마음을 쓴다. 따라서 어느 시대에 태어나든 어질고 공정해서, 세상을 바르게 다스릴 재능을 두루 갖춘다는 게 그 요지다.[99] 역으로 말해 시대를 불문하고 공자처럼 재덕을 겸비한 인재라야 올바른 정치를 펼 수 있고, 그것이 또한 천리에 부합한다고 강조하는 셈이다.

하늘의 이치를 뜻하는 '천리'는 여기서 보편적 섭리의 의미를 함축한다. 즉 '덕치'와 '예치'는 집권자에게 어짊(仁), 공정함(公) 같은 도덕적 품성을 요구한다. 그것은 언제 어디서나 적용 가능한 보편적 정치원리다. 그리고 일반적인 평가처럼, 서우 역시 공자 정치철학의 최종적인 귀결을 '어진 정치(仁政)'에서 찾았다.

공자가 정치에 대해 무수히 발언했다. 한데 전병훈에 따르면, 그 골자는 "군주가 예로 신하를 거느리고 신하는 충심으로 군주를 섬긴다"[100]는 한 구절로 귀착된다. 주목할 것은, '예'가 특히 윗사람이 갖춰야 할 덕목으로 진술된다는 사실이다. 군주가 진실한 예로 대할 때, 신하가 비로소 충심으로 호응한다.

---

98. 孔子曰 擧直措枉則民服. 擧枉措諸直, 則民不服.[『論語·爲政』] 又曰 寬則得衆, 信則民任焉, 敏則有功, 公則悅.[『論語·陽貨』] 又曰 名不正則言不順, 言不順則事不成.[『論語·子路』] 又曰 如有用我者, 吾其爲東周乎, 期月而已也![『論語·陽貨』] 是以爲魯司寇, 攝行相事, 三月而魯大治. 又曰 政者, 正也. 子率以正, 孰敢不正?[『論語·顔淵』] 『통편』, 285쪽.

99. 『통편』, 285쪽.

100. 君使臣以禮, 臣事君以忠. 『통편』, 286쪽. 『논어·팔일八佾』에 보이는 구절이다.

이처럼 공자는 군신상하 간의 상호적 예의와 충심의 교환을 요청했다. 윗사람은 예의를 갖춰 아랫사람을 대하고, 아랫사람은 진심을 다해 윗사람을 보좌한다. 그 마음과 행위가 서로 감응하는 데서 올바른 정치가 시작된다는 문맥이다. 그런데 훗날 중앙집권적 전제왕조에서 공자의 이런 정치철학이 곡해됐다. 군주(윗사람)를 향한 상향적 예법과 충성의 이념으로 왜곡된 것이다. 전병훈은 이를 유교의 타락으로 간주했다. 그리고 공자의 본뜻이 결코 존군신비尊君卑臣에 있지 않았다고 강변했다. 또한 이런 문맥에서, "반드시 공화·대동의 덕치와 예치의 견지에서 공자의 정신을 살피고 활용"하라고 후학들에게 간곡히 당부한다.[101]

『대학』의 '평등'과 정자산의 '외교'

민주와 공화의 견지에서 공자의 예치와 대동사상을 논구한 전병훈은 『대학』에서 다시 평등의 원리를 발견한다. 『대학』은 공자와 그의 제자 증자曾子의 저작으로 여겨진다. 본래 『예기』의 한 편이었으나, 12세기 남송의 주희가 사서四書에 편입시키면서 유명해졌다. 전병훈은 거기서 다음 구절을 인용한다.

> 윗사람이 노인을 노인으로 대우하니, 백성들의 효성이 일어난다. 윗사람이 어른을 어른으로 대우하니, 백성들의 우애가 일어난다. 윗사람이 고아를 구휼하니, 백성들도 (고아를) 저버리지 않는다. 그러므로 군자에게는 '혈구의 도(絜矩之道)'가 있다.
>
> 윗사람에게서 싫은 것으로 아랫사람을 부리지 말고, 아랫사람에게서 싫은 것으로 윗사람을 모시지 말라. 앞사람에게서 싫은 것으로 뒷사람을 앞서지 말고, 뒷사람에게서 싫은 것으로 앞사람을 따르지 말라. 오른쪽에서 싫은 것으로 왼쪽과 사귀지 말고, 왼쪽에서 싫은 것으로 오른쪽과 사귀지 말

---

101. 然學人必以共和大同, 德禮之治, 視我尼師之精神而致用焉, 則庶乎不差矣. 『통편』, 286쪽.

라. 이를 일컬어 '혈구의 도'라고 한다.[102]

'혈구의 도'는 자기 마음을 척도로 다른 사람의 마음을 헤아리는 것이다. 흔히 '황금률'로 불리는 윤리의 원칙이다. 동서양의 주요 종교와 철학에서 공히 이 사상을 말했다. 성경은 "남에게 대접을 받고자 하는 대로 너희도 남을 대접하라"고 한다. 공자는 "내가 싫은 것을 남에게 행하지 말라(己所不欲, 勿施於人)"고 추서推恕의 도를 명언했다. '추서의 도'는 곧 '혈구의 도'에 다름 아니다.

그런데 전병훈은 이를 다시 '정치적 평등의 법칙(政治平等之法則)'으로 해석한다. 정치가 평등해지면, 사람의 도가 두루 평등해진다는 것이다.[103] 윗사람이 도덕적 모범을 보이고 윤리적 황금률에 따를 때, 정치적 평등에 가까워진다. 또한 정치적 평등이 윤리적 황금률의 실현에 기여하는 바도 인정된다. 그러나 '정치적 평등'과 '윤리적 황금률'이 반드시 일치하는 건 아니라는 점에서, 서우의 논법에는 비약이 있다.

다만 서우는 "서양철학과 불교가 모두 평등을 말하는데, 동아시아의 학설에 유독 '평등'을 표방한다고 알려진 사상이 없다"고 유감스러워 했다.[104] 이에 『대학』의 혈구지도에 담긴 평등의 뜻을 널리 선양하고, 동아시아에서 평등과 자유를 몰랐다는 오해가 불식되기를 바란다고 천명했다.[105]

정치 이전에, 인간의 평등에 관한 사상으로 '혈구지도'를 이해할 수 있다. 그리고 거기서 정치적 평등의 철학적 근거를 찾는다면, 그것은 입론이 가능하다. 이처럼 『대학』에서 '평등'의 원리를 도출했듯이, 전병훈은 중국 고대 사상(가)들로부터 현대정치의 원리에 부합하는 몇몇 사례를 찾아냈다.

---

102. 上老老而民興孝, 上長長而民興悌, 上恤孤而民不倍. 是以君子有絜矩之道也. 所惡於上, 毋以使下. 所惡於下, 毋以事上. 所惡於前, 毋以先後. 所惡於後, 毋以從前. 所惡於右, 毋以交於左. 所惡於左, 毋以交於右. 此之謂絜矩之道也. 『통편』, 286~287쪽. 『대학·평천하平天下』에 보이는 글이다.
103. 政治既是平等, 則人道者不是平等耶? 『통편』, 287쪽.
104. 噫嘻! 西哲與釋迦皆言平等, 而東球學說, 無聞表明平等者不亦缺憾乎? 『통편』, 287쪽.
105. 今始擧此章平等之義布告宇內, 人將不復以不知平等自由咎我乎! 『통편』, 287쪽.

예를 들어, 기원전 6세기 춘추시대 정鄭나라의 정치가인 자산子産에게서는 '외교'의 중요성을 보았다. 정나라는 북방의 진晋나라와 남방의 초楚나라 두 강대국 틈바구니에서 고초를 겪었다. 그런데 자산은 내치에 주력하는 한편, 두 강대국의 세력균형을 이용한 탁월한 외교로 평화를 구현했다.

정자산의 외교 사례를 소개하는 한편, 전병훈은 근세에 교통의 발달로 세계가 가까워지는 데 주목했다. 만국이 하나로 통할수록 외교가 전문화된다. 서우는 특히 독립국의 지위를 보증하는 외교규약의 중요성을 강조했다. 그것이 약소국을 돕는 공덕을 찬탄했으며, 그런 외교규약으로 독립을 보전한 대표적인 사례로 그리스를 들었다.[106]

전병훈 자신이 주권을 잃은 나라의 망명객이었다. 그는 절실한 인도주의적 견지에서 약소국의 독립외교를 명언했다. 그러나 2,600여 년 전 정자산의 시대와 마찬가지로, 지금도 강대국 틈바구니에서 약소국이 국체와 독립을 보존하기란 어려운 일이다. 전병훈도 일찍이 외교에 "노심초사하며 정성을 들였으나 성공하지 못했다"고 고백했다. 하지만 어진 정치가라면 "약소국의 독립을 보존하는 규약을 모르면 안 된다"며, 그 중요성을 거듭 강조했다.[107]

『대학』에서 말하는 혈구의 도와 정자산의 외교는 모두 춘추시대(BC 770~221)를 배경으로 한다. 한데 전병훈은 그것을 근대에 정립된 정치적 평등, 그리고 전문화된 외교에 투사하여 재해석한다. 이 화법은 아득한 과거의 정치에서 중요했던 일이나 가치가 현대에도 여전히 중요하며, 또한 그와 관련된 지혜를 서구만이 아닌 다른 세계, 요컨대 동아시아의 과거에서도 찾을 수 있다고 재조명하는 효과를 불러온다.

맹자의 '민생'과 '민권'

춘추시대 이후, 전국시대의 유교사상가로는 단연코 맹자가 으뜸이다. 전병

---

106. 『통편』, 287~288쪽.

107. 『통편』, 288쪽.

훈은 맹자가 뛰어난 재능과 웅변력을 갖춘 성현이자 대정치가였다고 극찬했다. 그리고 맹자를 민생과 민권의 사상가로 조명했다. 그는 유교 정치사상가 중에 유독 맹자만이 '정전제'의 회복을 말했다고 환기시켰다. 이를 논증하며 『맹자』에서 정전제와 민생을 논하는 여러 구절을 뽑아 인용했다.[108] 하지만 여기서 그 내용을 일일이 재인용하지는 않겠다.

한편 서우는 맹자가 '민생'의 사상가인 동시에, 동아시아에서 유일하게 '민권'을 주창했다고 강조한다. 그리고 "주나라 이후의 정치가로는 반드시 맹자를 으뜸으로 삼아야 한다"고 맹자를 추켜세웠다. 그는 『맹자』의 다음 구절을 민권사상의 근거로 제시했다.

> 맹자가 말했다. "(군주가 크게 잘못하면) 반복해서 간언하고, 그래도 듣지 않으면 갈아치운다."[109]

> 또 말했다. "백성이 중요하고 나라가 그 다음이며, 군주가 가장 가볍다."[110]

> 또한 말했다. "온 나라 사람이 모두 죽이라고 말한 뒤에야 죽이며, 온 나라 사람이 모두 현명하다고 말한 뒤에야 등용한다."[111]

맹자는 민본사상으로 군주의 절대권력을 견제한다. 또한 민의를 철저히 존중하는 정치를 요구한다. 하지만 전제왕조에서 이런 이념을 받아들여 실제로 시행한 군주는 거의 없었다. 군왕들이 천하를 사적으로 세습했기 때문이다.

그러나 "백성이 중하고 군주가 가볍다(民重君輕)"는 맹자 사상이야말로, 상

---

108. 『통편』, 288~289쪽.
109. 孟子曰 "反復之而不聽則易之." 『통편』, 290쪽. 『맹자·만장상萬章上』에 보인다. 원문은 "君有大過則諫, 反覆之而不聽, 則易位"이다.
110. 又曰 "民爲重, 社稷次之, 君爲輕." 『통편』, 290쪽. 『맹자·진심하』에 보인다.
111. 又曰 "國人皆曰可殺, 然後殺之. 國人皆曰賢, 然後擧之." 『통편』, 290쪽. 『맹자·양혜왕하梁惠王下』에 보인다.

고시대부터 하늘의 뜻으로 전하는 '민주'의 취지에 완전히 부합한다. 전병훈은 특히 위 인용문의 마지막 구절에 주목했다.

그것은 본래 제나라 선왕宣王과 맹자의 대화 일부를 축약한 구절이다. 선왕이 인재의 등용에 관해 맹자에게 물었다. 그러자 맹자가 답했다. "측근에서 모두 현명하다고 말해도 아직 안 된다. 뭇 대부들이 모두 현명하다고 말해도 아직 안 된다. 온 나라 사람이 모두 현명하다고 말한 뒤에야 그를 관찰하며, 현명하다는 걸 확인한 뒤에야 그를 등용한다." 인재의 등용뿐만 아니라 처벌 역시 같은 절차를 거쳐 인사에 민심을 반영한다.[112]

전병훈은 여기서 민권을 신장하고, 백성의 공론에 따르는 정치의 원리를 찾았다. 서우가 말한다. "(맹자는) 진실로 천심의 공정한 섭리를 앞서 보았다. 그리고 마침내 (오늘날) 민주·헌법의 정치가 펼쳐지는 날이 왔다."[113] 현대의 입헌 민주공화제야말로 맹자가 그토록 갈망하던 민권정치의 실현이라는 문맥이다.

한편 "인사가 만사"라는 명언이 있다. 국민이 수긍하는 공정한 인사가 국정 운영의 기본동력이다. 반면 최고통치자 주변의 극소수 측근, 권력 내부의 폐쇄적 이너서클이 독점하는 인사야말로 정치를 망치는 주범이다.

그런데 맹자는 단지 인사가 중요하다고 말했을 뿐만 아니라, 인재를 등용하고 관리를 처벌하는 전 과정에서 민의가 반영돼야 한다고 강조했다. 전병훈은 이런 맹자의 사상이 민주와 공화의 제도에 부합한다고 명언했다.

또한 정치학의 탁견에서, 주공 이래 맹자 이상의 인물이 없었다고 극찬을 아끼지 않았다.[114] 실제로 현대 민주정치에서, 인사권은 통치권자의 고유권한이다. 하지만 그렇다고 해서, 통치권자가 제멋대로 행사하는 권한도 아니다.

---

112. 『맹자·양혜왕하』에 보이는 원문은 다음과 같다. "左右皆曰賢, 未可也, 諸大夫皆曰賢, 未可也, 國人皆曰賢, 然後察之, 見賢焉, 然後用之. …… 左右皆曰可殺, 勿聽, 諸大夫皆曰可殺, 勿聽, 國人皆曰可殺, 然後察之, 見可殺焉, 然後殺之."

113. 誠可謂先見天意之公理, 終有民主憲法之治日者也. 『통편』, 290쪽.

114. 『통편』, 290쪽.

그러므로 국회에 "고위공직자의 국정수행 능력과 자질 검증을 위한 장치로서, 권력에 대한 중요한 견제수단이 될 인사청문회를 구성"[115]한다. 맹자의 사상이 민주와 공화의 제도에 부합한다는 또 하나의 예증 사례를 아마도 거기서 찾을 수 있을지 모르겠다.

전제왕조의 관료정치

기원전 3세기에 진나라가 전국戰國을 병합하면서, 그나마 명맥만 남았던 봉건과 정전 제도가 완전히 폐지됐다. 대신 군현이 설치되고, 두렁(阡陌)으로 농지를 구획했다. 전병훈은 이로써 "옛 제도 일체가 쓸려나가 사라졌다"고 탄식한다. 하지만 군현제도에 봉건제의 폐단을 넘어서는 장점도 부분적으로 있었다고 평가한다.[116]

그 대표적인 사례로, 극소수이긴 하지만 청백리의 출현을 들었다. 군현제는 중앙에서 관리를 파견해 다스리므로, 국정운영이 지방의 관료정치(吏治)와 함께 전개되었다. 그러므로 관료의 자질에 따라 일부 지역에서 제한적으로나마 선정善政이 펼쳐지는 사례가 있었다. 전병훈은 먼저 동중서의 말로 전제왕조 시대의 선정이 무엇을 의미했는지 상기시킨다.

> 동중서가 말했다. "백성들이 자기 명의로 점유하는 농지를 제한한다. 이로써 땅이 부족한 자를 도우며, 토지겸병의 길을 막아야 한다. 소금과 철을 전매하는 이익이 백성들에게 돌아가게 해야 한다. 노비를 없애고, (노예주가) 노비를 멋대로 죽일 수 있는 위세를 없애야 한다. 조세를 가볍게 하고 부역을 줄여서 민력民力을 북돋아야 한다. 그런 연후에야 잘 다스릴 수 있다."[117]

---

115. 「인사청문회법」, 국가법령정보센터.
116. 『통편』, 290쪽.
117. 漢董仲舒曰 "限民命田, 以贍不足, 塞兼併之路. 鹽鐵皆歸於民, 去奴婢除專殺之威. 薄賦斂, 省繇役, 以寬民力, 然後可以善治也." 『통편』, 290~291쪽. 『한서·식화지食貨志』에

가혹한 춘추전국의 동란을 거쳐 전제왕조시대에 이르자, 정치는 더 이상 민본의 가치를 실현하는 공공의 활동이 아닌 게 되었다. 백성은 이제 권력의 필요에 의해 길러지고, 훈육되며, 동원되는 피동적인 돌봄의 대상에 불과했다. 백성은 국가의 자원이었고, 그들을 적절히 관리하고 통제해서 언제나 동원 가능한 상태에 머무르도록 하는 것이 정치의 목적이었다.

그나마 수탈이 너무 가혹하지 않고, 백성들의 고통과 부담을 최대한 덜어줄 수 있다면, 그것이 곧 훌륭한 정치였다. 하지만 그런 시대에도 고대의 민본정신을 계승하는 정치가들이 아주 드물게나마 출현했다. 전병훈은 촉한蜀漢의 제갈량諸葛亮(181~234)에서 그 사례를 찾았다.

> 제갈무후諸葛武侯가 말했다. "큰 덕으로 세상을 다스려야지, 작은 시혜로 다스리려 해서는 안 된다." 또 말했다. "내 마음은 저울 같아서 가볍게도 무겁게도 할 수 없다."[118]

전병훈은 맹자 이후의 정치가로 제갈량을 최고로 꼽았다. 그 다음으로 당나라의 육선공陸宣公(754~805)[119]을 들었다.[120] 그들은 백성에게 '작은 시혜'를 베풀기보다 민본의 '큰 덕'을 펼쳤던 대표적인 정치가였다는 게 전병훈의 평가다.

그런데 조정의 재상을 맡았던 이런 대정치가들도 중요하지만, 전제왕조에서 백성의 삶에 직접 영향을 미친 이들은 어쩌면 군현에 파견된 지방관들이었다. 전병훈은 그들의 역할에 주목하며, 사서에 전하는 몇몇 고을수령들의 사례를 손꼽았다.

실린 동중서의 「논한민명전論限民名田」에 보이는 구절이다. 전병훈의 인용에서 '限民命田'은 '限民名田'의 잘못된 표기이다.

118. 諸葛武侯曰 治世以大德, 不以小惠. 又曰 我心如衡, 不敢作輕重. 『통편』, 291쪽.

119. 육선공의 본명은 육지陸贄이고, 자는 경여敬輿다. 당나라의 정치가·문장가·의학가로, 당나라 덕종 시기에 명재상으로 이름을 날렸다. 후에 '선宣'을 시호로 받아, 흔히 '육선공'으로 부른다.

120. 『통편』, 291쪽.

한나라의 황패黃霸(BC 130~51)는 영천穎川 태수로 교화에 힘쓰고 형벌을 멀리했다. 그가 말하길 "무릇 정치란 지나치게 심한 것을 제거할 뿐"이라고 하였다. 황패는 밖으로 관대하고 자신에게는 엄정해서 벼슬아치와 백성의 마음을 얻었다. 해서 인구가 해마다 늘고, 그 고을의 정치가 천하제일이 되었다.

유곤劉昆(?~57)은 강릉江陵 수령을 역임했다. 해마다 화재가 나자, 그가 번번이 불을 향해 머리를 조아렸다. 그때마다 여러 차례 비가 오고 바람이 그쳤다. 그가 홍농弘農 태수로 옮겨가 정사를 돌본 지 3년 만에, 어진 교화가 크게 펼쳐졌다. 호랑이들마저 모두 새끼를 등에 태우고 황하를 건너 물러갈 정도였다. 송나라의 조변趙抃(1008~1084)은 성도成都 태수였다. 부임할 때 거문고 하나와 학 한 마리를 들고 왔다가, 돌아갈 때도 단지 그것뿐이었다고 한다.[121]

이런 사례들은 어질고, 정성스러우며, 청렴한 지방관의 모범을 표상한다. 전병훈은 "한漢나라 고을수령의 어진 정치와 치적에 후세 관리들의 사표가 될 것들이 많았다"고 한다.[122] 그는 진·한대 이후의 전제정치를 상고시대 민주·공화 정치의 전면적인 몰락 내지는 타락으로 이해했다. 그럼에도 불구하고, 훌륭한 덕성과 자질을 갖춘 어진 고을수령이 선정을 폈던 것을 그나마 다행으로 여겼다.

그러나 이런 행운은 아주 드물었다. 또한 구조적으로 보장되지도 않았다. 청백리는 언제나 적고, 탐관오리는 넘쳐났다. 전제왕조에서 고대 민본정치의 순수한 이상은 망각되었다. 백성들의 현실은 대개 힘들고 고단한 세상살이의 연속이었다.

그러므로 전병훈이 보기에, 민본·민주의 원리에서 이탈한 전제왕조시대는 동아시아 정치의 일대 암흑기였다. 그리고 훌륭한 청백리의 사례는 칠흑의 어둠 속에서 간간이 명멸했던 아주 미약한 빛에 불과했다.

다만 어둠이 깊으면 깊을수록, 미약한 빛이라도 그 밝기가 더 환하고 소중하다. 그렇듯이, 청렴하고 어진 관리들의 모범 덕분에 예로부터 전해진 민본의 정

121. 『통편』, 291쪽.

122. 『통편』, 291쪽.

신이 완전히 소멸되지 않고 그나마 간신히 명맥을 이을 수 있었다.

왕양명의 '주민집단치안'

예나 지금이나 치안은 공중의 안녕과 질서를 유지하고 보전하는 국가의 중대사다. 전병훈은 왕양명王陽明의 '십가패법十家牌法'에서 치안의 모범을 찾았다. '십가패법'은 북송의 정호程顥가 발명한 것을 명대의 왕양명이 시행해서 큰 효과를 봤다고 알려진 주민집단치안 제도다. 그 대략은 다음과 같다.

10가구를 한 단위로 묶어 패牌를 제작해 각 가구 주민의 현황과 내력을 기재한다. 그리고 같은 패를 10가구가 하루씩 돌아가면서 관리한다. 매일 정해진 시간(酉時)에 그날 당번을 맡은 가구에서 각 가구를 방문해 변동사항을 확인한다. 어느 집에 사람이 적으면, 어디 가서 무슨 일을 하고 언제 돌아오는지 등을 확인한다. 야간에 사람이 많으면, 그의 신원을 파악하고 필요하다면 다른 집에도 통보해 알게 한다.

낯선 사람이 왕래하거나 혹은 의심 갈 만한 일이 있으면, 즉시 관청이나 부근의 경찰 혹은 군부대에 알려 처리토록 한다. 만약 수상한 일을 숨겼다가 발각되면 10가구가 함께 벌을 받는다. 잠시 쉬어 가는 객이라도 어디서 와서 무슨 일을 하고 어떤 직업에 종사하는지 등을 일일이 확인해 증빙토록 한다.

그리고 만약 수상한 점이 있으면 10가구에 서로 전해서 별다른 게 없는지 확인한 연후에 비로소 다른 지역으로 갈 수 있도록 한다. 군인을 제외하고 병기를 소지한 자는 국법에 따라 같은 패에 속하는 사람이 보고해 처리한다. 각 지방관은 십가패법을 근실하게 실행하는 자와 그렇지 않은 자를 가려내서 공정하게 상과 벌을 준다.[123]

전병훈은 십가패법이 "도적을 없애고 (풍속의) 근원을 맑게 한다"고 칭송하고, 이를 잘 연구해 시행하면 경찰이 출동할 필요가 없어질 것으로 보았다.[124]

123. 『통편』, 292~293쪽.

124. 程明道始行十家牌法, 而王陽明加演實行, 誠爲戢盜清源之良法. 苟能講而力行, 出警

또한 왕양명이 유학자면서도 신묘한 용병술로 비적을 토벌하고 백성을 구제한 공적이 많다며, 이 패법은 그중 아주 작은 사례에 불과하다고 부언했다. 그럼에도 불구하고, 이 패법이 비적의 근원을 청소하고 선량한 백성을 안정시키는 좋은 제도라서 특별히 소개한다고 밝혔다.[125]

십가패법, 치안과 감시의 갈림길

전병훈의 말처럼 십가패법은 시행 당시에 이미 강력한 효과가 있었다. 심지어 20세기에도 그와 유사한 주민치안제도가 다양하게 변용됐고, 동아시아 여러 국가에서 실행되었다. 그러므로 연배가 지긋한 독자라면, 이 제도의 설명에서 제법 익숙한 옛 풍경들을 떠올릴 것이다.

하지만 그것은 대개 안락과 선량함의 추억이라기보다, 불안과 공포의 불편함으로 기억될 확률이 높다. 불행하게도 주민집단치안은 양민의 안녕과 질서를 유지하고 보전하기보다, 국가의 의도와 필요에 의해 민권을 억압하는 제도로 남용된 사례가 많았기 때문이다.

군국주의 일본, 공산당 독재하의 북한과 중국, 군부독재시기의 한국 등에서 이런 제도가 공히 실행되었다. 그것은 국가의 주민감시와 주민 간의 상호감시가 결합된 총체적 감시국가, 전 국민 동원체제의 수단으로 활용되었다. 그러다 보니, 주민집단치안 체제에 대한 국민의 반감이 증대했다. 국민의 권리와 자유를 침해한다는 비판도 받았다.

그리하여 독재를 벗어난 국가에서는 이런 체제가 대부분 해체되었다. 게다가 그 제도는 전근대적 향촌사회에나 적합해서, 급격한 도시화와 산업화가 진행된 현대사회에 더 이상 적용하기 어려웠다. 따라서 자연스럽게 퇴출된 측면도 있다.

察不必用矣. 『통편』, 291~292쪽.

125. 『통편』, 293쪽.

물론 한 세기 전의 전병훈이 이런 시대변화를 미리 예측할 수는 없었다. 게다가 한 가지 유의할 점은, 그가 십가패법을 제안할 당시 중국사회의 치안이 극도로 문란했다는 사실이다. 청나라가 망하고 국정이 혼돈에 빠져들면서 도처에서 비적이 창궐했다. 반면, 치안은 허술하기 이를 데 없었다.

왕양명의 옛 제도를 전병훈이 다시 호명한 배경에는 이렇게 혼란한 시대상이 있었다. 국민이 치안 아노미 상태에서 불안에 떨고 있었으므로, 보다 강력한 주민집단치안 체제가 필요하다고 판단했을 것이다. 하지만 모든 치안제도는 어차피 누가 어떤 의도로 사용하느냐에 따라 그 귀추가 엇갈리게 마련이다.

비유하자면, 훌륭한 치안제도는 아주 성기고 튼실하게 만든 그물과 같다. 어질고 착한 이에게 그물을 맡기면, 그는 그물로 물고기를 듬뿍 잡아 사람들의 주린 배를 채우고, 또 그물로 울타리를 쳐서 위험한 들짐승이나 해충의 접근을 막을 것이다. 하지만 악인의 손에 그물을 넘기면, 그는 이내 사람들을 그물질해서 옴짝달싹 못하게 만들고, 또 그물로 잡은 고기로 제 배만 불리려 들 것이다.

한데 동아시아 근대에는 선한 국가보다 악한 국가가 많았고, 착한 지도자보다는 악한 정치인들이 득세를 했다. 그리고 그것이 '치안'에 대한 국민의 불신과 불안의 근원이 됐다. 하지만 인간이 사회를 이루고 살아가는 한, 치안의 부재를 상상할 수는 없다. 다만 그것이 감시와 통제를 수반하므로, 어느 제도보다 조심스럽게 다룰 필요가 있다. 그것은 곧 그물이요 칼이므로, 쓰기에 따라 흉기凶器도 혹은 이기利器도 될 수 있다.

아마도 미래사회의 치안은 전병훈이 말한 주민집단치안보다 첨단과학 장비들과 로봇이 관장하는 영역이 될 것이다. 그 도구와 제도의 효율성은 과거 어느 시기와도 비교할 수 없이 우월할 게 분명하다. 현대 도시는 이미 그물망 같은 기계적 감시체계로 뒤덮여 있다. 하지만 그것의 운용은 여전히 사람의 몫이다. 따라서 전병훈이 십가패법을 말하던 시점이나 지금이나, 사태의 본질은 크게 다르지 않다.

여기서 전병훈의 문법에 따라 말하자면, 그것이 이기利器가 되느냐 흉기凶器가 되느냐의 관건은 역시 민주와 공화의 실현 여부에 달려 있다. 즉 국민이 주인인 나라, 더 나아가 세계시민이 주인이 되는 세계국가(혹은 전병훈이 말하는 '세계통일공화정부')의 향배에 따라, 치안제도는 편안한 안전장치도 혹은 가공할 통제수단도 될 수 있다.

다시 말해, '안전한 미래'와 '감시사회'의 갈림길은 결국 윤리적 자각과 정치적 선택에 달렸다. 인간은 과연 정신과 도덕의 자유를 자각한 신인류로 거듭날 것인가? 그리고 어렵게 성취한 민주와 공화의 가치를 보존하고 발전시킬 것인가? 그 귀추에 따라 미래가 결정될 것이다.

여기서 전병훈 정치철학의 기본전제가 그의 정신철학·도덕철학·심리철학이라는 사실을 상기할 필요가 있다. 민주주의의 퇴조와 감시사회를 자초하는 것은 결국 물질의 노예로 전락한 인간의 정신, 그의 도덕과 심리를 잠식한 탐욕의 불길이다.

인간이 지금처럼 사욕과 이권에 사로잡힌 존재로 계속 남는다면, 자기가 만든 욕망의 화염에 갇혀 허우적대다가 마침내 물질·기계와 권력의 노예로 전락하는 디스토피아를 목도할 것이다. 하지만 그와 반대로 정신과 도덕을 회복하고 공심으로 운용되는 정치와 사회체제를 실현한다면, 전병훈이 말하는 '문명진화'의 유토피아를 보게 될 것이다. 선택은 물론 사람의 몫이다. 그러므로 전병훈이 최종적으로 말한다.

> (십가패법을) 진실로 능히 실행한다면, 효과를 곧 보게 될 것이다. 밤에 집의 문을 닫지 않고도 백성이 안락을 누릴 것이다. 이를 신묘하게 사용하는 것은 그 사람에게 달렸다.[126]

현명한 독자라면, 이게 반드시 십가패법이어야 한다는 문맥은 아니라는 걸 이내 눈치 챘을 것이다. 그것은 모두가 평화롭고 안전한 사회의 풍경을 그린다. 거기서 치안은 국민을 감시하고 통제하기 위해서가 아니라, 국민의 안락과

126. 苟能實行, 成效即可見. 戶不夜閉, 而民安樂矣. 神而用之, 存乎其人也. 『통편』, 293쪽.

자유 그리고 무엇보다 사람 본연의 가치와 존엄을 지키는 데 봉사한다.

물론 이런 가치를 지키고 그 목표를 실현하는 주인공은 제도나 기술이 아니라, 언제나 결국 사람이다. 그러므로 "신묘하게 사용하는 것은 그 사람에게 달렸다"고 말한다. 이는 "신묘하게 밝히는 것은 그 사람에게 달렸다(神而明之, 存乎其人也)"는 『주역·계사상전』의 명언을 전병훈이 절묘하게 변용한 구절이다.

이 두 구절은 다만 뭔가를 신묘하게 '밝힌다(明之)'와 '사용한다(用之)'는 단어만 다르고 나머지가 같다. 그래도 그 함의는 뚜렷하게 갈린다. 『주역』의 언명이 인식론상의 문맥이라면, 전병훈의 언명은 실천론상의 문맥이다. 물론 사물의 본질에 밝은 게 그것을 제대로 활용하는 전제가 되므로, 두 언명은 서로를 보충한다.

여하튼 전병훈은 치안제도와 같은 사회적 장치의 경우, 특히 그것을 운용하는 실천의 과정이 중요하다고 판단했던 게 틀림없다. 하지만 여기서 관건은 여전히 인식론이냐 실천론이냐의 문제가 아니다. 전병훈이 말하려는 핵심은 마침내 "그 사람에게 달렸다(存乎其人)"는 한 구절로 귀결된다.

치안제도, 그리고 거기에 활용되는 기술과 방법은 앞으로도 계속 첨단화될 것이다. 그러나 이를 운용하는 사람의 정신과 도덕과 마음이 밝지 않다면, 그것은 아주 쉽게 감시의 도구로 전락할 게 분명하다. 이런 문맥에서 서우는 "(치안제도를) 신묘하게 사용하는 것은 그 사람에게 달렸다"고 마침표를 찍는다.

전체주의적인 권력에 의해 억압받고 통제받는 디스토피아, 혹은 자유롭고 지혜로운 사람들이 안전과 평화를 구가하는 유토피아 가운데 어떤 미래를 선택할지 결정하는 건 다름 아닌 '그 사람'이다. 민주주의 사회에서는 '그 사람'이 곧 주권자인 시민들 각자라는 사실을 독자들도 잘 알고 있을 것이다.

고염무의 '필부책임론'

지금까지 정치철학의 논의는 대개 국가, 군주, 관료, 정치지도자, 사회지도층에 관한 이야기였다. 그들에게 요구되는 덕목과 자질, 그리고 제도 등에 관한 내용이었다. 전병훈은 국가와 국가기관을 이끄는 사람들에게 나라의 진정한 주인이 백성, 국민, 시민, 인민(民)이라는 만고불변의 진리를 끊임없이 환기시킨다. 그리고 나의 권력과 이익을 구하는 사심에서 벗어나, 공심을 회복하라는 메시지를 보냈다.

그가 수없이 되뇌는 '공심公心'이란 곧 공공의 책무를 인식한, 공공성을 추구하는, 공중에게 봉사하는, 누구에게나 공정한 그런 마음이다. 이런 '공심'은 타인과 더불어 살아가는 사회적 존재로서 인간 누구에게나 필요하다. 하지만 특히 국가·사회에서 공인公人으로 불리는 위치에 있는 사람들에게 훨씬 높은 강도로 요청된다.

그런데 여기까지 보면, 전병훈이 말하는 '민본'이 소수의 정치적 엘리트가 다수의 백성에게 시혜적으로 베푸는 정치의 문법처럼 읽힐 수도 있다. 전병훈은 이를 민주로 주장하지만, 만약 '민'이 단지 정치의 대상 내지는 객체에 머문다면 그것은 진정한 '민주'가 아니다. 민주를 말하려면 '민'이 정치의 주체이자 주권의 근원으로 인식돼야 하기 때문이다.

단지 '국민을 위한' 정치만으로는 부족하다. 주권이 민에게 귀속된다는 문맥에서 '국민의', 그리고 민의 자유로운 정치참여가 보장된다는 문맥에서 '국민에 의한' 정치라야 비로소 민주를 말할 수 있다. 전병훈은 이 점을 분명히 인식했다.

그리하여 그의 정치철학이 다시 일개 필부의 사회적 책임을 강조하는 논의로 이어졌다. 전병훈은 17세기 명나라 말의 사상가인 고염무顧炎武(1613~1682)의 다음과 같은 언명을 상기시켰다.

> 고정림顧亭林(炎武) 선생이 말했다. "사업으로 인민(民)을 구제하는 것은, 현달한 높은 지위에 있는 자의 책임이다. 말로 인민을 구제하는 것은, 궁벽한 낮은 자리에 있는 자의 책임이다." 또한 말했다. "천하 국가의 흥망은 필부에게도 책임이 있다."[127]

서우에 의하면, 고염무는 민권에 관해 혁신적인 철학사상을 많이 제안했다. 특히 인류의 직분과 의무를 분류해 범주화했다. 국가의 통치자나 고위직은 국정사업으로 민생을 구제한다. 초야의 지식인, 선비는 교육으로 백성을 구제한다. 하지만 평범한 필부라도 국가에 대한 책무가 있다.

서우는 여기서 "인민책임의 사상을 깨우쳐 일으킨 것을 볼 수 있다"[128]고 천명했다. 그것은 전에 없던 사상으로, '민이 지켜야 할 떳떳한 도리(民彝)'를 크게 진작했다. 비록 서구 민주주의에는 미치지는 못하지만, '인민의 기상(民氣)'을 고취한 공이 근세의 철학 가운데 실로 걸출하다고 찬탄했다.[129]

요·순에서 근세에 이르는 정치철학의 여정 끝에, 전병훈은 마침내 근대 민주주의의 심장에 도달했다. 민주와 공화는 단지 국가와 통치자에 의해 피동적으로 베풀어지는 시혜가 아니다. 그것은 '인류의 직분과 의무' 그리고 '인민의 책임'을 깨우친 평범한 '인민 각자(匹夫)'의 주체적 자각으로 마침내 성취되는 것이다.

여기서 고염무를 불러온 까닭은, 서구 민주주의에 나타나는 시민책임론의 맹아가 동아시아에도 있었음을 드러내기 위해서였다. 이를 통해 한편으로 국가·사회 지도층의 공심을 촉구하고, 다른 한편에서 민주와 공화의 주체로서 인민의 권리와 책임을 일깨웠다.

소결: 유교 정치철학의 재발견

이로써 또 하나의 짧고도 긴 논의가 마감됐다. 전병훈의 철학체계 전반에서 보자면 짧다. 하지만 요·순·삼대에서 근세에 이르는 시간의 여정으로 보자면

127. 顧亭林先生(炎武, 明末)曰 "以事救民, 達而在上位者之責也. 以言救民, 窮而在下位者之責也." 又曰 "天下國家興亡, 匹夫與有責焉." 『통편』, 294쪽.
128. 亦可以見拳拳乎人類之職分義務分概, 而警起人民責任之思想者. 『통편』, 294쪽.
129. 可謂發前未發, 大有助於民彝之公理者也. 雖不及歐西民主之論, 而鼓唱民氣之功, 誠爲近世哲學中之傑士哉. 烏乎偉矣! 『통편』, 294쪽.

아주 길다. 한편 그것은 성기면서도 질기다. 주마간산 격으로 그 긴 시간대를 질주하는 폼이 성기지만, 민주와 공화라는 논제를 수미일관으로 이어가는 논의가 또한 질기다.

이것이 전병훈 철학의 스타일, 즉 동서고금의 온갖 다양한 학설들을 하나로 엮어 조제하는 그만의 철학적 문법이라는 것을 이제 독자들도 충분히 이해할 것이다. "구슬이 서 말이라도 꿰어야 보배"라는 속담처럼, 그는 여기저기 흩어져 있던 정치학설의 파편을 모았다. 그리고 민주와 공화의 기반 위에, 나름대로 빛나는 유교 정치철학의 보탑을 복원했다.

그것은 말하자면 '복원'이지만, 실은 거의 '재창조'에 가까웠다. 하지만 그가 일관되게 강조한 온고유신의 철학적 사명을 스스로 실천한 셈이니, 허물을 묻기는 어렵다. 전병훈 철학의 체계와 내용이 얼마나 타당한가에 대한 평가는, 결국 독자들의 몫으로 돌릴 수밖에 없다.

다만 서구 근대의 일방적인 진군으로 동아시아의 전통이 속절없이 무너지던 시대, 즉 붕괴된 전통의 잔해에서 전병훈이 건네는 말에 좀 더 귀를 기울일 필요는 있을 것이다.

> 동아시아의 정치학에서 복희·황제·요·순에서 주공에 이르는 예치는 위에서 진술한 바와 같이 경험한 사실이었다. 공자와 맹자에 이르기까지의 정치학은 이론으로 후세에 전하는 교훈(垂訓)이었지, 이른바 '경험'한 것은 아니었다.
>
> 그러나 맹자에서 지금까지는, 설령 "정치학이 없었다"라고 해도 크게 지나친 말이 아니다. 어째서인가? 진나라 전제정치의 폐해로 그 해독이 백성에게 미쳐 수천 년 동안 단지 문경文景·정관貞觀·송인宋仁의 한때에만 실로 정치다운 정치가 있었을 뿐이기 때문이다.[130]

---

130. 東亞之政治學, 自義·黃·堯·舜, 以至周公之禮治, 則如上所述, 是乃經驗之事實也. 至若孔孟之政治學, 則理論之垂訓者, 非所謂經驗者也. 雖然, 自孟子以至於今, 雖謂之無政治學, 恐非過論也. 何以然哉? 秦政專制之弊害, 流毒生民, 數千載, 只有文景貞觀宋

전병훈은 동아시아 정치학의 전개과정을 3단계로 구분한다. 첫 단계는 상고대의 소박한 정치적 경험에 토대를 둔 '예치의 시대'다. 둘째 단계는 주공 이후 맹자까지다. 예치 시대의 경험을 이론 내지는 이상으로 재정립하고, 다시 후대에 전한 '정치사상의 시대'다. 셋째 단계는 진나라 전제정치의 시행 이후 근세까지 이어진 '정치학의 암흑기'다.

이런 정치학의 암흑기에 잠시 햇살이 비추듯 오직 문경·정관·송인의 태평성대가 스쳐 지나갔을 뿐이다. 여기서 '문경'은 한나라 문제文帝와 경제景帝의 통치기다. '정관'은 당나라 태종太宗 이세민이 다스리던 정관연간이다. '송인'은 북송 인종仁宗의 통치시기를 가리킨다.

그런데 일견 가혹하게조차 보이는 이런 인색한 평가가 동아시아, 좁게는 중국문명의 정치와 정치학에 대한 전면적 비관을 반영하는 건 아니다. 서우는 동아시아의 예치가 얼마나 위대하고, 그것이 어떻게 민주·공화의 원리에 부합하는지 길게 해명했다. 또한 후대의 성현들이 얼마나 숭고한 사명에서 그 전통을 보존하고, 또한 각고의 노력으로 그 이론을 후대에 전했는가도 역설했다.

그는 동아시아 정치학을 가혹하게 비판했다. 하지만 그것은 역설적으로, 오랜 정치적 암흑기 동안 폐허에 파묻혔던 아득한 고대의 보물, 즉 상고시대의 예치에 담긴 '민주'와 '공화'를 재발견하기 위해서였다고 말할 수 있다. 전병훈은 서구 정치학도 그런 전통의 재발견을 겪었다고 상기시킨다.

> 무릇 서구의 정치를 보더라도 역시 서로 유사한 바가 많다. 부락 추장에서 시작해 부족국가의 민주에 이르고, 봉건·귀족·과두·전제의 제반정치를 거쳤다. 그 연후에 칸트와 몽테스키외 같은 대정치가가 출현하고, 앞뒤로 헌법·공화·삼정분립·법치와 도덕의 이론을 고양하니, 능히 사람들 머리의 생각을 개혁할 수 있었다. 그리하여 열국에서 (이론을) 시험하고 또 실행해서, 마침내 민주주의 공리公理의 좋은 제도를 회복했다. 어찌 여러 철학

仁之一時苟治而已.『통편』, 294~295쪽.

> 대가들의 '마음의 힘(心力)'으로 (세상을) 구제한 바가 아니겠는가?[131]

전병훈의 정치철학에서 두드러지는 특징은 앞서 충분히 설명했다. 그러므로 여기서 더 이상 부언하지 않겠다. 다만 세간에서 '동양철학' 내지 '중국철학' 하면, 마치 그 황금기를 구가했던 것처럼 호명하는 동중서·한유·주희 등이 전병훈의 정치철학에서는 거의 논의에서 제외된다는 걸 떠올릴 필요가 있다.

한대의 경학經學과 송명의 이학理學은 동아시아 정치학 암흑기의 음산한 그림자로 취급받았다. 이는 20세기에 동양철학을 재건했던 이른바 '현대신유가' 등과 서우가 크게 다른 점이다. 20세기 초에 유교전통의 회복이라면, 대부분 학자들이 공맹에서 경학과 이학으로 이어지는 오래된 도통론道統論의 계보를 떠올렸다. 그리고 실제로 이 계보에 따라 유학을 해석하고, 그것을 동양철학의 복원으로 생각했다.

그런데 누구보다 경학과 이학에 정통하고 그 계보에 밝았던 전병훈이 그런 관념을 전복했다. 그가 조선에서 꽤 이름이 알려진 성리학자로 반평생을 보냈음을 고려할 때, 이런 철학적 반전은 놀라운 장면이 아닐 수 없다. 게다가 그 사건이 20대의 청년도 아닌 50대의 노학자에게서 일어났다.

그렇다고 해서, 서우가 여느 신지식인들처럼 동아시아의 전통을 통째로 부인했던 건 더더구나 아니다. 오히려 그는 속절없이 서구문물에 물드는 세간의 풍조를 한탄했다.

> 애석하다! 동아시아 백성이 (서양과는) 반대로 조상의 민주정치에 어두워진 지 오래되었다. 오직 근세에 구미의 풍조에 물들기 시작해, 중화가 공화를 되찾은 뒤에도 여전히 허송세월만 보내고 있다.[132]

---

131. 觀夫歐西之政治, 亦多相類者. 向自部落酋長, 而至爲邦國民主, 經封建·貴族·市政·專制諸般政治, 然後有若康德·孟德斯鳩之大政治家者, 先後鼓唱憲法·共和, 三政鼎立, 法治道德之論, 故能改革人之腦思也. 於是列國試驗而實行之, 克復民主公理之良法. 詎非哲學諸大家之心力所濟者耶?『통편』, 295쪽.

이제 드디어 논의에 중간마침표를 찍을 때가 되었다. 전병훈은 도교 내단학을 연마하고 또한 서양철학을 접하면서, 중세 성리학의 도그마에서 벗어났다. 그렇다고 그가 도교나 서양학을 취하고, 유교를 버리는 양자택일의 선택을 한 것은 아니다. 오히려 그는 훨씬 원숙하게 유·도 양교를 회통했으며, 서양철학의 지혜까지 더한다.

그리하여 유교전통을 무비판적으로 계승하는 경직된 태도에서 벗어났으며, 이런 과정을 거쳐서 비로소 '철학'에 성큼 다가갔다. 왜냐하면 '철학'이란 단지 과거의 지적 유산을 학습하고 해석하는 지식활동을 넘어, 그것을 의심하고 부정하고 계승하면서 시대의 요구에 부응해 새로운 길을 찾는 지혜의 활동이기 때문이다.

서우는 수세기 전 서구에서 "철학의 대가들이 '마음의 힘'을 다해 민주·공화·법치의 근대정치를 개척"했다고 찬미했다. 그렇듯이, 동아시아에서도 다시 그들처럼 지혜를 다해 '사람이 지켜야 할 공정한 도리'를 밝히는 새 정치의 지평을 열라고 요구한다. 그것이 곧 미래세대에게 서우가 던진 정치철학의 비전이었다.

> 그러나 (동아시아도) 반드시 혼란에서 벗어나 정치가 안정되는 어느 날이 올 것이다. 그 때 장차 새것과 옛것을 조제하고, 민의로 법치하며(지방자치), 균전과 예치를 더할 것이다. 이로써 인도人道의 공리公理가 극치에 이르러, 힘써 따르게 될 것이다.[133]

한 세기가 지났다. 돌이켜 보면, 20세기 내내 동아시아는 혼란스러웠다. 참혹한 전쟁, 내전, 혁명, 냉전, 반란, 독재, 학살, 저항, 분단 등등의 격동에 휘말

---

132. 嗟乎! 東亞之民, 反茫昧於祖先民主之治, 久矣! 惟近世始襲歐美之風潮, 中華光復共和以來, 亂靡虛日.『통편』, 295쪽.

133. 然必有出亂入治之一日矣. 將調劑新舊, 而治法民意(地方自治), 加以均田禮治, 以極人道之公理而勉從.『통편』, 295~296쪽.

렸다. 그러다가, 최근에야 어느 정도 "혼란에서 벗어나 정치가 안정되는" 회복기를 비로소 맞았다.

놀라운 평화의 신, 자비로운 관음이 새살을 돋게 하는 부드러운 손길로 어두운 밤의 장막을 한 겹씩 거두었다. 하지만 혼란의 밤은 여전히 다 물러간 게 아니다. 온갖 분란과 갈등의 그림자가 여전히 동아시아에 짙게 드리워 있다.

그 가운데서도 가장 질기고 어두운 장막, 한반도의 분단이 걷히는 날, 그 때야 비로소 서우가 말한 그 '어느 날'이 왔음을 알게 될 것인가? "장차 새것과 옛것을 조제하고, 민의로 법치하며, 균전과 예치를 더하며, 이로써 인도의 공리가 극치에 이르러 힘써 따르는" 정치 패러다임 전환은 어쩌면 그날을 예비한 언명일지 모른다.

4. 도가(도교)의 정치철학

서우는 민주·공화의 문맥에서 유교의 예치와 덕치를 해석해 정치철학의 골격을 세웠다. 그리고 다시 도가(도교)의 정치철학을 다룬다.[134] 도가에서도 역시 '민주'와 '공화'의 요인을 부각하며, 반전평화나 세계통일 등의 사상을 발굴한다. 하지만 도가 정치철학의 백미는, 정치와 무병장수를 연관시키는 데 있다. 먼저 서우는 복희·신농·황제를 호명한다. 이른바 '삼황三皇'으로 불린 전설 속의 제왕들이다.

복희·신농·황제

요·순·주공은 유교에서 이상으로 삼는 성인을 대표한다. 그렇다면 복희·신농·황제는 중국문명을 개창한 시조들이자, 훗날 도교에서 진인과 신선으로

---

134. 『통편』, 하편 권6 제22~27장, 297~307쪽.

신격화된 인물들이다. 그들의 이야기는 요·순보다 훨씬 앞선 선사시대, 신석기시대나 청동기시대 초기의 아득한 과거로 거슬러 올라간다.

물론 최초의 이야기는 출처가 모호한 여러 갈래의 신화와 전설로 전해졌다. 이런 소재를 후대의 이야기꾼들이 꾸미고 과장하고, 의미를 부여해서 각색했다. 그렇게 만들어진 기록들은 생생한 역사를 전한다기보다, 문명의 초창기를 상징하는 인물들에게 후대인이 부여한 '상상의 역사' 그리고 '신성한 조상'의 관념을 보존한다고 말할 수 있다.

복희宓羲(伏羲)의 정식 이름은 태호太昊다. 포희庖犧(包犧)라고도 한다. 그는 약 5천 년 전에 뱀의 형상을 하고 신비롭게 태어났다. 혹은 어떤 버전에서 복희는 천지개벽 이전의 신이다. 그가 죽고, 몸이 땅으로 변했다고 신화는 전한다. 그의 여동생이자 여신인 여와女媧가 흙으로 사람을 빚어 숨을 불어넣었다고도 한다.

한대 이후, 뱀의 꼬리에 사람의 형상을 한 복희와 여와가 뒤엉킨 여러 유형의 상상도가 그려졌다. 나뭇잎 화관을 쓰고 산에서 나오거나, 혹은 동물가죽 옷을 입은 복희를 묘사하는 초상화도 적지 않다. 이런 이미지들은 복희에게 부여된 신화 및 역사상의 몇몇 관념들을 표상한다.

복희와 여와

무엇보다 복희는 우주의 질서를 파악한 최초의 인간, 혹은 우주의 질서 그 자체를 상징한다. 동아시아 고대인은 음과 양의 대대待對하는 힘으로 천지가 개벽하고 만물이 생성됐다는 세계관을 발전시켰다. 이런 세계관에서, 우주는 곧 음양변화의 질서가 삼라만상에 펼쳐진 세계였다. 각각 해와 달을 든 복희와 여와가 한 몸으로 뒤엉킨 신화의 도상들은 이런 우주를 직관적으로 표상한다.

한편 음양조화의 세계관을 보다 합리적으로 체계화한 최초의 책은 『역易』이다. 복희는 바로 『역』의 최초 발명자로 간주되기도 한다. 익히 알다시피, 『역』은 총 64괘로 구성된 「경經」과 후대인의 해석을 담은 「전傳」으로 이뤄진다.

「전」은 대개 전국시대 이후의 저술로 인정된다. 하지만 「경」은 본래 주나라에서 점을 치는 책이었으므로 『주역』이라고 한다. 그 원리는 8괘卦가 중첩된 6효爻로 하나의 괘상卦象을 구성한다. 이렇게 만들어진 총 64개의 괘상에 따라 길흉화복을 점친다. 복희는 여기 쓰이는 8괘(☰☱☲☳☴☵☶☷)를 처음 발명했다고 알려졌다.

팔괘의 발명은 곧 천지만물의 질서를 발견한 동시에 이를 표현하는 부호를 발명한 사건을 상징한다. 또한 복희는 사냥·낚시의 도구와 화식火食을 발명하고, 가축 사육을 가르쳤으며, 결혼제도를 건립했다고 전한다.

물론 이처럼 중요한 유산들을 인류역사상의 어느 한 인물·부족·국가·민족 혹은 인종이 독점적으로 발명했다는 이야기는 사실일 수 없다. 하지만 지구상의 수많은 민족과 그들이 남긴 신화에는, 또한 아이러니하게도 그에 관한 이야기가 전한다. 거기에는 초기 문명의 발명품들을 후손에게 전한 위대한 조상, 혹은 신들의 모험담이 담겨 있다.

당연히 그(혹은 그녀)는 어느 한 사람이 아니다. 그는 억천만겁의 세월 동안 문명을 진화시킨 인류의 무수한 조상들, 그리고 그들의 위대한 지혜와 업적을 어느 한 인물에게 표상한 화신이기 때문이다. 따라서 그는 한 사람이지만, 한 사람이 아니다. 어디선가 어떤 이름으로 불리지만, 다른 어딘가에서 불리는 또 다른 무수한 이름들이 있다.

그는 환웅이고, 복희이고, 아담이며, 프로메테우스이고, 아마테라스이고, 마고다. 어떤 특정한 민족·국가·문명에서, 그들은 각각 궁극의 시원을 상징한다. 그렇다고 해서, 오직 하나의 이름으로 모든 민족·국가·문명의 시원을 대표할 수도 없다.

이런 문맥에서 '복희'는 당연히 중국문명의 시원을 표상한다. 그는 조화로운 자연에서 나와(혹은 우주의 화신으로), 처음 중국문명을 연 시조이자 왕이자 신선이다. 한데 이런 복희의 중요성은, 어쩌면 팔괘와 『역』이 중국문화에 지니는 위상 그 자체로 설명할 수 있다. 이쯤에서 전병훈의 말을 들어보자. 그는 먼저 『주역』의 다음 구절에서 논의를 시작한다.

> 복희가 천하의 왕이 되었을 때, 우러러 하늘의 형상을 관찰하고 고개를 숙여 땅의 법칙을 살폈다. 새와 짐승의 무늬와 땅의 마땅한 바를 살피며, 가깝게는 몸에서 취하고 멀리는 사물에서 취했다. 그리하여 처음 팔괘를 그렸다. 이로써 (천지)신명의 덕에 통하고, 만물의 실정을 종류별로 범주화(類)했다.[135]

전병훈은 이 구절에 대해 다음과 같이 주석을 달았다.

> 복희가 천지를 관찰해서 처음 팔괘를 긋고, 부호글자(書契)를 만들었다. 이로써 결승結繩문자[띠로 매듭을 지은 글자—역자 주]로 정사를 보던 것을 대신했다. 결혼을 제도화하고, 그물을 만들고, 희생으로 쓸 가축을 기르니, 인문人文이 처음 열렸다. 복희는 또한 장생의 도를 닦아 신선이 되어 승천했다.(『선감仙鑒』에 기록이 있다.)[136]

전병훈은 복희가 팔괘를 그은 것을 인문창조(人文始開)의 서막으로 이해했다. 팔괘의 발명은 부호로 표현되는 문자의 출현인 동시에, 사물을 체계적으로 분류해서 범주화하기 시작한 사건이기 때문이다. 이는 사람의 관념 안에서 혼돈(Chaos) 상태였던 우주가 질서와 조화를 이룬 코스모스Cosmos로 변모됐음을 의미한다.

---

135. 包(庖)犧氏之王天下也, 仰則觀象於天, 俯則觀法於地. 觀鳥獸之文與地之宜, 近取諸身, 遠取諸物, 於是始畫八卦, 以通神明之德, 以類萬物之情. 『통편』, 297쪽. 이 글의 본래 출처는 『주역 · 계사하전』이다.

136. 伏犧氏仰觀俯察, 始畫八卦, 造書契, 以代結繩之政. 制嫁娶, 結網罟, 養犧牲, 人文始開也. 犧氏亦修眞而仙昇也.(『仙鑒』有) 『통편』, 297쪽.

'결혼'으로 대표되는 사회제도, '그물'로 상징되는 도구, '가축'이 함축하는 야생의 순치는 곧 그 결과물이다. 다시 말해, 자연에서 질서를 발견한 인간이 그 법칙을 활용해서 물질과 사회 환경을 조절하고 변화시켰다. 그러므로 자연 질서를 고도로 함축한 팔괘를 발명한 복희에게 야생의 순치, 도구, 사회제도의 발명자라는 영예가 함께 부여됐던 것이다.

복희의 뒤를 이어 인문세계를 계승한 영웅은 신농神農이다. 그의 정식 이름은 염제炎帝다. 사람 몸에 소머리 형상을 하고 태어났다고 전해진다. 그는 나무를 깎고 다듬어 보습과 쟁기를 만들었고, 이들 농기구를 천하에 보급했다.[137] 두말할 필요도 없이, 신농은 곧 농경의 신이다. 그는 농사를 발명하고, 그와 관련된 도구와 기술을 발전시킨 조상의 지혜와 업적을 표상한다. 전병훈은 이렇게 말한다.

> 인류문명의 초창기에 두 성인(복희·신농)이 일어나 농사를 가르쳤다. 수많은 풀을 맛보고 처음으로 의약醫藥이 생겨났다. 낮에 시장을 열어 교역한 뒤 장을 파하는 법을 사람들에게 가르쳤다. 신농 역시 장생의 도를 닦아 신선이 되어 승천했다.[138]

그리고 이제 마지막 영웅, 황제黃帝의 이야기다. 그의 이름은 헌원軒轅이다. 여러 전설에서, 그는 통치기간 중 목조건물·수레·배·활·화살·문자를 발명했다. 국가의 통치기구를 건립하고 전쟁을 수행했으며, 화폐를 제작했다. 또한 그의 아내는 누에치기와 비단을 발명했다. 전병훈에 따르면, 그는 고대 천문학 서적을 처음 만들고 점성술과 역법도 정립했다.[139]

---

137. 神農氏作. 斲木爲耜, 楺木爲耒. 耒耨之利, 以教天下. 『통편』, 297쪽.
138. 斯時人物草創, 兩聖人作而教耕稼. 嘗百草, 始有醫藥. 教人日中爲市, 交易而退. 神農亦修眞而仙昇也.(『仙鑒』有) 『통편』, 297쪽.
139. 黃帝見日月星辰之象, 始有星官之書. 命大撓占斗建, 作甲子, 容成造曆, 隸首作算數, 伶倫造律. 『통편』, 298~299쪽.

서우가 말한다. "황제가 만든 게 아주 많으니 특히 그것만이 아니다. (정전법의 효시인) 구정법邱井法은 이미 앞에서 말했다. 구승병법邱乘兵法, 승부勝負설의 도상, 『음부경』 유類도 황제의 작품이다."[140] 그러나 여기서 열거하는 문헌들은 전국시대 이후에 황제의 이름을 빌려 제작된 것이 대부분이다. 여하튼 이런 위작들로 인해 천문·역법·병법과 각종 방술의 발명자로서 황제의 이미지가 훗날 더 확고해진 점은 분명하다.

끝으로 정리해 보자. 복희가 먼저 야생의 순치, 사냥(수렵) 도구, 최초의 사회제도를 발명했다. 이어서 신농이 농경과 농사의 도구를 발명하고, 의학과 약학의 시조가 되었으며, 시장의 교역을 열었다. 그리고 황제가 다시 초기 국가의 건립에 필수적인 물질·사회·경제·정치·군사적 도구와 제도들을 만들고 추가했다.

실은 수천수백 년 동안 진행된 문명의 진화가 단지 몇 세대, 세 성인이 이룬 성취로 드라마틱하게 압축된 셈이다. 하지만 이런 문법은 세계의 모든 신화와 전설에서 발견되는 것으로, 그다지 이상할 게 없다.

신화와 문명

전설 속의 영웅들은 문명의 형성과정에서 발명된 도구, 지식(기술), 사회의 기원을 표상한다. 그리고 문명 각 단계들 간에 인과관계를 부여하기 위해서, 그들의 연속적인 계보가 만들어졌다. 그렇다고 해서, 복희·신농·황제가 전적으로 후대에 날조된 존재라고만 볼 수는 없다. 그들의 모델이 되는 어떤 고대 부족의 족장(들) 내지 그 부족(들)이 실재했을 가능성이 높다.

예컨대 팔괘가 하늘에서 갑자기 뚝 떨어진 게 아니라면, 누군가 혹은 어떤 부족에선가는 팔괘를 발명할 수밖에 없지 않았겠는가? 그것을 어느 한 사람이

140. 黃帝之制作甚多, 不特此也. 如邱井法則上篇已言之. 邱乘兵法, 勝負之圖, 『陰符經』之類是也. 『통편』, 299쪽.

발명했건 아니면 어떤 그룹 내지는 부족이 공동으로 창작했건 간에, '그' 혹은 '그들'이 곧 복희의 모델이 되었을 것이다. 물론 앞서 강조했듯이, 문명 초창기의 모든 중요한 문물을 단지 세 명의 영웅이 발명했다는 이야기는 허구다.

더구나 인류문명에 보편적인 농경·전쟁(도구)·국가 등의 경우, 그 최초의 발명자들이 죄다 중국에서 나왔다는 건 두말할 필요도 없이 어불성설이다. 하지만 문명의 이동과 전파과정에서, 누군가는 그것들을 처음 중국에 도입했을 것이다. 이런 기술을 받아들이고 발전시켜, 농경이나 전쟁에서 특별히 뛰어났던 족장이나 부족이 있었을지도 모른다. 그들이 각각 '신농'과 '황제'의 모델에 모티브를 제공했다고 추정할 수 있다.

여하튼 누구든 간에, 역사상 실재했던 그들이 전설 속의 영웅과 거의 다른 존재였을 것은 분명하다. 다시 말하지만, 전설로 전하는 복희·신농·황제는 다만 중국 고대문명의 시원을 상징하는 추상화된 '기호'다. 그것은 실낱같은 역사의 기억 위에 웅장하게 지어 올린 가묘假墓 앞을 장식하는 조각상처럼, 상상으로 신화화된 위대한 조상에 대한 후대인의 관념을 표상한다.

한데 이 인물들은 문명의 초창기를 함축할 뿐만 아니라, 고대의 순수한 인간이 지녔음직한 특별한 종교적 재능도 함께 상징한다. 복희·신농·황제는 모두 도를 닦아 승천한 신선으로 추앙받았다. 이것은 동아시아 문명의 성격, 그리고 도교의 철학적 문법과 연관이 있다. 전설 속의 삼황은 자연에 역행하는 인위적 조작자나 발명가가 아니다. 그들은 자연과 대립해 만물을 정복하거나 개조하는 방식으로 인문세계를 열지 않았다.

그들의 지혜는 자연에 대한 섬세한 주의력과 감응에서 얻어진다. 그것이 곧 "(천지)신명의 덕에 통하는" 특별한 재능으로 묘사되었다. 이는 이상적인 인간의 모범을 위대한 조상에게 투사하는 화법이다. 따라서 거기에는 중국, 더 나아가 고대 동아시아 문명을 관통하는 모종의 인간관과 세계관이 반영돼 있다.

그 관념에서 훌륭하고 신성한 인간은 자연과 화해하고 조화를 이루며, 궁극에는 자연과 합일하는(天人合一) 존재로 그려진다. 그중에도 '신선'은 궁극의 근원에서 자연과 합일된, 손상되지 않은 자연으로 귀환한 순수한 인간의 전형을 표상한다.

그러므로 아직 문명의 때가 덜 묻고, 물질·문화·정신적으로 자연상태에 가까운 역사 초창기의 영웅에게 자연스럽게 '신선'의 이미지가 부여되었다. 한국 최초의 국가 고조선의 단군이 신선으로 묘사된 것도 이런 문맥에서 이해할 수 있다.

중국의 전설적 제왕 가운데, 황제가 가장 먼저 그리고 분명하게 '신선'의 이미지를 부여받았다. 『장자』에 황제가 도를 닦아 승천했다는 기록이 보인다.[141] 기원전 3세기 전국시대에 황제를 신선으로 보는 설이 이미 유행했음을 알 수 있다.

이 무렵부터, 황제는 노자와 함께 도가의 시조로 추앙받았다. 황제와 노자를 병칭하는 이른바 황로黃老 개념이 출현했다. 훗날 '황로학'으로 불린 초기 도가의 학파도 이 시기에 성립됐다. 이어서 한대에 '황로'는 도가를 광범위하게 표상하는 개념이 되었다.

특히 한초에 황제를 불사의 존재이자 승천한 신선으로 받드는 관념이 크게 성행한다. 황로학을 계승해 한대를 풍미한 '황로도'에서 이런 관념이 매우 고조되었다. 거기에 더해, 한초에 복희-신농-황제로 이어져 중국문명을 개창한 이른바 '삼황'의 계보가 확정되었다.[142]

그러자 그들을 모두 상고의 신선으로 받드는 이야기도 함께 다듬어졌다. 후대의 도교는 이런 전통을 직접 계승했다. 전병훈이 말한다.

> 이것(초기 문명의 문물들)은 모두 성인이 창의로 신묘한 식견을 내고, 제작해서 이용하며, 이로써 백성의 생업을 열고 세상을 개조한 것들이다. 하지만 황제의 제작이 가장 성대하다. 또한 황제는 도가의 시조가 되었다. (문물

---

141. 夫道, …… 黃帝得之, 以登雲天. 『莊子·大宗師』.

142. 중국문명의 일관성과 한나라의 정통성을 설명하기 위해, 고대의 전설적인 족장들과 후에 이어진 왕국들에 연속적인 인과관계를 부여하는 삼황오제三皇五帝의 계보가 만들어졌다. 사마천의 『사기』에 그 전형이 된 이야기가 실려 있다.

을) 제작한 순서는 자연히 복희와 신농에서 황제에 이를 것이다. 복희와 신농 역시 모두 장생의 도를 닦아 신선이 되어 승천했다.[143]

거듭 말하지만, 초기 문명의 모든 문물을 복희·신농·황제가 발명했다는 진술은 당연히 역사가 아니다. 하지만 이런 이야기 속에는 또한 경외감을 불러일으키는 많은 사건들이 숨어 있다. 우리는 자고 나면 첨단 발명이 쏟아지는 시대의 복판에 산다.

그러나 우리 삶에서 가장 중요한 발명품들은 만여 년 전, 혹은 수천 년 전에 이미 세상에 출현했다. 누구나 농부들이 기른 곡물과 가축으로 음식물을 조리하며, 흙으로 빚은 접시에 담아 먹는다. 직물을 짜서 만든 옷을 입고, 지붕과 기둥·벽으로 세운 집에서 산다.

이런 생활을 가능케 하는 지식과 기술들, 즉 목축·농경·화식·건축·직조·제기製器는 모두 신석기시대 혹은 그 이전부터 인간이 발명해 발전시킨 것이다. 그것과 비교할 때 실로 경이로운 기술의 진보를 자랑하는 현대의 첨단 과학이, 한편으로는 끊임없이 군더더기를 더하는 디테일의 과잉처럼 느껴질 때도 있다.

TV·컴퓨터·스마트폰·자동차·우주선·로봇, 심지어 핵무기까지. 이런 것들이 없다면 꽤 불편하고 적막할 것이다. 문명의 이기에 대거 의존하는 현대 사회 시스템이 혼란에 빠질 것도 분명하다. 하지만 곰곰이 생각하면, 현대 과학기술의 이런 발명품 없이도 인간은 나름대로 잘 생존할 수 있다.

오히려 문명의 이기에서 해방되는 게 더 안락하고 평화로울지도 모른다. 하지만 신석기시대에 발명된 음식·그릇·옷·집이 없는 생활은 상상하기 어렵다. 이런 사실을 떠올릴 때마다 현대인이 그저 미개하다고 여기는 고대의 조상들이 실은 얼마나 위대한 지혜의 화신이었는지 되묻게 된다.

---

143. 此皆聖人之創智神見, 制作利用, 以啓民生之業, 以造世者也. 然以黃帝之制作爲最盛, 而黃帝爲道家之祖也. 制作之序, 自然由羲·農以及黃帝, 然羲農皆亦修眞而仙昇也. 『통편』, 298쪽.

그러므로 신석기시대의 이런 발명이야말로 인류의 삶에 훨씬 기초적이고도 중요한 '원천기술'이라고 한다면 지나친 말일까? 레비스트로스는 이를 두고 '신석기시대의 역설'이라고 불렀다. 그에 따르면, 신석기시대 내지 역사 초기의 인류는 이미 긴 과학 전통의 계승자였다. 고대의 과학은 근대 과학과 마찬가지로 (경험에 충실하다는 문맥에서) 과학적이며, 그 결과의 진실성도 크게 다르지 않다. 그 성과는 만여 년 전에 이미 확고해졌고, 아직도 우리 문명의 기초를 이룬다.

신석기인이나 그 선조는 현대인과 다름없는 정신을 지녔다. 따라서 고대 과학과 근대 과학의 차이는, 인간 정신 발달단계의 격차에서 생기지 않는다. 그것은 다만 두 가지 양식의 과학적 사고로, 과학적 인식이 자연에 접근할 때 일어나는 두 전략적 차원의 차이에서 생긴다.

하나는 구체적인 지각이나 상상력의 차원에 생각을 집중시키는 것이다. 레비스트로스는 그것을 '구체의 과학'이라고 불렀다. 물론 다른 하나는 감각적 직관이나 상상력에서 벗어나 자연을 대상화하고, 추상화하며, 논리적으로 분석하는 근대 과학의 전략이다.[144] 그러므로 전병훈 말한 옛 성인의 '창조적 지혜(創智)'나 '신묘한 식견(神見)'이란, 곧 '구체의 과학'을 발전시킨 고대인의 지혜와 식견에 다름 아니다.

왕·발명가·신선

복희가 팔괘를 얻은 과정에 관해, 우리는 앞서 「역전」의 진술을 읽은 바 있다. "우러러 하늘의 형상을 관찰하고, 고개를 숙여 땅의 법칙을 살폈다. 새와 짐승의 무늬와 땅의 마땅한 바를 살피며, 가깝게는 몸에서 취하고 멀리는 사물에서 취했다."

---

144. 클로드 레비스트로스, 안정남 옮김, 『야생의 사고』(한길사, 1999).

복희는 하늘과 땅과 사물, 심지어 자기 몸까지 세밀하게 관찰했다. 그런 고도의 주의력이 '팔괘'의 놀라운 발명을 가져왔다. 하지만 성인의 자질은 단지 사물을 대상화하는 관찰과 숙고를 넘어선다.

그의 지혜는 관찰대상에 감응하고, 더 나아가 일체화되는 고도의 교감능력으로 완성된다. 자연의 변화에 접해 그 움직임을 예리하게 포착하고, 이를 인간의 삶에 활용하는 지혜와 능력이 남다르다. 전병훈은 『음부경』에서 이런 구절을 인용했다.

> 황제가 말했다. "자연의 도가 안정되니, 천지만물이 생겨난다. 하늘과 땅의 도가 스며드니, 음과 양이 뛰어나다. 음양이 서로 추동해서 변화가 순조롭다." 또한 말했다. "하늘의 도를 관찰하고 하늘의 운행을 집행하니, 나라가 부유하고 백성이 평안하다."[145]

『음부경』은 황제의 저서를 표방한다. 하지만 일찍부터 후대인의 위작으로 의심받았다. 주희는 아예 당나라 현종 때의 이전李筌이 지은 책으로 못을 박았다. 전병훈도 기본적으로 이 책을 위서로 본다. 하지만 위의 몇 구절만은 황제의 말이라고 승인했다.[146] 그 이치가 타당하다고 판단했기 때문이다.

실제로 인용문은 도교의 정치이념을 잘 보여준다. 즉 군주가 자연·천지·음양의 도를 관찰하고, 그 운행질서를 잘 따를 때 국태민안을 이룰 수 있다고 말한다. 이처럼 복희·신농·황제는 군주이기 전에, 자연질서를 관찰하고 천지만물에 교감하는 능력이 남다른 고대의 과학자들이다.

앞서 살핀 요·순·주공은 뛰어난 덕성으로 예의제도와 사회질서를 건립했다. 그들은 주로 예치와 윤리의 전문가들이었다. 그러나 복희·신농·황제의 정치적 성공은 자연질서를 모범으로 삼아서 천하를 다스리는 데서 비롯한다.

---

145. 黃帝曰 "自然之道靜, 故天地萬物生. 天地之道寖, 故陰陽勝. 陰陽相推, 變化順矣." 又曰 "觀天之道, 執天之行, 國富而民安." 『통편』, 299쪽.

146. 『통편』, 299쪽.

그리하여 여간해서 잘 어울릴 것 같지 않은 세 인격이 그들의 신상에 하나로 집합했다. 그들은 생활에 필요한 여러 도구와 문물의 발명가(과학자)이고, 그러면서 또한 왕이다. 그리고 끝내 하늘로 돌아가 자연과 일체화된 신선이 되었다.

사실 어떤 면에서, 이는 후대에 출현한 방사 내지는 도사의 직능이 옛 성인에게 투사된 것이다. 기원전 4세기 전국 중엽에 발해만 일대의 연燕·제齊 해안 지역을 거점으로 '방선도方僊道'가 출현했다. 중국 문헌에 최초로 기록된 신선가 일파였다.

그 분야의 전문가를 '방사方士'로 호칭했다. 그들이 이른바 '방술方術'을 발전시켰다. 방술은 곧 천문·역법·의약·양생 등의 지식과 기술, 그리고 점복·신선 등이 융합된 고대의 신비주의적 자연과학 체계였다.[147] 이런 지식과 신앙이 훗날 도교로 이어졌다. 또한 도사가 방사의 직능을 직접 계승했다.

니덤Joseph Needham도 일찍이 지적했듯이, 방사와 도사는 중국 고대 자연과학의 주된 발명가이자 전승자들이었다.[148] 그들은 자연의 배후에 심오한 이법이 감춰져 있으며, 이를 파악함으로써 세계와 인간의 참된 의미를 판독할 수 있다고 믿었다. 그리하여 진·한대 이후 천문, 역법, 지리, 화학, 의학 등의 지식과 기술이 그들에 의해 대거 성취되었다.

한편 방선도와 함께, 도가의 철학 역시 도교의 또 다른 근원이 되었다. 도가의 철학자들도 자연질서를 중시했다. "사람은 땅을 본받고, 땅은 하늘을 본받는다. 하늘은 도를 본받으며, 도는 자연을 본받는다"[149]는 『노자』의 명구가 유명하다. 인간사의 섭리를 천지의 질서, 더 나아가 '도'와 '자연'에서 찾는 자연법적 진리관을 함축한다.

노자의 이런 철학은, 그를 계승한 사상가들에 의해 더욱 심화되었다. 한 예

---

147. 이와 관련해 필자의 졸고 「秦韓의 方士와 方術」, 한국도교문화학회, 『道敎文化硏究』 제14집 (2000)을 참고한다.

148. 조지프 니덤, 이석호 외 옮김, 『중국의 과학과 문명 2』(을유문화사, 1986).

149. 人法地, 地法天, 天法道, 道法自然. 『老子』 25장.

로 장자가 말한다. "하늘이 하는 일을 알고 사람이 하는 일을 알면, 지극히 뛰어난 사람이다."[150] 급기야 한 발 더 나아가, 하늘과 인간의 일체성을 설파했다. "하늘이 곧 사람이고, 사람이 곧 하늘이다(天則人, 人則天)."[151]

바로 그 때문에, 유가인 순자荀子가 "하늘에 가려 인간을 보지 못한다"[152]고 장자를 비판하기도 했다. 그렇다고 해서, 도가의 사상가들이 현대 과학자처럼 순전히 자연질서의 연구에 매진한 건 아니다. 오히려 자연질서에서 인간사의 지침을 얻는 데 더 관심이 많았다.

이런 사상적 경향을 흔히 "자연질서에서 유추해 사람의 일을 해명한다(推天道以明人事)"는 명제로 설명한다. 도가는 자연질서를 인간 삶의 궁극적 지표로 받아들였다. 다시 말해, 자연질서에서 사회 질서의 귀감을 찾고자 했다. 더 나아가, 그들은 자연의 도를 깨닫고 그 이법을 내면화한 사람이 왕이 돼야 한다고 생각했다.

'내성외왕內聖外王'은 통상 유교의 사상으로 알려져 있다. 그러나 정작 그 출처는 『장자』다.[153] 그것은 본래 도가의 정치사상을 함축했다. 이른바 내성, 즉 "안으로 성스럽다(內聖)"는 언명은, 천지의 심오한 이치를 깨닫고 자연으로 회귀한 인간의 순수한 정신·마음의 덕성을 형용한다. 그런 자라야 비로소 리더의 기본자격을 갖추며, 또 그런 자가 나라를 다스려야 세상이 태평해진다. 그게 곧 "밖으로 왕이 된다(外王)"는 언명의 의미다.

발명가(과학자)·신선·왕의 자질을 가진 복희·신농·황제란, 곧 도가(도교)적 내성외왕의 이상을 고대의 전설적 영웅에게 투사한 기호에 다름 아니다. 전병훈이 도가의 정치철학을 논하는 첫머리를 그들의 이야기로 장식한 것도, 역시 이런 일련의 사상적 문법을 반영한다.

---

150. 知天之所爲, 知人之所爲者, 至矣. 『莊子·大宗師』.
151. 庸詎知吾所謂天之非人乎? 吾所謂人之非天乎? 『莊子·大宗師』. 성현영成玄英은 이 구절에 대해 "是知天之與人, 理歸無二. 故謂天則人, 謂人則天"라고 소疏를 달았다.
152. 莊子, 蔽於天而不知人. 『荀子·解蔽』.
153. 天下大亂, 賢聖不明, 道德不一, 天下多得一察焉以自好. …… 是故內聖外王之道, 闇而不明, 鬱而不發, 天下之人各爲其所欲焉以自爲方. 『莊子·天下』.

노자의 정치철학

하지만 여기까지는 아직 프롤로그다. 도가의 정치철학을 논하면서, 전병훈이 본격적으로 호명한 인물은 노자였다. 엄밀히 말해, 『노자』에서 자기의 정치철학을 뒷받침하는 철학의 자원들을 발굴했다. 서우는 다음 몇 가지 문맥에서 노자의 정치철학을 해명했다.

첫째, 도가의 정치철학은 민주제도에 부합한다.

둘째, 노자는 반전평화의 철학을 논했다.

셋째, 노자는 큰 도의 작용으로 세계가 통일되는 이치를 논했다.

넷째, 노자는 정치가 융성할 때 사람들이 장생하는 이치를 말했다.

다섯째, 노자는 '다투지 않는 공화'의 정치철학을 말했다.

이상의 순서에 따라, 먼저 도가의 정치철학이 어떻게 민주제도에 부합되는지부터 살펴보기로 하자.

첫째, 도가의 정치철학은 민주제도에 부합한다

① 백성의 마음을 자기 마음으로 삼다.

『노자』에서, 전병훈은 먼저 "성인은 백성의 마음을 자기 마음으로 삼는다"는 명언이 담긴 구절을 인용했다.

> 성인은 상심常心이 없으니, 백성의 마음을 자기 마음으로 삼는다. 착한 자라면 내가 착하게 대하고 착하지 않은 자라도 내가 착하게 대하니, 착함이 두터워진다. 미더운 자라면 내가 믿고 미덥지 않은 자라도 내가 믿으니, 믿음이 두터워진다. 성인이 천하에 있으매, 두루뭉술하게 천하를 위해 그 마음을 혼돈하게 한다. 백성이 모두 이목을 집중하니, 성인은 백성을 모두 어린아이처럼 돌본다.[154]

---

154. 老子曰 "聖人無常心, 以百姓心爲心. 善者, 吾善之. 不善者, 吾亦善之, 德善矣. 信者, 吾信之. 不信者, 吾亦信之, 德信矣. 聖人在天下, 惵惵爲天下渾其心, 百姓皆注其耳目, 聖

'상심常心'은 분명하고 한결같은 마음이다. 그런 마음이 왜 문제란 말인가? 변덕이 죽 끓듯 하는 것보다는 '한결같은 마음'이 낫지 않은가? 그런데 성인은 왜 한결같은 마음이 없단 말인가? 한데 여기서 '상심'이란, 딱딱하게 굳은 마음을 가리킨다. 좋고 싫음(好惡), 옳고 그름(是非)의 기준이 확고한 마음이다.

그것은『장자』에서 말하는 '성심成心'과도 통한다. 곧 '닫혀서 완결된 마음'이다. 장자가 말한다. "사람이 자기의 닫힌 마음(成心)에 따라 이를 스승으로 따른다면, 누군들 스승이 없겠는가?"[155] 이렇게 마음이 닫힌 사람은 자기주장을 절대화한다. 여간해서 상대를 인정하지 않으며, 반드시 남을 이겨 자기주장을 관철하려고 한다.

하지만 노자에 의하면, 성인이 천하를 다스리는 데는 이런 완고한 마음이 없다. 대신, 다만 "백성의 마음을 자기 마음으로 삼는다." 전병훈은 이런 노자의 언명이 '하늘의 섭리에 부합하는 공적인 마음(公心)'을 말했다고 칭송했다. 또한 그것이 "자연스럽게 민주제도의 의미에 부합한다"[156]고 평가했다. 서우의 말이다.

> 옛날의 군주는 좋고 싫고 편안하고 근심함이, 순전히 백성의 마음을 자기 마음으로 삼아서 (민심을) 듣고 따랐다. 그러므로 비록 '민주'의 명칭이 없었을지라도, 실은 이미 (민주를) 행했다고 말할 수 있다.[157]

그런데 엄밀히 말해, 이것은 민주제도에 관한 언급이 아니다. 즉 지도자가 마음을 비우고 민심을 따른다고 해서, 그 정치가 곧 민주주의인 것은 아니다. 그것은 다만 민심을 경청하는 지도자의 자질, 내지는 덕성에 관한 이야기다.

人皆孩之."『통편』, 299~300쪽. 이 글의 본래 출처는『노자』49장이다.

155. 夫隨其成心而師之, 誰獨且无師乎?『莊子·齊物論』.

156. 自然孚合於民主制之意.『통편』, 300쪽.

157. 古之爲人君者, 好惡休戚, 純以百姓心爲心而聽順之, 則雖無民主之名稱, 而其實則可謂已行也.『통편』, 300쪽.

앞서 유교의 '민본'도 그렇지만, 노자의 무상심無常心도 민주주의 구현에 필요조건이긴 하지만 충분조건은 아니다.

그러므로 군주의 공심에 관한 노자의 언명으로 '민주의 실행'을 논증하는 전병훈의 주장은 맹점이 있다. 전제왕조의 군주와 대신들이 아무리 민심을 중시해도, 주권이 국민에게 있으며 권력이 국민에게서 나오는 제도가 뒷받침되지 않는다면, 그것을 '민주의 실행'으로 보기 어렵기 때문이다.

정치적으로 아무리 중요한 인물이라도, 정치에서 개인의 자질과 사상이 발휘되는 영역은 단지 그와 인격적으로 연관된 것에만 국한되지 않는다. 따라서 통치자의 자질만으로 정치체제의 성격을 규정할 수는 없다. 통치자의 자질은 그가 속한 체제 안에서 의미를 가진다.

반대로, 어떤 정치 체제가 통치자의 자질로 결정되는 건 아니다. 즉 지도자가 민주적이라고 해서, 그의 나라가 곧 민주국가인 것은 아니다. 결국 정치체제의 성격은, 사회적으로 제도화된 구속적 의무 시스템이 확립되는 조건에 의해 최종적으로 확정된다.

하지만 제도로서의 민주주의가 형식을 갖춰졌더라도, 정치지도자의 철학과 자질이 민주주의를 구현하기에 적합한가를 묻는 건 여전히 중요하다. 민주제도 안에서 위임된 어떤 정치권력, 예컨대 대통령이나 국회의원 등의 자질과 능력은 정치현실에서 대단히 중요한 변수이기 때문이다.

그리고 이런 문맥에서 노자처럼 "(정치지도자들이) 백성의 마음을 자기 마음으로 삼는가?"를 묻는다면, 그것은 적절한 질문이다. 이 질문이 민주주의 정신에 부합한다면, 그로부터 "도가철학이 어떻게 민주주의 실현에 유용한 사상적 자원이 되는가?"를 다시 논할 수 있다.

익히 알다시피, 도가는 모든 개별자의 내적 생명 충동에 따라 천지만물이 자연스럽게 생성하고 변화한다고 본다. 그것은 신이나 상제 같은 외적 주재자에 의해 통제되지 않는다. 누가 조작하지 않아도(無爲) 제 스스로 그러한(自然),[158]

---

158. 夫莫之命而常自然.『老子』51장.

자기 운동변화의 과정이다.

'도가는 이런 자연·무위의 원리를 다시 사회철학의 기본전제로 확장했다. 즉 바람직한 사회는 천지만물이 생성하고 변화하듯이 자연·무위하는 세계다.

천하 만민이 모두 자연스럽게 자발적으로 삶을 영위하며, 일을 이루고 공이 성취되더라도 "나 스스로 그렇다(吾自然)"[159]고 여기는 사회, 백성들이 통치자가 있는지 없는지조차 모르는[160] 나라, 그러면서도 의식주에 부족함이 없고 각자의 풍속을 즐기는[161] 그런 세상을 도가는 꿈꾼다.

한데 이런 세상을 구현하기 위해서는, 먼저 통치자부터 세상을 임의로 다스릴 수 있다는 생각을 버려야 한다. 노자가 말했다. "천하는 신묘한 그릇이라 인위로 다스릴 수 없다. 천하를 어찌하려 한다면 패망하고, 천하를 잡으려 한다면 잃는다."[162]

그러므로 현명한 통치자는 독단과 과욕에서 벗어난다. 만물의 자연을 도울 뿐이지, 감히 억지로 작위하지 않는다.[163] 즉 '무심'을 얻어 '민심에 순응'한다. 그러려면, 통치자의 마음이 먼저 소박한 자연 상태를 회복해야 한다. 이런 노자의 사상에 대해, 전병훈은 다음과 같이 설파했다.

> 노자의 마음은, 전적으로 순일하고 질박한 본성으로 돌아간다. 이로써 태화泰和의 의상意象에 합한다. 그러므로 정치를 논하는 것이, 역시 인심人心에서 비롯해 천리天理의 지극한 선을 회복한다. 아! 위대하다.[164]

여기서 '태화泰和'는 문자 그대로 '큰 조화'다. 즉 삼라만상을 포괄하는 도道,

---

159. 功成事隧, 百姓皆謂 "我自然". 『老子』 17장.
160. 太上, 不知有之. 『老子』 17장.
161. 甘其食, 美其服, 安其居, 樂其俗. 『老子』 80장.
162. 天下神器, 不可爲也, 爲者敗之, 執者失之. 『老子』 29장.
163. 是以聖人, …… 以輔萬物之自然, 而不敢爲. 『老子』 64장.
164. 蓋其胸懷專是回醇反樸, 以合泰和之意象, 故論政治者, 亦因人心以復天理之至善也. 烏乎偉哉! 『통편』, 300쪽.

우주의 광대하고도 심오한 조화를 묘사한다. '의상意象'이란 의미를 함축한 형상, 이미지다. 일찍이 『주역·계사전』에서 "사물을 관찰해 상을 취한다(觀物取象)"[명제1]고 했다. 또한 "상을 세워 의미를 다한다(立象以盡意)"[명제2]고 말하기도 했다.

형상의 성격은 중층적이다. 명제1은 '상징하는 것(象)'과 '상징되는 것(物)' 간에 자연적 대응관계가 있음을 시사한다. 곧 '물상物象'에 관한 언명이다. 물상은 사물을 모사하고, 반영하고, 유비한다. 그런데 우리 마음 안의 이미지는 이런 자연적 대응관계를 토대로 하지만, 동시에 물상의 경계를 뛰어넘는 '의미'를 함축한다. 명제2에서 말하는 것으로, 곧 의상意象이다.

의미를 담은 형상이라는 문맥에서, 의상을 '의미형상' 정도로 풀어서 순치할 수 있다. 그렇다면 전병훈은 어떤 문맥에서 노자의 마음이 "큰 조화의 의상에 부합한다"고 말하는가? 단적으로 말해, 감각의 눈이 아닌 마음의 눈으로 우주의 의미형상을 파악한다는 뜻이다.

우주의 큰 조화를 육안으로 볼 수는 없다. 우주는 상상할 수 없을 만큼 광대하지만, 눈앞에 전개되는 사태는 극히 제한적이다. 또한 우주의 큰 조화는 물질적인 형식으로 표상되기 전에, 영명한 태화泰和의 기운으로 펼쳐지는 것이다.

하지만 보통사람들은 세상의 거시적인 전모보다 눈앞의 물상에 현혹되고, 정신의 미묘한 작용보다 감각의 자극에 더 즉각적으로 반응한다. 따라서 단지 관찰하고 사려하는 것만으로 우주의 '큰 조화'를 알기는 어렵다. 다만 사람이 순일하고 질박한 자연본성을 회복하면, 그 마음이 도의 큰 조화에 통해서 우주의 의미형상에 합치한다.

이런 '합치'의 경험은, 물론 감각경험이나 이성판단을 넘어선다. 그러므로 서우도 태화의 의상을 '관찰'하거나 '안다'고 말하지 않는다. 대신, 노자의 마음이 큰 조화의 의미형상에 '합한다(合)'고 한다. 이런 합치로 얻어지는 의미형상은, 곧 심상心象이다. 감각기관의 자극 없이 의식에 떠오르는 상이다.

그렇다고 해서, 아무렇게나 머릿속에 그리는 상상이나 환상과는 다르다. 그런 것은 단지 관념 안에서 제멋대로 조합되는 이미지에 지나지 않는다. '태화의 의상'이란, 영묘한 정신의 빛이 우주의 심오한 본질과 만나서 얻는 심상이다.

서우의 문맥에서는, 그런 심상이야말로 우주의 실상에 근접한 것이다. 그와 비교하면, 제한적인 감각경험으로 매개되는 물상이 오히려 실제의 그림자인 거짓상(虛像)에 지나지 않는다. 앞의 인용문을 되새겨보자. 태화의 의상은 "전적으로 순일하고 질박한 본성으로 돌아가야" 획득된다. 또한 "천리天理의 지극한 선을 회복"하는 선상에 있다.

그런 심상은 감각경험이나 이성인식보다, 미학이나 윤리적 체험에 더 가깝다. 한 폭의 그림은 단순한 세계의 모방을 넘어, 화가의 우주적 미의식을 담는다. 절제된 시어詩語, 겨우 한두 음절에도 시인은 신과 우주의 숨결을 불어넣는다. 춤은 단지 외적인 몸동작 이상이며, 무용수 내면의 미적 충동을 율동하는 몸의 형식으로 표출한다.

한데 그런 미학적 표현이야말로, 우주의 숨은 의미를 형상(이미지, 언어, 기호, 동작 등)으로 드러내는 전형적이고도 오래된, 그러면서도 강력한 형식이다. 그런데 도가의 정치철학에 따르면, 훌륭한 정치인이 갖춰야 하는 자질로 우주적 의미형상을 획득하는 이런 감수성보다 더 긴요한 것도 드물다.

널리 알려졌듯이, 『장자』 역시 미학적 개념으로 큰 조화를 묘사한다. 사람과 대지와 하늘의 하모니를 각각 인뢰人籟, 지뢰地籟, 천뢰天籟라고 한다. 사람들이 아울러 불어내는 소리의 향연, 대지 만물의 심포니, 그리고 자아의 죽음(吾喪我) 뒤에만 들을 수 있는 하늘의 교향악이다.[165]

위대한 정치가라면, 모름지기 이런 심미적 조화에 통달해야 한다. 그의 책무가 다양한 개별자와 집단의 욕구를 중재하고, 조화시키는 데 있기 때문이다. 예컨대, 그것은 여러 악기가 한데 모여 연주하는 오케스트라의 지휘자 역할로 유비할 수 있다.

지휘자는 어느 악기에도 편파적이지 않고 공정하게, 그러면서도 자연스럽게 악단 전체가 하모니를 이루도록 유도해야 한다. 노자의 말처럼 "성인이 백

---

165. 『莊子·齊物論』.

성의 마음을 자기 마음으로 삼는" 까닭이 또한 거기에 있다. 그러려면 통치자 본인의 마음부터 비워야 한다. 그러므로 "전적으로 순일하고 질박한 본성"을 회복할 필요성이 제기된다.

하지만 그게 전부는 아니다. 그건 아직 '내성內聖'의 마음가짐에 관한 언명이다. 지휘자가 단지 마음을 비우고 가만히 앉아 있으면, 관현악이 저절로 연주되는 게 아니다. 거기서 다시 '외왕外王'의 리더십이 요구된다. 지휘자가 올바르게 이끌어야, 악단은 비로소 조화로운 화음을 연주해낸다.

노자는 통치자에게 민심을 따르라고 요청한다. 하지만 그것은 백성의 이기적인 욕망이 한껏 분출되도록 하고, 만인에 대한 만인의 투쟁을 방임하라는 의미가 아니다. 지금처럼 극심한 경쟁사회, 갈등사회, 분노사회를 조장하라는 문맥은 더더욱 아니다.

악기마다 제멋대로 불협화음을 불어대는 관현악단처럼 분열되는 민심, 불화하는 공동체를 수수방관하는 게 결코 '민심의 존중'은 아니다. 사람들이 사심私心을 절제하고, 큰 국면에서 "천리의 지극한 선을 회복"하도록 이끄는 게 정치의 최종적인 목표다. 그런 목표는 물론 자연법적 근거를 가진다.

천지는 만물을 통제하거나 지배하지 않는다. 만물의 자연에 내맡긴다. 그러면서도 우주의 큰 조화를 실현한다. 최고통치자 역시 백성의 자연을 존중하면서도, '큰 조화'를 이루는 태평세계를 건설할 책무가 있다. 이처럼 정치에 대한 노자의 언명은, 늘 천지만물을 관통하는 도의 섭리를 전제로 한다.

한 예로 『노자』에서 말한다. "성인은 늘 사람을 잘 구제해서 사람을 버리지 않고, 늘 사물을 잘 구제해서 사물을 버리지 않는다."[166] 사람을 사랑하고 사물을 아끼는(愛人重物) 심덕에 관한 이야기다. 그런데 전병훈은 천지자연의 큰 섭리에 따르는 보편주의(universalism) 문맥에서 이 구절을 해석했다.

성인(노자)의 마음은, 살리기를 좋아하는 상제上帝의 마음을 우러러 체현해

166. 老子曰 "聖人常善救人, 故無棄人. 常善救物, 故無棄物." 『통편』, 300쪽. 『노자』 27장에 보이는 구절이다.

서 자기 마음으로 삼는다. 그러므로 (그 마음이) 우주를 감싸 안으며 기운이 늘 봄날처럼 조화로워서, 낳아 기르지 않는 사물이 없다. (노자가) 정치를 펼쳤다면, 지극한 덕에 감동하는 다스림이 순임금과 주공의 크고 빛나는 정치와 어찌 달랐겠는가?[167]

살리기를 좋아하는 상제의 마음, 만물을 낳아 기르는 천지의 마음에서 노자의 정치철학이 나왔다. 그런 대자연의 마음을 정치지도자가 내면화할 때, "백성의 마음을 자기 마음으로 삼는" 리더십 역시 자연스럽게 구현된다. 서우에 의하면, 그와 같은 리더십이야말로 민주제도에 부합한다.

② 무욕의 리더십

한데 어찌 보면 ""백성의 마음을 자기 마음으로 삼기"란 오히려 쉽다. 왜냐하면 그것은 집권자 한 사람의 마음에 달렸기 때문이다. 그러나 "백성이 사욕에서 벗어나 천리의 지극한 선을 회복"하도록 이끄는 것은 대단히 어렵다. 그것은 천하 만민의 마음을 변화시키는 일이기 때문이다.

이런 정치의 사명을 완수하기 위해서라도, 집권자는 개별자이기 전에 늘 세계에 대한 보편적 입법자여야 한다. 칸트가 "너는 네 의지의 준칙에 의거하여 자기 자신을 동시에 보편적 입법자로서 간주할 수 있도록 그렇게 행위해야 한다"고 요청했다. 물론 원칙적으로, 이는 시민사회의 누구나 준수해야 할 이성의 정언명령이다.

하지만 모든 사람들에게 이를 요청하기에 앞서, 지도층 인사들의 책임이 훨씬 막중하다. 특히 군주, 지금으로 말하면 국가원수의 모범구현이 중요하다. 그러므로 그에게 자연법적 선의 준수를 명령하는 것이다. 전병훈은 『노자』의 아래 명구를 인용해, "천리의 선"을 회복하는 리더십을 구체적으로 제시한다.

---

167. 聖人之心, 仰體上帝好生之心而爲心, 故包涵宇宙, 氣常春和, 無物不發生而容育焉. 施諸政治, 其感動至德之化, 與舜周隆熙之至治, 何以殊哉? 『통편』, 300쪽.

올바름으로 나라를 다스리고, 기습으로 군대를 부리며, 일 없음으로 천하를 얻는다. 내가 어떻게 그런 줄 알겠는가? 다음과 같은 것에 의해서다.

천하에 금기가 많을수록 백성이 두루 가난해진다. 사람에게 이기利器가 많을수록 나라는 더욱 혼란해진다. 사람에게 기교가 많을수록 기이한 물건들이 점점 증대한다. 법령이 창성할수록 도적이 더욱 많아진다.

그러므로 성인이 말했다. "내가 무위하니 백성이 저절로 교화되고, 내가 고요함을 좋아하니 백성이 저절로 바르게 된다. 내가 일을 꾸미지 않으니 백성이 저절로 부유해진다. 내게 욕심이 없으니 백성이 저절로 소박해진다."[168]

노자는 인위적인 제도와 장치들을 통치도구로 사용하는 걸 자제하고, 자연의 섭리에 따르는 무위정치를 펼칠 것을 주장했다. 전병훈은 이 구절 역시 정치의 지론이라고 찬탄한다. 그리고 윗사람부터 이익을 탐내고 새롭고 신기한 것을 좋아하는 욕심에서 벗어나야 한다고 말한다. 그러면 백성이 저절로 질박한 본성을 회복하고, 또한 자연의 지극한 섭리에 감화될 것이라고 강조했다.

하지만 이런 요청은, 언뜻 너무 거칠고 낭만적으로 들리기 십상이다. 약육강식의 정글이 된 복잡다단한 현대사회에서, 지순하고 무욕한 리더십이란 게 머나먼 이상으로 보이는 게 어쩌면 당연하다. 서우 역시 노자가 말하는 리더십에 회의를 표한다. 그것은 "공명과 이익을 좇고 물질을 숭상하는 세상에서 마땅히 강론하고 실행할 수 있는 바가 아니"라고 명언한다.[169]

한마디로, 현대사회에서 무욕의 리더십이 실현되기 어렵다는 이야기다. 그러나 이것은 노자의 철학이 비현실적이라는 언명이 아니다. 오히려 인류사회

---

168. 老子曰 "以正治國, 以奇用兵, 以無事取天下. 吾何以知其然乎? 以此夫. 天下多忌諱而民彌貧. 人多利器, 國家滋昏. 人多技巧, 奇物滋起. 法令滋彰, 盜賊多有. 故聖人云 '我無爲而民自化, 我好靜而民自正, 我無事而民自富, 我無欲而民自樸.'" 『통편』, 300~301쪽. 원문이 『노자』 57장에 보인다.

169. 『통편』, 301쪽.

가 노자의 철학을 수용할 만큼 충분히 진화하지 못했다는 문맥이다.

다시 말해, 노자가 말한 정치철학과 리더십이 잘못된 게 아니다. 다만 현대인이 물질문명에 길들여져 야만화하고, 본연의 성품에서 멀어져 타락했다. 그처럼 부패한 문명의 나락에서, 노자의 정치철학을 납득하고 시행할 만큼 성숙한 정신을 회복하지 못했다.

하지만 서우는 머잖아 새로운 미래가 도래한다고 낙관했다. 그는 물질의 추구가 극에 달하는 정점에서, 곧 정신을 귀하게 여기는 문명으로 전환하는 변곡점이 나타난다고 내다봤다. 그리고 그 때가 되면, 노자가 말하는 무욕·무위의 정치가 앞으로 도래할 정신문명의 지침이 될 것이라고 단언했다. 서우가 말한다.

> 세계가 장차 통일되어 대동하는 정치로 도약할 때, 노자의 장생의 도와 성스러움을 겸비한 신성한 영웅이 출현해 반드시 (노자의 가르침에서) 법을 취할 것이다.[170]

이처럼 서우는 노자철학을 오래된 미래의 지혜로 읽었다. 그리고 『노자』에서 정치의 준칙으로 삼을 만한 구절들을 뽑아 제시했다. 그 가운데 유명한 '생선 굽기'의 비유가 있다. "큰 나라 다스리기는 작은 생선 굽기와 같다. 도道로 천하를 다스리면, 그 귀신도 신령하지 않다."[171]

작은 생선을 자주 뒤척여 구우면 생선살이 헤져서 결국 너덜너덜해진다. 또한 생선이 작을수록 적당량의 양념을 주의해서 첨가해야 한다. 그러므로 전병훈은 나라를 함부로 어지럽혀 해를 입히지 말고, 지속가능한 정치의 큰 비전을 잘 조제하라[172]는 의미로 해석했다.

한편 "그 귀신도 신령하지 않다"는 구절은, 신이 요망한 재앙을 일으키지 못한다[173]는 뜻으로 풀이했다. 세상이 도를 벗어나 어지러울수록, 요망한 말세론

---

170. 世治將躋統一大同之日, 並與其長生久視之道, 有兼聖神雄者, 必來取法乎! 『통편』, 301쪽.
171. 老子曰 "治大國若烹小鮮. 以道莅天下, 其鬼不神." 『통편』, 301쪽. 『노자』 60장에 보인다.
172. 使勿撓害而善調劑之. 『통편』, 301쪽.

이나 구원론으로 선량한 가정을 파괴하고 뭇 생령들을 나락으로 몰아넣는 악덕 종교의 폐해가 기승을 부린다.

맹목적으로 신을 숭배하는 어느 누구도, 자기가 믿는 신이 "요망한 재앙"의 근원이라고 절대로 인정하지 않는다. 하지만 그런 무조건적인 광신이야말로, 그가 믿는 신이 요망한 악신惡神임을 가장 분명하게 입증하는 아이러니컬한 징표다.

서우가 말하는 '요망한 신'은 개인의 영혼을 파괴하고, 가정을 불화로 몰아넣으며, 건전한 사회공동체를 붕괴시키고, 집단 간의 분열을 조장하며, 더 나아가 테러와 전쟁을 일으킨다. 그런 악신은 집단적인 구원을 선포하고, 마치 바이러스처럼 끊임없이 새로운 숙주로 옮겨가기를 책동한다.

하여 악독한 바이러스에 감염된 숙주처럼, 개인이든 집단이든 한번 뿌리를 내린 광신에서 벗어나기는 대단히 어렵다. 그런데 정치가 불온해서 사람들이 불안과 좌절의 에너지에 휩싸일수록, 요망한 악신이 번식하고 재앙을 일으키기에 적합한 최적의 환경이 조성된다.

정치와 종교의 분리는 필수적일 뿐만 아니라, 정치가 종교의 타락에 대해 어느 정도의 책임을 져야 한다. 그렇다고 해서, 정치가 종교에 직접 개입하라는 말은 아니다. 다만 서우는 "작은 생선을 굽듯이" 섬세하고도 안정적인 정치가 필요하다고 요청한다.

그래야 사람들이 불안과 절망에서 벗어나고, 요망한 신이 새로운 숙주를 찾아 증식하는 광신의 감염환경이 개선된다는 문맥이다. 그 밖에도 전병훈은 『노자』에서 아래의 정치적 잠언들을 뽑아 제시했다.

> 많이 쌓으면 반드시 크게 잃는다. 만족을 알면 욕되지 않고, 그칠 줄 알면 위태롭지 않으니, 가히 장구할 수 있다.[174]

---

173. 意其鬼不神者, 神不作妖災云耳. 『통편』, 301쪽.

174. 多藏必厚亡. 知足不辱, 知止不殆, 可以長久. 『노자』 44장에 보인다. 『통편』, 301쪽.

구하기 힘든 재화를 귀하게 여기지 말아야, 백성이 도적이 되지 않게 할 수 있다. 욕심날 만한 것을 보이지 않아야, (백성의) 마음을 어지럽히지 않을 수 있다.[175]

(자기) 몸을 천하처럼 귀하게 여기는 사람이라야, 그에게 천하를 맡길 수 있다. 몸을 천하처럼 사랑하는 사람이라야, 그에게 천하를 부탁할 수 있다.[176]

전병훈은 특히 "많이 쌓으면 반드시 크게 잃는다(多藏必厚亡)"는 경구가 전무후무한 명언이라고 극찬했다. 사람들은 흔히 재물·지위·명성·이권·인맥 등을 재산으로 쌓는다. 노자는 이런 재산을 많이 쌓을수록 "크게 잃는다"고 한다.

한데, 언뜻 문맥이 잘 통하지 않는다. 많이 쌓는데 왜 그것을 크게 잃는가? 이건 마치 저축을 많이 할수록 통장 잔고가 줄어든다는 것만큼이나 이상한 말이다. 많은 사람들이 이 대목에서 노자의 본뜻을 오해한다. 재물이나 지위나 명성 등을 지나치게 쌓으면, 언젠가는 다시 그것을 잃게 된다는 단순한 의미로 해석하기 때문이다.

예를 들어, 『노자』 주석가로 유명한 왕필王弼(226~249)도 이렇게 말했다. "많이 쌓는 게 사물을 나눠 주느니만 못하다. 이를 구하는 자가 많고, 공격하는 자도 많다."[177] 하지만 이런 해석은 통속적이다. 노자의 본래 뜻을 헤아리려면, 텍스트에서 "많이 쌓으면 반드시 크게 잃는다"는 구절의 앞부분을 읽어야 한다. 『노자』 44장의 원문은 다음과 같다.

이름(名)과 몸(身) 가운데 무엇이 더 (내게) 가까운가? 몸과 재물 중에 무엇

---

175. 不貴難得之貨, 使民不爲盜. 不見可欲, 使心不亂. 『통편』, 301쪽. 『노자』 3장에 보인다.
176. 貴以身爲天下者, 則可以寄於天下. 愛以身爲天下者, 乃可以託於天下. 『통편』, 301쪽. 『노자』 13장에 보인다.
177. 多藏, 不如物散. 求之者多, 攻之者衆. 『老子 王弼注』 44장 주.

이 더 중한가? 얻는 것과 잃는 것에서 무엇이 병통일까? 그러므로 지나치게 애착하면 반드시 크게 깎아먹는다. 많이 쌓으면 반드시 크게 잃는다.[178]

주목할 것은, 여기서 노자가 명리·재물 등의 '사물'과 '생명(몸)'의 가치를 직접 비교한다는 점이다. 사실상 노자는 외적 사물에 집착하는 욕망이 결국 생명의 손상으로 이어지는 걸 경고하고 있다. 사물을 쌓기에만 몰두하다 보면, 그걸 쌓고 지키느라 심신의 건강과 생명을 갉아먹기 십상이라는 문맥인 셈이다.

그게 "많이 쌓으면 반드시 크게 잃는다"는 구절의 중층적 함의다. 여기서 쌓는 것은 명리·재물·지식·평판 같은 외물外物이다. 반면 잃는 것은 심신의 건강이고, 심지어 목숨도 위태로워진다. 그러므로 장자도 이렇게 말했다.

지금 세속의 군자들이 대개 몸을 위태롭게 하고 생명을 버리면서까지 외물을 좇으니 어찌 슬프지 않은가![179]

역시 『노자』 44장과 통하는 문맥이다. 한데 이렇게 생명과 맞바꾸면서까지 외물을 좇는 충동이, 단지 사람들 각자의 개인적 탐욕에서만 비롯되는 것일까? 사실 사람의 욕심은 마음 안에서 저 혼자 생겨나는 게 아니다. 인간 욕망의 상당 부분은 사회적 욕망이라고 할 수 있다.

욕망은 외부에서 자극을 받고, 다시 외부의 시선에 반응하면서 성장한다. 욕망은 개별적이라기보다 복합적이다. 나는 타인의 욕망에 영향을 받고, 또 타인에게 욕망을 전한다. 사람들이 뭔가를 가지고 싶어 하는 것은 그 사물 자체보다 그것에 내장된 특권과 평판에 대한 욕망, 즉 특권을 가진 집단에 소속되고 싶다는 욕망에서 비롯되는 경우가 많다.

그런데 이런 욕망에 따르는 게 어쩔 수 없는 인간의 본성일까? 서구의 지적 전통에서는 그렇다고 답한다. '욕망하는 인간'이 근대사회의 기본전제라는 걸

178. 名與身孰親. 身與貨孰多. 得與亡孰病. 是故甚愛必大費. 多藏必厚亡. 『老子』 44장.
179. 今世俗之君子, 多危身棄生以殉物, 豈不悲哉! 『莊子·讓王』.

여기서 다시 길게 설명할 필요는 없을 것이다. 그러나 도가의 철학자들은 욕망을 인간의 본성으로 전제하지 않았다.

그보다는 왜곡된 사회현실과 제도가 다중의 욕망을 부추기고, 사람들을 이권의 노예로 만든다고 비판했다. 엄밀히 말해, 욕망을 인간 본성의 선·악 문제로 귀결시키는 본질주의(essentialism)적 관점을 갖기보다는, 욕망이 생겨나고 증폭되며 왜곡되는 일련의 심리적이고도 사회적인 과정에 주목했던 것이다.

그리고 욕망에 물들어 인간과 세계를 망가뜨리는 일차적인 책임이 사회지도층에게 있다고 비판했다. 그들은 단지 자기들의 권력과 돈과 명예만 추구하는 게 아니다. 더 나아가 다중의 욕망을 부추기고, 분규와 전쟁을 일으키며, 사회구성원 전체를 이권의 노예로 만든다.

"조정이 피폐하고 농토가 황폐하며 국고는 텅텅 비었는데, 도리어 화려하게 치장하고 보검을 두른 채 산해진미를 물리도록 먹으며 재물은 남아도는" 자들이 있다. 부패한 소수의 권력자 그룹이다. 노자는 그들을 '도적의 우두머리(盜竽)'라고 힐난했다.[180]

그들이 백성을 그물질한다. 명예와 재물과 권력이 그물을 짜는 재료고, 법과 규범과 제도로 망網을 엮는다. 거기에 그럴듯한 슬로건과 책략, 도덕의 명분과 이념까지 더하면 지배의 그물망이 완성된다. 그러면 그 그물을 세상에 던지고, 사람들을 포획해 가둬 길들이고 동원한다.

그 와중에 불우한 백성들이 혹은 도적이 되고, 혹은 가진 게 없는 걸 한탄하며 원망에 찬 삶을 마친다. 그저 평범하게 살더라도, 평생 남의 눈치나 보면서 재물을 좇다가 인생의 참된 가치를 돌아볼 새도 없이 무덤에 들어간다. 그렇다고 늘 백성이 희생양이고, 지도층이 가해자이기만 한 것도 아니다.

---

180. 朝甚除, 田甚蕪, 倉甚虛. 服文綵, 帶利劍, 厭飮食, 財貨有餘, 是謂 '盜竽'. 『老子』 53장. '朝甚除'의 '除'는 전통적으로 크게 두 해석이 병존한다. 하나는 '청결하다'로, 왕필이 그렇게 보았다. 다른 하나는 '除'를 '廢'나 '汚'로 보는 경우로, '피폐하다'.'부패하다'는 등으로 해석된다. 옌링펑嚴靈峯·마쉬룬馬叙倫·천구잉陳鼓應 등이 이렇게 보았다. 여기서는 후자를 따른다.

상위 소수자들도 탐욕에 노예가 된 신세이긴 마찬가지다. 그들 역시 재물과 명리를 좇아 뺏고 뺏기는 쟁투, 하극상과 전쟁과 혼란으로 가득한 약육강식의 정글에 던져진다. 설령 부귀공명을 누려도, 언제 그걸 빼앗길지 몰라 늘 전전긍긍한다.

하지만 앞서 말했듯이, 노자는 이런 비극에 대해 윗자리에 있는 사람들이 더 크게 책임져야 한다고 촉구했다. 앞서 전병훈이 인용했던 노자의 명구들은 모두 거기에 대한 각성을 촉구했다. 그 요지를 다시 상기해 보자.

첫째, 많이 쌓으려고만 하지 말고, 적당한 선에서 만족하고 그치라고 경고한다. 그래야 정작 소중한 심신의 건강과 생명을 오래 보존할 수 있다.

둘째, 윗자리에 있는 사람이 재화를 탐하고 남이 욕심낼 만한 것을 과시하면 안 된다. 그러지 않으면 아랫사람의 마음이 흔들리고, 급기야 그들을 도둑으로 만들게 된다. 만약 통치자가 이 경고를 무시한다면, 민심이 혼란에 빠지고 백성이 난을 일으키는 걸 막을 수 없다.

셋째, 지도자라면 무엇보다 생명가치를 소중히 여겨야 한다. 자기 몸(생명)을 천하처럼 귀히 여기는 자라야, 비로소 그에게 천하를 맡길 수 있다고 말한다. 한데, 이런 명제는 세심하게 이해돼야 한다. 자칫하면 자기 목숨을 애지중지하는 자가 훌륭한 지도자라고 단순하게 곡해될 우려가 있기 때문이다.

통치자가 "자기 몸을 천하처럼 귀히 여긴다"는 것은, 생명을 다른 무엇보다 중요한 최고의 가치로 여긴다는 문맥이다. 다시 말해 생명 말고 다른 것, 예컨대 부귀·권력·명성·이념 등을 목숨보다 귀하게 여기지 않는다는 의미다. 또한 스스로 생명존중의 가치를 실현하는 자라야, 비로소 천하의 생명을 귀하게 보존하는 실질적인 요령을 획득한다.

"자기 몸을 천하처럼 사랑한다"는 것은, 결국 온갖 생령의 목숨을 자기 목숨처럼 사랑하다는 역설인 것이다. 생명존중의 이런 고차원적 패러독스를 이해하지 못하면, 공동체의 지도자가 언제든 구성원들을 위험에 빠뜨릴 수 있다. 왜냐하면 부귀·권력·명성·이념 등의 다른 가치를 실현하고자, 언제든 사람들의 생명을 희생시킬 수 있기 때문이다.

전병훈은 무욕, 절제, 생명존중(貴生)을 설파하는 노자의 명언이 사람들에게 두루 지극한 교훈을 준다고 찬탄했다. 그렇지만, 그것은 누구보다 국가원수에게 요청되는 덕성과 자질을 분명하게 제시한다. 이에 부언한다. "하물며 백성의 윗자리에서 원수元首의 지위를 맡은 자라면 더욱 귀중한 거울로 삼아야 하지 않겠는가?"[181]

둘째, 노자는 반전평화의 철학을 논했다

노자의 반전사상은 비교적 널리 알려져 있다. 특히 『노자』 30장과 31장이 저명하다. 전병훈 역시 그 구절을 인용했다.

> 노자가 말했다. "도로 군주를 보좌하는 자는 무력으로 천하에 강권을 행사하지 않는다. 그런 일은 쉽게 되돌아온다.[칼로 일어선 자는 칼로 망한다.—역자 주] 군대가 머무는 곳에는 가시밭이 무성하고, 대군이 지나간 뒤에는 반드시 흉년이 든다."(『노자』 30장)
>
> 또한 말했다. "무릇 훌륭한 무기는 상서롭지 않은 도구다. 누군가는 이를 싫어하고, 따라서 도가 있는 사람은 그것을 곁에 두지 않는다. 그러므로 군자가 평소 거처에서 왼쪽을 귀히 여기지만, 군대를 부리는 데는 오른쪽을 귀히 여긴다.
>
> 무기(군대)는 상서롭지 않은 도구로, 군자의 도구가 아니다. 부득이하여 이를 쓰더라도 담담한 것이 최상이다. 이겨도 찬미하지 않는다. 전승을 찬미하는 것은 살인을 즐기는 것이다. 무릇 살인을 즐기는 자는 천하에서 뜻을 얻을 수 없다.
>
> 좋은 일은 왼쪽을 높이고, 나쁜 일은 오른쪽을 높인다. 따라서 편장군을 왼쪽에 두고, 상장군을 오른쪽에 두어 상례喪禮로써 대처한다. 죽은 사람이 많으니 애처롭게 슬피 울고, 전쟁에서 이겨도 이를 상례로 처리한다.(『노

---

181. 節節儆人之至教, 況居民上, 當元首之地者, 不尤作寶鑒乎? 『통편』, 302쪽.

자』 31장)[182]

단지 노자만 이런 반전을 말한 게 아니다. 서우는 옛 성인들이 대개 다 덕치에 치중하고, 부득이한 경우에만 군대를 동원했다고 강조한다. 그 근거로 『주역』에서 "군사가 송장을 싣고 돌아오니, 흉하다"는 구절을 예시했다.[183] 또한 '무기·전쟁'을 뜻하는 과戈와 '그친다'는 의미의 지止가 합쳐져 무武 자가 된다는 『좌전』의 유명한 해석도 불러왔다(止戈爲武).[184]

즉 무력(군대)의 의의는 전쟁을 그치는 데 있다는 뜻이다. 이런 부언을 더한 뒤, 서우는 "훌륭한 무기란 상서롭지 않은 도구로 살인에 이롭게 쓰이는 것"이라는 『노자』 31장의 언명을 상기시킨다. 그리고 이 구절이야말로 실로 절실해서, 만세토록 귀감이 되는 경고라고 찬탄했다.[185]

이어서 그는 노자의 반전사상으로 20세기의 참혹한 세계대전을 반추한다. 먼저 "근세에 가장 부강한 문명을 이룬 국가들이 살상용 무기를 개발해 비축한 지 사오십 년이 됐다"고 고발한다. 19세기 중엽부터 과학기술로 무기의 체계와 성능이 획기적으로 발전했고, 제국주의로 치닫던 서구 각국이 경쟁적으로 무기 개발과 생산에 돌입했던 일을 지목하는 것이다. 그리고 "급기야 그 살인기계들을 작동해 전쟁이 발발했다"며 제1차 세계대전의 참상을 다음과 같이 묘사했다.

---

182. 老子曰 "以道佐人主者, 不以兵強天下. 其事好還. 師之所處, 荊棘生焉, 大軍之後必有凶年."[『老子』 30장] 又曰 "夫佳兵者, 不祥之器, 物或惡之. 故有道者不處. 是故君子居則貴左, 用兵則貴右. 兵者不祥之器, 非君子之器. 不得已用之, 恬淡爲上, 勝而不美, 而美之者, 是樂殺人也. 夫樂殺人者, 不可得志於天下矣. 故吉事尚左, 凶事尚右, 是以偏將軍處左, 上將軍處右, 以喪禮處之. 殺人衆多, 以悲哀泣之. 戰勝, 以喪禮處之."[『老子』 31장] 『통편』, 302쪽.

183. 師或輿尸, 凶. 『周易.師卦』.

184. 『통편』, 302쪽. 전병훈은 "止戈爲武"의 출처를 『상서(書)』로 표기했지만, 실은 『좌전左傳·선공12년宣公十二年』에 보이는 구절이다.

185. 『통편』, 302쪽.

> 하늘까지 번질 참화가 연달아 열여덟 국가 이상으로 미쳤다. 천지를 진동해서 서로 참살한 인명이 2천만 명이 넘고, 재산과 민간인의 피해는 얼마나 되는지 알 수 없다. 거포·비행기·잠수함에 귀신마저 놀라서 울며, 인명을 쉽게 살상하는 괴이한 무기가 사라지길 바랄 지경이다. (전쟁이) 극도로 흉폭하고 잔혹해서, 사람의 도리를 잃을 정도로 참혹하다. 실로 천지가 개벽한 이래 일찍이 없었던 살겁殺劫이라고 말할 수 있다.[186]

전병훈이 『정신철학통편』을 집필할 당시 제1차 세계대전(1914~1918)이 벌어졌다. 비록 동아시아에 직접 참화가 미치지는 않았지만, 그 전쟁의 가공할 참상에 온 세계가 전율했다. 위에 인용된 통계에 다소 오류가 있다. 850여만 명의 군인이 전사했으며, 부상병이 2천만 명을 넘었다. 민간인 사망자 수는 군인 전사자보다 많아서 약 1,300만 명으로 추산된다. 민간인 희생자는 대개 헐벗음·질병·굶주림, 그리고 대량학살 등으로 비참하게 목숨을 잃었다.

한데 그 뒤에 이어진 20세기의 전쟁들과 비교하면, 제1차 세계대전조차 소위 '재래식' 살상무기로 치러진 구식 전쟁이었다. 제2차 세계대전, 한국전쟁 등에서 파괴력이 훨씬 증대한 무기들이 동원됐다. 사망자가 4천만에서 5천만 명을 헤아리는 제2차 세계대전(1939~1945)은 인류역사상 가장 피비린내 나는 전쟁이었다. 전쟁 막판에 등장한 핵폭탄은 향후 무기의 개념을 완전히 바꿨다. 그리고 한국전쟁(1950~1953)은 한반도에 제한된 국지전이었음에도, 민간인을 포함해 3년간 약 450만 명에 달하는 인명피해가 발생했다.

하지만 매번 전쟁이 처음 시작될 때, 그것이 어떤 참극이 될지를 예상한 사람들은 거의 없었다. 전쟁이 일어날 때마다, 애국의 물결이 각국을 휩쓸었다. 사람들 대다수는 국가를 방어하고 정의와 도의를 수호하기 위해 전쟁에 나선다고 생각했다.

---

186. 滔天之慘禍, 聯至十八國之多. 擧天地震蕩, 互相殲殺之人命至二千萬餘, 而傷財害民者不知凡幾. 巨礮·飛航·潛艇, 神泣鬼驚, 善戕人命之奇器, 蔑不出焉. 極其兇殘. 慘無人理. 誠可謂天地開闢以來, 前所未有之殺劫也. 『통편』, 303쪽.

인류사의 전쟁은 늘 그렇다. 모든 전쟁이 명백한 살인을 애국, 정의, 도덕, 신의 명령 같은 명분으로 미화한다. 그러나 진실을 말하자면, 전쟁은 노자의 언명처럼 '살인을 즐기는' 사이코패스의 집단적 광기인지 모른다. 다시 전병훈의 말이다.

> 노자가 말한 바에서, 천도가 "반드시 되돌아오고(好還)"[187] "어긋남이 없다(不忒)"[188]는 것을 이런 전쟁으로 증험할 수 있다. 가장 강한 저들이 그 마음에서 살상을 숭상한 지 이미 오래되었다. 그러니 하늘이 죽음으로 되갚는 것이 그처럼 극심하다.
>
> 우리 온 세계의 오대주(五洲) 동포를 돌아보며 말한다. 어찌 (전쟁의) 두려움을 각성해서, 하늘의 훈계로 근신하고 또한 거울로 삼지 않을 수 있겠는가?[189]

누차 말했듯이, 서우는 세계통일정부의 출현을 학수고대했다. 무엇보다 전쟁이 사라진 세계를 갈망했기 때문이다. 그가 희구한 영구평화란, 달리 말해 '영원히 전쟁을 하지 않는 상태의 지속'을 의미했다.

인류의 20세기는 참혹한 전쟁으로 물들었다. 하지만 다른 한편에서 인도주의가 주창되고, 무도한 제국주의 강권이 퇴조했다. 국제사회의 평화협력이 공론화된 한 세기이기도 했다. 전병훈은 제1차 세계대전 직후에 싹튼 이런 변화의 조짐을 예의주시했고, 거기서 영구평화의 기미를 찾았다.

특히 제1차 세계대전을 계기로 신흥강대국으로 부상하며 국제사회의 새로

---

187. '好還'의 출처는 『노자』 30장의 "以道佐人主者, 不以兵強天下, 其事好還"이다. 천도는 공정해서 선악이 언제나 그에 상응하는 결과로 돌아온다는 "천도호환天道好還"이라는 말이 여기서 유래해 널리 쓰였다.

188. '不忒'는 『노자』 28장의 "常德不忒"에서 유래했다.

189. 老子所言天道之好還不忒者, 於是可驗也. 彼最強者其心之尚殺已久, 故上天之報償以殺者, 如彼其劇也. 惨言我宇內五洲之同胞, 於斯尚不省覺懍畏, 以謹天戒乎, 且作徵鑒乎? 『통편』, 303쪽.

운 질서와 논의를 이끈 미국에 서우는 큰 기대를 걸었다. 당시 윌슨Woodrow Wilson(재임 1913~1921) 대통령이 전후의 평화 정착을 위해 14개 조항을 제안하고, 국제연맹의 설립을 주창했다. 서우는 그 공덕을 다음과 같이 극찬한다.

> 아! (미국의) 그 빼어난 공훈과 성스러운 덕이 세상에서 가장 뛰어나다. 비로소 영구평화의 신세계를 건립하기 시작하니 '대동세계로 점차 나아가고 태평을 바랄 만하다'고 말할 수 있다.[190]

전병훈의 이런 찬탄은, 20세기 초 국제사회의 전향적인 평화 논의와 미국의 새로운 리더십에 대한 기대를 반영한다. 그로부터 다시 한 세기가 지났다. 하지만 평화의 기대는 충분히 실현되지 않았다. 많은 사건과 큰 변화들이 있었지만, 세계는 여전히 가공할 전쟁의 위험에 노출돼 있다.

전병훈이 '살인기계(殺機)'로 표현한 무기체계와 군사기술은, 오히려 과거 어느 시대와도 비교할 수 없이 치명적으로 발전했다. 평화 역시 충분치 않다. 모두 알다시피, 20세기 말에 지구상의 여러 나라가 이미 핵무기를 비롯한 가공할 살상수단들을 보유하게 되었다.

핵무기를 싣고 초음속으로 이동하는 대륙간탄도탄과 단거리 미사일, 핵탄두 미사일과 어뢰를 탑재한 잠수함이 대륙과 바다 곳곳에 배치돼 있다. 지난 세기의 여러 전쟁에서 독성 화학물질과 생물학적 무기가 대량살상용으로 사용됐고, 지금도 꾸준히 실험되고 있다. 우주무기와 전투로봇, 디지털 네트워크 환경의 정보전도 전쟁의 새로운 양상을 만들어 낸다.

제2차 세계대전 이후 비록 세계적인 규모의 전쟁은 없었으나, 세계 도처의 분쟁지역에서 크고 작은 전쟁과 전투가 끊이지 않는다. 미국은 여전히 최강대국으로 국제질서 유지에 큰 역할을 수행하지만, 전병훈이 세계평화의 보루로 찬탄했던 20세기 초 미국의 인도주의적 면모는 사실상 크게 퇴조했다. 국제연

---

190. 烏乎! 其殊勳盛德冠絕宇宙, 始建永久和平之新世界者. 可謂大同有漸, 太平可望也.『통편』, 303~304쪽.

맹을 승계한 국제연합(UN)의 위상과 기능 역시 전병훈이 기대했던 '세계통일 정부'와는 괴리가 크다.

그러나 한 세기 전의 꿈이 지금 충분히 실현되지 못했다고 해서, 전쟁이 사라진 평화로운 세계의 이상이 폐기되는 건 아니다. 노자의 말처럼 "전승을 찬미하는 것은 살인을 즐기는" 것이다. "전쟁에서 이기면 상례로 슬퍼하라" 이런 언명에 공명하는 인류애가 살아 있는 한, 전병훈의 말처럼 "강자들의 마음에서 살상을 숭상하는" 문명의 오랜 병폐를 치유하려는 열망도 사라지지 않을 것이다.

하지만 오늘날 패권을 향한 욕망, 첨단무기의 가공할 파괴력 역시 한순간에 인류의 종말을 초래할 만큼 위협적이다. 미래는 어떤 풍경일까. 만국이 대동하는 태평세계? 아니면 모든 것이 잿더미로 내려앉는 아마겟돈의 전쟁? 반전평화의 꿈과 불온한 현실의 변주, 도심과 인심의 두 마음 사이에서 불확실한 미래로 향하는 기로에 선 현대인의 시선이 흔들린다.

셋째, 노자는 큰 도의 작용으로 세계가 통일되는 이치를 논했다

『노자』는 도와 덕에 관한 가르침이라는 뜻에서 『도덕경』의 별칭을 얻었다. 하지만 이 책에서 '도'를 직접 진술하는 대목은 의외로 많지 않다. '도'가 주어로 등장하는 몇 안 되는 장절에서 특히 유명한 것이 다음 구절이다.

> 도는 텅 비었지만 아무리 써도 다함이 없다. 그윽하게 깊어 만물의 근원이 되는 듯하다. 사물의 날카로움을 무디게 하고 어지러운 것을 풀어내며, 그 빛을 조화시켜 티끌과 하나가 되게 한다. 깊고 고요하여 마치 있는 듯(없는 듯)하다. 나는 그(道)가 누구의 자식인지 모르지만, 상제보다 앞서는 것 같다.[191]

---

191. 道沖而用之或不盈, 淵兮似萬物之宗. 挫其銳, 解其紛, 和其光, 同其塵. 湛兮似若存. 吾不知誰之子, 象帝之先. 『통편』, 304쪽. 『노자』 4장의 글이다.

여기서 "(도가) 상제보다 앞서는 것 같다"는 언명에 대해, 전병훈은 "시작이 없는 시작(無始之始)"에 대한 진술이라고 주석했다.[192] 우주에 시작이 없다는 것은, 동아시아에서 아주 특징적인 세계관이다. 이런 시간대에 이미 '도'가 있다.

그러나 창조론에서는 시작이 있으므로, 당연히 끝도 있다. 다시 말해, 천지가 어느 순간에 창조됐다는 믿음은 논리적으로 반드시 종말의 관념을 수반한다. 이런 우주는 비유하자면, 시발역에서 종착역까지 일직선으로 이어진 궤도를 달리는 열차를 연상시킨다. 기차가 시발역을 출발해 종착역에 도달하면, 세계는 거기서 마감을 고하게 된다.

그러나 동아시아인의 우주에 놓인 열차의 궤도는 그렇지 않다. 시발역과 종착역은 사실상 별개의 역이 아니다. 철로는 일직선으로 뻗은 것 같지만, 실은 둥글게 연결된 궤도를 그린다. 우주, 즉 시간과 공간은 끊임없이 순환하는 무한궤도를 달린다. 하지만 거기에도 한 바퀴를 도는 주기는 있다. 한 방향으로 움직였다가 다시 본래의 자리로 돌아오는 사이클이다.

거기서 한 주기의 마감은 곧 새로운 주기의 시작이다. 예를 들면, 1월 1일에 시작한 한 해가 12월 31일에 한 주기를 마친다. 하지만 12월 마지막 날의 24시는 곧 새해 첫날의 0시와 같은 시간이다. 고대 동아시아인은 사계절이 뚜렷하게 순환하는 자연의 패턴에서 무한우주의 주기운동에 대한 관념을 얻었다.

봄·여름·가을·겨울 사계절의 운행은, 시작도 끝도 없는 우주의 순환을 압축한 시간의 전개를 보여준다. 거기서 계절의 변화를 지배하는 최종 요인은 태양에너지의 강약이다. 태양에너지가 곧 양陽의 원천이며, 그것이 약화되거나 부재한 상태가 음陰이다. 그리고 양과 음의 강약이 사계절의 변화를 일으킨다.

그런데 이런 주기운동에서 보더라도, 어쨌거나 우주의 한 주기가 시작되는 시발점을 상정할 수 있다. 그 지점에서 하늘과 땅의 구분도 없고, 모든 것이 나뉘지 않은 채 형체도 없이 하나로 뭉친 아득한 원시우주를 상상했다. 원시우주는 태시太始·태소太昭·무극無極 등으로 불리는 혼돈미분混沌未分의 상태였다.

---

192. 帝者, 上帝也. 先者, 無始之始也. 『통편』, 304쪽.

그것이 갈라지면서 비로소 천지가 나뉘고, 음양이 교체하며 만물이 생성된다. 이를 천지개벽이라고 한다. 개벽開闢이란 곧 쪼개져 열린다는 뜻이다. 본래부터 있던 원시우주 안에서 기운이 꿈틀대다가 마침내 갈라져 천지와 만물이 생동한다. 이런 개벽은 씨앗이 쪼개져 싹이 움트거나, 알이 갈라져 부화하는 순간을 연상시킨다.

그런데 '도'는 이런 천지개벽 이전과 이후의 모든 시공에 두루 퍼져 있다. 그러므로 『노자』에서 말한다. "나는 (도가) 누구의 자식인지 모른다. 상제보다 앞서는 것 같다." 전병훈도 그것을 도의 '시작이 없는 시작'에 관한 언명이라고 해석했다.

이런 도는 사람들이 흔히 하늘에서 구하는 하느님·상제·신(God)처럼 인격이 투사된 초월적 조물자나 주재자가 아니다. 전병훈은 노자가 말하는 '도'가 곧 태화일기라고 딱 잘라 말했다.

> 도는 곧 태화일기太和一氣로, 천지간에 가득히 차 있다. 우주를 감싸고 오대주의 모든 국가에 미치니, 장차 지구촌을 통일하려는 자는 반드시 이 도를 체득해 활용한 뒤에야 능히 통일을 이룰 수 있다.[193]

태화일기를 직역하면 '크게 조화로운 한 기운'이다. 태화太和는 깊고 광대하게 조화를 이루는 상태를 묘사한다. 일기一氣는 곧 하나의 기운이다. 일찍이 『장자』도 말했다. "천하를 통틀어 하나의 기운일 뿐이다. 성인은 그러므로 '하나'를 귀하게 여긴다."[194]

여기서 '하나'는 전일하다는 문맥이다. 그것은 분리되지 않는 유기적 전체이고, 언제 어디에나 편재하며, 무한하고, 완전하다는 의미를 함축한다. 전병훈은 이어서 『노자』 34장의 다음 구절을 인용했다.

---

193. 道是太和一氣, 充滿天地. 包宇宙曁五洲萬國, 將欲統一球宇者, 其必體用此道, 然後能之矣. 『통편』, 304쪽.

194. 通天下一氣耳, 聖人故貴一. 『莊子·知北遊』.

> 큰 도가 두루 충만해 좌우에 가득하다. 만물이 그에 의지해 생기지만 (그 역할을) 과시하지 않는다. 공을 이루고도 이름을 가지지 않으며, 만물을 입히고 기르면서도 주인 노릇을 하지 않는다. 도는 항상 욕심이 없으니 '작다'고 부를 수 있다. 만물이 귀의해도 주인 노릇을 하지 않으니 '크다'고 부를 수도 있다. 그러므로 성인은 끝까지 크다고 하지 않으며, 따라서 능히 그 위대함을 완성한다.[195]

앞서 『노자』 4장이 도의 실체(본체)에 관해 진술했다면, 위의 34장은 도의 작용 내지는 운동에 대해 말한다. 도는 어디에나 편재하며 만물을 낳고 기른다. 또한 만물이 마침내 돌아가는 귀의처이기도 하다. 실로 숭고한 역할이지만, 도는 그것을 과시하지 않는다. 그러면서도 만물의 주인을 자처하거나 주재하지 않는다. 도는 위대한 공을 이루고도, 자기의 이름이 불리길 원치 않는다.

그런데 『노자』 34장의 마지막 구절은 본래 다음과 같다. "(도는) 끝까지 스스로 크다고 하지 않으며, 따라서 능히 그 위대함을 완성한다(以其終不自爲大, 故能成其大)." 그리고 위 인용문에서는 이렇게 진술한다. "그러므로 성인은 끝까지 크다고 하지 않으며, 따라서 능히 그 위대함을 완성한다(是以聖人終不爲大, 故能成其大)."

이 구절은 본래 『노자』 63장에 보인다. 이게 『노자』 63장의 글귀를 34장으로 착각한 오류인지, 아니면 일부러 문구를 바꿔 삽입한 것인지는 분명치 않다. 주목할 것은, 이 두 구절이 단지 '도'와 '성인'으로 주어만 다를 뿐이지 동일한 문맥이라는 점이다.

위대한 과업을 성취하고도 끝끝내 스스로 '크다' '위대하다'고 자처하지 않

---

195. 大道汎兮, 其可左右, 萬物視[恃]之以生而不辭, 功成不名有, 衣被[養]萬物而不爲主. 常無欲, 可名於小, 萬物歸焉而不爲主. 可名於大, 是以聖人終不爲大[以其終不自爲大], 故能成其大. 『통편』, 304쪽. 여기 보이는 『노자』 34장은 약간의 문구와 끊기가 『노자』(통행본) 원문과 다르다. 문구가 다른 것은 [ ] 안에 통행본의 내용을 표기했고, 끊어 읽기와 번역은 통행본을 따른다. 다만 "是以聖人終不爲大, 故能成其大"는 『노자』 63장에 보이는데, 전병훈의 의도를 살려 그대로 번역했다.

으므로, 마침내 그 크고 위대함이 완성된다. 이는 도의 위대한 덕성인 동시에, 도를 체득한 성인의 덕성이기도 하다. 이것은 또한 진정으로 '큰' 게 무엇인가를 웅변한다.

대국·대통령·대법원·대기업·대학교. 세상에는 '대大'의 칭호가 붙는 나라와 기구와 직위가 많다. 그들이 도의 작용을 본받는다면 어떻게 될까? 그 영향력이 세상 어디에나 미치지만, 세계의 주인이나 지배자가 되려 하지 않는다. 모든 나라와 국민과 시장이 그 혜택을 입지만, 자기만의 권익과 명성을 추구하지 않는다.

이런 나라와 지도자와 기업이라면, 스스로 크다고 자처하지 않아도 사람들이 그들을 크다고 칭송할 것이다. 그리하여 마침내 '크다(大)'는 수식에 걸맞은 대국·대통령·대기업의 크고 위대함이 완성된다. 이것이 곧 노자가 말하는 '큰 도'의 이치다.

그러나 우리는 현실에서 그런 위대한 국가와 지도자와 기업을 거의 본 적이 없다. 대신 세계를 약육강식의 정글로 만들며, 더 크고 강대하기를 갈망한다. 모든 나라와 인민과 시장에 군림하고 지배하기를 꿈꾼다. 그런 탐욕의 노예들이 인권을 유린하고, 세계를 전장으로 만들며, 온갖 분란을 일으키는 걸 지켜봤다.

하지만 그렇지 않은 '큰' 나라와 지도자와 기업은 정말 있을 수 없는 것일까? 그러므로 전병훈이 말한다. "공자의 대동정치와 칸트의 세계정치는, 그 성스러운 덕이 반드시 이 장(『노자』 34장)에서 말하듯이 '크게 포용하는(包大)' 것이 되어야 한다. 그런 뒤에야 비로소 능히 세계를 하나로 통일할 수 있다."[196]

단지 나라가 크다고 대국이 아니다. 그 덕이 만국을 포용해야 대국이다. 단지 직위가 높다고 대통령이 아니다. 그 덕이 모든 국민을 감싸 안아야 대통령이다. 단지 매출이 많다고 대기업이 아니다. 그 혜택이 크고 작은 기업과 시장에 두루 미쳐야 대기업이다.

---

196. 孔子之大同政治, 康德之世界統治者, 其聖德必能如此章所稱之包大者, 然後能一統九垓焉. 何可疑乎! 『통편』, 305쪽.

우리나라에도 이런 큰 뜻과 덕량을 지닌 대 정치가와 기업이 출현하기를 기다린다. 그래야 대한민국도 비로소 그 이름에 걸맞은 '대한'의 큰 나라가 되지 않겠는가?

태화일기와 지구촌의 통일

전병훈은 태화일기가 우주를 감싸고 오대주의 모든 국가에 미치므로, 장차 지구촌을 통일하려면 반드시 그 도를 체득해 활용해야 한다고 단언했다. 이는 크게 두 가지 문맥에서 의미가 있다.

첫째, 태화일기는 발생론의 차원에서 우주의 뿌리이다. 천지만물이 모두 그로부터 생겨났다. 둘째, 태화일기는 언제 어디나 편재하며 세계에 통일성을 부여한다. 그것은 천지만물이 존립하고 운동하는 힘의 원천이며, 존재의 근본이다.

먼저 발생론의 문맥에서 본원으로서의 도, 태화일기에 관해 말해 보자. 그것은 지상에 인간과 만물이 출현하기 이전, 심지어 하늘과 땅이 나뉘기 전부터 존재하던 선천의 기운이다. 원시우주는 모든 물질과 에너지가 하나의 도, 태화일기로 온축된 상태였다. 그것이 갈라져서, 그로부터 우주와 천지만물이 생겨났다. 이런 도의 차원에서 보면, 인류와 만물은 한 뿌리에서 나온 형제요 동포가 아닌 게 없다.

우주와 만물의 본원에 대한 이런 인식은 현대 자연과학과도 상통한다. 현대 물리학과 생물학은 과거 어느 시대의 인류도 알지 못했던 지식의 영역에 도달했다. 그리고 지금도 전 세계의 과학자들이 우주와 생명의 비밀을 밝히는 경이로운 여정에 참여하고 있다. 하지만 그 첨단이론을 논하는 것은 필자의 자격을 벗어난 일로, 여기서 다룰 수 있는 논제가 아니다.

다만 인류가 전부 한 조상에게서 나왔고 그 조상 역시 다른 생물들과 함께 지구상 최초의 생명체로부터 비롯됐다는 진화생물학, 그리고 이런 생명과 지구는 물론 창공의 태양과 밤하늘의 별들까지 전부 원시우주가 폭발하던 순간의 시간대에 터져 나온 물질과 에너지로 이뤄졌다는 우주물리학 이론에 함축된 소박한 의의를 생각해 볼 수 있다.

이런 자연과학의 진실을 인문학의 언어로 번역할 때, 우주만물과 인류가 한 뿌리에서 나온 형제요 동포라는 전병훈의 철학적 언명과 조우한다. 이런 인식은 물론 인류애의 증대에 기여할 수 있다. 하지만 사람들은 내셔널지오그래픽의 우주발생과 생명진화 다큐멘터리를 저녁에 보고, 다음 날 아침에 전쟁발발 기사를 읽으면서도 별다른 혼란에 빠지지 않는다.

인류가 한 뿌리에서 나왔다는 사실만으로 형제애의 회복이 가능하다면, 진화론이 널리 알려진 뒤에 이미 지구촌은 한 가족이 되었을 것이다. 그런데 진화론은 오히려 스펜서Herbert Spencer 유의 사회진화론을 낳았다. 그것은 약육강식·적자생존의 투쟁으로 제국주의와 인종주의를 합리화한다.

그러므로 도, 태화일기가 단지 우주만물 발생의 본원이라는 이유만으로 세계의 통일을 말하기에는 부족하다. 통합의 현재적 근거를 얻기 위해, 언제 어디나 편재하며 세계에 통일성을 부여하는 태화일기의 존재론적 양상에 주목할 필요가 있다.

'통일'이란 다양한 여러 사물이 어떤 점에서 합치해서 하나의 전체에 같이 소속하는 관계이다. 그러므로 통일을 이루고 유지하려면 여러 사물에서 '합치하는 어떤 점'을 찾아야 한다. 그런데 사람들은 여기서 흔히 집단의식에 의지한다. 집단의식이란, 최소한 두 개체 이상이 어떤 집합체에 소속돼 있다는 개인적·집단적 감정이나 관념인 '우리 집단(me-group)' 의식이다.

세상을 살아가려면 어딘가 소속돼야 하고, 일단 소속되면 그 패거리의 '우리 집단' 의식을 내면화할 것을 요구받는다. 세상에 얼마나 많은 집단의식이 부유하는지 돌아보자. 국가는 애국을, 민족은 애족을, 학교는 애교를, 동네는 애향을, 직장은 애사를, 가문은 혈연을, 종교는 믿음을, 이념은 헌신을 요구한다. 그래도 사람들은 어떤 집단에든 소속되기를 바라고, 특정한 집단의식으로 자기의 정체성을 삼으려 한다.

한데 이런 '우리 집단'은 자기가 속한 그 외의 집단인 '그들 집단(they-group)'과 대비된다. 우리 집단에 결속된 구성원들에게, 그들 집단은 늘 어느 정도의 적대감이나 부정적인 느낌을 수반한다. 하지만 아이러니하게도, 한 집단의 가치·규범·태도 등은 대개 그 집단이 적대하는 다른 집단과 반드시 다르지 않다. 예를 들어 영·호남의 지역주의, 기독교와 이슬람의 근본주의, 북한의 주체사상과 남한의 반공주의, 중화민족주의와 한민족우월주의는 사실상 같은 유형의 신념이 버전을 달리한 데 지나지 않는다.

한 집단 구성원의 준거점인 애향·믿음·헌신·애국·애족이 상대 집단 구성원의 준거점과 같거나 거의 다르지 않다. 각 집단이 '우리 집단'을 칭송하고 과대평가하며 자기 밖의 '그들 집단'을 적대하고 폄하하는 방식으로 공동체의 존립과 확대를 도모하는 것도 서로 빼다 박았다. 준거집단의 이념과 가치를 각 구성원이 각자의 자세와 행동으로 변화시켜 받아들이길 요구하는 것도 중요한 공통점이다.

『장자』가 오래전에 언급했듯이 "세상 사람들은 대개 남이 자기와 같은 것을 좋아하고, 남이 자기와 다른 것을 싫어한다."[197] 자기와 다른 사람을 좀처럼 용납하지 못하고, 그 사람을 기필코 자기와 같은 부류로 만들려고 한다는 말이다. 이런 집단의식에 사로잡히면 독단에 빠지기 쉽다. 자기가 준거점으로 삼는 가치·규범·태도만이 옳고 훌륭하며, 다른 것은 모두 틀렸거나 하찮다고 여긴다. 『회남자』는 이런 부류가 '큰 도에 막혔다'고 지적했다.

> 지금 전심전력으로 하나의 절도만 지키고 하나의 행위만 밀고 나가, 비록 부서지고 멸망하더라도 오히려 더욱 변하지 않는 사람이 있다. 이런 자는 자기가 선호하는 작은 가르침만을 살필 뿐, 큰 도에는 막혀 있다.[198]

---

197. 世俗之人, 皆喜人之同乎己, 而惡人之異於己也.『莊子·在宥』.

198. 今捲捲然守一節, 推一行, 雖以毁碎滅沈, 猶且弗易者. 此察於小好, 而塞於大道也.『淮南子·人間訓』.

'큰 도에는 막힌' 자들은 곧 독단론(dogmatism)을 고집하는 부류이다. 이런 독단론이 사회적으로 확산될 때 인류는 크고 작은 종교전쟁과 파시즘·군국주의 등의 참화를 경험했다. 전병훈이 말하는 지구촌의 통일이 이처럼 '큰 도에는 막힌' 자들에 의해 달성될 수 있을까? 그럴 리가 만무하지만, 설령 그렇다고 해도 큰 재앙이다. 그러면 반대로 '큰 도를 체득해 통달한' 사람들의 태도는 어떤 것일까? 앞서도 한 번 살펴봤지만, 다시 『회남자』를 참고해 보자.

> 무릇 도를 체득해서 만물에 통달한 사람들은 서로를 비난하지 않는다. …… 그러므로 백가百家의 말은, 취지가 상반되지만 그것이 도에 합치되기는 한가지다. 비유하자면, 현악기·목관악기·금관악기·돌로 만든 악기 등을 합주하는 것과 같다. 그 악기의 유파는 다르지만 음악의 본체에서 벗어나지는 않는다. 백락伯樂·한풍寒風·진아秦牙·관청管靑 등이 서로 말을 다루는 기술이 각자 달랐지만, 그들이 말에 대해 잘 알았던 것은 한가지이다.[199]

따지고 보면, 같은 부류의 사람끼리 백날 똑같은 말을 지껄이는 것처럼 재미없고 한심한 일도 없다. 한 종류의 악기를 수백 명이 한꺼번에 불어 대고, 한 가지 반찬으로 가득한 밥상을 상상해 보라. 그것은 생각만으로도 우리를 질리게 만든다. 악기와 반찬의 '차이'가 음악과 밥상을 풍성하게 하듯이, 다양한 지식과 생각의 합주야말로 세상을 풍성하게 만드는 원천이다. 그러므로 위에서 백가의 자유로운 향연과 소통을 여러 악기의 합주에 빗댄 것이다.

하지만 그렇다고 해서, 서로 다른 각자가 저마다 고립된 성채 안에 유폐되어 "너는 너, 나는 나"라고 인식하는 극단적인 상대주의나 이기주의를 옹호하는 것은 아니다. 도가의 철학자들은 사물을 고립된 개체로 보지 않고, 만물의

199. 夫稟道以通物者, 無以相非也. …… 故百家之言, 指奏相反, 其合道一體也. 譬若絲·竹·金·石之會樂同也. 其曲家異, 而不失於體. 伯樂·韓風·秦牙·管靑, 所相各異, 其知馬一也. 『淮南子·齊俗訓』.

연결과 소통의 맥락을 중시했다.

앞서 말했듯이, 도가철학에서 천지만물은 한 몸이다. 현상적으로 천차만별인 사물이 각각 독립된 듯이 보이지만, 사실상 모든 사물은 우주적인 기운의 장場(field)에서 하나로 연결돼 있다.

곧 전병훈의 말처럼 태화일기인 도道가 "천지간에 가득하며, 우주를 감싸고 오대주의 모든 국가에 미치는" 그런 상태이다. 도·기는 만물 사이를 유동하며 끊임없이 소통하고, 만물이 생성·소멸·복원하는 전 과정에 개입한다. 『장자』에 이런 구절이 보인다.

> 작은 풀포기와 큰 기둥, 못생긴 추녀나 미녀 서시西施, 천차만별의 모든 기괴한 것들에 도가 통해서 하나로 된다. 그것이 나뉘면 각각의 사물을 이루지만, 이렇게 이뤄진 것은 곧 허물어진다. [하지만 도의 견지에서 보면—역자 주] 만물은 이뤄지고 허물어짐이 없어서, 다시 서로 통해서 하나가 된다.[200]

천지만물은 도의 역동적 그물망 속에서 생태적으로 얽혀 하나가 된다. 여기서 특히 주목할 점은, 도가 만물의 차이와 각자의 운동방식을 훼손하지 않으면서 세계에 통일성을 부여한다는 사실이다. 세계는 크고 작고, 추하고 아름다운, 그 밖에도 천차만별인 온갖 사물로 가득하다.

그 모든 다양성을 보존하는 상태 그대로, 도는 만물에 통해서 하나가 되도록 한다(道通爲一). 또한 사물이 어떤 상태에 고정되지 않고 생멸하고 변화하는 전 과정에 통일성을 부여한다(復通爲一). 앞서 장자가 "천하를 통틀어 하나의 기운일 뿐"이라고 했듯이, 만물을 한 몸으로 이어주는 것은 곧 천지간에 편재하며 유동하는 기운이다.

그런데 현대 인류는 곡절 많은 진화의 먼 길을 돌아, 마치 몸 안의 신경망처럼 유·무선으로 이어진 연결망과 이를 타고 흐르는 전자적 신호들이 지구촌

200. 故爲是擧莛與楹, 厲與西施, 恢恑憰怪, 道通爲一. 其分也, 成也. 其成也, 毁也. 凡物無成與毁, 復通爲一.『莊子·齊物論』.

의 교제를 매개하는 새로운 역사 단계에 들어섰다. 그것은 상호의존적이며 분리될 수 없는 무제한적이고도 항구적인 연결 상태를 유지한다.

물론 우리는 도가에서 말하는 천지의 기운과 네트워크상의 전자적 신호들을 동일시할 수 없다. 그래도 그 존재론적 유사성은 여전히 흥미로운 시사점을 제공한다.

도가의 철학자들은 우주에 편재하며 유동하는 기운이 유기체적 세계에 통일성을 부여한다며, 만물의 다양성을 보존하는 소통과 조화 그리고 운동변화에 관해 말했다. 그리고 지금 인류는 인터넷의 전자적 신호가 지구촌을 하나로 이어주고, 시공을 초월하는 교제와 소통을 매개하는 연결망사회(network society)에서 살고 있다.

그렇다고 해서, 인터넷이 세계의 통일을 가져올 거라는 식의 기술적 낙관론을 말하려는 것은 아니다. 다만 오늘날 정보통신사회의 도래가 사람들 의식상에 변화를 가져오고, 그것이 미래사회의 통합에 모종의 비전을 시사한다.

연결망사회는 반드시 같은 체제·원리·신념·종교·역사·문화·언어·경험을 함께하거나, 최소한 이런 요인들 중 몇 가지라도 공유해야 통일이 가능하다고 믿는 인류의 오래된 집단의식을 해체하고 있다. 대신 미래 세대는 집단의식에 의존하지 않는 그물망식의 연결과 소통으로 서로간의 의식·경험을 공유하고 연대하기 시작했다.

이제 사람들은 자기가 살고 있는 세계가 무제한적이며 항구적인 텔레커뮤니케이션 상태에 놓여 있다는 존재론의 전제에서, 차이를 지닌 다양한 타자와 '접속'하고 '소통'하며 자기의 척도로 타자의 접근을 막지 않는 '포용'과 '개방'의 자세를 가질 것을 서로에게 요청한다.

또한 새로운 전 지구적 네트워크는 통제되지 않음으로써 더 효율적인, 그리고 누구에게나 개방된 통신의 접속을 허용한다. 이런 네트워크의 특성은, 각자의 자연에 따르면서도 만물에 통해 하나가 되게 하는 도의 '크게 조화로운(太和)' 통일성을 떠오르게 한다.

다시 도, 태화일기를 '체득해 활용'해야 장차 지구촌을 통일할 수 있다는 전병훈의 언명을 돌이켜 보자. 그의 철학체계에서 세계는 애초부터 도에 의해 항구적인 통일성과 조화를 부여받은 하나의 정체整體다. 그러므로 세계의 통일은 예전에 없던 상태를 새로 만들어 내는 게 아니라, 우주 본연의 통일성과 조화에서 일탈해 반목과 갈등에 빠진 인류사회를 도·자연의 섭리대로 돌이키는 의미가 있다.

도의 섭리와 작용은 앞에서 충분히 설명했다. 다시 말하자면, 위대한 도는 어디에나 편재하며 만물을 낳아 기르고, 또한 만물의 귀의처가 된다. 이런 도의 작용으로 사물이 다양하게 번성하며, 또한 태화일기의 우주적인 기운의 장에서 서로 통해 하나가 된다.

도, 태화일기가 만물에 통일성과 조화를 부여할 수 있는 것은, 언제나 무위無爲·무욕無欲·무명無名의 상태에 머무르기 때문이다. 자기를 내세워 만물의 주인을 자처하거나 주재하지 않으며, 다만 사물들 각자의 자율 조절로 하나의 유기체적 정체인 세계가 통일과 조화를 유지하게 한다.

인류사회가 통일되면서 조화를 이루려면, 이런 도의 섭리에 따르는 게 최선이다. 하지만 그것은 도에 의해 저절로 실현되지 않는다. 사람이 도를 체득해 활용해야 한다. 여기서부터는 인간의 실천 영역이다. 하지만 실제로 도를 내면화하고 실천하기는 쉽지 않다.

단지 도가철학을 지적으로 이해하고 관념상에서 동의한다고 해서, 곧 도를 체득했다고 말할 수는 없다. 도를 얻어 내면화한 상태는 덕德이다. 덕은 스스로의 수양을 통해서 얻어지고, 그것이 다시 실천을 통해 밖으로 드러난다.

더구나 전병훈은 세계와 국가의 지도자들이 강권과 욕심을 버리고 도의 현덕玄德을 체득해 실천하기를 바랐다. 하지만 모든 지도자가 그러길 기대하는 건 사실상 무리다. 다만 서우는 미래의 어느 시기에 이런 덕을 갖춘 특출한 정치적 영웅(들)이 출현해서, 그(들)를 주축으로 지구촌이 하나로 통합되길 희구했다.

한데 평생토록 도를 구하는 도학자나 성직자도 아니고, 권력투쟁으로 날이 지고 새는 정치판에서 무위·무욕·무명의 덕을 갖춘 정치지도자나 세력이 출현하는 게 과연 실현가능한 이상일까? 여하튼 전병훈은 가까운 미래에 이런 이상이 반드시 실현된다고 굳게 믿었다.

서우는 "'크게 포용하는' 성스러운 덕이 있어야, 비로소 세계를 하나로 통일할 수 있다"고 명언했다. 그런데 이런 정치이상을 실현하기 위해서는, 정치를 논하기 전에 먼저 정신·심리·도덕의 올바른 철학 및 실천의 기초를 다져야 한다. 그런 기반에서만, 세계의 통일을 이룰 정치적 주역들이 출현할 수 있다.

왜냐하면 도의 섭리대로 세계를 이끌 정치지도자라면, 반드시 우주의 큰 도에 합하는 정신의 수양(정신철학), 사심을 떠난 공심의 구현(심리철학), 천리의 공심에 따르는 도덕실천(도덕철학)의 기본자질을 갖춰야 하기 때문이다. 다시 말해 정신·심리·도덕의 자유와 품성을 함양한 자라야, 비로소 세계를 통일하고 대동평화를 이루는 원대한 정치이상도 실현할 수 있다.

그러므로 전병훈은 정치·심리·도덕·정치의 4종 철학이 긴밀히 결합해서, '참나를 완성하고 성스러움을 겸비(成眞兼聖)'하는 인간과 사회의 공진화가 일어나기를 희구했다. 그는 이런 원리를 이해하고 실천하는 나라와 지도자를 중심으로 지구촌이 통일되고, 대동평화가 이뤄지는 미래가 올 것이라고 예시했다.

그 나라가 진정한 대국이 되고, 또한 그런 지도자가 진정한 세계의 대통령이 될 것이다. 전병훈에게 그것은 또한 태화일기로서의 '큰 도'가 스스로를 실현하는 오회정중의 역사적 섭리이기도 했다.

넷째, 노자는 정치가 융성할 때 사람들이 장생하는 이치를 말했다

전병훈은 노자가 '장생의 철리'를 말했다고 한다. 한데 이것은 현대의 노자철학 주석가들이 한동안 그다지 선호하지 않던 문맥이다. 『노자』를 순수한 관념상의 철학으로 읽은 학자들은, 육체의 삶을 연장하는 '장생'이 노자철학의 테마라는 걸 애써 외면했다.

그리고 그것이 후대의 도교에 의해 오염된 해석이라거나, 혹은 노자철학의 본령에서 벗어난 곁가지에 불과하다고 폄하하는 경우가 많았다. 그러나 『노자』에는 '장생구시長生久視'의 도를 말하는 대목이 엄연히 존재한다. 거기에 더해 최근에는, 노자가 생명을 중시하는 견지에서 양생의 도를 말했다는 사실이 학계에서도 비교적 폭넓게 인정되는 추세다.

다만 장생과 함께 불사를 추구했던 도교와 노자의 장생사상을 분리해서 볼 필요는 있다. 하지만 이 주제를 여기서 본격적으로 다루기는 어렵고, 다만 전병훈이 노자의 장생철학을 해석하는 내용에 집중하기로 하자.

이미 누차 말했지만, 서우는 물질이 발달하는 극치가 또한 도덕문명도 지극히 선하게 진화하는 변곡점이 될 것으로 낙관했다. 가까운 미래에 세계의 정치가 대동·화평해지고, 형벌이 사라지는 세상이 될 게 틀림없다고 확신했다. 그러면 사람들의 삶에 여유가 생길 것이고, 그럴 때 인류사회의 부유한 엘리트들이 어찌 장생의 도를 흠모하지 않겠느냐고 반문한다.[201]

이 주제는 '정신철학' 편에서 이미 다룬 바 있다. 거기서 전병훈은 물질의 욕망을 넘어선 장생의 욕망이 인류의 정신과 도덕의 진화를 견인할 것으로 예측했다. 한데 이 주제를 '정치철학' 편에서 다시 재론하는 이유는, 장생의 도와 훌륭한 정치가 서로를 보충한다고 확신했기 때문이다.

서우는 "형벌이 사라진 큰 덕화의 정치가 반드시 이 (장생의) 도에 말미암아 병진하며, 인류의 엘리트들이 참된 자아를 이루고 신선이 되고자 앞을 다툴 것"[202]이라고 단언한다. 특히 『노자』에서 정치가 융성할 때 사람들이 장생하는 이치를 말했다며,[203] 다음 구절을 인용했다.

> 천지는 장구하다. 장구할 수 있는 까닭은, 천지가 스스로 살려고 도모하지 않기 때문이다. 그러므로 능히 장생한다. 따라서 성인은 자기 몸을 뒤로해서 몸이 앞서고, 자기 몸을 도외시해서 몸을 보존한다. 그에게 사사로움이

201. 『통편』, 305~306쪽.

202. 是以余敢斷然曰 "刑措大化之治, 必由此道并進, 而頭等人類克先成眞·成仙矣." 『통편』, 306쪽.

203. 老子言世治隆熙人能長生之哲理. 『통편』, 305쪽.

없기 때문이 아니겠는가? 그가 사사롭지 않기에, 능히 자기 자신(私)을 완성한다.[204]

백성을 다스리고 하늘을 섬기는 데 검약(嗇)만 한 것이 없다. 오직 아끼므로, 이를 일찍 준비하기(早服)라고 한다. 일찍 준비하기를 일컬어, 덕을 두텁게 쌓기(重積德)라고 한다. 덕을 두텁게 쌓으면 극복하지 못할 게 없다. 극복하지 못할 게 없으면 그 한계를 알 수 없다. (그 한계를 알 수 없으니) 나라를 보존할 수 있다. 나라에 근원이 있으니, 장구할 수 있다. 이를 일컬어 "뿌리가 깊다"고 한다. 장생구시長生久視의 도이다.[205]

전병훈은 인용문에서 백성 다스리기(治人)와 하늘 섬기기(事天)를 함께 말하는 데 주목했다. 전통사회에서 이는 모두 군주의 소임이었다. 그러므로 그는 노자가 특히 "정치 지도자의 지위에 있는 국가원수와 장상將相들을 지목해서"[206] 장생구시의 도를 천명했다고 한다. 그리고 장생과 훌륭한 정치의 원리가 상통한다고 강조했다. 그것이 '장생'의 생명가치와 '치세'의 사회가치를 함께 실현하는 '성진겸성' 철학의 문법임을 다시 부연할 필요는 없을 것이다.

다섯째, 노자는 '다투지 않는 공화'의 정치철학을 말했다

한편 전병훈은 『노자』에서 정쟁을 벗어난 정치원리를 찾았다. 노자는 도와 도를 얻은 성인의 대표적인 특징으로 '다투지 않음(不爭)'을 들었다. 여러 장절

---

204. 老子曰 "天長地久. 所以能長且久者, 以其不自生, 故能長生. 是以聖人後其身而身先, 外其身而身存. 非以其無私耶? 惟[以]其無私, 故能成其私." 『통편』, 305쪽. 『노자』 7장에 보인다.

205. 又曰 "治人事天, 莫如嗇. 夫惟嗇是謂早服, 早服謂之重積德, 重積德則無不克, 無不克則莫知其極, 可以有國. 有國之母, 可以長久. 是謂深根固蒂, 長生久視之道." 『통편』, 305쪽. 원래 출처는 『노자』 59장이다. 통행본에는 '可以有國' 앞에 '莫知其極則'이 보이는데, 여기서는 생략돼 있다.

206. 況此章兼擧治人事天而爲言, 非指元首將相之身居治人之位者乎? 『통편』, 306쪽.

에서 이를 말하는데, 전병훈은 그중 『노자』 66장을 인용했다. 강과 바다를 뭇 계곡의 왕으로 비유하는 구절이다. 널리 알려졌지만, 논의를 전개하기 위해 인용한다.

> (강과 바다가) 뭇 계곡의 왕이 되는 것은, 그것이 낮은 데 잘 처하기 때문이다. 따라서 능히 뭇 계곡의 왕이 된다. 그러므로 성인이 사람들 위에 오르고자 하면, 반드시 자기를 낮춰 말한다. 사람들 앞에 나서고자 하면, 반드시 몸을 뒤로 뺀다.
>
> 그래서 성인이 윗자리에 있어도 사람들이 무거워하지 않고, 앞자리에 있어도 사람들이 해치지 않는다. 그러므로 천하가 기꺼이 추대하고 싫어하지 않는다. 그가 다투지 않으므로, 따라서 천하도 그와 다투지 않는다.[207]

전병훈은 윗글에서 현대의 민주선거제도를 떠올렸다. 그 취지가 "국가원수(總統)를 선거로 뽑는 방식에 딱 들어맞는다"[208]는 것이다. 그리고 말한다.

> 하늘이 내린 성스러운 덕이 이와 같은 사람이 세상에 반드시 나올 것이다. 그런 뒤에 천하가 '다투지 않는 공화(不爭之共和)'를 기꺼이 취할 것이니, 그가 세계를 하나로 통일하는 최고지도자(元首)가 될 것이 분명하다.[209]

여기서 주목할 필요가 있는 것은 '다투지 않는 공화'의 개념이다. 이 개념으로 전병훈이 공화제를 어떻게 이해했는지를 알 수 있다. 서구 전통에서 '공화제'와 '군주제'를 나누는 요인은, 결국 주권이 누구에게 귀속하는가에 따라 결정

---

207. 老子曰 所以爲百谷王者, 以其善下之, 故能爲百谷王. 是以聖人欲上人, 必以言下之. 欲先人, 必以身後之. 是以聖人處上而人不重, 處前而人不害. 是以天下樂推而不厭. 以其不爭, 故天下莫能與之爭. 『통편』, 306쪽. 『노자』 66장의 글이다.

208. 是乃脗合於選擧總統之式者. 『통편』, 306쪽.

209. 世必有天降聖德如是之人, 然後天下樂取不爭之共和, 可爲世界一統之元首, 明矣. 『통편』, 306쪽.

된다.

공화제의 고전적인 의미는 '복수의 주권자가 통치하는 정치제도(republic)'다. 이는 국가의 주권이 국민 내지는 공중에게 귀속되는 통치형태로, 통치자 1인이 주권을 가지는 군주제(monarchy)와 대비된다. 그런데 과연 전병훈의 말처럼 공화제가 '다투지 않음'에 더 부합할까? 바꿔 묻는다면, 공화제가 군주제보다 더 분란이 적은 정치체제일까?

사실 이는 간단치 않는 질문이다. 왜냐하면 주권이 다중에게 귀속되는 공화제도에서는, 어떤 인물이나 세력에게 한시적으로나마 권력을 위임하는 시민의 선택권(선거권)이 보장돼야 한다. 또한 국민의 선택을 받으려는 자의 정치참여 역시 제한되면 안 된다. 그래야 참된 민주공화제라고 할 수 있다.

그런데 서로 입장과 견해를 달리하는 여러 정치세력의 병존을 허용하는 한, 그들 간의 대결과 분쟁을 피하기는 어렵다. 실제로 오늘날 민주공화국의 현실은 항구적 조화와 거리가 멀다. 그러므로 항간에 "민주주의가 잘 실현되는 공화국일수록 시끄럽고, 1인이나 1당이 독재하는 전체주의 국가일수록 일사분란하다"는 역설이 회자된다.

그런데 과연 '분쟁'은 민주주의 혹은 공화제의 피할 수 없는 운명일까? 전병훈이 말한 '다투지 않는 공화'란 대체 어떤 의미일까? 사실상, 서구의 '리퍼블릭republic'이 한자어 '공화共和'로 번역되는 과정에서 처음부터 동·서양 문화의 차이를 담은 해석학적 오해가 개입됐다. 공화의 '공共'은 곧 공중, 공공, 공민 등을 지칭한다. 퍼블릭public과 크게 다르지 않다. 하지만 '화和'에는 화합, 조화, 화해 등의 의미가 담겼다.

그리하여 서양에서 리퍼블릭이 "복수의 주권자가 '통치'하는 정치제도"를 가리킨다면, 동아시아의 공화는 "다수의 공중이 '조화'하는 정치제도"를 함축하게 되었다. 그 번역과정과 의도를 추적하는 것도 흥미롭겠으나, 워낙 까다롭고 복잡한 주제라서 여기서 본격적으로 논구하기는 어렵다. 다만 전병훈이 이런 배경에서 공화제를 '다투지 않는' 정치제도로 이해했다는 점에 주목할 필요가 있다.

즉 리퍼블릭을 번역한 '공화' 개념 자체에서, 서우는 조화를 추구하는 정치제도를 연상했다. 한데 이는 단순한 번역상의 오해로 그치지 않는다. 그것은 동·서양 세계관의 심대한 차이를 반영했다. 전병훈이 말한 '다투지 않는 공화'는, 단순한 정치이념보다 더 근본적인 층위에서 서구의 리퍼블릭과 다른 세계관을 함축했다.

세계를 도에 의해 항구적인 통일성과 조화를 부여받은 유기적 정체로 보는 도가의 세계관은 이미 앞서 논구했다. 전병훈의 정치철학은 이런 세계관에 입각한다. 하지만 개인이 어느 경우에도 주체인 서구에서는 전체의 '조화'에 대한 이념이 상대적으로 미약하다. 대신, 권력투쟁이 정치행위상의 당연한 과정으로 간주되는 경향이 있다.

하지만 주권이 다중에게 귀속된다는 전제가 같더라도, 그 정치체제가 궁극적으로 조화를 지향하는 전병훈의 '공화'는 다분히 동아시아적인 가치를 반영한다. 특히 그가 『노자』에서 '다투지 않는 공화'의 철학을 찾은 것은 매우 온당하다. 왜냐하면 『노자』야말로 『주역』과 함께 동아시아 조화사상의 원형을 담은 텍스트로 손꼽히기 때문이다.

『노자』는 수천 년 동안 동아시아에서 조화의 철학이 전승되고 실생활에 뿌리내리도록 만든 고전이었다. 그러므로 전병훈은 "성인이 지극한 정치에 관해 말한 것이 '공화'를 위주로 하지 않은 것이 없다"[210]고 하였다. 물론 여기서 성인은 노자를 가리키고, 전병훈의 정치철학은 노자로 대표되는 도가의 세계관에 입각한다.

도가에 따르면 세계는 도에 의해 유기적 정체성이 부여된 하나의 통일체다. 그러나 도나 신에 근거해서 군주에게 절대적인 권위를 부여하고, 그를 정점으로 조직되는 위계적인 사회를 정당화하지는 않는다. 세계의 완전한 조화를 전제로 하지만, 단일한 진리에 모든 것을 집합시키는 지배담론을 구축하거나 옹호하는 것도 아니다.

---

210. 故聖人之極言至治者, 罔不以共和爲主焉. 『통편』, 306쪽.

오히려 도가는 저마다 천차만별의 소리를 내는 취만부동吹萬不同을 허용한다. 다만 그것을 갈등과 적대의 불협화음이 아닌, 조화의 협주로 승화시키는데 정치와 정치지도자의 역할이 있다고 본다. 그런 문맥에서 도와 상호 혼입混入된, 도와 동가성의 카리스마를 내면화한 정치지도자를 호명한다.

그 다스림의 결과는 지도자가 무욕·무위하고 늘 낮은 곳에 처하며, 사회구성원이 자발적으로 저마다의 삶을 영위하는, 다원적이고도 비위계적인 공동체로 귀결된다. 심지어 구성원들이 지도자의 존재감을 잊을 정도가 돼야 가장 훌륭한 사회(국가)라고 한다.[211]

도가의 정치철학은 자유주의와 공동체주의, 다원주의와 본질주의 간의 전형적인 대립적 논점 어디에도 귀속되지 않다. 그것은 우연과 불확실성에 노출된 개체의 자발성(我自然)[212]과 그들 간의 유기체적 통합성(共一轂)[213]을 동시에 승인한다. 또한 천차만별인 사물 각자의 다양성(吹萬不同)[214]과 차이를 지닌 모든 걸 하나로 화통化通하는 도의 통일성(道通爲一), 그리고 궁극의 본원으로 귀환하는 만물의 귀소성(復通爲一)[215]을 모두 함께 허용한다.

그것은 정치의 원리이기 전에, 천지만물이 다양성을 유지하며 자연스럽게 조화하는 세계 구성과 운동의 원리이다. 전병훈이 말한 '다투지 않는 공화'는 이런 원리를 토대로 정치가 작동하고 민주주의가 실현되는 체제이다.

주권이 한 사람이나 소수가 아닌 다중에게 귀속되고, 다툼과 경쟁보다는 덕성으로 통합과 포용의 정치적 카리스마를 획득하며, 여러 정치세력이 병존하지만 전체 구성원이 조화를 이루는 국가 혹은 정치공동체를 상상할 수는 있다. 물론 이것은 아직 철학적 공상에 기반을 둔 상상의 공동체에 그친다.

그런 이상을 실현하려면, 다중의 세계관과 정치의식이 그에 걸맞게 변해야

---

211. 太上下知有之, 其次親而譽之, 其次畏之, 其次侮之.『老子』17장.
212. 功成事遂, 百姓皆謂 "我自然".『老子』17장.
213. 三十輻共一轂, 當其無, 有車之用.『老子』11장.
214. 夫天籟者, 吹萬不同, 而使其自己也.『莊子·齊物論』.
215. 故爲是擧莛與楹, 厲與西施, 恢恑憰怪, 道通爲一. 其分也, 成也. 其成也, 毁也. 凡物無成與毁, 復通爲一.『莊子·齊物論』.

한다. 무엇보다 서구에서 세계로 퍼져나간 철학과 신학의 논리적 경향으로 인해, 나와 다른 타자를 선·악 이분법으로 규정하는 사고관습에서 벗어나야 한다. 그래야만 타자를 경쟁해야 할 반대자, 파괴해야 할 적으로 몰아가는 배타적 정치논리를 극복할 수 있다.

더불어서, 정치인의 도덕적 소양과 공공 리더십이 지금보다 훨씬 탁월해져야 하는 건 물론이다. 물론 이는 말처럼 쉬운 일이 아니다. 그래도 전병훈은 언젠가 출중한 '부쟁'의 덕성을 지닌 정치지도자가 출현하고, 갈등의 정치에서 조화의 정치로 바뀌어 '다투지 않는 공화'가 실현되는 날이 온다고 확신했다.

그의 이런 확신에 대한 논평은 일단 유보하자. 그것은 무엇보다 미래를 내다보는 일과 연관되기 때문이다. 다만 독자들도 그의 문법에 따라 '갈등의 제도화'가 민주주의의 유일한 대안인지를 의심하고, '조화의 제도화'에 대한 철학적 상상을 펼쳐보기를 권한다. 그것은 미래를 예언한다기보다, 현재 우리가 선 지점에서 선택 가능한 미래의 지평을 확장하는 일이기 때문이다.

도가 정치철학의 소결

전병훈은 도가의 정치학이 강태공姜太公·범려范蠡·장량張良·이필李泌·유기劉基에게 전해져 그들이 세상과 백성을 구제하는 데 이바지했다고 평가했다.[216] 하지만 이는 단지 몇몇 정치인의 개별적 공적에 그쳤을 뿐, 한 시대나 왕조 전반의 정치체제와 이념을 좌우하지는 못했다. 그러므로 전병훈도 이렇게 말한다. "한나라의 전제정치에서 도가사상의 취지를 약간 살려 일시적 안정(少康)에 이르렀을 뿐이다. 그 나머지는 논할 바가 없다."[217]

그의 말처럼, 한나라 초의 문경지치文景之治를 제외하곤 도가의 정치학이 전면적으로 채택된 역사적 사례가 거의 없었다.[218] 그럼에도 불구하고, 전병훈

---

216. 『통편』, 307쪽.

217. 然惟漢以專制政體頗主清靜之趣旨, 以致小康而已, 餘無足道者矣. 『통편』, 307쪽.

218. 문경지치는 한나라 문제文帝와 경제景帝의 통치시기를 가리킨다. 당나라 정관貞觀연간

은 도가의 정치철학을 미래의 비전으로 확신했다. 그에 따르면 노자의 정치철학은 반전평화, 세계동일과 내동, 형벌이 사라진 덕치를 추구하는 취지에서 수공·공자·칸트의 철학과 궤를 같이한다. 하지만 도가는 한 발 더 나아가, 장생구시와 목숨을 돌이키는 몸철학의 철리를 설파했다. 전병훈은 거기에서 도가철학의 특별한 미래가치를 찾았다.

> 세계가 장차 훌륭히 다스려지는 날, 참나를 돌이켜 신선의 경지에 오르며 복희·신농·황제·단군·기자처럼 성스러움을 겸비한 사람들이 출현한 뒤에 사람들이 반드시 (도가철학을) 믿고 따를 것이다.[219]

전병훈은 끝으로 도가의 정치철학에 대한 세간의 오해를 경계했다. 『노자』는 짧고도 함축적인 글에 심오한 철리를 담는다. 따라서 노자철학 전반의 맥락을 떠나 텍스트에서 몇 구절만 따로 떼어내 자의로 해석할 때 오독이 발생하기 쉽다. 해서 예나 지금이나, 노자철학에 대해 그릇된 해석과 부당한 평가가 많다. 전병훈도 그 문제점을 단호하게 지적했다.

> 『도덕경』에 세상을 깨우치고 왜곡된 걸 바로잡는 논의가 있다. 세간의 천박한 식자들이 그 논의에서 몇 구절을 꼭 집어서 들춰 혹은 모략가(陰謀家)가 으뜸으로 삼는 바라고 말하고, 혹은 군사전략가(用兵家)가 숭상하는 바라고 말한다. 심지어 퇴행으로 지목하고 이단으로 배척하니, 다만 자기가 부족한 줄 모른다는 걸 자주 보여줄 뿐이다.[220]

에도 도교가 크게 성행했지만, 황로학黃老學이 국정을 주도했던 문경지치의 정치적 영향력에는 크게 미치지 못했다.

219. 世將至治之日, 返眞昇仙, 有如羲·農·黃帝·檀·箕之兼聖者輩出, 然後人必信服乎! 『통편』, 307쪽.

220. 世之淺士指摘『道經』警世矯枉之論幾句, 或以謂陰謀家所宗, 或以謂用兵家所尚, 甚至以退化目之, 異端斥之, 多見其不知量也. 『통편』, 307쪽.

물론 여기에는 전병훈의 해석학적 관점이 짙게 배어 있다. 하지만 그 언명을 끝으로, 도가의 정치철학에 대한 전병훈의 독법을 살피는 여정을 마감한다. 판단은 어차피 이 글을 읽는 사계 제현과 독자들의 몫이고, 철학은 늘 완전한 동의에 이를 수 없는 열린 해석학의 지평에서 끊임없이 영토를 확장하기 때문이다.

정치철학과 정치공학

정치철학은 정치와 관계된 모든 관행과 제도들을 포괄적인 세계관과 인간학의 차원에서 다룬다. 전병훈의 정치철학 역시 그렇다. 그런데 현대정치학은 국가나 정치에 대한 어떤 당위의 요청이나 도덕적 판단도 배제하는 경향이 강하다.

대신 공동체를 구성하는 개인과 집단들이 상호작용하는 '행태'와 이를 유도하는 복잡한 '과정'으로 정치를 파악하며, 정당을 비롯한 여러 사회집단의 이익과 이해관계 및 그것이 조정되는 메커니즘에 주목한다. 그러면서 그것을 과학적이고 객관적인 연구로 표명한다.

"이론이나 연구는 있는 그대로의 인간 본성과 역사적 과정에 착안한다"는 모겐소Hans J. Morgenthau[221]의 유명한 언명이 이런 태도를 잘 대변한다. 한데 일견 가치중립적으로 보이는 이런 입장이, 실제로는 '인간 본성'과 '역사'에 대한 모종의 선험적이고 문화적인 가치판단을 전제로 한다는 점을 간과해서는 안 된다.

단적으로 말해, 거기서 말하는 '인간 본성'에는 사람의 본성이 이기적이며 사욕을 추구한다는 서구 근대의 인간관이 암묵적으로 투영돼 있다. 더 거슬러

221. 모겐소(1904~1980)는 독일 태생의 미국 정치학자·역사가이다. 국제정치에서 권력의 역할을 분석한 대표적인 학자로, 저서 *Politics Among Nations*(1948)가 국제정치 분야의 고전으로 손꼽힌다.

올라가면, 태초에 원죄를 범한 죄인으로 인간을 낙인찍는 기독교의 자학적 인간관도 만나게 된다. 또한 권력투쟁의 '역사적 과정' 역시 엄밀히 말해 19세기 제국주의 시대의 역사경험을 확장해 성립된 개념이다.

그러므로 다소 거칠게 말해, 이기적 인간 본성과 권력투쟁이란 서구 양식의 정치체제에 대한 자기변론에 지나지 않는다. 그것은 서구사회에 뿌리 깊은 위악僞惡적 인간관의 집단무의식을 맨 낯으로 드러낸다. 그러므로 이런 인간관과 정치관을 전제로 하는 이론이나 연구가 '있는 그대로'의 객관적 정치현실을 보여준다는 것은 아이러니다.

심지어 인간 본성과 정치현실이 실제로 이기적이기 때문에 그런 이론이 도출된 건지, 아니면 이론이 그렇게 정당화하기 때문에 인간성과 정치가 이기적이고 탐욕스러워지는 건지조차 확실치 않다. 여하튼 한 가지 분명한 사실은, 객관을 위장하는 현대정치학 이론이 결코 현실에 중립적이지 않다는 점이다.

오히려 이론과 현실이 긴밀하게 영향을 주고받으며 작금의 세계를 빚어낸다는 게 진실에 가깝다. 그런데도 현대정치학이 정치에 대한 어떤 당위의 요청이나 도덕적 판단도 거부하는 것은, 그들의 연구가 객관적이라서가 아니다. 그보다는 도덕의 굴레에서 벗어나길 원하는 정치가들의 욕망에 호응하려는 의도가 아닌지 줄곧 의심받아 왔다. 또한 정치가와 마찬가지로, 정치학자들 역시 도덕적 의무와 양심의 문책이 부담스럽기는 마찬가지다.

한데 만약 전병훈이 살아 돌아온다면 지금의 정치와 정치학에 어떻게 반응할까? "사심으로 가득한 소인배들이 정치를 농단한다"고 탄식할 게 눈에 선하다. 그러면 현대의 정치학자들도 그를 반박할 것이다. 서우가 정치현실을 모르는 몽상가요 이상주의자이며, 정치의 비전문가라고 힐난할 것 역시 선연하다.

하지만 이런 상상은, 전병훈의 정치철학과 오늘날 거의 '정치공학'이 된 정치학을 거칠게 대비하는 우화에 지나지 않는다. 사실상 인간 본성은 선과 악 사이에서 위태로운 줄타기를 하고, 정치는 권력을 둘러싼 개인과 집단의 이해관계 사이에서 길항하면서도 그 이상의 공공선公共善을 지향한다.

하지만 예나 지금이나 정치는 늘 현실의 장벽에 갇혀 있고, 현실은 언제나

선과 악으로 일도양단하기 어렵다. 전병훈은 물론, 오늘날의 훌륭한 정치가와 정치학자들도 그것을 잘 알고 있다. 그런데도 그 지점에서, 전병훈은 줄곧 인간 본성의 선에 대해 말하고 최고의 공공선을 지향하는 정치의 당위를 요청한다. 하지만 그가 단지 현실에 어두운 이상주의자였기 때문에 그랬던 것은 아니다.

전병훈의 사상은, 서구의 인간관 및 정치이념과 다른 전통에서 배태된 동아시아 정치철학의 한 전형을 보여준다. 앞서 '이기적 인간'과 '투쟁하는 사회'의 이념이 서구 문명의 집단무의식을 이룬다고 말했다. 그와 대비할 때, '선한 인간'과 '조화로운 사회'의 이념은 동아시아 문명의 집단무의식을 이룬다.

그것은 노자와 공자, 심지어 그 이전의 신화와 전설에서조차 한결같이 암시하는 오래된 인간관과 세계관에 뿌리를 둔다. 서우는 그런 지적 전통의 문법에 충실하다. 물론 그렇다고 해서 동아시아인이 서구인보다 대개 더 선하고, 동아시아의 정치현실이 서구에 비해 공공선을 더 훌륭하게 실현해 왔다고 말하려는 건 결코 아니다.

현실은 당연히 훨씬 복잡하고 중층적이다. 서구의 '이기적 인간'과 '투쟁하는 사회'는 언제나 절대적으로 선한 신(God) 내지는 그것의 대리물인 이성(logos)에게 구원을 요청한다. 반면 동아시아의 '선한 인간'과 '화합하는 사회'는 천지만물의 조화로운 근원인 도道와 그것이 내면화된 덕德을 인간 스스로 체득해 구현하라고 요청한다.

한데 순전히 효율성만을 따져 말하자면, 어느 편이 선한 인간성과 공공선을 실현하는 데 더 효과적이라고 단언할 수 없다. 동양이든 서양이든, 현실에서 악인은 늘 창궐한다. 반면, 신과 이성과 도덕의 빛은 언제나 희미하게 명멸한다. 오죽하면 11세기의 정이程頤가 "천 년간 참된 선비가 없고 백 세대 동안 좋은 정치가 없었다"고 탄식하고, 다시 20세기의 서우가 그 말에 공명했겠는가?

그래도 분명한 것은, 동·서양 어디든 자기 문명의 내재적 문법에서 선을 추구하고 정치적 공공선을 지향해 왔다는 사실이다. 그런 가운데, 현대의 정치체제와 사회가 특히 서구 근대철학의 세계관과 인간관을 토대로 구축됐다는 사실을 재삼 강조할 필요는 없을 것이다.

현대정치학 역시 19세기의 철학적 세계관을 토대로 성장한 학문이다. 그런데 당시 파생된 사회과학의 여러 분과와 마찬가지로, 정치학도 철학에서 분리돼 자신만의 고유하고 전문화된 영역을 확보하고자 했다. 그 과정에서, 자기의 모태인 서양철학에서 던진 근본적 질문과 그에 대한 고전적 답변들을 '있는 그대로'의 현실로 전제했다.

다시 말해, 19세기 이후에 지배적이 된 근대적인 세계관과 인간관을 "있는 그대로의 인간 본성과 역사적 과정"에 대한 사실적인 근거로 확정해 버린 것이다. 그리고 이 문제에 대해서, 사회과학인 정치학은 더 이상의 철학적인(근본적인) 질문을 던지지 않기로 한다. 대신, 그렇게 제한된 현실 안에서 벌어지는 사건과 현상을 분석하는 것으로 정치학의 역할을 한정했다.

이런 역할게임의 장점은, 주어진 전제 안에서 훨씬 능수능란하게 자기 역할을 전문화할 수 있다는 데 있다. 예를 들어, 그것은 플랫폼이 확정된 컴퓨터 시스템에서 특정한 애플리케이션application을 개발하거나 운영하는 것에 비유할 수 있다.

앱 개발자들에게 PC의 마이크로소프트, 온라인의 구글, 스마트폰의 애플 같은 운영체계는 이미 "있는 그대로의 현실"이다. 운영체계 자체를 문제 삼는 건, 그들에게 더 이상 무의미한 일이다. 다만 이왕의 현실로 주어진 플랫폼에서, 자기 분야의 앱을 어떻게 효율적으로 개발하고 구동할 것인가에만 관심을 집중한다.

오늘날 정치학을 비롯한 사회과학 제 분과의 역할이 그런 애플리케이션에 상응한다. 그들은 기본 플랫폼(철학)에 대한 관심을 배제함으로써, 대신 앱(사회과학 분과)의 기능과 효율성을 증대시키는 데만 전적으로 에너지를 쏟을 수 있다. 그것은 물론 큰 장점이다.

한데 그런 장점 못지않게, 치명적인 단점도 보유한다. 만약 게임의 규칙 자체가 바뀐다면, 다시 말해 현대정치학이 '있는 그대로의 현실'로 전제하는 인간관과 세계관의 철학적 전제가 뒤집힌다면, 과거의 게임 규칙에서 사용하던 그 어떤 치밀한 분석의 예봉도 날이 무뎌질 수밖에 없기 때문이다.

다시 예를 반복하자면, 철학적 패러다임의 그런 전환은 이왕의 지배적인 플랫폼이 다른 것으로 대체되는 변동과 흡사한 파장을 일으킨다. PC에서 마이크로소프트의 윈도우가 버전업되는 정도가 아니라, 전혀 다른 개발자의 운영체계로 변동되는 경우를 상상해 보자. 기존의 시장 지배적 앱 개발자들에게 있어서, 그것은 엄청난 스트레스를 동반하는 일대혼란으로 받아들여질 게 명약관화하다.

오늘날 사회과학 제 분과에서 철학적 세계관과 인간관의 근본적인 패러다임 전환에 긴장하고, 더 나아가 대단히 비우호적인 반응을 보이는 이유가 거기에 있다. 하물며 정치학을 단지 정치권력 획득과 관리의 도구로 활용하는, 이른바 '정치공학'의 경우에는 더 말할 나위도 없다.

이런 방면의 전문가들이 근원적으로 새로운 정치적 패러다임이나 정치철학의 출현에 떨떠름해 하는 것은 당연하다. 그들은 새로운 정치철학을 만날 때, 대개 즉각적으로 '비현실적'이라는 반응을 보이곤 한다. 하지만 그것은 '생소한 게임의 규칙에 적응하기 어려움'과 사실상 같은 의사표현이다.

그렇다고 해서 그런 정치학자들이 게임의 규칙을 새로 만드는, 즉 미래 정치의 원리를 모색하는 과제를 기꺼이 떠맡을 것 같지도 않다. 왜냐하면 그들은 다만 앱 개발자들이지, 플랫폼에는 문외한이나 다름없기 때문이다.

사회과학 제 분과의 전문가들은, 매개변수가 상수일 때만 그 추세를 읽고 추정할 수 있다. 예컨대 현대정치학에서, '이기적 인간 본성'이나 '이해관계에 따른 권력투쟁' 같은 것이 그런 상수다. 그런데 만일 그런 상수항 자체가 변한다면, 더 이상 추세를 읽고 추정하는 게 불가능해진다.

그들에게 있어서, 서우가 말하는 '천리의 지극한 선을 회복한 정치인'이나 '공덕심에 따른 정치' 같은 건 상상하기도 끔찍한 악몽일 것이다. 한데 서우가 그토록 갈망했던 '성스러운 영웅'이 실제로 출현하고, 도덕세계 구현의 이념을 표방하는 정치그룹이 현실에서 돌풍을 일으킨다고 상상해 보자.

기왕의 정치학에서 그것은 거의 재앙에 가까운 동란이 될 게 분명하다. 근본적인 변화 혹은 철학의 패러다임이 뒤바뀌는 상황에서, 정치학을 비롯한 사회과학의 계산은 극심한 혼란에 봉착하지 않을 수 없기 때문이다. 한데 바로 이런 문맥에서, 현대정치학은 거의 막다른 골목에 다다랐거나 갈수록 유용성을 잃는 것 같다.

그 이유는 정치학이 제국주의가 급속하게 전개되던 19세기 서구의 경험을 토대로 성장한 학문이기 때문이다. 그 경험의 기억은 이제 부적절하다. 그런 개념은 지나치게 단순한 데다 서구의 문화양식 내에서 발전한 것이어서, 갈수록 글로벌화하고 그물망처럼 종횡으로 연계되는 국제적 정치구조의 복잡성을 설명하는 데 더 이상 유용하지 않기 때문이다.

더구나 게임의 규칙이 근본적으로 변하는 현실에서, 이기적 인간 본성이나 권력투쟁 같은 개념만으로 충분히 대처할 수는 없다. 오히려 전병훈의 경우처럼 인간의 정신·심리·도덕·정치 등을 중층적으로 포괄하고, 동·서양의 정치원리를 한데 섞어 조제하는 철학이 세계적인 정치 재통합의 새로운 플랫폼이 될 수 있다.

그러므로 정치(공)학자들에게 당장에 곤혹스러울지라도, 장기적으로 보면 전병훈의 정치철학 같은 시도가 정치학에도 기회가 된다는 걸 이해할 필요가 있다. 다시 통속적인 비유를 든다면, 창조적 정치철학자가 새로운 게임 플랫폼의 프로그래머programmer라면, 정치학자는 거기서 게임을 운영하는 오퍼레이터operator이기 때문이다. 물론 정치인은 게이머gamer인 셈이다.

따라서 문명사적으로 혁신적인 정치 현실과 철학이 출현한다면, 그것은 정치학 그리고 정치인에게도 실은 재앙이 아닌 홍복의 전기가 될 수 있다. 물론 그 홍복은 변화에 창조적으로 대응하고, 옛것과 새것을 조제하여 혁신을 이루는 인재들이 몫으로 돌아갈 것이다.

> 재앙이여! 복이 의지하는 바로다. 복이여! 재앙이 잠복해 있는 바로다. 누가 그 궁극을 알겠는가! 어찌 정상正常이 없겠는가? 하지만 정상은 다시 비정상으로 변하고, 선善은 다시 악한 것이 될 수 있다.(『노자』 58장)

어느 시점에서 합리적이고 생산적인 사고와 신념들은 다른 시점에서 비합리적이고 비생산적인 것이 된다.(어빈 라즐로Ervin Laszlo, 『Vision 2020』)

도가와 미래사회

전병훈의 말마따나, "백성의 마음을 자기 마음으로 삼는다"는 명제가 민주주의 원리에 부합하는 건 인정된다. 그러나 앞서도 말했지만, 민주정치의 시행 여부가 통치자의 심덕만으로 결정되는 건 아니다. 다만 제도의 성패가 통치자와 사회지도층의 철학과 자질에 좌우되는 현실도 외면할 수는 없다. 또한 약간 다른 문맥에서, 서구의 세계관과 인간관에서 비롯된 민주주의 원리만이 타당한지도 의문이다. 이런 물음의 연장에서, 도가철학의 의의를 보다 심층적으로 숙고할 수 있다.

엄밀히 말해, 노자는 올바른 정치의 근본을 백성도 군주도 아닌 '도'에서 찾았다. 통치자는 이런 도의 권능을 대리해 천하 만민을 다스린다. 얼핏 군주가 그의 영토 내에서 만물의 주재자인 신의 권능을 대표한다는 서양 군주제의 이념과 상통하는 문맥으로 읽힌다. 그러나 도는 만물을 살리고 기르면서도, 만물을 소유(有)하거나 지배(宰)하지 않으며, 그에 집착 내지는 의존(恃)하지도 않는다. 노자는 이런 도의 작용을 '현묘한 덕(玄德)'으로 칭송한다.[222]

도가의 정치철학에서 군주는 이런 도를 대리하므로, 만물을 소유하거나 지배하는 주권자가 될 수 없다. 노자가 "천하를 맡긴다(寄天下, 託天下)"고 표현하는 것은 은유를 넘어선다. 천하는 집권자에게 잠시 관리가 위임되었을 뿐이다. 따라서 그가 천하의 소유자나 지배자로 군림한다면 그것은 명백한 월권행위다.

집권자의 권력을 '잠시 위임된' 것으로 본다는 문맥에서, 이는 일견 현대정치의 대의민주제도에 부합하는 것 같다. 그러나 도가의 정치철학은 집권자가

222. 生之畜之, 生而不有, 爲而不恃, 長而不宰, 是謂玄德. 『老子』 51장.

도를 대리한다는 관념에서 대의민주제와 다르다. 오늘날의 대의제도는 선거로 피선된 정치인이 국민의 의사를 대표한다는 원리에 입각하기 때문이다. '도를 대리'하는 것과 '국민을 대리'하는 것은 분명하게 다르다. 그럼에도 불구하고, 도가의 정치철학이 민주주의에 근접하는 요인은 도道가 '자연'을 본성으로 하는 데 있다.[223]

도가의 '자연' 개념은 '자연스럽다(自然而然)' '스스로 그러하다(自己而然)'는 뜻을 함축한다. 그것은 외부의 주재자에 의해 통제되지 않고, 내재적 자발성에 따라 자연스럽게 운동하는 만물의 성질을 표현한다. 이런 자연의 섭리에 따르면, 사람은 누구나 자신의 주권자이다. 뿐만 아니라, 천지만물 역시 각자의 주권자이다. 이것은 단지 신에 의해 부여된 피동적이고도 차별적인 인권을 말하는 데 그치지 않고, 세계의 모든 존재가 각자의 자연에 따를 고유한 권리를 가진다는 우주적인 자연권(natural rights) 사상을 함축한다.

노자는 도와 덕이 천지만물에 명령을 내리지 않고 항상 자연에 내맡기므로 존귀하다고 말한다.[224] 다시 말해, 도는 만물의 자연권을 보존하므로 그 덕이 위대하다. 집권자는 지상에서 이런 도를 대리해 통치하므로, 그 역시 천하 만민의 자연에 따라야 한다. 게다가 그는 국민 각자의 인권뿐만 아니라 만물의 자연권까지 존중해야 할 의무가 있다. 어떤 면에서 이는 현대 대의정치의 협소한 인간중심주의를 넘어서는 심층생태론 차원의 정치원리를 제공한다.

만물의 자연에 따르는 정치에서는 권력자에게 최소한의 통치행위를 요청한다. 그의 권한은 인민과 만물의 자발적 운동에 대한 수동적 조정자, 즉 "서른 개의 바퀴살이 한 바퀴통에 모이는"[225] 것 같은 균형추 역할에 그쳐야 한다. 국민이 운동경기의 선수라면, 집권자는 경기의 규칙과 진행을 관리하는 심판에 비유할 수 있다.

어떤 종목이든 심판이 직접 필드에 뛰어들어 경기에 참여하면, 그 게임은

223. 道法自然. 『老子』 25장.
224. 道之尊, 德之貴, 夫莫之命而常自然. 『老子』 51장.
225. 三十輻, 共一轂. 『老子』 11장.

엉망진창이 될 것이 뻔하다. 심판이 단지 경기규칙을 관리하며 선수 각자의 기량이 최대한 발휘되도록 하듯이, 집권자는 국가·사회제도를 공정하게 관리하며 국민 각자가 삶의 가치를 자유롭게 실현하도록 내맡겨야 한다. 이것이 곧 무위정치의 원리이다.

그런데 여기서 '무위'는 아무것도 하지 않음, 혹은 일체의 작용이 멈춤을 의미하지 않는다. 무위는 만물의 자발적인 본성이 자연스럽게 발휘되는 상태를 가리킨다. 예컨대 계곡물은 아래로 흐르고 수증기는 증발해 구름을 만들며, 물고기는 물속으로 숨고 새는 창공을 난다. 도는 이 모든 운동에 참여하지만 만물이 저마다 자발적으로 천차만별의 운동을 하도록 할 뿐, 그 이상의 직접적인 간여를 하지 않는다. 그것이 곧 '무위'이다.

도의 이런 작용으로 인해 만물은 다양성을 증대하는 방향으로 왕성하게 운동한다. 그러므로 『노자』는 "도가 언제나 행함이 없으면서 행하지 않음이 없다"[226]는 유명한 명구를 남겼다. 이런 도가철학의 견지에서 볼 때, '무위'는 집권자가 임의로 선택하는 통치술의 하나가 아니라 마땅히 실현해야 하는 정치의 기본 이념이자 가치이다.

그러므로 항간에서 무위를 다만 정치공학적인 통치술로 보는 것은 열매만 보고 뿌리를 모르는 얕은 식견에 불과하다. 무위는 정치의 원리일 뿐만 아니라, 도道가 만물의 운동에 참여하는 섭리이기 때문이다. 인간 역시 이런 도를 본받아, 천하 만민과 만물이 저마다의 자연에 따라 자유롭게 삶의 가치를 실현하는 문명과 제도를 구현해야 한다. 이것이 도가에서 말하는 '무위'이다.

그러나 역사적으로 인간은 이런 도와 자연의 섭리에 역행했다. 그리고 거기서 온갖 혼란과 모순들이 생겨났다. 인간은 자연계에서 유일하게 다른 인간과 사물을 사적으로 소유하고 지배하는 구조를 만들었다. 그리고 그 지배력을 존속하고 확장하기 위해, 같은 종끼리 조직적이고 집단적인 살상을 반복해 온 기이한 돌연변이다. 이 모든 것들에 익숙해진 순간부터, 인류는 소유·지배와 착

226. 道常無爲, 而無不爲. 『老子』 37장.

취 그리고 전쟁을 자기 역사와 문명의 숙명으로 여겨 왔는지 모른다.

무엇보다 '자연'의 이법에 역행해 천하에 군림하고, 세상을 자기 것으로 착각하는 권력자들의 출현이 화근이 됐다. 노자는 그들을 '도적의 우두머리(盜竽)'로, 장자는 '큰 도적(大盜)'으로 불렀다. 장자가 말한다. "사소한 절도죄로 사람을 죽이면서, 나라를 훔치면 제후가 된다. 그리고 제후의 집 문에 인의仁義가 걸린다. 이는 도덕의 허울마저 훔쳐 성스러움을 가장하는 것이 아닌가?"[227] 『노자』에서 이렇게 말한다.

> 백성들이 굶는다. 그 윗사람이 세금을 많이 거둬들이기 때문이니, 이 때문에 굶는 것이다. 백성들을 다스리기 어렵다. 그 윗사람이 인위적으로 통치하기 때문이니, 이 때문에 다스리기 어려운 것이다. 백성들이 죽음을 가볍게 여긴다. 그 윗사람이 자기 목숨만을 귀중히 돌보기 때문이니, 이 때문에 죽음을 가벼이 여기는 것이다.[228]

통치자의 욕망과 작위, 그들의 이익에 봉사하는 도구적 지성, 형식화된 규범 같은 문명 내재적 요인이 문명의 타락을 부추긴다. 세상이 이들 통치 집단에 의해 황폐화되고, 천하 만민의 자발적이고 자연스러운 본성이 훼손된다. 도가는 자연질서의 거울을 통해 문명의 이런 병폐를 비췄고, 도·자연의 순리로 이를 치유하고자 했다. 그 과정에서 소유하고 지배하려는 인간의 욕망을 정면으로 문제 삼았다.

소유와 지배는 언제나 근원적인 질문에 봉착해 있다. 곧 "진정한 의미에서 소유와 지배는 가능한가?"의 질문에 답해야 한다. 서둘러 결론부터 말하면, 도가철학의 견지에서 '소유'의 관념과 제도는 명백한 허위다. 소유와 지배에 정당성을 부여하는 어떤 권리장전도, 결국은 인간이라는 종種이 자기들끼리 만

---

227. 彼竊鉤者誅, 竊國者爲諸侯, 諸侯之門而仁義存焉, 則是非竊仁義聖知邪?『莊子·胠篋』.
228. 民之飢, 以其上食稅之多, 是以飢. 民之難治, 以其上之有爲, 是以難治. 民之輕死, 以其求生之厚, 是以輕死.『老子』75장.

들고 서명한 게임의 규칙에 불과하기 때문이다.

인간은 지구상의 어느 장소에 말뚝을 박고 거기가 '내 땅'이라는 권리를 주고받는다. 그런데 이런 행위에 대해, 과연 그 땅은 동의한 바 있는가? 물론 대지의 동의 따윈 처음부터 없었다. 그런데도 인간은 내 땅 안의 산천초목과 생명체까지 모두 다 자기 소유물로 주장한다. 지구와 다른 종의 입장에서 보자면, 이는 실로 억지스러운 인간의 괴변일 뿐이다. 사실상 우주는 인간에게 천지만물을 지배·조작·소유할 어떤 권리도 허락한 바가 없다.

그 권리를 신에게 부여받았다고 주장하든, 아니면 천부적으로 그런 권리를 타고났다고 선언하든, 혹은 노동의 결과로 '나의 것'을 만들었다고 하든, 정작 자연은 인간의 그 어떤 권리장전 앞에서도 침묵한다. 이런 모든 장전은, 다만 인간이 세계를 소유하고 지배하는 걸 정당화하기 위해 자기들 스스로 만들어 낸 관념의 조작에 불과하다. 고대 도가의 사상가들은 이 점을 직시했다. 그리고 사람들이 무엇을 '내 것'이라고 생각하든, 그것을 소유할 수 있는 가능성 자체를 아예 통째로 날려 버렸다. 『장자』에서 말한다.

> 순舜이 승丞에게 물었다. "도를 얻어서 소유할 수 있습니까?"
>
> 승이 대답했다. "너의 몸도 네 소유가 아닌데, 네가 어찌 도를 얻어 소유할 수 있겠는가?"
>
> 순이 또 물었다. "내 몸이 나의 소유가 아니라면 대체 누구의 소유란 말입니까?"
>
> 승이 대답했다. "그것은 천지가 네게 위탁한 형체일 뿐이다. 삶은 너의 소유가 아니다. 그것은 천지가 네게 위탁한 조화일 뿐이다. 본성과 목숨(性命)은 너의 소유가 아니다. 그것은 천지가 네게 위탁한 순리일 뿐이다. 자손은 너의 소유가 아니다. 그것은 천지가 위탁해서 너의 허물을 벗고 나오게 한 새로운 생명일 뿐이다. ……"[229]

---

229. 舜問乎丞曰 "道可得而有乎?" 曰 "汝身非汝有也, 汝何得有夫道?" 舜曰 "吾身非吾有也, 孰有之哉?" 曰 "是天地之委形也. 生非汝有, 是天地之委和也. 性命非汝有, 是天

위의 인용문은 단지 '소유를 줄이자'거나 '소유하지 말자'는 무소유의 도덕적 잠언에 머물지 않는다. 존재론의 차원에서 장자는 우리가 결국 아무것도 "소유할 수 없다(不可得而有)"고 선언한다. 소유는 불가능하다. 그것은 소유의 주체와 객체가 본질적으로 나뉠 수 없기 때문이다. '소유'란 소유 주체의 자의식이 타자를 대상화시킴으로써만 맺어지는 관계의 양식이다. 다시 말해, 소유 대상인 타자가 '나'라는 독립적 주체로부터 명확히 분리됨으로써만 '나'와 '나의 것'이라는 관계가 성립될 수 있다.

그런데 장자는 '나'를 구성하는 몸(身), 삶(生), 본성과 목숨(性命)조차 모두 '나의 것'이 아니고 잠시 '빌린 것'임을 상기시킨다. 더 나아가, 사람들이 소유할 수 있다고 믿는 물적 대상의 총체인 천지가 바로 이런 의탁의 주체라고 밝혔다. 이로써 소유 주체로서의 '나'와 '나의 것'으로 소유 가능한 사물 사이의 이원적 분리가 해소된다.

장자의 말을 다시 곰곰이 되새겨보자. 나는 천지에서 잠시 빌린 물질적 성분과 정신적 성질로 이뤄진 존재다. '빌렸다'는 것은 다시 돌려준다는 걸 전제로 한다. 해서 나를 이루는 물질과 혼백은 결국 천지로 돌아갈 것이다. 나는 언젠가 다시 산천초목의 일부가 되고, 천지간의 기운과 바람과 구름 속에 스며들 것이다. 그런 존재인 내가 천지의 산천초목과 다른 생명체를 소유한다는 게 가능한 일일까?

장자의 말마따나 나 자신도 나의 소유가 아닌데, 어떻게 세계와 그 세계의 일부분인 다른 존재를 소유할 수 있겠는가. 하지만 여전히 잘 이해가 되지 않는 독자라면, 세계를 하나의 살아 있는 몸으로 연상하는 게 도움이 될 것이다. 몸에는 여러 장기와 뼈와 두뇌가 있다. 그런데 두뇌나 심장이 다른 장기들에 대한 소유권을 주장하고 나선다면 어떻게 될까? 장자가 말한다.

> 우리 몸에는 백 개의 뼈마디, 아홉 개의 구멍, 오장육부가 있다. 나는 그 가

地之委順也. 子孫非汝有, 是天地之委蛻也. ……" 『莊子·知北遊』.

운데 어느 것과 친해야 하는가? 당신은 그 모두를 차별 없이 좋아하는가, 아니면 사사로이 편애하는가? 그렇다면 당신은 그 모두를 신하나 첩으로 삼을 수 있는가? 신하나 첩은 서로 다스릴 수 없으니, 그러면 이들이 차례대로 돌아가면서 군주와 신하가 되도록 해야 하는가?[230]

도가에 의해 포착된 세계는 "모든 사물이 그 자체로 완결되거나 훼손되지 않으며, 다시 통해서 하나가 되는"[231] 전체다. 다시 말해, 만물은 각 개체가 고립된 상태로 분리될 수 없으며 모든 것이 하나로 이어져 유기적 통일체를 이룬다. 그것은 백해구규百骸九竅와 오장육부가 몸을 이루는 원리와 흡사하다.

설령 해부학적으로 분리할 수 있지만, 이렇게 분리된 장기는 이미 살아 있는 몸의 일부가 아니다. 몸의 어떤 장기든 '분리'는 곧 그것의 죽음을 의미한다. 장기는 몸의 일부로 다른 장기와 연결될 때, 장자의 표현에 따르면 "통해서 하나가 되는" 상태일 때만 장기로서 의미가 있기 때문이다.

한데 이런 몸에서, 한 장기가 다른 장기들의 주인이나 군주가 된다는 게 과연 어떤 의미일까? 그것이 장자의 질문이다. 독자라면 몸에서 어느 장기를 특히 사랑하고, 그 장기에게 다른 장기들을 지배할 특권을 주겠는가? 아니, 장기들 각자에게 어떤 권한을 부여할 자격이나 방법이 독자에게 있기나 한 것인가? 일 분에 당신의 심장이 몇 번을 뛰고, 두뇌의 시냅스 사이에 얼마만큼의 정보가 오가며, 위와 대소장이 음식물을 얼마나 처리하는지, 독자가 그 모든 메커니즘을 매 순간 통제하고 지배하고 있는가?

사실을 말하자면, 각 장기들이 내재적 자발성에 따라 자연스럽게 운동하는 가운데 각각의 작용이 긴밀히 연관돼 몸을 이룬다. 그것이 설령 '내 몸'이라도, 오랜 진화를 통해 발전한 각 장기들의 내적 자발성을 무시하고 작위적으로 통제하거나 조작할 수 없다. 만약 어느 한 장기라도 멋대로 조작한다면, 일순간

---

230. 百骸·九竅.六藏, 賅而存焉, 吾誰與爲親? 汝皆說之乎? 其有私焉? 如是皆有爲臣妾乎? 其臣妾不足以相治乎? 其遞相爲君臣乎?『莊子·齊物論』.

231. 凡物無成與毁, 復通爲一.『莊子·齊物論』.

에 몸의 균형이 무너져 생명을 잃기 십상이다. 현대의학에서 손상된 장기를 다른 장기나 기계장치로 대체하지만, 그것도 결국은 몸의 유기체적 통일과 균형을 보존하는 한에서만 유효하다.

장자가 말하는 몸은 곧 세계를 비유한다. 세계가 하나의 몸이고, 만물은 백해구규와 오장육부와 같다. 『회남자』도 "천지우주가 한 사람의 몸이요, 상하사방 안이 한 사람의 체제"[232]라고 말했다. 그렇다면 인간은 그 가운데 무엇, 예컨대 몸에서 두뇌나 심장 정도가 될까? 혹은 국가를 몸에, 백성을 백해구규와 오장육부에 비유할 수도 있다.

그러면 집권자는 어떤 장기에 해당할까? 여하튼 그게 뭐든 간에, 인간이 세계의 주인이고 집권자가 국가의 지배자라는 관념은 더 이상 유효하지 않다. 인간은 단지 만물의 일부이고, 집권자 역시 인민의 일부라는 유기체적 세계의 기본전제를 누구도 넘어설 수 없기 때문이다. 그렇다면 이런 세계에서 만물에 대한 인간, 백성에 대한 통치자의 역할은 어때야 할까?

여기서 다시 '빌린 것'으로서의 인간 존재에 대한 장자의 언명을 상기해 보자. 사물을 나와 분리된 대상으로 인식할 때, 인식 주체인 인간은 자기가 대상의 소유자이며 지배자라는 일종의 '착각'에 빠진다. 그러나 주체와 대상의 이분법적 분리가 허구라는 걸 깨달을 때, 즉 '나의 것'으로 여겼던 것들이 실은 잠시 '빌린 것'이거나 '나의 이웃'이라는 인식에 도달하면, 그는 더 이상 만물의 소유자나 지배자가 될 수 없다. 대신 빌린 것과 이웃을 돌보는 관리자로 탈바꿈할 것을 요청받는다.

깊이 심호흡을 하고, 직접 아래 글을 조용히 소리 내서 음미하며 읽어 보자.

천지에서 목숨을 빌린 자의 묵상

내 몸과 목숨은 '내 것'이 아니다. 그것은 천지가 내게 잠시 빌려준 형체와 생명일 뿐이다. 그런데 나는 그것을 어떻게 쓰고 있는가? 내 집은 '내 것'

232. 天地宇宙, 一人之身也. 六合之內, 一人之制也.『淮南子·本經訓』.

이 아니다. 단지 내가 잠시 빌려 쓰는 공간일 뿐이다. 이미 많은 사람들이 이 공간을 빌려 살았고, 앞으로도 무수한 사람들이 이 장소를 거쳐 갈 것이다. 내 땅의 산천초목과 생명체들은 '내 것'이 아니다. 그들은 각자의 방식대로 살아갈 우주적 자연권을 가진 존재들이다. 그들은 나의 이웃이며, 매 순간의 내 삶은 언제나 그들에게 의존하고 있다.

나의 직장과 직위는 '내 것'이 아니다. 지금 내가 앉은 자리는 예전에 다른 사람이 앉았고, 또 앞으로 다른 사람이 앉을 자리다. 나는 그 자리에서 잠시 내게 부여된 역할을 수행하고 있다. 내 재산과 부는 '내 것'이 아니다. 그것은 어쩌다가 내게 맡겨진 세계의 재화 가운데 일부일 뿐이다. 그것도 언젠가는 내 손을 떠나 다른 누군가에게로 옮겨갈 것이다. 인생은 어차피 공수래공수거, 빈손으로 왔다가 빈손으로 돌아간다.

지구는 지금 여기 사는 인류의 것이 아니다. 그것은 다만 나와 만물이 함께 빌려 쓰는 하나의 '큰 집'일 뿐이다. 이미 앞서 살았던 헤아릴 수 없이 많은 조상들로부터 이 집을 물려받았고, 또 앞으로 살아갈 헤아릴 수 없이 많은 후손들에게서 지구를 빌려 쓰고 있다.

그러니 천지에서 빌린 것을 잘 쓰다가 다시 천지에 돌려주고, 나와 더불어 세계를 이루는 이웃들과 조화롭게 살다가, 후손에게 마땅히 물려줄 세계를 잘 보존해 전해 주고 돌아가야 한다. 이것이 천지자연의 도에 합해 덕을 쌓는 인생의 길이다.

이런 묵상은 독자들에게 어떤 감응을 주는가? 그것은 개인의 삶을 변화시키는 깨달음을 수반하지만, 또한 권력과 부의 성격 및 향배에 관한 사회적 패러다임의 변화도 요청한다. 도에 어둡고 탐욕에 사로잡힌 사람들은 자기에게 위임된 권한과 재화를 사적 소유물로 간주하며, 그것을 항구적으로 고착화하려고 시도한다.

앞서 살폈듯이, 도가의 철학자들은 그런 헛된 욕심에 사로잡힌 인사들의 허위성을 신랄하게 폭로하고 비판했다. 그리고 다른 한편에서 권력의 남용을 제한하는 사회적 장치가 필요하다고 인식했다. 이런 사례는 노자철학을 정교한 정치이론으로 발전시킨 황로학에서 잘 드러난다. 한 예로 『문자文子』에서 이렇게 말했다.

> 옛날에 관리를 둔 것은, 백성들이 방자해지지 않도록 금하기 위해서였다. 그 군주를 세운 것은, 관리들이 전행專行하지 못하도록 통제하기 위해서였다. 법도와 도술은, 군주들이 독단으로 전횡하지 못하도록 금하는 데 목적이 있다.[233]

군주는 관리들의 전행을 통제하기 위해, 그리고 법은 군주의 전횡을 제한하기 위해서 필요하다. 형법 위주였던 진나라 법가와 달리, 황로학의 사상가들은 법을 자연질서에서 유래하는 보편적 규율로 정의했다. 한 예로 『황제사경』의 「도법道法」은 "도에서 법이 생겨난다(道生法)"고 명시했다.

그리고 한번 법이 제정되면 법의 집행자라도 이를 어길 수 없고, 임의로 폐지할 수도 없다고 선언한다.[234] 즉 법과 그것의 근원이 되는 자연법적 섭리로 권력자의 전횡을 통제해야 한다고 주장했다. 보는 견지에 따라, 이는 근대의 자유주의적 법치 이념과 일맥상통한다.

한편 도가는 부의 독점과 불평등도 문제로 삼았다. 정치가 천지를 대신해 잠시 천하를 돌보는 것이듯, 경제행위 역시 천지의 재화를 잠시 맡아 관리하는 것으로 보았기 때문이다. 게다가 앞서 말했듯이, 인간은 어느 무엇도 근본적으로 소유할 수 없고 단지 이를 잠시 빌려서 쓰는 자에 불과하다. 그런데 인간사회는 현실적으로 재화의 소유를 인정하므로, 자연계의 질서에 역행한다. 『노자』에서 말한다.

---

233. 古之置有司也, 所以禁民使不得恣也. 其立君也, 所以制有司使不得專行也. 法度道術, 所以禁君使不得橫斷也.『文子 · 上義』.

234. 故執道者, 生法而不敢医殳(也), 立法而不敢廢(也).『黃帝四經 · 道法』.

하늘의 도(天之道)는 남는 것에서 덜어내 모자란 것에 보탠다. 그러나 인간의 도(人之道)는 그렇지 않아서, 부족한 것을 덜어내 넉넉한 자를 돕는다.[235]

노자가 보기에 '남는 것에서 덜어내 모자란 것에 보태는' 것이 자연계의 보편적 운동법칙이다. 시간이 흐르면 높은 언덕은 무너지고 낮은 웅덩이는 채워진다. 그러나 유독 인간만 자연계의 질서에 역행해 재화와 권력을 독점하고 축적한다. 이런 불평등을 지속하기 위해 권력자들은 사회구성원에 대한 통제와 감시, 고도로 조직된 이념과 제도 등을 통치수단으로 활용해 왔다. 노자는 지배의 도구로 전락한 제도와 책략들, 그리고 윤리의 악용이 백성을 곤경에 빠뜨리고 세상을 어지럽히는 주범이라고 인식했다. 그는 이렇게 말한다.

천하에 금기가 많으면 백성은 더욱 가난해진다. …… 법령이 성행할수록 도적이 늘어난다.[236]

백성을 다스리기 어려운 것은, 계략(智, 智巧)을 많이 쓰기 때문이다. 그러므로 계략으로 나라를 다스리는 것은, 나라의 흉적이다. 계략으로 나라를 다스리지 않는 것이, 나라의 홍복이다.[237]

큰 도가 무너지자 인의仁義가 생겨났다. 지혜가 출현하면서 큰 거짓이 생겨났다.[238]

예禮는 충심(忠)과 믿음(信)이 엷어진 것이며, 혼란의 으뜸이다.[239]

---

235. 天之道, 損有餘而補不足. 人之道, 則不然, 損不足以奉有餘. 『老子』 77장.
236. 天下多忌諱, 而民彌貧. …… 法物(或法令)滋彰, 盜賊多有. 『老子』 57장.
237. 民之難治, 以其智多, 故以智治國, 國之賊, 不以智治國, 國之福. 『老子』 65장.
238 大道廢, 有仁義. 知慧出, 有大僞. 『老子』 18장.
239. 禮者, 忠信之薄而亂之首. 『老子』 38장.

노자의 이런 사상은 도가의 정치·사회적 정의관에 토대를 제공하며, 후대의 사상가들에게 큰 영향을 미쳤다. 하지만 이런 정치철학이 현실에서 실제로 구현된 사례는 드물었다. 한나라 초에 황로학을 지도이념으로 문경지치의 태평성대가 잠시 펼쳐진 정도를 꼽을 수 있다. 그러므로 혹자는 도가의 정치사상이 이상적이라고 말한다. 혹은 자연·무위의 정치가 소극적이라는 비판도 있다.

그러나 전병훈의 말처럼, 지금까지 인류의 의식과 사회진화의 수준이 노자의 정치철학을 수용할 만큼 충분히 성숙하지 못했던 것일 수도 있다. 노자는 당시 춘추전국의 혼란을 문명의 위기 차원에서 진단했다. 그는 욕망에 사로잡힌 인간과 문명 자체에 위기의 요인이 내재돼 있다고 통찰했다.

'자연'과 '무위'는 곧 자기모순에 빠진 문명을 그 근원으로부터 치유하는 원리였다. 노자는 사회구성 원리의 근원적인 전환 없이, 도구적 이성과 실용적 지식·기술만으로 인류사회의 자기모순이 해소될 수 없다고 생각했다. 그러다 보니, 노자 당시에 이미 그의 철학이 너무 거대한 담론이라는 비판이 있었다. 노자의 다음과 같은 언급에서 그 사실을 확인할 수 있다.

> 세상 사람들은 모두 내 도가 너무 커서 섬세하지 않은 것 같다고 말한다. 하지만 그것은 크기 때문에 섬세하지 않은 듯이 보인다. 만약 내 도가 섬세했다면, 벌써 오래전에 그것은 미미해졌을 것이다![240]

돌이켜 보면, 진한 이후 전제왕조가 지속되면서 노자의 정치·사회적 거대담론이 현실에서 수용될 공간은 거의 사라졌다. 그가 반대하던 특권과 부의 독점이 더 심화됐고, 사상과 학문의 자유도 갈수록 좁아졌기 때문이다. 권력에 동원되는 도구적 지식과 제도는 정교해졌지만, 그가 말한 자연·무위의 정치·사회적 제도화는 현실담론에서 배제됐다. 대신 도가의 철학은 속세를 떠난 은둔자, 낭만적인 예술가와 문인, 양생을 구하는 도사와 산림처사들의 소양 정도

---

240. 天下皆謂, 我道大, 似不肖. 夫唯大, 故似不肖. 若肖, 久矣其細也夫! 『老子』 67장.

로 위축되었다. 도가의 정치·사회 철학이 재조명된 것은 오히려 근자의 일이다.

하지만 오늘날 도가사상이 주목을 받게 된 보다 직접적인 배경은, 근대를 지배한 인간중심주의와 이성주의를 넘어서 인간과 자연의 관계를 이해하는 시각을 제공하기 때문이다. 사람이 인위적으로 조작하지 않으면, 천지만물은 각자의 자발성에 따라 자연스럽게 번성하고 다양성과 균형을 유지한다.

노자는 "천지가 비록 크지만 그 변화는 균형을 이루고, 만물이 비록 많지만 그 다스림이 한결같은"[241] 도의 위대한 작용을 찬탄했다. 또한 "만물을 이롭게 하면서 만물과 투쟁하지 않는"[242] 물에서 참된 선善을 발견했다. 천지만물이 나와 더불어 혼연일체이므로, 만물을 이롭게 하는 게 곧 나를 이롭게 하는 길이다. 이런 통찰은 최근 현대철학이 도달한 인식과 궤를 같이한다.

현대인은 근대 서구에서 비롯된 이성중심주의, 인간중심주의, 이원적 인식론, 기계론적 자연관을 토대로 구축된 세계에 살고 있다. 한데 이런 주류적인 세계관에 대한 반성 역시 서구철학자들에 의해 주도돼 왔다. '자연의 탈인간화'와 '인간의 자연화'에서 자신의 철학적 과제를 찾았던 니체.[243] 자연계와 대지 그리고 지구에 대한 기술공학적 지배를 넘어 근대적 사유의 전환을 요구하며, 존재의 소리에 귀를 기울이고 '내어 맡김(Gelassenheit)'의 자세를 가질 것을 요구하는 하이데거. 근대성의 기획 자체를 하나의 '거대한 신화'로 비판하는 포스트모더니즘. 그리고 인간은 자연계에 필수적인 존재가 아니지만 자연계

---

241. 天地雖大, 其化均也. 萬物雖多, 其治一也.『莊子·天地』.

242. 水, 善利萬物而不爭, …… 故幾於道.『老子』8장.

243. 니체는 서구 근대문명의 성격을 통렬하게 비판한 선구적인 철학자였다. 니체에 따르면 자연계 속에서 모든 존재는 그 완전성에 있어서 동일한 단계에 있을 뿐만 아니라, 인간은 가장 잘못된 존재이고 자신의 본능으로부터 가장 위험하게 빗나간 병적인 존재이기도 하다. 그는 인간이 '작은 이성'에 의해 주체와 대상, 인간과 세계를 이분법적으로 구분하면서 자연에 대한 폭력과 오만한 태도를 가지게 되었고 자기 자신으로부터 소외되기 시작했다고 말하며 인간 자신의 자연성 회복을 철학적으로 문제시한다. …… 그는 1881년의 유고 단편에서 자신의 과제가 '자연의 탈인간화'와 '인간의 자연화'에 있다고 말하고 있다. 김정현, 「니이체의 생명사상」, 한국외국어대학 인문과학연구소 및 우리사상연구소 주최 〈이 땅에서 철학하기-21세기 한국철학의 방향모색〉 학술대회 자료집, 1999년 4월.

는 인간에게 필수적인 존재라는 것을 전제로, 인간이 전체 생태계와의 조화를 통한 안정에 기여해야만 한다는 최근의 심층생태론까지…….[244]

현대문명은 인류의 생존 자체를 위협하는 여러 문제들에 직면해 있다. 생태질서의 교란, 자원 고갈, 극심한 토지와 대기 오염, 대의정치의 부패, 신파시즘의 대두, 힘의 논리가 지배하는 국제관계, 지역갈등, 종교분쟁, 물신숭배, 빈부격차의 증대, 사회·경제적 무한경쟁의 심화, 감각적 욕구를 자극하는 대중문화의 범람, 정신적 공황, 생리적 실조, 심리적 평형의 파괴 등.

이 모든 문제의 배후에는 기계적 세계, 힘의 원리가 지배하는 자연계, 자연에서 분리된 인간, 그리고 욕망을 가진 인간이라는 근대철학의 세계관과 인간관이 작동하고 있다. 시급히 이를 재정비하지 않는 한, 인류 스스로 멸망을 자초하는 문명의 파탄을 막을 수 없을 것이라는 철학자들의 많은 경고가 있었다. 현대철학의 이런 일련의 성찰에서 오래된 도가철학과 동조하는 메시지를 발견하는 건 어려운 일이 아니다.

그러나 세계를 무한 소유와 무한 약탈의 도박장으로 몰아가는 신자유주의 금융경제의 충동 앞에서, 이런 경고는 폭풍 앞의 촛불처럼 위태롭고 미약하다. 한데 역설적이게도, 그럴수록 우리가 새로운 미래를 검토하고 설계해야 할 현실적인 이유 역시 분명해진다. 욕망의 끝없는 확장이 초래할 파국이 아주 위협적이고, 예측가능하며, 시시각각 심화되기 때문이다.

오늘날 인류는 계속 서로의 욕망을 자극하며 무한히 소유·소비하다가 가까운 미래에 공멸할 것인지, 아니면 욕망을 절제하고 우리가 이용할 수 있는 것을 나누면서 지속가능한 생존을 도모할 것인지를 선택해야 할 기로에 서 있다. 인류가 지혜롭다면 해답은 자명하다. 그러나 문명의 타성과 왜곡된 현실의 질주 역시 결코 쉽게 저지되지 않을 것이다. 우리는 이런 위기의 시대 한가운데 서 있다.

세계에 대한 기술공학적 지배와 물질적 풍요가 끊임없이 이어질 것 같지만,

---

244. 박준건, 「심층생태론과 생태적 욕망에 대한 연구」, 대한철학회, 『철학연구』 제70집 (1999), 3쪽.

그 배후에서 산업과 상업 자본의 황금기를 지나 금융자본의 불온한 도박판이 된 세계경제의 위기, 돈맛에 길들여진 대의정치와 법치의 타락, 1대99의 극심한 사회적 불균등이 심화됐다는 걸 다들 잘 알고 있다.

시장, 기업, 민주주의, 법치는 근대세계의 위대한 발명품들이다. 한데 그것들이 과거의 드높았던 긍지와 명예를 뒤로한 채, 금융을 장악한 소수 그룹의 특권과 협잡에 농락당하는 2000년대의 초반부를 우리는 눈앞에서 지켜봤다. 그리고 미래가 어떻게 될지는 아직 누구도 장담하지 못한다. 다만 전병훈의 말처럼, 지금의 혼란이 물질문명의 극치에서 다시 성숙된 정신문명으로 전환하는 오회정중의 진통이기를 바랄 뿐이다.

전병훈에 따르면, 민주제도와 법치 같은 근대세계의 위대한 발명은 미래에도 여전히 중요하다. 다만 그것을 조직하고 운영하는 세계관과 인간관에 혁신이 필요하다. 그 철학의 대전제는 어느 정도 자명하다. 미래의 민주·법치·시장·기업은 자연의 약탈에 기초하지 않고, 인간과 자연 그리고 인간과 인간이 조화를 이루며, 인간과 만물이 함께 범우주적인 자연권을 향유하는 지속가능한 정치·사회·생태 체제의 일부여야 한다. 이런 가치에 대한 합의가 확고하다면, 혁신적인 기술공학도 그 체제를 뒷받침하게 될 것이다.

이런 전제에서, 지금까지 길게 말한 도가의 철학사상이 현대사회가 직면한 위기의 본질을 진단하는 데 도움을 줄 수 있다. 또한 인류가 가야 할 미래의 비전을 기획하고 그 방안을 모색하는 영감의 한 원천이 될 수도 있다. "세계정치가 장차 크게 통일·대동하는 날에 노자의 가르침에서 법을 취할 것"이라는 전병훈의 언명도 곧 이런 문맥으로 이해할 수 있다.

5. 한국의 정치철학

전병훈은 중국의 유가와 도가에 이어서 한국의 정치철학을 재조명한다. 그것은 앞서와 마찬가지로, 이왕의 전통을 민주와 공화의 견지에서 재해석하는 방식으로 이뤄졌다. 여기서 그가 호명하는 인물은 기자·세종대왕·조광조·이이·유형원·정약용 등이다.

비록 적은 숫자지만, 앞서 중국의 정치철학을 논한 구도와 어느 정도 균형을 맞추려는 의도가 엿보인다. 기자와 세종은 요·순·삼대의 군왕에 필적하는 한국의 성군을 대표한다. 한편 조광조·이이·유형원 등은 조선의 정치가 내지는 정치학자로 그가 손꼽은 인물들이다.

기자의 황극사상

기자는 기원전 11세기 은나라 말의 현인으로 알려졌다. 그런데 후대에 기자가 조선으로 망명했으며, 심지어 조선의 왕이 되었다는 전설이 더해졌다. 그리하여 기자는 중국의 문화전파, 소중화 등을 상징하는 아이콘이 되었다. 특히 조선의 유학자들에게 기자가 환영받았다.

기자의 아이콘은 조선의 문물과 예악이 수천 년 동안 중국과 어깨를 견주며 발전했다는 자긍심의 원천이었다. 전병훈이 한국의 정치철학을 논하며 가장 먼저 기자를 호명한 것도 이런 인식의 연장선이었다. 그는 기자가 주나라 무왕에게 전했다고 알려진 「홍범」에서 다음 구절들을 인용했다.

> 조선의 기자가 말했다. "임금이 그 표준을 세우고, 다섯 가지 복을 모아 서민에게 널리 베푸니" 서민이 이에 따른다. 또 말했다. "논의를 벼슬아치(卿士)에게 미치고, 서민(庶人)에게 자문한다."[245]

"임금이 그 표준을 세운다(皇建其有極)"는 구절은 이른바 '황극'의 원리를 천명한 구절로 유명하다. 전병훈은 우선 공자의 말로 그 의미를 보충한다. "정치

---

245. 朝鮮箕子曰 "皇建其有極. 歛時五福, 用敷錫厥庶民", 庶民從. 又曰, "謀及卿士, 詢於庶人." 『통편』, 307~308쪽. 원문이 『상서·홍범』에 보인다.

는 덕으로 다스리는 것이니, 비유컨대 북극성이 제자리에 있고 뭇 별들이 그를 둘러싸는 것과 같다."[246] 그리고 다시 전병훈의 말이다.

> 무릇 태극이 하늘에 있으면 이를 '북극'이라고 하고, 사람에게 있으면 '민극民極'이라고 한다. 그 도리를 지극히 한다는 뜻이며, 표준의 호칭이다. 임금이 되는 자가 또한 그 인륜도덕을 극진히 하고, 이로써 표준을 세운다는 말이다.[247]

하늘의 별들이 북극성을 중심으로 돌듯, 지상의 군주가 만백성의 모범과 표준이 된다. 그게 곧 '황극'의 의미다. 이는 본래 군주의 도덕 및 사회적 모범구현을 요청하는 취지였다. 하지만 전제왕조에서 군주를 천상의 북극성에 빗대고, 그 절대권위를 정당화하는 논법으로 변용되었다. 그런데 전병훈은 이를 다시 '군주의 사회적 모범(표준) 수립'이라는 본래의 의미로 되돌린다.

군주가 인륜도덕과 정치의 표준으로 '황극'을 건립하며, 급기야 그게 근대적 입헌의 취지와 같다고 한다. "다섯 가지 복을 모아 서민에게 널리 베푼다"는 것은, 지금의 헌법국가에서 국민의 복리를 증진하는 취지와 같다고 해석한다. 그리고 이를 근거로, 기자가 동아시아 입헌제도의 개산지조開山之祖라고 찬탄했다.

한편 군주가 "논의를 벼슬아치에게 미치고 서민에게 자문한다"는 구절에서는 오늘날 상·하 양원 입법기관(국회)의 선구적 사례를 찾았다. 그뿐만이 아니다. 도를 닦아 신선이 되었다는 점에서, 기자가 단군과 황제의 성선겸성成仙兼聖 전통을 더욱 발전시켜 빛낸 위인이라고 칭송했다.

물론 이런 주장은 침소봉대하는 아전인수 격의 해석으로 비판받을 수 있다.

---

246. 此與孔子所謂"爲政以德, 譬如北辰居其所, 而衆星拱之"之義同也. 『통편』, 308쪽. 여기서 인용한 공자의 말은 『논어·위정』에 보인다.

247. 夫太極者在天, 謂之北極, 在人謂之民極. 以其道理至極之義, 標準之名稱也. 爲人君者, 亦極盡其人倫道理, 以立標準之謂也. 『통편』, 308쪽.

하지만 서우는 복희·신농·황제·요·순·삼대는 물론, 공자와 노자 등의 철학에서도 민주·공화·헌법의 원리를 찾았다. 이런 앞서의 논의를 떠올린다면, 기자의 홍범에 대한 해석이 딱히 새삼스러운 건 아니다. 다만 기자를 한국사상의 시원에 자리매김하는 것은, 오늘날 수용하기 어려운 견해다.

기자조선의 판타지

기자조선의 이야기를 좀 더 소상히 살펴보기로 하자. 정작 의혹은 기자가 실제로 기원전 11세기에 은나라에서 망명해 조선을 다스린 군주였느냐는 데 있다. 앞서 복희·신농·황제의 경우처럼, 기자의 전설도 생생한 역사라고 보기는 어렵다. 그것 역시 동아시아 상고문화의 기원을 상징하는 하나의 '기호'가 탄생하고 변천하는 문맥에서 읽는 게 타당할 것이다.

기원전 2세기까지 기자를 언급한 어떤 문헌[248]에서도 그와 조선이 함께 거론되지 않았다. 기자와 조선을 관련지은 기록은 기원전 2세기 말 한나라의 사마천이 쓴 『사기』가 처음이다.[249] 이야기의 골자는 주나라 무왕이 은나라를 멸하고, 기자에게서 천지의 대법인 '홍범洪範'을 전수받는다는 데 있다.

그 내용은 대개 『상서·홍범』을 원본으로 삼았다. 차이가 있다면 『상서』에서 무왕이 기자를 불러서 홍범을 받고, 『사기』에서는 무왕이 기자를 직접 방문해 홍범을 얻는 정도에 불과하다. 미묘한 뉘앙스의 차이로 사마천이 기자의 위상을 한층 높여 준 셈이다.

그런데 거기에 "무왕이 기자를 조선에 봉하되 신하로 삼지 않았다"는 짧은 구절을 첨언했다. 이것이 2천여 년 동안 눈덩이처럼 불어난 기자조선설의 첫 단서가 되었다.[250] 그리고 지금까지 밝혀진 구체적인 물증도 없이, 단지 사마

---

248. 『죽서기년竹書紀年』, 『상서』, 『논어』, 『회남자』에 기자 관련 기록이 보인다.
249. 武王旣克殷, 訪問箕子. 武王曰 "於乎! 維天陰定下民, 相和其居, 我不知其常倫所序." 箕子對曰, "……." 於是武王乃封箕子於朝鮮而不臣也. 『史記·宋微子世家』.
250. 『상서대전尙書大傳』에도 기자가 조선으로 망명했으며 무왕이 이 소식을 듣고 조선왕으

천이 뿌린 글 한 줄에서 향후 2천여 년간 지속될 가상의 왕국이 자랐다.

홍미로운 점은, 사마천 생전에 한나라와 고조선의 전쟁이 있었다는 사실이다. 익히 알다시피 기원전 2세기에 한나라가 옛 조선을 패망시키고, 그 점령지에 군현을 설치해 통치하기 시작했다. 바로 그 무렵에, 기원전 11세기의 기자를 옛 조선으로 불러오는 최초의 이야기가 등장한 것이다.

『사기』에서 진술하는 기자 이야기의 단초는 『상서·홍범』에 보인다. 하지만 거기서는 아직 기자를 조선과 관련짓지 않는다. 다만 무왕이 기자와 홍범에 관해 대화를 나누는 장면만이 출현한다. 그런데 이 텍스트가 실은 전국시기 말 유가의 저술이라는 학설이 지배적이다. 멀리 거슬러가야, 춘추시기의 작품으로 추정하는 정도다.

다시 말해, 『상서·홍범』조차 기원전 4세기나 기원전 3세기 무렵의 사상을 기원전 11세기의 기자에게 투사한 내용으로 보는 것이다. 그런데 사마천은 이런 「홍범」의 이야기에 다시 "기자를 조선에 봉했다"는 옥상옥을 올렸다. 그는 왜, 대체 무슨 근거로 이런 기록을 남겼을까?

무엇보다 이 기록은 무엇보다 당시 막 전쟁을 마치고 점령한 고조선에 대해 중국의 오래된 영유권을 암시하는 효과가 있다. 사마천에게 조선침공은 생생한 당대의 사건이었다. 하지만 기자는 사마천보다 근 천 년을 앞서는 신화 속의 인물이었다.

그런데 기자의 옛 봉지(혹은 은둔처·망명지·근거지)로 알려진 지역이 당시 정벌한 조선의 경내나 그 근방이어서, 이 두 사건이 천 년의 간극을 넘어 오버랩됐을 가능성이 높다. 근자의 고고학 발굴이 그 가능성을 더한다.[251]

로 봉했다는 기록이 보인다. 이 책은 흔히 기원전 2세기경 복생伏生이나 그의 제자(張生·歐陽生)가 저술했다고 알려졌지만, 저자와 연대가 정확한 게 아니다. 학계에서는 한대 중엽의 위서緯書로 간주하는 견해가 우세하다. 따라서 『사기』의 기자 이야기보다 앞선다고 보기 어렵고, 내용도 여러 이야기가 결합된 것으로 추정된다.

251. 1973년 발해연안 북부 대릉하 유역, 요령성 객좌현喀左縣에서 '古竹'과 '□侯'의 명문銘文이 새겨진 청동유물이 출토됐는데, 이형구는 이를 은말주초殷末周初 기자조선의 유물로 보는 견해를 제기했다. 그 밖에 이 일대에서 은대 여러 씨족들의 이름이 새겨진 청동

혹은 기자의 위상을 높이려는 의도에서, 무왕이 몸소 기자를 찾았다고 윤색하는 김에 약간의 선심을 더 썼는지도 모른다. 이런 정도는 역사가의 붓끝에서 다반사로 벌어지는 일이다. 고대의 전설적인 제왕들부터 하·은·주와 한나라까지 하나의 계보로 엮고자 했던 사마천인지라, 문화적으로 은과 주를 잇는 상징이었던 기자를 부각했던 것이다.

그러므로 무왕이 은나라를 떠나 은둔(혹은 망명)한 기자를 친히 찾아가고, 그를 조선에 봉하며, 그럼에도 불구하고 신하로 삼지 않았다는, 상당히 혼란스럽고도 언밸런스한 이야기가 탄생했던 것은 아닐까? 하지만 이 역시 추정일 뿐이다. 그간 학계에서 기자와 고조선의 관련에 대해 다양한 견해가 제기됐지만, 분명한 고고학 증거라도 나오지 않는 이상 그 실상을 확정하기는 어렵다.

고조선은 지금부터 2천여 년 전에 이미 역사 저편으로 사라진 한민족 최초의 국가였다. 그리고 고조선의 멸망 시점에서 다시 근 천 년을 더 거슬러 올라가야 기자를 만난다. 다시 말해, 사마천에게도 기자는 아득한 고대의 그림자 같은 기억 속에서 어른거리던 신화였다. 그런데도 "무왕이 기자를 조선에 봉하되 신하로 삼지 않았다"는, 사마천이 남긴 극히 모호한 한 줄의 기록에서 모든 판타지가 시작됐다.

판타지는 새로운 이야기를 더하며 계속 창작되고 증보되었다. 기원후 1세기의 반고班固는 기자가 조선으로 가서 그 백성을 예의로 교화하고 범금팔조犯禁八條(팔조법금)을 시행해 조선의 풍속이 순후해졌다고 덧붙였다.[252] 그리고 시간이 뒤로 흐를수록 기자의 그림자에 더 상세하고 풍부한 스토리들이 더해졌다.

예기들이 다수 발굴됐다. 이를 근거로, 은이 망한 뒤 은나라의 여러 씨족들이 주 세력을 피해 대릉하 유역으로 도망했을 것으로 보고, 이들 유민을 대표하는 인물이 기자였다고 추정하기도 한다. 이형구, 「발해연안 북부 요서·요동 지방의 고조선」, 『단군과 고조선 연구』(지식산업사, 2005), 65~66쪽. 이런 고고학 자료를 곧 하나의 고대국가로서 '기자조선'의 증거로 삼는 것은 여전히 논란의 여지가 많지만, 기원전 2세기경 기자와 조선을 연결시키는 발상이 출현한 계기를 이 유물들로부터 추정할 수는 있을 것이다.

252. 『漢書·地理志下』.

그리하여 3세기의 『위략魏略』과 이를 토대로 편찬된 『삼국지·위지·동이전』에서, 기자의 자손이 40여 대 동안 조선을 다스렸다는 이른바 '기자조선' 이야기의 최종 완결판이 창작됐다. 그리고 그것이 다시 누대에 걸쳐 윤색돼 전해졌다.

물론 한나라가 조선과 막 전쟁을 마친 시점에, 사마천조차 기자조선의 이야기가 이렇게까지 증폭되리라고는 아마 짐작지 못했을 것이다. 사마천 당시에 한나라는 무제의 팽창정책으로 사방의 이민족을 정복하며 영토를 크게 넓혔다. 하지만 사마천이라도, 이렇게 확장된 국경이 머잖아 다시 위축되라고 예측할 수는 없었다.

기원전 2세기 말, 고조선이 멸망했다. 하지만 한 세기가 지나기도 전에, 동북의 토착세력 가운데서 새로운 나라들이 일어나 한나라 국경을 압박했다. 그러므로 고조선의 옛 권역을 관리하기란 결코 만만한 일이 아니었다. 특히 부여에서 나온 고구려가 고조선의 옛 땅을 회복하며 급성장했다. 단지 동북만 문제가 아니었다. 한무제의 팽창정책으로 정복했던 사방의 이민족들이 다시 들고 일어났다.

『한서』는 신新의 왕망王莽(BC 45~AD 23)이 막 건국한 고구려와 갈등을 빚는 장면을 자세히 묘사했다. 분노한 왕망이 고구려 군주(高句麗侯: 騶)를 유인해 죽이고 나라 이름을 '하구려下句麗'로 바꿔 선포한 사건이 유명한데, 그럴수록 고구려와 부여 등의 예맥濊貊이 한나라에 더 적대적이 되었다.[253] 이런 상황에서 한나라는 옛 조선에 설치한 군현들을 안정적으로 관리하는 데 골머리를 앓

253. 先是, 莽發高句驪兵, 當伐胡, 不欲行, 郡强迫之, 皆亡出塞, 因犯法爲寇. 遼西大尹·田譚追擊之, 爲所殺. 州郡歸咎於高句驪侯騶. 嚴尤奏言 "貉人犯法, 不從騶起, 正有它心, 宜令州郡且尉安之. 今猥被以大罪, 恐其遂畔, 夫餘之屬必有和者. 匈奴未克, 夫餘, 穢貉復起, 此大憂也." 莽不尉安, 穢貉遂反, 詔尤擊之. 尤誘高句驪侯騶至而斬焉, 傳首長安. 莽大說, 下書曰 "乃者, 命遣猛將, 共行天罰, 誅滅虜知, 分為十二部, 或斷其右臂, 或斬其左腋, 或潰其胸腹, 或紬其兩脅. 今年刑在東方, 誅貉之部先縱焉. 捕斬虜騶, 平定東域, 虜知殄滅, 在于漏刻. 此乃天地群神社稷宗廟佑助之福, 公卿大夫士民同心將率虓虎之力也. 予甚嘉之. 其更名高句驪為下句驪, 布告天下, 令咸知焉." 於是貉人愈犯邊, 東北與西南夷皆亂云. 『漢書·王莽傳』.

아야 했다.

이런 사태를 예견했다면, 단지 무왕이 기자를 조선에 봉했고 그럼에도 불구하고 그를 신하로 삼지 않았다는 모호한 한 줄의 기록만 사마천이 남기지는 않았을 것이다. 대신 조선에 대한 한나라의 영유권을 더 확실하게 주장하는 이야기를 『사기』에 담았을 것이다. 하지만 굳이 사마천이 아니라도 그 일을 대신할 역사가들은 후대에도 얼마든지 있었다. 그들이 사마천이 뿌린 씨앗을 발아시켜, 사마천도 모르던 기자조선의 역사를 만들어 나갔다.

그리하여 기자 이야기가 다시 상당한 정도로 윤색됐다. 그 무렵의 모든 역사가들과 마찬가지로, 기원후 1세기의 반고도 당시의 필요에 따라 과거에 대한 설명을 수정하거나 새롭게 구성했다. 『한서』에서 말한다. "은나라의 도가 쇠하자, 기자가 조선으로 가서 그 백성에게 예의와 농사와 양잠·길쌈을 가르쳤다. 낙랑·조선의 백성에게는 범금팔조(팔조법금)가 있었다. …… 귀하도다! 어진 현자의 가르침이여."[254]

이렇게 기자 이야기는 모든 방면에서 『사기』보다 더 상세하고 구체적으로 진화했으며, 또한 그 의도가 분명했다. 여기서 기자의 영토로 진술된 '낙랑·조선'은, 옛 조선에 대한 한나라의 영유관념을 표상한다. 그리고 이야기는 더 보충된다.

조선은 8조의 법금만으로도 정직하고 순후한 풍속을 유지해서, 백성들이 문을 닫지 않고도 살았다. 그런데 한나라가 군郡을 설치하고 요동에서 데려간 관리와 장사꾼들이 밤에 도둑질을 하면서 도리어 풍속이 야박해졌다. 그러자 규범을 어기는 자가 점점 많아져서, 법금이 60여 조에 이르게 되었다.[255]

이는 기자의 교화가 위대했다고 강조하려는 문맥이었다. 하지만 한군현이 설치된 이후 옛 조선 지역의 풍속과 민심이 얼마나 급속히 황폐해졌는지를 역설적으로 웅변한다. 여하튼 진화하는 기자 이야기는 예전과 180도 달라졌다.

254. 殷道衰, 箕子去之朝鮮, 教其民以禮義, 田蠶織作. 樂浪·朝鮮民犯禁八條, …… 可貴哉! 仁賢之化也. 『漢書·地理志(下)』.

255. 『漢書·地理志(下)』.

『사기』에서 기자를 빛내기 위해 조선을 동원했다면, 『한서』는 조선에 대한 영유권을 주장하려고 기자를 동원했다. 즉 기원전 11세기의 기자가 천 년 뒤인 기원후 1세기에 옛 조선의 시조로 재생했다. 『한서』에서 말한다. "현토와 낙랑은 무제 때 설치했는데, 모두 조선·예맥·고구려·만이蠻夷다."[256]

현토·낙랑은 한나라에서 설치한 군으로 그 백성이 대개 토착민이라는 말이다. 한데 이 지명들이 본래 고조선 때부터의 호칭이라거나, 한군현과 별개로 토착세력이 세운 낙랑국이 따로 있었다는 등의 설이 있다.[257] 여하튼 이런 점을 감안하더라도, AD 1세기에 편찬된 『한서』에서 말하는 낙랑은 한나라가 조선의 옛 땅에 설치한 군을 가리켰다.

이런 배경에서, 『한서』의 기자 전기는 옛 조선이 한나라와 문화적으로 연결됐다는 환상을 가져다주는 기원의 이야기가 됐다. 그것은 한나라 지배층과 지식인들이 좋아할 만한 판타지였고, 고조선의 옛 지역을 통치하는 지배담론으로 유효한 스토리였다.

또한 '기자'는 옛 조선의 유민들이 유교 규범을 받아들이고, 그것을 자기 것으로 여기며, 정신적 만족을 얻도록 유인誘引하는 상징이 되었다. 물론 이는 한군현의 관료적 통치에 도움이 되는 이데올로기였다. 그리하여 한편으로 기자의 상징 조작이 이뤄지는 동시에, 이 권역에 유교 경학이 유포됐다. 이를 뒷받침하는 고고학 증거가 출토됐다.

1990년대 초 평양 낙랑구역 정백동 364호분에서 죽간 『논어』가 발굴됐다. 그 내용이 부분적으로 한국 학계에도 보고된 바가 있다. 고분의 묘주는 토착민 출신의 군현 관리로 추정된다. 죽간에서는 『논어』의 「선진」 편과 「안연」 편 일

---

256. 玄菟·樂浪, 武帝時置, 皆朝鮮·濊貊·句驪·蠻夷. 『漢書·地理志(下)』.

257. 북한 역사학계는 기원전 1세기에 있었던 '낙랑'이 한민족이 세운 독립국가이며, 한나라가 세운 낙랑군은 만주의 동북지방에 따로 존재했다고 본다. 리순진, 『평양일대 락랑무덤에 대한 연구(북한의 우리 역사 연구 알기 2)』(2001, 중심). 한국 학계에서는 한나라가 설치한 낙랑군을 출발로 시기에 따라 일반 군郡과 왕조의 성격이 중첩됐다는 주장이 제기됐다. 권오중, 「낙랑군 역사의 전개」, 영남대학교 인문과학연구소, 『인문연구』 제55집 (2008).

부를 문자로 확인할 수 있다.[258]

한편 같은 고분에서 기원전 45년 낙랑군 전체와 25개 현의 호구 수를 각각 집계한 목간도 함께 나왔다. 이 자료들이 기원전 1세기 서한 말에 제작됐음을 입증한다.[259] 어쨌든 죽간 『논어』의 발굴로 기원전후경 유교가 평양 일대에 이미 보급됐다는 사실이 분명해졌다.

이는 또한 이왕의 기자 관련 기사가 『한서』에서 증보된 시기이기도 하다. 즉 옛 조선 지역에 유교가 보급되는 것과 더불어, 기자 이야기의 의미 역시 확대됐음을 알 수 있다 그리고 훗날 어떤 세력이 중원의 주인이 되든지 간에, 한민족 국가가 중원왕조에 대해 종속적이라는 것을 정당화할 때 언제나 기자 이야기를 동원했다.

이 이야기가 가랑비에 옷 젖듯이 토착민에게도 스며들었을지 모른다. 고구려에서 영성靈星, 해(日), 가한可汗의 신과 함께 기자를 제사하고 섬겼다는 기록이 보인다.[260] 하지만 이 역시 중국 역사서의 단편적인 언급에 지나지 않는다.

토착민에게 기자 이야기는 타자의 시선에서 모자이크된 허구의 계보였고, 한나라 사람들이 가져다 붙인 조선의 정체성에 관한 이야기였다. 5세기에 건립된 〈광개토왕비〉 등에서 확인되듯이, 고구려는 유교적인 세계관이 아닌 독자적인 천손의식으로 국가의 정통성을 천명했던 나라였다.

뿐만 아니라 삼국시대까지, 고대 한국에서 기자동래설은 기원의 이야기로 거의 비중이 없었다. 고대국가마다 독자적인 신국神國의식을 가지고 있던 상황에서, 어쩌면 이는 당연한 일이었다. 대신, 고유한 천손신앙에 기반을 둔 건

---

258. 이성시·윤용구·김경호, 「평양 정백동 364호분 출토 죽간 『論語』에 대하여」, 한국목간학회, 『목간과 문자』 4 (2009).

259. 윤용구, 「새로 발견된 樂浪木簡—樂浪郡 初元四年 縣別戶口簿」, 한국고대사학회, 『한국고대사연구』 제46집 (2007); 「낙랑·대방지역 신발견 문자자료와 연구동향」, 한국고대사학회, 『한국고대사연구』 제57집 (2010). 요동의 낙랑군과 대동강 유역의 낙랑국을 별개로 보는 북한 학계는 이런 출토 유물들이 요동을 배경으로 제작돼 평양지역에 유입됐다고 주장한다. 윤용구(2007), 위의 글, 249~250쪽.

260. 『구당서舊唐書·동이전東夷傳·고구려高句麗』에 "其俗多淫祀, 事靈星神·日神·可汗神·箕子神"이라고 하여 고구려에서 기자신箕子神을 섬긴다는 기록이 있을 정도다.

국신화들이 삼국 말까지 성행한 기원 이야기의 원형을 보여준다.

또한 유교 역시 고대 한국에서 별로 인기가 없었다. 기원전 1세기의 낙랑 시절에 이미 유교가 유입된 게 확인되지만, 그 뒤로 고대 한반도의 이념 지형에 끼친 영향은 거의 미미했다. 4세기 고구려의 소수림왕 때, 전진前秦의 제도를 본떠 태학을 설립하고 유교 경전을 가르쳤다.

그게 공인된 유교 교육의 시작이었다. 하지만 불교와 토착신앙(仙敎, 신선사상)에 비해, 유교의 영향력은 줄곧 미약했다. 더불어 기자 역시 거의 주목받지 못했다. 다만 신라에서 당나라로 보낸 공문서에서, 기자 이야기를 외교적으로 활용하는 정도의 사례를 발견할 수 있다.

신라 말에 진성여왕을 대신해 최치원이 작성한 「양위표讓位表」에 그 흔적이 보인다. 신라가 "구주九疇의 남은 법도를 빌리고, 일찌감치 팔조八條의 교훈을 받았다"고 진술한다.[261] 물론 이는 기자의 '홍범구주'와 '팔조법금'을 가리킨다.

신라가 고조선을 잇고, 기자의 유풍을 계승한 국가라고 말하는 셈이다. 즉 『사기』와 『한서』 등에 보이는 기자 이야기를 활용하여, 당나라 황실의 비위를 맞추는 것이다. 상대 국가의 지배층이 듣길 원하는 이야기를 외교문서에 반영하는 문맥이다.

하지만 정작 신라 자신의 역사인식에서, 기자는 거의 존재감이 없었다. 예컨대, 7세기 후반에 제작된 「문무왕 비문」의 사례를 들 수 있다. 신라 왕실의 자기 정체성에 대한 인식이 거기에 담겼다. 화관지후火官之后, 성한왕星漢王, 주몽朱蒙 등의 이름을 볼 수 있다.

기록 전반에서 "(조상의) 그 바탕이 하늘에서 내려오고 그 영靈이 선악仙岳에서 나온" 신령한 나라(神國) 신라의 영험한 왕실 계보를 부각한다. 반면 유교적인 관념은 거의 희박하며, 비문 어디에도 기자나 그와 관련된 코멘트는 없다.

그러나 고려 중엽부터 유교가 정치이념으로 득세하자, 상황이 반전했다. 기자의 조선이 역사로 재조명됐다. 『고려사』에 기자 관련 기록이 다수 보이는데,

---

261. "臣以當國, …… 矧假九疇之餘範, 早襲八條之教源." 『東文選』「讓位表」.

고려와 요동 일대가 기자의 옛 봉지로 그의 교화를 입었다고 인식한다.[262] 그러다가 유교가 국교인 조선왕조가 건립되자, 기자가 역사인식의 전면에 등장한다.

조선의 유학자들은 기자를 적극적으로 확대해석하고, 전에 없이 받들어 숭배했다. 기자는 옛 조선 문명개화의 시조이자, 동방 유교문화의 시원으로 공식적으로 추존된다. 조선왕조의 이념과 제도를 설계한 정도전은 『조선경국전朝鮮經國典』에서 단군과 위만의 조선은 물론 신라, 백제, 고구려와 고려까지 그 국호의 정통성을 죄다 부인했다.

그 나라들이 모두 "중국의 명령을 받지 않고 스스로 국호를 세웠으므로 그 칭호를 취할 수 없다"는 것이다. 대신 "기자만은 주 무왕의 명을 받아 조선후에 봉해졌으므로" 조선의 국호를 사용하는 게 옳다고 천명했다.[263] 이처럼 조선은 출발부터 한반도의 어느 국가도 아닌, 기자조선을 계승한다고 자처했다.

역사와 문명의 정통성에 대해, 이는 대내외적으로 천명된 조선의 공식적이고도 일관된 입장이었다. 세종대왕이 기자 사당의 중수를 마치고 묘비 건립을 명하며 말한다. "우리나라의 문물과 예악이 중국과 비견하여 지금까지 2천여 년에 이르게 된 것은 오직 기자의 교화에 힘입은 것이다." 이런 왕의 교시에 대하여, 묘비명을 지은 변계량卞季良(1369~1430)이 이렇게 호응했다.

> 신이 곰곰이 생각했습니다. '…… 기자는 무왕의 스승이다. 무왕이 다른 곳에 봉하지 않고 우리 조선에 봉했으므로, 조선 사람들이 아침저녁으로 친히 그의 교화를 입었다. 군자君子는 대도大道의 요지를 듣고, 소인小人들은 더할 수 없는 정치의 보호를 입을 수 있었다. ……'
>
> 명銘에 말하기를 "아! 기자는 문왕의 무리로다. …… 은나라는 그를 버려 멸망하였고, 주나라는 그에게 물어 창성하였네. 위대해라! 온 천하의 안위

---

262. 조법종, 「동이 관련인식의 동향과 문제점」, 단군학회, 『단군학연구』 제5호 (2001), 107~109쪽.

263. 鄭道傳, 『三峯集 · 朝鮮經國典』上 '國號.'

가 그 한 몸에 달려 있었네. 몸을 숨겨 동쪽으로 오시니, 하늘이 그를 우리의 스승으로 하셨도다. …… '동이를 중화로 만들었다'고 당唐나라에 그 비문이 있네……"라고 하였다.[264]

이런 관점을 계승한 후대의 성리학자들이 기자를 동방 유교문화의 시원으로 추앙하고, 절의와 인현仁賢의 상징으로 삼았다. 그러나 위에서 분석했듯이, 이런 이야기는 시대의 변천과 이념의 편향에 따라 만들어진 판타지였다. 여기서 판타지란, 역사적 사실 자체보다 그 의미에 대한 해석이 중요한 '상상의 이야기'라는 문맥이다.

기자가 정말 조선으로 망명했는지, 혹은 기자조선이 하나의 국가로 존립했는지 등은 지금도 학계의 논쟁거리다. 여기서 필자가 이런 역사논쟁에 적극 참여하려는 것은 아니다. 단지 오늘날 밝혀지는 고고학의 증거로 볼 때, 일러도 BC 9세기 서주 말 이후에야 유교적 예교와 인의의 덕목이 비로소 도입된다.

한데 그런 덕목을 BC 11세기 상나라 말의 기자가 조선에 전해 문화국가로 교화한다? 이런 상상이 근본적으로 판타지라는 사상사의 진실을 말하려는 것이다. 기자 이야기는 후대의 판타지가 어떻게 역사로 소급되는지를 보여주는 한 사례다. 게다가 이 판타지는 중국 역사가들이 동방지배 이념으로 어설프게 창작했지만, 거기에 기꺼이 공명한 한국 유학자들의 뇌리에서 더 영속적인 역사로 되살아났다.

사람들은 어떤 이념 안에서 자기들의 신념을 정당화하는 '가공의 계보'를 창작하고, 그것을 역사로 쉽게 믿어 버린다. 더구나 외부로부터 이념을 들여와 날것 그대로 숭배할 때, 자기 역사의 기억조차 그 이념틀 안에서 변형시킨다는 것을 기자 이야기가 잘 웅변한다.

그러니 단재 신채호의 말이 새삼 떠오른다. "(우리나라 역사서들이) 공자의 『춘추』를 역사의 절대준칙으로 알고 그 의례를 흉내 내어 존군억신尊君抑臣을 주

---

264. 『朝鮮王朝實錄·世宗』 40권 10년.

장하다 민족의 존재를 잊어버렸고, 숭화양이崇華攘夷를 주장하다가 끝에 가서는 자기 나라까지 배격하는 편벽된 이론에 이른 것이 유감이다."[265]

세종대왕의 성인 정치

전병훈은 기자에 이어 한국의 성군으로 세종대왕을 호명했다. 그는 먼저 세종의 치적을 이렇게 진술한다.

세종대왕은 『향례합편鄕禮合編』을 국내의 군현에 반포했다. 이를 통해 향음鄕飮[266]과 향사鄕射[267]의 의례를 가르쳐 덕을 기르고 친선을 도모했으며, 백성을 감화하기에 진력했다. 삼백육십 주현에 공자묘(孔廟)를 널리 건립해 받들었으며, 거기서 선비를 양성했다. 숨은 덕성이 뛰어난 선비를 초빙하고, 뭇 현인들을 함께 등용했다.
또한 『오륜행실도五倫行實圖』를 반포해 관혼상제의 예를 이끌어 유도하고 장려하니, 온갖 법도가 일신하고 여러 공적이 모두 빛났다. 거의 50년 동안 형벌을 사용하지 않았으니, 지극한 덕치와 예치를 펼쳤다고 말할 수 있다.[268]

전병훈의 평가에 따르면, 세종이야말로 참된 성인이다. 세종임금 대에 예치

265. 신채호, 박기봉 옮김, 『조선상고사』(비봉출판사, 2006), 43쪽.
266. 향음은 향촌의 선비·유생들이 한자리에 모여 학덕과 연륜이 높은 이를 주빈으로 모시고 술을 마시며 잔치를 하는 향촌의례의 하나로, '향음주례鄕飮酒禮'가 정식 이름이다.
267. 향사는 향촌에서 활쏘기 시합을 하며 예법을 익히고, 상호 친목을 도모하는 의식이다. 서로 격식에 따라 술을 권하고 마시며 또 활쏘기를 권했다. 조선 초기에 향촌사회의 질서를 확립하기 위한 시도로 향음주례와 함께 시행되었다.
268. 李世宗大王, 頒賜『鄕禮合編』于國內郡縣, 教以鄕飮·鄕射, 觀德親善, 務盡感化, 遍建孔廟于三百六十州縣而崇奉之, 養士其中. 招聘潛德之士, 羣賢彙征, 又頒五倫行實圖, 冠·婚·喪·祭之禮, 以導迪之, 奬勵之. 百度一新, 庶績咸熙. 幾於刑措不用者五十年, 則可謂德禮之至治也. 『통편』, 308~309쪽.

로 교화하고, 문물제도가 극히 번성했다. 동주東周 이래, 이는 동아시아에 일찍이 없었던 최고의 정치였다. 여기서 '동주'는 문왕과 무왕이 나라를 열고, 주공이 문물제도를 정비한 고대 국가였다.

한데, 그런 이상의 왕국은 기원전 1천 년대의 아득한 과거로 거슬러 올라간다. 그 시대가 유교의 영원한 모범으로 회자된 것은, 아이러니하게도 그 이후에 다시 귀감으로 삼을 만한 '성인 정치'의 본보기가 희박했다는 역설을 함축한다.

앞서 몇 차례 인용했듯이, 정주학의 창시자인 정이程頤조차 "천 년간 참된 선비가 없고 백 세대에 좋은 정치가 없었다"고 일찍이 고백했다. 유교의 정치적 이상이 중국에서 온전히 실현되지 못했다는 자조 섞인 탄식인 것이다. 이런 동아시아의 정치사에서 세종은 실로 독보적인 성인군주였다.

유교의 인정仁政이나 예치의 성패는, 군주가 끝내 성인의 반열에 오르는가의 여부에 달렸다고 해도 과언이 아니다. 최고통치자를 올바른 길로 인도하는 사대부 관료들의 책무도 막중하다. 그렇지만 권력의 정점에 있는 군주가 덕성과 리더십에서 최고의 경지에 오르고, 마침내 '내성외왕'을 실현하지 않으면 안 된다.

한데, 그처럼 탁월한 덕성과 리더십을 겸비한 군주가 출현하기란 실로 난망한 일이다. 뛰어난 지덕을 겸비한 지식인 관료는 드물지 않다. 하지만 그런 지식인 관료의 자질을 뛰어넘는, 이상적인 전제군주가 출현하기는 참으로 어려웠다. 왕권이 세습되는 군주제에서, 그것은 어쩌면 불가능에 가까웠다.

그리고 실제로, 역사에서 그런 이변은 거의 일어나지 않았다. 그러므로 존재 그 자체로, 세종대왕은 동아시아 유교 정치의 역사에서 대단히 경이로운 하나의 기적이었다. 서우의 평가에 따르면, 세종대왕은 삼대 이후에 '성인 정치'를 몸소 구현한 유일무이한 군주였다.

한데 그것은 결코 아전인수가 아니었다. 물론, 중국과 일본에도 위대한 창업군주나 재덕·문무를 겸비한 뛰어난 군왕은 적지 않았다. 그러나 유교의 정치적 목표인 '덕치'와 '예치'의 이상을 군왕이 몸소 구현한 사례로는, 세종대왕이 단연코 독보적이다.

서우는 그런 세종의 리더십이 "단지 한국의 모범에 그치지 않고, 장차 세계가 통일하는 날 반드시 본받는 바가 있을 것"[269]이라고 단언했다. 그리고 세종대에 조선의 예치가 번성했던 대표적인 사례로, 상례제도의 완비를 들었다.

중국에서는, 한나라 문제 때부터 상례 기간을 줄이는 단상短喪을 시행했다.[270] 그 뒤로, 삼년상을 치르는 제도는 오직 조선에서만 복원돼 이어졌다. 서우는 그런 상례제도를 정비하고 시행한 공덕을 세종에게 돌렸다. "(세종대왕이) 관혼상제의 예를 이끌어 유도하고 장려하니, 온갖 법도가 일신하고 여러 공적이 모두 빛났다"고 칭송한다.

사대부가 가묘를 세우지 않고 단지 신주만 모시면, 벼슬길에 나가는 것이 허락되지 않았다. 그러므로 집집마다 가묘를 세우고, 때에 맞춰 제사를 지냈다. 그리고 상을 치르는 내내 한결같이 『의례』의 예법을 따랐다.[271] 이런 사례를 통해, 서우는 주나라 예악문물과 인륜도덕의 정수를 오직 조선에서 잘 보존했다고 자부했다.

서우의 이런 평가에 대해, 물론 엇갈린 의견이 제기될 수 있다. 삼년상은 효제孝悌의 풍속을 진작시킨다. 이것이 유교의 원론적 입장이었다. 그러나 현실에서 이를 구현하는 건, 언제나 간단치 않은 일이다. 공자가 후한 장례(厚葬)와 3년의 구상久喪을 강조하고, 그의 제자들이 이를 따랐다. 하지만 그것은 공자시대에 이미 비판받았다.

묵자墨子는 아예 「절장론節葬論」을 저술해서 유가의 번쇄한 상례에 반대했다. 성대하고 긴 상례가 결과적으로 신분차별, 계층 간의 위화감 조성, 재화의 낭비, 생업의 곤란을 가져온다는 게 비판의 논거였다. 그 뒤로도 삼년상의 제도

---

269. 將來世界統一之日, 其必有取法者乎! 『통편』, 309쪽.
270. 단상제는 흔히 '역월제易月制'로 불린다. '이일역월제以日易月制'의 줄임말이다. 하루를 한 달로 바꿔 계산해서, 27개월이 걸리는 삼년상을 27일 만에 끝마친다. 이는 왕의 장례에 따르는 정치적 공백을 최소화하고, 왕권 승계를 안정화하기 위한 조치였다.
271. 『통편』, 309쪽.

적 시행이 논의될 때는, 언제나 그와 유사한 논쟁이 반복되었다.

3년의 상례는 유교적 예치의 상징적 바로미터였다. 한데 모든 바로미터는 현실에서 완전하게 구현되지 않는다. 공동체 구성원 누구나 삼년상을 치르는 것은 역사상 한 번도 실현된 바가 없고, 어쩌면 실현될 수 있는 목표가 아닐지도 모른다. '척도'는 언제나 도달해야 할 이상으로서 그 의미를 지닌다.

조선시대에 비록 삼년상이 시행됐지만, 역시 모든 백성에게 해당된 것은 아니다. 삼년상은 다만 조정의 관료 및 사대부 이상의 계층에게 요구된 의무였다.[272] 한데 그것이 보편화하기 어려운 이상이라고 해서, 참되지 않다고 할 수는 없다.

중요한 것은, 한 번도 전면적으로 시행된 바가 없던 그 이상이 사람들의 참담한 도덕적 타락을 개선하는 데 일정한 효력을 지닌다는 점이다. 삼년간 부모의 상을 치르는 동안이라도, 현실의 이기적인 충동에서 벗어나 조신하며 삶의 근원을 돌아보는 윤리적 자기성찰의 시간을 가질 수 있기 때문이다.

공자가 삼년상을 포기할 수 없었던 까닭이 거기에 있었다. 서우 역시 그런 취지에서, 이상적인 상례제도를 회복하고 유지시킨 조선의 정치 및 문화적 저력을 높이 평가한 것이다. 그러나 당연한 일이지만, 사회지도층인 관료와 사대부들에게 삼년상의 일괄 시행을 요구하기란 결코 쉬운 일이 아니다.

온갖 현실적인 이유와 난관을 들어, 그것의 시행을 반대하는 세력과 여론이 일어나는 게 당연하다. 더구나 왕과 그 일족에게조차, 삼년상의 시행은 대개 달갑지 않은 의무였다. 그러므로 유교의 본산인 중국에서도 삼년상의 제도화에 성공하지 못했던 것이다.

그런데 조선에서, 더구나 군왕이 주축이 되어 오서독스한 상례제도를 확립하고, 그것을 사회지도층에게 일괄 적용했다. 도덕정치의 이상을 순수하게 내면화한 군주, 세종대왕의 도덕적 모범구현이 뒷받침되지 않았다면 결코 이루기 어려운 놀라운 정치력이었다.

---

272. 삼년상은 조정의 관료와 사대부들에게 국한되었고, 서민의 장례는 100일상이 일반적이었다.

그러므로 서우가 "세종이야말로 참된 성인"이라고 극찬했다. 세종대왕 때에 조선의 "온갖 법도가 일신하고, 여러 공적이 모두 빛났으며, 거의 50년 동안 형벌을 사용하지 않았고, 지극한 덕치와 예치를 펼쳤다." 조선왕조가 5백 년간 지속되는 기틀이 바로 그 시기에 완비되었다.

세종대왕의 이런 위업은, 세계정치사에 길이 남을 도덕적 리더십의 한 전범을 보여준다. 그런 리더십을 평가하는 관건은, 단지 세종이 시행한 상례제도가 타당하냐 아니냐를 따지는 데에 있지 않다. 만약 논점을 그리로 한정한다면, 그것은 한 시대를 지나치게 협소하게 읽는 것이다.

덕치와 예치가 어려운 까닭은, 최고권력자가 몸소 뛰어난 덕성을 함양하고 출중한 리더십을 발휘해서 실현하기 어려운 사회적 이상을 현실로 만들어야 한다는 데 있다. 그것은 정치지도자 본인, 또 그와 더불어 정치를 펼치는 핵심 세력의 철저한 모범구현을 필요로 한다. 다시 말해, 사회 고위층에게 높은 사회적 신분에 상응하는 도덕적 의무를 솔선수범하도록 만드는 게 덕치와 예치의 가장 큰 어려움이다.

세종대왕은 어느 도덕실천가보다 탁월하게 이런 난관을 극복한 역사적 모범이었다. 솔선수범하는 그의 덕치는 왕조시대를 넘어, 지금의 민주사회에서도 퇴색하지 않는 정치적 리더십의 한 전범을 보여준다. 또한 그런 성인왕聖人王의 출현을 가져왔던 한국의 정치·문화적 저력에 대한 재평가를 요청한다. 영광의 시대는 짧았으나, 그 영향은 지대했다.

하지만 세종대왕이 찬란하게 부흥한 인륜도덕과 예악문물도 시간이 흐르면서 점차 퇴색했다. 서우는 그런 유산이 자신의 당대에 "이미 거의 소실돼, 그나마 열에 하나만 남았다"[273]고 아쉬워한다. 오늘날 우리가 기억하는 조선의 유산이란, 대개 그처럼 쇠락한 말세의 잔영에 지나지 않는다.

한데 중국에는 오히려 그런 정도조차 남아 있는 게 드물다고 서우가 탄식했다. 그러니 당장이라도 조선에서 다시 예악문물을 수입해서, 중화의 옛 전통을

---

273. 然今已淪喪殆盡, 惟其幸存什一者.『통편』, 309쪽.

되살리라고 제안한다. 그런 대표적인 사례로, 서우는 특히 음악을 든다. 중국에서 옛 음악의 제도와 절주를 모두 잃어버려서, 악장의 단아함과 조화로움이 한국에 비해 아주 못하다고 지적한다.[274]

그렇지만 옛 영화를 회복하거나, 흥하고 망하는 것이 다 사람 뜻대로 되는 건 아니다. 조선에서 세종임금 대에 위대한 정치이상을 실현했지만, 전병훈의 시대에 그것은 이미 옛일이 되어 버렸다. 그래도 조상의 위대한 영광을 기억하는 것은 언제든 중요한 일이다. 그 기억이 새로운 재생의 토대가 되기 때문이다.

지난날의 과오는 반성하고 극복하되, 조상의 영예마저 망각의 늪으로 빠뜨리는 잘못을 범해서는 안 된다. 다만 서우는 모든 일에 운수가 있으며, 동아시아가 옛 문명의 영화를 회복하려면 다시 때를 기다려야 한다고 권고한다.[275] 그가 기다리는 때가 곧 오회정중의 문명전환기라는 것을 새삼 강조할 필요는 없을 것이다.

조광조의 정치적 감화

세종대왕이 조선의 성인군주를 대표했다면, 지식인 관료 가운데 서우가 손꼽은 정치가는 정암靜菴 조광조趙光祖(1482~1519)였다. 굳이 강조할 필요도 없이, 그는 조선 중기의 사림을 대표하는 정치개혁가였다. 앞서 '심리철학'과 '도덕철학' 편에서 이미 다룬 바 있다.

조정암은 도학정치의 개혁을 추진하다가, 훈구파가 일으킨 기묘사화로 30대 초의 젊은 나이에 희생되었다. 하지만 훗날 그의 정신을 이은 신진사류에 의

---

274. 『통편』, 309~310쪽. 세종대왕이 음악을 장려해서 관습도감慣習都監을 설치하고 박연을 중심으로 아악을 정리하게 한 것은 유명하다. 전병훈이 조선의 음악을 상찬한 배경에는 세종의 이런 치적이 있었다.

275. 然復古興廢有數存焉, 其亦有待乎! 『통편』, 310쪽.

해 사림의 영수로 추존되었다. 전병훈은 다음 글로 정암의 사상과 치세의 안목을 소개했다.

> 정암 선생이 말했다. "임금과 벼슬아치는 백성을 위해 세운 것입니다. 군신·상하가 모름지기 이 뜻을 알아서 백성의 마음을 자기 마음으로 삼는다면, 정치의 도가 완성됩니다. 옛 성인은 천지가 크고 백성이 많은 것을 하나로 여기고, 그 이치를 살펴 도에 임했습니다. 그러므로 시비와 선악이 내 마음에서 벗어나는 바가 없고, 천하의 일이 모두 이치를 얻으며, 천하의 사물이 모두 평안을 얻었습니다. 이것이 온갖 교화가 바로 서는 까닭이며, 정치의 도를 성취하는 방안입니다."
>
> "실속 없이 겉만 그럴듯하게 꾸미는 잔재주로 정사를 보지 않고, 기강과 법도로 다스립니다. 일심一心의 오묘함으로 기강법도의 근본을 삼습니다. 이 마음의 본체가 광명정대하고 두루 퍼져 통달하니, 천지와 그 근본을 같이합니다. 그러므로 크게 이를 쓰면, 일용과 정사가 모두 도의 작용이라서 기강법도를 세울 필요가 없이 서게 됩니다. 비록 그 정성스러운 마음을 얻은 뒤라도, 그 마음의 도가 곧고 굳게 서야 마침내 그 완성을 보게 됩니다."[276]

윗글은 1515년 시행된 알성시謁聖試에서 조정암이 제출한 '시책試策'의 일부다. '치국의 기강과 법도를 세우고, 옛 성인의 융성한 정치를 회복할 방안'을 작성하라는 게 시제試題였다. 이에 조정암은 군주가 백성의 마음을 자기 마음

276. 趙靜菴先生曰, "君臣者, 爲民而設也. 上下須知此意, 以民爲心, 則治道可成. 古之聖人以天地之大, 兆民之衆, 爲一已, 觀其理而處其道. 是以是非善惡, 無所逃於吾心, 而天下之事皆得其理, 天下之物皆得其平. 此萬化之所以立, 治道之所以成也." "不以政事文具之末, 爲紀綱法度, 而以一心之妙, 爲紀綱法度之本. 使此心之體光明正大, 周流通達, 與天地同其本. 而大其用, 則日用政事之際, 皆爲道之用, 而紀綱法度, 不足立而立矣. 雖然有其誠而後, 其心之道, 立於貞固, 終見其成也." 『통편』, 310쪽. 『정암선생문집靜菴先生文集』 卷之二 「알성시책謁聖試策」 에 보인다.

으로 삼고, 천지와 마음의 본체를 함께하며, 그 마음을 크게 써야 한다는 취지로 답변했다.

서우는 윗글에 요·순이 추구한 군신의 도덕이 담겼다고 찬탄한다. 특히 문두에 "임금과 벼슬아치는 백성을 위해 세운 것"이라는 명언이 조정암의 정치사상을 단적으로 웅변한다. 그는 오직 '백성을 위한(爲民)' 정치를 천명했다. 또한 그 정치가 천지의 자연법적 섭리에서 비롯되며, 그 섭리가 내 마음의 본체에 갖춰져 있다는 성리학설을 집약해서 진술했다. 이에 대해, 전병훈이 평론한다.

> (정암이) 전제군주시대에 신하의 처지였으므로, 비록 공화나 입헌을 주창해 밝히지는 못했다. 하지만 그가 하늘을 본받아 행한 것은 전적으로 애민愛民을 위주로 했다. 탁월하다! 그는 주공과 맹자 이후의 정치가 중에 성현이다.[277]

윗글의 의미가 분명하므로, 다시 부언할 필요는 없을 것이다. 서우는 이어서 정암의 글을 추가로 인용했다. 그 요지는 이렇다. 군주는 모름지기 백성의 공론에 따르고, 이익보다는 도의와 신의를 존중하며, 위·아래가 서로 믿고 화합해야 한다. 이런 정치적 견해를 잘 보여주는 글만 따로 뽑아서, 서우가 다음과 같이 열거했다.

> (정암이) 또한 말했다. "성인이 미풍양속을 북돋고, 다중을 이끌어 선하게 하는 데는 연유가 있다. 그것은 백성의 공론公論을 따르고, 그 물정에서 벗어나지 않는 데 지나지 않는다. 그러므로 그 마음을 닦아 경계하고, 백성이 미약하다고 말하지 말며, 민첩하고 과감하게 세상물정을 따르는 데 힘써야 한다."[278]

---

277. 誠可謂堯舜君民之道德也. 然臣處君主時代, 雖未能唱明共和·立憲之名, 而其體天行道, 專以愛民爲主. 卓乎! 其周公·孟子以後政治家之賢聖哉. 『통편』, 311쪽.

"이익을 추구하는 탐욕의 근원(利源)이 한번 열리면, 그 해로움이 크다. 국가는 모름지기 공명과 이익의 습속을 끊어야 한다."[279]

"군신·상하가 마땅히 지극한 정성으로 서로 믿고, 잘 통해서 틈이 없어야 한다. 그런 뒤에야 정치를 잘할 수 있다."[280]

"세상의 풍속은 완고해서 갑자기 변화시킬 수 없다. 마땅히 풍속을 존중해 헤아려 고칠 수 있는 것은 고치고, 귀와 눈의 감각을 편안하게 해서 잘 선도한다. 그러면 우리 백성도 역시 바른 도를 따르는 자들이라, 어찌 끝내 감화하지 않을 이유가 있겠는가!"[281]

윗글에서 이상으로 여기는 지도자는 백성을 선하게 이끄는 카리스마를 발산하며, 동시에 세상의 공론과 물정에 귀 기울여 따르는 경청傾聽의 리더십을 구사한다. 그는 군신·상하를 아우르는 소통의 대가이자, 세상의 풍속이 바뀌는 데 필요한 기다림의 미덕을 발휘할 줄도 안다. 그리고 이 모든 리더십의 근저에는, 공명과 이익을 좇는 탐욕에서 벗어난 순수한 마음의 덕성이 있다.

그런데 흔히 각인된 조광조의 이미지는 이런 리더십과 다소 거리가 있다. 정암이 조선 전기를 대표하는 지식인이자 개혁가였다는 데는 이견이 없다. 하지만 그의 인물됨과 리더십에 대해서는, 상충되는 평가가 혼재한다. 빼어난 자

---

278. 又曰 "聖人所以篤化美俗, 帥衆而爲善者, 不過循其公論, 而不奪其情也. 故攸儆厥心, 無謂民小, 敏勇過斷, 務循物情." 『통편』, 311쪽. 원문이 『정암선생문집』 卷之二 「홍문관청파소격서소弘文館請罷昭格署疏」 에 보인다.

279. 利源一開, 其害大矣. 國家須絶功利之習. 『통편』, 311쪽. 원문이 『정암선생문집』 卷之四 「복배부제학시계11復拜副提學時啓十一」 에 보인다.

280. 君臣上下, 須以至誠相孚, 通暢無間, 然後可以爲治. 『통편』, 311쪽. 원문이 『정암선생문집』 卷之三 「검토관시계2檢討官時啓二」 에 보인다.

281. 流俗, 固不可猝變. 當以俗尚商量, 可改者即改之, 使耳目觀感, 優游而善導之, 則斯民亦直道而行者也, 安有終不感化之理乎. 『통편』, 311쪽. 원문이 『정암선생문집』 卷之三 「시독관시계12侍讀官時啓十二」 에 보인다.

질, 급진적 개혁성, 학문적 미숙, 비타협적 성향, 뛰어난 인화력 등이 조광조의 다채로운 이미지를 구성한다.

일찍이 율곡은 기회가 있을 때마다 조정암을 극구 칭송했다. 그러면서도, 조광조가 학문이 미처 대성하기도 전에 급작스레 조정 요로에 올랐다가 기묘사화의 희생양이 됐다고 아쉬워했다.[282] 퇴계 역시 대동소이한 문맥에서, 정암의 자질은 천부적이었으나 학문이 미진하여 정치 개혁에 실패했다고 논평했다.

그런데 이는 사화士禍의 피바람으로 무수한 선비들이 죽어 나가던 시대에, 정치 일선에서 '학문'으로 퇴거해 사상적 역량을 비축하던 학자들의 자기변론이기도 했다. 퇴계나 율곡 모두 조광조를 계승한다는 의식이 강렬했다. 하지만 동시에 정암의 정치적 실패를 거울로 삼아, 이론적으로 한층 견실한 기반에서 성공적인 변혁을 추진하려는 '일보후퇴 이보전진' 모드로 전환했던 셈이다.

그런데 정암에 대한 서우의 평가는 그 기조가 약간 다르다. 서우 역시 정암의 타고난 자질이 아주 비범했다고 칭송한다. 하지만 정암이 정말 뛰어난 것은, "우리 군주가 요·순이 되고 우리 백성이 어질고 장수할 수 있도록"[283]하려는 간절한 소명의식에서 비롯된다.

서우는 정암의 이런 충심과 용기를 극구 칭송하고, 천 년에 한 번 나올 만한 인물이라고 극찬했다. 그리고 조정암이 조야에서 얼마나 존경받았는가를 강조한다.

> (정암이) 조정에 들면 하루에 세 번 임금을 만나 정사를 의논했다. 조정에서 물러나면, 사람들이 앞을 다퉈 손을 이마에 대고 절하며 경의를 표했다.[284]

---

282. 惜乎趙文正, 以賢哲之資經濟之才, 學未大成, 遽昇當路, 上不能格君心之非, 下不能止巨室之謗, 忠懇方輸, 讒口已開, 身死國亂, 反使後人懲此不敢有爲. 豈天欲斯道之行歟! 何其生此人而不使之成就歟! 李珥, 『石潭日記』 卷之上.
283. 自任之重, 吾君可以爲堯·舜, 吾民可以躋仁壽. 『통편』, 311쪽.
284. 進則日有三接, 退則人爭額手. 誠千載一時之際會也. 『통편』, 312쪽.

그 밖에도 정암이 백성들의 큰 신뢰와 지지를 얻었던 여러 사례들이 있다. 그가 정사를 돌본 지 한 해 만에 백성들이 예치로 교화되었다. 그것은 무엇보다 조광조 본인이 모범을 보여 백성을 감화했기 때문이다. 즉 "멀고 가까운 곳의 감화가 자연스럽게 그리되었으니, 몸소 사람들을 교화해 백성이 절로 감동해서 빨리 시행된"[285] 것이다.

한편 그가 정쟁에 휘말려 죽게 되자, 서민부터 사림까지 온 나라가 들고일어나 구명했다. 심지어 산골 노인들마저 대궐로 몰려들었는데, 이는 천 년 동안 일찍이 없던 일이었다. 서우는 이런 여러 사례를 소개하면서, 민심이 정암을 지지한 까닭을 그의 도의와 위민 정치에서 찾는다. 서우가 다시 정암을 인용했다.

> 정암 선생이 또 말했다. "민생의 입고 먹을 게 이미 충족하고 뭇 일을 다 거행한 뒤에, 옛 예법을 시행하려한다면 너무 늦다. 무릇 (정치는) 옛 도를 행하고, 백성을 보호함으로 근본을 삼는다면 옳다."[286]

> "민생이 넉넉해지길 바란다면, 모름지기 조세와 군역 두 가지 일이 적절해진 뒤에야 다스리는 결과가 나온다."[287]

결론지어 말해, 서우는 조선시대의 그 어떤 정치가보다 정암의 경륜과 사상을 높이 샀다. 특히 군주가 아닌 지식인 관료로서 다중의 절대적인 지지를 얻고, 예치로 풍속을 교화한 탁월한 정치적 감화력을 발휘한 데 경탄을 금치 못했다. 급기야 "삼대 이래 그런 사람이 있었는가?"라고 반문할 정도였다.

---

285. 遐邇感化, 乃自然而然. 以身教人, 聳動感發而速行. 『통편』, 312~313쪽.
286. 靜菴先生又曰 "民生衣食既厚, 凡事畢擧而後, 欲行古禮, 則緩矣. 大抵力行古道, 而以保民爲根本則可矣." 『통편』, 312쪽. 원문이 『정암선생문집』 卷之三 「시독관시계11」 에 보인다.
287. 欲厚民生, 須使貢賦·軍額二事得宜, 而後治化可出也. 『통편』, 312쪽. 원문이 『정암선생문집』 卷之四 「원자보양관시계3元子輔養官時啓三」 에 보인다.

앞서 말했듯이, 퇴계와 율곡은 정암이 학문적으로 미숙했다고 평가했다. 하지만 정치 일선에서 투철한 개혁을 진두지휘하며 민심을 얻었던 면에서, 퇴·율이 오히려 정암에 미치지 못하는 바가 있다. 하지만 서우는 정치개혁가로서 조광조의 면모를 한층 높게 평가했다. 특히 정암의 지향이 민주정치에 부합했다고 생각했다. 다음은 서우의 마지막 평론이다.

> (정암이) 하늘을 본받아 백성을 위했던(體天爲民) 사실이 모두 만세의 본보기가 된다. 더 나아가, 인류가 대동하는 통일세계의 민주정치에 부합하는 것이다.[288]

이율곡의 정치철학

조선에서 훌륭한 선현들이 많이 나왔다. 정치학 분야에도 역시 탁월한 식견을 지닌 현인들이 많았다. 하지만 서우에 의하면, 정암 이후로는 율곡 이이李珥(1536~1584)의 정치 식견이 단연코 으뜸이었다. 그는 먼저 율곡의 『성학집요』에서 다음 글을 가져온다. "임금은 하늘을 아버지로 땅을 어머니로 섬기며, 이 백성을 형제로 삼고 만물을 동료로 여긴다. 어진 마음을 확충한 연후에 그 직분을 다할 수 있다."[289] 전병훈은 이 구절의 의미를 다음과 같이 해석했다.

> 이 구절로 보건대, '임금이 백성을 형제로 삼는다'는 논의에 이윤伊尹의 전설에 보이는 의미가 담겨 있다고 할 수 있다. 하지만 언어가 더욱 절실하고 엄밀해서, 애민愛民·근민近民·외민畏民·민주民主를 넘어선다. 만세의 본보기가 되는 것이다.

---

288. 此出於附錄之事實也. 其體天爲民之政治事實, 皆可爲萬世法則, 而愈有合乎大同一統世之民主至治者矣. 『통편』, 313쪽.

289. 李栗谷先生曰 "人君父事天, 母事地, 以斯民爲兄弟, 以萬物爲儕輩, 以充仁心, 然後可盡其職." 『통편』, 313쪽. 원문이 『성학집요聖學輯要』에 보인다.

이로부터 논하건대, 율곡의 밝게 통달함이 정암과 같다. 이 구절의 논의와 같다면, (인류가) 동포로 평등함을 꿰뚫어 본다고 말할 수 있다. 특히 군주의 지극한 말로 삼을 만하다. 반드시 민주·공화의 정치가 실현된 연후라야, (율곡) 선생의 덕량을 채울 수 있을 것이다![290]

이윤의 고사를 독자들도 기억하고 있을 것이다. 서우의 문맥에서, 이윤은 천하 만민의 구제를 자기 사명으로 삼는 인류애를 표상한다. 한데 그런 이윤보다 율곡의 언명이 오히려 더 절실하고 엄밀하다고 한다. "임금이 이 백성을 형제로 삼고, 만물을 동료로 여긴다"는 문구를 염두에 둔 평론이다.

여기서 '이 백성(斯民)'이란 특정한 통치권에 귀속되는 인민, 즉 국민 일반을 가리킨다. 한데 얼핏 생각하기에, 전제왕조의 군주에게 '국민이 형제이며 만물이 동료'라고 말하는 건 사실 파격적인 언사다. 서우는 인민을 사랑하고(愛民), 인민에 가까우며(近民), 인민을 경외하고(畏民), 인민이 주권자가 되는(民主) 것마저 뛰어넘는 정치의 원리가 율곡의 명언에 담겼다고 천명한다.

단도직입하자면, 율곡의 명언은 '인류가 동포로 평등하다(同胞平等)'는 사해동포사상을 함축한다. 하지만 이런 사상은 전제군주제도 하에서 구현되기 어렵다. 민주공화제도라야, 비로소 사해동포가 평등하다는 취지를 충분히 실현할 수 있다는 게 서우의 판단이었다.

실제로 율곡은 백성을 사랑하는 어진 군주가 드물다고 질책했다. "부모로서 자식에게 자애로운 자는 많다. 그러나 임금으로서 백성에게 어진 자는 드물다. 천지가 나라를 맡겨 다스리게 한 그 책임을 생각지 못하는 것이 심하다!"[291] 이는 군주의 책임을 상기시켜, 국민을 위한 정치를 펼치도록 권면하기 위한 말

290. 觀於此章, 爲人君者以民爲兄弟之論, 可謂有伊尹傳說之見, 而語愈切密, 超過於愛民·近民·畏民·民主之上, 而可以爲法於萬世者也. 由此論之, 栗翁之明通, 與靜菴等, 而若此章之論, 則可謂洞見同胞平等, 特別做君之至言也. 必民主·共和之政治, 然後可以充先生之德量乎!『통편』, 313~314쪽.

291. 又曰 "父母之於子, 慈愛者衆, 而人君之於民, 行仁者寡. 其不念天地付畀之責, 甚矣!" 『통편』, 314쪽. 원문이『성학집요·위정제4상爲政第四上』에 보인다.

이다. 최고통치자에게 실로 큰 책임을 묻는 명언이다.

오늘날 민주사회에서도, 국가원수에게 이렇게 직언할 수 있는 측근 각료는 흔치 않다. 이에 대해 서우가 찬탄했다. "이는 임금을 책난責難하는 언사다. 어질고 명철하며 뼛속까지 파고든다. 실로 이윤과 동류라고 해도 손색이 없다."[292] 다음은 율곡의 저서 곳곳에서 서우가 골라 제시한 명언이다.

> 국시國是가 정해지지 않으면, 사람들의 마음이 쉽게 흔들린다. 정명正名이 미진하면, 바른 정치가 이뤄지기 어렵다.[293]

> 때에는 운이 막히거나 트일 때가 있고, 일에는 기회가 있다. 운이 막힐 때 다스리는 계기가 있고, 운이 트일 때 다스리기 어려운 계기가 있다. 임금의 자리에 있다면, 이를 숙고해서 (때와 기회를) 잘 타야 한다.[294]

> 도덕이 있는 선비는, 군주가 경의를 표하고 예를 다하지 않으면 만날 수 없다. 간하는 것을 행하고 말하는 것을 듣지 않는다면, 신하로 삼을 수 없다. 임금은 맡긴 일을 성심껏 위임하고, 시종일관 의심하지 말아야 한다.[295]

> 재상을 잘 발탁하지 못하면, 정권이 비적임자에게 맡겨져 조정이 혼란해진다. 벼슬아치(有司)에게 반드시 재주 갖추기를 요구하면, 인재를 골라 쓰는 길이 좁아져서 여러 직책이 비게 된다.[296]

---

292. 此是責難人君之詞, 仁明而刺骨, 誠不愧爲伊尹流亞也. 『통편』, 314쪽.
293. 又曰 "國是未定, 則人心易搖. 正名不盡, 則善政難成." 『통편』, 314쪽. 원문이 『율곡선생전서栗谷先生全書』 卷之十五 「동호문답東湖問答」에 보인다.
294. 又曰 "時有否泰, 事有機會. 時否而有治之機, 時泰而有難治之機. 在人主審查而善乘之耳." 『통편』, 314쪽. 원문이 『율곡선생전서』 卷之六 「응지론사소應旨論事疏」에 보인다.
295. 又曰 "道德之士, 非致敬盡禮, 則不可得見. 非諫行言聽, 則不可得臣. 人君所當推誠委任, 終始勿貳者也." 『통편』, 314쪽. 원문이 『성학집요·위정제4상』에 보인다.
296. 宰相不用極選, 則政柄授諸非人, 而朝廷亂矣. 有司必求備才, 則取人未免狹窄, 而庶職曠矣. 『통편』, 314쪽. 원문이 『성학집요·위정제4상』에 보인다.

정치는 마땅히 요순처럼 하기를 기약하고, 일의 공적은 마땅히 점차 나아가게 한다.[297]

법으로 다스리지만, 사람이 법을 시행한다. 따라서 법만 있고 사람이 없다면, 유명무실한 법이 저절로 시행될 수 없다. 하지만 사람이 있고 법이 없다면, 사람이 법을 제정할 수 있다. 그러므로 법이 불미스러움을 근심치 않고, 사람이 선하지 않음을 근심해야 한다.[298]

율곡의 정치 식견이 뛰어났다. 한데 그의 글이 단편적이고, 저술의 편제도 들쭉날쭉한 편이다. 이는 조정의 요청으로 그때그때마다 진술한 글이 많았기 때문이다. 서우는 그 안에 담긴 적잖은 내용이 전제군주시대에 듣기 어려운 말로, 무익하게 흘려버릴 것이 아니라고 한다.

그리고 장차 세계가 대동통일하는 민주주의 시대에, 율곡의 학설에서 취할 바가 오히려 많을 것이라고 예견했다.[299] 다시 말해, 율곡의 정치학설이 민본·민주·공화의 오래된 미래로 통하는 메시지를 담고 있다고 천명했다.

현대정치학에서는 선뜻 동의하기 어려운 주장일 것이다. 하지만 전병훈의 민주공화론을 이해하려면, 서구 근대의 이성주의와 인본주의를 넘어서는 세계관과 인간관의 확장이 필요하다. 서우는 태화일기太和一氣의 우주론을 토대로 '사해동포'와 '만물평등'의 원리를 도출했다. 또한 그로부터 '민주'와 '자유' 그리고 '공화'의 자연법적 근거를 찾았다.

---

297. 爲治須以唐虞爲期, 而事功則須以漸進. 『통편』, 315쪽. 원문이 『율곡선생전서』 卷之二十九, 「경연일기經筵日記·만력원년계유萬曆元年癸酉」에 보인다.

298. 以法爲治, 以人行法, 故有法無人, 則徒法不能自行. 有人無法, 則惟人可以制法. 不患法之不美, 而患人之未善耳. 『통편』, 315쪽. 원문이 『율곡선생전서습유栗谷先生全書拾遺』 卷之四 「군정책軍政策」에 보인다.

299. 栗谷先生, 誠有政治學識. 其論貢案之不善, 井制之編製.(因有明廷請述而製進) 可以見其範圍之包涵者, 非徒爲君治朝代之罕聞, 而將大同一統民主之世, 亦何可不取乎? 烏乎盛哉! 『통편』, 315쪽.

"이 백성이 형제고 만물이 동류"라는 율곡의 언명은, 이런 자연법적 민주공화론에 꼭 들어맞았다. 서우는 거기서 사해동포의 박애주의를 읽었고, 인간중심주의를 넘어서는 생태주의적 평등관을 발견했다. 그러므로 훗날 세계가 '대동통일하는 민주의 세상(大同一統民主之世)'에서 율곡의 정치학설이 재조명되리라고 예견했던 것이다.

정치학의 전문화: 유형원, 정약용, 유치범

서우는 조선에서 많은 성현과 학자들이 배출됐고, 저술도 많았다고 거듭 강조한다. 특히 동아시아 최초로, 정치학 전문분야가 개척됐다고 자부했다. 그리고 유형원, 정약용, 유치범俞致範 등을 정치학 전문가로 손꼽았다.

> 반계 유형원 선생은 도학에 통달한 유학자로, 정치·경제학에 전념해서 『반계수록』을 지었다. 경전자집經傳子集의 온갖 전적과 역사에 해박했으며, 빼고 더할 것을 잘 취사해서 이를 절충했다. 특별히 어느 한 왕이나 한 나라에서 본보기로 삼을 만한 것이 아니다.[체제와 국가를 초월해서 참고할 보편적인 가치가 있다.—역자 주]
>
> 이(『반계수록』)는 『주례』 이후 동아시아에서 처음 출현한 정치 전문서다. 역시 아주 귀중하지 않은가! 그 편찬 순서상, 먼저 정전제를 서술한다. 극히 정미하고 상세해서, 장차 지극한 치세에서 반드시 본보기로 삼을 것이다. 그러니 지금 황급히 다 소개하지 않겠다.
>
> 또한 다산 정약용이 지은 『방례초본邦禮草本』(『경세유표』)이 있다. 역시 전문적인 정치학이다. 그리고 유치범이 지은 『일신록一哂錄』도 마찬가지로 정전제를 주제로 한다. 모두 균산의 어진 마음에서 나온 것이다. 위대하도다![300]

---

300. 朝鮮柳磻溪先生(馨遠), 道學通儒也. 專治政治經濟之學, 編制『磻溪隨錄』(十四卷). 博極經傳子集·曆代沿革, 而取舍損益, 以折衷之. 不特一王一國之可以取法者也. 是乃

비록 근세에 조선이 패망했다. 하지만 나라가 망했다고 해서, 그 학문의 융성함까지 깔보거나 부인해서는 안 된다. 서우가 반문한다. "어찌 그 나라의 흥망으로 그 학술까지 의심할 수 있겠는가?"[301] 다시 그의 말이다.

> 주공의 덕치와 예교로 주나라의 태평성대가 8백 년간 홍성했다. 세종대왕이 기틀을 잡은 조선왕조 5백 년의 국운이 역시 이와 같았다.[302]

윗글의 주나라와 조선처럼, 수백 년간 홍성했던 나라도 언젠가는 역사 저편으로 사라지게 마련이다. 하지만 그 나라의 융성했던 문화와 지적 유산마저 모두 함께 사장되는 것은 아니다. 주나라는 2천 수백 년 전에 벌써 망했다. 하지만 그 시대의 예악문물이 전승되며, 후대에 지울 수 없는 흔적을 남겼다.

주나라가 오래전에 사라졌지만, 누구도 그 문물이 하찮아졌다고 말하지는 않는다. 그리스와 로마가 벌써 망했으니, 그 시대의 민주정치와 공화정이 틀렸다고 의심받는 것 역시 아니다. 단군시대부터 전승된 오랜 문명에 뿌리를 두고, 5백 년 동안 융성한 조선의 학문(정치학) 역시 그 가치를 섣불리 속단하는 건 경박하다.

그러니 서우의 말처럼, 나라가 망했다고 조선의 학술까지 함부로 얕봐서는 안 된다. 이런 언명은, 서구문물에 경도돼 자기 문화를 멸시하는 한국과 중국 천학淺學의 행태를 꼬집는다. 또한 식민화 논법으로 조선의 학문과 문명을 통째로 능멸한 일본 제국주의, 그리고 조선의 학술에 대해 아는 바가 거의 없던 세계 지식계의 편견에 경종을 울리는 것이기도 했다.

이처럼 조선 정치학의 전통을 부각하는 한편, 서우는 그 한계 역시 분명하

周禮以後, 東亞之始出政治專家, 不亦甚貴重哉! 其編次先敘井田之制, 極其精詳, 將必爲至治世之取法者, 而今不遑盡採也. 又有丁茶山(若鏞氏)『邦禮草本』書, 亦政治專門學, 而『一哂錄』(俞致範著) 均以井田爲主旨者, 同出於均産之仁心也. 韙哉! 『통편』, 315~316쪽.

301. 何可以其國之興廢, 遂疑其學術哉? 『통편』, 316쪽.

302. 欽惟, 周公德禮之化, 延祚八百之盛, 而李世宗五百運之邦命, 亦猶是焉. 『통편』, 316쪽.

게 지적했다. 동아시아가 전제정치로 접어든 이후, 행정과 입법이 나뉘지 않았다. 또한 입헌과 공화의 제도가 도입된 바도 없었다. 한때의 정치적인 안정(小康)도 다만 인치人治에 크게 의존했고, 법치가 발전하지 못했다.

전병훈은 이를 개탄한다. "백성의 안락과 고통이 전적으로 수령의 현명함 여부에 달렸다. 그들(수령들)을 심사해 선발하는 법에도 역시 좋은 것이 없었다."[303] 그렇다고 해서, 옛사람들이 아무러하게나 관료를 선발했던 것은 아니다.

예전에도 공정한 임관제도를 중시했다. 유형원 역시 방안을 제시한 바가 있다. 그 개요는 다음과 같다. 조정에서 매년 한 차례씩 큰 인사행정 조회를 열고, 매달 상순마다 역시 주기적으로 인사관리를 점검한다. 그리하여 정부 6부의 감찰기관이 임용후보자를 심의하고, 심의가 모두 확정되면 이조吏曹에서 왕에게 추천한다.[304]

오늘날 정부의 인사제도와 비교하더라도, 크게 손색이 없다. 소위 '제왕적 대통령제'에서 인사권이 대통령에게 집중되는 것에 비하면, 오히려 한층 공정한 분권형 인사제도라고 해도 과언이 아니다. 그런데 전병훈은 전제왕조의 관리임용이 아무리 공정해도, 민주공화국의 민선제도에 비할 바는 아니라고 단언한다.

그리고 "위로는 국가원수(총통)와 국무위원에서 아래로는 지방관까지, 모두 민선으로 뽑는 것이 크게 공정한 제도"[305]라고 천명했다. 다만 각 지방관은 지방(省)의회에서 투표로 선거하도록 일임하고, 나머지는 기관 자체적으로 사람을 가려 소임을 맡기도록 한다. 서우는 이런 민선제도가 발명된 마당에, 케케묵은 임관제도의 옳고 그름은 논할 필요가 없다고 단언했다.[306]

---

303. 蓋生民休戚, 專係守宰賢否, 而其審選之法, 亦未有善法. 『통편』, 316쪽.

304. 故柳磻溪曰 "皇明之愼揀守令, 每一歲一開大政. 每月上旬, 亦一開政. 政府六府都察院, 會議擬選之人, 僉議皆定. 然後使銓部奏擬而已, 此可謂公選無弊也." 『통편』, 316~317쪽. 그런데 이는 유형원의 육성이 아니고 『반계수록』 卷之十三 「임관지제任官之制·개정開政」의 요지를 전병훈이 정리한 글이다.

305. 然今以愚見論之, 曷若民主共和之國, 上自總統國務員以及地方官, 皆爲民選之大公至正者乎. 『통편』, 317쪽.

중앙정부의 경우, 행정부의 수장을 비롯해 국무위원까지 모두 민선으로 뽑기는 사실상 어렵다. 그렇지만 오늘날 대통령을 선거로 뽑고, 국무총리는 국회의 임명동의를 구하며, 각 부 장관 후보자는 국회의 인사청문회를 통해 검증하는 절차가 있으므로, 민의를 반영하는 인선의 기본취지는 유지된다. 지방자치제의 시행으로, 각급 지방자치단체의 수장(지방관)도 민선으로 선출한다.

서우가 '크게 공정하다'고 칭송한 민선제도가, 현재 제도적으로는 거의 실현된 셈이다. 하지만 그렇다고 해서, 옛 정치제도가 죄다 나빴다는 의미는 아니다. 다만 현재와 과거의 문물제도를 직접 비교하기에 앞서, 각 제도가 시행된 역사적 맥락을 고려할 필요가 있다. 앞에서 살핀 동아시아 정치철학의 모든 논의와 제도가 그렇다.

멀리는 신농·복희·단군에서 세종대왕과 유형원·정약용에 이르기까지, 그들은 모두 사회적 인간(human society)의 조건과 자기 시대의 문명사적 한계 안에서 정치에 참여하고 제도와 정책을 고안했다. 따라서 그런 체제의 한계를 극복하고, 현 시점에서 최종적으로 도달한 민주공화제와 옛 제도의 옳고 그름을 직접적으로 비교하는 건 무리다.

하지만 전병훈이 보기에, 정치에는 시대나 체제를 넘어서는 인간학과 정치철학의 근원적인 토대가 있다. 비록 문명의 조건과 정체政體는 달랐지만, 위대한 성현과 정치가들은 모두 백성을 근본으로 삼는 떳떳한 정치의 공리公理를 실현하려고 했다.

반면 예나 지금이나, 공명과 이권(功利)을 구하고 권력을 사적으로 점유하려는 소인배의 탐욕과 술책도 모든 정치체제 안에서 함께 자란다. 이런 문맥에서 보면, 무조건 지금이 옳고 옛것이 틀리다고 할 수 없다. 물론, 그 반대 역시 마찬가지다. 이에 서우가 말한다.

아! 지금 천하에 나라가 있는 자라면, 반드시 기자와 주공이 민중의 소리를

---

306. 各地方官則一任省議會投票選擧, 而自內部差定, 恐爲自治制之良便也. 何足論陳久之善否哉. 『통편』, 317쪽.

> 듣던 제도를 사표로 삼고, 구미의 헌법과 민주에서 정미한 규범을 보충해야 한다. 그러면 정치가 더욱 원만해진다고 말할 수 있다. 그러면, 인류가 대동해서 통일되는 것이 자연스러운 순서가 아니겠는가?[307]

윗글은 한국의 정치철학을 논하며 서우가 던진 마지막 결론이자, 미래의 비전이다. 돌이켜 보니, "지금 천하에 나라가 있는 자라면"이라는 한마디가 깊은 여운을 남긴다. 그때 전병훈은 나라를 잃은 망국의 노객老客이었다. 그런 디아스포라의 심중에서, 정치란 곧 '민중의 소리를 듣는(聽衆)' 것 이상도 이하도 아니었다.

조선의 정치는 그것에 실패했고, 마침내 나라를 잃었다. 나라를 빼앗은 자는 외적外敵이었지만, 나라를 들어 통째로 바친 자는 민초의 소리에 귀를 막은 부패하고 무능한 내적內賊(나라 안의 도적)이었다. 하여, 가련한 백성들은 더 이상 그들의 소리를 들어줄 아무도 없는 막막한 사막으로 내몰리고 말았다.

그로부터 백 년 뒤, 대한민국은 지금 서우가 그토록 갈망하던 입헌민주공화국이다. 그가 잃었던 조국은, 이제 헌법 제1조 1항에 "대한민국은 민주공화국이다"라고 명시된 나라가 되었다. 이어서 헌법 제1조 2항은 말한다. "대한민국의 주권은 국민에게 있고, 모든 권력은 국민으로부터 나온다." 제도의 차원에서, 우리는 분명 민주공화제를 실현했다. 형식적 민주주의는 성취됐다.

누구라도 선거에서 표를 얻으면, 주권행사의 자격을 가진다. 하지만 그것만으로 올바른 정치가 구현되는 건 아니다. 표의 획득으로 해결할 수 있는 것은 정치의 여러 난제 가운데 일부로, 극히 형식적인 절차상의 문제에 지나지 않기 때문이다.

정치의 형식(제도)을 실현하기 위해서, 정치가 필요한 게 아니다. 정치의 내용(실질)을 달성하기 위해서, 제도가 필요한 것이다. 정치의 형식은 제도로 뒷받침되지만, 그 내용의 완성은 결국 사람에게 달렸다. 그러므로 정치는 단지

---

307. 烏乎! 有國乎今天下者, 其必以箕子·周公聽衆之制爲師, 而充分以歐美之憲法民主精美之規, 則可謂治進圓滿, 而大同一統非自然之序次乎? 『통편』, 317쪽.

어떤 정체政體인지를 넘어, 그보다 훨씬 근본적인 질문을 수반한다.

그런데 정치에 철학이 없고, 정치인의 속마음에 국민이 없다. 단지 표 획득을 위한 셈법만이 난무할 때, 그 정치는 속빈강정이 된다. 형식이 실질을 압도하니, 말은 번드르르하나 속은 텅 빈(外華內貧) 정치적 빈곤에 빠진다. 지금 한국 정치가 그처럼 실속 없이 가난하다. 앞서 서우가 논의한 우리나라 정치학의 명언들을 다시 반추해 보자.

최고지도자가 사회적 모범을 구현해서, 만민의 표준이 된다. 국가 대사가 있으면 논의를 벼슬아치에게 붙이고, 서민에게 자문을 구했다(기자 홍범). 덕성이 뛰어난 선비를 초빙하고 뭇 현인을 등용했다. 지극한 덕치와 예치를 펼쳐, 50년 동안 형벌을 거의 쓰지 않았다(세종대왕).

군주와 벼슬아치는 백성을 위해서 세우는 것이다. 군주를 위시해, 높고 낮은 벼슬아치가 백성의 마음을 자기 마음으로 삼는다. 백성의 공론을 따르고, 그 물정을 벗어나지 않는다(조광조). 정치지도자는 백성을 형제로 삼고, 만물을 동료로 여긴다. 법이 불미함을 근심치 않고, 사람이 선하지 않음을 근심한다(이율곡).

한국의 정치철학을 회고하면서, 다음과 같은 질문을 던지지 않을 수 없다. 수천 년 전부터 강조되던 지도자의 모범구현, 백 년 전 나라를 잃고 떠돌던 디아스포라조차 잃지 않았던 융성했던 민족문화의 자부심, 국민이 주인이 되는 참된 민주와 민본, 사해동포가 대동하는 세계의 꿈은 지금 어떻게 되었는가? 조상의 실로 위대한 정치이상을 죄다 망각한 하찮은 후손이 되고 말았다.

또한 서우가 다시 우리의 미래에 관해 묻는다. 대한민국은 과연 인류사회에서 어떤 모범이 되고, 지구 문명의 발전에 어떻게 기여할 것인가? 그것은 곧 이 나라가 어떤 가치를 추구하는 정치공동체가 될 것인지에 대한 근본적인 성찰을 요청하는 질문이다.

우리 정치의 근본 화두가 거기에 있다. 한데 지금, 이 나라 정치의 시계는 어디쯤을 가리키고 있을까?

6. 서구의 정치철학

아리스토텔레스의 정치학

서양의 정치철학을 논하면서, 전병훈은 가장 먼저 아리스토텔레스를 호명했다. 아리스토텔레스가 고대 그리스 정치철학을 집대성했다. 서우의 말을 직접 들어보자.

> 그리스의 철학자 소크라테스와 플라톤 두 현인은, 모두 도덕과 정치를 뒤섞어 논하며 나누지 않았다. 소크라테스는 "정치란 사람들의 마음을 설복해 도덕을 행하도록 하는 것"이라고 했다.
> 플라톤은 "도덕철학(道學)이란 우리 인류 정신의 제반능력을 합해 하나로 만드는 것이며, 정치는 나라의 제반능력을 합해 하나로 만드는 것"이라고 한다. 플라톤이 또한 『공화국론』을 지었다.
> 하지만 아리스토텔레스에 이르러서야 정치학을 집대성하여, 후세의 본보기가 되었다. 그가 정치를 논한 것이 전적으로 자유·평등을 근본요지로 삼았다. 곧 2천 년 전의 특별한 탁견이라고 말할 수 있다. 아! 위대하다.[308]

전병훈은 소크라테스와 플라톤이 도덕(윤리학)과 정치의 원리를 뒤섞어 말했으며, 아리스토텔레스에 와서야 전문적인 정치학이 집대성되었다고 한다. 실제로 플라톤은 도덕을 완성하는 정신의 능력과 이상적인 정치를 펴는 군주의 능력을 동일선상에서 파악하고, '철인왕(philosopher king)'의 통치를 주장했다.

아리스토텔레스는 스승의 견해를 계승해 도덕과 정치를 불가분의 관계로

---

308. 希哲如梭格·柏拉圖兩賢, 皆混言道德·政治而無辨. 故梭格曰 政者, 服人心爲道者也. 柏氏曰 道學者, 乃合吾人精神之諸能而爲一者也. 政治者, 乃合國之諸能而爲一者也. 柏氏又著『共和國論』矣, 至亞氏而演成大政治家, 以爲後世之法, 其論政治專以自由平等立爲宗旨, 則在二千年前, 可謂特別卓識也. 烏乎, 偉哉! 『통편』, 318~319쪽.

보았다. 하지만 초월적인 도덕이나 이념을 정치의 근거로 삼지는 않았다. 그는 정치공동체(폴리스)의 구체적인 요구를 초월한, '선험적인 올바른 정치'에 대해서 회의했다. 즉 도덕과 정치를 궁극적으로 결부하면서도, 정치공동체의 현실적인 필요에서 정치적 정의(justice)를 찾는다.

아리스토텔레스의 견해는 "정치가 땅에 근본을 둔다"는 전병훈 정치철학의 문법과 상통한다. 그리고 이런 견지에서, 전병훈 역시 아리스토텔레스에 와서 정치학이 비로소 전문적인 학문으로 발전했다고 승인했다. 아리스토텔레스는 '폴리스 국가'와 '자연발생적 혈연공동체'의 차이를 분명히 밝힌다. 서우 역시 거기에 주목했다.

> 아리스토텔레스가 말했다. "국가는 자유롭고 평등한 중민衆民이 서로 결합한 것이다."
> 또한 말했다. "국가의 근본은 가족공동체(家屬)에서 나온다. 이는 확고하다. 그러나 이 둘(가족과 국가)은 서로 현저히 다르고, 서로 혼동될 수도 없다. 어째서인가? 가족공동체는 높고 낮음(尊卑)이 서로 종속하며, 불평등한 관계로 성립되는 것이다. 아버지가 명하면 자식이 순종하고, 남편이 부르면 아내가 따른다. 한쪽은 자유롭고 한쪽은 부자유하다.
> 그러나 국가는 그렇지 않다. 이는 평등권을 가진 중인衆人이 모여 성립하는 것이다. 관리의 경우 비록 명령을 내릴 수 있지만, 이는 평등한 사람이 평등한 다른 사람들의 녹을 먹는 것이다. 존귀함으로 비천함에 군림하는 것이 아니다. 또한 관리의 복역은 임기의 제한을 두고 정해야, 부패하지 않는다.
> 이로부터 말하건대, 사람들 각자가 혹은 명령을 내리는 사람이 되고 혹은 명령을 따르는 사람이 되며, 혹은 군주의 자리에 있고 혹은 신하로 복무해 순환하여 (직분이) 일정치 않다. 이처럼 정부가 조화를 이루는 것은 시민(民)이 위임한 바에 따라서 일을 행하는 것이며, 아버지가 자식에게 남편이 아내에게 명령하는 것과 같지 않다."[309]

폴리스의 구성단위는 가족공동체다. 다시 말해, 폴리스는 인간이 태어나면서부터 운명적으로 소속되는 자연적인 혈연공동체인 가족을 기반으로 한다. 하지만 동시에, 폴리스는 '정치적인' 공동체이다. 그것은 자연에서 분리된 인공적 결속체이기도 하다. 이 점에서 폴리스는 자연종自然種과 인공종人工種의 성격을 동시에 가지고 있다.[310]

여기서 자연적인 공동체, 가령 가족에서 자녀와 부인의 종속적인 지위는 자연의 본성에 따르는 것으로 간주된다. 물론 노예주에 대한 노예의 종속성도 그 범주에 포함된다. 반면 폴리스에서는, 공동체 구성원의 자유롭고 평등한 관계가 정치의 토대를 이룬다. 하지만 이 원칙이 일부 국민, 즉 시민으로 간주된 자유로운 성년 남자에게만 해당하는 것이었다는 한계도 분명하다.[311]

그런데 이런 한계를 감안하더라도, 아리스토텔레스 정치학이 인류의 정치사에 끼친 지대한 영향이 근본적으로 훼손되지는 않는다. 기원전 4세기에 폴리스 시민이 누렸던 정치적 위상과 권리가 민주주의의 불씨가 되었다. 비록 오랜 시간이 걸렸지만, 폴리스의 시민의 자유와 평등권이 근대 국민국가에서 보편적인 인민의 자유와 평등권으로 확대됐다.

그 과정에서 아리스토텔레스가 제시한 정치학 원리들이 새롭게 재해석되고, 인류의 정치적 상상력이 진화하는 데 끊이지 않는 영감을 불어넣었다. 전

---

309. 亞里士多德曰, "國家者, 是爲自由而且平等之衆民相結集者." 又曰 "夫邦國之本, 出之家屬, 此固然矣. 然此二者深相異而不可得而相混. 何也? 家屬者, 尊卑相統屬, 以不平等而立者也. 父令子從, 夫唱婦隨. 一則自由, 一則不自由也. 夫邦國則不然, 是爲有平等權之衆人, 相會而立者也. 即如官吏, 雖能發有命令, 然乃以平等之人, 蒞平等之人, 非以尊臨卑. 且官吏之服役, 有年歲之限, 得以傳之不朽也. 由是言之, 則各人或爲發令之人, 或爲從令之人. 或居君位, 或服臣職, 循環無一定. 是和政府者, 乃由民所委任而行事, 而非如父之令子, 夫之命妻也." 『통편』, 317~318쪽.

310. 김남두 외, 「아리스토텔레스 『니코마코스 윤리학』」, 『철학사상』 별책 제3권 제9호(서울대학교 철학사상연구소, 2004), 16~17쪽.

311. 그러므로 위의 인용문에서 폴리스의 시민을 '중민衆民' 혹은 '중인衆人'으로 표기한 것은 오해의 소지가 있다. 아리스토텔레스의 정치학이 폴리스의 차별적 시민을 전제로 성립되었음을 충분히 반영하지 못하기 때문이다. 물론 이는 전병훈의 오류이기에 앞서, 서양철학의 초기 번역에서 나타나는 한계였다.

병훈이 아리스토텔레스에게 주목하는 것도 바로 이런 이유 때문이다. 무엇보다 자유·평등·삼권분립의 정치원리가 아리스토텔레스로부터 비롯되었다는 게 특히 중요하다.

하지만 동아시아에서 공자나 노자의 정치이상이 그랬듯이, 고대 그리스 철학자들의 위대한 정치적 비전도 현실에서 언제나 순탄하게 실현됐던 것은 아니다. 전병훈은 로마시대 이후에 서구의 정치현실이 암흑기에 접어들었다고 평가했다. 그는 이를 가혹한 법치의 결과로 인식했다.

> 서구의 정치는 예로부터 고대에 로마와 이집트를 가장 기린다. 로마는 법률의 조국이다. 그러나 로마의 군주 1백 십여 명 중에, 피살당한 자가 백 명이 넘었다. 극히 야만적인 금수의 무리요, 참으로 미개한 암흑시대였다고 말할 수 있다.
>
> 그 법치가 지나치게 가혹하므로, 재앙이 그 군주의 신상에 미친 것이 이처럼 참혹했던 것인가? 알 수 없다. 이로써 논하건대, 요·순·삼대와 단군·기자가 펼친 도덕의 지극한 정치가 세계에서 가장 앞선 문명이었다고 말할 수 있지 않겠는가?[312]

고대 그리스의 정치철학을 말하다가, 로마의 가혹한 법치를 비판한다. 그리고 다시 동아시아 상고의 도덕정치를 칭송한다. 일견 그것이 아전인수로 보일 수 있다. 하지만 전병훈을 위해 변론하자면, 이는 동·서양 문명 대립의 견지에서 동아시아의 위대함을 찬양하는 문맥이 아니다.

그보다는 진나라의 전제정치로 동아시아 정치가 암흑기에 접어들었음을 질타했듯이, 고대 그리스의 민주주의가 로마 제정帝政의 가혹한 법치로 변질됐음

312. 歐西政治, 於古最稱羅馬·埃及, 羅爲法律之祖國也. 然夷攷羅君百十餘而被弑者過百, 則可謂極野蠻梟獍之類, 眞未開之黑暗時代也. 由其法治刻薄, 故禍及其君上者, 如是極慘耶? 未可知也. 繇此論之, 堯舜三代, 檀君·箕子, 道德之至治, 非可謂世界之最先文明得耶?『통편』, 318쪽.

을 탄식하는 것이다. 결국 이는 자유로운 시민의 평등권이 훼손될 때 나타나는 비극을 고발한다. 전병훈은 아리스토텔레스가 이런 비극을 이미 경고했다고 시사한다.

> 아리스토텔레스가 말했다. "국가는 본래 자유롭고 평등한 뭇사람(衆庶)이 서로 결합한 데서 성립하는 것이다. 그리고 (국가를) 법률에 귀속하고 주권에 귀속하는 것은, 바로 뭇사람들이 모두 자유롭고 평등한 권리를 가지도록하기 위해서이다. 주권을 들어 한 사람에게 귀속시키는 데 이르면, 다른 뭇사람은 모두 노예가 되는 것을 면할 수 없다."
> 또한 말했다. "주권을 법률에 귀속시키는 것은, 실제로 이 권리를 도리道理에 귀속시키는 것과 다르지 않다. 이게 곧 그 권리가 귀하게 되는 연유이다. 제왕의 주권과 같은 것은, 도리에 맞는 주권이 아니라, 단지 사람의 권력일 뿐이다."[313]

> 아리스토텔레스가 또한 말했다. "아주 가난한 보통사람은 비록 사람들의 윗자리에 서려고 해도 그럴 수 없다. 아주 부유한 자는 교만한 마음이 발생해, 법률의 권한에 순종하는 걸 우습게 여긴다. 오직 이로써 타인의 기호를 능멸하니, 그 폐단이 마침내 권력을 전횡하고 무소불위하기에 이르게 된다. 이와 같으면 나라 안에 오직 주인과 노예만 있고, 한 사람의 진정한 자유인도 없게 된다. 그리고 가난한 사람은 반드시 질투하는 마음이 생기고, 부자는 반드시 경멸하는 마음이 생긴다. 질투하고 경멸하는 마음은, 곧바로 국가의 안녕과 번영에 필요한 우애의 성품과 서로 상반되는 것이다. 그러고도 국가를 보존할 수 있겠는가?"[314]

---

313. 亞氏又曰 "邦國者, 本由自由而且平等之衆庶, 所相合而成者也. 而歸於法律者主權者, 正爲使衆人, 皆自由皆有權也. 若夫擧主權以歸一人, 則他之衆庶, 不免皆爲奴隷矣." 又曰 "歸於法律以主權, 實無異以此權歸之道理. 此其所以爲貴也. 若夫帝王之主權, 則非道理之主權, 而人之權也." 『통편』, 319쪽.

여기서 "주권을 법률에 귀속시키는" 것을 서우는 입헌의 논의로 해석했다.[315] 그와 반대로 "주권을 들어 한 사람에게 귀속시키는" 것은 전제군주제를 함축한다. 서우는 "황제의 말이 곧 법"인 제정 로마시대가 진나라 이후 중국의 전제왕조시대와 크게 다르지 않다고 생각했다. 제왕 한 사람이 권력을 전횡하자, 백성의 자유와 평등권이 박탈돼 노예와 같은 처지로 전락했다.

그러므로 국민이 지나치게 가난하고 지나치게 부유한 것, 즉 부의 극심한 양극화는 불평등을 심화시켜 반드시 국가의 붕괴를 초래한다. 따라서 아리스토텔레스는 중산층이 정부를 주도하고, 부유층과 빈곤층을 압도하는 '계급적 혼합'이 최선의 정치체제라고 보았다. 전병훈도 "오직 중산층이 가난한 사람들과 서로 협력해서, 이(부자의 전횡과 무소불위)를 제어해야 폐단이 없다"[316]고 말한다. 하지만 그 의미는 아리스토텔레스의 언명과 약간 다르다.

아리스토텔레스는 부의 불균등을 폴리스의 자연적 본성의 일부로 승인하고, 거기서 중산층의 균형추 역할을 강조했다. 하지만 전병훈은 부의 불균등을 인간의 자연본성에서 어긋나는 사회적 일탈로 간주하고, 궁극적으로 '균산'의 경제적 분배정의를 추구했다.[317] 그러므로 서우는 중산층의 역할을 강조하면서도, 아리스토텔레스에 비해 약자들의 사회적 연대를 한층 강조했다.

국가에는 여러 환난이 있다. 한데 아리스토텔레스에 따르면, 그것은 결국 두 가지 유형으로 귀결된다. 첫째는 뛰어난 아랫사람이 불초한 윗사람을 전복하는 경우다. 둘째는 정권에서 소외된 사람들이 무리지어 반란을 일으키는 경우다.[318] 뛰어난 인재를 부당하게 배제하거나, 혹은 계층 간의 불평등이 심화

---

314. 亞氏又曰 "凡人貧困之甚者雖欲求立於人之上, 亦不可得. 其富厚之甚者, 則驕矜之心發生, 不屑於從順法律之權. 惟以凌他人是嗜, 其弊終至於專肆而無所不爲. 如是則國中, 惟有主人與奴隷, 而無一眞自由之人也. 且貧者必生嫉妬之心, 富者必生輕蔑之心. 夫嫉妬之心與輕蔑之心, 正與國家安榮所需之友愛之性相反者也, 而可有之哉?" 『통편』, 319~320쪽.

315. 此歸於法律以主權者即立憲之論. 『통편』, 320쪽.

316. 惟中産者可與貧者相協力以制之, 故無弊也. 『통편』, 320쪽.

317. 然此正調劑無法者, 而惟均産一事, 前編屢言之矣. 『통편』, 320쪽.

318. 亞氏又曰 "凡邦國之禍亂, 其形雖極有種種, 而深以察之, 亦不外由於彼公正平等者欲

될 때 이런 재앙의 조짐이 고조된다.

그리고 집권자가 사리사욕에 사로잡힐 때, 거기서 재앙의 불씨가 타오른다. 어떤 종류의 정치체제든 예외가 없다. 대략 이런 문맥에서, 전병훈은 다시 아리스토텔레스를 인용해 공공의 도덕이 필요한 근거를 설명한다. 먼저 아리스토텔레스의 유명한 정치체제 분류법에 대해 언급한다.

> 아리스토텔레스가 또 말했다. "첫째를 군주제라고 하고, 둘째를 귀족제라고 하며, 셋째를 민주제라고 한다. 그 군주정치가 올바르지 않은 것을 패왕霸王제라고 부르고, 그 귀족정치가 올바르지 않은 것을 호족豪族제라고 부르며, 그 민주정치가 올바르지 않은 것을 폭민暴民제라고 부른다.
> 그 올바르고 올바르지 않음을 어떻게 판별하는가? 공공의 의지(公意)대로 국가의 공익을 도모하는 것은, 주권이 한 사람에 있든 소수에게 있든 다수에게 있든 모두 '올바르다'고 말할 수 있다. 사사로운 의지(私意)대로 자기 일신의 이익을 도모하는 것은, 주권이 한 사람에 있든 소수에게 있든 다수에게 있든 모두 '올바르지 않다'고 말할 수 있다."[319]

아리스토텔레스는 국가체제를 한 사람이 지배하는가, 소수의 우수자들이 지배하는가, 다수자가 지배하는가에 따라 분류한다. 여기서 세 번째가 폴리테이아politeia로, 서양철학의 초기 번역에서 이를 대개 '민주제'로 표기했다. 하지만 민주제(democracy)의 어원인 데모크라티아dēmocrátĭa는 본래 위에서 '폭민제'

勝公正不平等者, 或公正不平等者欲勝公正平等者也. 欲勝公正之平等也, 下之賢者而欲斥上之不賢者. 此所謂公正之不平等欲勝公正之平等也. 人民中有不得叅預政權, 因用聚謀叛者. 是所謂公正之平等欲勝公平之不平等也." 『통편』, 320쪽.

319. 亞氏又曰 "一曰君主政體, 二曰貴族政體, 三曰民主政體. 其君主政之不正者, 謂之霸王政體, 其貴族政之不正者, 謂之豪族政體. 其民主政之不正者, 謂之暴民政體. 至其正不正, 於何辨乎? 凡以公意謀國家之公益者, 則毋論權在一人, 在寡人, 在多人, 皆謂之正. 以私意謀一已之利益者, 亦毋論權在一人, 在寡人, 在多人, 皆謂之不正." 『통편』, 320~321쪽.

로 번역한 개념이다. 그것은 빈민 대중이 폴리테이아에서 일탈해서, 자신들만의 이익을 위해 다스리는 정치체제를 가리켰다.

그렇지만 언어개념은 다양한 환경과 역사적 상황들 속에서 의미를 부여받고, 또 변화를 일으킨다.[320] '데모크라티아(민주제)' 역시 고대 그리스에서 다수자가 자기들만의 이익을 위해 국가를 지배하는 부정적인 정치체제를 가리켰지만, 오늘날의 민주제는 오히려 폴리테이아에 가까운 의미를 함축한다.[321]

따라서 서우의 인용문에서 폴리테이아를 민주제로, 데모크라티아를 폭민제로 번역한 게 반드시 오역은 아니다. 어쩌면 이런 번역이 오히려 본 개념의 의미를 더 잘 반영하는지도 모르겠다. 여하튼 아리스토텔레스는 정치 시스템의 형식만으로 그것이 올바른지 아닌지를 판단할 수 없다고 한다.

정체의 종류는 국가의 지배자가 한 사람(군주제, basileia)인지, 소수(귀족제, aristokratía)인지, 다수(민주제, politeia)인지로 분류할 수 있다. 하지만 여건이 다른 국가마다 어떤 정치체제가 적합한지를 논하는 것과, 그것이 올바른지 아닌지를 판단하는 것은 다른 차원의 문제다.

올바르지 않은 정체란, 올바른 정체에 대해 별개의 체제로 존재하는 게 아니다. 올바른 정체의 통치권자들이 공익을 저버리고 사리사욕을 추구하면, 그게 곧 패왕제(혹은 참주僭主제, tyránnis), 호족제(혹은 과두寡頭제, oligarchía), 폭민제(혹은 우민愚民제, dēmocrátĭa)의 정의롭지 못한 정체로 타락한다.

결국 정체政體의 정당성을 판정하는 기준은, 위의 인용문을 빌리자면 '공공의 의지(公意)대로 국가의 공익을 도모하는가'의 여부에 달렸다. 폴리스의 예를 들어보자. 폴리스는 원래 자유로운 시민의 공동체다. 이 전제에서 볼 때, 시민 공통의 이익을 보장하는 것이 곧 공동체 존립의 필수조건이다.

따라서 공동체 구성원 전체의 이익을 추구하는 정체는 정의롭다. 그러나 단

---

320. 예컨대 우리말에서 모든 여성 일반을 의미하던 '계집'이 여성의 낮춤말이 된 것이거나, 불쌍하다는 뜻의 '어여쁘다'가 예쁘다는 의미로 바뀐 등에서 '언어의 역사성'을 볼 수 있다.

321. 위키피디아(http://en.wikipedia.org/wiki/Politeia)의 'Politeia' 항목에서 "in Greek means the community of citizens in a city or state"로 소개한다.

지 지배자들의 사리사욕을 추구하는 정체는 올바르지 않다. 그리하여 정치는 다시 도덕과 조우한다. 왜냐하면 정체의 정당성을 판정하는 기준인 '공의公意대로 공익을 도모하는가'의 여부는 체제의 형식보다, 집권자의 도덕성과 직결된 문제이기 때문이다.

예컨대, 오늘날 대한민국은 민주공화국을 표방한다. 한데 우리나라가 올바른 민주주의 국가인지는 단지 선거가 잘 이뤄지는지, 형식적인 민주주의 절차가 잘 이행되는지 등의 여부로 판가름 나는 게 아니다. 대신 국가의 권력을 행사하는 대통령과 행정부의 관료들, 입법부의 국회의원과 지방의원들, 사법부의 법관들이 '공공의 의지대로 공익을 도모하는가'에 관건이 있다.

공적 권력의 집행자들이 특정 계층이나 자신들의 사리사욕만 추구하는지, 아니면 국민 모두의 공익을 위해 일하는지를 따져야 한다. 만약 그들이 저마다 공중의 이익보다 사리사욕을 추구한다면, 그리고 국민 일반도 국가 전체의 공익보다는 각자가 속한 계층과 개인의 이해관계만을 중심으로 정치적 권리를 행사한다면, 그것은 '우민제(폭민제)' 국가에 불과하다고 아리스토텔레스가 말할 것이다.

그러므로 올바른 민주주의를 실현하려면, 모든 형태의 공적 권력을 위임받은 자들이 반드시 높은 도덕성과 중용의 미덕을 갖춰야 한다. 물론 국가사회의 구성원으로서, 국민 일반도 자기의 권리와 책임에 대해 성숙한 공공의식과 도덕을 갖춰야 한다.

아리스토텔레스는 '자유롭고 평등한 시민이 결합한 공동체'로 국가를 정의한다. 전병훈은 거기서 자유·평등의 민주주의 원리를 읽었다. 한편 서우는 아리스토텔레스의 다음과 같은 말에서 삼권분립의 단초를 찾았다.

> 한 나라의 정치기구에는 세 가지가 있다. 첫째는 나랏일을 논의하는 권한이며, 둘째는 관리의 자격과 그 직권이며, 셋째는 사법의 권한이다.[322]

---

322. 亞氏又曰 "一國之政治樞機有三. 第一, 討議國事之權也. 第二, 官吏之資格及其職權也. 第三, 司法權限也." 『통편』, 321쪽.

서우는 이 논의가 "오늘날 서구 (삼권분립) 제도의 기초를 다진 것"이라고 평가했다. 더 나아가 "몽테스키외가 이를 천명해 더욱 정비되었다"[323]고 부언하며, 근대적 삼권분립의 효시가 아리스토텔레스라는 사실을 거듭 강조한다. 그런데 후대에 끼친 아리스토텔레스의 영향력은 비단 이런 정치학설에만 국한되지 않는다.

전 세계의 위키피디아에 소개된 언어와 클릭 수 등을 토대로 산출한 인물의 유명도에서, 아리스토텔레스가 1위에 올랐다고 최근에 보도됐다. 그 뒤를 이어 플라톤이 2위, 예수가 3위였다. 매사추세츠공과대학(MIT)의 미디어랩에 소속된 한 연구그룹이 2008년 초부터 2013년 말까지의 통계를 종합한 결과라고 한다.[324]

한데 이는 온라인 백과사전의 통계니만큼, 단순한 인터넷 검색보다는 다소라도 깊은 지식을 구하는 사람들의 관심사를 보여준다. 하지만 21세기의 인터넷상에서, 기원전 4세기 그리스의 철학자가 그처럼 빈번히 검색된다는 게 사실 놀라운 일이다. 하루아침에 떴다가 지는 대중스타도 아니니, 그 유명세가 쉽게 식을 것 같지도 않다.

이는 아리스토텔레스가 인류의 지식활동에 끼친 영향이 그만큼 크다는 것을 시사한다. 그는 비단 철학과 윤리학뿐만 아니라, 논리학과 자연과학, 법률과 정치 등의 각 분야에서 방대하고도 체계적인 지식의 유산을 물려주었다. 서우 역시 인류의 지성사에 미친 아리스토텔레스의 지대한 영향에 대해 언급했다.

> 하지만 이(정치학)뿐만 아니다. 무릇 오늘날 세계의 철학·논리학·수학·천문학·심리학·윤리학·경제학·정치학에서 그(아리스토텔레스)를 창시자로 숭배하지 않는 분야가 없다. 참으로 성스러운 철인이다![325]

---

323. 三政之論, 可謂歐西今日之治制開基者, 而孟德斯鳩氏出, 乃益闡明而精備焉. 『통편』, 322쪽.
324. 「아리스토텔레스와 플라톤이 예수보다 유명」, 『연합뉴스』 2014년 3월 15일.
325. 然不特此也, 凡今世之言哲學·名學·數學·天門·心理·倫理·生計·政治學, 罔不崇

지금까지 살핀 것처럼, 아리스토텔레스에 대한 전병훈의 이해는 오늘날의 통설에서 보더라도 크게 손색이 없다. 서우는 자유·평등·입헌·삼권분립 등의 원리에 주목했고, 비교적 적절하게 아리스토텔레스의 철학을 인용했다. 그리고 아리스토텔레스가 인류의 지성사에서 차지하는 비중과 위상도 정확하게 이해했다.

하지만 전병훈이 자신의 정치철학을 진술하는 긴 여정의 한 지점에서, 아리스토텔레스를 논하고 있음을 잊지 말아야 한다. 아리스토텔레스는 정치의 1차적인 존립근거를 국가공동체의 현실적인 조건과 필요에서 찾았다. 그러면서도 정치와 도덕을 결부해, 정치공동체 구성원과 집권자들의 높은 공공성과 도덕적 책임을 요청한다.

이런 취지가 '사심을 버리고 공심을 회복하기'를 강조하는 전병훈 정치철학의 문법과 일맥상통한다는 것은 새삼 강조할 필요가 없다. 그렇다고 해서, 전병훈 정치철학의 뿌리인 동아시아 고대의 정치사상과 아리스토텔레스의 그것을 간단히 같은 원리로 귀결할 수는 없다.

고대 그리스의 플라톤·아리스토텔레스, 그리고 중국의 공자·노자가 말한 가치들은 모두 특정한 공간과 시간대에 나온 것이다. 그것이 상이한 문화권에서 각자의 역사를 통해 설득력을 얻어 보편성을 획득했다. 따라서 그 논의는 보편적이면서도, 각자가 근거한 공간과 시간대의 문화적 특성들을 반영한다.

하지만 차이와 함께, 공감 역시 문화가 창조되고 확장하는 근거다. 서로 다른 가운데서도 교류가 이뤄지면, 공감의 폭이 확장된다. 전병훈은 역사적 배경이나 지역적 차이를 강조하기보다는, 차이 너머에서 접점을 찾아 교류하고 공감을 이루는 방식으로 동서고금 철학의 합의를 도출하려는 사상가였다.

그렇다면 구체적으로 어떤 지점에서 공감이 일어날 수 있는가? 그 공감의 지향점은 어디이며, 서로 다른 철학적 담론을 연결시키는 기제는 무엇인가? 전병훈은 늘 이 질문에 대한 해답을 구했다. 정치철학의 경우 단적으로 말해,

---

拜以爲祖師, 誠聖哲哉!『통편』, 321쪽.

민주·민본·자유·평등의 보편적 가치에서 동서고금의 정치사상이 만나는 공감의 접점을 찾았다. 그 공감의 지향점은 궁극적으로 세계가 대동하는 사해동포의 세계통일공화정부 체제였다.

또한 비록 고대 그리스 철학과 유가·도가 철학의 구체적인 문법은 달랐지만, 정치에서 '사리사욕을 버리고 공의·공심으로 공동체 전체의 안녕과 이익을 도모해야 한다'는 공공의 도덕에 대한 요청은 한결같았다.

어떤 체제든, 그것은 사회구성원들이 공감하는 '정의'에 대한 철학적 요구를 반영한다. 그렇기에 그 철학들이 각각의 문화권에서 보편적 담론으로 성립할 수 있었다. 바로 그 지점에서, 서우는 다시 동서양의 서로 다른 담론이 연결되는 지평융합의 지점을 발견했다.

이런 공감의 지점에서, 서우는 아리스토텔레스의 업적과 위상을 평가했다. 또한 그 정치이론을 근대적인 자유·공화의 담론으로 훌륭히 계승해 발전시킨 서양철학의 혁신을 칭찬했다. 동시에 그와 같은 돌파를 이루지 못한 동아시아 정치학의 낙후를 꼬집기도 했다. 그 글을 소개하며, 아리스토텔레스에 관한 논의를 마친다.

> 아리스토텔레스의 스승인 플라톤이 일찍이 『공화국론』을 지었는데, 공자의 대동정책과 같은 바가 있었다. 아리스토텔레스가 이를 계승해 득실을 바로잡았다. 평등·자유·삼권분립의 논의가 서구에서 정치를 말하는 학자들의 시조(開山之祖)가 되었으니, 또한 위대하지 않은가? 훗날의 정치학이 비록 일신했다고 말하지만, 모두 그 범위를 벗어나지 않는다.[326]

> 아리스토텔레스가 당시에 민주·공화의 정치이론을 창립했다. 그것이 우리 맹자가 민권주의를 주창한 것에 비해, 더욱 정밀하고 조리가 통달하다.

---

326. 亞氏之師柏拉嘗著『共和國論』, 有如孔子之大同政策, 而亞氏繼以損益而補正之. 平等·自由·三政體之論, 乃爲歐西之言政治學者開山之祖, 不亦偉哉! 後之政學, 雖云日新, 而舉不出其範圍也. 『통편』, 321쪽.

세상에서 뛰어난 아성亞聖의 영재라고 감히 말할 수 있다.

게다가 동아시아에는 맹자를 계승해서, 더욱 나아간 자가 없었다. 하지만 서구에서는 뒤에 나온 학자들이 (아리스토텔레스의 이론을) 더욱 확장해서, 세상을 위해 실제로 활용했다. 그 훌륭함이 어찌 이와 같은가?[327]

아리스토텔레스의 정치학을 논한 전병훈은, 곧바로 서구 근대의 사회철학과 정치철학으로 직행했다. 거기서 그는 루소의 사회계약론, 블룬칠리의 지방자치론, 애덤 스미스의 국부론, 몽테스키외의 삼권분립론, 칸트의 영구평화론을 불러낸다. 그리고 라트겐을 통해 19세기 말 20세기 초의 서구 정치학 동향을 논평했다. 순서에 따라 각각의 논지를 살펴보자.

루소의 사회계약론, 그리고 두 지평의 '사회계약'

루소Jean-Jacques Rousseau(1712~1778)의 『사회계약론』은 긴말이 필요 없는 서양 근대 정치사상의 고전이다. 주지하다시피, 1762년 처음 출판된 이 책이 공전의 인기를 누리며 1789년의 프랑스혁명에 심대한 영향을 끼쳤다.

"정치적 권리의 제 원리(Principes du droit politique)"라는 또 다른 제명이 암시하듯, 거기에는 주권재민의 원리를 논증하는 고도의 추상적인 이론이 담겼다. 그런데 루소의 이런 논증은 그의 독창이기 전에 서양 근대 정치철학의 핵심과제들에 대한 답변이었음을 염두에 둘 필요가 있다.

"인간은 자유스러운 것으로서 태어났다. 그런데도 여러 곳에서 쇠사슬에 묶여 있다." 『사회계약론』 제1편의 유명한 서두는, 쇠사슬로부터의 해방을 열망하는 이 저술의 의도를 웅변한다. 그런데 인간의 자유를 속박하는 사회질서와 불평등 역시 특정한 문화와 시대를 반영한다. 다시 말해, 루소는 18세기 유

327. 惟亞氏於當時, 創立民主共和之政論, 比吾孟子之唱明民權主義, 愈精切而條暢, 誠可謂命世亞聖之才也. 東亞則未有繼孟而加進者, 而西則後出者, 恢拓而廓大之, 爲世實用. 何其成美之如是也? 『통편』, 322쪽.

럽의 역사현실에서 논의를 전개했다.

전병훈은 루소의 사회계약론에서 자유와 평등, 그리고 인민주권의 사상에 공감했다. 하지만 루소가 논의를 전개하는 구체적인 문맥과 방식까지 전적으로 동의했던 것은 아니다. 앞서 아리스토텔레스도 말하듯이, 국가와 사회가 자연적 공동체로부터 분리된 인공적인 성격의 집단이라는 생각은 서구 정치사상의 토대가 되는 관념이다.

태어나면서부터 운명적으로 소속되는 가족이 자연적 공동체의 거의 마지막 단계이다. 그 너머에서 조직되는 정치·사회적 공동체는 구성원들의 협정(convention) 내지는 계약(contrat)에 의해 성립한다. 이는 자연과 인간을 확연히 나눠 대립시키는 서구의 이분법적 세계관이 정치학의 원리로 구현된 것이다.

그리고 17세기 중반 이후로 이른바 '자연상태(state of nature)'의 가설이 서구 정치철학의 일상적인 주제가 되었다. 자연상태는 크게 두 가지 의미를 함축한다. 첫째는 문명화된 삶과 대조되는, 혹은 문명 이전의 자연상태로 인간이 그의 동족과 떨어져 홀로 사는 상태를 가리킨다.

둘째는 정치학 문맥의 시민상태(정치사회·시민사회)와 대립되는 자연상태다. 이런 자연상태는 사람들이 자연적 동종으로 맺는 단순하고도 일반적인 연관 이외에 그 어떤 도덕적이고 정신적 유대도 맺지 않으며, 어떤 종류의 협약도 없는 상태로 상정된다.[328]

그런 자연상태를 홉스Thomas Hobbes는 '만인의 만인에 대한 전쟁 상태'로 정의했고, 루소는 '천부적인 자유와 평등의 상태'라고 언명했다. 하지만 어느 경우건, 계약에 의해 성립되는 정치공동체를 자연상태와 대비시킨다. 이는 근대 정치학자들 사이에서 공인된 문법이었다.[329]

심지어, 그런 자연상태가 실제로 존재했는지의 여부마저 그다지 중요한 게

---

328. 진병운, 「루소『사회계약론』」, 『철학사상』 별책 제2권 제5호(서울대학교 철학사상연구소, 2003), 26쪽.

329. 다만 지상의 질서가 하늘(신)의 섭리에 따른다고 생각하는 가톨릭 계통의 사상가들은 예외였다.

아니다. 국가를 어떻게 정의하고 구상할지를 논하는 사유실험에서, 그것은 반드시 필요한 이론적 전제로 간주되었다. 하지만 서구에서 상식인 이런 문법도, 다른 시점과 다른 문화에서는 비상식이 된다.

한 예로 가족을 모든 공동체의 출발점으로 간주하고, 그것이 확장된 천하일가를 말하는 동아시아 유교의 전통에서 판단해 보자. 거기서는 국가사회가 자연상태와 대립되는 인공적인 '계약'의 산물이라는 관념 자체가 생소한 것이다. 세계를 하나의 유기적 전체로 보고 인간사회를 그 메커니즘의 일부로 파악하는 도교나 불교의 세계관에서도, 국가사회와 자연상태의 이분법적 분리는 당연히 낯설다.

그럼에도 불구하고, 전병훈은 사회계약론에 공감했다. 그것은 사회계약의 원리 자체보다, 그 원리가 발휘하는 효용 때문이었다. 단적으로 말해, 서우는 사회계약론이 인간의 천부적 자유와 평등권을 정당화하고, 주권재민의 법치 원리를 뒷받침하는 효과에 주목했다. 그가 루소의 저서에서 뽑아 제시한 구절 자체가 그런 문맥을 잘 대변했다.

> 사회계약은 사람들 저마다의 자유권에 유익할 뿐만 아니라, 평등주의의 근본이 된다. 어째서인가? 하늘이 사람을 낼 때 강하고 약하며, 지혜롭고 어리석은 차별이 있다. 하지만 일단 사회계약이 성립되면, 법률이 요구하는 바에 강하고 약함이 없으며, 지혜롭고 어리석음이 없다. 오직 그 옳고 옳지 않음이 어떤지만 볼 뿐이다.
> 말하자면 "사회계약은 일과 세력의 불평등을 바꾸고, 도덕의 평등을 이루는 것"이다. '일과 세력의 불평등'이 무엇인가? 천연의 강하고 약함, 지혜롭고 어리석음이다. '도덕의 평등'이란 무엇인가? 법률조약으로부터 발생하는 의리다.[330]

---

330. 盧梭(法人, 西曆一千七百十二年生)氏曰 "民約之爲物, 不獨有益於人人之自由權而已, 且爲平等主義之根本也. 何以言之? 天之生人也, 有強弱之別, 有智愚之差. 一旦民約既成, 法律之所要, 更無強弱, 更無智愚. 惟視其正與不正如何耳. 教曰民約者, 易事勢

사회계약이 성립되기 전에는 사람들 저마다 모두 스스로 주권이 있고, 이 권리가 자유권과 하나로 통합되었다. 하지만 사회계약이 성립되자 주권이 한 사람의 손에 있지 않고, 뭇사람들의 의지에 있게 되었다. 이른바 '공의公意'가 이것이다.[331]

뭇사람들이 공인하는 것을 이름 하여 '법률'이라고 한다. 공인의 방법은, 국민이 회의를 해서 3분의 2를 점하면 이로써 의결한다.[332]

정부란 무엇인가? 주권을 잡은 자와 주권에 복종하는 자의 중간에서, 그 교제를 돕는 자이다. 그리고 법률을 시행해서, 공중公衆의 자유권을 보호하는 자이다. 다시 진실을 말하자면, 국민이 주인이고 관리는 고용된 일꾼으로 그 역할을 집행하는 자이다.[333]

인용문의 첫 구절을 다시 상기해 보자. "사회계약은 사람들 저마다의 자유권에 유익할 뿐만 아니라, 평등주의의 근본이 된다." 바로 거기서 사회계약론에 대한 전병훈의 관심사를 읽을 수 있다. 사회계약으로 얻어지는 도덕의 평등, 주권이 '공공의 의지(公意)'로 귀속되는 주권재민의 원리, 이런 공의로 결의되는 법률, 그리고 법률을 시행하는 정부가 국민의 공복公僕이라는 등의 사상에 서우는 주목했다.

하지만 루소라면, 이런 논점이 단지 사회계약론의 파생적인 효용을 진술하

之不平等, 而爲道德之平等者也. 事勢之不平等何? 天然之智愚強弱是也. 道德之平等者何? 由法律條款所生之義理者也." 『통편』, 322쪽.

331. 又曰 "民約未立以前, 人人皆自有主權, 而此權與自由權, 合爲一體. 及約之既成, 則主權不在於一人之手, 而在此衆人之意, 而所謂公意者是也." 『통편』, 322~323쪽.

332. 又曰 "衆人所公認者, 即名之曰法律, 而公認之方法, 則以國人會議, 三占從二, 以決之而已." 『통편』, 323쪽.

333. 又曰 "政府者何也. 即居於掌握主權者, 服從主權者之中間, 而贊助其交際. 且施行法律, 以防護公衆之自由權者也. 更質言之, 則國民者, 主人也, 而官吏者, 其所傭之工人, 而執其役者也." 『통편』, 323쪽.

는 데 그친다고 불만족스러워 할 것이다. 왜냐하면 루소는 사회적 정의와 시민 권리의 기초로 '사회계약의 독립적이고도 근본적인 원리'를 확립하는 데 관심이 있었기 때문이다.

만약 그 효용에만 주목하다면, 사회계약은 다만 현실의 이해관계 속에서 언제든 해소될 수 있는 가변적인 것에 그치고 만다. 루소는 사회계약론이 그렇게 가변적인 원리로 이해되길 원치 않았다. 그러나 전병훈에 따르면, 사회계약은 오히려 그 효용으로 인해 유익하다.

만약 사회계약 이전의 자연상태와 그 이후의 인공적인 정치공동체(국가 · 시민사회)를 원리상에서 반드시 대립시켜야 한다면, 이번에는 서우가 결코 거기에 동의하지 않을 것이다. 왜냐하면 서우는 혈연(자연)에 기초한 가족관계와 계약으로 성립되는 정치사회를 분리하는 대신, 가족관계를 확장하는 문맥에서 사회계약을 해석했기 때문이다. 전병훈이 말한다.

> 『주례』에 계약을 작성하는 방법이 있고, 『여씨춘추』에 향약의 조례가 있다. 모두 백성으로 하여금 단결해서 규약을 따르도록 하는 의미다. 그러나 사회계약설과 비교하면 실로 소략하고 협애함을 면키 어렵다. 하지만 이 사회계약은 '인민의 기상(民氣)을 고취하고, 이로써 그들의 천부인권을 회복하는 것'이라고 말할 수 있다.
>
> 그러므로 이런 사회계약의 근거를 탐구해 보면, 뭇 가족이 이미 각자 약속을 맺어 성립된 것이다. 점차 여러 가족을 이루면, 함께 서로 약속해서 하나의 단체로 여러 부락을 이룬다. 그리고 다시 함께 서로 약속해서 하나의 단체로 국가가 성립된다.
>
> 이른바 '서로 약속함(相約)'이란 마음속에서 묵인하여 부지불식간에 행하는 것에 불과하지, 분명하게 서로 말로 알리고 문서로 기록하는 게 아니다. 그러므로 '민주'와 '입헌'의 정치체제가 진실로 천리天理의 가장 공정한 것이 된다.[334]

전병훈은 루소를 포함한 서구 근대 사상가들과 정반대의 문맥에서 사회계약을 해석했다. 서구 철학자들은 인간이 자유롭고 평등하지만, 동시에 타인들과 어떤 도덕적이고 정신적인 유대도 맺지 않고 독립된 (혹은 이기적인) 자연상태를 상상했다.

그리고 이런 자연상태에서 이탈할 때, 정치적으로나 도덕적으로 유의미한 인간공동체가 성립된다고 보았다. 그 이탈을 가능케 하는 것이 곧 협정이나 계약이다. 그런 계약의 산물인 정치공동체(국가·사회) 안에서만, 인간은 서로에 대한 안전과 도덕을 보장받을 수 있다.

그러나 전병훈에게 사회계약의 뿌리는 가족에 있다. 그는 가족을 다른 모든 사회공동체의 원형으로 보고, 그 연장에서 사회계약의 영역이 확대된다고 보았다. 그것은 인간의 덕성이 제가·치국·평천하로 확장되듯이, 자연스럽게 확대되는 사회·국가 공동체이다.

그럴 수 있는 것은, 인간은 천부적으로 타고난 본성에 따라 서로 보살피며, 타자와 조화를 이루기 때문이다. 더 나아가, 그런 돌봄과 조화의 성향이 천지만물의 보편적 공성共性이라고 전제한다. 이런 본성이 처음 발아되는 지점이 곧 가족이다. 그리고 가족관계에서 배양된 상호신뢰의 정서가 확장돼, 사해동포와 천하일가의 공감으로 발전한다.

독자들은 앞서 인용한 이율곡의 말을 기억할 것이다. "임금은 하늘을 아버지로 땅을 어머니로 섬기며, 백성을 형제로 삼고 만물을 동류로 여긴다. 어진 마음을 확충한 연후에 그 직분을 다할 수 있다."[335] 전병훈은 이에 대해 "(만물과 내가) 동포로 평등함을 꿰뚫어 본다"고 하였다.

---

334. 『周禮』有契劵之法, 吕氏有鄉約之條, 皆使民團結從約之意也. 然較諸此民約之說, 則誠不免疏漏而狹隘也. 此民約則可謂鼓振民氣, 以復其天賦之權者也. 故究此民約之根據, 則衆家族既各因契約而立矣. 寖成衆家族, 共相約爲一團體衆部落, 又共相約爲一團體邦國成焉. 所謂相約, 不過心中嘿許, 不知不識而行之, 非明相告語, 著之竹帛爾. 是以民主立憲之政體, 誠爲天理之最公正者也. 『통편』, 323~324쪽.

335. 李栗谷先生曰 "人君父事天, 母事地, 以斯民爲兄弟, 以萬物爲儕輩, 以充仁心, 然後可盡其職." 『통편』, 313쪽.

서우에 의하면, 이런 성품이 곧 사회계약의 근거다. 사람과 사람이 '서로 약속(相約)'하는 암묵적 동의가 자연스럽게 속마음에서 일어나며, 부지불식간에 계약의 외연이 확대된다. 전병훈은 그런 계약의 최고 형태가 민주입헌의 정치체제라고 보았다. 그것이 '자연법적 섭리(天理)의 가장 공정한 것'이다.

루소와 전병훈의 문법은 이처럼 상반된다. 루소에게 '사회계약'이란, 자연상태와 대비되는 인공적인 정치사회 존립의 근거이자 그 산물이다. 반면 서우에게 '사회계약'이란, 대자연의 천부적 성향에서 비롯하는 상호신뢰의 마음이 발현된 것이다. 사회계약의 근거는 인간에게 내재된 심성이다.

한데 이는 단지 두 사람의 견해 차이를 넘어선다. 그것은 그들이 발을 딛고 선 문화와 시대의 지평에서, 사회계약을 해석하는 두 개의 엇갈린 시선을 반영한다. 그러므로 루소가 사회계약론을 정립했다고 해서, 루소의 문법이 반드시 옳고 전병훈이 틀리다고 말할 수 없다. 그 반대 역시 마찬가지다.

루소는 사회계약으로 국가의 본질을 근거지우려고 했지만, 전병훈도 그렇게 의도했던 것 같지는 않다. 서우에게 '사회계약'은 국가가 형성되는 과정에서 자연스럽게 모아진 구성원들의 합의, 그리고 이왕에 출현한 국가를 운영하는 데 필요한 사회적 규약 정도를 의미한다.

하지만 루소와 서우가 '사회계약'을 말하는 취지는 크게 두 가지 점에서 합치한다. 첫째는, 부당한 권력과 사회적 억압으로부터 인민(시민)의 천부적인 자유와 평등권을 지키려는 것이다. 둘째는, 정치·사회공동체에서 사람들 간에 맺는 도덕적이고 정신적인 유대의 근거를 마련하려는 것이다.

어떤 면에서 보면, 루소와 전병훈은 문화의 논리가 서로 대비되는 두 세계의 지평에 마주 서 있다. 그럼에도 불구하고, 그들의 논의를 결부할 수 있다. 전병훈의 말처럼 '사회계약'에 "인민의 기상을 고취하고, 이로써 그들의 천부인권을 회복하려는" 공감의 지점이 있기 때문이다.

이런 공감의 지점을 찾아 서로 다른 철학의 담론을 연결시키는 것, 바로 거기에 전병훈이 동서고금의 철학을 융합해가는 조제調劑의 묘미가 숨어 있다.

블룬칠리의 '지방자치론', 그리고 동·서양 지방자치의 조제

블룬칠리Johann Caspar Bluntschli(1808~1881)는 스위스 취리히 출신으로, 국가이론과 국제법 분야에서 명성을 얻은 19세기 후반 독일의 학자이자 정치가였다. 1903년 미국 시찰을 마치고 중국으로 돌아온 량치차오梁啓超가 「정치학대가 블룬칠리의 학설」[336]이라는 글을 발표하면서, 특히 20세기 초에 중국 지식계에 널리 알려졌다. 전병훈 역시 이 글을 통해 블룬칠리를 접했다.

서우는 블룬칠리가 민주·공화의 정치이론에 뛰어나고, 또한 방대한 지방자치론을 제시했다고 평가한다. 특히 그 가운데서도 후자에 주목했다. 블룬칠리에 의하면, 지방자치 시스템은 정부가 정하는 바에 따른다. 다만 그 시행방법은 반드시 법률로 제한해야 한다. 한편 지방자치에는 다음 세 가지 유형이 있다.

첫째, 정부의 사무를 민간에서 위임한 명예직 관리에게 위임하는 것이다. 이는 임명직 관리와 정반대의 유형이다. 영국과 스위스에서 지방의 덕망가가 치안유지와 형사재판 등을 맡는 '치안판사' 제도가 대표적인 사례이다.

둘째, 관선직 관리와 민선의 명예 관리가 연대하는 것이다. 이는 대리정치의 유형이다. 프랑스에서 지방행정구역의 수장이 참사원 원장을 겸임하고,[337] 프러시아의 지방정부 의회 의장을 단체장이 맡는 등의 사례를 들 수 있다.

셋째, 민선의 대리인이 독자적으로 주민들의 일상생활에 관련되는 사무를 맡아 보는 경우다. 이 경우에, 관부의 권위와 인력에 의존하지 않는다. 통상적으로, 하급 행정구역의 대표자가 여기에 속한다.[338]

---

336. 「政治学大家伯伦知理之学说」, 『新民丛报』 第三十八期.三十九期合刊, 1903.

337. 프랑스의 참사원은 법령과 일반행정에 대해 자문하면서 행정재판소의 지위를 아울러 가지는 법령심의기관으로, 민간과 정부가 합작하는 오랜 전통을 가지고 있다.

338. 伯倫智曰 "(德國人, 近十八世紀)地方自治之構制, 大率由政府定之. 其施行之法, 當以法律限之. 就其體裁以言, 則有三種. 一, 政府事務委任人民之名譽官者. 是制也, 與任給俸授職之官史者, 適爲反對. 例如英國治安裁判官之擔任警察及裁判法, 瑞士治安裁判官之掌獄訟, 是也. 二, 連合官選職官與民選名譽官者, 是即代理政治之體裁也. 如

전병훈은 근대 서구에서 일찍부터 발전한 지방자치를 매우 중시했다. 그리고 지방자치가 공화·민주 제도의 토대일 뿐만 아니라, 지역공동체의 결속을 다지고 풍속을 교화하는 예치의 관건이라고 강조했다.

> 이 자치제도야말로 실로 좋은 제도다. 거기에 『주례』의 향당제도와 삭망독법朔望讀法[339]을 더해 병행하면, 백성들 간의 쟁송이 사라지게 하고 형벌을 쓰지 않는 지극한 정치에 이를 것이 틀림없다.[340]

'삭망독법'은 매달 초하루와 보름에 사람들을 모아 놓고 법령을 읽어 들려주던 제도다. 관에서 새로 만들거나 개정한 법률의 내용을 백성들에게 홍보하던 사법제도의 일종이었다. 고대 주나라의 '독법'에서 유래했으며, 조선에서 시행되었다. 오늘날의 '입법예고제'[341]가 법령에 대한 의견수렴과 함께 법령 홍보를 목적으로 한다는 점에서, 부분적으로 이 제도의 취지와 합치한다.

그런데 전병훈은 '독법'을 예치에 의한 지방자치의 일환으로 이해했다. 독법이 주로 향당의 집회에서 시행되었기 때문이다. 또한 법령에서 금하는 것을 백성들이 잘 알아서, 이를 어기지 않도록 하는 데 그 취지가 있었다. 형벌과 법령을 설치하되, 이를 쓰지 않고도 죄를 짓는 사람이 없게 한다는 이른바 '형조(刑措不用)'의 예치사상이 그 배경이었다.[342]

法國縣叅事院, 以縣令爲院長. 普國之縣治委員, 亦以縣令爲長, 波典國之郡參事員, 郡長即爲院長. 普國都府中政府會議, 皆以通曉法律之都長爲長, 以暨徵募新兵之委員, 亦恒以官吏及人民合編而成, 皆此制也. 三, 不藉官部威權, 不用官選吏員, 獨以人民公撰之代理員掌政者. 通常鎮村會之吏員, 皆用此道行之." 『통편』, 324~325쪽.

339. 『주례』의 독법讀法에서 유래했다.

340. 此自治制誠是良制也. 叅加以周官此閭族黨·朔望讀法之規以併行之, 則必也使民無訟, 而以致刑措之至治, 無疑. 『통편』, 325쪽.

341. 우리나라에서는 1983년 5월 21일 대통령령 제11133호로 법령안입법예고에 관한 규정을 제정하여 1983년 6월 21일부터 '입법예고제'를 시행하고 있다. 하지만 정부에서만 입법예고를 해왔을 뿐 국회에서는 입법예고제를 시행하지 않다가, 국회법 개정으로 2012년 7월부터 국회에서도 이 제도를 시행한다.

342. 이에 관해서는 예치의 정치철학을 논한 앞 장의 내용을 참고한다.

한편 서구의 지방자치에서는, 지방정부의 입법·사법·행정 각 방면에 주민이 여러 방식으로 참여하는 제도가 발전했다. 전병훈은 동서양의 이런 두 제도를 결합해서, 보다 이상적인 지방자치가 실현될 수 있다고 보았다.

앞서 동아시아의 정치철학을 논하면서, 서우가 『주례』의 향당제도와 지방자치에 관해 상세하게 논구했던 것을 독자들은 기억할 것이다. 전병훈이 아직 조선에 머무르던 시절, 동래에서 직접 향약을 조직해 관리했다. 또한 고향에서 존도재를 설치해 고을의 풍속을 교화하기도 했다. 이런 경험도 지방자치에 대한 그의 깊은 관심의 배경이 되었다.

이미 말했듯이, 전병훈은 아리스토텔레스의 정치학을 논한 이후에 바로 서구 근대로 넘어왔다. 그리고 루소의 사회계약론, 애덤 스미스의 국부론, 몽테스키외의 삼권분립론, 칸트의 영구평화론 정도를 다룬다. 두말할 나위 없이, 이는 모두 서구 근대의 운명을 결정지은 정치·사회 이론이다.

한데 그런 논의들과 나란히 '지방자치론'을 배열했다. 더구나 사회계약론에 이어서, 무엇보다 앞서 지방자치론부터 언급했다. 그만큼, 서우는 민주·공화정치의 근본 토대로 자치제도를 중시했다. 그는 정치학에 뜻을 둔 학자라면, 반드시 지방자치를 상세히 고찰해야 한다고 당부했다. '지방자치학'이 서구에서 전문적인 학문분과로 성립한다고 환기시키기도 했다.[343]

서우의 정치철학에서, 지방자치는 그처럼 중요한 테마였다. 게다가 앞서 말했듯이, 그는 서양 근대의 지방자치제도와 동아시아의 전통적인 향당제도를 결합할 것을 제안했다. 이를 토대로, 법치와 예치를 병행하는 정치제도를 건립하자고 한다. 다만 향당의 예치에 관해서는, 이미 앞 장에서 논했으므로 더 길게 말하지 않겠다.

한국은 향약 등을 토대로 지방자치와 지역공동체가 일찍이 크게 발달한 나라였다. 한데 근대화 과정에서 그런 전통이 일거에 단절되었다. 대신 한국의 지방자치제는, 서구와 일본의 모델을 주로 참고하여 1990년대에 비로소 시행

---

343. 凡有志經世之學者, 盍於此益究其妙, 而自得乎.(自治制有專學可攷) 『통편』, 325쪽.

되었다. 지방자치에 대한 본격적인 연구도 그 즈음에야 간신히 기지개를 켰다.

그런 현실에서, 전병훈의 논의가 아주 값진 지적 유산이라는 사실을 강조하지 않을 수 없다. 그로 인해, 한국 지방자치론의 역사가 20세기 초로 소급해 올라간다. 서우는 동·서양의 전통을 아우르는 아주 거시적인 안목에서, 지방자치를 반추해 되돌아보게 한다.

더구나 거기서 그치지 않고, 한국 지방자치의 앞길에 큰 시사점을 던진다. 동·서양의 경험 및 장단점을 교환해서, 지방자치의 새로운 패러다임을 조제할 것을 요청하기 때문이다. 한국 실정에 맞는 지방자치와 지역공동체의 재건이 동시에 요청되는 지금, 서우의 비전이 미래를 개척하는 훌륭한 교두보가 될 것이다.

애덤 스미스의 '국부론', 그 너머의 덕화국가德化國家

전병훈이 애덤 스미스Adam Smith(1723~1790)의 『국부론(The Wealth of Nations)』을 접한 것은 옌푸嚴復의 번역본을 통해서였다. 옌푸는 1897년 이 책의 번역을 시작해 5년 만인 1902년에 『원부原富』라는 제목으로 출간했다.[344] 원서의 분량도 방대했지만, 옌푸가 워낙 심혈을 기울여 번역했다. 이는 곧 중국 지식계에 큰 반향을 불러왔다.

전병훈도 말한다. "『원부』는 11편의 방대한 분량으로, 옌푸의 번역본이 있다. 이재理財를 말하여 서양 신학문의 출발이 되었다."[345] 번역본의 제목인 '원부原富'는 곧 부의 근원을 의미한다. 국부론의 원제인 "국부의 본질과 원천에 관한 연구(An Inquiry into the Nature and Causes of the Wealth of Nations)"에서 국부의 '본질과 원천'을 강조하는 문맥인 셈이다.

한편 전병훈이 국부론에 주목하고 번역자인 옌푸의 이름을 직접 거론한 배

---

344. 嚴復譯, 『原富』(上海南洋公學譯書院, 1902).

345. 『原富』十一篇之多, 爲嚴復君之譯本. 蓋其言理財爲泰西新學之開山. 『통편』, 327쪽. 본래 『국부론』의 편제는 총 5편으로 이뤄져 있다.

경에는 두 사람의 각별한 교류와 학문적 유대가 있었다. 옌푸가 전병훈에 대해 '제弟'라고 겸어를 쓸 정도로,[346] 두 사람의 친분이 꽤 깊었기 때문이다.[347]

그런데 방대한 국부론에서 전병훈이 발췌한 글은 단지 몇 구절에 지나지 않는다. 전병훈 본인도 말한다. "지금 일일이 열거하지 않고, 단지 그 한두 가지 개요만 취한다."[348] 게다가 서우가 주목한 것은, 지금의 관점에서 보면 평이한 경제상식의 수준이다.

예컨대, 인류의 경제활동에 반드시 자연적인 순서가 있어서 농업·공업·상업의 순으로 발전한다.[349] 분업과 교역으로 인한 경제생산 능력의 확대, 재정과 관련한 세제稅制의 중요성 등을 논하는 짧은 몇 구절을 『국부론』에서 인용해 언급하기도 했다.[350]

산업혁명 초기에 산업자본이 요구하는 경제적 자유주의에 입각해, 자본주의 체제를 이론적으로 뒷받침한 것이 국부론이다. 그런데 전병훈이 강조한 것은, '국부축적의 중요성'과 이를 뒷받침하는 '세제개혁의 필요성' 정도에 그친다.

서우가 자본주의 경제 시스템을 아주 깊게 이해했던 것은 아니다. 하지만 그는 국부, 즉 '국가의 부'에 관한 학술과 제도에서 동아시아가 크게 낙후됐음을 자인했다. 국부론을 논평하기에 앞서, 서우는 먼저 동아시아의 오래된 경제관념을 보여주는 명구 몇 구절을 상기시켰다.

『대학』에서 "생산하기를 빨리하고 쓰기를 천천히 하며, 생산하는 자가 많고 먹는(소비하는) 자가 적으면"[351] 그것이 곧 "재물을 생산하는 큰 도"라고 한

---

346. 「약부제가평언서」와 「제가제평집」 참고.
347. 그런데 두 사람의 나이는 옌푸가 1853년 생으로, 1857년 생인 전병훈보다 네 살이 많았다.
348. 今不枚擧, 只取其一二概要而已. 『통편』, 327쪽.
349. 斯密亞丹(英人十八世紀) 曰 "民羣既合, 其進富必有自然之序. 首曰農, 次曰工, 又次乃商賈, 此國而如是者也. 畎畝易而後, 爐冶張, 金木攻而後, 舟車運. 先本後末, 大體然矣." 『통편』, 325~326쪽.
350. 『통편』, 326쪽.
351. 爲之者疾, 用之者徐, 生之者衆, 食之者寡. 『통편』, 327쪽. 『대학』의 원문은 다음과 같다. "生財有大道, 生之者衆, 食之者寡, 爲之者疾, 用之者靜, 則財恒足矣."

다. 또한 "인생의 근본은 부지런함에 있다(人生在勤)"는 『좌전』의 경구로, 근검이 부유함의 원천이라는 옛 교훈을 불러왔다.[352]

한데 이런 잠언을 들추는 것은, 그것이 진리임을 말하는 취지가 아니다. 오히려 동아시아가 수천 년간 이런 단순한 경제관념에 머물렀다고 자조하는 문맥이다. 다시 말해, 고작해야 '많이 생산해서 적게 쓰기'와 '근검절약' 정도가 이재에 관한 발상의 전부였다고 꼬집는다. 물론 이것이 농경사회의 전형적인 경제논리였음은 재론할 필요가 없다.

이와 관련해, 서우는 동아시아에서 국가의 부를 관리했던 대표적인 제도로 상평常平의 조례를 들었다. 상평은 한나라 선제宣帝 때 처음 시행됐다고 알려진 일종의 추곡수매제도다. 당나라의 저명한 경제학자이자 관료인 유안劉晏이 법제화해서, 통상 '상평법'으로 불린다.[353] 그 요지는 다음과 같다.

풍년에 정부가 평년 가격으로 곡식을 사들여 정부 곡식창고에 보관한다. 그러다가 흉년에 곡식이 귀해지면, 다시 평년 가격으로 백성들에게 되파는 것이다. 이는 대지주나 상인들이 사재기 등으로 농간을 부려 부당이득을 취하는 것을 막아, 백성에게 득이 되었다. 또한 백성의 생계가 안정돼, 정부도 안정적인 세입을 확보할 수 있었다.

전병훈은 이 제도가 "물가를 안정시키고 국가의 수입을 풍족하게 해서, 후세의 현인들이 이를 칭송했다"[354]고 전한다. 그러나 상평법의 한계 역시 분명했다. "이 법은 정부가 천하 물질의 경중을 가려 독점적으로 전매해서 국고에 모으는 것으로, (나라가) 봉쇄된 시대에는 논의해 시행할 수 있었으나 무역전쟁(商戰)이 벌어지는 세계에서 거론할 바는 아니다."[355] 전병훈이 말한다.

---

352. 又曰 "人生在勤." 勤儉爲富足之本. 『통편』, 327쪽.

353. 至唐劉晏設常平條例. 『통편』, 327쪽.

354. 平物均勢, 而國入豐贍, 後賢稱之. 『통편』, 327쪽.

355. 然此法乃権天下物質輕重之權, 以湊聚於國庫者, 可以議行於封鎖時代, 而非可擧論於開通商戰之世界者也. 『통편』, 327쪽.

> 그러니 지금의 이재는 진실로 옛날과 다르다. 시험 삼아 『국부론』의 말로 논하자면 "농업으로 생산하고, 광업으로 채취하며, 공업으로 제작하고, 상업으로 운영하며, 선박과 차로 유통시킨다." 민생과 실업이 날로 발달하니, 국가의 세입도 날로 증대한다. 이것이 오늘날 국부의 수단으로, 고금의 차이가 아주 현저하다.[356]

전병훈이 『국부론』에서 특히 인상 깊게 주목한 것은, 나라가 부유해지는 방법에 관한 진술에 있다. 그는 이 책에서 농업·공업·상업·유통 등의 산업이 분화돼 고도화되며, 모든 분야에서 분업과 교환이 이뤄져 생산력이 획기적으로 증대하는 근대의 경제원리를 읽었다.

그리고 과거 동아시아의 경제가 매우 좁은 시스템에 갇혀 있었다는 사실을 자각했다. 한정된 자원의 확보와 가격조절에 주력하는 상평법 같은 제도는, 다만 자족적이고 폐쇄적인 국가경제에서나 유용하다. 하지만 근대사회에서는 다양한 분야의 산업이 발전하고, 분업과 교환으로 생산력이 증대하며, 상업과 무역이 발달해 더 커다란 부를 창출할 수 있게 됐다.

그리고 산업 각 분야에서 더 많은 부가 창출될수록, 국가의 재정수입이 풍족해진다. 그리하여 마침내 '국가의 부'가 증대한다. 그런데 여기서 전병훈이 말하는 '국부'는 국가 전체의 부의 총량으로서, 요컨대 국내총생산(GDP) 같은 개념이 아니다. 그보다는, 주로 정부의 재정수입에 한정된 의미로 쓰인다.

물론 국가 전체의 부가 증대해야 정부의 재정도 증대한다는 점에서, 양자가 완전히 분리되지는 않는다. 하지만 서우가 말하는 '국부'는 정부의 재정에 방점을 두는 게 분명하다. 그리고 이런 문맥에서, 그는 "조租·용庸·조調의 3법이 오직 국가 이재의 근본"이라고 전제한다.[357]

---

356. 然今之理財也, 誠異乎前日也. 試以此『原富』論之 "農以産之, 鑛以採之, 工以製之, 商以運之, 舟車以通之." 民生實業, 日益發達. 而國家之取稅也, 日益增加. 此乃現今富國之術, 迥有古今之異者也. 『통편』, 327~328쪽.

357. 惟租調庸三法, 誠爲國家理財之本.(前篇已言之) 『통편』, 327쪽.

다시 말해, 조세제도가 국부의 근원이라는 말이다. 그렇다고 서우가 조·용·조의 옛 제도를 고스란히 옹호하는 것은 아니다. 그는 부역과 현물 등의 옛 조세부과 방식 대신, 화폐로 모든 세금을 납부하는 게 훨씬 편리하다고 평가한 바 있다. 이에 관해서는 이미 앞 장에서 논했으므로, 더 이상 거론하지 않겠다.

여하튼 전병훈은 국가재정의 차원에서 '국부'의 증대에 주목했다. 그런데 그것이 『국부론』의 취지에 반드시 부합하는 건 물론 아니다. 애덤 스미스가 말하는 '국부(wealth of nations)'는 국가 전체의 부의 총량으로, 국가재정에 한정된 개념이 아니다.

익히 알다시피, 애덤 스미스는 개별적인 경제주체의 활동에 대한 정부의 간섭에 반대했다. 그리고 조세가 자본에게 있어서는 일종의 비용이기 때문에, 재정이 최소한으로 경감된 정부가 실현되기를 요망했다. 훗날 이른바 '값싼 정부(cheap government)' 내지는 '야경국가(night-watch state)'로 불리는 소극적 국가를 요청한 것이다.

그런데 전병훈이 '국부'를 말하는 것은, 오히려 애덤 스미스와 정반대의 문맥이었다. 서우는 적극적으로 국민의 복리를 증진하는 국가를 요청했고, 그런 국가사업의 시행을 위해 정부재정의 확충이 긴요하다고 인식했다. 서우가 말한다.

> 그리하여 (국가의) 그 부를 교육, 형벌의 폐지, 군축(息兵) 등의 덕화德化에 쓰면, 다시는 공명과 이욕 그리고 권력의 길에 빠지지 않을 수 있다. 그러면 독일황제(빌헬름 2세)의 잔학함 같은 것도 역시 가상하게 되지 않겠는가![358]

이 구절이 『국부론』에 대한 전병훈의 마지막 진술이다. 전병훈 역시 국부의 증대가 유용하고 또 필요하다고 강조했다. 하지만 국가가 존재하는 궁극의 이유는, 단지 부유해지는 데 있는 것이 아니라고 일침을 놓았다. 정부와 국민이

---

358. 然用其富財於教育·刑措·息兵等德化, 而不復迷溺於功利權力之途. 如德皇之殘暴者, 不亦嘉尚哉! 『통편』, 328쪽.

"공명과 이욕 그리고 권력의 길에 빠지"는 것이야말로, '나쁜 국가'로 가는 지름길이다.

국가에 있어서, 부는 목적이 아닌 수단이다. 수단으로서의 '국부(국가재정)'는 집권자나 특권층의 이권을 위해서가 아니라, 모든 국민의 복리증진이라는 공공의 목적을 위해 사용해야 한다. 그런데 단지 국내총생산과 국가재정이 늘어난다고, 공공의 복리가 저절로 증진되지는 않는다.

전병훈은 국부를 잘못 사용해서 불행해진 반면교사의 사례로, '독일황제'를 들었다. 여기서 독일황제는 제1차 세계대전의 주역이었던 빌헬름 2세를 가리킨다. 그는 왕권신수설의 신봉자로 과대망상에 빠졌으며, 산업화된 독일의 부를 군국주의 팽창에 쏟아 부었다. 그 최후는, 가공할 세계대전의 참극으로 귀결되었다.

이처럼 방향을 잃은 국부는 만인을 불행에 빠트린다. 그러므로 국가의 역할은, 국민의 보편적 복리를 실현하는 데서 찾아야만 한다. 경제발전으로 세입이 증대하면, 국가는 그 재정을 교육, 형벌의 폐지, 군축처럼 공공의 행복을 증진하는 덕화德化의 비용으로 충당해야 한다. 그것이 국가의 존립 이유다.

'자유방임적 경제활동'과 '공공의 복리증진' 가운데 국가의 역할을 어디에 둘 것인가의 문제는 지금도 논란이 끊이지 않는 뜨거운 감자다. 애덤 스미스가 전자를 옹호하는 기념비적 이론을 정립했던 반면, 전병훈은 정확하게 후자의 견지에서 '국부(국가재정)'의 확충을 촉구한다. 이는 19세기적 '자유방임주의 국가'보다, 제2차 세계대전 이후의 '복지국가(welfare state)' 모델에 훨씬 가까운 것이다.

그런데 서우가 추구하는 복리증진의 최고 상태는, 위에서 '덕화'로 표상한 민주·공화의 덕치와 예치에 있다. 엄밀히 말해, 서우의 목표는 현대적 '복지국가'마저 초월한다. 그는 경제·물질적 충족 및 정치적 자유와 더불어, 공동체 구성원의 정신·도덕적 안녕을 증진하는 덕화국가德化國家를 추구한다.

전병훈이 비록 『국부론』을 발판으로 '국부'를 말했으나, 그가 지향한 것은 애덤 스미스의 안중에 있던 19세기적 '값싼 정부'나 '야경국가'가 아니었다. 서우는 튼실한 재정과 민주정치를 토대로, 인류 보편의 도덕과 행복을 실현하는 국가의 비전을 제기했다. 20세기형 '복지국가' 다음의 21세기형 미래 국가를 묻는다면, 아마도 서우의 '덕화국가'가 그것에 가장 근접한 모델이 될 것이다.

몽테스키외의 삼권분립론

몽테스키외Montesquieu(1689~1755)의 정치사상을 담은 『법의 정신(The Spirit of Law)』은 구상에서 완성까지 20년이 걸린 필생의 역작이다. 전병훈도 "몽테스키외가 평생의 정력을 다해 『만법정리萬法精理』를 지었다"[359]고 칭송하는 것으로 그에 대한 논의를 시작했다. 여기서 '만법정리'는 중국 근대지리학의 선구자였던 장상원張相文(1866~1933)이 1903년 중국에서 펴낸 번역본의 제목이다.[360]

1909년 옌푸 역시 『법의法義』라는 제목으로 이 책을 번역해 출간했다.[361] 하지만 이즈음에 전병훈은 『정신철학통편』의 저술의 거의 마치고 출판을 앞두고 있었다. 『만법정리』라는 제호를 사용하는 것으로 볼 때, 서우는 옌푸의 번역본 이전에 장상원의 번역본을 통해서 먼저 몽테스키외를 읽었다고 추정된다. 서우는 우선 아래 구절로 몽테스키외의 정치철학을 대표했다.

> 몽테스키외가 말했다. "국가의 정체는 크게 3가지로 나눌 수 있다. 첫째는 '전제專制정체'고, 둘째는 '입헌정체'며, 셋째는 '공화정체'다. 전제는 힘을 숭상하고, 입헌은 명예를 숭상하며, 공화는 도덕을 숭상한다."[362]

---

359. 孟氏盡平生精力, 以著『萬法精理』. 『통편』, 328쪽.
360. 그것은 일본의 1차 번역을 거쳐 다시 중국어로 2차 번역된, 즉 상당한 오역을 담은 번역본이었다.
361. 옌푸가 번역한 『법의』는 1909년 상무인서관商務印書館에서 출간되었다.
362. 孟德斯鳩曰 "爲國政體, 可以三大別. 一日專制政體, 二日立憲政體, 三日共和政體. 專制尚力, 立憲尚名譽, 共和專尚道德." 『통편』, 328쪽.

몽테스키외가 또한 말했다. "3권을 분립할 수 있다. 입법권은 국회에 있으며, 사법권은 법원(裁判所)에 있고, 행정권은 정부에 있으니, 서로 뒤섞을 수 없다."[363]

여기서 정치형태를 공화정체, 군주정체, 전제정체로 구분하는 분류법 자체가 몽테스키외의 발명이었던 것은 아니다. 그는 고대 그리스의 철학자들부터 이미 애호했던 정치체제의 분류법을 계승했다. 하지만 각 정체마다 그것을 지탱시키는 고유한 원리가 있다고 가정하고, 각 체제의 역사적 전개를 비교 분석해서 논증한 것은 몽테스키외의 독창이다.

몽테스키외는 각 정체를 떠받치는 고유한 원리로 전제정체의 공포, 군주정체의 명예, 공화정체의 정치적 덕을 들었다. 먼저 전제정체는 군주의 절대적이고 자의적인 힘(권력)으로 다스리는 체제다. 그것은 '공포'를 통치의 버팀목으로 삼는다.

군주정체는 군주가 법에 근거해 중간 권력집단과 함께 통치하는 정체다. 위에서는 이를 '입헌정체'로 번역했는데, 사실상 오역이었다. 왜냐하면 군주정체는 근대의 입헌군주제만 가리키는 게 아니라, 중세 유럽의 군주제까지 포괄하는 폭넓은 개념이었기 때문이다. 여하튼 군주제에서는 상하의 위계질서를 보존하는 게 중요하므로, '명예'가 체제 보존의 기본원리가 된다.

고대 그리스의 폴리스에서 기원하는 공화정체는 정치적 덕으로 유지된다. 몽테스키외에 따르면 "공화국에서 덕이라고 부르는 것은 다름 아닌 조국에 대한, 곧 평등에 대한 사랑이라는 것을 주목하지 않으면 안 된다. 그것은 도덕적 덕목도 아니고 기독교적 덕목도 아닌 것으로서, 단지 정치적(국가적) 덕이다."[364]

'공화국의 덕'이란, 조국애의 정서(pathos)를 공감하는 평등한 공민들이 발휘

---

363. 孟氏又曰 "三權可以分立, 立法權在國會, 司法權在裁判所, 行政權在政府, 不能相混也." 『통편』, 329쪽.

364. 몽테스키외, 「일러두기」, 『법의 정신』; 진병운, 「몽테스키외 『법의 정신』」, 『철학사상』 별책 제3권 제14호(서울대학교 철학사상연구소, 2003), 47쪽에서 재인용.

하는 자기희생·검소·집단규율 같은 공민의 덕(civic virtue)[365]을 일컫는다. 이 덕은 시민의 주권에 정당성을 부여하고, 시민의 주권행사를 도우며, 특권계층의 권력도 약화시킨다. 그리하여 공화제를 보존하는 원리가 된다.

주목할 점은, 전병훈이 민주·공화의 근거로 공심公心을 강조하는 것과 몽테스키외가 공화제의 원리로 정치적 덕을 말하는 문맥이 상당히 부합한다는 사실이다. 그러므로 서우가 이렇게 말하는 게 가능했다.

> 아! (공화제가) 전적으로 도덕의 정치를 숭상하는 것이 정치규범의 지극한 법칙이라고 말할 수 있다. 우리 순임금과 주나라의 끊어진 사업을 이어, 더욱 빛나는 것이 또한 위대하지 않은가![366]

느닷없는 말이라면 모르겠거니와, 지금까지 살펴본 전병훈 정치철학의 문법에서라면 충분히 납득할 만한 언명이다. 몽테스키외가 프랑스에서 『법의 정신』을 출간한 게 1748년이다. 하지만 서우가 이 책을 읽은 20세기 초의 상황은 그때와 크게 달랐다.

18세기에 이 대작이 누렸던 선풍적인 인기는, 저자 자신이 "지구상의 모든 민족의 법과 관습과 다양한 풍습을 그 대상으로 한다"[367]고 밝힌 방대하고도 치밀한 논증에서 비롯되었다. 이미 말했듯이, 정치형태의 3정체나 삼권분립의 관념 자체가 몽테스키외의 발명은 아니다.

하지만 그는 국가와 사회에 대해, 과학적으로 보이는 탐구를 진행했다. 이를 통해, 정치형태에 대한 자신의 분석이 마치 자연과학에 가까운 법칙처럼 인식하게 만들었다. 다시 말해, 몽테스키외는 입헌·공화의 정치체제와 삼권분립에 역사적이고 객관적인 정당성을 부여했다.

---

365. 위의 글, 51쪽.

366. 烏乎! 專尙道德之治者, 可謂治範之極則. 而孚我舜周之絕業, 尤有光焉者, 不亦偉哉! 『통편』, 328~329쪽.

367. 진병운, 위의 글, 36쪽.

18세기 서구사회에서, 그것을 마치 보편적인 정치법칙이라도 되는 듯이 받아들였다. 그렇지만 『법의 정신』이 출간될 때, 그 원리들은 아직 '발견적 진리'에 머물러 있었다. 아마 몽테스키외 본인조차도, 그의 학설이 불과 한 세기 뒤에 서구의 거의 모든 국가에서 압도적인 현실로 구현되리라고 예측하지는 못했을 것이다.

반면 전병훈이 이 책을 접했을 무렵, 서구 근대국가의 정치현실에서 몽테스키외의 정치학설은 이미 실질적이고도 지배적인 '확정적 진리'로 간주되었다. 전병훈은 이런 맥락에서 몽테스키외를 논평했다.

> (몽테스키외가) 앞서 세 가지 정체를 구별하고, 이어서 입법·사법·행정 3정 정립鼎立의 이론을 말했다. 이로부터 구미 각국이 이를 시험하고 실행했다. 18세기 말에 이르면, 천지간의 나라가 입헌이 아니면 공화였다. 오직 러시아와 그리스가 비록 전제를 행했으나, 역시 미약하나마 헌법이 있었다. 하지만 이 두 나라도 독일의 군주전제와 더불어 지금은 이미 변했다. 거의 군주전제가 종말을 고하고, 민주공화의 세계가 찬란하게 성립하려고 한다. 어찌 하늘의 뜻이 아니겠는가.[368]

그런데 아이러니하게도, 정작 몽테스키외가 어떤 정체를 선호하고 지지했는가에 대해서는 지금도 학자들의 견해가 일치되지 않는다.[369] 흔히 그가 과학의 연구방법으로 사회와 국가를 탐구해서 '과학으로서의 정치학'을 창시했다고 한다. 하지만 처음부터 그가 과학과 정치학의 결합을 의도했던 것은 아니다.

『법의 정신』에 의하면, 정작 몽테스키외는 자연과학이 학문의 주류를 이루

---

368. 先言三政體之別, 繼以立法·司法·行政三政鼎立之論. 於是歐美各國, 試驗而實行之. 至十八世紀之末, 凡有國乎天壤者, 非立憲則共和也. 惟俄與希臘, 雖行專制, 而亦微有憲法矣. 彼二國者, 與德之帝制, 今已變改. 庶幾帝制告終, 而粲然將成民主共和之世界矣. 詎非天意哉! 『통편』, 328쪽.

369. 진병운, 위의 글, 133쪽.

는 계몽시대의 흐름에 거부감을 표시했다. 그리고 고전시대에 숭상됐던 정치와 도덕의 학문으로 돌아가려는 포부를 고백한 바가 있다.[370] 몽테스키외가 '공화주의자'이며 '과학으로서의 정치학'을 창시했다는 주장이, 엄밀히 말해 그 자신의 입장이었던 것은 아니다.

그것은 다만 그의 학설에 빚을 지고 있는 후대의 정치가와 사회과학자들이 선호할 만한 신화인지 모른다. 그리고 설령 후대의 평가에 따르더라도, 몽테스키외의 학설이 과연 가치중립적인 '과학으로서의 정치학'으로 인정될 수 있는지도 의문이다.

한 예로, 몽테스키외는 세 가지 정체를 말하면서 그리스·로마의 공화정체, 유럽의 군주정체, 동양의 전제정체를 각각 덕, 명예, 공포의 원리에 상응하는 역사적 구현체로 인식했다.[371] 이것은 '덕스러운 그리스'와 '명예로운 유럽'에 대해, '공포의 동양'을 마치 각각 별개의 생명체인 듯이 묘사하는 화법이다.

거기서 '동양의 전제'란, 폭력에 길들여진 영혼의 공포로 지배되는 정치체제를 의미했다. 하지만 이는 유럽인들이 자기 안의 야만과 두려움을 타자에게 전가해서, 자신의 정체성을 유지하는 문법에 불과했다. 이렇게 만들어진 '공포의 동양'은 환상이었다. 그것은 역사의 현실에 뿌리를 박은 정치적 실체가 아니라, 단지 근대 서구인의 독선과 편견이 빚어낸 관념 안의 정치체제에 지나지 않았다.

따라서 이런 상상이 동양을 멸시하고 배제하던 18~19세기 유럽의 오리엔탈리즘을 증명할지언정, 그 시대의 정치학이 객관적인 사실의 과학이라는 주장에는 오히려 찬물을 끼얹는다. 이렇게 동·서양으로 양분된 정치체제란, 유럽의 한 시대를 지배한 집단적 편견의 투영에 지나지 않기 때문이다.

근대 유럽의 이런 자기기만적 인식이 반성되는 것은 20세기 후반에 와서야 가능해졌다.[372] 그리고 몽테스키외는 18세기의 전반기에 살았던 인물이다. 그

---

370. 위의 글, 41~42쪽.

371. 위의 글, 129쪽.

372. 포스트모더니즘 그리고 에드워드 사이드Edward Said의 오리엔탈리즘 등의 담론에서

러므로 앞서 시사했듯이, 그가 공화주의자이자 최초의 사회과학자였다는 통념을 가장 먼저 반박할 사람은 어쩌면 몽테스키외 자신일지 모른다.

하지만 그가 근대 국민국가의 민주공화정으로 통하는 길에 확고한 이론의 토대를 놓고, 현대 사회과학의 전망을 열었다는 사실을 부인할 수는 없다. 어떤 위대한 이론이나 학설의 창시자로 추앙되는 사람이, 정작 자기 자신을 그렇게 인식하지 못했던 경우는 많다. 어느 누구도 처음부터 누군가의 아버지가 되기로 작정하고 아이를 낳지는 않듯이 말이다.

모든 아버지는 자기 자신이 아니라, 자기를 계승한 후대에 의해 누군가의 아버지로 정의된다. 마찬가지로 몽테스키외도 자신의 의도를 떠나, 훗날 그를 이은 학자와 정치가들에 의해 근대 정치학과 민주공화정의 아버지로 일컬어졌다. 전병훈 역시 이런 기조에서 몽테스키외를 이해했다. 그리고 삼권분립설이 인류정치사에 가져온 후행적 결과를 다음과 같이 예찬했다.

> '삼권분립'이 국가의 참모습(眞相)이 되었다. (몽테스키외의) 논설이 고양되어 구미 학술사회를 진동시키고, 끝내 국가학의 정설이 되었다. 근세에 이르러 삼권분립설에서 벗어난 이론도 제법 있었다. 하지만 그런 학설은 군주제를 주장하는 데 불과하다. 독일에서 황제의 권력이 한창 강하던 시대에 논의된 바라서 그런 것이 아닌가? 삼권분립을 균일하게 각자 시행해도, 드러나는 효과에는 폐단이 없다. 나는 (동아시아의 유습에서) "선비가 말이 많은 것을 싫어한다"는 것을 미워할 뿐이다.[373]

유럽에서 몽테스키외의 삼권분립설이 주창되고 150여 년이 지났다. 그 사이에 삼권분립은 근대세계에 보편화된 국가조직 원리가 되었다. 서우는 그것을

서구 근대의 타자에 대한 왜곡된 시선의 문제가 비로소 반성되었다.

373. 三權分立爲國家之眞相. 論波激揚, 震動歐美學術社會, 遂以爲國家學中之定義矣. 洎乎近世, 漸有非三權分立之說者, 然其說不過主張君主而言, 是在德帝權方強之時所論者, 故然歟? 三權分立, 均各行之, 而著效無弊. 余惡士之憎茲多口而已. 『통편』, 329쪽.

말하고 있다. 그런데 그 논평의 말미에서, 다소 느닷없는 문구가 눈길을 끈다.

"선비는 말이 많은 것을 싫어한다(士憎兹多口)"는 구절은 본래 『맹자』에 보인다.[374] 내면에 덕이 충만한 사람은 덕행을 몸소 실천하지, 구구절절 말을 앞세우지 않는다는 뜻이다. 그런데 전병훈은 이 구절을 미워한다고 한다. 대체 그것이 몽테스키외와 무슨 연관이 있는가?

해답은 "(몽테스키외의) 논설이 고양되어 구미 학술사회를 진동시키고, 끝내 국가학의 정설이 되었다"는 인용문의 첫 구절에 있다. 한 시대를 풍미하고 세계정치사의 흐름을 바꾼 『법의 정신』이야말로, 한 권의 책이 인류사회에서 무엇을 할 수 있는가를 극적으로 보여준다.

몽테스키외의 역작은 방대하면서도 치밀하고, 논리적이면서도 공감을 불러일으켰다. 전병훈은 거기서 세계사를 뒤흔든 '철학의 정신'과 '말(글)의 힘'을 보았다. 반면 서우가 미워한 것은 군자연하며 음풍농월이나 할 뿐, 정밀한 언어로 학문을 변례창신變例創新[375]하지 못하는 동아시아 천학의 고루함이다.

그리고 사족의 경고로 일깨우려고 했던 것은, 학술과 철학이 세계의 변화를 좌우할 수 있다는 창발적인 인문학 정신의 각성이었다. 서우는 단지 삼권분립설에 대해 예찬하기를 넘어, 그런 학설의 출현을 가져온 인문정신과 철학의 혁신 자체가 위대하다고 찬미했던 것이다.

물론 이런 인문정신의 창발이 수입학문의 일방적 추종이나 옛것의 답습이 아닌, 지금 여기의 사유와 말(글)로 이뤄져야 한다는 전제를 다시 부연할 필요는 없을 것이다.

374. 『맹자·진심하』에 "士憎兹多口"의 문구가 보인다. "선비는 구구절절 말이 많은 걸 싫어한다"는 뜻이다. 전병훈은 치밀한 논증을 회피하는 동아시아 지식계의 낡은 풍토를 비판했다.

375. '變例創新'이란 '전례를 변용해서 새것을 만들어 낸다'는 뜻이다.

칸트의 영구평화론, 그리고 세계의 대동통일

이제 서구 정치철학에 대한 논의가 정점에 이르렀다. 정신·심리·도덕 철학의 경우도 그랬듯이, 전병훈은 서구 정치철학의 최고봉으로 칸트를 호명했다. 칸트가 말했던 저명한 '목적의 나라(Reich der Zwecke)'에서 논의를 시작한다.

> 칸트가 말했다. "마땅히 전 세계를 합쳐 단일한 '자유로운 선의善意의 민주국가'를 건설해야 한다. 무릇 그렇게 되면, 사람들 각자가 모두 타인의 행위의 목적이 되며 수단이 되지 않는다. 그러므로 이를 또한 '목적(衆目的)의 민주국가'라고 이름 부를 수 있다. 이는 곧 세계 영구평화의 의미다."[376]

칸트는 세계의 영구평화를 달성하는 조건으로 단일한 세계국가(세계공화국)를 요청했다. 그런데 그 나라는 단지 정치적 타협이나 공리적인 필요에 의해 건설되는 국가가 아니다. 그것은 자율적인 이성적 존재자들이 하나로 결합한 국가이다.

이성적 존재자라면, 누구나 "그대가 하고자 꾀하는 것이 동시에 누구에게나 통용될 수 있도록 행하라"고 정식화된 정언명령에 따를 것이다. 다시 말해, 그들은 행위의 결과에 구애받지 않고 행위 자체가 선하기 때문에 무조건 실행할 것이 요구되는 도덕적 명령에 충실할 것이다.

이런 존재자들이 결합한 국가라면, 그것은 '자유로운 선의의 나라(自由的善意之民主國)'인 게 분명하다. 그리고 그 국가에서 "사람들 각자가 모두 타인의 행위의 목적이 되며 수단이 되지 않는" 것 역시 당연하고 필수적이다. 인간을 수단으로 취급하지 않고 목적으로 대하라는 것은, 자율적인 이성적 존재자라면 누구나 따를 수밖에 없는 도덕적 법칙이기 때문이다.

따라서 그 국가는 곧 '목적의 나라'다. 여기서 '목적'은 목적들(衆目的)로서

---

376. 康德曰 "宜合全世界, 以建設一自由的善意之民主國. 夫然, 故各人皆以他人之行爲爲目的, 而莫或以爲手段, 亦名之曰衆目的之民主國." 『통편』, 329쪽.

복수형이다. 왜냐하면 그 나라는 존재 자체가 목적인 이성적 인간들, 그리고 그들이 추구하는 목적들 전부가 하나로 결합된 것이기 때문이다.

칸트가 말한 단일한 세계공화국은 이런 도덕의 문법에서 '목적의 나라'였다. 또한 이성적 존재자들이 최고선의 법칙 아래 공속共屬하는 '선의의 나라'였다. 이 나라는 곧 영원한 세계의 평화를 함축한다.[377] 하지만 그것은 '있어야 할 것'(당위, 이상)으로서 바람직하지만, '이미 있는 것'(현실)은 아니다.

이런 나라가 생겨나기 위해서는 도덕의 법칙에 따르는 자유로운 이성적 존재자들이 결합해야 하지만, 작금의 현실에서 보편적 인류가 모두 이런 이성적 존재자인 건 아니기 때문이다. 하지만 칸트는 "영구평화가 절대 공허한 이념이 아니며, 우리에게 부과된 과제"라고 말한다. "이 과제는 점차 해결되어, 그 목표에 끊임없이 접근할 수 있다."[378]

이를 위해, 칸트는 현실에서 실현가능한 대안을 제시했다. 지구상의 각 국가들이 우선 민주공화국이 되고, 그 국가들이 평화조약을 체결해 '평화연맹(foedus pacificum, a pacific federation)'을 만드는 방안이다. 칸트는 1795년 출간한 『영구평화를 위하여(Zum ewign Frieden)』에서 영구평화의 근거와 방안을 논술했다. 전병훈은 그 요지를 다음과 같이 제시한다.

(1) 모든 국가는 크고 작고에 관계없이, 침략·조약·교역·할양·매매 등의 명목으로 다른 나라에 합병될 수 없다.
(2) 모든 나라는 지금의 적습積習처럼 상비군을 둘 수 없다.
(3) 나라 안에 내홍이 있어도, 다른 나라가 무력으로 개입하는 것을 반드시 금한다.
(4) 각국이 모두 민주제도를 채택한다. 이 제도야말로 최초의 '민주'의 취지에 가장 합치되고, 모든 국민의 자유·평등의 권리를 공고히 할 수 있다.
(5) 각 독립국이 서로 의지해서 하나의 큰 연방을 구성한다. 각국의 국민들

---

377. 是乃永世太平之意. 『통편』, 329쪽.
378. 임마누엘 칸트, 박환덕·박열 옮김, 『영구평화론』(범우사, 2012), 100쪽.

이 국제법의 범위 안에서 서로 모여 화합한다. 만약 갈등이 있으면, 연방 회의에서 이를 심판한다. 스위스 연방이 지금 시행하는 사례처럼 한다.[379]

그런데 이것은 칸트가 『영구평화를 위하여』에서 말한 그대로가 아니다. 흔히 '영구평화론'으로도 불리는 이 책에서, 칸트는 평화조약의 형식을 빌려 모두 네 묶음의 조항들을 제시했다. 그 첫째는 세계의 영구평화를 위해서 범해서는 안 될 금기를 담은 총 6항의 예비조항이다. 둘째는 영구평화를 확정짓는 조건을 논하는 확정조항 3항이다. 셋째는 영구평화의 보장을 위한 근거와 조건을 논하는 추가조항 2항이다. 그리고 넷째로 정치와 도덕의 관계를 논하는 2편의 부록이 있다.[380]

위 인용문에 보이는 5개 조항은 그 가운데 일부를 뽑은 것이다. (1)·(2)·(3)은 예비조항에서, (4)·(5)는 확정조항에서 각각 가져왔다. 게다가 그 내용도 칸트의 진술과는 다소 차이가 난다. 예를 들어 "모든 나라는 지금의 적습처럼 상비군을 둘 수 없다"는 (2)조항의 원문은 다음과 같다. "상비군은 시대의 흐름과 함께 완전히 폐기돼야 한다."[381]

하나는 당장 현재부터 상비군을 둘 수 없다는 것이고, 다른 하나는 국제질서의 흐름이 개선되는 미래에 상비군을 폐기해야 한다는 문맥이다. 여기에는 칸트철학이 여러 단계에서 축약되고 오독되는, 번역과 해석학의 역사가 숨어 있다.

칸트의 영구평화론을 5개 조항으로 축약한 전거는, 프랑스의 철학자 알프레드 푸예Alfred Fouillee(1838~1912)가 1879년에 펴낸 『철학사(Histoire de La Philo-

379. (一) 凡邦國毋論大小, 不得以侵掠手段, 或交易割讓, 賣買等名稱, 合併於他國. (二) 諸邦不得置常備軍, 如現時之積習. (三) 國中有內訌, 而他國以兵力于預之者, 在所必禁. (四) 各國皆採民主制度. 此制最合最初民主之旨, 且可以鞏固全國人自由平等之權理也. (五) 各獨立國相倚以成一大聯邦. 各國國民相輯和於國際法之範圍內. 若有齟齬, 則聯邦議會審辨之, 如瑞士聯邦現行之例. 『통편』, 330쪽.

380. 임마누엘 칸트, 위의 책.

381. 위의 책, 20쪽.

sophie)』에 있다. 일본 메이지시대의 학자인 나카에 초민中江兆民(1847~1901)이 1886년 이 책을 일본어로 옮겨 『이학연혁사理学沿革史』[382]라는 제목으로 출판했다. 그리고 중국의 량치차오가 이 일어판을 토대로 「근세 제일의 대철학자 칸트의 학설」[383]이라는 글을 작성해 1903년부터 1904년까지 『신민총보新民叢報』에 연재했다. 이 글이 중국에서 칸트의 생애와 사상을 체계적으로 소개한 최초의 문장이었다.

여기에는 최소한 네 가지 이상의 언어가 개입되는 번역과 해석의 연쇄적 고리가 맞물려 있다. 칸트의 독일어가 푸예의 프랑스어로 요약된다. 그것이 다시 나카에 초민의 일본어를 거쳐, 량치차오의 중국어로 번역돼 전병훈에게 배달된 것이다.

여러 시대와 문화를 배경으로 교차되는 해석자들의 시선이 그 번역에 고스란히 흔적을 남겼다. 그 가운데 특히 량치차오는 불교와 양명학의 견지에서 칸트를 이해하고 번역한 것으로 유명하다. 이와 관련해, 중국의 한 철학가는 이렇게 말했다.

"량치차오의 문장이 말인즉 '객관적으로 칸트를 소개했다'지만, 차라리 그가 이해한 불교 유식론과 한데 뒤섞였다고 말하는 편만 못하다. 그가 소개한 칸트는 불교와 왕양명의 양지설로 곡해된 것이었다. 독일의 칸트가 아니라, 중국화한 칸트였다고 말할 수 있다."[384]

전병훈은 이런 량치차오의 번역으로 칸트를 접했다. 위 제시문의 영구평화론은 거기서 인용했다.[385] 앞서 '목적의 나라'에 관한 진술 역시 같은 글에서 가져왔다.[386] 그런데 이렇게 중국에 갓 소개된, 그것도 여러 단계의 번역으로 본

---

382. 中江兆民, 『理学沿革史』(文部省, 1886).
383. 梁啓超, 「近世第一大哲康德之学说」, 『新民叢報』 25·26·28號(1903년), 46~48號(合刊號)(1904년).
384. 贺麟, 「康德黑格尔哲学东渐记: 兼谈我对介绍康德黑格尔哲学的回顾」, 中国哲学编辑部编, 『中国哲学』 第2辑 (1980), 359쪽.
385. 梁啓超, 위의 글(1904), 62~63쪽.
386. 위의 글, 63쪽.

의가 상당히 오해된 칸트가 전병훈에게 누구보다 특별한 철학자로 각인되었다.

한편 서우는 같은 시기의 유럽·일본·중국 지식인들과 또 다른 지평에서 칸트를 이해했다. 그는 세계문명의 변방으로 밀려난 동양의 혼돈 위에 서 있었다. 게다가 일제의 식민지로 전락한 조국을 떠나 이역만리를 떠돌던 디아스포라의 처지였다. 그런 서우에게, 칸트의 영구평화론은 세계정치의 막연한 이상을 넘어, 그 조항 하나하나가 남다른 공감을 불러일으켰다.

위 인용문의 (1)·(2)·(3) 조항은 모든 국가에 대한 강제합병과 무력개입 금지, 군비철폐를 요구한다. 마치 근세에 조선이 겪은 온갖 부당한 개입과 침략과 합병을 고발하는 듯하다. 왜냐하면 조선은 거기에서 금하는 모든 악행을 외세로부터 겪으며, 야만적이고도 무자비한 강권에 희생되었기 때문이다.

그러므로 전병훈의 견지에서 보면, 세상에서 아무도 귀 기울이지 않은 약소국의 호소, 강국의 식민지로 전락한 무력한 나라의 고통을 18세기 말에 이미 대변했던 위대한 철학자가 칸트였다. 더구나 칸트는 단순한 평화주의자를 넘어, 도덕의 나라를 말하는 지평에서 영구평화를 주창했다. 그것이 또한 전병훈의 철학과 합치했다.

익히 아는 것처럼, 칸트의 『영구평화를 위하여』는 20세기에 '국제연맹'과 '국제연합'으로 이어지는 평화연맹의 출현에 큰 사상적 영향을 미쳤다. 그런데 이런 사실이 강조되면서, 간혹 이 책이 국제기구 건립의 지침서쯤으로 오해되기도 한다. 하지만 칸트가 궁극적으로 지향한 것은, 언제나 세계의 영구평화였다.

칸트 자신이 '풍자적'이라고 묘사했듯이,[387] '영구평화'는 도저히 그것이 실현될 것 같지 않은 현실 위에 선포된 '목적의 왕국'에서 나부끼는 이상의 깃발이었다. 강대국의 이해관계 위에 건립된 국제연합은, 다만 영구평화를 실현하

---

387. 칸트가 말했다. "'영구평화를 위하여'라는 이 풍자적 표제는 저 네덜란드 호텔업자가 자신의 간판에 표기한 표제로서, 그 표제 위에는 묘지가 그려져 있었는데, 그래서 이 풍자적 표제가 과연 인간 일반에게 해당되는 것인가, 혹은 전쟁에 전혀 지칠 줄 모르는 국가 영수들에 해당되는 것인가, 아니면 그러한 달콤한 꿈을 꾸고 있는 철학자들에게 해당되는 것인가 하는 문제는 미해결인 채로 두기로 한다." 임마누엘 칸트, 위의 책, 20쪽.

는 과정상의 불완전한 징검다리에 지나지 않는다.

칸트의 일관된 기조는, 도덕적 정언명령에 따르는 이성적 존재자들이 결합할 때만 인류가 참다운 '영구평화'를 이룰 수 있다는 것이다. 전병훈은 이런 문맥에서 다시 칸트를 인용한다.

> 칸트가 말했다. "이것(영구평화)은 강권強權으로 이룰 수 있는 게 아니다. 다만 인민의 덕과 인민의 지혜 두 가지가 날로 밝아져야 이를 얻을 수 있다. 무릇 사람에게 욕심이 있으니, 이것이 전쟁이 일어나는 원인이다. 하지만 만약 지혜가 더욱 증진한다면, 그 뒤에야 진정한 이익이 어디에 있는지 알게 될 것이다.
>
> 이에 예전에는 싸우는 것이 자기의 이익이라고 여겼지만 실제로는 크게 해로웠다는 것을 깨닫고, 이로부터 낙담한 채로 돌아간다. 그러므로 인생이 욕망을 가지는 중에도 전쟁 철패의 맹아가 그 가운데서 점차 은연중에 자라니, 곧 조화의 오묘한 작용이다."[388]

훗날 제1·2차 세계대전의 폐허 위에서 국제연합이 출범할 것을 마치 칸트가 예견이라도 하는 듯하다. 하지만 정확하게 말하자면, 제1차 세계대전이 종전하고 국제연맹이 출범할 무렵에 전병훈이 칸트의 윗글을 주목하고 인용한 것이다.

20세기의 국제적 평화연맹은 사실상 '두려움의 공감'이 만들어 낸 체제였다고 해도 과언이 아니다. 두 차례의 세계대전과 같은 전쟁이 지속되면 인류가 공멸할지도 모른다는 위기감이 지구촌 각국의 대표들을 한 장소에 모이게 했다.

하지만 윗글의 문법에 따르면, 그 역시 인류의 도덕과 지혜가 증진하는 과

388. 康氏曰 "此則非強力所能致者. 惟民德與民智兩者, 日進於光明, 可以得之. 夫人之有欲也, 斯其爭之所由起也. 若智慮益進, 然後知眞利益之所在. 乃恍然於昔之所爭者, 自以爲利, 而實乃害之甚者也, 於是廢然返焉. 故於人生有欲之中, 而弛兵之萌芽, 潛滋暗長於其間, 則造化之妙用也." 『통편』, 330~331쪽.

정에 있다. "전쟁 철패의 맹아"가 곧 전쟁의 역설[389] 가운데서 성장한다. 칸트와 마찬가지로, 전병훈도 전후의 평화에 기대를 걸었다. 서우가 말한다.

> 지금 세계의 통신이 우선 연결돼, 헤이그회담이 개최되었다. 그러니 역시 (영구평화의) 맹아가 먼저 드러난 것이라고 말할 수 있다. 지금 (제1차 세계대전) 전후의 평화회의로 과연 영원히 박애하고 선을 즐기는 인도주의를 능히 실행할 수 있을까? 국제연맹이 이미 건립되니, 그 때가 얼마나 멀겠는가?[390]

여기서 '헤이그회의'는 1899년과 1907년에 네덜란드 헤이그에서 열린 두 차례의 헤이그평화회의(Hague Peace Conference)를 가리킨다. 한국에서는 1907년의 제2차 회의에 고종이 밀사를 파견했다가 좌절된 이른바 '헤이그 특사 사건'으로 더 널리 기억된다.

그런데 당시 세계 44개국이 참여했던 이 회의는, 제국주의 열강 간의 평화 유지에 주된 목적이 있었다. 일제에 외교권을 박탈당한 동방의 이름 없는 나라를 위한 자리는 애초부터 거기에 없었다. 국제사회에서 조선은 거의 망각된 유령국가쯤으로 무시됐다.

그런 현실에도 불구하고, 서우는 이 회담의 의의를 높이 평가했다. 세계 여러 국가가 주권평등의 원칙하에 처음 한자리에 모여, 평화적으로 분쟁을 해결하고 조약을 체결하는 선례를 남겼기 때문이다. 그 자체가 인류역사에서 기념비적인 사건이었다.

전병훈은 "(영구평화의) 맹아가 먼저 드러난 것"이라고, 헤이그회의를 칭송했다. 비록 조국에 참담한 좌절을 안겨 주었지만, 한층 거시적인 안목에서 그

---

389. 탈락의 두려움과 승리를 향한 욕망으로 추동되는 전쟁이 전쟁의 참상을 통해 반성되며 전쟁 억지의 결과로 이어지는 것, 그것이 곧 여기서 말하는 '전쟁의 역설'이다.

390. 今世界之電郵先聯, 海牙會之設, 亦可謂萌芽之先現者也. 今玆戰後之平和會, 果能實行此永久博愛樂善之人道主義否? 聯盟旣立則, 其機何遠乎哉? 『통편』, 331쪽.

회담에 기꺼이 박수갈채를 보냈던 것이다. 서우의 심중에 인간의 선의와 지혜(이성)에 대한 근본적인 믿음이 있었으므로 가능한 일이었다.

칸트의 영구평화론에 대해, 전병훈은 "세계가 영락·화평하고 사람들이 기쁨을 누리게 하려는 지극히 선하고 성스러운 마음"이 담겼다고 칭찬했다.[391] 서우에 의하면, 동·서양을 초월해서 이런 마음을 공유하는 철학이야말로 세계를 근본적으로 변화시키고, 인류의 영원한 안녕과 평화를 실현하는 원동력이다.

서우의 이런 생각은 실제적인 근거가 있었다. 칸트의 영구평화론이 당시 국제연맹 등의 논의를 실질적으로 뒷받침했기 때문이다. 앞서 거론한 루소·애덤 스미스·몽테스키외, 그리고 칸트에 이르기까지 "학술(철학)이 세계를 변화시켰다"는 전병훈의 말은 타당했다.

게다가 그들이 사회계약·국부·삼권분립·영구평화 등으로 저명하지만, 그 논의가 다만 사회·경제·정치적 차원에만 국한된 것도 아니었다. 비록 각자의 주안점과 논지는 달라도, 그 근저에는 자유·평등·도덕·행복을 실현하려는 고상한 의지와 인류애가 바탕이 되었다. 아니 더 정확히 말해서, 전병훈이 그런 낙관적 신념의 토대에서 서구 근대 계몽주의 사상의 접점을 찾았다.

그러고 나서 서우는 마침내 자신의 철학사상의 뿌리인 동아시아로 귀환한다. 그는 칸트가 전쟁 철폐와 영구평화를 말한 것에 공감하고 찬탄을 아끼지 않았다. 한데 그것이 철학적 당위와 이상으로서는 훌륭하지만, 실제로 그런 정치를 구현한 역사적 경험이 서구에 부족하다고 한다. 그리고 그 부족한 경험을 동아시아에서 보충할 것을 말한다.

> 그러나 [전쟁 철폐, 영구평화가 — 역자 주] 서구에는 예전에 없던 정치이니 누가 기꺼이 믿고 따르겠는가? 그러나 우리는, 삼대의 균산이나 주공의 형벌 폐지(刑措)와 예치 같은 것에서 중간에 경험을 쌓았다. 더구나 공자에게 받은 대동의 가르침도 [칸트의 철학과 — 역자 주] 은연중 서로 부합하니, 누가 믿

391. 康氏此論, 乃啓世界永樂和平人享歡樂之至善聖心也. 『통편』, 331쪽.

고 기대하지 않겠는가?[392]

전적으로 역사에 관한 이야기라면, 이 화법에는 결함이 있다. 서우가 예로 든 삼대나 주공의 '경험'이 과연 실제의 역사에 부합하는가? 앞서도 말했듯이, 그가 호명한 시대는 단지 동아시아 철학의 역사 안에서 전승된 '전설의 실낙원'이었다.

다시 말해 그가 말한 '경험'이란, 역사라기보다 동아시아 철학의 근거와 정당성을 지탱하는 일종의 서사이자 담론양식이었다. 앞서 이미 인용했지만, 전병훈의 언명을 다시 한 번 상기해 보자.

> 동아시아의 정치학에서, 복희·황제·요·순에서 주공에 이르는 예치는 위에서 진술한 바와 같이 경험한 사실이었다. 공자와 맹자에 이르기까지의 정치학은 이론으로 후세에 전하는 가르침이었지, 이른바 '경험'한 것은 아니었다.[393]

전병훈은 상고의 예치를 '경험적 사실'로 보았다. 공자와 맹자 등이 그 시대의 경험을 이론으로 정립하고, 다시 후대에 전해서 '정치학 이론'의 시대를 열었다. 그런데 사실을 말하자면, 후대의 철학자들이 자기가 실현하고자 했던 정치이상을 아득한 고대의 '경험'으로 진술했다. 그 과정에서 요순 삼대가 '전설의 실낙원'으로 굳건해졌다.

자기 시대의 정치적 이상을 옛 선조들에게 투사하는 화법이야말로, 공자와 그의 제자들이 즐겨 사용한 문법이었다. 한데 이런 문법이 단지 유교만의 전유물은 아니었다. 제자백가의 사상가들이 서로 상충되는 온갖 사상을 제기했지

---

392. 然在西爲空前所無之政治, 則孰肯信服乎? 在我則三代之均産, 周公之刑措禮治者, 中作經驗, 而況與孔子之大同垂教闇合相孚, 孰不信而期望乎? 『통편』, 331쪽.

393. 東亞之政治學, 自義·黃·堯·舜, 以至周公之禮治, 則如上所述, 是乃經驗之事實也. 至若孔孟之政治學, 則理論之垂訓者, 非所謂經驗者也. 『통편』, 294쪽.

만, 그 정당성의 근거를 옛 성인이나 아득한 고대의 경험에서 찾는 화법은 한결같았다.

그러나 서양의 경우는 달랐다. 서양에서 국가·정의·도덕 등을 논의하는 기원은, 고대 그리스의 철학으로 거슬러 올라간다. 그리스 철학자들은 대개 그들이 알고 있고 경험한 모든 정치형태와 그것의 속성을 유형화하고 분석했다. 그리고 그 데이터를 토대로, 순수한 이론적(이성적) 지성의 차원에서 최대한 바람직한 국가와 정의에 관해 논구했다.

물론, 그렇게 도달한 결론은 의례히 가장 이상적인 것이었다. 그처럼 바람직한 국가와 정치가 세상에서 한 번도 실현된 적이 없고, 앞으로도 실현되기 어렵다는 것을 누구보다 철학자들이 먼저 인정했다. 그럼에도 불구하고, 마땅히 그래야만 하는 정치의 모범을 추구하고 또한 그에 관해 사람들과 토론하기를 포기하지 않았다.

이것은 단지 그리스 철학자들의 태도에 그치지 않고, 훗날 서양에서 올바른 국가와 정치를 모색하고 논의하는 담론의 기본적인 양식으로 자리를 잡았다. 그런데 어떤 문화권에서 한 종류의 정치적 서사가 오래 반복적으로 계속되다 보면, 그 서사 자체가 현실의 일부로 정치의 조건을 결정짓게 된다.

심지어 그 서사 자체가 정치의 본질을 구성한다. 더 나아가, 정치에 관한 논의라면 의례히 그렇게 풀어나가는 것이라는 암묵적이고 관습적인 동의가 그 문화의 체질로 굳어진다. 그리하여 그 담론양식에 익숙해지면, 그것이 모종의 '서사'인지 아니면 '정치현실'인지의 경계 자체가 모호해지기에 이른다.

하지만 서로 다른 담론양식이 전개된 이질적인 문화가 만날 때, 그 문화들 간의 교류를 통해 각자가 서로의 거울이 된다. 그러면서 자신들이 현실로 생각했던 것이, 실은 일종의 '이야기 방식'으로서 담론양식이었다는 통찰에 이를 수 있다.

이와 관련해, 전병훈이 서양과 동양의 정치담론을 유형화했던 것을 기억할 필요가 있다. 서양은 '예전에 없던(空前所無)' 것을 추구하고, 동양은 과거에서 '경험을 쌓은(中作經驗)' 것을 말한다. 서우는 이런 차이가 동·서양의 서로 다른 역사적 현실을 반영한다고 생각했다.

하지만 사실상, 그것은 동·서 철학의 각기 다른 서사를 반영한다. 각 문화에서 집단무의식처럼 작동하는 정치담론의 두 양상을 보여주는 것이다. 단도직입적으로 말해, 서구와 동아시아가 '예전에 없던' 것과 먼 옛날에 '경험을 쌓은' 것에서 최고의 정치이상을 찾는 각자만의 그림자놀이를 해왔던 셈이다.

그런데 어디에도 없는 유토피아든 아득한 과거의 실낙원이든, 그 효용은 비슷하다. 그것은 모두 현실이 충족시켜 주지 못하는 정치의 이상을 투사시키는 대체물로, 그림자 같은 위안을 사람들의 마음에 준다. 또한 단순한 심리적 위안을 넘어, 늘 부패한 가운데서 권모술수로 얼룩지기 십상인 정치현실의 타락을 제어하고 개선된 미래를 열도록 한다.

공자 등에 의해 이상화된 '요·순·삼대'와 그리스 철학자들이 건립한 '이성理性의 나라'[394]가 동·서양에서 각각 그런 정치적 비전의 보루가 되었다. 그리하여 현실정치가 아무리 추악한 욕망에 오염되더라도, 사람들의 폭넓은 공감을 얻는 정치적 이상을 포기하지 않게 만들었다.

동아시아에서 최선의 정치적 이상이 왜 늘 삼황오제나 요·순·주공, 혹은 기자나 단군에 대한 희미한 기억으로 끊임없이 회귀하는가의 해답을 거기서 찾을 수 있다. 또한 인간이 생각할 수 있는 최선의 사회가 서구에서 왜 유토피아utopia나 이데아idea로, 즉 '아무 데도 존재하지 않는 나라'나 초월적인 '이상의 왕국'으로 즐겨 묘사되는가도 납득할 수 있을 것이다.

다시 말하지만, 이데아적 상상과 요·순·삼대의 경험은 바람직한 정치를 모색하고 논의하는 서로 다른 담론양식, 달리 말하면 철학적 서사구조敍事構造(narrative structure)의 간극을 반영한다. 비유하자면, 이는 모순으로 가득한 현실

---

394. '이성의 나라'는 곧 관념 안에 건설된 바람직한 국가로서 '상상의 나라'이며, '가상의 나라'이고 또한 실재하는 세계 어디에도 존재하지 않는 '유토피아'다. 물론 서양철학자들이 모두 이런 이성의 나라를 추구한 것은 아니다. 하지만 심지어 이런 관념의 나라에 반대하는 현실주의자들이 자기의 주장을 정당화하는 대립물로서라도 반드시 '이성의 나라'를 전제하지 않을 수 없을 만큼, 그것이 서양 지성사에 뿌리내린 영향력은 크다.

의 이상을 '가상의 미래'와 '과거의 역사'에 제각기 투사하는 영화와도 같다. 즉 서양은 SF로, 동양은 역사물로 각각 현실에서 충족되지 못하는 정치적 이상을 대리상상하는 셈이다.

그런데 모든 영화가 정교한 의도와 기획의 산물이듯이, 철학에서의 '상상'이란 단지 떠오르는 뭔가를 머릿속에 그리는 단순한 연상이 아니다. '경험' 역시 실제의 역사에서 뭔가를 가져오는 것으로 끝나는 그런 과거의 회상이 아니다.

다시 말하지만, 그것은 곧 동·서양 철학자들이 자기 시대에 실현하고자 했던 모종의 비전을 '이상(이성)으로 진술'하고, 또한 '역사(경험)로 진술'하는 고도의 철학적 담론양식이었다. 하지만 전병훈은 담론양식의 차원에서 그 진술들을 파악하는 데에 이르지 못했다.[395]

그는 요·순·삼대의 예치가 있는 그대로의 역사에서 온 '경험'이라고 인식했다. 그런 가운데 다른 한편으로, 서양철학에서 '예전에 없던' 것을 진술하는 새로운 담론양식을 접하게 된다. 전병훈은 그 차이를 예리하게 포착했으며, 동시에 그 사이에서 본질이 합치하는 접점을 찾아 계속 움직였다.

특히 현실에 기초하면서도 탐욕과 이기심이 지배하는 현실에 안주하지 않고, 바람직한 최선의 도덕과 정치의 모범을 추구하는 철학자들의 열정과 신념에 서우는 주목했다. 그리고 '예전에 없던' 이상을 말하는 서양과 먼 옛날에 '경험을 쌓은' 동아시아가 조우하는 접점을 거기서 발견했다.

그런 접점은 결국 정치철학 이전에, 앞서 '정신철학'이나 '도덕철학' 편 등에서 이미 논구한 인간 정신과 도덕의 보편적 공성共性에 대한 낙관적이고도 깊은 신념에 뿌리를 둔다. 서우가 이렇게 말한다.

> 그리고 내가 보기에, 칸트의 도덕은 육체 너머에서 참나가 초연한 것을 참된 즐거움으로 여긴다.[396]

395. 물론 이것은 한 세기 전 학문의 한계를 반영한다. 고고학과 역사의 실증적 연구가 아직 본격화되기 전이었다. 서양철학의 이해도 초보적이었다. 게다가 현대적 담론분석의 방법론 같은 것을 당연히 그가 알 수 없었다. 이런 단계에서, 전병훈이 동·서양의 철학적 담론을 진술되는 그대로의 문맥에서 받아들인 것은 어쩌면 당연했다.

이는 칸트의 도덕론이나 정신철학에 대한 언급이 아니다. 인류가 '참나의 자유'를 얻는 것이야말로, 칸트 영구평화론의 도덕적 기초라고 말하는 문맥이다. 앞서 살폈듯이 칸트가 말하는 '영구평화'란, 세계국가에서 비로소 달성되는 것이다. 그 나라는, 곧 최고선의 법칙에 따르는 자유로운 이성적 존재자들이 결합하는 '선의의 나라'이자 '목적의 나라'다.

한데 서우의 견지에서 보면, 그것은 곧 사심과 탐욕에서 벗어나 '참나'의 정신 자유를 얻는 인류가 건설하는 지구촌 공동체(세계일가)에 다름 아니다. 앞서 칸트의 인용문에서도 말한다. "영구평화가 강한 권력(强權)으로 이룰 수 있는 게 아니고, 다만 인민의 덕과 인민의 지혜 두 가지가 날로 밝아져야 이를 얻을 수 있다."

그처럼 덕과 지혜가 밝아질 때, 사람들이 비로소 "진정한 이익이 어디에 있는지 알게 된다." 한편 서우는 영구평화가 "조화의 오묘한 작용"이라고 칸트가 말했던 것도 상기시킨다. 그리고 "하늘과 사람이 회통하는(天人會通) 이치를 훤히 꿰뚫어 본" 결과로, 칸트가 인류의 미래를 앞서 통찰했다고 찬탄했다.[397]

한데 앞서 밝혔듯이, 칸트의 철학은 매우 복잡한 과정을 거쳐 번역돼 전병훈 앞으로 배달됐다. 따라서 서우의 해석이 반드시 칸트의 본의에 합치하는 것은 아니다. 사실을 말하자면, 나카에 초민과 량치차오의 번역으로 이미 동양화한 칸트를 다시 전병훈 식으로 재해석했다.

따라서 독일의 칸트와 전병훈이 만난 칸트는 똑같은 칸트가 아니다. 그 사이에는 여러 지평의 전환이 있다. 그럼에도 불구하고, 동·서양 철학이 만나는 해석학적 지평융합의 한 교역로(route)가 거기서 열린다는 사실을 간과하면 안 된다. 서우는 바로 그 교역로의 길 위에 선 '조제調劑의 철학자'였다.

칸트의 문맥에서 볼 때, 지구촌의 영구평화가 단지 공리功利의 이해타산이나 정치적인 합의만으로 얻어지는 게 아니라는 점은 분명하다. "인민의 덕과

---

396. 且如愚見, 則康氏之論道德, 自以肉體之外, 超然眞我爲眞樂.『통편』, 331쪽.

397. 而此論民德民智日進, 知眞利益之所在, 而竟以造化之妙用結辭, 烏乎聖哉! 苟非洞見天人會通之理, 而能前知百世者. 寧有是否?『통편』, 331쪽.

지혜가 밝아져야 한다"는 칸트의 말은, 세계의 공민이 도덕의 명령에 따르는 이성적인 존재자가 될 당위성을 명언한다.

또한 인간이 이성적으로 계몽될 때, 싸워서 이기는 게 이득이 아니라 인간이 인간을 목적으로 대하는 것이 "진정한 이익"임을 깨닫게 된다고 한다. 하지만 그런 이익 때문에 '인간을 목적으로 대하라'고 명언하는 건 물론 아니다. 다만 그것이 도덕의 명령, 즉 양심의 요청이기 때문에 '인간을 목적으로 대하라'고 한다.

영구평화의 이상을 실현하려면, 칸트는 인류가 정언적 도덕의 명령을 각성하고 반드시 따라야 한다고 전제했다. 그런데 인간이 이성적이며 도덕적이기 위해서, 필히 서구의 합리주의 전통에 따라야만 하는 것일까? 사실 따지고 보면, 동양의 유·불·도가 추구하는 목표 역시 인간의 덕성과 지혜의 완성에 있다.

예치와 덕화의 정치, 그리고 전병훈이 강조하는 세계의 대동통일도 인류의 정신과 도덕이 각성되지 않으면 결코 이룰 수 없는 것이다. 그러므로 서우는 도교와 불교에서 말하는 '참나'를 깨닫지 못한다면, 칸트가 추구하는 영구평화의 참된 의미 역시 알기 어렵다고 단언한다.

> 하지만 세상을 논하는 자가 먼저 도교와 불교를 배워 참나의 즐거움을 능히 진실로 아는 것이 아니라면, 어찌 족히 이(칸트의 영구평화론)에 관해 말할 수 있겠는가?[398]

정신과 도덕 등에 관해서는, 앞의 여러 편장에서 상세히 논구했다. 그러므로 위에서 "참나의 즐거움을 안다"고 말하는 함의를 여기서 부연할 필요는 없을 것이다. 다만 그런 참나의 완성이, 세계 영구평화의 정신·도덕적 토대라는 것을 다시 한 번 강조할 필요는 있다.

전병훈이 말하려는 골자가 바로 거기에 있기 때문이다. 그 실천적인 의미를

---

398. 然談世者不先學道佛, 能眞知眞我之樂者, 曷足以語此哉? 『통편』, 331쪽.

서우의 글로 대신하며, 이로써 칸트의 영구평화론에 관한 논의를 일단락한다.

> 이 (정치철학) 편의 서두에서 논했듯이, 세상의 군주와 재상들(君相)이 모두 도를 좋아해 참나를 이룬다면, 영구평화와 대동의 정치가 자연스럽게 성립돼 다시 덕·예의 정치를 보게 될 것이 분명하다.[399]

영구평화와 대동정치, 그 이상과 현실의 경계

전병훈과 칸트가 현실정치에 걸었던 기대는 사뭇 다르다. 전병훈은 세상의 군주와 재상들, 즉 현실 정치인들이 "도를 좋아하고 참나를 성취하기(好道成眞)"를 바란다. 그런데 진짜 이런 기대를 걸어도 좋을까? 올바른 도덕이나 정의보다 권력과 이권을 먼저 고려하는 현실정치의 생리상, 그런 기대가 쉽게 이뤄질 것 같지는 않다.

이와 관련해, 칸트는 아주 분명하게 선을 긋는다. "실무에 종사하는 정치가는 이론적인 정치학자와는 사이가 좋지 않으며, 엄청난 자신감을 갖고서 정치학자를 탁상공론가로 경시한다."[400] 여기서 '이론적인 정치학자'란, 물론 칸트 본인처럼 정치에서 마땅히 추구해야 할 도덕과 이상적인 비전을 말하는 철학자를 가리킨다.

예나 지금이나 혹은 서양이나 동양이나, 현실 정치가나 관료들은 지혜로운 철학자를 별로 좋아하지 않는 모양이다.(그건 아마도 자신들의 무지가 폭로되는 걸 두려워하기 때문일 것이다!) 그런데 철학자들이 천박한 정치가들을 역겨워하기도 역시 마찬가지다.

칸트는 설혹 정치철학자가 어떤 이론을 말하더라도, "직업적인 정치가들은

399. 苟如此篇首論, 而世之君相皆好道以成眞我, 則永久和平大同政治, 自然成立復見德禮之化, 必矣. 『통편』, 332쪽.
400. 임마누엘 칸트, 위의 책, 17쪽.

일관되게 평소의 태도를 지키라"고 주문한다. 즉 탁상공론에 불과한 이론에서 "국가에 대한 위험을 감지하려고 해서도 안 되고", 더 나아가 그런 공허한 이론에는 "관심을 가질 필요도 없다"는 평소의 신념을 그대로 고수하라고 주문한다.[401]

시쳇말로, 세속의 정치가들에게 "당신들은 제발 내 이론에 신경 끄세요!"라고 견제하는 셈이다. 두말할 필요도 없이, 이는 '현실적'인 것에 엄청난 자신감을 보이며 거들먹거리는 세속의 정치가들을 대놓고 비아냥거리는 것이다.

칸트는 탐욕스럽고 거만하며 지성과 도덕이 경박한, 해서 눈앞의 이익에만 급급하고 인류의 먼 장래를 생각하지 않는 직업적 정치인이나 관료들을 근본적으로 신뢰하지 않았다. 더 나아가 자신의 이론이 그런 정치가들의 "악의적인 모든 해석으로부터 완전한 형식으로 보호받기"를 단호하게 요청했다.[402]

이런 풍자를 서두에 담은 저서가 곧 『영구평화론』이다. 그런데 아이러니컬하게도, 칸트가 현실정치가들로부터 완전한 형태로 보호하고자 했던 그 '공허한 이론'이야말로 20세기 국제연합 체제의 건립에 확고한 기초를 다졌다.

이런 사례는 인류역사의 도처에 널렸다. 세속의 눈에서 공자는 당대에 실패한 정치인이었고, 안 되는 일만 하고 다니는 괴이한 이상주의자였다. 노자는 "세상 사람들이 모두 내 도가 너무 커서 마치 실체가 없는 듯하다"고 쑤군댄다고 한다. '실체가 없다(不肖)'는 것은 곧 비현실적이고 비실용적이라는 말이다.

하지만 노자는 자신의 담론이 "크기 때문에 마치 실체가 없는 듯이 보인다"고 한다. 그리고 만약 그렇지 않다면, 이미 오래전에 그의 도가 하찮아졌을 것이라고 응수했다.[403] 심지어 "어리석은 인사가 도를 들으면 크게 비웃고, 만약 그들이 비웃지 않으면 도라고 할 수 없다!"[404]고까지 정색을 한다.

---

401. 위의 책, 18쪽.
402. 위의 책, 18쪽.
403. 天下皆謂我道大, 似不肖. 夫唯大, 故似不肖. 若肖, 久矣其細也夫! 『老子』 67장.
404. 下士聞道, 大笑之. 弗大笑, 不足以爲道矣. 『老子』 초간본(乙本) 5장; 백서본 4장; 왕필본 41장.

사실 그 취지는, 위에서 칸트가 풍자한 바와 크게 다르지 않다. 그러므로 다음과 같은 사실을 반드시 기억할 필요가 있다. 바람직한 정치의 이상을 말하는 철학자들에게, 비현실적이며 무용하다는 세간의 경시가 따라붙은 지는 실로 오래되었다. 그럼에도 불구하고, 그들이 현실에 안주하지 않고 제시한 비전이야말로 인류의 정치적 발전에 가장 심오한 영향을 미쳤다.

일찍이 어떤 세속적 정치가도, 자유와 평등 그리고 국가와 정치의 진보에 이상적인 철학자들보다 더 크게 기여하지는 못했다. 그러므로 설령 플라톤이 말하는 '통치자인 철학자' 내지는 '철학자인 통치자(philosopher king)'까지는 아니더라도, 정치가에게 올바른 정치의 비전과 현실 사이에서 균형을 잡을 '덕성'과 '지혜'를 요청하는 건 결코 비현실적인 요구가 아니다.

하지만 그조차도 기대하기 어려운 게, 또한 작금의 정치현실이다. 특히 제2차 세계대전과 냉전시대를 거치면서, 이념이나 도덕으로부터 정치를 분리시키고, 대신 힘의 논리가 지배하는 상황을 있는 그대로의 현실로 받아들이는 '현실주의'가 20세기 국제정치학의 주류가 되었다.

그 견지에서 볼 때, 서우는 물론이고 칸트 역시 철지난 이상주의자에 지나지 않는다. 20세기 초에 전병훈이 희망을 걸었던 국제법이나 국제기구의 강화, 윌슨의 14개조 평화원칙, 심지어 영구평화론 같은 정치이론 등이야말로 20세기 중반부터 (정치학의) 현실주의자들이 '이상주의'로 지목하며 반대한 것들이기 때문이다.

현실정치와 관련 학계의 동향으로만 말하자면, 이런 추세는 지금도 강화일로에 있다. 한데 그것이 단지 정치학에서만 나타나는 경향은 아니다. 이상이나 도덕으로부터 사회현상을 분리시키고, 이른바 '있는 그대로' 봐야 한다는 주장이 사회과학 전반에 팽배하다. 그것은 오늘날 경제학 · 경영학 · 사회학 · 법학 · 행정학 · 언론학 · 심리학 등을 가리지 않고 어디서나 통용되는 지배적인 사고방식이다.

그런데 거기서는 사회현상을 결정짓는 근거로 대개 두 가지 요인을 공통적으로 전제한다. 첫째, 인간사회(human society)는 돈과 권력의 물질적 요인을 중심으로 무한하게 경쟁한다. 둘째, 인간(human being(s))은 본성적으로 탐욕에 이끌리며, 더 많이 소유하고 지배하려는 충동에 사로잡힌 존재다. 하지만 이런 비극적이고도 악마적인 성격이 인류의 모든 시대와 상황에 적용되는 건 아니다.

그런 종류의 현실이란, 실은 어설프기 짝이 없는 인식론의 토대 위에 쌓아올린 환상의 모래성에 지나지 않는다. 어째서인가? 그것은 사회와 인간성의 특정 측면만을 의도적으로 부각하는 견해다. 그 자체가 '있는 그대로'의 현실이라기보다는, 다만 현실을 바라보는 모종의 이념(내지는 관점)에 지나지 않는다.

단적으로 말해, 그것은 인류역사상 물질적 충동이 극에 달한 자본주의와 이념대립(혹은 문명충돌)의 상황을 강화시키는 그런 '현실'만을 상상한다. 그런 탐욕스럽고 악마적인 '있는 그대로'의 현실을 전제로, 사회과학적 분석이 시도된다. 그리고 그 분석이 다시 '탐욕스러운 현실'을 강화하는 악순환이 반복되는 것이다. 이런 사회과학이란, 백번 양보해도 '객관적 과학'이라고 인정할 수 없다.

그것은 기껏해야, 인위적인 '게임의 룰'의 일부에 불과하다. 비유컨대, 현대인은 '전쟁터인 인간사회'와 '악마적인 인간 본성'이라는 소스코드로 프로그래밍된 게임에 갇혀 있는 셈이다. 그 비극적이고 악마적인 게임 안에서 도덕이나 이성의 충동을 느낀다면, 게임은 그것을 즉각 인간 본성에 위배되는 '위선'으로 반응하도록 설계되어 있다.

물론 이 게임에서 벗어나려고 하거나 다른 종류의 게임을 상상한다면, 곧바로 허황한 '이상주의'라는 경고음이 울릴 것이다. 객관적 지식과 가치중립을 표방하는 사회과학의 제 분과가, 실은 지금 그런 게임 안에서 그 게임을 강화하는 기능을 수행하고 있다.

한데, 그나마도 게임의 룰에서 대개 종속변수에 지나지 않는다. '전쟁터로서의 인간사회'라는 세계관과 '악마적인 인간 본성'이라는 인간관이 이 게임의 독립변수가 되며, 그 전제에서 사회현상을 분석하고 설명하는 제반 사회과학 이론이 전개되기 때문이다.

그런데 만약 여기서 세계관과 인간관의 소스코드가 바뀐다면 어떻게 될까? 물론 게임은 종료되고, 전폭적으로 버전업되거나, 다른 종류의 게임으로 전환

될 것이다. 예를 들어, 서우의 문법대로 게임을 다시 프로그래밍 해보자.

상생하고 협력하는 대동사회가 사회적 공동체의 원초적인 성격이고, 정신의 자유를 추구하고 지극히 선한 도덕을 행하는 게 인간의 본성이라고 소스코드를 재설계하는 것이다. 당연히 새로운 독립변수에 따라, 정치·경제·경영·사회·법·행정 등의 제반 종속변수를 새로 조직해야 할 것이다.

오늘날 탐욕의 정글이 된 세계와 힘이 지배하는 국제질서로부터 우리의 후손들, 미래의 인류를 구원해야 한다는 요구는 이미 범세계적인 것이다. 다만 그 길을 어떻게 찾을 것인가의 활로가 미궁에 빠져 있다. 그런데 지금까지 우리의 논의가 타당하다면, 이런 혁신은 게임의 소스코드를 바꾸는 것부터 시작하지 않을 수 없다.

세상이 단지 전쟁터만은 아니고, 인간 본성이 탐욕스럽지만은 않다는 신뢰가 회복하는 사회를 상상해 보자. 이게 가능하다면, 여타의 종속변수들은 자연스럽게 따라서 변하게 된다. 한데, 이게 실로 어려운 일이다. 그런 변화를 가져오려면, 무엇보다 정치가 바뀌지 않으면 안 된다.

그러므로 서우가 "세상의 군주와 재상들이 도를 좋아해 참나를 이루는" 데서 영구평화와 대동정치의 계기를 찾는다. 그런 기대에 부응하는 정치인 혹은 모범을 보여주는 나라가 출현한다면, 전 세계가 귀감으로 삼고 따르게 될 것이다. 결국 성패는, 그것을 가능케 하는 리더십에 달렸다.

그런데 "정치는 땅에서 근원한다"는 정치철학의 제1원리처럼, 정치인의 리더십을 이끌어내는 힘의 원천은 또한 국민에게 있다. 위대한 국민이 위대한 지도자를 만든다. 그러므로 칸트가 말하듯 "국민의 덕과 지혜가 함께 밝아져야" 하는 것이다.

하지만 오늘날 단지 게임의 종속변수에 머무는 정치학이나 여타 사회과학에서, 이런 과제를 감당하기는 어려워 보인다. 그들은 게임의 룰이 변하는 근본적인 변화에 대처할 수 없고, 또한 대처하려고 하지도 않기 때문이다.

주어진 게임의 룰 안에서 사회현상 분석하기를 업으로 삼는 사회과학자들에게, 정치인·국민의 '덕과 지혜'를 고양시키는 그런 책무는 더 이상 그들의 관심사가 아니다. 따라서 책무는 어차피 인문학, 그중에서도 다시 철학이 짊어져야만 한다.

이것이 곧 전병훈 스스로 자임한 정신철학의 책무이며, 정신과 도덕을 닦아 '참나를 성취하고 성스러움 겸비하기(成眞兼聖)'를 그 철학의 실천적 목표로 제시한 까닭인 것이다.

20세기 초 서구의 정치철학

전병훈이 마지막으로 거론한 서구의 정치학자는 라트겐Karl Rathgen(1856~1921)이다. 독일 출신의 라트겐은 1882년부터 1890년까지 동경제국대학 교수로 정치학(국가학)과 행정학·통계학 등을 강의했고, 일본 농상성農商省의 고문을 역임했다. 후에 독일로 돌아가 함부르크에 건립된 식민지연구소(Kolonialinstitut)의 교수가 되었다. 1919년에 연구소가 함부르크대학으로 병합되면서, 이 대학의 초대총장을 지냈다.[405]

라트겐의 저서로 알려진 『정치학』(일명 '국가학')은 동경제국대학의 강의 내용으로, 그가 귀국한 뒤에 일본인 제자들이 영문 강의록을 일어로 번역해 출간한 것이다.[406] 이 책은 명치 24년(1891)에 처음 출판된 직후부터 판본을 거듭하며 인기를 누렸다.

중국에서는 1901년부터 1903년 사이에 두 종의 번역본이 출간됐다. 특히 입헌파와 혁명파가 대치하던 청말 근대화의 정국에서, 주로 입헌파가 이 책을 선호한 것으로 알려졌다.[407] 전병훈은 입헌파의 인사들과 친밀했으므로 자연스럽게 라트겐에 주목했다. 하지만 그에 대한 평가는 상당히 제한적이었다.

---

405. 孙宏云, 「那特硁的『政治学』及其在晚清的译介与影响」, 『辛亥革命与清末民初思想』(2012), 268쪽.
406. 위의 글, 274쪽.
407. 위의 글, 289쪽.

> 라트켄은 최근의 정치학 대가로, 그 이론에 핵심적인 내용이 많다. 하지만 나는 공화·도덕의 정치를 위주로, 단지 거기에 부합하는 내용을 취할 뿐이다. 근세에 정치·법·이재의 과학을 다루는 서적들이 매우 많다. 그렇지만 거기서 가려 뽑을 만한 게 단지 이 정도에 불과하니 또한 애석하지 않은가? 그러나 나라의 경계를 허무는 학술은 반드시 칸트를 종지宗旨로 삼는 것이 가하다.(그 통일국가론이 곧 국가의 경계를 허무는 학술이다.)[408]

전병훈이 앞서 서양 고대와 근세의 정치·경제학을 논평했던 것에 비하면, 20세기 초의 사회과학에 대한 평가는 별로 후하지 않다. 그렇다고 해서 전병훈이 당시의 학문 동향에 어두웠던 것은 아니다. 그는 "수레에 책을 실어 운반하는 소가 땀을 뻘뻘 흘릴(汗牛充棟)" 정도로 최신 사회과학 서적이 방대하다고 묘사한다. 그럼에도 불구하고 거기서 가려 뽑을 만한 내용이 별로 없다고 탄식하는 데 주목할 필요가 있다.

앞서도 말했듯이, 20세기 초의 사회과학은 이상과 도덕을 멀리했다. 대신 분업화된 학문 영역별로 제반 사회현상을 마치 자연과학의 대상처럼 분석하고 탐구하는 데 주력했다. 비록 전병훈이 경험을 중시하는 서구의 학문방법론을 칭찬했지만, 그렇다고 해서 사회과학의 이런 탈도덕화 추세까지 긍정했던 것은 아니다. 본인의 말처럼, 그는 "공화·도덕의 정치를 위주"로 했던 사상가였다.

그나마 라트겐은 과학으로서의 정치학을 말하면서도, 지리학·심리학·법학·경제학·윤리학 등의 종합적 탐구를 강조했던 학자였다.[409] 거기다가 그의 책이 본래 대학의 강의안이었으므로, 주제를 세분해서 파고들기보다는 서구 정치학(국가학)의 전반적인 흐름을 개괄하는 데 주안을 두었다.

---

408. 那氏爲最近政治學大家, 其論多肯綮. 然余主共和道德之治, 故只取其相合者而已. 盖近世之政法理財科學諸書, 汗牛充棟, 而所採者只此而已, 則不亦歉然乎? 然破國界而學, 必以康氏爲宗旨, 可也.(其一統之論, 乃破國界之學也.)『통편』, 333쪽.

409. 政治學者, 研究國家之性質及作用之一科學, …… 亦不得不根據心理學·法理學·經濟學·倫理學等. 人羣資生統一之智識, 不可不根據此等科.『통편』, 332쪽.

그것이 서구문물에 생소했던 동아시아 지식인들에게 전반적으로 유용했지만, 전병훈처럼 동서고금의 철학을 통합하려고 시도한 사상가의 구미에도 부합했던 것이다. 전병훈이 라트겐의 저서에서 소개한 내용은 대략 다음과 같다.

정치학의 정의와 성격, 구미 각국에 대한 정치·경제학적 분석, 국민의 직접참여와 간접참여로 이뤄지는 대의공화제, 근대 국민국가의 이념, 국가의 기원에 대한 사실(역사학)과 이론(철학) 위주의 연구 경향 등을 소개했다. 또한 그것이 "각국 정치의 개요를 말하지만 그래도 대개 도덕을 골간으로 한다"[410]고 총평했다.

그리고 말한다. "그 밖에 학교교육의 완비함, 관리임용의 상세하고 엄정함, 법학을 비롯한 제반분과의 전문지식을 여기서 모두 진술할 수는 없다. 그러므로 단지 공화·헌법(에 관한 내용)을 게재하는 것으로 그친다."[411] 그리고 전병훈은 라트겐이 아리스토텔레스가 말한 국가의 3정체론을 계승한다는 사실을 마지막으로 언급한다.

이는 단지 서양 고대의 정치학을 찬미하는 언사를 넘어선다. 그 문맥의 주안은 서구 정치학이 고대 그리스의 지적 유산에 뿌리를 두고 발전했음을 강조하는 데 있다. 더불어 이를 귀감으로 삼아서, 동아시아 학자들도 뿌리가 있는 학문을 하라고 주문한다. 전병훈의 말을 직접 되새기면서, 서구 근세 정치학에 대한 논의를 마감하기로 하자.

> 라트겐의 편저는 최근의 정치학이다. 그래도 아리스토텔레스를 본받아 국가의 정치체제를 분류하는 이론이 또한 가상하지 않은가. 아! 서구의 학문이 날로 발달하되, 온고유신 하는 것이 참으로 이와 같다. 오직 동아시아의 천박한 학자들이 주공이 남긴 옛 법을 탐구하지 않고, 의례히 이를 업신여기고 모멸하면서 스스로 긍지를 느낀다. 또한 수치스럽지 않은가! 이 장을

---

410. 此章混雜各國政治之概要而言之, 然蓋以道德爲主腦也. 『통편』, 337쪽.

411. 外他學校教育之周盡, 任官之詳嚴, 法學及諸科則皆有專門, 非此片幅之所能俱述, 故只載共和憲法而止焉. 『통편』, 337쪽.

보면서 어찌 그 사상을 바꾸지 않는가? 라트겐의 이 책이 비록 정치를 개괄해서 논하는 듯해도, 실제로는 공화를 위주로 하는 것이다.[412]

7. '정치철학' 총결

전병훈은 '정치철학' 편을 총괄하며 아래 글을 썼다. 본편을 마감하는 데 그보다 더 적합한 결말이 없을 것이므로, 그대로 전제한다. 다만 한 가지, 전병훈이 총 9개의 조항으로 제안한 「세계통일공화정부 헌법(世界一統共和政府憲法)」이 본편의 논의에서 빠졌다. 본 연구서의 편제상 그것은 제3부로 돌려 거기서 다루기로 한다. 이로써 전병훈의 4부 철학 가운데 '정치철학'의 논의를 모두 마친다.

> 내가 '정신'·'심리'·'도덕' 편을 엮으면서 전적으로 옛것과 새것을 조제하고 절충·합치해서, 성스러움을 겸해(兼聖) 지극히 명철한(極哲) 철학을 구성했다. 그러나 '정치' 편의 경우는, (옛것과 새것을) 손익하고 우리의 결점을 보충할 것이 더욱 많았다. 지금 구미의 정치, 헌법, 이재, 공업과 상업, 여러 과학이 그것이다.
>
> 하지만 서양도 필히 우리의 정전·균산·예치의 조례를 취해서 각각의 정치가 충분히 원만하게 발전해야 한다. 그리하여 한결같이 하늘을 본받아(體天) 백성 존중하기(重民)를 직분으로 삼는다면, 세계의 영구평화와 대동통일의 근본이 여기에 있지 않겠는가?
>
> 그렇지만 서양철학 가운데 오직 칸트의 학문이 이미 성스러운 경지에 이

412. 那氏此篇爲最近政學, 而祖尚亞氏, 分別國體之論不亦可尚哉. 噫! 西學日益發達, 而其溫故維新者, 固如是也. 惟東亞之淺學者不究周公之祖法, 而例以欺侮自豪. 不亦羞哉! 盍觀夫此章, 以改其思想乎. 然那氏此書雖若汎論政治, 而實以共和爲主者也. 『통편』, 338쪽.

르렀다. 그는 전적으로 도덕으로써 치세를 말하고, 참나에 중점을 둔다. 일찍이 도교와 불교의 참된 요지를 듣지 않고도 사물의 현상에 초연해서 거의 태선胎仙(신선)에 가까운 것이, 어찌 이와 같을 수 있는가?

그러므로 군축평화와 영구태평의 이론을 탁월하게 발표하는 것에서, 옛날과 훗날 성인의 헤아림이 똑같다. 하지만 뒤에 나온 것이 더욱 정교하고 뛰어나다는 것을, 여기서 가히 증험할 수 있다.

그러나 하늘이 큰 나(大我)라면, 참나는 작은 나(小我)다. '작은 나'의 책무를 다하고 또한 '하늘에 합하기'를 마칠 수 없는 자라면, 어찌 참된 이익과 손해가 무엇이고, 참된 즐거움이 어디에 있는가를 알 수 있으리오? 그러니 영원한 태평을 누리는 세상의 지극히 어질고 덕스러운 일이야, 더 말해 무엇 하겠는가?

아! 우리의 복희·황제·단군·기자가 성스러움을 겸한 태선이라는 사실은 이 책의 앞머리에서 거론했다. 이로써 칸트의 미진한 바를 보완하여, 세계 오대주 동포에게 고르게 선물할 수 있다.

세상에 반드시 그런 사람이 다시 나와서, (동서양의 철리를) 합치하고 병행할 것이다. 그러면 하늘에 합치하고 성스러움을 겸하니, 전쟁이 종식되고 태평한 통일정부가 진실로 그의 손에서 건립되는 게 어찌 어렵겠는가?

무릇 그런 뒤에야 지극히 어질고 덕스러우며, 성스러움을 겸해 지극히 명철한 태선의 사업이 원만하게 구비됐다고 비로소 말할 수 있다. 그리고 세상이 지극히 안락한 세상으로 승화되고, 하늘이 지극히 (만물을) 기르는 하늘로 돌아갔다고 말할 수도 있다.

아! 필자에게 다시 무슨 소원이 있겠는가! 다시 무슨 소원이 있겠는가![413]

---

413. 余編精神·心理·道德, 專以調劑新舊而折衷合致, 俾學以成兼聖極哲, 而若夫政治則尤多可以損益補吾缺點者. 如今歐美之政治·憲法·理財·工商各科學是也. 然西則必取我井制·均產·禮治條例, 以各進充分圓滿, 而一以體天重民爲職志焉, 則宇內之永樂和平, 大同一統之基本, 顧不在此乎? 然西哲中惟康德氏, 學已到聖處. 其言治世, 專以道德而歸重眞我者. 如非早有聞於仙佛之眞旨, 而清超物表, 幾乎胎仙者, 何能若是耶? 是以能卓然發表寢兵輯和·永樂太平世之論者, 前聖後聖, 其揆一也. 而後出者益

부언附言

서우의 글을 읽노라면, 노스승이 밀봉하고 백 년 뒤에나 열라고 계시한 편지를 대하는 듯한 감회에 빠진다. 동아시아의 학문과 지식계가 지난 20세기에 서구 편향과 오리엔탈리즘에 빠져, 자기를 돌아보지 못한 게 새삼 아쉬워서 그러는 것이 아니다. 사실 전면적인 서구화와 근대화는 거스르기 어려운 시대의 조류였다.

다만 근대학문의 종언이 선고되는 요즘, 달리 말해 서구의 학문이 더 이상 새롭지 않으며 마침내 그것이 어떤 종착지에 이르렀다는 소문이 무성한 시대에, 우리는 다시 막막한 지평 위에 서 있다. 무엇으로 미래를 개척해야 할까?

그 때, 한 세기 전 황량했던 조선과 동아시아의 운명 위를 걷던 한 늙은 디아스포라Diaspora의 편지가 우리 앞에 날아들었다. 어느 시인이 "깃발도 없이 길을 찾아가는 사람"[414]을 노래했다. 실로 서우에게 적합한 호칭이 아닐 수 없다.

그 노스승이 봉해 감춰뒀던 편지가 백 년 만에 후학에게 도착했다. 비록 뒤늦었지만, 그것은 또한 늦은 게 아니다. 오히려 지금 옛것과 새것 그리고 내 것과 네 것의 모든 분별을 넘어, 깃발도 없이 길을 찾아가야 할, 다시 사막 지평에 그의 후손인 우리가 서 있기 때문이다.

臻精美, 於斯可驗也. 然天其大我而眞我即小我也. 如不能盡小我之責而盡人合天者, 安能知眞利害而眞歡樂乎? 遑言永樂太平·民之至仁至德事乎? 烏乎! 余以羲·黃·檀·箕兼聖之胎仙事實, 冠於首篇. 以翼康聖之所未盡處, 而均貺用之於內五洲同胞. 世必有其人, 合致而并行焉, 則合天兼聖息亂太平統一政府, 誠何難成立於其手哉? 夫然後始可謂至仁至德, 兼聖極哲胎仙之事業俱臻圓滿, 而世躋極樂之世, 天回極育之天矣. 吁嗟! 編者更有何願哉. 更有何願哉. 『통편』, 340~341쪽.

414. "슬프게도, 길을 잃어버렸다. …… 이 막막한 사막 지평에 서면, …… 때로는 사람이 깃발이 되는 것이다. 깃발도 없이 길을 찾아가는 사람이 깃발이 되는 것이다." 박노해 시집, 『그러니 그대 사라지지 말아라』(느린걸음, 2010)에서 「사람의 깃발」.

제3부
민족에서 세계로

제7장
『천부경』과 단군의 재발견

1. 『천부경』과 전병훈

전병훈은 『정신철학통편』의 집필을 마치고 막 출판하려던 시점에 극적으로 『천부경』을 접했다. 이 우연은 마침내 정신철학과 『천부경』의 운명 모두에 지울 수 없는 자취를 남겼다.

서우가 자신의 저서를 인쇄하기 직전인 1918년, 윤효정尹孝定(1858~1939)이 『천부경』을 들고 북경으로 그를 찾아왔다. 그리고 1917년 계연수桂延壽(?~1920)가 묘향산에서 『천부경』 석각을 발견해 처음 세상에 내놓았다는 소식을 전한다.

서우는 윤효정으로부터 『천부경』을 전해 받고, 그 내용을 탐구했다. 그 결과 이 경문이 자신의 정신철학에 부합한다고 판단하고, 단군의 진전眞傳임을 확신하기에 이른다. 전병훈은 『천부경』이 발견된 경위를 다음과 같이 진술했다.

> 동방의 현인이자 선인(仙眞)인 최치원이 말했다. "단군의 『천부경』 81자는 신지神志의 고문자(篆)[1]로 옛 비문에 보인다. 그 글자를 해석해서, 경건하게 백산白山에 새긴다." 나 전병훈이 삼가 살핀다. 최공은 당나라의 진사가 되었다가, 한국에 돌아와서 신선이 된 분이다.

---

1. '전篆'은 고대문자의 서체로, 넓은 범위에서 예서隸書 이전의 모든 서체를 가리킨다. 갑골문甲骨文·금문金文·석고문石鼓文·육국고문六國古文·소전小篆·무전繆篆·첩전疊篆 등이 모두 이에 속한다. 하지만 좁은 범위로는 대전大篆과 소전에 한정된다. 여기서는 전자의 뜻으로 '고문자' 일반을 가리킨다.

> 이 경문은 지난해인 정사丁巳(1917)년에 한국 서부(황해도) 영변군의 백산(묘향산)에서 처음 나왔다. 계연수라는 한 도인이 백산에서 약초를 캐며 산속 깊이 들어갔다가, 석벽石壁에서 이 글자를 발견하고 베껴 썼다고 한다. 내가 이미 『정신철학(통편)』을 엮어서 막 인쇄에 붙이려던 차에 문득 이 경문을 얻었다. (나이 든 선비 윤효정이 와서 주었다.) 참으로 하늘이 내린 신기한 이적이다.[2]

윤효정은 구한말의 학자, 관료이자 애국지사였다. 1906년 장지연張志淵 등과 대한자강회를 조직했으며, 1909년부터 나철羅喆·오혁吳赫·정훈모鄭薰模 등이 창건한 단군교에 참여했다. 이후 나철의 단군교는 1910년 경술국치 이후 대종교大倧敎로 개명했고, 일제의 탄압을 피해 1914년 급기야 만주 북간도로 거점을 옮겼다.

그런데 단군교의 서울 북부지사 총책(北部支司敎)이었던 정훈모가 1910년 8월 단군교의 명칭 고수를 명분으로 나철과 갈라져 교주로 취임하고, 조선총독부의 승인하에 국내에서 단군교를 유지했다. 초기의 단군교가 사실상 갈라진 것이다. 일제에 대한 정치노선의 차이, 그리고 교단 권력을 노린 정훈모의 야망이 단군교와 대종교의 분파를 야기했다.

『천부경』은 1917년 주로 국내에서 활동하던 단군교도들을 통해 처음 세상에 알려졌다. 그렇다면 이 경문은 친일 계통의 전적인가? 흔히 나철의 대종교와 정훈모의 단군교를 반일과 친일의 관점에서 양분한다. 하지만 이는 당시의 복잡미묘한 종교적 국면을 정치논리로 단순화하는 위험이 있다.

1910~1930년대에 대종교가 만주를 거점으로 일제에 저항하며 독립운동의 선봉에 섰다. 반면 단군교의 정훈모는 박영효朴泳孝·정두화鄭斗和 등의 친일

---

2. 東賢仙眞崔致遠曰, "檀君『天符經』八十一字神志篆, 見於古碑. 解其字, 敬刻白山." (秉薰)謹按 崔公爲唐進士, 而還韓成仙者. 此經至昨年丁巳, 始出韓西寧邊郡白山. 有一道人桂延壽, 採藥白山, 窮入山根, 石壁見得此字, 照寫云耳. 余既編成精神哲學, 方謀付印之際, 忽得此經.(老儒尹孝定來交.) 誠天賜之神異也. 『통편』, 29쪽.

각료를 교단에 끌어들이고 일제에 협력했다. 그러나 이미 국권을 상실한 상황에서, 일제의 승인을 얻지 않고 국내에서 단군을 숭상하는 종교활동을 펼치기란 사실상 불가능한 일이었다.

물론 역사적인 정의로 판단한다면, 이런 상황논리로 개인이나 단체의 친일행각을 정당화할 수 없고 또 그래서도 안 될 것이다. 그러나 종교활동의 특성상, 교단 지도자들이 친일행각을 벌였다고 해서 단군교가 곧 친일종교였다고 단정하는 것은 다소 성급한 판단이다. 적절한 비유일지 모르겠으나, 오늘날 달라이 라마가 이끄는 티베트 망명정부의 불교와 티베트 현지의 불교를 각각 반중과 친중으로 양분하기 어려운 것과 비슷하다. 티베트의 주요 불교지도자들이 친중 성향으로 중국 정부에 의해 관리되는 것은 주지의 사실이다. 하지만 현지에서 라마불교는 여전히 대다수 티베트인의 정신적 지주이자 희망으로, 한족과 구분되는 그들만의 고유한 정체성의 뿌리를 이룬다.

일제강점기의 단군교 역시 나라를 잃고 실의에 빠진 한국인에게 그와 같은 희망의 등불이었다. 일제로서도 한국인의 정체성을 고취하므로 눈엣가시 같은 종교였으나, 민심을 짓밟고 무작정 탄압만 할 수 없었으므로 어쩔 수 없이 일종의 '관리' 모드로 들어간 셈이었다. 그리하여 상당히 다채로운 정치적 스펙트럼을 가진 사람들이 단군교 활동에 참여했다.

한 예로, 1931년 10월 단군을 특정 종교의 교조가 아닌 만백성의 국조로 모셔야 한다는 취지에서 단군교를 주축으로 '단군봉찬회檀君奉贊會'가 결성됐다. 그런데 여기에 박영효·정두화 등의 친일 각료뿐만 아니라, 종두 개발자로 유명한 지석영과 독립운동가 이범석 등 250여 인이 동참했다. 전병훈에게 『천부경』을 전한 윤효정도 그 주요 발기인의 한 사람이었다.

단군교가 비록 종단의 주도권을 둘러싼 내분에 휩싸이고 교주 정훈모의 친일행각 등으로 얼룩졌지만, 국조 단군을 숭상한 각계의 인사들이 여전히 단군교에서 활동했다는 것을 보여준다. 이런 파행은 권력이 종교를 관리할 때 흔히 나타나는 현상이다. 또한 일제가 정권 차원의 회유책으로 종교를 이용하고 분열을 조장했으므로, 그 폐단이 더욱 심했다.

하지만 그런 와중에서도 윤효정은 1909년 단군교 결성에 참여한 이래 줄곧 교단을 묵묵히 지킨 대표적인 인사였다. 특히 그는 계연수의 스승으로 알려진 해학海鶴 이기李沂(1848~1909)와 인연이 깊었다. 이기는 을사오적을 암살하려다 발각돼 유배를 다녀올 만큼 강직했다. 또한 사실 여부는 분명치 않으나, 계연수가 편찬한 『환단고기』를 감수했다고도 알려졌다.

윤효정 역시 전 생애를 통해 친일과는 거리가 멀었다. 이기와 윤효정은 1906년 대한자강회 조직과 1909년 단군교 창건에 나란히 동참할 정도로 인연이 깊었다. 계연수의 스승인 이기와 윤효정은 그처럼 각별한 사이였다. 따라서 계연수가 묘향산에서 발견했다는 『천부경』을 윤효정이 입수한 것은 자연스런 일이다. 윤효정이 직접 이 경문을 들고 북경의 전병훈을 찾은 배경도 이런 인연에서 이해할 수 있다.

그러나 전병훈이 당시 단군교에 대해 얼마나 잘 알았는지는 미지수다. 전병훈은 윤효정을 단지 '나이 든 선비(老儒)'라고 소개했다. 그리고 전병훈의 행적과 사상으로 추정컨대, 그와 단군교의 직접적인 연관을 점치기는 어렵다.

2. 『천부경』 독법

『정신철학통편』에 실린 『천부경』은 지금까지 알려진 가장 이른 판본으로, 그 문헌학적 의의가 크다. 이 경문이 세상에 나온 시기와 과정, 그리고 『천부경』의 사상적 계보에 관해 단서를 제공한다. 전병훈이 이 경문을 소개하고 해석함으로써 『천부경』이 한국사상사에서 유의미한 문헌자료에 포함되는 전기가 마련됐다고 해도 과언이 아니다. 그렇다고 해서 전병훈이 승인하듯이, 『천부경』이 곧바로 단군의 진전이라는 사실이 인정된다는 말은 아니다.

1930년대에 단재 신채호가 이미 『천부경』과 『삼일신고三一神誥』 등이 위서라고 지적한 바가 있다.[3] 지금도 이 전적들은 위서 논란에서 자유롭지 못하다. 1906년 나철이 백두산에서 온 백전伯佺 도인으로부터 『삼일신고』와 『신사기

神事記』를 전수받아 대종교의 계시경전을 삼고, 1917년 계연수가 『천부경』을 발견했다고 한다.

설령 이 사건들의 배경이 과장되거나 다소 왜곡되었을지라도, 위의 전적들이 늦어도 1900년대 초에 세상에 나온 것은 틀림없는 사실이다. 더구나 이 텍스트들이 유교·불교와는 결이 다른 한국의 신선사상을 담는 것도 분명하다. 다만 신채호는 역사학자의 시각에서 『천부경』 등의 제작자(단군)와 제작시기(단군조선), 전래내역(최치원, 묘향산) 등을 믿을 수 없다고 판정했다.

역사학자로서 그것은 정당한 인식이다. 『천부경』이나 『삼일신고』 등을 단군조선시대의 사료로 인정하기란 어려운 일이다. 하지만 그렇다고 해서, 그 전적에 담긴 내용마저 거짓이라는 의미는 아니다. 텍스트의 형식과 내용에서 볼 때, 『천부경』과 『삼일신고』 등은 역사서로 분류할 수 없다.

그것은 나름대로 독특하고도 심오한 섭리를 담은 종교·사상적 문헌이다. 또한 그것이 분명하게는 대종교, 더 거슬러 올라가 한국 선가仙家의 철학적 세계관을 반영하는 텍스트라는 사실도 부인할 수 없다. 그렇다면 바로 그런 철학 내지는 종교사상의 문맥에서 이 문헌들을 심도 깊게 다뤄야 한다.

예를 들어 단군이 『천부경』을 지어서 전했다는 설화는, 복희가 팔괘를 그렸다고 말하는 만큼이나 상징적이다. 그런데 복희가 『주역』을 지은 게 사실이 아니라고 해서, 『주역』의 내용을 거짓이라고 말하지 않는다. 『대승기신론』은 당나라에서 제작된 위경의 혐의를 받고 있다. 그렇다고 해서, 이 경문에 대한 원효의 주석인 『대승기신론소大乘起信論疏』가 거짓이라고 말할 수는 없다. 그와 마찬가지로, 『천부경』 및 그에 대한 서우의 주해를 이해할 필요가 있다.

그러나 『천부경』이 위서임을 주장하는 일각에서는, 그 문헌에 담긴 내용의

---

3. "우리나라는 고대에 진귀한 서적들을 불살라 없앤 적(이조 태종의 분서 같은 것)은 있었으나, 위서를 조작한 일은 없었다. 근래에 와서 『천부경』·『삼일신고』 등이 처음 출현하였으나, 아무도 그것을 변박辨駁한 일이 없었음에도 그것을 고서로 믿고 인정해 주는 사람이 없게 된 것이다." 신채호, 박기봉 옮김, 「사료의 수집과 선택에 관한 참고」, 『조선상고사』(비봉출판사, 2006), 60쪽.

중요성까지 단숨에 부인하는 경향이 강하다. 반면 그것이 위서가 아니라고 주장하는 일각에서는, 다만 민족사의 시원적 경전이라는 권위와 상고사를 신성화神聖化하기에 급급하다. 그러면서 정작 경문의 내용을 제멋대로 해석하고, 더 나아가 특정 종교나 단체의 이념적 도구로 활용하려는 의도를 드러내기도 한다. 이는 모두 그릇된 태도라는 비판을 면할 수 없다.

『천부경』 등의 진위 논쟁을 둘러싼 저간의 학문적 난맥상을 돌아볼 때, 전병훈의 『천부경』 주해는 대단히 중요한 의미를 지닌다. 서우가 비록 이 경문을 '단군의 진전'으로 확신하지만, 그런 견해는 텍스트를 고증하는 문맥이 아니다. 실제로 서우가 『천부경』에 대해 문헌고증을 시도한 바는 없다. 다만 서우에게 있어서, 『천부경』이 '단군의 진전'이라는 것은 '그 내용이 진실하다'는 평가의 다른 표현이다.

서우는 『천부경』이 자신의 손에 들어온 경위를 간략하게 진술하고, 곧이어 이 경문의 철학사상을 심층적으로 분석한다. 그것은 곧 『천부경』에 대한 한국사상사 최초의 본격적인 해석학적 탐구였다. 동시에 『천부경』에 대한 주해를 통해 서우 자신의 철학사상을 드러내는 작업이기도 했다. 그리하여 『천부경』은 비로소 특정 종교(단군교)의 교리서를 넘어서서, 한국 철학사상의 공공자산 물목에 포함되는 계기를 얻는다.

서우가 『천부경』을 철학사상서로 해석한 것은, 대단히 의미심장한 사건이다. 게다가 그는 이 경문을 자신의 철학을 대표하는 글로 삼아 『정신철학통편』의 첫머리에 게시했다. 『천부경』은 1에서 10까지 상수학象數學적 수리를 기본골격으로 삼아 81자로 구성된 텍스트이다. 전체 경문의 글자 수 '81'부터 수리적 상징을 함축한다. 81은 9의 제곱수(9×9)다. 동아시아에서 9는 전통적으로 양陽의 숫자 가운데 완성수로 간주된다.

양수는 하늘의 숫자다. 따라서 그 극치의 9×9가 곧 하늘의 부명符命을 암시하는 '천부'의 숫자에 계합하는 건 매우 상징적이다. 한편 '81'이 1-3-9-81로 확장되는 '3수 분화' 수리체계에서 10 단위 숫자의 완성수라는 주장도 참고할 필요가 있다.[4] 그런데 경문의 형식을 구성하는 '81'이란 글자 수 말고도, 경문의 기본문법 자체가 고도로 함축적인 수리적 전개와 배치로 구성된다.

주로 숫자의 연속으로 이뤄진 기호의 체계가 심오한 철학적 함의를 내포한다. 하지만 그 의미는 아직 명시적으로 드러나지 않은 모호한 상태로 머문다. 예를 들어『주역』에서 괘사卦辭가 없이 괘상卦象의 부호만 쭉 나열된다고 연상해 보자. 그런 기호의 함축적 의미는, 개념적인 해석을 가할 때라야 비로소 명시적으로 나타난다.

그런데 이는 달리 보자면, 텍스트 해석의 지평이 상당히 개방적으로 열려 있음을 시사한다. 시쳇말로 '귀에 걸면 귀걸이 코에 걸면 코걸이' 식으로 경문의 기호가 제멋대로 해석될 여지가 커지는 셈이다. 거기에 '시원적 경전'이나 '단군의 성스러움' 같은 비의성과 권위가 마치 절대적인 신성불가침의 요소라도 되는 듯이 손쉽게 더해진다.

이런 유혹의 요인들은 경문의 의미를 넘어서는 제3의 의도, 예를 들어 배타적 민족주의나 종교 등의 교리로 텍스트를 해석하고 독점하려는 욕망에 불을 붙인다. 하지만 그런 변설은 특정 집단의 독단적 이념으로는 유용할지 몰라도, 공적인 담론의 장에서라면 한갓 조롱거리로 전락한다. 그것이 오늘날『천부경』에 관한 진지한 담론의 형성을 가로막는 가장 큰 장애요인이다.

게다가 사람들은 옛날부터 수에 대해, 그리고 수가 지니는 조직력에 대해 환상을 품어 왔다. 이는 비단 동아시아 문화에 국한되지 않는다. 수에 대한 기대가 서구에서도 지속적으로 확대된 건 사실이다. "모든 것은 수에 의해 정리된다"고 말한 이는 피타고라스Pythagoras(BC 580~500)로 추정된다.

수에 대한 숙고가 신의 섭리를 깨닫는 열쇠라는 생각은 피타고라스부터 현시대까지 큰 인기를 얻었다. 특히 플라톤 및 르네상스기 신플라톤주의자들이 이런 생각의 지속과 확산에 기여했다. 피타고라스의 후계자들은 철학·과학·신비학 분야에서 다양한 활동을 펼쳤는데, 모두 공통적으로 일종의 수적 '적법성'이 존재한다고 가정했다.

---

4. '3수 분화'는 우실하 교수가 동아시아 고대 샤머니즘의 고유한 사유체계의 특징을 설명하는 개념으로 고안한 것이다. 우실하,『3수 분화의 세계관』(소나무, 2012).

그것이 우주학뿐만 아니라, 신학·음악·윤리학·법학 등에 나타난다고 보았다. 과학자든 신비학자든, 피타고라스학파 학자들은 모두 10이라는 수를 특히 중요하게 여겼다. 이 학파의 상징물은 10개의 점으로 이뤄진 도형이었는데, 이를 테트락튀스tetractys라고 불렀다.

미카엘 스톨라이스Michael Stolleis는 '법의 눈(The Eye of the Law)'의 은유에 대한 연구에서, 테트락튀스가 서구역사를 어떻게 관통했는지를 보여주었다. 그 흔적은 프리메이슨과 신비주의뿐만 아니라 기독교에서도 발견된다. 종교적·법률적·수학적 상징성을 지니게 된 테트락튀스는 오늘날 미국의 1달러 지폐 뒷면[5]에서도 찾아볼 수 있다.[6]

수의 상징적 가치에 대한 관심은 동아시아에서도 두드러졌다. 중국에서 숫자의 비의성에 대한 기원은 『주역』에서 찾을 수 있다. 옛날에 복희씨가 천하를 다스릴 때 천지만물과 인간의 몸에서 상징을 취해 처음 8괘를 그렸으며, 이로써 신명의 덕에 통하고 만물의 실정을 분류했다[7]는 설화가 널리 알려졌다.

중국에서도 1에서 10의 숫자를 중시했지만, 그것을 음과 양의 숫자로 나눠 조합하는 것은 음양사상과 연관되었다. 양수陽數이자 하늘의 숫자인 기수奇數(1·3·5·7·9), 그리고 음수陰數이자 땅의 숫자인 우수偶數(2·4·6·8·10)의 조합으로 다채로운 수의 변화가 일어난다. 숫자의 변화는 곧 물상物象의 변화를 반영한다고 이해됐으며, 따라서 그것은 세상을 다스리는 신비스런 열쇠로 간주되었다.

그리하여 천문·역법·점술 등과 고대의 수학이 결합된 이른바 '수술數術'이 전국시대에 크게 일어났다. 음양가陰陽家로 불린 일군의 사상가들이 제자백가

---

5. 지폐에는 미국 국장의 양면이 찍혀 있는데 1776년이라는 숫자가 하단에 기입된 피라미드가 국장의 후면을 장식하고 있다. 피라미드의 꼭대기에는 신생국가를 살피는 '섭리의 눈(Eye of Providence)', 즉 신의 눈이 그려져 있다.

6. 알랭 쉬피요, 최서연 옮김, 「숫자놀음 통치의 허구」, 『르몽드 디플로마티크』 78호, 2015년 3월 4일. http://www.ilemonde.com

7. 古者包犧氏之王天下也, 仰則觀象於天, 俯則觀法於地, 觀鳥獸之文與地之宜, 近取諸身, 遠取諸物, 於是始作八卦. 以通神明之德, 以類萬物之情. 『周易·卦辭下傳』.

의 일파로 출현했다. 제나라의 방사였던 추연鄒衍(혹은 騶衍, BC 305?~250)이 대표적인 사상가였다. 추연이 체계화한 것으로 알려진 음양오행설은 전국시대 후기에 일대 선풍을 일으켰고, 진나라를 거치며 한나라에서 대거 성행했다.

한나라에서는 주역을 수리적인 비의로 풀이하는 '상수역象數易'이 또한 한 시대를 풍미했다. 상수역으로 연단술을 해석하는 『주역참동계』 역시 한나라 때에 출현했다. 이 책은 훗날 '단경의 왕(丹經王)'으로 불렸으며, 그 역학 및 수리 체계가 도교 상수학을 대표하게 된다.

한편 북송의 성리학자인 소옹이 도교의 '도서선천상수학圖書先天象數學'을 토대로 독특한 수리철학을 발전시키고, 『황극경세서』 등을 저술했던 것은 앞서 이미 논한 바 있다. 그런데 『천부경』 역시 동아시아의 이런 상수학 전통과 긴밀하게 연관되어 있다.

전병훈이 『천부경』을 단군의 진전으로 확신한 것은, 역으로 말해 그가 이미 갖고 있던 풍부한 상수학적 식견에 『천부경』의 수리체계가 딱 부합되었기 때문이다. 서우는 도교와 유교의 상수학에 공히 정통했으며, 그런 견실한 학문의 토대에서 『천부경』의 경문을 해석했다. 물론 그렇다고 해서, 서우의 해석이 반드시 정답이라고 말할 수는 없다. 서우 본인도 이렇게 명언한다.

> (『천부경』의 해석에서) 감히 내가 옳다고 하지 못한다. 온 누리의 명철한 여러 군자들이 공정한 이치로 바로잡아 올바르게 밝히기를 바란다.[8]

한데 이런 언명이야말로 서우의 학문이 성숙했음을 입증한다. 독단적 교설을 펼치는 사람들의 문법은 대개 이와 반대된다. 그들은 신성하고 비의적인 하늘의 비밀을 자기만이 엿본 듯이 말하기를 좋아한다. 더 나아가 함부로 단정하고, 또한 다른 의견을 거만하게 배척한다. 그리하여 역설적으로, 자기의 빈곤한 지성과 독단을 만천하에 드러낸다.

---

8. 罔敢自是. 至願宇內聖哲諸君子, 明正以公理裁敎耳. 『통편』, 40쪽.

게다가 앞서 말했듯이, 수학적 상징성이 높을수록 종교적 도그마의 위험 역시 비례해서 증대한다. 『천부경』의 해석에는 그런 위험이 크게 따른다. 다만 한 세기 전에 『천부경』이 처음 알려진 시대만 하더라도, 동아시아 지식인들에게 상수학의 수리는 상당히 표준화된 일반적 지식이었다. 『천부경』의 내용은 그런 상수학과 긴밀히 연계된다. 그러나 20세기 후반에 옛날 상수학의 수리체계가 거의 잊혀졌다. 그러자 모호한 숫자의 상징을 제멋대로 해석하는 온갖 궤변이 나타나고, 대중은 그 옳고 그름을 판단하기가 어려워졌다.

하지만 만일 상수학의 근거를 종교적 계시나 조상의 위대함에서 찾아야 한다면, 종교처럼 수리도 빈약한 토대 위에 서게 되는 셈이다. 텍스트가 인위적인 수학적 코드로 이뤄진 이상, 경문 안의 기호는 반드시 어떤 의도를 담고 배열된 것이다. 그 기저의 수학적 의도를 안정적으로 판독하려면, 이 경문이 출현한 시기에 통용되던 수리체계를 근거로 텍스트를 분석할 필요가 있다.

그리고 이런 작업에서 전병훈은 누구보다 자격을 갖춘 학자였다. 서우는 유교의 상수역학에 해박했으며, 이론과 실천(내단 수련) 양면에서 도교 상수학에도 정통했다. 그러므로 전통적인 상수학 체계에 무지하고, 아무렇게나 경문을 오독하는 현대의 어설픈 『천부경』 해석가들을 감히 서우와 견줄 수 없다.

서우는 태초의 우주가 개벽해 하늘·땅·사람이 분화하고 만물을 화육하는 이치, 그리고 '참나를 성취하고 성스러움 겸비하는(成眞兼聖)' 철리를 『천부경』이 모두 함축한다고 보았다.[9] 그리고 크게 넷 혹은 다섯 단락으로 『천부경』을 나눴다. 그 대략은 다음과 같다.

① 개벽開闢을 논하는 단락이다. 이를테면 '우주생성론'이다. 태초에 천지가 개벽하고 삼재가 정립하는 이치를 밝힌다.

② 삼재三才의 존재 근거를 해명하는 단락이다. 이를테면 '존재론'이다. 음양의 섭리를 기반으로, 천·지·인 삼재가 교합해 생성변화하며 만물이 존립하는 이치를 밝힌다.

---

9. 『통편』, 29~41쪽 참고. 전병훈의 『천부경』 주석에 대한 최근의 연구로는 김낙필, 「전병훈의 『천부경』 이해」, 『선도문화』 제1집 (2006) 등이 있다.

③ 성진成眞을 논하는 단락이다. 이를테면 '수양론' 내지는 '공부론'이다. 참나를 이루고 성인의 반열에 오르는 정신수련의 이치를 밝힌다.

④ 겸성兼聖을 논하는 단락이다. '구세론' 내지는 '사회철학'이다. 성스러움을 겸해 만사에 대처하고, 세상을 구제하는 이치를 밝힌다. 인간이 천지에 대응하는 소우주로, 그 본마음이 태양처럼 빛난다. 그처럼 자기를 완성하는 사람이 천지의 중심에서 세계를 통일하길 바라는 서우의 해설을 포함한다.

⑤ 무종無終의 우주적 섭리를 논하는 단락이다. 생성과 소멸을 반복하는 '우주생멸론'이다. 시공의 생멸변화가 끝없이 이어지는 이치를 밝힌다. 서우가 이를 별개의 단락으로 특칭하지는 않았지만, 내용상 한 단락으로 분류할 수 있다.

전병훈의 『천부경』 주해를 아래에서 전문 그대로 번역해 게재한다. 81자에 불과한 『천부경』 경문의 표점과 주석에 여러 이견이 있을 수 있으나, 여기서는 서우의 주해에 따른다. 경문의 체계를 명료화하기 위해, 경문 역주에서 ①~⑤의 단락을 분류하고 소제목을 달았다. 이는 서우의 코멘트를 근거로 필자가 덧붙인 것임을 밝힌다.

3. 『천부경』(전병훈 주해)

세상에서 『음부경』을 황제의 경전으로 여긴다. 그러나 (주자의 비평이 있으며) 나는 깊이 믿지 않는다. 오직 이 『천부경』이 하늘과 사람을 포괄하고, 도에 극진하면서도 성스러움을 겸한다. 확실히 우리 단군 성조의 정신이 담긴 참된 전승(眞傳)임에 의심이 없다.

그러나 문자의 의미가 지극히 넓고 비범하고도 정미해서, 참으로 해석하기 어렵다. 여러 날을 깊이 생각하고 나서야 홀연히 확연해졌다. 아! 지극히 신령하면서도 성스러움을 겸하기가 어찌 이와 같을 수 있는가.

거금 4252년 전 10월 3일 태백산 박달나무 아래로 강림한 신인이 있어, 나라 사람들이 세워 임금을 삼았다. 민주民主의 기틀을 열었다고 말할 수 있으니, 그가 단군으로 곧 동방의 한국을 창립한 군주이자 스승(君師)이었다. 그의 장생하는 지극한 덕, 신묘함과 성스러움을 겸한 정치, 유구한 무한함이 중국의 황제黃帝가 겸성兼聖한 역사와 같다.

(『천부경』의) 경문은 하도낙서에 부합하고 노자의 '몸의 역(身易)'과 법을 함께하면서도, 더욱 간략하고 더욱 정교하다. 사람이 소우주(小天地)가 되는 이치를 일목요연하게 명백히 밝힌다. 감坎(☵)과 리離(☲)를 아울러 운용해 신선이자 성인이 되고, 세상만물을 다스리는 지극한 가르침을 극진하게 흠뻑 적신다.

무릇 성스러운 경전(聖經)이라면, 하늘의 도로 사람의 일을 밝히지 않는 바가 없다. 몸을 닦아 세상을 구제하고, 천지가 만물을 화육하는 데 동참하는 것을 지극한 도로 여긴다. 그러나 이 『천부경』처럼 단지 81자로 능히 신선과 성인에 아울러 이르고, 처음부터 끝까지 천지와 함께할 수 있는 것이 어찌 다시 있으랴?

(소자가) 참람하게 감히 주해하여 정신철학의 첫머리(首篇)로 삼는다. 아! 장차 태선胎仙으로 온 누리를 널리 제도하고, 세상을 극락으로 다스릴 이치가 반드시 여기에 있다. 그러니 이것이 곧 '세계가 한 몸(世界一身)'이요 '오대주가 일가(五洲一家)'라는 (섭리를 담은) 천서天書가 아니고 무엇이겠는가? 애초에 국경이 없었다고 말할 수 있으니, 하늘이 장차 이 책으로 만세를 고르게 교화할 것이 틀림없다. 전 세계 동서고금의 서적에 설마하니 이런 것이 있는가?

그런데 이 경전이 지금 적시에 (소자에게) 들어오니, 공경히 받아 그 의미를 드러내 세계의 동포에게 드린다. 헤아린즉 도를 이루고 세상을 구제하는 (소자의) 평생소원이 골수에 사무쳤다. (거처에 상제·단군·황제·노자·공자·부처·왕인·칸트 여덟 성인을 모시고 향을 올려 축원한다.) 그것이 하늘에 계신 단군 성조의 신령께 감응해서, 특별히 (『천부경』을) 내려 보내주신 게 아니겠는가?

서양철학에 20세기의 문명이 가장 발달한다고 점치는 말이 있으니, 그 역시 여기서 가히 징험할 수 있지 않은가! 내가 도학으로 이미 정신철학을 지어 세상에서 공용토록 했다. 삼가 배우는 사람들에게 말한다. 이 (『천부경』의) 겸성兼聖하며 지극히 명철한 학리學理를 얻으면, 기자 「홍범」의 경문에 의지하지 않고도 한국이 천지 가운데 가장 오래된 신성한 문명의 나라임을 거의 알게 될 것이다. 아![10]

『천부경』 원문(81자)

一始無始, 一析三極, 無盡本,
天一一, 地一二, 人一三, 一積十鉅, 無匱化三,
天二三, 地二三, 人二三, 大三合六, 生七八九,
運三四成環, 五七一妙衍, 万往万來, 用變不動本,
本心本太陽昂明, 人中天地一一終, 無終一.

---

10. 世以『陰符』爲黃帝經, 然(朱子有批評)余則不敢深信. 惟此天符, 則包括天人, 道盡兼聖, 確是我檀君聖祖存神之眞傳, 無疑也. 然文義淵極, 超絕而精微, 誠難透解也. 潛思數日而一旦豁然. 嗚乎! 至神兼聖, 何其如是哉! 粤在四千二百五十二年十月三日, 有神人降于太白山檀木下, 國人立以爲君, 可謂民主開基, 是爲檀君, 即東韓創立之君師也. 其長生至德, 治邦之神化兼聖, 悠久无疆者, 與中國黃帝之兼聖歷史同, 而經文則符合河圖洛書, 並老子身易之法, 愈約愈精. 人爲小天地之理, 瞭然明白, 兼以運用坎離, 以成仙證聖, 經世宰物之至教, 逼盡俱涵也. 凡聖經, 罔非因天道以明人事, 修身濟世而參贊化育爲至. 然豈有若此經之只八十一字, 能兼致仙聖, 而與天地相終始者乎? (小子)僭敢註解, 以作精神學首篇. 烏乎! 將普度環球於胎仙, 世躋極樂之治者, 其必在此乎. 然則此非世界一身, 五洲一家之天書者耶? 初無國界之可言, 而天將以此書鈞化萬世, 必矣! 求之宇內中外古今書籍, 寧有是否? 然此經適此時, 洎夫(小子)敬受而發揮, 以貺宇內同胞, 諒非(小子)道成救世之生平痴願, 結成腦癮者.(所居崇奉上帝·檀·黃·老·孔·佛·王仁·康德, 八聖而香祝) 上感於聖祖在天之靈, 而特別降祐者耶? 西哲有云廾世紀最文明發達之占者, 其亦可徵於此乎. 余以道學既作精神哲學, 公用於世, 惓言學人又得此兼聖極哲之學理, 則不待箕聖洪範之經, 而庶幾知韓爲天地中最古神聖文明之邦國乎. 噫! 『통편』, 29~31쪽.

『천부경』(역주)

‘천부天符’라는 글자가 『황제소문黃帝素問』에 보인다. 대개 “오행의 운행이 하늘의 변화와 같은 것을 ‘천부’라고 한다”고 하였다. 이는 사람이 성스러움을 겸해(兼聖) 하늘에 합하기 때문에 그리 말하는가?

天符字, 見於『黃帝素問』. 蓋五運行同天化者曰天符, 此則人之兼聖合天故云歟?

경전에서 말한다. 經曰

① 개벽開闢: 태초에 천지가 개벽하고 삼재가 정립하는 이치를 밝히다

‘하나’가 ‘시작 없음’에서 시작한다. 一始無始

천지가 허무 가운데 생겨나 존재한다. 천지 이전에는 단지 혼돈한 한 덩어리의 기운으로, 텅 비고 고요해서 아무 조짐이 없다. 그러므로 “시작 없음(無始)”이라고 한다. 시작이 없으니 곧 무극無極이다. 무극이면서 태극이다. 태극이 움직여서 양이 생기고 고요해서 음이 생기니, 천지가 비로소 존립한다.(‘자축의 회(子丑之會)’다.) 그러므로 “하나가 시작 없음에서 시작한다”고 말한다. “하나(一)”라는 것은 ‘태극의 하나’로, 원신元神의 운동능력이 그것이다.

天地從虛無中生有. 天地之先只混沌一氣, 沖漠無朕, 故曰無始也. 無始則無極也, 無極而太極, 太極動而生陽, 靜而生陰, 天地始立.(子丑之會) 故曰 “一始於無始”也. 一者, 太極之一, 元神動能力是也.

하나가 셋으로 갈라진다. 一析三

‘태극의 하나’가 이미 천일天一을 낳고 셋으로 갈라지니, 곧 〈하도河圖〉[11]에서 ‘하나가 셋을 품는 ①’ 이치다. 셋이 천·지·인을 이루며, 만물을 낳는다. 그

11. 〈하도〉는 복희가 천하를 다스릴 때 황하에서 나온 거북이 등에 새겨진 도상이라고 하며, 천지창조와 만물생성의 이치를 팔괘로 나타낸다고 한다.

러므로 노자 역시 말하기를 "하나가 셋을 낳고, 셋이 만물을 낳는다"[12]고 한다.

太極之一, 旣生天一, 而析三者, 即河圖經一函三①之理. 三成天地人而生萬物也. 故老子亦言 "一生三, 三生萬物也."

태극은 끝이 없다. 極無盡

무극이면서 태극이다. 태극이란 곧 하늘을 낳고, 땅을 낳고, 사람을 낳고, 만물을 낳는 원리元理의 운동능력이다. 그러므로 하늘·땅·사람·사물이 비록 끝마치는 때가 있지만, 태극의 생명원리(生理)와 원신元神은 끝마치는 때가 없다.

無極而太極, 太極即生天, 生地, 生人, 生物之元理動能力. 故天地人物, 雖有終盡之期, 而太極之生理元神, 則無有窮盡之時也.

근본의 하늘이 하나로 하나다. 本天一一

하늘이 '태극의 하나'를 근본으로 하여 먼저 열리니, 하나인 하늘(天一)에서 물(水)이 생긴다. 그러므로 "하늘이 하나로 하나"라고 말한다.

天以太極之一爲本而先闢. 則即天一以生水, 故曰 "天一一"也.

땅이 하나로 둘이다. 地一二

땅도 역시 '태극의 하나'를 근본으로 한다. 하늘이 땅 밖을 감싸고 땅이 하늘 가운데 있으며, (하늘과 함께) 둘이 되는 땅(地二)이 불을 낳는다. 그러므로 "땅이 하나로 둘"이라고 한다.

地亦以太極之一爲本. 天包地外, 地在天中, 而地二生火. 故曰 "地一二"也.

사람이 하나로 셋이다. 人一三

사람도 역시 '태극의 하나'를 근본으로 한다. 하늘이 하나요 땅이 둘로 물과

---

12. 『노자』 42장의 "道生一, 一生二, 二生三, 三生萬物"을 함축한다.

불이 이미 생기니, 곧 해와 달이 운행한다. 감坎(☵)과 리離(☲)가 정립되고, 기화氣化하여 사람이 생긴다. (천·지·인이) 참여하여 삼재三才를 이룬다. 그러므로 "사람이 하나로 셋"이라고 한다.

人亦以太極之一爲本. 而天一地二水火旣生, 則日月行. 坎離立, 氣化以生人. 參爲三才, 故曰 "人一三"也.

위에서는 태초에 개벽하는 이치를 밝혔다. 以上訓明始初開闢之理.

② 삼재三才: 천·지·인 삼재가 교합해 생성변화하는 이치를 밝히다

하나가 쌓여 열이 되니, 크다. 一積十鉅

'하늘이 하나'인 하나로부터 '(사람이) 하나로 셋'인 하나까지, (그것들이) 쌓여서 열(十)을 이룬다. 사상四象의 10으로 보자면, 중앙의 5(中五)를 얻어 15를 이루면 조화가 완비된다. 북방의 하나(北一)가 서방의 아홉(西九)을 얻어 10을 완성한다. 서방의 넷(西四)이 북방의 여섯(北六)을 얻어 10을 완성한다. 동방의 셋(東三)과 남방의 일곱(南七) 역시 그렇다. 그 유행하여 생성함이 크구나! 거鉅는 '크다'는 뜻이다.

自天一之一, 至一三一, 則積而成十也. 觀夫四象[13]之十, 得中五以成十五, 則造化備焉. 北一, 得西九而成十. 西四, 得北六而成十. 東三南七亦然. 其流行生成, 大矣哉! 鉅, 大也.

셋을 품은 조화가 궤핍됨이 없다. 無匱化三

천지의 수가 15를 이루니, 크게 조화하고 유행하며 쉬지 않는다. 셋을 품고 만물을 생성하는 조화가 궤핍되는 때가 없으니, (경문에서 그처럼) 말한다. 작게는 하루와 한 달과 한 해, 크게는 원·회·운·세가 조화롭게 유행해 어찌 궤핍하는 때가 있겠는가? 궤匱는 결핍(乏)이다.

13. 兩儀生四象.『易·繫辭傳』.

天地之數成十五, 則大化流行不息. 函三生物之化, 無時匱乏故云也. 小而一日一月一歲, 大而元會運世, 造化流行, 安有匱乏之時乎? 匱, 乏也.

하늘에 둘(陰)과 셋(陽)이 있다. 天二三

위에서는 (천지의) 개벽에 근거해 말하니 "하늘이 하나로 하나"라고 한다. 여기서는 음양이 교합하는 수리를 거론한다. 그러므로 "둘과 셋(二三)"을 말한다. 2는 음이요, 3은 양이다. 하늘의 숫자가 다섯 개(1·3·5·7·9)이나, 하늘에도 역시 음과 양이 함께 있으므로 (경문에서 그처럼) 말한다. 공자가 「설괘전」에서 "하늘의 숫자 3과 땅의 숫자 2가 서로 의탁한다"고 말한 것은, 대개 양수陽數를 먼저 언급하기 때문이다.

上以開闢言, 故曰天一一也. 此擧陰陽交媾之數, 故曰二三也. 二陰三陽. 天數五者, 而天中亦俱有陰陽, 故云也. 孔子係易曰 "三[參]天兩地而倚數"者, 蓋先言陽數之故也.

땅에도 둘과 셋이 있다. 地二三

이 역시 음양의 수를 말하니, 위 장절과 같다. 『주역』에서 "땅의 숫자가 다섯 개"(2·4·6·8·10)라고 하지만, 땅에도 역시 음과 양이 함께 있으니 (경문에서 그처럼) 말한다.

此亦道陰陽之數, 與上章同也. 易云地數五者, 而地中亦俱有陰陽, 故云也.

사람에게도 둘과 셋이 있다. 큰 셋이 합해 여섯이 된다. 人二三, 大三合六

사람이 천지와 품수 받은 바가 같다. 그러므로 여기서 "큰 셋이 합해 육이 된다(大三合六)"고 말하는 것은, 곧 3의 양수(三陽)가 교합해 6의 음수(六陰)가 됨을 이른다. 삼재가 교합해 생성변화의 수리를 이루는 것이 이처럼 명백하다. 건乾(☰, 하늘)과 곤坤(☷, 땅)은 일 년에 한 번 교합하며, 해(日)와 달(月)은 한 달에 한 번 교합한다. 그러므로 먼저 기에서 화생하여(氣化) 사람이 생기고, 이어서 형체가 화생해서(形化) 발생변화가 무궁하다. 그러므로 세계와 인생의 구역이 비록 나뉘지만, 모두 평등한 동포가 됨이 분명하다.

人與天地同所稟也. 故至此言大三合六者, 即三陽交合六陰云也. 三才交姤, 以成生化之理數, 如是明白. 蓋乾坤一年一交姤, 日月一朔一交姤, 所以先即氣化以生人, 繼以形化, 生生不窮也. 然則世界人生, 雖別區域, 而均爲平等之同胞也, 明矣.

일곱, 여덟, 아홉을 낳는다. 生七八九

삼재가 교합하여 감坎(북방)6의 수水가 동방8의 목木을 살린다. 목이 남방7의 화火를 살리고, 화가 중앙의 토土를 살리며, 토가 서방9의 금金을 살린다. 사상과 오행이 사물을 낳는 도가 완전히 성립한다. 그리고 이기理氣는 유독 사람의 오장에 고루 갖춰져 있다. (신수腎水가 지智요, 심화心火가 예禮다. 본문(「정신철학」)에서 상세히 설명한다.)

이는 하도낙서의 오행순역五行順逆 차서와 그 작용이 같다. 그리하여 '몸의 역(身易)'을 운용하는 법으로 해명하지 않으면 안 되며, 그래야 비로소 유익하다. 이른바 '수와 화의 교합' '금과 목의 만남'인 것이다. 사람에게는 영명한 지각이 있다. 그러므로 절로 떳떳한 법도를 행하고 아울러 능히 성명性命을 닦아 장생하며, 옛사람의 천부적 능력(良能)에 이를 수 있다.

三才交姤, 而坎六之水, 生東八之木, 木生南七之火, 火生中土, 土生西九之金. 四象五行生物之道, 完全成立, 而理氣獨具全於人之五臟(腎水智, 心火禮, 說詳下.) 此與河圖洛書, 五行順逆之序, 同一其用. 然要當講解以運用身易之法, 乃有益矣. 所謂水火之交, 金木之會者也. 人有靈明知覺, 故自行彝則, 兼能修長性命, 遂古人之良能也.

위에서는 삼재가 생성하는 이치를 밝혔다. 以上訓明三才生成之理.

③성진成眞: 참나를 이루고 성인의 반열에 오르는 정신수련의 이치를 밝히다

셋(三木)과 넷(四金)을 운용해 둥근 고리를 이룬다. 運三四成環

사람 몸 안에서 삼목三木의 해(日)와 사금四金[14]의 달(月)을 운용한다. 이것은 도가에서 오행을 돌이키는 술법이다. 오행의 세 번째인 목(三木)에서 불(火)이 생긴다. 불은 리離(☲)가 되는데, 리의 불 가운데 있는 물을 일컬어 '순수한 물(眞水)'이라고 한다. (이른바 "불을 좇는 가운데서 용이 나온다"는 것이다.) 오행의 네 번째인 금(四金)에서 물(水)이 생긴다. 물은 감坎(☵)이 되는데, 감의 물 가운데 있는 불을 일컬어 '순수한 불(眞火)'이라고 한다. ("물을 향하는 가운데서 범(虎)이 생긴다"는 것이다.)

이 순수한 물과 불을 의념으로 올리고 내린다. (뒤로 오르고 앞으로 내려오니 '자오승강子午乘降'이라고 한다.) 오래 지속하면 단丹을 이루고 신선이 된다. 그러므로 "셋과 넷을 운용한다(運三四)"고 한다. 무릇 (좌로 오르고 우로 내려오며 우로 오르고 좌로 내려오는 것을 '묘유운용卯酉運用'이라고 한다.) "운용(運)"이란 참된 뜻으로 운행하는 것이다. "둥근 고리(環)"는 단의 형상으로 끄트머리가 없다. 그러므로 "둥근 고리를 이룬다(成環)"고 한다. 그런데 고리 가운데가 곧 현관玄關이 되니, 이를 몰라서는 안 된다. ('현관'은 본문(「정신철학」)에서 상세히 설명한다.)

運用人身中三木之日, 四金之月者, 乃道家顛倒五行之術也. 三木生火, 火爲離, 離火中之水, 謂以眞水.(所謂龍從火裏出者.) 四金生水, 水爲坎. 坎水中之火, 謂以眞火. (虎向水中生者.) 此眞水火, 以意升降(後升前降, 曰子午升降.) 久久成丹成仙, 故云運三四也. 蓋(左升右降. 右昇左降曰, 卯酉運用.) 運則以眞意運行, 環即丹之象而無端, 故曰成環也. 然環之中, 即玄關, 不可不知.(玄關說詳下.)

다섯과 일곱과 하나로 미묘하게 넘친다. 五七一妙衍

"다섯(五)"은 토土의 발생수(生數)다. "일곱(七)"은 화火의 완성수(成數)다. "하나(一)"는 수水의 발생수다. 도가에서 말하지만, (유·불·도) 3가에서 서로 보는 것이 같다. "미묘하다(妙)"는 것은 정신을 운용하여 응결한다는 뜻이다. (토에서 비롯되는) 참된 뜻으로 화火(7)와 수水(1)를 운용하여, 물과 불의 오르내림이 위에서 말한 바와 같으면 도를 이룬다. "넘친다(衍)"는 것은 출신出神하는 것

---

14. '삼목'과 '사금'은 오행의 순서를 가리킨다. 「홍범」에 보이는 "五行, 一曰水, 二曰火, 三曰木, 四曰金, 五曰土"에서 유래했다.

이고, 자손[분신-역자 주]을 낳는 것이다. 내 정신의 기운(神氣)이 천지를 가득 메우고 위아래로 천지와 함께 유행한다는 말이다.

아! 성스러움을 겸해 지극히 명철한 큰 도(大道)로다! 신神으로 현빈玄牝에서 정기를 운용하며, 이로써 참나를 이루고 신통하는 오묘함이 황제黃帝의 겸성과 똑같이 하늘에서 근원한다. (이는) 성명性命을 응결해 집중하는(凝住) 정신의 전문학이다.

五乃土之生數, 七爲火之成數, 一是水之生數. 道家云, 以三家相見者也同. 妙則神用凝結之意, 以眞意(土生)運用火(七)水(一), 水火升降如上而成道. 衍則出神, 生子生孫. 我之神氣充塞天地, 上下與天地同流之謂也. 烏乎! 兼聖極哲之大道乎. 以神運用精氣於玄牝, 以成眞神通之妙, 與黃帝之兼聖, 同一源天, 性命凝住之精神專學也.

위에서는 참나를 이루고 성인의 반열에 오르는 법을 가르쳤다. 以上訓成眞證聖之法.

이 경전은 하늘을 포괄하며, 어느 쪽에서 보아도 다 영롱하게 빛난다. 사람마다 덕성과 지혜가 비록 다르다. 하지만 "셋과 넷을 운용하기(運三四)"부터 "미묘하게 넘치기(妙衍)"까지는 진실로 '몸의 역(身易)'을 운용해서 신선이 되는 법이다. 배우는 사람이 깊이 깨달을 수 있으니, 결코 가볍게 여기지 말라.

此經天包, 八面玲瓏. 人之見仁見智雖殊, 而自運三四至妙衍, 則眞是運用身易, 以成仙之法, 學人可以深悟, 毋忽也.

④ 겸성兼聖: 성스러움을 겸해 세상을 구제하는 이치를 밝히다

만겁과 만사를 오고 간다. 万往万來

이미 "미묘하게 넘치기"를 이루면 참나가 성인이자 신선이니, 정신의 조화가 하늘에 합치한다. 만겁萬劫의 오고 감이 내 뜻대로 자유자재하다. 나의 양신陽神이 위아래를 종횡으로 오르내리고, 가서 미치지 못하는 곳이 없으니, 우주가 손안에 있다. 이로써 일상의 인간사와 온갖 공적 사무(萬幾)[15]의 오고 감에 대처하니, 비록 변화무궁해도 능히 주재하는 자(양신·참나)가 존재한다.

既成妙衍, 眞我聖仙, 則神化合天. 萬劫之往來, 我固自如. 我之陽神, 縱橫上下, 無注不周, 宇宙在手. 以至日用人事, 万幾之往來, 雖則無窮, 而有能主宰者存乎.

아래부터 성스러움을 겸해 세상을 구제하는 법이다. 以下訓兼聖濟世之法.

쓰임이 변하지만 근본은 움직이지 않는다. 用變不動本

매사에 변스러운 일이 생길 때 내가 그 변동을 가라앉히기 위해 쓰는 것으로, 마음에 저울이 있다. 저울로 일의 경중을 가늠하고, 변화에 따라 적절히 제어한다. 그러므로 "쓰임이 변한다(用變)"고 말한다. 이로써 만물의 도리를 훤히 꿰뚫어 매사를 성취한다. 백성을 사랑하고, 사물을 편리하게 쓰며, 나라를 다스리고, 세상을 구제하는 어떤 일인들 그것에 맞춰 움직이지 않겠는가? 술잔을 주고받듯이 온갖 변화에 대응하지만(酬酌萬變), 마음의 근본은 움직이지 않는다. 그러므로 다스림이 무위하고, 지극히 덕스러운 세상[16]이 될 것이 틀림없다. 성스러움을 겸해 지극히 명철하지 않다면, 누가 능히 이렇게 할 수 있겠는가?

凡事變之來, 我所以用濟其變者, 心有權衡. 權衡以稱事之輕重, 隨變制宜, 故云"用變"也. 以之开物成务, 仁民, 利用, 經邦, 濟世, 何注不動之斯化? 酬酌萬變而心本則不動也. 故治成無爲, 至德之世必矣. 此非兼聖極哲, 其孰能之乎?

본마음이 본래 태양으로 밝게 빛난다. 本心本太陽昂明

사람의 "본마음(本心)"은 태극의 건금乾金이다. 태양太陽의 신기神氣가 뇌 중

---

15. 萬幾는 萬機와 같다. 예전에 임금이 처리하던 온갖 정사政事를 지칭하던 말이다. 앞의 '日用人事'가 일상의 사적인 일들이라면, '萬幾'는 온갖 공적인 일들을 가리킨다.
16. '至德之世'는 『장자·마제馬蹄』에 보이는 구절이다. "夫至德之世, 同與禽獸居, 族與萬物並, 惡乎知君子小人哉!"라고 한다.

앙에 응결돼 신령스럽게 빛나는 것이다. 지혜가 뛰어난 사람이 성스러움을 겸하니, 본래부터 이와 같다. 설령 배우는 사람이 욕심에서 비롯해 도에 입문하더라도, 욕망을 제어해서 물욕에 물들지 않으면 마음 본체(心體)의 밝음이 이내 그 근본으로 돌아간다.

도가 밝고 덕이 충만함은, 마치 태양이 사사로움과 폐단 없이 공명정대한 것과 같다. 즉 우주를 밝게 비추며 온갖 변화를 조화롭게 성취하니, 가히 천지와 동참할 수 있다. 마음 본바탕의 진실함을 설파함이 어찌 이럴 수가 있는가!

다만 도가에서 리離(☲)로써 마음을 삼는다. 『주역』에서 말하기를 "밝은 것 둘이 리괘를 만드니, 대인이 그 밝음을 이어받아 사방에 비춘다"[17]고 한다. 불교와 서양철학이 모두 삼계를 단지 마음으로 본다. 그런데 지금 이 장절로 '마음의 근본(心本)'을 증명하니, 어찌 온 누리에 새로 떠오르는 서광이 아니겠는가?

뇌의 신(腦神)이 마음이 되는 이치가 더욱 확실하고 분명하니, 역시 심학心學의 비조라고 말할 수 있다. 아! 지극하도다. 민중이 (단군을) 추대해서 임금이 되고 정치가 태양의 광명처럼 빛났던 것이다. 역시 어찌 통일된 민주세계에서 가히 본받을 만한 것이 아니겠는가?

人之本心, 卽太極乾金, 太陽之神氣, 凝晶於腦中而靈明者也. 然上智兼聖, 本自如是. 惟學人亦可以因欲而入道, 制欲而以至無物欲之交昏, 則心體之明乃還其本. 道明德滿, 如太陽之無私無蔽, 而公明焉, 則明照宇宙, 造成萬化, 可與天地參矣. 然道破心本之逼眞者, 曷嘗有是哉! 惟道家以離爲心, 『易』云"明兩作離, 大人以繼明照於四方." 佛與西哲, 皆以三界惟心. 今以此章證明心本, 詎非宇內之新出曙光耶. 腦神爲心之理, 加確加明, 亦可謂心學開山之祖也. 烏乎至哉! 民衆推戴爲君, 而政治同太陽之光明者, 亦豈非一統民主世界之可法者耶.

사람이 천지의 중심이 되고, 하나하나 끝난다. 人中天地一一終

하늘과 땅과 중간이 열려 사람이 중간에 자리한다. [천·지·인이—역자 주] 참

---

17. 明兩作離, 大人以繼明照于四方. 『易·離卦·象傳』.

여해 삼재를 이룬다. 이른바 '사람(人)'이란 천지의 마음이며, 만물이 모두 내게 갖춰진 자이다. 그러므로 사람이 중화中和의 지극한 공을 이루면 천지가 제자리를 잡고 만물이 생육하니,[18] 천지와 덕을 합한다. 믿을지어다! 천지란 '큰 나(大我)'이며, 참나는 태극의 한 분자로 '작은 나(小我)'이다. 이처럼 자기를 완성하는 사람은 능히 천지 가운데 설 수 있다.

아! 지극하구나. 하물며 지금 온 누리가 교통하니, 오대주五大洲의 한 가족을 태평세계로 인도하는 것이 반드시 태선胎仙으로 겸성兼聖하는 이 사람의 손(天手)[19]에 달렸도다! (장차 세계를 통일하는 원수元帥가 신선으로 성스러움을 겸해 천지의 중심에 서는 자가 아니겠는가!) 그런데 사람이 천지와 더불어 하나하나 시작과 끝을 같이한다. 장차 '술해의 회(戌亥之會)'에 이르면 천지와 사람·사물이 끝나는 때이니, 그러므로 말하기를 "하나하나 끝난다"고 한다.

天地中開而人位乎中, 參爲三才. 所謂人者, 天地之心, 而萬物皆備於我者也. 是以人致中和之極功, 天地位焉, 萬物育焉, 而與天地合德. 信乎! 天地者大我, 而眞我則即太極之一份子, 小我也. 如是成已者, 能中天地而立矣. 吁亦至哉! 矧今宇內交通, 所以五洲一家, 致世太平者, 其必在此胎仙兼聖之天手乎.(將一統世界之爲元首, 非上仙兼聖, 中天地而立者耶!) 然人與天地一一相終始也, 將至戌亥之會, 即天地人物終息之期, 故云一一終也.

⑤무종無終: 우주의 생멸변화가 끝없이 무궁한 이치를 밝히다

하나에서 끝남이 없다. 無終一

"하나에서 끝남이 없다(無終一)"는 것은 '술해의 회(戌亥之會)'이다. 일기一氣가 크게 휴식하면, 땅이 변해 움직이고 산이 솟고 하천이 범람하며 사람과 사

18. 人致中和之極功, 天地位焉, 萬物育焉. 이 구절은 『중용』 1장의 "致中和, 天地位焉, 萬物育焉"에서 유래했다.
19. 여기서 '천수天手'를 직역하면 '하늘의 손'이다. 하지만 문맥상으로는 성선겸성成仙兼聖해서 그 정신이 하늘과 통하며, 그 덕이 하늘에 합치되는 사람의 영향력이나 권한이 미치는 범위를 가리킨다. 즉 '하늘과 합치되는 사람의 손'을 가리킨다.

물이 소멸해 천지가 다시 혼돈에 빠진다.[20] 그러나 '태극의 하나'는 끝이 없는 이理이다. 그리하여 재차 '자축의 회(子丑之會)'에 이르면, 거듭 시작해 생명이 약동한다. 그러므로 "하나에서 끝남이 없다"고 말한다.

이로부터 천지의 운행이 끝나면 거듭해 시작함을 믿을 수 있다. '태극의 하나'가 고요했다가 다시 움직이고, 움직이다가 다시 고요해짐이 마치 둥근 고리에 끄트머리가 없음과 같다. 지극하도다! 지극히 신령하며 성스럽기를 겸한 우리 경전이여! (주해를 마친다.)

無終一者, 戌亥之會. 一氣大息, 海宇變動, 山勃川湮, 人物消融, 天地復成混沌. 然太極之一, 則無終之理, 而再至子丑之會, 復始生動, 故曰無終一也. 於是, 可信天地之運, 終而復始, 太極之一, 靜而復動, 動而復靜, 如環無端也. 至哉! 我至神兼聖之經乎! (注解終)

소자小子의 주해는 여기까지다. 감히 내가 옳다고 하지 못한다. 온 누리의 명철한 여러 군자들이 공정한 이치로 바로잡아 올바르게 밝히기를 바란다. 어리석은 내가 헤아리건대, 우리 단군 성조께서는 본디 하늘이 내린 겸성兼聖이시다. 그분이 세상에 남긴 경문이 어찌 겸성의 지극한 이치를 교시하지 않겠는가!

(小子)之謹註者如是, 而罔敢自是. 至願宇內聖哲諸君子, 明正以公理裁教耳. 愚料我檀祖素天降之兼聖, 則其遺經於世者, 曷不教示以兼聖之至理哉.

---

20. 본래 송대의 이학자인 호굉胡宏(1102~1161)의 『지언知言』에 보이는 구절이다. 원문은 다음과 같다. "一氣大息, 震蕩無垠, 海宇變動, 山勃川湮, 人物消盡, 舊跡大滅, 是所以爲洪荒之世歟?" 주희를 비롯해 많은 성리학자들이 빈번히 인용해 유명한 구절이다.

[부기附記] 전병훈의 『천부경』 주해에 대한 찬사

왕슈난王樹枏[21]이 말했다. "위대한 저작(大著)이로다! 이른바 '경문으로 경문을 주석'[22]하는 것이다."

王公樹枏曰, "大著, 所謂以經註經也."

신동神童 장시장江希張[23]이 찬탄했다. "천지와 신성神聖의 정밀함과 오묘함이 우리 선생님(전병훈)의 몇 마디 말로 설파되었다. 어찌 단군이 선생의 손을 빌려서 그 가르침을 일으키고 세계에 은혜를 베푸는 것이 아니겠는가! 큰 도의 참된 전승이 지금 그 본래 면목을 회복하니, 이름 하여 '정신철학'이라고 한다."

神童江希張贊以. "天地神聖之精微奧妙, 被我先生數語道破矣. 寧非檀君假手於先生, 以興其教, 嘉惠世界者乎! 大道眞傳, 今還其本面目, 名以精神哲學."

---

21. 왕슈난(1859~1936)은 청말 민국초의 저명한 학자이자 관료이다. 자는 진경晉卿, 호는 도려주인陶廬主人이다. 1886년 진사에 급제하고 쓰촨四川·깐쑤甘肅·신장新疆 등 여러 지역의 지방관을 역임했다. 민국수립 후 성의회省議會 의원議員, 중의원衆議院 의원, 참정원參政院 참정參政을 거쳐 1920년 국사관國史館 총재總裁가 되어 『청사고淸史稿』 편찬을 주관했다. 저서에 『신장국계지新疆國界志』, 『신장예속지新疆禮俗志』, 『도려총각陶廬叢刻』 등이 있다.
22. '경문으로 경문을 주석하기'란 전병훈의 『천부경』 주석이 단지 주해에 그치지 않고, 그 자체로 경전의 권위를 가진다는 의미다.
23. 장시장(1907~2004)은 불과 7세에 『사서백화해설四書白話解說』(14冊) 총서를 편찬해 수백만 부의 판매를 기록했다. 캉유웨이가 "중화민국 제일의 신동"으로 극찬하고 루쉰魯迅이 그의 산문집(『열풍熱風』)에서 거명할 정도로 세상을 떠들썩하게 했던 천재다. 하지만 청년기에 유럽 유학을 다녀온 뒤 불안정한 정세에서 불우한 시기를 보냈다. 중화인민공화국 수립 이후에는 화공분야의 전문가로 인생 후반을 마감했다.

제8장

민족의 포월, 하나 되는 세계

1. 『천부경』과 민족의 포월包越

『천부경』 유類의 전적으로 민족의 우월성을 과시하려는 이들이 적지 않다. 하지만 아이러니하게도, 경문의 본문 어디에도 그런 이념을 뒷받침하는 구절은 없다. 앞서도 인용했지만, 서우가 말한다. "경문은 하도낙서에 부합하고 노자의 '몸의 역(身易)'과 법을 함께하면서도, 더욱 간략하고 더욱 정교하다. 사람이 소우주가 되는 이치를 일목요연하게 명백히 밝힌다."

경문에는 내실內實과 외화外華가 있다. 『천부경』의 저자가 누군지를 불문하고, 그는 우주와 생명을 관통하는 보편적인 섭리를 81자 안에 포괄하려고 의도했음이 분명하다. 그게 곧 경문을 관통하는 '천부'의 내실이다. 한편 그 경문의 작자를 '단군'으로 표방한 것은, 거기에 외적 권위를 더하는 요인이다. 이를테면 그것은 겉으로 드러나는 이름이요, 외화인 셈이다.

그 가운데 무엇이 더 본질적인 요인일까? 경문에 담긴 의미의 내실일까, 아니면 그것이 단군의 저작이라는 신성불가침의 권위일까? 어떤 요인에 강조점을 두느냐에 따라 전혀 다른 두 갈래의 문법이 출현한다. 임의로 (a)와 (b)로 나눠, 아주 단순화시켜 말해 보자.

(a)의 문법은 내실에서 출발한다. 경문에 담긴 사상이 훌륭하다. 그러므로 그것이 하늘의 뜻(천부)에 부합하며, 단군의 전승으로 봐도 손색이 없다.

(b)의 문법은 외적인 권위에서 출발한다. 경문은 하늘의 신탁(천부)이자 단군의 교시다. 그러므로 거기에 담긴 내용이 하늘의 뜻이며, 또한 의심의 여지없

이 훌륭하다.

(a)와 (b)의 문맥은 앞서 '도덕철학' 편에서 언급했던 명제들의 간극만큼이나 심원한 차이를 드러낸다. 기억하는 독자들이 있겠지만, 예를 들어 서양에서 "올바르기 때문에 신이 명령한다"는 것과 "신이 명령하기 때문에 올바르다"는 명제의 함의가 본질적으로 달랐다.

"올바르기 때문에 신이 명령한다"는 명제가 있다. 이는 (a)의 문법과 상통한다. 그 주안은 '올바름'에 있다. 만약 올바르지 않다면, 아무리 신이라도 그것을 명령할 수 없다. 따라서 이런 문법에서는, 올바름을 합리적으로 판단하는 인간의 이성적 능력이 부각된다. 서양에서 이는 플라톤에서 칸트까지 이어지는 인본주의 철학의 기본문법을 이뤘다.

반면 "신이 명령하기 때문에 올바르다"는 명제가 있다. 이는 (b)의 문법과 상통한다. 그 주안은 '신의 명령'에 있다. '올바름'은 다만 신의 의지로 결정되는, 초이성적 섭리의 영역에 속한다. 만약 신이 명령했다면, 설령 인간의 이성으로 납득하지 못할지라도 그것은 올바르다. 인간의 가치판단은 부차적이며, 오직 신의 명령(실은 신의 의지를 대리하는 누군가의 명령)이 절대적인 권능을 지닌다. 이런 문법은 기독교의 신본주의를 대변한다.

이와 유사한 효과가 『천부경』의 독법에서도 재현된다. 『천부경』의 권위를 높이기 위해 신성불가침의 존재(하늘·단군)에 더 의존할수록, 종교적 비의성이 증대한다. 두말할 나위 없이 그런 독법은 배타적 맹신이나 도그마로 사람들을 인도한다. 그것이 합리적 지성과 함께할 수 없다는 사실은 너무나 명백한 것이다.

특히 『천부경』의 종교적 요인은 '단군'과 '천부'에 집중된다. 따라서 편협한 민족주의로 퇴행할 소지가 다분하다. 다시 말해, 민족주의와 배타적 종교성의 이종교배로 '유사종교적 민족주의'로 변형될 위험이 높다. 『천부경』처럼 상징적이고도 비의적인 경문의 유혹은 치명적이다. 지적 허영과 영적 공허에 빠진 집단이나 개인일수록, 그런 텍스트를 배타적으로 해석하고 독점하려는 욕망에 쉽게 사로잡힌다.

게다가 근대의 배타적 민족주의는 겉으로 종교와 분리된 듯하면서도, 실제로 종교적 도그마의 메커니즘을 교묘히 활용한다. 따라서 사람들이 더 쉽게 '유사종교적 민족주의'의 덫에 걸려든다. 그리고 자기가 민족주의자일지언정 종교적 맹신에 빠진 건 아니라고 생각하게 된다. 나치즘이나 군국주의 등이 그랬듯이 말이다. 훌륭한 민족문화를 선양하고, 위대한 조상의 후예라는 자긍심을 가지는 게 도대체 왜 문제가 된다는 말인가?

물론 민족이나 민족문화에 자긍심을 가지는 자체가 문제인 건 아니다. 하지만 그와 같은 신념을 가지기 전에, 먼저 다음과 같은 질문에 답변해야만 한다. 당신들의 민족문화는 왜 훌륭하고, 조상의 무엇이 그토록 위대하단 말인가? 만약 우리 민족문화라서 훌륭하고, 내 조상이므로 위대하다는 문맥의 답변밖에 떠오르지 않는다면, 그는 아주 무지하고도 맹목적인 민족주의자일 것이다.

혹은 자기 조상을 모든 인류역사의 시원에 두고, 우주적인 신과의 특별한 관계(신탁·천손·신과의 계약 등)를 내세우며, 지상에서 가장 위대한 위인이나 성현들을 자기 조상의 계보 안에 집합시키는 식의 논법에 매혹되는 사람들이 있다. 그들은 비록 무지한 민족주의자는 아닐지라도, 어쩌면 그보다 더 위험한 배타적이고 광신적인 민족주의자일 가능성이 높다. 그런 배타성의 메커니즘은 사실상 그다지 새로운 게 아니다.

문명이 일어난 신석기시대부터 인류는 '강력한 신'이나 '성스러운 조상'을 구심점으로 공동체의 결속을 다졌다. 거기서 자기 집단(부족·종족·민족 등)이 우월하다고 믿고, 다른 집단을 무시하거나 지배하려는 삐뚤어진 충동이 독버섯처럼 자라났다. 그리고 이런 집단적 욕망에 부응하는 이념이 출현했다.

그런 도그마는 기원전 10세기 이전으로 거슬러 올라가는 헤브라이즘Hebraism이나 화이관華夷觀 등에서 이미 선보인 것이다. 그런 원초적 민족주의(proto-nationalism)가 훗날 기독교의 '믿음의 조상'이나 유교의 '중화', 혹은 일본 국가신도의 '신국' 같은 배타적 이념으로 구현되었다. 더 나아가 근대적 민족국가의 형성과정에서, 인류역사상 가장 야만적인 파시즘을 잉태하기도 했다.

독일의 나치즘이나 일본의 군부 파시즘(군국주의) 등은 근대 민족주의가 낳은 독단의 사생아였다. 오늘날에도 배타적 민족주의는 지구촌의 평화와 안녕을 심각하게 위협한다. 20세기에 이념이 세계를 갈랐다면, 21세기의 지구촌 분쟁은 민족적이고 문화(문명)적이며 종교적인 대결의 양상을 띤다.

흥미로운 점은, 극도로 파괴적인 민족주의조차 '평화'나 '진보' 같은 슬로건을 표방한다는 사실이다. 나치즘의 다른 이름이 '민족사회주의'이고, 군국주의 일본도 '동양평화'를 기치로 내걸지 않았던가? 그들은 모두 '민족'의 이름으로 그럴듯한 명분을 내세워 사람들의 맹신을 유도하고, 집단의 필요에 따라 추종자들을 동원했다.

단군과 『천부경』 등을 앞세우는 유사종교적 민족주의에서도, 본질적으로 대동소이한 메커니즘이 반복된다. 결국 『천부경』이나 단군이 문제인 게 아니라, 그것을 맹목적으로 신봉하도록 조장하는 집단이나 개인의 오도된 신념과 그릇된 야욕이 화근인 셈이다.

그런데 따지고 보면 『천부경』에 포함된 민족주의적 모티프란, 그 경문이 '단군'에게서 나왔다는 설화적 요소가 전부다. 그런 외적 권위의 요소를 제외한다면, 경문 어디에도 민족적 우월감을 고취하거나 혹은 성스러운 조상을 배타적으로 떠받드는 내용은 없다. 단군을 찬양하거나, 숭배의 대상으로 삼으라고 교시하지도 않는다.

서우의 해석에 의하면, 경문은 도리어 극진한 보편주의적 가치와 사상을 담는다. 그런데도 서우는 『천부경』을 "단군의 참된 전승"으로 확신하고, "한국이 천지 가운데 가장 오래되고 신성한 문명의 나라였다"고 말한다. 그 역시 배타적 이념에 빠졌던 것일까? 결론부터 말하자면, 결코 그렇지 않다.

서우가 『천부경』을 찬미한 것은, 그 경문이 단군에게서 나왔기 때문이 아니다. 반대로 그 텍스트에 담긴 사상이 훌륭하므로, 그것을 '단군의 참된 전승'으로 인정할 만하다고 본다. 앞서의 분류에 따를 때, 전병훈은 현저하게 (a)의 문법에 서 있다. 예를 들어 이미 인용했던 문장의 한 구절을 다시 되새겨보자.

세상에서 『음부경』을 황제의 경전으로 여긴다. 그러나 (주자의 비평이 있으며) 나는 깊이 믿지 않는다. 오직 이 『천부경』이 하늘과 사람을 포괄하고, 도에 극진하면서도 성스러움을 겸한다. 확실히 우리 단군 성조의 정신이 담긴 참된 전승(眞傳)임에 의심이 없다.

그러나 문자의 의미가 지극히 넓고 비범하고도 정미해서 참으로 해석하기 어렵다. 여러 날을 깊이 생각하고 나서야 홀연히 확연해졌다. 아! 지극히 신령하면서도 성스러움을 겸하기가 어찌 이와 같을 수 있는가![1]

『천부경』은 '의미적 요소'와 '비의적 요소'가 극적으로 교차하는 문헌이다. 하지만 서우가 처음부터 '천부'나 '단군' 같은 비의적 요소로 경문의 가치를 미리 판정한 건 아니다. 예를 들어 『천부경』과 『음부경』을 다르게 평가했지만, 그것은 '단군'이나 '황제'라는 민족주의적 요인에서 비롯된 게 아니다. 다만 텍스트의 내용이 중요했다.

『음부경』은 오래된 도교 문헌으로, 예로부터 황제의 저술을 표방했다. 하지만 서우는 그 경문의 내용이 그다지 탐탁하지 않았다. 따라서 황제의 경전으로 승인하기를 유보한다. 반면 『천부경』은 "여러 날을 깊이 생각"해 문헌의 의미를 숙고한 끝에, 그 사상이 훌륭하다고 판단했기 때문에 "단군 성조의 정신이 담긴 참된 전승"이라고 승인하기에 이른다. 만약 그 내용이 부실했다면, 서우는 『천부경』 역시 단군의 전승으로 인정하지 않았을 것이다.

물론 이는 타당한 문헌고증 방식이 아니다. 왜냐하면 고증은 내용의 진실성을 판단하기에 앞서, 사료의 제작시기나 제작자 그리고 위조 여부 등을 판별하는 것이기 때문이다. 이런 방면에서 서우를 뛰어난 고증학자라고 말할 수는 없다. 하지만 그의 작업은 역사적 고증이 아닌, 철학적 의미해석 차원에서 이뤄졌다.

거기서 단군이나 황제의 전승이란, 텍스트 내용의 진실성을 표상하는 일종

---

1. 世以『陰符』爲黃帝經, 然(朱子有批評)余則不敢深信. 惟此天符, 則包括天人, 道盡兼聖, 確是我檀君聖祖存神之眞傳, 無疑也. 然文義淵極, 超絶而精微, 誠難透解也. 潛思數日而一旦豁然. 嗚乎! 至神兼聖, 何其如是哉! 『통편』, 29쪽.

의 은유(metaphor)로서 의미가 있다. 다시 말해, '단군'이란 민족의 시원에 대한 하나의 상징이자 은유다. 예컨대 '단군의 자손'이라고 말할 때, 우리는 한국어를 사용하며 한반도와 그 주변에 살면서 공동문화권을 형성하는 민족의 구성원을 떠올린다.

그런데 만약 어떤 엄격한 고증학자가 "당신의 조상이 단군이라는 증거를 제시하라"고 한다면, 사람들은 아마도 그가 너무 꽉 막혔다고 생각할지 모른다. 혹은 만약에 어떤 사람이 "당신의 조상이 단군이라는 증거를 내가 찾았다"고 주장해도, 역시 마찬가지로 제정신이 아니라고 생각할 것이다.

누군가 "우리는 백의민족이다"라고 말한다고 해서, 우리가 입은 옷이 정녕 흰색인가를 확인하지는 않는다. 한 시인이 노래했다. "이곳에선, 두 가슴과 그곳까지 내논 아사달 아사녀가 중립의 초례청 앞에 서서 부끄럼 빛내며 맞절할지니 껍데기는 가라. 한라에서 백두까지 향기로운 흙가슴만 남고 그, 모오든 쇠붙이는 가라!"(신동엽, 「껍데기는 가라」)

비록 아사달과 아사녀를 본 적이 없어도, 그리고 한라에서 백두까지 직접 가보지 않더라도, 우리는 그 은유를 알아차린다. 은유는 어디나 있다. 그리고 우리 삶은 은유를 떠나지 않는다. 이런 은유를 역사라고 주장하거나, 혹은 역사로 은유를 증명하라고 한다면, 그건 도무지 난감한 일이다.

역사는 은유가 될 수 있지만, 은유를 역사로 읽는 것은 바보짓이다. '단군'도 역사에서 나왔지만, 또한 역사를 초월한 상징이자 은유가 되었다. 민족공동체에 구심점을 부여하는 시원의 메타포이며, 한국 민족문화의 정신적 원형을 상징하는 기호인 것이다. 서우가 『천부경』에 '단군 성조의 정신이 담긴 참된 전승'의 자격을 부여한 것을 이런 문맥에서 이해해야 한다.

『천부경』이 '위서이므로 무가치하다'는 성마른 역사실증주의적 단정은 서우의 철학적 문법과 뚜렷하게 결을 달리한다. 한편 『천부경』이 '단군의 경전이므로 위대하다'는 유사종교적 도그마 역시 서우의 철학적 문법을 배반한다. 역설적으로 『천부경』의 내용 안에 만약 배타적 민족주의나 숭배적 종교의 성격이 뚜렷했다면, 서우는 결코 그것을 '단군의 전승'으로 인정하지 않았을 것이다.

『천부경』을 다만 민족의 경전으로 숭배하는 사람들은 이런 고차원의 패러독스를 이해하지 못한다. 서우에 의하면 경문은 "하늘과 사람을 포괄하고, 도에 극진하면서도 성스러움을 겸한다." 여기서 '하늘'과 '도'는 철학적 우주론의 문맥을 함축하며, '인간'과 '성스러움'은 인본주의적 신성성神聖性을 표상한다.

그것은 다만 우주와 인간의 보편적 섭리를 포함할 뿐, 어떤 민족주의적 요소도 부각하지 않는다. 그리하여 비로소 단군의 '홍익인간' 정신을 보존한다. 서우는『천부경』이 단군의 전승이며, 한국은 "세상에 가장 오래된 신성한 문명의 나라"라고 자부했다. 하지만 다른 민족에 대하여 단군과 한민족의 원초적 우위를 주장했던 것은 아니다.

독자들도 알다시피, 서우는 동·서양의 풍부한 철학을 차별 없이 논구했다. 그 일환에서 단군을 호명하고,『천부경』의 경문도 해석한 것이다. 그러면서도 그는 한국의 토착적 세계관을 인류 보편의 가치관으로 재구성하는 탁견을 보인다. 그러나 한국이 인류문명이 시원이라는 따위의 민족주의를 내세운 건 결코 아니다.

'민족'은 인간공동체의 엄연한 구성단위다. 따라서 민족을 통합하는 원리(민족주의)는 어느 정도 필요하다. 하지만 그것이 자기 '민족'의 우월함만을 주장한다면, 배타와 고립의 이념으로 변질되는 걸 피할 수 없다. 그런 이념은 다른 민족을 무시하거나 지배하려는 저급한 욕망에 부합하고, 단지 자기 민족만을 차별적으로 보존하려는 심리적인 충동을 부채질한다. 더 나아가 독단과 폭력을 수반하는 맹목적인 행동을 유발한다.

그렇다고 해서 민족의 정체성을 잃어버리고 외래문화에만 의존하거나, 뿌리 없이 이리저리 휩쓸리는 게 능사도 아니다. 민족의 고유한 정신문화와 세계관을 함양하되, 그것이 인류의 보편적 가치에 부합해야 한다. 그래야 비로소 그 민족이 다른 민족의 존경을 받고, 세계문화 창달에 기여하게 된다. 이런 패러독스를『천부경』처럼 절묘하게 내재하는 텍스트도 드물다.

'단군'으로 민족정신의 원형을 표상하지만, 그 내실은 민족을 완전히 벗어난 '천부'의 범우주적 생명과 평화의 사상을 함축하기 때문이다. 그리하여 서우는『천부경』을 기반으로, 민족을 포월包越해 세계로 나아가는 발판을 얻는다. 그는 민족주의자면서 민족주의자가 아니었고, 진실로 민족을 사랑했으므로 사해동포주의자가 되었다.

2. 코즈모폴리터니즘, 오주동포五洲同胞

우주론 패러다임

오늘날의 글로벌화는 단지 경제·사회적인 변화로 그치지 않는다. 그것은 지구를 하나의 생명체(가이아Gaia, 온생명global life 등)로 인식하는 새로운 자연관의 변화를 불러왔다. 제러미 리프킨Jeremy Rifkin의 말을 들어보자. "역사상 경제·사회적으로 큰 변혁이 있을 때마다 생명의 창조와 자연의 작용에 관한 새로운 설명이 수반됐다. 어떤 새로운 사회질서를 형성하는 데는 자연에 관한 새로운 개념이 항상 가장 중요한 요소로 작용한다."

자연의 개념은 항상 다음과 같은 큰 의문에 초점을 맞춘다. 즉 우리는 어디서 왔는가? 우리는 왜 여기에 있는가? 우리는 어디를 향해 가는가? 역사를 살펴보면, 인간은 항상 "자연과 생명이란 도대체 무엇인가?"에 대한 해답들을 준비해 놓고 있었다.

여기에 대해, 근대 이전의 서구사회는 기독교의 신본주의와 창조론으로 응답했다. 그러다가 찰스 다윈Charles R. Darwin(1809~1882)의 진화론이 19세기 후반에 기독교의 창조론을 대체했다. 그리고 이제 다시 생명공학적 자연관이 현대인의 의식·가치관·문화를 재구성하고 있다.[2] 이런 자연관들은 단순한 과학을 넘어, 어떤 한 시대 사람들의 견해나 사고를 근본적으로 규정하는 우주론의 패러다임을 구성한다.

다윈의 진화론은 자연의 작용원리를 공정하고 객관적으로 진술한다고 흔

---

2. 제러미 리프킨, 전영택·전병기 옮김, 『바이오테크 시대』(민음사, 1999), 353~355쪽.

히 가정한다. 하지만 자연에 대한 우리의 사상은 사회적 편향을 반영하고, 문화적 환경에 깊이 영향을 받는다. 진화론이 산업사회의 정치·경제적 이해관계를 정당화하는 데 이용돼 왔다는 것은 익히 알려진 사실이다.

그렇다고 해서 진화론이 틀렸다는 의미는 아니다. 지구상의 생물이 진화해온 것은 틀림없는 사실이다. 상대주의적인 사회학자들의 주장처럼, 진화론을 위시한 각각의 우주론이 단순한 허구에 불과하다고 말할 수는 없다.

각 시대에 등장했던 우주론들은 나름대로 실제세계의 작용에 근거를 둔다. 진화론 역시 마찬가지다. 그렇지만 그것은 사회와 자연이 상호작용하는 실제세계의 작은 부분에 근거하고 있을 따름이다. 부분적으로 사실이라고 해서, 모든 걸 다 설명할 수 있는 건 아니다.

문제는, 온 우주의 작용원리를 설명하는 일반론을 끌어내기 위해, 사람들이 자연에서 배운 사실을 부풀리는 데에 있다. 그래서 우주론들이 왜곡되어 나타나는 것이다.[3] 그렇게 부풀려진 각각의 우주론은, 특정한 문화의 논리와 결합돼 있고 각 시대를 반영한다.

창조론은 자연과 인간, 그리고 사회의 존재근거를 기독교의 문법에서 설명하며 유럽의 중세를 존속시켰다. 이슬람 세계 역시 마찬가지다. 동아시아 중세의 이기론理氣論도 유교윤리에 의한 세계지배를 정당화하는 우주론 패러다임이었다.

진화론이 150년 전의 영국에서 탄생한 것 역시 결코 우연이 아니었다. 다윈은 산업혁명이 한창이던 19세기 영국의 사회적 분위기에서 자유롭지 않았다. 그는 생물의 진화에 대한 자연원리를 진술했지만, 다윈주의(Darwinism)는 자연을 넘어 곧바로 인간과 사회를 설명하는 이론으로 각광받았다.

이런 현상에 관해, 예전에는 다윈의 이론이 정치·사회적으로 남용됐다고 설명했다. 다윈은 자연에 대해 공평하고 객관적으로 진술했으나, 그것이 다른 의도로 왜곡됐다는 것이다. 하지만 최근에는 다윈의 이론 자체가 산업혁명 시

---

3. 위의 책, 360~361쪽.

기의 사회적 편견을 내재했다고 의심받는다.

진화론은 모든 생명체에서 신성을 제거했으며, 자연을 기계적인 유기체로 파악하는 관점을 제공했다. 자연이 더 이상 신의 피조물이 아닌 게 되자, 자연을 개발하고 이용하는 권리가 완전히 인간(특히 자본가와 국가)의 손에 들어왔다. 더 나아가, 자연과 그것의 소산인 유기적 생명체가 경제·상업적인 거래의 대상이 되는 걸 합리화했다.

자연의 '경쟁'과 '적자생존' 개념이 19세기 말에서 20세기 초에 어떻게 사회진화론으로 변용됐는지는 이미 널리 알려졌다. 진화론에서 상상력을 얻은 이런 관념들은 산업사회의 자본가들, 근대국가의 정치가와 관료들, 그리고 제국주의 시대의 침략자들에게 복음이 되었다.

그것은 경쟁과 권력을 부추기고 우생학적 편견을 조장했으며 윤리·관습·종교를 파괴했다. 다윈보다 어쩌면 다윈주의에 대해 더 많이 알고 있는 한 생물학자는 "지금 널리 유행하고 있는 진화론에 뭔가 틀린 점이 있는 게 확실하다"고 단언한다. 『통섭』의 저자로 널리 알려진 에드워드 윌슨Edward Wilson은 이렇게 말한다.

> 경험론의 극치인 다윈 진화론은 대담하게도 창조를 무작위적 변이와 주변 환경의 산물로 환원시켜 버린다. …… 생명에 대한 이처럼 메마른 관점, 즉 인간이라는 존재를 뛰어난 지능을 가진 동물쯤으로 환원시키는 이와 같은 견해야말로 나치즘이나 공산주의가 저지른 대량학살의 참사를 정당화해 줬다고 생각한 저자들이 한둘이 아니었던 것도 이해할 만하다.[4]

엄밀하게 말해서 진화론이 틀렸다기보다는, 자연과 인간 그리고 사회의 모든 면을 '진화'라는 생물학적 요인으로 환원하려는 의욕이 지나쳤다고 할 수 있다. 그런데 최근에 생명공학 기술이 발전하면서, 19세기의 다윈주의에 비견

---

4. 에드워드 윌슨, 최재천·장대익 옮김, 『통섭』(사이언스북스, 2005), 420쪽.

되는 우주론의 새로운 변조가 일어나고 있다.

21세기 바이오테크 우주론

이 문제에 관해 사회학적 비평을 가한 제러미 리프킨은 다음과 같이 말한다.

> 다윈의 이론이 그랬던 것처럼, 진화에 관한 새로운 이론들도 이미 자연의 작용원리에 대한 설명을 담고 있다. 그런데 놀랍게도 그 내용은 새로운 기술의 작용원리 및 새로 출현하는 세계경제와 서로 조화를 이룬다. 자연계에 대한 최근 우리의 조작행위에 적합하도록, 다시 한 번 자연법칙이 새로 쓰이고 있는 것이다.[5]

이른바 '새로운 기술'은 컴퓨터 혁명과 유전공학기술이 결합된 생명공학기술(Bio Technology)을 가리킨다. '새로 출현하는 세계경제'는, 각국 정부와 연구기관 그리고 다국적기업이 경쟁적으로 육성하는 바이오산업을 신성장 동력으로 한다. '다시 쓰이는 자연법칙'이란, 생명공학의 견지에서 진화를 재해석하는 이론을 가리킨다.

다윈의 세계에서, 생명체는 다양한 기능을 가진 부품들의 교환 가능한 집합으로 간주되었다. 한편 유전자 단위에서 적자생존과 자연선택을 재해석하는 리처드 도킨스Richard Dawkins의 개념에 따르면, 모든 생명체는 유전자가 만들어 낸 '생존기계'다.[6]

그런데 새로운 진화의 문법은 생명을 기계장치로 보는 견해마저 넘어선다. 구조를 기능으로 분해하고, 그 기능을 정보의 흐름으로 본다. 생명은 이제 정보가 된다. 종種의 완전성 개념은 거의 제거된다. 즉 새·벌·여우·암탉 등을 그 자체로 완결된 생명이 아니라 정보의 다발로 보게 된 것이다.

---

5. 제러미 리프킨, 위의 책, 369쪽.
6. 리처드 도킨스, 홍영남·이상임 옮김, 『이기적 유전자』(을유문화사, 2010).

한편 새로운 진화론은 화이트헤드Alfred North Whitehead(1861~1947)의 과정 철학(process philosophy)에서 영감을 얻기도 했다. 생명이 있는 유기체는 그 자체로 완결된 존재가 아니다. 모든 생명은 형성과정 중이다. 그리하여 각각의 종이란 다만 무수한 생물학적 정보의 조합으로, 언제든 다시 프로그램 될 수 있는 정보 시스템의 개념으로 대체된다.

개, 침팬지 또는 인간을 조작한다는 생각보다는, 정보 시스템을 조작한다는 생각이 훨씬 받아들이기 쉽다. 따라서 생명체의 신성이나 개별성은 더 이상 고려의 대상이 아니다. 거기에 더해, 보편적인 진리와 원대한 우주의 원리를 거부하는 포스트모더니즘이 유전공학의 조작을 '창조적 모험'으로 인식하게 하기도 한다.

혹은 창조론이 '지적 설계론' 등으로 변형돼 다시 부각된다. 거기서 신은 자연의 정보를 설계한 프로그래머나 슈퍼컴퓨터 같은 이미지로 바뀐다. 그리고 신 내지는 지적 설계자가 생명을 프로그래밍 하듯이, 프로그램의 비밀을 엿본 생명공학자도 그런 정보조작 과정에 참여할 자격을 얻는다.

이런 우주론에서, 생명의 진화는 곧 정보의 진화로 환원된다. 생물이 진화를 통해 자신을 조직한다는 것은, 곧 정보를 재프로그래밍 하는 것에 다름 아니다. 즉 생명공학은 자연에 인위적인 조작을 가하는 것이 아니다. 그것은 다만 자연법칙과 조화를 이루는 과학의 한 발전단계일 뿐이다. 이런 전제에 의하면, 생명공학을 받아들이는 건 선택의 여지가 없다. 그렇게 하지 않는다면, 그건 곧 진화의 자연적 원리에 역행하는 것이기 때문이다.[7]

다윈의 진화론이 공평하고 객관적인 과학 이론으로 알려졌듯이, 생명공학의 최신 이론도 자연질서를 냉철하지만 중립적으로 진술한다는 인상을 준다. 그런데 다윈주의가 19세기 산업시대의 논리를 반영했듯이, 생명공학의 새로운 진화론 역시 21세기 바이오산업의 욕망에 부응한다.

그것은 결코 중립적이지 않다. 생명공학 시대의 진화론은 최근의 경제활동

---

7. 제러미 리프킨, 위의 책, 제7장.

을 정당화하는 편향성을 담고 있다. 새로운 우주론은 과학자들이 생명을 조작하는 행위가 정당하며, 21세기 바이오산업이 자연질서와 합치된다고 암시한다.

그리하여 생명공학 분야의 과학자와 기업들이 윤리적·사회적·문화적 책임에서 벗어날 수 있도록 한다. 그런데 더 깊이 들여다보면, 거기에는 자연과 우주에 대한 보다 근원적인 문화(문명)의 논리가 작동한다는 사실을 깨닫게 된다.

'만들어진 세계'의 우주론(1): 신의 대리자들

'신의 피조물' '진화하는 생물학적 기계' 그리고 '형성과정 중에 있는 정보다발' 관념이 제각각 다른 듯이 보인다. 심지어 대립하는 것처럼 생각된다. 창조론과 진화론이 대립한다는 생각이 일반적이다. 그것은 마치 원수 사이, 견원지간犬猿之間인 듯하다. 하지만 큰 틀에서 보면, 거기에는 맥락관통하는 어떤 일관된 문법이 있다.

무엇보다 '만들어진 세계'의 인식이 뿌리 깊다. 물론 그 기원은 창조론에 있다. "우리가 어디서 왔으며 왜 여기에 있고 어디를 향해 가는가?"의 질문에 창조론처럼 명쾌하고 그럴듯한 답변도 드물다. 신이 우리를 만들고 또한 그가 제작한 세계에 살도록 했으며, 신이 의도한 방향대로 역사(시간)를 흐르게 한다는 시나리오가 설득력을 얻었다.

서구에서 창조주 신은 처음부터 공작자工作者였다. 세계는 그의 공작의 산물로 이해되었다. 그런 문맥에서, 서구인의 조상은 타고난 과학자이자 장인이었는지 모른다. 예수의 아버지 요셉이 목수이고, 예수 자신도 목수로 불렸음을 상기해 보자.[8]

플라톤이 이데아를 말했다. 비유컨대, 그것은 공작자라면 마땅히 필요로 하는 '설계도' 같은 것이다. '선'이란 곧 그 설계도에 부합하는 것이다. 그런데 뭔

8. "이 사람은 마리아의 아들 목수가 아닌가?" 『성경·마가복음』 6장 3절.

가를 만들어 본 사람이라면 누구나 알듯이, 한 치의 오차도 없이 설계도에 완전히 딱 맞게 '만들어지는 것'은 없다.

공작의 실제적 결과는 언제나 오차를 포함한다. 설계도의 견지에서 보면, 오차는 '결여'를 의미한다. 플라톤의 문법에서는 그런 결여가 곧 악에 다름 아니다. 다시 말해, 악인이란 본래의 설계대로 만들어지지 않은 불량품인 셈이다.

훗날 칼 포퍼K. R. Popper(1902~1994)는 『열린사회와 그 적들』에서 플라톤의 이데아론이 근대에 와서 헤겔의 역사주의와 마르크스의 유물론으로 전개됐으며, 전체주의의 뿌리가 되었다고 비판했다. 화이트헤드가 2천 년의 서양철학이 "플라톤의 각주"라고 말했던 것도 유명하다.

한데 더 깊이 따져 보면 이런 전체주의는 플라톤 이전에, '만들어진 세계'에 대한 서구인의 뿌리 깊은 관념에 근원을 둔다. 서구의 사상사는 '만들어진 세계'의 주도권을 놓고 신과 인간이 벌이는 기나긴 투쟁의 역사처럼 보인다.

오랜 세월 동안 서구인은 신이 인간과 자연을 창조하고 지배한다고 생각했다. 세계의 조작자는 신이며, 세계는 그의 조작대상이었다. 이런 이분법은 창조론에 수반되는 불가피한 관념이었다. 근대 이후에 보편적 이성이 신의 권능을 대신하게 되었어도, 세계가 '만들어진 기계'라는 오랜 관념은 지속되었다.

데카르트는 무수하게 분리된 기계들의 조합으로 우주를 파악했고, 동물은 물론 인간도 복잡한 기계에 지나지 않는다고 명언했다. 그리하여 이제 '자연법칙(law of nature)'이 신의 자리를 대체하게 되었다. '만들어진 세계'의 보이지 않는 창조자가 신 대신에 자연법칙이 된 것이다.

그리고 비록 인간이 우주를 만든 것은 아니지만, 이성으로 우주의 자연법칙을 파악할 수 있다는 자신감에서 근대의 인본주의와 합리주의가 꽃을 피웠다. 이성으로 자연법칙을 파악하게 된 인간이 자연의 관리자 역할을 떠맡게 된 것이다.

유럽 중세에는 교회의 수도사들이 '신의 피조물'에 대한 관리 대행자의 사명을 자임했다. 그러다가 근대 이후에는, 과학자들이 자연법칙으로 '만들어진 세계'의 관리와 조작을 맡는 새로운 사제집단이 되었다. 특히 다윈의 진화론이 출현한 뒤로 신에 의한 '창조'가 부인되는 대신에, 인간(특히 과학자)에 의한 자연의 '조작'이 허용되었다.

다윈주의나 새로운 생명공학적 자연관은, '만들어진 세계'에 대한 인간의 적극적인 지배와 조작을 합리화한다. 신의 '창조'와 인간의 '조작'의 경계는 거의 무너졌다. 겉으로는 신학과 과학, 유신론과 무신론이 첨예하게 대립하는 듯이 보인다. 하지만 사실상 그것은 공작工作적 세계관에서 나온 이란성 쌍생아에 지나지 않는다.

만들어진 기계인 세계에 대하여, 공작자가 단지 '신'과 '자연법칙'으로 분열되었을 뿐이다. 세계를 창조한 신을 대리하여, 중세의 성직자들이 세계를 조작하는 권리를 획득했다. 그리고 다시 성직자를 대신하여, 자연법칙을 관리하는 과학자들이 근대 세계의 조작자로 세대교체를 했다. 하지만 '만들어진 세계'를 지배하는 권리에서, 성직자와 과학자는 대단히 닮은꼴을 하고 있다.

한데, 여기서 아주 근본적인 질문을 하나 던져 보자. 성직자든 과학자든, 도대체 누가 그들에게 세계를 관리하고 조작할 권한을 위임했는가? 성직자들은 이렇게 답변한다. 신이 세계를 창조하고, 그 세계를 관리할 권한을 우리에게 부여했다. 이와 관련해 기독교의 지배자들은 초기 유대교의 역사에서 교훈을 얻었다. 그것은 자신들의 손에 들어온 영역에서 다음과 같은 권리를 행사하도록 신이 허락했다는 믿음이었다.

> 네 하나님 여호와께서 그 성읍을 네 손에 붙이시거든, 너는 칼날로 그 속의 남자를 다 쳐 죽이고, 오직 여자들과 유아들과 육축과 무릇 그 성중에서 네가 탈취한 모든 것은 네 것이니 취하라. 네가 대적에게서 탈취한 것은, 네 하나님 여호와께서 네게 주신 것인즉 너는 그것을 누릴지니라. …… 오직 네 하나님 여호와께서 네게 기업으로 주시는 이 민족들의 성읍에서는, 호흡 있는 자를 하나도 살리지 말지니, 곧 헷 족속과 아모리 족속과 가나안 속과 브리스 족속과 히위 족속과 여부스 족속을 네가 진멸하되, 네 하나님 여호와께서 네게 명하신 대로 하라.[9]

이런 오래된 신앙이 얼마나 파괴적이고 야만적인가를 말하려는 게 아니다. 다만 세계지배의 신앙이 신에 의해 '만들어진 세계'의 관념과 얼마나 밀접하게 연관되는가를 확인하려는 것이다. 신이 "성읍을 네 손에 붙이"며 혹은 "네게 기업으로 주시는" 것이다.

세계를 만든 자가 그가 만든 것을 지배할 권한을 특정한 인간(들)에게 위임한다는 문맥이다. 그 권한은 지극히 배타적이어서, "네가 탈취한 모든 것은 네 것"이 되며 "호흡 있는 자를 하나도 살리지 말"고 진멸하도록 허락된다.

물론 이런 야만적인 교의들은 훗날 고등종교로 발전하는 과정에서 보다 이성적으로 다듬어졌다. 하지만 '만들어진 세계'에 대한 지배의 특권을 신으로부터 위임받는 것은, 의심할 여지없이 서구문화에 깊이 내재된 세계지배의 문법이다. 그것은 서구문화 심층의 집단무의식을 이룬다.

서구의 기독교 지배자들이 이런 신앙에서 얼마나 큰 심리적 위안을 얻고, 또한 다른 문화에 대한 자기들의 침략행위를 합리화했는가를 논증하는 데 긴 설명이 필요치는 않을 것이다. 그런데 자연에 대한 지배의 정당성을 논하는 데서도 이런 문법은 반복된다.

서구 자연과학에 경험주의 철학의 토대를 놓은 베이컨Francis Bacon(1561~1626)이 말했다. "신께서 선물로 주신 자연에 대한 인류의 지배권을 회복하고, 그 힘을 행사하기 위해서는 올바른 이성과 진실한 신앙의 인도를 받아야 한다."[10]

'자연에 대한 인류의 지배권'은 신의 특별한 선물이다. 베이컨에 의하면, 그것은 "인류 자체의 권력과 지배권을 우주 전체에 대해 수립하고 확대하려고 노력하는" 야망으로 뒷받침된다. 한편 '올바른 이성'이란, 단지 자연을 아는 데에 머무는 것이 아니다.

이성은 자연을 인간의 아래에 두고 힘을 행사하도록 한다. 자연에 대한 지

---

9. 『성경 · 신명기』 20장 13~17절.

10. 프랜시스 베이컨, 진석용 옮김, 『신기관』(한길사, 2001); 박은진, 「베이컨 『신기관』」, 『철학사상』 별책 제7권 제12호(서울대학교 철학사상연구소, 2006), 107쪽.

식의 확장은 곧바로 자연에 대한 지배력의 증대를 의미하는 것이다. 거기서 유명한 테제가 나온다. "자연에 대한 인간의 지배권은 오직 기술과 학문에 달려 있다. 자연은 오로지 복종함으로써만 복종시킬 수 있기 때문이다."[11]

"아는 것이 힘"이라는 베이컨의 명언은, 지식에 의한 자연지배를 정당화하는 명제였다. 그런 사상은 오늘날까지 그대로 이어진다. '진화하는 생물학적 기계'든 아니면 '형성과정 중에 있는 정보다발'이든, 과학자들은 자연법칙으로 '만들어진 세계'를 조작하는 것을 자신들의 당연한 권리로 생각한다. 유럽 대학의 한 철학교수는 과학자들의 그런 행위를 합리화하는 최신의 이론적 근거를 다음과 같이 진술한다.

> 인간은 정보수집 능력이 뛰어나고, 정보를 처리하는 데도 재주가 많다. …… 정보수집과 정보처리 능력이 뛰어나게 되면, 적응능력도 뛰어나게 된다. 이것이 바로 인간이 다른 종보다 우월한 이유이다.[12]

다윈의 '적자생존'이 '가장 정보화된 자의 생존'으로 대체되었다. 하지만 인간이 뛰어난 지성으로 자연법칙(자연에 대한 정보)을 장악하며, 따라서 자연을 조작하는 행위가 정당하다는 문법은 동일하다. 그것은 4백 년 전 베이컨의 주장과 크게 다를 바 없다. 심지어 "여호와께서 네게 주신 것인즉 너는 그것을 누릴지니라"는 수천 년 전의 종교적 문법과도 상통한다.

인간의 자연지배를 합리화하는 이런 논법은 분명하게 문화적이며, 결코 과학의 본질에 속하는 게 아니다. 세계에 대한 경험적이고 객관적인 지식이 곧 과학이다. 그러나 '과학으로 자연을 조작하거나 세계를 지배하려는 욕망'은 아이러니컬하게도 과학적이라기보다 경제·사회적인 의도에 지배된다. 반론의 여지없이, 그것은 과학을 넘어선다.

---

11. 박은진, 위의 글, 105쪽.
12. 제러미 리프킨, 위의 책, 381쪽. 본래 노트르담 대학의 철학교수인 세이어Kenneth M. Sayre의 글인데, 리프킨의 책에서 재인용한다.

지난 수세기 동안 과학이 자연과 인간에 대하여 얼마나 객관적이고 공정했는가를 생각하면, 실로 아뜩한 절망에 이르지 않을 수 없다. '진화론'이 개념 그대로 지구에서 진화한 생명에 대한 객관적 지식의 축적에 충실했다면, 그리하여 자연이 생명을 진화시킨 방식을 온전히 보전했다면, 35억 년 전 지구에 최초의 생명체가 출현한 뒤 이뤄낸 진화의 추세가 지속됐어야 옳을 것이다.

그러나 애석하게도 진화론이 성행한 지난 150년 동안, 인류는 자연적인 진화의 추세에 명백하고도 파괴적으로 역행했다. 자연은 진화의 섭리로 지구에서 생물학적 종들의 번성을 이끌었다. 하지만 인간은 다른 종에 대한 인위적인 지배와 조작을 '자연선택'과 '적자생존'으로 합리화하고, 마침내 지구상의 거의 모든 종이 멸종에 이르도록 진화론을 남용했다.

이런 파괴적인 결과가 새로운 유전공학에서도 반복될 조짐이 뚜렷하다. 진화가 분명한 자연과학적 사실이듯, 생명체를 정보의 다발로 읽을 수 있게 된 것 역시 자연을 설명하는 과학의 중대한 진보임에 틀림없다. 그런데 생명체를 정보다발로 판독하는 것과, 그 정보의 과정에 인간이 개입해서 조작하는 것은 명백하게 다른 차원의 일이다.

과학철학의 고전적인 사례가 되었지만, 20세기의 물리학자들이 '핵분열을 발견'한 것과 그 지식을 토대로 '핵무기를 개발'한 것을 동등한 자연과학적 사건으로 볼 수 없다. 전자가 보다 순수한 과학이라면, 후자는 과학 자체보다 정치·경제·군사적 문법에 지배된 사건이었다.

그런데 오늘날 생명공학의 발전은 처음부터 국가 및 거대자본의 이익과 일체가 된 상태로 전개된다. 생명체의 유전자 정보가 경제나 산업적 동기에서 조작될 가능성이 최고도에 달한, 대단히 위험한 바이오테크의 시대가 열리고 있는 것이다.

특히 세계를 '만들어진 것'으로 인식하는 서구사회의 뿌리 깊은 우주론에서, 위험의 수위가 수직으로 상승한다. 윌슨의 다음과 같은 고백을 경청한다면, 서구의 지적 전통 안에서 이런 위험에 대처하기가 얼마나 어려운지 짐작할 수 있다.

우리는 자신과 자신이 살고 있는 세계에 관해 엄청난 지식을 쌓아 오기는 했지만, 완벽하게 현명해지려면 아직도 멀었다. 큰 위기에 부딪칠 때마다 초월적 권위에 항복하고 싶은 유혹이 존재하며, 아마도 이것은 당분간 더욱더 그럴 것이다. 여전히 교의를 만드는 능력을 지니며, 또 여전히 쉽게 신에게 매혹되기 때문이다.[13]

'초월적 권위' '교의' '신에게 매혹되기'야말로 서구에서 수천 년간 전승된 우주론에 담긴 매력의 요인이자, 동시에 위험의 요인이라고 말할 수 있다. 계몽기 이후로 서구에서 과학을 발전시키고 인류문명의 뚜렷한 진보를 가져온 것은 분명히 존경받을 만한 일이다.

앞으로 어떤 미래가 오더라도, 인류의 후손은 이 시기에 일어난 과학의 진보를 역사상 위대한 사건의 하나로 기억할 것이다. 그러나 과학을 관리하고 그것을 보다 현명하게 운용하는 방식에 관해서라면, 지금까지 서구사회가 보여준 리더십에 찬사를 보낼 수만은 없다.

위에서 말했듯이 그 리더십은 과학 이전에, 서구의 지적 전통과 문화에 내재된 우주론과 더 밀접하게 연관된다. 우주 밖의 공작자에 의해 '만들어진 세계'를 상상한다. 그리고 공작자(신·자연법칙)를 대리해서 피조물에 대한 지배와 조작의 특권을 행사하려는 충동이 서구문화를 내적으로 결속해 왔다.

신에게 위임받은 '세계지배'의 특권을 머리에 투구처럼 눌러쓰고, 한 손에 '과학'의 방패를 들고 다른 한 손으로 '공학기술'의 창검을 휘두르며 돌진하는 로마병정 같은 이미지의 서구인이 지난 수세기 동안 지구 곳곳을 정복했다. 그런데 서구와 다른 문화의 내적 논리를 가진 사회에서 보면, 서구인의 그런 과대망상과 허세는 꽤나 우스꽝스런 것이다.

누가 시키지도 않았는데 자기들이 마치 세계의 창조자(신)라도 되는 듯이 거들먹거리고, 다른 인종과 민족이 그들의 피조물인 듯이 멸시하는 태도를 더

13. 에드워드 윌슨, 위의 책, 429쪽.

이상 용인하기는 어렵다. 과학기술의 압도적 우위가 서구의 세계지배를 뒷받침했지만, 사실상 과학기술은 범용의 지식이다.

"그것은 인류의 조직화된 객관적 지식의 축적이며, 서로 다른 곳에서 사는 사람들이 공통의 이해 속에서 통합시킬 수 있도록 고안된 최초의 매개물이다. 과학은 특정 부족이나 종교를 편들지 않는다. 즉 진정으로 민주적이며, 전 지구적인 문화의 기반으로 작동한다."[14]

그러니 다시 처음 질문으로 돌아갈 시점이 되었다. 독자들은 리프킨의 다음과 같은 언명을 기억할 것이다. "역사상 경제·사회적으로 큰 변혁이 있을 때마다 생명의 창조와 자연의 작용에 관한 새로운 설명이 수반됐다. 어떤 새로운 사회질서를 형성하는 데는 자연에 관한 새로운 개념이 항상 가장 중요한 요소로 작용한다."

'만들어진 세계'의 우주론(2): 지배와 예속의 이분법

거듭 강조하지만, 사람들이 순수하게 과학적이라고 믿는 자연관 내지는 우주론이 실은 전적으로 자연과학의 산물은 아니다. 그것은 자연에 대한 부분적 지식과 문화적 편견의 복합체로 성립한다. 앞서 말했듯이, 생명공학의 새로운 진화론에서 생명체를 형성과정 중에 있는 정보의 집합으로 보는 문법을 독자들도 이제는 잘 알고 있을 것이다.

언뜻 생각해도, 그것은 불교의 연기설과 친연성이 아주 크다. 삼라만상을 단지 인연의 가합假合으로 여기는 불교의 세계관에서 볼 때, '형성과정 중에 있는 정보의 다발'이라는 생물학적 존재론의 개념은 대단히 매혹적인 것이다. 신앙심이 깊은 불교도라면, 과학이 이제야 비로소 불교의 깊은 진리의 세계에 도달했다고 반색할지 모른다.

하지만 세계에 대한 존재론적 진술을 떠나, 그런 과학적 지식을 어떻게 관

---

14. 위의 책, 426쪽.

리하고 운영할 것인가의 문제에 이르면 논점이 180도 반전한다. 생명체를 다만 '만들어진 생물학적 기계'로 보는 서구의 전통적인 우주론에서는, 각 유전자 다발의 정보를 조작하고 변조하는 것까지 과학에 위임된 특권으로 간주하게 된다.

그러나 불교는 한없이 넓은 그물망이 펼쳐지고, 그 그물코마다 구슬이 맺혀 서로를 비추는 '인타라망의 우주'를 상상한다. 그런 우주론에서, 개별적인 생명체의 유전자 정보를 임의로 조작하는 행위를 곧바로 승인하기는 어렵다.

개체가 전체로 이어진 대화엄의 세계에서, 개체의 변조란 전체의 운명에 영향을 미치는 연쇄적 인과조작의 행위이기 때문이다. 상이한 우주론의 토대에서, 동일한 과학 지식이 그처럼 다른 방식으로 이해되거나 운용될 수 있다.

과학이 "특정 부족이나 종교를 편들지 않고, 진정으로 민주적이며, 전 지구적인 문화의 기반으로 작동한다"는 윌슨의 지적은 의미심장하다. 왜냐하면 각 문화마다 고유한 문화전통이나 통합성의 원리를 기반으로 과학 지식이 운용될 가능성을 열어 놓기 때문이다. 그러나 우리는 과학과 더불어 확산된 서구의 우주론이 곧 자연과학의 객관적 법칙의 일부라고 한동안 착각했다.

다윈의 진화론이 그런 문맥에서 이해되었다. 최근 생명공학의 새로운 진화론 역시 그렇게 받아들여지는 경향이 있다. 그러나 앞에서 논구했듯이, 그런 자연관은 단지 자연과학의 경험적 지식만으로 구성되는 게 아니라는 사실이 분명하다. 우주론은 한 사회의 오래된 도덕적 원리를 내면화한다. 그것은 자연과학의 경험적 지식보다 더 깊은 원천, 문화적 집단무의식의 심연에서 유래한다.

우주론은 한 시대의 사회질서와 인간의 삶에 통합성을 부여한다. 다시 말하지만 큰 변혁이 있을 때마다 새로운 우주론이 등장하여, 인간이 다시 조직하는 사회질서에 정당성과 불가피성을 부여하는 데 이용되었다.[15] 이런 우주론의 재구성에서 새로운 지식과 함께 한 사회에서 오랜 풍파를 견뎌내고 선조들에 의해 확대된 통합성의 원리를 재조명하는 것은 대단히 중요한 일이다.

---

15. 제러미 리프킨, 위의 책, 353쪽.

세계의 여러 문화전통에서 볼 때, 외부의 공작자에 의해 '만들어진 세계'의 관념은 지중해 연안의 국지적 종교 관념에서 비롯된 우주론의 산물이다. 그 세계의 창조자는 사물 밖에서 사물을 공작하고 주재한다. 그런 창조자 신은 주체와 객체, 나와 타자, 안과 밖, 정신과 물질, 영혼과 신체, 주인과 노예, 지배와 예속의 이분법을 전제로 하는 우주론의 정점에 있다.

설령 그런 신의 권능을 '이데아'·'이성'이나 '자연법칙' 등으로 대체하더라도 이분법적 우주론의 기본틀은 지속된다. 세계를 영혼 없는 물질의 결집체로 본다면, 그런 세계에는 반드시 주인 혹은 지배자가 있어야만 하기 때문이다. 예를 들어, 아무도 몰지 않는 자동차(만들어진 것)란 무의미한 것이다. 그런데 누가 운전대에 앉을 것인가?

신학과 과학, 유신론과 무신론의 갈등은 이원화된 세계의 주인이 '신'이냐 '이성'이냐를 놓고 벌이는 주도권 다툼처럼 보인다. 거칠게 말하자면 '만들어진 세계'를 신의 이름으로 지배할 것인가, 아니면 이성·과학으로 지배할 것인가의 문제로 귀결된다. 세계를 이렇게 이분법적으로 보는 한에서, 다차원의 불화와 갈등이 불가피하다. 공작자(신)와 피조물, 인간과 자연, 정신과 물질, 지배자와 예속인이 불화한다.

고대 근동과 그리스의 신화에서 나타나듯이, 세계를 만든 신과 피조물인 인간의 갈등은 숙명적인 것으로 그려진다. 한편 자기가 믿는 신을 우주의 궁극적인 창조자로 받들려는 종교 간의 대립과 투쟁도 격렬하다. 인간과 자연의 갈등 역시 피할 수 없다.

서구인은 자연을 단지 만들어진 기계적 조합으로 간주했다. 그리고 베이컨의 말처럼 '신께서 선물로 주신 자연에 대한 인류의 지배권'을 추호의 의심도 없이 행사했다. 그 결과로, 참담하게 훼손된 자연으로부터 혹독한 재앙을 돌려받고 있다.

정신과 물질의 분리는 세계를 단지 영혼 없는 기계로 인식하게 만들었다. 그런 물질적인 세계를 소유하고 개발하는 건 정당한 일이다. 더 나아가 현대인은 자신의 신체마저 물질화하여, 마음대로 교환하고 조작하며 변형할 수 있다고 생각하기에 이르렀다.

최근에 생명공학기술을 활용한 불로장생 프로젝트의 핵심은 '뇌의 이식'에 있다. 인간의 뇌를 로봇이나 사이보그에 이식해서 영원히 살 수 있다고 생각한다. 정신과 마음을 단지 뇌에 수반되는 것으로 국한하고, 신체의 다른 부위에서 뇌를 분리하는 방식으로 정신을 보존할 수 있다고 보기 때문이다.

영혼과 신체의 이분법에서, 이는 놀라운 발상이 아니다. '정신(뇌) 이식'의 유용성이나 기술적 실현가능성을 떠나, 살아 있는 생명에서 영혼과 신체를 완전히 분리할 수 있다는 생각 자체가 '만들어진 세계'에 대한 이분법적 우주론의 논리적 귀결이기 때문이다.

설령 뇌의 이식을 통해서 의식이나 기억의 일부 혹은 전부를 재생한다고 해서, 그것을 과연 온전한 정신이나 마음으로 볼 수 있을까? 이런 등등의 문제에 충분히 답변할 여유도 없다. 영혼과 신체를 극단적으로 나누는 이분법을 근거로, 생명을 기술적으로 조작하는 위험천만한 생명공학 시대가 막을 올렸다.

현대인은 '과학기술이 선물하는 신체에 대한 지배권'을 남용하기 시작했다. 신체는 단지 생체부품과 유전자의 조합으로 간주된다. 의료적인 필요를 넘어 미용이나 허영의 만족을 위해, 신체의 조작·변형·교환을 스스럼없이 실행한다.

오늘날의 병원은 신체를 조작하고, 변형하며, 교환하는 공장이자 마켓이 되었다. 공장에서 각자의 신체를 가공하거나 변형하고, 마켓에서 특정한 신체 조직이나 형태의 거래를 주고받는다. 그리하여 사람들은 '신체에 대한 지배권'과 함께 더 많은 자유를 얻게 되었다고 생각한다.

한데 따지고 보면, 그런 자유란 슈퍼마켓에 진열된 상품을 구매하는 선택과 크게 다르지 않다. 이런 구매의 자유를 누리기 위해, 신체를 의료공장에 입고하고, 병원 마켓의 생체부품 진열대를 기웃거리는 시대가 온 것이다. 하지만 무분별한 신체의 조작이 초래할 '생명의 반격'에 대한 경각심은 대단히 낮다.

19세기 산업화 시대의 유럽인은 산업혁명이 가져올 유토피아의 꿈에 부풀었다. 그러나 거기서 비롯된 '환경의 반격'이 어떤 재앙을 가져올지는 예측하지 못했다. 오늘날 의료를 포함하는 바이오산업과 결합된 유전공학 기술이, 가까운 미래에 새로운 유형의 세기적 재앙(생명의 재앙)을 불러올 가능성은 여전히 높다.

만들어진 세계의 우주론은, '만든 자의 지배'와 '만들어진 자의 예속'이라는 이분법을 필연적으로 내재한다. 그것은 공작자(지배자·창조자)의 대열에 포함돼야 한다는 강박을 일으킨다. 반대로 공작자 밖에 있는 타자를 멸시하고 배제하며, 함부로 대해도 좋다는 생각을 허용한다.

세계의 공작자가 '신'이라면, 그 신을 숭배하는 그룹에 합류해야 한다. 공작자가 '자연법칙'이라면, 과학기술을 가진 자가 지배권을 얻는다. 혹은 특정한 인종·국가·민족 등이 신이나 자연선택에 의해 세계를 지배할 우생학적 특권을 얻었다고 선포되기도 한다.[16]

그리고 어떤 근거에서든 일단 지배의 대열에 합류했다면, 그 대오 밖에 있는 자들은 이제 예속의 대상이 된다. 예속인에게는 두 가지 선택만 허락된다. 지배에 순응한다면 구원을 받을 것이고, 예속을 거부한다면 정복과 탄압이 뒤따른다. 그런 이분법이 종교·인종·국가·계층·분야 간의 치열한 투쟁을 부르는 것은 당연한 귀결이다.

예컨대 플라톤과 아리스토텔레스는 그리스인이 노예가 되는 데 반대했다. 대신, 모든 야만인(특히 아시아인)은 타고난 노예라고 가르쳤다. 동방원정에 나선 옛 제자 알렉산더에게 아리스토텔레스가 서신을 보내 다음과 같이 권고했다고 알려졌다.

"그리스인에 대해서는 아버지가 되고, 야만인(Barbaroe)에 대해서는 지배자가 되라. 또한 그리스인에게는 친구나 형제처럼 대하고, 야만인에 대해서는 동식물을 대하듯이 하라." 이처럼 배타적인 우주론의 토대에서 '민주주의'라는 합의 시스템을 발명하고 보존한 것이 도리어 놀라운 일이다.

---

16. '만들어진 세계'의 이분법적 우주론에서 가장 쉽게 떠오르는 항구적이고도 완전한 분쟁의 해결책은, 온 인류가 빠짐없이 한 지배자 내지는 지배그룹의 품에 들어가는 것이다. 예를 들어 교회 지배의 중세 유럽, 나치즘 하의 독일제국, 스탈린의 소비에트연방 같은 것인데 그것이 얼마나 끔찍한 전체주의적 몽상인지는 새삼 말할 필요가 없다.

홉스Thomas Hobbes(1588~1679)가 '사람은 사람에게 있어서 늑대'라면서, 이런 자연상태를 회피해 평화를 누리고자 사회계약이 성립된다고 했다. 경쟁적인 지배의 충동이 내재된, '만들어진 세계'의 강박 위에 건립된 위태로운 평화의 이념을 잘 표현한다.

코즈모폴리터니즘cosmopolitanism

그런데 인간은 과연 늘 이처럼 호전적인 긴장의 살얼음판 위에서 아슬아슬한 평화를 실현할 수밖에 없는 것일까? '만들어진 세계'의 우주론에서조차, 그 이상의 답변을 듣기 어려운 것만은 아니다. 지금까지 '코즈모폴리터니즘'과 '사해동포주의'를 거의 같은 문맥으로 말했다.

하지만 우주론에서 본다면, 이 두 개념의 함의가 극명하게 엇갈린다. 코즈모폴리터니즘은 그리스어의 세계(kosmo)와 시민(polites)이 결합된 세계시민(kosmo-polites)에서 유래했다.

기원전 4세기경 그리스의 폴리스가 붕괴되고 헬레니즘 세계가 형성되는 과정에서 이 개념이 출현했다. 유럽 최초의 세계시민은 퀴닉학파(Cynics, 견유학파)의 자연주의자들이었다. 디오게네스Diogenēs(BC 400?~324?)가 대표적인 인물이었다. 그들은 국가나 폴리스에 소속되기를 거부하고, 영혼의 내적 평정에서 참된 행복을 구했다. 그것은 소크라테스가 말했던 불멸하는 우주적 영혼의 개념에 기초했다.

헬레니즘 시대의 스토아학파(Stoicism)도 세계시민을 자처했다. 그들은 범신론의 견지에서 물질(세계)과 이성(신적 요소)의 일치를 강조했다. 신적 요소인 이성이 물질에 내재하며, 인간 안에도 존재한다. 그런 능력을 가진 한, 모든 인간은 평등한 존재이다. 거기서 '세계시민'이란 곧 보편적 이성(신의 뜻, 자연법)을 따르는 사람을 의미했다.

훗날 기독교는 신의 섭리에 의해 지배되는 '기독교 국가(christendom)'를 세계국가의 이상으로 내걸었다. 그것은 실제로 중세 유럽의 세속국가들을 하나로 통합하는 원리였다. 유럽 기독교 국가의 붕괴 이후, 근대적인 코즈모폴리터니즘을 확립한 대표적인 인물은 칸트였다. 그는 인류의 도덕공동체인 '세계공화국'이야말로 이성의 명령에 부합한다고 하며, 다만 그 실현이 현실적으로 어렵다는 판단에서 국가 간의 연합을 대안으로 제시했다.

이처럼 '신' 혹은 '이성'이야말로 세계시민의 근거였다. 신의 섭리나 보편적 이성 안에서, 모든 인간이 서로를 '동료 시민'으로 대할 수 있게 된다. 그러나 다만 여기까지였다. 동방의 종교와 문화를 대거 수용했던 헬레니즘 시대의 스토아학파가 그나마 인종·국가·신분·풍습 등을 초월한 평등한 세계시민의 개념에 근접했다.

하지만 그전이나 그 뒤로, 서구인이 찬미했던 '세계시민의 덕성'은 대체로 종교와 지성의 편견을 넘지 못했다. 종교적인 이교도와 지적인 야만인은 늘 '동료 시민'의 반열에서 제외되었다. 더 심각한 문제는 정통과 이단, 그리고 지성과 야만을 가르는 기준이 지독하게 서구중심적이었다는 데에 있다.

심지어 "인간을 목적으로 다루라"는 숭고한 도덕명령을 선언하고, '세계시민'과 '세계공화국'의 이상을 천명한 칸트 역시 예외가 아니었다. 칸트는 "민족이 지닌 심성의 특성은 그들에게서 나타나는 도덕적인 면에서 가장 잘 이해될 것"이라고 전제했다. 그리고 유럽을 제외한 지역 사람들의 특성에 관해 다음과 같이 진술한다.

> 아라비아의 역사와 설화 그리고 일반적으로 그들의 느낌은 놀랄 만한 것들과 항상 뒤섞여 있다. 그들의 뜨거운 상상력은 그들에게 사건들을 부자연스럽고도 뒤틀린 이미지들로 보여준다. …… 일본인은 어쩌면 아시아의 영국 사람이라고 볼 수 있다. 하지만 아마도 단호함, 즉 극단적인 완강함에 빠지고 마는 성격, 말하자면 죽음 앞에 용감히 맞서는 성격에서 볼 때 그러할 따름이다. 그것 외에 그들이 세련된 감정 자체를 가졌다는 증표는 거의 없다. 인도인은 대개 기괴함이라는 취미를 가지고 있는데, 그런 종의 취미는 공상적인 것으로 빠져들기 마련이다. 그들의 종교는 기괴함에서

> 나온다. …… 중국인의 장황하고도 노련한 찬사는 얼마나 어리석은 기괴함인가. …… 이는 그것이 어떤 민족에게도 존재하지 않는 태고의 관습에 따른 것이기 때문이다. …… 아프리카의 니그로는 본래 유치함을 넘어설 만한 감정이라고는 갖고 있지 못하다. …… 예술에서나 학문에서, 아니면 다른 훌륭한 특성에서 어떤 위대함을 보여주었던 사람은 아직 한 명도 발견되지 않았다.
>
> 그렇지만 백인들 중 몇몇은 밑바닥 삶에서 끈질기게 일어서서 빼어난 재능을 발휘함으로써 세상의 존경을 얻는다. 이처럼 두 인종 간의 차이는 본질적이며, 그것은 피부색에서와 마찬가지로 심성의 역량에서도 크게 나타난다. 그들에게 만연된 물신숭배의 종교는 인간 본성에서 언제라도 나타날 수 있는 기괴함으로 깊이 빠져들고 마는 어쩌면 일종의 우상숭배일 것이다.[17]

아라비아인은 세상을 뒤틀리게 보고, 일본인은 극단적으로 완강하고, 인도인은 기괴하고, 중국인은 장황하며, 니그로(흑인)는 유치하다. 야만인과 유럽인의 차이는 본질적이다. 아시아와 아프리카의 종교는 물신숭배로 만연하고, 기괴한 우상숭배에 지나지 않는다. 야만인(비유럽인)은 미학적인 아름다움과 도덕적인 숭고함을 결여한다. 그것은 오직 유럽인에게만 허락되는 자질이다.

> 이 모든 야만인들은 도덕적인 이해의 측면에서 아름다움에 대한 감정을 거의 갖고 있지 않다. 게다가 고상하고도 아름다운 무례를 관대하게 용서하는 일이 덕망임을 알지 못하며 오히려 그것을 참을 수 없는 비겁함이라고 치부해 버린다. 그들에게 용기는 가장 뛰어난 공덕이며 복수는 가장 달콤한 희열이다. 이 세상의 나머지 원주민들은 세련된 느낌에 부과되었을 심성 특성의 흔적을 거의 보여주지 못하며, 특이한 냉담함이 이런 인종들

---

17. 임마누엘 칸트, 이재준 옮김, 『아름다움과 숭고함의 감정에 관한 고찰』(책세상, 2005), 91~93쪽.

의 특색을 만들어 낸다.

이 세상에 존재하는 성별 관계를 살펴보면, 오직 유럽인들만이 강력한 경향성의 감각적인 매력을 수많은 꽃들로 장식했으며, 그들만이 그것을 여러 도덕적인 것들과 엮어 놓은 비밀을 발견할 것이다. …… 이러한 점에서 동방에 살고 있는 이들은 좋지 않은 취미를 갖고 있는 것이다. 그들에게는 이런 충동들과 결합될 수 있는 도덕적인 아름다움에 관한 그 어떤 개념도 없다.[18]

동방에 사는 야만인은 올바른 도덕과 아름다움에 관한 그 어떤 개념도 없다. 반면 아름답고 숭고한 유럽인 가운데서도, 미학과 도덕의 자질을 고루 갖춘 것은 단연코 독일인이다. 유럽 다른 나라의 주민이라면 오히려 코웃음을 쳤겠지만, 칸트는 독일과 독일인에 대한 자긍심을 결코 숨기지 않았다.

독일인은 …… 그들은 운 좋게도 숭고함에서나 아름다움에서나 모두 잘 혼합된 감정을 가지고 있다. 더욱이 숭고함의 감정에서 영국인과 같지 않고, 아름다움의 감정에서 프랑스인과 다르다면, 그런 두 가지 감정들을 결합시키려 할 경우 독일인은 양자 모두를 넘어서게 될 것이다.[19]

훗날 니체는 칸트를 '쾨니히스베르크의 중국인(Chinaman of Königsberg)'이라고 조롱하고, 독일 데카당스décadence(퇴폐) 철학이라고 야유했다. 니체의 이런 언설이 반드시 유럽과 비유럽에 대한 칸트의 이중적인 태도를 꼬집은 건 아니다.[20]

하지만 절묘한 감회를 일으킨다. 왜냐하면 18세기에 칸트가 유럽의 이성으

18. 위의 책, 94쪽.
19. 위의 책, 8쪽.
20. 니체 역시 칸트 못지않게 아시아에 대한 편견이 컸으며, 따라서 '쾨니히스베르크의 중국인'이라는 말에는 칸트뿐만 아니라 중국인에 대한 멸시가 함께 담겨 있다.

로 비유럽의 미개를 멸시하는 동안, 지구 반대편의 중국인 역시 중화의 도덕으로 '털 붉은 (서양) 오랑캐(紅毛鬼)'의 야만을 모멸했기 때문이다. 그러므로 도덕군자연하며 오랑캐를 멸시하는 거만한 중국인을 떠올리면서, 설령 칸트를 '쾨니히스베르크의 중국인'으로 은유하더라도 썩 이상한 건 아니다.

유럽 밖의 인종과 민족을 열등하게 보는 칸트의 편견은, 18세기 유럽에서 그다지 특별한 게 아니었다. 그런 인식은 당시 유럽의 대중들 사이에서 보편적이었다. 특히 지식인과 지배층에게 환영받았다. 그런데 당시 세계 각 문화권의 일반적인 문법에서 보면, 보편적 이성보다 상호 멸시야말로 더 일반적인 패러독스였다고 말할 수 있을지 모른다.

유럽인의 자부심과 마찬가지로, 아리비아인과 일본인 그리고 중국인과 인도인 역시 자기들이 열등하다고는 결코 생각하지 않았다. 또한 자신의 종교가 기괴한 우상숭배나 물신숭배라고 여기지도 않았다. 비록 칸트는 그 나라가 있는지도 몰랐던 듯하지만, 아시아 동쪽 끝의 조선인에게 서양오랑캐(洋夷)의 종교는 나라의 아름다운 풍속을 파괴하고 숭고한 도덕을 훼멸하는 야만이었다.

지난 수세기 동안 서구 제국주의가 세계의 모든 민족을 압도했고, 거부할 수 없는 근대화의 물결이 지구촌을 휩쓸었다. 하지만 그렇다고 해서 서구의 종교와 이성이 최후의 승자가 된 것은 아니다. 20세기를 거치면서 비서구 지역의 국가와 민족들이 속속 독립하고 근대화에 성공했다.

그리고 21세기에는 각자의 고유한 문화·종교 전통을 다시 급속히 회복하고 있다. 긴 인류역사에서 보면, 서구의 문화·종교가 전 지구를 휩쓴 한때가 오히려 예외적인 시기로 기록될 것이다. 문화·종교 다양성의 회복, 그리고 각 대륙과 권역의 지역적 협력은 이제 거스를 수 없는 도도한 역사의 흐름이다.

그런 가운데, 하나의 종교로 지구촌이 통합되라는 생각은 실로 백일몽이 되었다. 그러므로 유일신 종교를 앞세운 세계화 전략은, 필연적으로 인류의 분열과 갈등을 부른다. 그것은 평화를 등지는 지름길이며, 섶을 지고 테러와 전쟁의 불기둥 속으로 뛰어드는 가장 우매한 충동이다.

그렇다고 해서 이성(사유능력)이 우리를 불변하는 진리로 인도하고, 인류를 하나로 통합할 것이라고 기대하기도 어렵다. 이성은 합리성을 추구하는 인간의 지성적 능력이다. 그런데 근대 계몽주의자들이 상상했듯이, 합리성의 근거는 완전히 보편적인 게 아니다.

합리성이란 시대와 장소에 따라, 그리고 보는 견지와 상황에 따라 일정치 않다. 앞서 아라비아·일본·중국·인도·니그로, 그리고 유럽의 인종을 논평했던 칸트의 견해는 과연 합당한가? 이제 칸트처럼 생각하는 독자는 거의 없을 것이다. 하지만 한때 그것은 유럽에서 매우 합리적이라고 인정받던 생각이었다.

그러므로 종교나 이념을 같이하는 사람들이 '세계시민'이 되어 인류공동체를 이룰 것이라는 기획은, 단적으로 말해 20세기에 이미 전체주의로 변질돼 파탄난 통합의 방식이다. 모든 사람들이 하나의 종교나 합리성으로 통일될 수 있다고 보고, 인류를 그리로 몰고 가려는 의도 자체가 전체주의 파시즘의 사고방식을 내재한다.

그렇다고 해서 이성적인 합리성이 무의미하고, 개인이나 집단마다 제각각인 생각과 행동양식을 모조리 용납해야 한다는 의미는 아니다. 이런 극단적 상대주의는 '사회적 인간'의 본능 자체에 위배된다. 인간이 사회적 존재인 한에 있어서, 여러 층위의 공동체들은 각기 나름대로의 합리성을 필요로 한다. 동시에, 다양성을 허용하고 보존해야 한다.

문제는 다양한 합리성의 근거들 사이에서, 어떻게 통합성을 유지할 수 있는가에 있다. 다시 묻건대, 서로 다른 생각과 가치관, 종교적 믿음을 가진 사람들이 어떻게 '우리는 하나'라는 인식에 도달할 수 있는가? 서로 다른 민족과 인종의 지구인이 어떻게 그야말로 '동료 시민'으로 서로를 대할 수 있는가?

'생겨난 세계'의 우주론

동아시아의 우주론에서, 세계는 외부의 공작자가 어느 한 시점에 만들어 낸 게 아니다. 태초의 근원적 시간대에서조차, 우주는 원시의 미분화된(原始未分)

상태로 이미 존재한다. 그것은 마치 곡물의 씨앗처럼, 혹은 부화하기 전의 알처럼, 훗날 생기고 자라날 모든 잠재적 가능태를 자신 안에 내재한다.

그런 원시의 우주가 열려 터진다. 그게 곧 '개벽開闢'이다. 형체가 없거나 혹은 형체를 가진 우주의 모든 것이 하나의 단일한 원천으로부터 생겨나 성장한다. '생겨난 세계'의 이런 운동을 일으키는 동력은 우주의 본원, 원기(태극)에 내재해 있다.

태극이 분화돼 음·양의 에너지와 오행의 운동이 일어나며, 그로부터 천지만물이 발생하는 우주 생성의 일대 드라마가 펼쳐진다. 그리하여 우주의 정신과 마음이 천지에 깃들고, 영성과 물질이 한데 어울려서 만물이 자발적으로 생성한다.

그 전 과정에서, 생성을 설계하고 시행하며 주재하는 우주 밖의 초월적 공작자가 따로 존재하지 않는다. 신(하느님)이 있지만, 천지만물을 만들어 내고 조작하는 공작자는 아니다. '신'이란 미분화된 원시의 상태부터 우주에 본래부터 거주하는 신령, 내지는 근원적 영성을 함축한다.

이런 기화氣化의 우주론에 관해서는 앞 장에서 이미 설명했으므로, 더 이상 길게 부연하지 않겠다. 다만 그것이 제공하는 통합의 원리에 주목할 필요가 있다. '생겨난 세계'에 통합성을 부여하는 근거는 우주의 생성과정 그 자체에 있다.

인종·국가·종교·신분·풍습·이해관계 등을 초월해서 전 인류가 하나의 우주적 근원에서 생겨난다. 더 나아가 인간과 다른 종의 생명체는 물론, 우리에게 무기체로 불리는 사물들까지 모두 하나의 근원에서 나온 것이다. 세상의 모든 존재는 원시우주의 태극에서 생겨났으며, 빠짐없이 영성을 지녔다. 전병훈이 말한다.

> 하나의 근본에서 천차만별의 사물이 나뉘는 이치를 유형별로 능히 말할 수 있다. 하지만 진실로 태극의 능력에서 근원하여, 조화의 오묘한 작용으로 따로 흩어져 세계를 이루는 것이 있다. 이치를 궁구하고(窮理) 성품을 다

> 하는(盡性) 철학의 안목에 통하지 않는다면, 어찌 그것을 환하게 알 수 있겠는가? 하늘과 사람과 만물의 한 근본을 총괄해서 살펴보면, 곧 태극이다. 태극이 정신의 극치로, 하느님의 영성(性靈) 능력의 작용이 된다.[21]

원시우주에 한 덩어리의 혼돈상태로 '원기'가 존재한다. 그게 또한 '태극'이다. 존재하는 모든 것의 통체統體(whole)이며, 우주의 존재근원이 된다. 그것이 갈라져 천지가 나뉘고, 만물이 생겨난다. 원기는 '정신의 극치'다. 모든 것의 통체인 원시우주는, 단순한 물리적 에너지의 결집상태를 넘어선다.

우주는 애초부터 고도의 정신체로, 원기일 때부터 이미 '하느님 영성능력의 작용(上帝性靈能力之用)'을 발휘한다. 그런 원기는 창조자에 비해 훨씬 직접적으로 세계에 통합성을 부여한다. 그것은 천지만물이 생겨나는 모태이며, 따지고 보면 만물 그 자신이기 때문이다.

마치 한 톨의 씨앗에서 나무의 뿌리·가지·줄기·잎사귀·꽃·열매가 분화되면서도 결국 하나로 연결되는 것과 같다. 원기는 만물의 생성을 통해 자기를 실현한다. 그러므로 서우는 "하늘과 사람과 만물의 한 근본"이 곧 태극(원기)이라고 말한다. 이런 태극으로부터 '생겨난 세계'란 존재론적으로 하나이며, 본래부터 무조건적으로 통합된 전체다.

그 통합을 실현하기 위해서, 어떤 종교나 이념도 별도로 필요하지 않다. 원기는 그런 걸 요구하지 않는다. 다만 생겨나 존재하는 자체로, '하늘과 사람과 만물'은 처음부터 하나로 통하는 세계의 일원이 된다. 설령 죽거나 형체가 사라진다고 해도, 결코 그 세계를 떠나지 않는다. 서우가 다시 말한다.

> 무릇 우주에서 형상을 이루는 것치고, 태극의 개화開花가 아닌 것이 없다. 사람의 생명은 이런 태극 건금乾金의 영명한 빛(靈光)을 받아 성품이 되며,

---

21. 一本萬殊之理, 類能言之. 然眞源於太極之能力, 造化之妙用, 分散爲世界者, 非有窮理盡性之哲眼通, 則安得以瞭然乎. 總觀天人萬物之一本者, 太極也. 太極是精神之至者, 而爲上帝性靈能力之用. 『全氏總譜序』(전씨대동종약소, 1927), 14쪽.

꽃이 피어 결실을 맺은 것이 몸이 된다. 그러므로 네 가지 성품(四性)을 종합해서, 도의 본성(道性)으로 목숨(命)에 들어간다. 목숨으로 본성을 돌이킨다. 생명이 하나의 금(一金)에 합해 그 처음을 돌이키면, 곧 장수한다. 도가 응결되고 덕이 원만해지는 겸성을 상호 보완한다. 이는 하나를 잡아 쥐고 만인을 통일하며, 도의 근본을 돌이켜서 근원으로 돌아가는 것이다. 사람이 만약 이런 이치를 명확히 알면, 자연스럽게 뇌 안에서 국경이 사라지고, 오대주가 동포(五洲同胞)가 되며 온 누리가 한 집안(宇內一家)이 될 것이다.[22]

칸트는 이성(사유능력)의 보편성을 전제로 '목적으로서의 인간'을 말했다. 하지만 서우가 말하는 태극(원기)의 우주론에서는, 정신(영성)의 보편성을 근거로 '목적으로서의 인간'을 요청한다. 한데 목적은 인간에 그치지 않는다. 이른바 '우주에서 형상을 이루는 것' 전부가 신령한 우주의 일부로, 함께 생겨나 자라면서 각자 자신을 완성하는 과정에 있는 형제이자 동포인 것이다.

그러므로 신령하고, 서로 의존하는 우주의 모든 존재가 '수단'이 아닌 '목적'으로 취급되어야 한다. 굳이 말하자면, 이는 곧 태극의 우주론이 함축하는 '정언명령'인 셈이다. 그런데 절대적·무조건적·단정적인 '정언적 명령'은 생겨난 우주에 그다지 적합한 개념이 아니다.

'정언적(kategorischer, categorical)'이란, 선험적인 형식의 범주라는 의미를 함축한다. 마치 신의 설계도나 미리 짜인 프로그램처럼, 절대적이고 보편적으로 주어지는 명령이 곧 정언명령이다. 이 개념 역시 '만들어진 세계'의 우주론을 전제로 한다.

생겨난 세계의 우주론에서, 이와 비견되는 개념이 곧 천명天命이다. '천명'

---

22. 一本萬殊之理, 類能言之. 然眞源於太極之能力, 造化之妙用, 分散爲世界者, 非有窮理盡性之哲眼通, 則安得以瞭然乎. 總觀天人萬物之一本者, 太極也. 太極是精神之至者, 而爲上帝性靈能力之用. 凡宇宙成象, 罔非太極之開花者也. 人之生也, 受此太極乾金靈光爲性, 而開花結子者爲身也. 故綜合四(性), 道性(以)入命, 由命歸性, 命合一金, 復其初, 則可以壽長, 而互助道臻圓德之兼聖矣. 此其操一統萬人, 道之返本還源者也. 人若洞明此理, 則自然腦無國界, 可以五洲同胞宇內一家矣. 위의 책, 14쪽.

은 인격적인 의미가 탈색된 하늘, 즉 대자연이 명한다는 뜻이다. 천명이란, 절대적인 초월자(신·이성)가 내리는 일방적인 명령이 아니다. 그것은 인간의 정신이 대자연과의 교감(神通)을 통해 터득하는 '교감적 명령'이다. 칸트가 이성의 정언명령으로 '목적으로서의 인간'과 '세계시민'을 말했다면, 서우는 교감명령으로 '목적으로서의 세계'와 '온 누리가 한 집안'임을 말한다.

앞서 말했듯이, '만들어진 세계'에 통일성을 부여하는 최후의 근거는 공작자(신·법칙·이성)일 수밖에 없다. 그러나 서양의 로고스중심주의에서 절대적인 권위를 지니는 '신'이나 '이성' 등으로 세계를 통합하려는 방식은 한계에 봉착했다. 그로부터 만들어진 세계를 토대로 하는 코즈모폴리턴(세계시민)의 딜레마가 나타난다.

하지만 '생겨난 세계'는 한 근원(원기, 태극)에서 나온 천차만별의 존재가 끊임없이 성장하면서 스스로를 실현하는, 그런 열린 우주를 전제한다. 거기서 천지만물은 모두 영성을 지닌 존재이며, 태극(원시우주)의 찬란한 개화가 아닌 것이 없다.

그러므로 사람의 영성이 성숙하고 확장될수록 "모든 존재와 인간을 목적으로 대하라"는 대우주의 교감적 명령(天命)에 충실해진다. 그런 교감명령은 '생겨난 세계'의 우주론에서 무조건적으로 따를 것이 요구되는 숭고한 섭리다. 그렇다고 해서, 그 섭리가 모든 존재를 결속하도록 세계 밖에서 프로그램화 된 매뉴얼 같은 것은 아니다.

천지만물은 우주 본원의 원기에서 생겨나 매 순간 살아 움직이면서 끊임없이 확장하거나 수축하고 변동한다. 이런 대자연의 운동이 형해화한 매뉴얼로 고착되는 순간, 세계는 살아 움직이는 활물에서 죽은 기계로 변모하고 만다. 언어·논리·이성·질서·합리성 등의 로고스로 그 매뉴얼을 관념 안에 포착하고 묘사할 수는 있다. 로고스는 사물을 대상화하며, 언어와 관념을 통해 그것을 재구성한다.

하지만 동양에서 '천명'을 알고 따르는 것, 즉 살아 있는 대자연과 직접 동화하거나 교감하는 정신의 역량은 로고스를 넘어선다. 천명이란, 스스로를 실현하는 세상 온갖 것들의 역동적 활력에 실려 전하는 대자연의 교감적 명령이기 때문이다.

그런 명령을 통찰하는 정신의 작용은, 초월적이면서 내재적이고, 신비적이고도 합리적이며, 이지적이면서 직관적이다. 마치 칠흑 같은 밤의 장막에 길을 낸 별들의 운하에서 노를 젓는 정신의 소요逍遙처럼, 천명의 체득은 안과 밖의 경계가 사라진 신통교감의 황홀경 한가운데 있다.

오주동포五洲同胞, 우내일가宇內一家

데리다Jacques Derrida(1930~2004)라면, 아마도 그것을 서양철학의 로고스중심주의에서 배제된 '유령의 출몰'로 묘사할 것이다. 하지만 서우의 문법에서, 천명은 자연의 사물과 직접 감응해서 일체화하는(物我一體) 인간 정신의 교감명령이다. '오주동포'·'우내일가'의 숭고한 인류애와 사해동포주의 역시 정신이 뇌 안에서 감응하는 대자연의 '교감적 명령'을 함축한다.

그것은 합리적 로고스를 근거로 요청되는 '정언적 명령'을 넘어선다. 그러므로 생각, 가치관, 종교적 믿음이 다르더라도 '우리는 하나'라는 일체성을 획득할 수 있다. 다시 말해 굳이 특정 종교의 절대적인 '신'이나 단일한 '이성'으로 세계에 통일성을 부여하지 않더라도, 전 인류가 동포이며 지구촌이 한 집안이라는 공감에 도달한다.

더 나아가 물질과 정신의 분열이 해소되고, 인간과 자연이 교감을 나누게 된다. 그것이 가능한 근거는 세계가 살아 있는 활물이며, 천부의 영성을 지닌 만물이 모두 영감을 주고받는 관계의 그물망 안에 놓여 있기 때문이다.

서우는 "우주에서 형상을 이루는 것치고 태극의 개화가 아닌 것"이 없다고 명언한다. 사물은 만들어진 세계의 무심한 기계가 아니다. 천지만물은 "정신의 극치로 하느님의 영성능력의 작용"인 태극에서 나온 것으로, '영물' 아닌 것이 없다. 그러므로 애초부터 정신체(영물)인 온갖 사물들 간에는, 소리와 형적 너머로 기운과 마음을 주고받는 교감이 일어난다.

이런 교감은 대자연으로부터 '태극 건금의 신령한 빛을 받은' 사람의 성품(본성) 가운데서 가장 예민하고도 미묘하게 작동한다. 그것은 단지 사유능력이 뛰어나다는 의미를 넘어선다. 사람은 정신의 영묘한 교감능력이 다른 어떤 존재보다 출중하다.

그리하여 만물의 영장靈長, 말 그대로 '영묘함의 우두머리'가 된다. 이처럼 탁월한 영성을 근거로 인간은 대자연의 교감적 명령을 통찰하고, 또한 그 명령을 실행하려는 도덕적 의욕을 품게 된다. 그러므로 서우는 정신의 '영묘한 빛(靈光)'이 밝게 빛나는 영재들이 출현하기를 고대했다. 그런 신인류가 출현해야, 비로소 온 세상이 한 집안이 되는 인류대통합의 시대가 열린다.

그러려면 인간 본연의 영성을 개발하고 확장시키는 공부를 필요로 한다. 그 공부의 요령으로, 서우가 우선 말한다. "네 가지 성품을 종합해서, 도의 본성으로 목숨에 들어가라. 목숨으로 본성을 돌이키라!" 여기서 '네 가지 성품(四性)'이란, 곧 인·의·예·지의 도덕품성을 가리킨다.

단지 사회적 규범이나 법을 잘 지킨다고 도덕적인 게 아니다. '도덕철학' 편에서 논했듯이, 도덕은 우주적 덕성(道性)에서 근원한다. 서우의 문법에서, 도덕품성을 잘 기르는 게 곧 생명을 안정시키는 길이다. 어째서인가? 도덕이야말로 정신을 강건하게 만드는 양약이기 때문이다. 물론 여기서 '정신'은 생명에 활력을 불어넣는 정신에너지(원신)를 함축한다.

도덕품성을 기르는 것은, 정신에너지를 강건하게 기르는 필수불가결한 전제다. 그리하여 정신이 순일한 덕성으로 충만하면, 곧 인간 본연의 품성(본성)이 회복된다. 서우의 정신철학에서 본성의 회복이란, 뇌 안에 금단의 정신에너지가 응결된다는 문맥이다. "목숨이 하나의 금(一金)에 합해 그 처음을 돌이키면, 곧 장수한다"고 말한다.

그러므로 참된 정신수련은 단순한 기공이나 몸의 단련을 넘어선다. 도덕의 기초를 다지지 않으면, 결코 깊은 경지로 들어갈 수 없다. 양심과 도덕이 안정되어야, 그로부터 비로소 고차원의 정신세계로 통하는 길이 열린다. 서우는 이런 정신수련의 결과로 "자연스럽게 뇌 안에서 국경이 사라지고, 오대주가 동포가 되며 온 누리가 한 집안이 될 것"이라고 한다.

꾸준히 도덕과 양심을 기르고 정신을 단련하면 시비분별이 해소되고, 세계와의 일체감이 증대한다. 이를 "자연스럽게 뇌 안에서 국경이 사라진다"고 진술한다. 초보적인 명상과 정신수련조차 뇌의 전두엽을 활성화하고, 자기조절 및 공감(일체화) 능력을 증대시킨다는 게 과학으로도 이미 입증되었다.

하물며 '도가 응결되고 덕이 원만해져서' 참나를 성취하고 성스러움을 겸하는 고차원의 정신 경지에 이른다면, 더 말할 나위가 없다. 서우는 거기서 "하나를 잡아 쥐고 만인萬人을 통일하며, 도의 근본을 돌이켜서 근원으로 돌아간다"고 묘사한다.

한데 이런 경지에 이르려면 정신·심리·도덕·정치의 제반역량을 두루 함양해야 한다. 또한 도덕·지성과 영성이 두루 조화를 이뤄야 한다. 이성의 사고능력만으로 정신이 저절로 영묘해지는 건 아니지만, 도덕과 지성을 결여한 기공이나 명상 등의 술법만으로 높은 정신 경지에 이를 수도 없다.

정신의 영묘한 빛이 사라진 이성은 메마르고 강퍅하며, 도덕과 지성의 밝음이 꺼진 영성은 음산하고 광포하며 우매하기 때문이다. 그러므로 서우는 유·불·도와 서양철학 및 과학을 한데 조제하기를 말한다. 정신, 심성, 도덕, 사회성 그리고 지성을 겸비해야만 한다.

그래야 비로소 인생과 세계의 원대한 목표를 정립하고 실현할 수 있다. 그리하여 서우가 실현되기를 바라던 가장 원대한 꿈은 지구촌이 한 집안이 되고, 세계통일공화정부를 건립하는 데에 있었다.

3. 세계통일공화정부

오대주가 동포이며, 온 누리가 한 집안이다. 이런 비전은 '하늘을 본받아 만물을 살리는(體天生物)' 대자연의 교감적 명령으로 인간에게 주어지는 것이다. 위에서 논했듯이, 그런 명령은 '생겨난 세계'의 우주론을 토대로 한다. 원기와 태극의 우주론에서 보면, 천지만물이 본래 한 근원에서 나온 동포요 형제이기 때문이다.

하지만 이런 우주론만으로 세계의 통합과 평화가 저절로 실현되지는 않는다. 우주론이 인류통합에 아무리 강력한 근거를 제공하더라도, 전 세계가 하나로 통합되려면 훨씬 복잡하고도 실제적인 난관을 통과해야만 한다.

그런데 한 세기 전 전병훈은 이 사안에 대해 매우 낙관적인 전망을 내놓았다. 서우는 장차 세계가 하나로 통일될 것이라는 완전한 확신을 가지고 미래를 예측했다. 심지어 '2백 년 내'라는 구체적인 시한까지 제시했다. 이런 판단에는 몇 가지 근거가 있었다.

첫 번째는 세계의 통합이 대자연의 섭리에 부합하는 하늘의 명령(천명)이라는 우주론적 근거다. 이는 앞서 충분히 말했으므로, 여기서 다시 부언하지 않겠다.

두 번째는 소강절의 『황극경세서』 유의 역리易理로 천지만물의 생성변화를 설명하는 상수학적 근거다. 서우는 특히 '오회정중'이란 우주적 시간대에 하늘의 축이 돌아가고 세계통일이 이뤄진다고 예측했다. 이 역시 책의 앞부분에서 이미 말했다.

세 번째는 20세기 초에 왕성하게 논의된 국제연합의 담론에 근거를 둔다. '정치철학' 편에서도 다뤘듯이, 전병훈은 제1차 세계대전 직후에 미국의 윌슨 대통령 등이 주도한 국제연맹 논의에 크게 고무되었다.

당시 국제사회는 일찍이 칸트가 평화협정 조항의 형식으로 제시했던 영구평화론에서 큰 영향을 받았다. 서우 역시 이로부터 영감을 얻어 총 9조의 「세계통일공화정부 헌법」을 제시했다. 서우가 말한다.

> 필자가 공화와 헌법에 대하여 해박한 지식과 밝은 식견을 가진 건 아니다. 하지만 소원이 세계통일정부에 있으므로, 감히 9조로 흉내를 내본다.[23]

---

23. 編者於共和憲法, 未有博攷明見, 而所願則在世界之一統政府, 故敢擬以九條. 『통편』, 338쪽.

서우가 제안한 「세계통일공화정부 헌법」 전문은 다음과 같다.

세계통일공화정부 헌법

1. 세계대총통은 반드시 각국의 공평한 선거로 뽑는다. 선출된 총통은 국경을 없애며, 세계를 한 집안으로 돌보는 것을 직무로 한다. 우선 대의원제로 시행하다가, 점차 공론(公議)에 따라 선거하는 것 역시 좋다.
2. 사람의 떳떳한 도리(人道)를 존중한다. 총통 및 당국자들은 덕과 예(德禮)로 자기를 다스리고, 덕과 예로 (세상을) 교화하며, 형벌을 쓸 필요가 없는 데에 형벌의 이상을 둔다.
3. 세계 각국의 공론을 일으켜, 군축과 평화를 주된 취지로 삼는다.(병력을 한정하고 화친을 확고히 하는 별도의 조례를 갖춘다.)
4. 각국이 모두 독립·평등의 자격을 발휘하여, 통일중앙정부를 건립한다.
5. 대의기구(公議院)를 특설하며, 대의원 및 정부직원은 모두 각국에서 재덕을 겸비한 영재를 정밀하게 골라 뽑아 파견한다.(별도로 하나의 조례를 갖춰 실행할 수 있다.)
6. 사람의 떳떳한 도리(人道)는 '천명天命에 따라 즐기고 편안하기'를 중히 여기며, '공익을 증진하고 만물을 이롭게 하기'를 요령으로 한다. 무릇 여러 사무를 보고 세상에 쓰일 만한 인재라면, 참나를 이루고 목숨을 안정시키는 도를 아울러 수양하는 것이 곧 참된 이익이다. 물욕은 진실로 참혹한 해악이 된다. 이것이 실로 만세태평의 기본이다.
7. 법률은 도덕을 밖에서 제어하는 것이다. 세계에서 가장 좋은 법률을 채용하되, 모두 도덕을 표준으로 한다.
8. 대총통의 재임기간은 연한을 제한하는 제도를 적용치 않으며, 이로써 그 재능과 덕성을 다하도록 한다. 각 국회가 총통 및 국무원을 감독하고, 그 과실을 논핵論劾한다.
9. 토지공유(公田)와 경제균등(均産)은 마땅히 정전井田제도를 사용한다. 백성(노약자·불구자·노숙자)을 부양하는 기구를 설치한다. 전적으로 하늘의

뜻을 체현해, 만물을 살리고 만물을 성취시키는 덕을 세상의 진리로 정한다.

이상의 9조는 '이상적인 주제넘은 견해'라고 말할 수 있다. 그러나 동양의 공자와 서양의 칸트가 모두 앞서 이런 이상론을 확립해서 내게 전해 준 것이다. 오히려 어찌 어리석고 우둔하다고 하겠는가!
'오회정중'이 역시 얼마나 멀겠는가? 마침내 2백 년이 되기 전에 하늘의 축이 반드시 돌아갈 것이 틀림없다. 아! 주공이 죽고 백세에 선한 정치가 끊어졌다. 맹자가 죽고 천 년간 참된 유생의 탄식이 사라졌다. 하늘이 잊지 아니하리라!

世界一統共和政府憲法

一. 世界大總統, 必以各國公選. 選擧總統, 破除國界, 家視宇內爲職務. 先行代議士制, 而漸次從公議擧, 亦可.

二. 尊重人道. 總統及在位人員, 德禮律身, 德禮敎化, 刑期于無刑.

三. 擧世各國公議, 以寢兵輯和爲主旨.(定兵額, 立和睦, 別具條例.)

四. 各國皆用獨立平等資格, 建立一統中央政府.

五. 特設公議院, 議員及政府任員皆自各國極選才德英俊而派送.(另具一條例可行.)

六. 人道以樂天安命爲重, 公益利物爲要. 凡各執務需世之人, 並致修養成眞住命之道, 乃眞利益也. 物慾則眞戕害, 此誠萬世太平之基本也.

七. 法律是道德之制之於外者, 採用世界最良法律, 咸以道德爲準.

八. 大總統居任年期, 勿用限年之制, 以盡其才德. 各國會, 監督總統及國務員, 而論劾其過失.

九. 公田均産. 當用井田之制, 設院養民.(老弱廢疾失所無歸者)專以體天生物而成物之德, 定爲世諦.

以上九條可謂理想之僭見也.然東之孔子, 西之康德, 皆先著此理想之論, 以貺我者也.

尚何以爲迂愚哉. 午會正中, 亦何遠乎哉? 然不及二百年, 而天必轉軸無疑乎. 烏乎! 周公沒, 百世無善治. 孟軻死, 千載無眞儒之歎, 天其不忘乎?

세계정부의 미래

서우가 제안한 세계통일공화정부(이하 '세계정부'로 약칭) 헌법은 그의 정치철학을 집약적으로 반영한다. '정치철학'의 내용은 이미 앞 장에서 상세히 논구했으므로, 다시 거론하지 않겠다. 다만 세계정부가 과연 출현할 것인지, 그리고 출현한다면 그 성격이 어떨지에 관하여 몇 가지 단상을 더하기로 하자.[24]

한 세기 전에 서우가 상상도 못했던 일들을 지금 우리는 겪고 있다. 세계정부에 대한 논의를 과거 어느 때보다도 현실적으로 만드는 몇 가지 조건들이 있다.

첫 번째는, 과학기술의 발전이다. 교통과 정보통신기술이 눈부시게 발전하고 있다. 그로 인해, 세계의 공간적이고 시간적인 장벽이 획기적으로 허물어진다는 사실에 아무도 이의를 달지 못한다. 과학기술의 발전은 지구촌의 물리적이고 문화적인 장벽을 실질적이고도 빠르게 해체하고 있다.

두 번째는, 경제적 세계화의 진행이다. 국경을 넘어 세계가 하나의 시장으로 통합되고 있다. 오늘날 세계를 하나로 만드는 주인공은 더 이상 거대제국의 정복자나 군대가 아니다. 다국적 기업과 거대 금융자본이 '세계화'의 이름으로 전 지구를 무대로 경제·사회적인 통합을 이뤄내고 있다.

세 번째로, 국가의 힘이 점차 약화되는 추세에 있다. 인터넷으로 대표되는 전 지구적 네트워크의 발달로, 개인과 시민사회의 힘이 증대한다. 반면, 개별 국가의 힘은 갈수록 약화된다. 주민에 대한 국가의 감시와 주민 간의 상호감시가 결합된 근대적 감시국가의 지배체제가, 세계 곳곳에서 붕괴되는 조짐 역시 뚜렷하다. 경제적 세계화 또한 개별 국가의 힘을 약화시키는 요인이라는

---

24. 이것은 예측이라기보다 공자의 대동사상이나 칸트의 영구평화론 같은 철학적 이상론의 견지라는 걸 밝힌다.

것은 널리 알려진 사실이다.

그런데 이런 요인들이 곧바로 낙관적인 유토피아를 약속하는 건 아니다. 바야흐로 '글로벌 시대'다. '지구촌'이라는 말이 무색할 정도로 세상이 가까워졌다. 하지만 세계를 하나로 만드는 동력은 인간의 선량한 양심, 도덕, 보편적 이성이라기보다 욕망과 기술처럼 보인다. 자본주의 세계화가 전 지구를 하나의 시장으로 만든다. 그리고 정보통신기술의 발달 등이 그런 변화를 가속화한다.

세계시장을 착취하는 부르주아들의 욕망이 모든 나라의 생산과 소비에 '코즈모폴리턴의 성격(cosmopolitan character)'을 부여한다는 마르크스의 지적(『공산당 선언』, 1848)이 도리어 적중하는 듯하다. 그러나 곰곰이 생각해 보면, 동서양의 사해동포주의(코즈모폴리터니즘)가 반드시 인류애와 박애정신으로 충만했던 시대의 산물인 것만은 아니다.

디오게네스가 서구에서 처음으로 '세계시민'을 천명했다. 하지만 그가 평화로운 시대의 현자는 아니었다. 대신, 그는 고대 서양에서 전례가 없는 정복전쟁으로 대제국을 건설했던 알렉산더(알렉산드로스 3세) 시대를 반추하는 아이콘이다.

누구나 알고 있는 유명한 일화가 있다. 알렉산더가 찾아와 필요한 것을 묻자, 디오게네스는 "햇빛을 가리지 말고 자리를 비켜 달라!"고 한다. 이 고사가 역사적 사실인지는 불분명하다. 하지만 어쨌건 상관없다. 왜냐하면 디오게네스의 언명은 다만 모종의 지혜를 담은 철학적 잠언이기 때문이다.

여기서 '정복군주'와 '현자'는 현저히 다른 두 종류의 세계주의를 암시한다. 알렉산더는 무력으로 동방을 원정하고, 그리스와 오리엔트 세계를 통합하려던 세계주의자였다. 반면 디오게네스는 아무것도 정복하지 않지만 속세의 모든 욕망과 번뇌를 정복하며, 마침내 햇빛 한 줌으로 세계시민이 되었다.

이번에는 중국으로 눈길을 돌려 보자. 사마우司馬牛라는 이름의 사내가 있었다. 그는 외아들로, 형제가 없어 늘 괴로워했다. 공자의 제자인 자하子夏에게 그의 고민을 하소연했다. 그러자 자하가 말한다. "군자가 공경하여 실수가 없고 남에게 공손히 예의를 지키면, 온 세상 사람들이 모두 형제다(四海兄弟).

군자가 어찌 형제 없음을 근심하겠는가?"[25] 『논어』에 실린 이 고사는 다만 고독한 사마우의 일화로 그치지 않는다.

이 고사는 혈연의 확장이나 패권으로 천하일가를 실현하려던 춘추전국시대의 욕망을 반추한다. 진정한 '천하일가'는, 혈족에 의한 세계지배로 실현되는 게 아니다. 그것은 도덕으로 구현된다. 그게 공자와 그의 제자들이 던진 '사해형제'의 메시지였다. 한편 같은 시대를 배경으로 나온 다른 맥락의 이야기도 있다. 그것은 외려 디오게네스를 연상시킨다.

장자의 임종을 앞두고 제자들이 성대한 장례를 준비했다. 그러자 장자가 말한다. "나는 하늘과 땅으로 관곽棺槨을 삼고, 해와 달로 구슬 장식을 삼으며, 별들로 진주와 옥 장식을 삼고, 만물로 부장품을 삼을 것이다. 내 장례용품이 다 갖춰진 게 아니냐? 여기에 무엇을 더 보태려느냐?"[26] 이 저명한 이야기는 천지만물과 혼연일체가 되는 인생의 경지를 보여준다.

혼종混種과 혼성混成의 우주에 대한 달관으로, 장자는 도통위일道通爲一의 경지에 이른다. 도는 만물을 하나로 통하게 하며, 모든 생성과 소멸을 관통한다.[27] 그 세계의 본질은 곧 '천하를 통틀어 하나의 기운일 뿐'[28]이다. 마치 파도에 실려 튀어 올랐다가 다시 큰 바다로 떨어지는 물방울처럼, 나와 만물은 궁극적으로 하나로 녹아 통하는 우주의 일부다.

이는 우주적인 전일성全一性을 근거로 하는 세계주의를 함축한다. 장자 같은 사상가는 고도의 전일적 감수성에서 세계를 '하나의 기운'으로 감지한다. 그런 기론적 우주에서 보면, 세계란 생명의 통일 속에서 하나로 연속된 거대한 전체다. 거기서는 개인·혈족·민족·국가, 더 나아가 인간과 사물의 분열마저 모두 해소된다.

---

25. 君子敬而無失, 與人恭而有禮, 四海之內皆兄弟也. 君子何患乎無兄弟也? 『論語·顔淵』.
26. 莊子將死, 弟子欲厚葬之. 莊子曰 "吾以天地爲棺槨, 以日月爲連璧, 星辰爲珠璣, 萬物爲齎送, 吾葬具豈不備邪? 何以加此?" 『莊子·列禦寇』.
27. 故爲是擧莛與楹, 厲與西施, 恢恑憰怪, 道通爲一. 其分也, 成也. 其成也, 毁也. 凡物無成與毁, 復通爲一. 『莊子·齊物論』.
28. 通天下一氣耳. 『莊子·知北遊』.

하지만 이런 철학에 공명해서, 사람들이 '사해가 동포'라는 보편적 인류애에 이르고, 그에 따라서 분열된 고대세계가 통일됐던 것은 아니다. 세계의 통합은 물리적인 수단, 무엇보다 잔혹한 군사행동으로 먼저 실현됐다. 수십만 명의 아시아인을 학살하면서 전개된 동방원정, 춘추전국의 피비린내 나는 전란을 거쳐 비로소 알렉산더와 진시황의 통일제국이 출현했다.

게다가 그들의 제국은 모두 건설되자마자 무너졌다. 하지만 결과적으로, 거기서 고대 헬레니즘과 통일전제왕조(한나라) 시대의 문호가 열렸다. 그리고 통합된 세계의 권역 안에서 정치적 일체화, 사회·경제적 융합이 일어났다.

인종(혈연) 및 민족적 융합, 공용화폐 및 공용어의 통용, 하나의 거대한 교역권 내지는 경제권의 결합, 문화적 융합 등이 실현되었다. 지식과 예술의 교류가 일어나고, 보편적인 세계의 이상이 강조되었다. 한데, 이는 다만 오래된 역사서의 한 페이지에 머무는 게 아니다.

오늘날의 글로벌화·세계화에서도 어쩌면 역사는 반복되는 듯하다. 끝없이 팽창하는 인간의 정치·경제·사회적 욕망이 지금의 세계화에 '코즈모폴리턴의 성격'을 부여한다. 지난 세기의 참혹한 세계대전은 어쩌면 그 전초전이었는지 모른다. 21세기에 전면적인 정복전쟁이 일어날 가능성은 희박하다지만, 크고 작은 국지전이나 테러는 오히려 빈발해졌다.

하지만 본격적인 '총성 없는 전쟁'은 군사적 싸움터가 아니라 세계시장을 무대로 펼쳐진다. 진시황과 알렉산더는 무력으로 세계를 정복했다. 하지만 오늘날 그 후예들은 군사적인 정복 대신, 거대한 금융 및 산업 자본으로 전 지구적인 경제적 제국을 건설하려고 한다.

이제 패권주의자는 히틀러 벙커 같은 곳이 아니라, 펜트하우스의 집무실이나 월가의 고층빌딩에 집결해 있다. 돈·기술·정보가 그들의 자산이자 무기다. 예전에 군주의 원정대에 동행하던 현자들 대신, 지금은 과학자와 법률가 그리고 각급 싱크탱크의 연구원들이 포진한다.

국경을 초월해 벌어지는 총성 없는 탐욕의 전쟁, 자본주의 세계화가 '전 지구를 하나'로 만들고 있다. 역사적으로 어떤 정복군주와 대제국도 이루지 못했던, 그런 지구촌의 통합이 급속히 진행 중이다. 이런 추세가 근본적으로 후퇴하는 일은 없을 것이다. 그러기에는 지구촌의 촌민들이 경제·사회·문화적으로 이미 너무 긴밀하게 연결되었다.

그렇다고 해서, 지금과 같은 세계자본주의가 영구히 지속되리라는 의미는 더더구나 아니다. 오히려 자본주의 성장의 미래는 어두운 전망으로 가득하다. 근본적으로 서구에서 비롯된 근대문명이 더 이상 지속되기 어렵다는 경고음이 울린 지 오래되었다.

지금처럼 많이 만들고, 많이 쓰고, 많이 버리면서 자연과 인간을 착취하는 문명은 그 시효를 넘겨 버렸다. 하지만 권력이 시장으로 넘어간 상황에서, 어떤 개별 국가나 정부도 현재의 구조를 바꿀 능력은 없다. 그렇지만 인류 전체의 운명을 이끌 세계정부나 국제적 시스템은 아직 탄생하지 않았다.

민주주의 역시 세계화 과정에서 전진과 후퇴를 반복하는 양상을 띤다. 거대 자본과 금융의 과두체제야말로 오늘날 민주주의를 심각하게 위협한다. 알랭 바디우Alain Badiou는 현재 세계인구의 10퍼센트가 가용한 부富의 86퍼센트를 소유한다는 점을 상기시킨다.

"세계 자본주의 과두체제는 아주 제한적이고, 매우 집중되어 있으며, 고도로 조직화되어 있다. 오늘날 모든 것은 세계적인 수준에서 움직인다." 그러나 분산되고, 정치적 통일성이 없으며, 국경에 갇힌 사람들은 그것에 적절히 맞설 수 없다.[29]

하지만 이것이 자본주의 세계화에 대한 불가항력의 선언인 것은 아니다. 오히려 결집되고, 정치적으로 한목소리를 내며, 국경을 초월한 '세계시민'의 행동을 촉구한다. 지구촌을 하나로 연결하는 네트워크가 표현과 연대의 자유를 위한 도구가 된다.

한 예로, 어떤 사람들은 소셜네트워크나 인터넷을 기반으로 활동하는 아바즈avaaz 같은 다국적 시민단체의 힘이 유엔을 넘어선다고 주장한다.[30] 2007년

---

29. 알랭 바디우, 서용순 옮김, 「그리스 상황에 대한 열한 개의 노트」, 『경향신문』 2015년 7월 17일.

설립된 아바즈는 자발적으로 가입한 회원이 2015년 현재 4천만 명을 넘어섰고, 시시각각 그 참가자가 늘고 있다. 정보사회의 시민들은 국경을 넘어선 새로운 세계를 원하며, 또한 스스로 만들어 가고 있다.

세계화의 상징 '다보스포럼(WEF: World Economic Forum)'에 대항해 2001년부터 반세계화포럼이 비슷한 시기에 열리기도 한다. 일명 '세계사회포럼(WSF: World Social Forum)'이다. 그들은 세계화가 개발도상국의 빈곤, 사회적 불평등의 심화 등을 가져온다고 비판한다.

특히 전 세계적으로 중산층이 갈수록 세계화에 불안해하고 있다. 상위층의 수익은 계속 오르지만 중산층은 정체상태에 있으며, 소득불균형과 고용불안이 심해지고 있기 때문이다. 로렌스 서머스Lawrence Summers는 전통적인 기회균등에 대한 믿음이 사라지고, 중산층이 점차 국가 시스템에서 벗어나고 있다고 우려한다.

교육의 힘으로 지위를 바꾸는 '사회이동'도 생각할 수 있지만, 그 기회 역시 갈수록 줄고 있다. 이런 중산층의 불안이 지속되면 사회가 분열되고, 이들 세력이 폭력을 동원하게 될지도 모른다.[31] 극심한 빈부격차와 중산층 몰락이 체제붕괴의 지름길이라는 것은, 아리스토텔레스 시대부터 제기된 만고불변의 교훈이다.

그러므로 세계화가 반드시 거대 금융독점자본의 최종적인 성공을 의미하지는 않는다. 20세기 후반부터 미래학자·경제학자·사회운동가들이 자본주의 세계화의 위기 징후를 지적해 왔다. 한데 그들은 세계화를 비판하면서도, 지구촌이 통합되는 역사의 필연적인 추세를 제대로 파악하지 못한 것 같다.

왜냐하면 지구촌의 일체화를 국경을 초월한 거대자본이나 금융에 의한 세

30. 박영숙 외, 「유엔을 능가하는 세계기구가 등장한다」, 『유엔미래보고서 2030』(교보문고, 2012), 139쪽. 아바즈 홈페이지(www.avaaz.org)에서는 "시민주도 정치를 통해 전 세계의 중요한 결정에 영향을 미치는 시민운동 단체"라고 자기를 소개한다.
31. 매일경제 세계지식포럼 사무국, 『다보스 리포트: 힘의 이동』(매일경제신문사, 2007), 84~87쪽.

계화로만 보는 우를 범했기 때문이다. 고대에 알렉산더나 진시황이 건립한 대제국이 곧바로 무너졌지만, 그 토대에서 헬레니즘과 통일왕조시대가 열렸다. 마찬가지로, 자본주의 세계화의 성장이 붕괴되더라도 그것이 지구촌의 통합을 과거로 되돌리지는 않을 것이다.

인류는 오히려 위기나 재앙을 겪으면서 비로소 혁신적인 비전을 찾고, 그것을 행동에 옮겨 왔다. 지나간 역사가 그것을 증명한다. 2016년 현재, 전 세계를 통합하고 관장하는 제도나 군사기관, 정부는 없다. 하지만 최근의 한 국제적 연구는 '세계정부'의 미래에 관해 다음과 같은 내용의 보고를 내놓았다.

> 세계의 학자와 기관들은 2024년에 세계 단일통화가 나올 것으로 예측하고 있으며, 세계정부는 2030년 정도에 등장할 것으로 보고 있다. 현재 국가를 초월한 대표적 기관으로 유엔이 존재하지만, 유엔이 할 수 있는 일은 조언을 해주고 국가 간에 협력을 이끌어내는 정도다. 유엔은 태생적 한계가 있다. 각국의 대표는 선출된 것이 아니라 임명직이다. 따라서 국제회의에서 다만 국가의 지시사항을 읽는다.
>
> 가장 민주적이어야 할 유엔이 민주주의에 역행하는 것이다. 유엔을 개혁하려면 현재 국가별로 진행되는 투표처럼 유엔의 국가대표를 선출해야 한다. 갈수록 유명무실해지는 유엔을 대신할 세계정부를 만들어야 한다는 주장은 이미 수십 년 전에 등장했다. 세계정부를 만들기 위해 준비하는 단체나 기구들이 현재 약 5천여 개에 달한다.
>
> 이런 추세는 현존하는 정부의 소멸이 아닌, 전 세계가 하나로 뭉치는 현상의 발생을 전제로 한다. 특히 국가 간 이기주의가 지구에 닥친 문제, 즉 기후변화와 에너지 고갈 등에 대한 해결책을 내지 못해 위기에 처하는 데서 세계정부가 대안으로 등장하게 된다. 이런 문제들을 세계정부가 공정하게 관리하지 않으면, 함께 멸망할 수밖에 없다.
>
> 세계헌법 · 세계정부 · 세계경찰 등이 만들어지면 지금처럼 바다 한가운데 폐수를 갖다 버리고, 자신들의 국토 안에 있다고 지구의 허파에 해당하는

밀림을 마음대로 개발하고, 우주에 수많은 인공위성을 쏘아 올려 미래에 큰 재앙이 될 우주 쓰레기를 만드는 것을 방지할 수 있다.

세계정부는 큰 권력을 가지기보다는 각국 정부와 적절한 의사소통을 하면서, 공익을 지키지 않을 경우에 경제적 제재를 가함으로써 생존을 위한 협력의 방향을 모색해야 한다. 유엔처럼 군대를 구성하거나 구조대를 만드는 행위보다, 시민사회를 만들고 정치적인 목소리를 키우는 것이 목적이다.

그 결과 전 세계를 대상으로 투표를 시행해서 전쟁을 막고, 온난화를 방지할 수 있어야 한다. 민주적인 세계정부는 인간의 소프트파워를 한껏 이용할 수 있고, 삼권분립이 가능해져 지구촌 의사결정의 중요 도구가 될 것이다. 다만 현재 세계정부 건립의 가장 큰 걸림돌은 강력한 계기가 될 만한 사건이나 위기가 없다는 점이다.

인류는 지금까지 위기가 눈앞에 닥치거나 실제로 최악의 경험을 하지 않고서는 뭔가를 행동에 옮기지 않았다. 유엔 역시 최악의 전쟁이었던 제2차 세계대전 이후에 만들어졌다. 그리고 지금 유엔의 개혁안이 나오고는 있지만 최악의 경험을 하지 못한 현재, 누구도 나서서 결정하려 하지 않는다.

그러나 기후변화의 재앙이 코앞에 다가와 있다. 20년 후에는 해수면 상승으로 대만의 18퍼센트가 가라앉게 되면서 각국의 자국 이기주의와 그에 대한 비판이 정점을 찍을 것이다. 그 때가 되면 세계정부도 현실화될 것이다.[32]

수많은 국제적 전문가들이 예측한 '세계정부'의 비전이다. 하지만 여기서 제안된 세계정부 등장의 시점(2030년) 등은 여전히 유동적이다. 그처럼 불확실한 미래를 예측하는 건 당장의 관심사를 넘어선다. 다만 주목할 필요가 있는 것은, 가까운 장래에 '세계정부'가 출현할 이유를 설명하는 문맥이다. 놀랍게도, 그 문맥이 100년 전 서우가 '세계정부헌법'을 제안했던 취지와 거의 부합

---

32. 박영숙 외, 「국가 이기주의가 지구를 멸망으로 몰고 간다」, 위의 책, 200~202쪽.

한다.

산업화된 근대 물질문명의 모순에서 비롯되는 전 세계적 위기, 그리고 그것을 해결하지 못하는 이기적인 개별 국가들의 한계로 인해, 역으로 세계정부의 건립이 요청된다. 세계의 대동통일을 바란 서우의 간절한 염원이 현실화될 조짐이 나타나는 셈이다. 또한 앞으로 구성될 세계정부의 조직형태, 운영체계, 역할 등에 대한 예측도 서우의 비전에 근접한다.

세계정부의 대표는 선거로 선출하고, 그 기구는 민주적인 삼권분립체제로 운영되어야 한다. 세계정부는 개별 국가의 자국 이기주의를 넘어서는 인류의 보편적 인도주의와 공익, 그리고 전쟁방지와 항구적인 평화정착을 위해 활동한다. 세계정부라고 해서, 각국의 주권 등을 다 없애고 그 위에 유일한 정부를 건립하는 건 아니다.

다만 서우의 말처럼 "각국이 모두 독립·평등한 자격을 발휘하여 통일중앙정부를 건립"한다. 그리고 세계정부는 각국 정부와 적절하게 의사소통을 하면서, 각국이 공익을 지키도록 견인한다. 서우의 독특한 견해는 아래와 같은 사안에서 더욱 두드러진다.

세계정부는 인도주의를 지향하며, 형벌 대신 '덕과 예(德禮)'를 숭상한다. 인류가 '천명에 따라 즐기고 편안하기'를 중시하며, '공익을 증진하고 만물을 이롭게 하기'를 그 행동강령으로 채택한다. 즉 세계정부는 인류의 '자연친화적이고 건강한 삶'을 추구하되, '인류뿐만 아니라 지구 생명 전체의 공익'을 돌보는 역할을 수행한다.

'참나를 이루고 목숨을 안정시키는 도'와 '물욕의 절제'를 권장한다. 다시 말해, 세계정부는 '인류의 영성 및 건강의 증진'을 헌법적 가치로 수호한다. '욕망의 절제'는 앞으로 인류가 지구에서 지속가능한 삶을 살기 위한 필수불가결한 전제가 될 것이다.

세계정부는 도덕적 세계국가의 면모를 확립한다. 법보다 도덕을 중시하며, 법은 다만 도덕을 보완하는 용도로 사용한다. 근대적 법치국가의 한계를 넘어서는, '덕화정부德化政府'의 건립이 세계국가의 새로운 복지모델이다.

세계정부의 수장은 큰 권력보다는 큰 도덕적 명예와 책무를 지니며, 무한책임제로 그의 직능을 수행한다. 대신 세계의회의 공정한 감독과 견제를 받는다. 세계정부는 가난한 나라와 경제적 약자들을 구휼하며, 토지공유와 경제균등의 실현에 힘쓴다.

특정한 '신(종교)'이나 '이념'에 경도되지 않는 것은, 세계정부 존립의 가장 핵심적이고도 후퇴할 수 없는 기반이다. 대신, 대자연의 섭리에 따라 '만물을 살리고(生物)' '만물을 성취시키는(成物)' 덕을 세계정부 도덕의 자연법적 근거로 삼는다.

이상이 서우가 제안하는 「세계통일공화정부 헌법」 총 9조의 기본취지다. 필자가 보기에는, 더할 수 없이 숭고하고 광대하며 공정한 '범우주적 교감명령'을 세계정부의 헌법 가치로 수립했다. 한 세기 전, 지구상에서 가장 곤궁하고 참담했던 조선의 한 디아스포라, 그의 영묘한 정신의 빛이 어찌 이토록 찬연하고 위대하며 성스러울 수 있는가! 그의 호처럼 '온 누리의 새벽빛(曙宇)'이 되기에 과히 손색이 없다. 독자들의 소회는 어떠하신가?

제4부
전병훈의 생애와 저작

'제4부'에서는 전병훈의 생애와 학문역정을 다룬다. 그의 시대와 철학적 모험에 관해 논구할 것이다. 여기서 가장 놀라운 장면은, 아마도 전병훈의 생애를 다루는 제10장에 있을 것이다. 전병훈의 생애와 활동이 워낙 극적이어서, 그 시대에 관한 우리의 통념을 온통 뒤흔든다.

20세기 초 격동의 동아시아를 무대로 펼쳐지는 서우의 드라마틱한 삶은, 그 자체로 한 편의 대하 서사극을 방불케 한다. 그 풍경을 생생히 재현하기 위해 전병훈의 생애를 조선 활동기와 중국 망명기로 나누었다. 그리고 조선과 중국에서 그의 교우관계와 평판까지 두루 살핀다. 이어서 전병훈의 저서, 그리고 연구의 기본자료들을 검토한다.

서우曙宇 전병훈

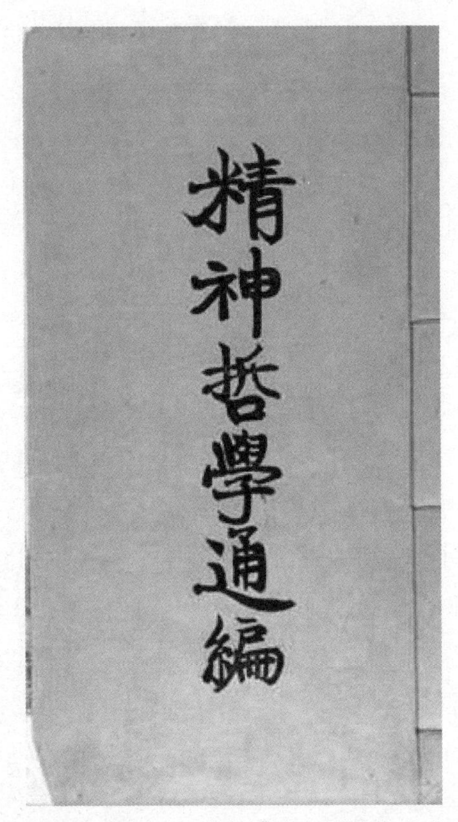

1920년 전병훈이 북경에서 간행한 『정신철학통편』 초간본 표지
한국학중앙연구원 왕실도서관 장서각 디지털 아카이브

敬啓者茲精神哲學書乃吾 師全秉薰先生於十五年前
韓存時入華所編者而今始爲門人之印刷故呈
鑒求教耳此編精神學爲主而繼以心理道德政治哲學以
成書其範圍條理開卷瞭然無庸贅述惟是宗教科學各家書
類且積而望洋誰能盡讀羣書者耶且或博極羣書而畢生所得
安能出盡人合天證聖成眞之兼聖事業以外者耶是於繁博
學術之中惟簡約易行者爲最貴也然簡約無門故學人徒費無限腦
力於有限歲月而不能成才德者往往有之可勝惜哉我 師嘗慨然

i

黃帝
檀君治天下而兼能修養成仙此非兼聖之至道耶眞是精神
專學之簡約易行者也然昔爲王清秘鑰藏之方外稱以仙學故世
莫能窺破此學之源委者至今爲耳嗟人之精神卽天地之精神
天地非精神不成造化人非精神不能生存信乎精神爲性命神是性精是命之本也
古之人煉住其性命而長年且能壽世者良以精神專學故也
於斯我 師眞積道滿救世情殷遂總括古今中外哲理道德擇要諸
書剪其枝葉擷其精華以萃篇特以仙學表章爲精神學

ii

之本而自始作入世之公用者也烏乎此編會通天人而立極調劑
新舊而折衷簡而不煩約而悉備誠可謂苦海慈航之弘濟寶筏人
羣公益之新闢曙光也不惟希度東亞而將標航五洲同胞
共躋眞我仁壽極樂世之大願敢以代布幸我
道德達尊不鄙不棄庶有取乎兼聖簡約而裁正之馨香禱祝
中華民國九年庚申五月日 谷陽道人 于藍田 謹啓

iii

『정신철학통편』에 실린 위란텐于藍田의 서문(저자 김성환 소장)

제9장

우주의 새벽빛, 서우의 시대

1. 서세동점과 동아시아 근대의 격동, 문명진화의 시간

망원경, 자명종, 만국지도, 지구의地球儀, 그리고 성경과 가톨릭 신부. 동서 항로가 개척된 16세기부터 비서구 세계에 전해진 서구문물은 과학기술과 종교가 결합된 이미지였다. 사실 이는 아이러니한 조합이었다.

서양의 근대는 종교가 행사하던 절대적 지배력을 이성과 과학이 대체하는 과정이었다. 그러므로 자명종과 지구의를 들이대며 신학을 전파하는 신부란, 시골장터의 약장수와 다를 바 없는 영락零落한 처지였다. 어수룩한 촌로들을 상대로 약사 흉내를 내는 약장수마냥, 근본적으로 과학적일 수 없는 신학이 근대 과학기술의 주인처럼 행세했다.

중국과 일본 그리고 조선에서 처음 접한 '서학西學' 역시 기독교(天主學)와 근대 과학기술이 생경하고 잡다하게 버무려진 체계였다. 그리고 어쨌거나 이런 현실에서, 서구 근대문물에 대한 어설픈 이미지가 만들어졌다. 동아시아인들이 서구 근대의 본질을 숙고하기 시작한 것은 뼈아프고 값비싼 대가를 치르고 난 뒤부터였다.

19세기 중후반, 상업자본 단계를 지나 산업자본을 형성한 서구 제국이 본격적인 식민지 쟁탈에 뛰어들면서 두 차례의 중영전쟁(아편전쟁: 1839~1842, 1856~1860)이 점화됐다. 이 전쟁에서 중국이 패하자, 유교문명의 자부심과 긍지로 가득했던 동아시아가 엄청난 충격에 휩싸였다. 급기야 서구문명의 저력에 눈을 돌리지 않을 수 없게 되었다.

주지하다시피, 일본의 대응이 가장 민감하고 신속했다. 일본은 제1차 아편전쟁 직후인 1854년 미국과 화친조약을 맺으며 급격하게 쇄국에서 개항으로 전환했다. 그리고 19세기 중후반에 메이지明治 유신을 단행해서, 서구 모델에 따르는 전면적 근대화에 박차를 가했다.

전쟁의 당사자였던 중국의 충격은 이루 말할 수 없었다. 제2차 중영전쟁이 끝난 1860년대 초부터, 중국의 식자들이 서양 배우기에 나섰다. 그 영향 아래서 양무洋務, 변법變法, 5·4 등의 사회개혁운동이 연이어 일어났다. 바로 이 무렵, 동아시아 지식인들은 비로소 '서학'에 대한 피상적 인식에서 벗어났다. 서구 근대의 본질을 통찰하기 시작한 것이다.

'자유'와 '민주'로 대표되는 근대 계몽주의와 정치체제에 눈을 돌렸다. 과학이 단순한 기술 이상의 세계관이자, 세상을 인식하는 방법론임을 알게 되었다. 근대의 주인이 신학이 아닌 철학이며 이성이라는 사실도 깨달았다.

19세기 말 청나라가 중영전쟁에 패한 데 이어 청일전쟁(1894~1895)마저 패하자, 깊은 위기의식에 휩싸인 중국 지식인들이 20세기 초에 본격적으로 서양철학에 눈을 돌렸다. 이런 시대의 격랑 한복판에서, 서우의 '정신철학'이 탄생했다.

전병훈은 서양철학을 가장 먼저 접한 한국인의 한 사람이었다. 그는 50세가 되던 1907년에 중국으로 망명했다. 당시 영국서 유학하고 돌아온 옌푸嚴復 등이 서유럽의 학술과 사상을 번역해 소개하는 선두에 섰다. 이런 분위기에서, 전병훈은 옌푸를 비롯한 지식인들과 교류하며 서양철학을 접했다.

익히 알다시피, 이 시기에 동서양의 문물을 비교하고 양자의 결합 혹은 어느 한 편의 우위를 주장하는 격렬하고도 다채로운 논의가 펼쳐졌다. 한데 전병훈이 특별했던 이유는, 그가 도교 내단학의 견지에서 동서고금의 철학사상을 두루 회통해서 아주 조직화된 독창적 철학체계를 건립했다는 데 있다.

그는 서양의 철학과 과학을 높이 평가하면서도, 내단학처럼 정신을 운용해 참나를 이루며 성스러움을 겸비하는 데는 이르지 못했다고 진단했다. 또한 심리학의 최면술 등도 도교와 불교의 극치에는 미치지 못한다고 평가했다.

무엇보다 전병훈은 몸소 내단학을 연마한 구도자였다. 이것이 단순한 식자로서의 면모보다, 그의 철학에 더 깊은 자양분을 제공했다. 그렇다고 해서, 그가 단지 내단 수련이나 도교사상에만 경도됐던 것은 물론 아니다. 앞에서 그의 철학사상을 충분히 살폈으므로, 긴 논증이 필요치 않을 것이다.

그는 젊어서 조선 성리학의 정수를 체득한 뛰어난 유학자였다.[1] 또한 말년에 단군과 『천부경』을 존숭했으며, 조선 문화의 우수성을 선양했다. 중국 북경에 '정신철학사'라는 학관學館 겸 사단社團을 건립하고, 장상將相급의 기라성 같은 중국인 제자들을 이끌던 중국 지성계의 정신적 지도자이기도 했다.

한국 근대 지성사는 물론 동시대의 중국과 일본에서도, 한 몸에 그처럼 복합적이고 중층적인 면모를 지닌 인물을 찾기는 쉽지 않다. 그는 전통과 근대를 넘나들고, 동서양을 통섭하고, 도교와 유교를 망라하고, 조선과 중화를 아우르고, 민족과 인류를 함께 고민하고, 학문과 교육을 병행하며, 이론과 실천(수련)을 겸비했던 철학자이자 도인이었고 교육자였다. 그는 또한 근대 이후를 준비한 미래사상가이기도 했다.

전병훈의 이런 활동은, 당시 중국 지성계에 상당한 반향을 불러일으켰다. 『정신철학통편』 앞부분의 「약부제가평언서畧附諸家評言序」에는 캉유웨이康有爲·옌푸·왕슈난王樹枏 등을 비롯한 당대 중국 최고 지식인과 명사들의 찬사가 실려 있다. 1925년 김평식金平植과 이동초李東初가 정리한 「제가제평집諸家諸評集」에는 중국과 조선의 기라성 같은 학자와 고위인사 72인의 극찬이 수록돼 있다.

전병훈의 책은 구미 29개 나라의 150개 대학과 미국·프랑스·스위스의 세 총통에게 배포되었다고 한다. 당시 중국인 제자들이 명·청대의 저명한 학자들(황종희黃宗羲·왕선산王船山·고염무顧炎武 등)과 함께, 전병훈을 28성철聖哲의 한

---

1. 전병훈은 화서華西 이항로李恒老(1792~1868)의 문인으로 관서 지방의 명유名儒였던 운암雲菴 박문일朴文一(1822~1894)의 문하에서 성리학을 수학했으며, 중국에 들어가 내단 수련에 종사하기 전에 존도재 64곳을 구축해 1천 명에 달하는 선비를 양성했을 정도로 뛰어난 유학자였다. 『전씨총보총록全氏總譜叢錄』(전씨대동종약소, 1931)에 그 기록이 있다.

사람으로 추존했다는 기록도 보인다.

혹자가 칭송하기를, "조선이 개벽한 이후 4천여 년 동안 이처럼 중국인의 극단적인 찬양을 받은 이가 없었다"고 했다. 당시 전병훈의 명망이 얼마나 대단했는지 짐작할 수 있다. 그 자세한 내용은 뒷장에서 다시 살펴볼 것이다.

그런데 전병훈이 북경에서 활동하던 시기(1913~1927)에, 이 지역은 이른바 '북양北洋군벌'의 지배 아래 있었다. 따라서 당시 서우와 교유하던 총통 이하 조야의 명사와 제자들 대부분이 북양정부의 주축 내지는 조력자들이었다. 그런데 서우가 세상을 떠난 다음 해인 1928년, 장제스蔣介石가 이끄는 국민당 혁명군이 북경을 점령해 북양정부 시대가 막을 내렸다.

국민당이 남경南京으로 수도를 옮기면서, 중국 정치와 문화의 중심이 급격히 남방으로 이동한다. 그런 가운데 북양정부 시절에 활동했던 조선인 망명객 전병훈의 기억 또한 빠르게 역사 저편에 묻혔다. 게다가 '전면 서구화'를 지지하던 지식계 일각에서, 전병훈의 철학을 단지 전통으로 회귀하려는 보수주의로 판단했을 가능성이 크다.

실제로 『정신철학통편』의 서평자 명단에서, 신문화운동을 이끈 사람들의 이름은 거의 보이지 않는다. 그런데 1920년대 이후, 신문화운동의 주창자들과 그 계승자들이 중국의 정치와 문화적인 현실을 주도했다. 1949년 공산화된 중국에서는 문화대혁명 시기까지 전통이 철저하게 부정되었다.

전통을 현대화하려는 노력은 대만과 홍콩 등에서 일부 지식인들에 의해 제한적으로 지속됐다. 그나마 유교에 편중돼, 중화민족주의 색채가 강한 '현대신유학'이 아카데미 중국철학의 명맥을 이어갔다. 이런 가운데 한국인이자 도교색이 짙은 사상가인 전병훈이 빠르게 중국 지식인들의 뇌리에서 잊혀졌다.

이런 흐름은 20세기 한국철학계에서 전병훈이 거의 망각됐던 추세와도 중첩된다. 일본의 지식인들은 메이지 시대부터 '아시아를 벗어나 유럽으로 들어가기(脫亞入歐)'를 외치며 서양학문(철학)의 수입과 번역에 몰두했다. 이런 학문 경향이 일제강점기에 고스란히 한국에 이식됐다. 한국의 아카데미 철학은 일본과 마찬가지로 철저하게 서양철학 중심으로 편제되었다.

부분적으로 대학에 진입한 동양철학도 한국과 중국의 유교 연구에 치중한 가운데, 중국 제자諸子사상과 불교 연구를 약간 가미하는 정도에 그쳤다. 그리고 최근까지도 중국 도교와 한국 선도仙道에 대한 철학방면의 연구는 거의 불모상태나 다름없었다.

게다가 한국의 아카데미 철학이 전공주의로 높은 벽을 치고, 담론생산에 허약한 면모를 보였다. 그런 풍토에서, 전병훈 같은 '담론 창조자' 유형의 사상가가 거의 주목받지 못한 측면도 있다. 단지 1970년대에 박종홍(1903~1976)이 한국 근대철학사의 초기 인물로 전병훈을 거론한 바가 있다.

> 전병훈은 그의 『정신철학통편』에서 우리나라의 철학사상을 비롯하여 동서양의 철학을 심리학·도덕철학·정치철학 등으로 나누어 널리 총망라하여 다루고 있는바, 특히 도가의 양생론에 많은 관심을 보이고 있다.
>
> 서양철학은 한역漢譯 신간서들에 의하여 연구되었다고 스스로 말하면서, 이 철학이야말로 최고의 학술일 뿐만 아니라 원리 근본의 학이라고 하였다. 그리스의 탈레스·소크라테스를 비롯하여 플라톤·아리스토텔레스의 사상을 소개하고, 근세의 철학자로서는 몽테스키외·칸트 등을 다루고 데카르트를 연역법의 주창자로, 베이컨을 귀납법의 주창자로 설명하고 있다. 전병훈은 이인재李寅梓와는 달리, 그리스 철학자로서는 아리스토텔레스보다도 플라톤을 높이 평가하고 있으며, 또 근세철학자로서는 칸트를 제일인자로 보고 있다.[2]

위의 글을 비교적 길게 인용한 이유는, 전병훈에 대한 한국철학계의 관심과 연구초점이 잘 드러나기 때문이다. 박종홍은 "『정신철학통편』이 중국 북경에서 간행된 만큼 이채롭다고 볼 수 있기에, 거기에 수록된 서양철학이 어떻게 다루어지고 있는가를 알아보기로 한다"[3]고 전제하고, 한국에 서양철학을 도입

---

2. 박종홍, 「서구사상의 도입과 그 영향」, 『朴鍾鴻全集 5』(民音社, 1982), 252~253쪽.
3. 위의 글, 252쪽.

한 인물로 전병훈을 소개했다.

이처럼 한국의 아카데미 철학이 그나마 전병훈에 주목했던 첫 번째 계기는 그가 서양철학을 처음 받아들인 한국인의 한 사람이었다는 데에 있었다. 그 뒤 1980년대에 『정신철학통편』 영인본이 출간되면서, 금장태가 거기에 해제를 달았다. 그 뒤 간단하게 전병훈을 소개하는 글을 학술지에 발표하기도 했다.[4] 하지만 거기서 거의 답보했다. 1990년대까지 전병훈을 간략히 소개하는[5] 이상의 연구는 진척되지 않았다.

21세기 이후에야, 학계에서 비로소 전병훈을 다시 조명하기 시작했다. 그의 가계와 저술에 관해 기초적인 자료의 발굴과 고증도 근자에 이뤄졌다.[6] 그런데 한국 더 나아가 동아시아 현대사상사에서 전병훈의 중요성에 비춰 볼 때, 사실 이것은 아주 기이한 무관심이자 뒤늦은 재조명이라고 하지 않을 수 없다.

어쨌든 단언컨대, 전병훈이 서양철학의 단순한 수용자가 아니라는 것은 분명하다. 이왕의 평가에 따르더라도, 그는 전통사상을 개혁해 재구성하고자 했으며,[7] 동서고금의 철학사상을 회통시켜 하나의 세계철학으로 발전시키려는 원대한 포부를 품은 세계철학자였고,[8] 내단학의 견지에서 독자적 사상체계를 제시한 도교사상가였다.[9]

---

4. 1983년 명문당에서 『정신철학통편』을 영인출판하면서 금장태가 이 책에 「『精神哲學通編』 해제」를 싣고, 뒤이어 「서우 전병훈의 사상」(철학문화연구소, 『철학과 현실』 제15호, 1992)을 발표했다.

5. 1990년대에는 당시 박사학위 과정생이었던 황광욱이 「서우 전병훈의 생애와 사상: 사상사적 의의를 중심으로」(한국철학사연구회, 『한국철학논집』 제4권, 1995)를 발표한 게 유일하다.

6. 김학권, 「『정신철학통편』에 나타난 전병훈의 철학사상」(계명대학교·원광대학교 교류학술대회 발표문, 2001년 5월 4일); 김낙필, 「曙宇 全秉薰의 도교사상」(『도교문화연구』 제21집, 2004); 「全秉薰의 天符經 理解」(『仙道文化』 제1집, 2006); 임채우, 「전씨 문중 자료를 통해 본 전병훈의 생애에 대한 고증연구」(『도교문화연구』 제22집, 2005); 윤창대, 「전병훈의 『정신철학통편』 번역연구」(원광대학교 동양학대학원 석사논문, 2003) 등이 있다. 근자에 이규성이 『한국현대철학사론』(이화여자대학출판부, 2012)에서 '공화共和와 겸성兼聖의 원리' '연금술적 위생학衛生學'이란 주제로 전병훈을 짧게 다루기도 했다.

7. 금장태, 위의 글.

8. 김학권, 위의 글, 13쪽.

한데 이런 평론들조차, 코끼리 다리의 편린처럼 펼쳐져 있다. 그 말이 모두 맞지만, 동시에 서우는 그 이상이다. 왜냐하면 서우가 과거의 어느 지평에 속박된 자가 아니며, 오히려 새로운 문명의 미래 위로 떠오르는 '새벽빛'이기 때문이다. 서우가 그렇게 자처했고, 미래가 또한 그를 불러낼 것이다.

최소한 필자는 확신한다. 서우의 철학은 이제야 막 빛을 발하기 시작했다. '정신철학'의 연대기는 자신의 전개과정을 마무리하지 않았다. 그 문명진화의 흐름 안에서, 서우는 과연 어떤 철학자일까? 그것을 얘기하기에는 아직 너무 이르다.

서우가 앙망하던 '오회정중'의 한여름이 무르익은 어느 날 황혼녘에, 정신의 영명靈明을 회복한 선량한 후손들이 비로소 그의 철학에 합당한 문명사적 '헌사獻辭'를 헌정할 것이다. "미네르바의 부엉이는 황혼녘에야 날아오른다." 아침햇살이 눈부신 부엉이는 아직 지혜의 여신 어깨에서 졸고 있다.

2. 용야일로鎔冶一爐: 동서양 철학과 신구 과학의 조제調劑

전병훈의 생애는 50세이던 1907년 관직을 버리고 중국으로 망명하는 시점에 극적으로 전환했다. 그는 유학자이자 관료로 인생 전반을 조선에서 보냈다. 하지만 중국으로 망명한 뒤 정통 유학자였던 전병훈이 내단학을 연구하게 된 계기는 분명치 않다. 어쨌거나 그가 도교 내단학에 발을 들이는 게 결코 쉽지 않은 결단이었을 것은 분명하다.

조선 성리학이 오랫동안 도교를 이단으로 배척했던 것은 주지의 사실이다. 따라서 10년간 『도장道藏』을 끼고 내단 수련에 몰두한 것은, 성리학자로서의 자기정체성을 허무는 결단이었다고 해도 과언이 아니다. 젊지 않은 50대의 노학자가 한평생 쌓아 온 이념을 떠나, 새로운 사상과 경험의 세계로 발길을 돌

9. 김낙필, 위의 글, 114쪽.

린 것이다.

『정신철학통편』이 출간된 1920년 무렵, 중국에서는 전통과 결별하고 서구를 따라 근대화하려는 신문화운동의 열기가 고조되었다. 반면, 전통과 서구 근대사상을 결합시키려는 노력은 급속히 힘을 잃었다. 특히 유교를 개혁하고 부흥하려던 시도가 실패했다.

캉유웨이의 시도는 유교 국교화 운동으로 회귀하면서 외면을 받았고, 옌푸 역시 위안스카이袁世凱의 제제운동帝制運動을 지지하다가 젊은이들의 반발을 샀다. 이런 상황에서, 전병훈이 전통적인 정신학을 토대로 유불도 3교와 서양 철학의 조제를 천명하며『정신철학통편』을 출간했다.

그러므로 캉유웨이와 옌푸 등이 서우와 그의 철학을 극찬한 것이 의례적인 허언은 아니었다. 캉유웨이는 '정신철학통편'의 제호題號를 직접 썼으며, 서우의 철학에 대해 이렇게 평가했다.

> 캉유웨이가 말했다. "지금 정치가 혼란하고 물질주의가 조악한 가운데, 존귀한 논의의 정미함을 얻었다. 참으로 빈 골짜기에 울리는 사람 발자국 소리 같다. 공경해 우러르길 그칠 수 없다." 또한 말했다. "세계가 대동한 뒤에, 도술이 저절로 크게 시행되고 일신할 것이다. 그러나 지금은 아직 그 때가 오지 않았다."[10]

유교 재건에 연이어 실패하면서 허탈감에 빠진 캉유웨이에게, 전병훈의 정신철학이 '빈 골짜기에 울리는 사람 발자국 소리(空谷足音)'처럼 반가운 복음으로 들렸다는 게 빈말은 아닐 것이다. 하지만 정치가 혼란하고 물질주의가 팽배해서, 정신철학이 빛을 보려면 아직 시기상조라고 진단한다. 역으로 말해, 시대를 앞선 철학이라고 찬탄하는 문맥이다.

옌푸는『정신철학통편』이 '불후의 위업(不朽之盛業)'이라고 칭송했다. 그에

---

10. 康公有爲曰 "當今政治之惡, 物質之粗, 得尊論之精微, 眞空谷足音也, 敬仰不已." 又曰 "大地大同之後, 道術自大行而日新. 今未到其時也."『통편』, 3쪽.

따르면, 이 책은 서양 위생학에 없는 내단 양생학의 전통을 다시 일으킨 것으로, 선구적이면서도 시의적절한 저술이다. 특히 옌푸는 서우의 정신수련 실천과 체험을 높이 평가하고, 그 제자가 되기를 자처했다.

> 이 책(『정신철학통편』)은 불후의 위업이다. 서양 사람들이 근자에 늘 '위생'을 말한다. 그러나 수명을 늘이는 데 있어서는, 끝내 방법이 없다. (전병훈) 선생께서 시의적절하게 선구적으로 저술하고, 이로써 오랫동안 끊어졌던 학술을 부흥하니, (때를) 놓쳐서는 안 된다. 이는 선생이 실험한 학술로 더욱 귀하다. 제자가 인연이 있어 진리를 전한 스승을 만나 뵙고 큰 가르침을 받길 원하니, 어떠하신지?[11]

쇠망한 나라의 일개 망명객이 자존심 강한 중국 지성계에서 이런 호응을 얻은 것은 사실 경이로운 일이었다. 당시 국제적인 지식지형도에서, 조선은 변방 중의 변방으로 밀려나 있었다. 그런 나라의 지식인이 동서고금의 철학을 창조적으로 재해석하고, 자신의 독창적인 철학체계를 건립했다.

더구나 중국의 수도 한복판에서 당대의 기라성 같은 인사들을 추종자를 이끌었다는 자체가 이례적이다. 거기에는 여러 요인이 복합적으로 작용했다. 우선 전병훈은 젊어서 한학을 수학하고, 성리학을 연마했다. 성리학으로 국한하면 당시 조선의 학문수준이 매우 높았으므로, 전병훈은 중국 지식인에 뒤지지 않는 유학의 정수를 체득했다.

하지만 조선에서의 지적 활동만으로 그가 세계철학의 전망을 얻기는 어려웠다. 전병훈의 사승과 교유관계로 볼 때, 조선에서 그의 학문은 정통 성리학의 틀을 벗어나지 않았다.[12] 서우의 학문과 사상이 확장된 것은, 그가 중국으

---

11. 嚴公復(號又陵, 前淸翰林大學校長)曰 …… 此乃不朽之盛業, 西人近亦日講衛生, 然至於增益壽命, 終亦無術. 先生宜就此時, 先著爲書, 千秋絶學, 以此而興, 不可失也. 此爲先生實驗之學, 尤爲可貴也. 弟爲有緣得遇傳眞之師, 願承大敎, 何如? 『통편』, 2쪽.
12. 그에게 학문을 전수한 박문일은 오직 성리학에만 전념한 정통 유학자로 위정척사사상의

로 망명한 뒤의 일이다.

전병훈이 조선을 떠난 1907년 무렵은 양무와 변법 운동의 연이은 실패로 중국 지성계가 큰 혼란과 고민에 빠져 있을 때였다. 그 뒤 서우가 사망하는 1927년까지 20년 동안 중국에서는 전통과의 결별을 선언하는 신문화운동이 일어나고, 현대신유학 태동의 계기가 되는 과현科玄논쟁이 벌어지는 등, 격렬한 문화 변동과 담론이 펼쳐졌다.

제국주의의 침탈이 격화되고 정치적 혼란이 계속됐지만, 철학과 문화를 논하는 담론의 열기는 유사 이래 그 어느 때보다 고조되었다. 전병훈은 이런 분위기에서 중국 최고의 지식인들과 교유하며 서양의 철학과 과학을 습득하고, 동·서 문화 비교의 시야를 넓혔다.

그는 특히 '변법變法'을 주창한 인사들과 밀접하게 교유했다. 그의 저서에 극찬의 서평을 남긴 캉유웨이와 옌푸 등이 대표적이다. 그들은 서구의 입헌군주제와 자유·민권 사상에 따르는 변혁을 주장하며, 동시에 이를 전통사상과 접맥했다. 이는 전병훈의 사상경향과도 일맥상통했다.

한데 앞서 말했듯이, 당시 중국 지식인들은 주로 유교와 고대 제자諸子사상에서 서구 근대사상과의 접점을 찾는 데 그쳤다. 더구나 외래적인 것을 중국화하려는 의욕이 지나쳐서, 아전인수의 골짜기로 빠져들기 일쑤였다. 그에 반해, 전병훈의 학문은 한결 크게 포용했으며 또한 공정했다.

서우는 내단학을 골간으로 3교를 포괄하는 전통사상의 현대화를 도모했다. 중국은 물론 한국의 철학사상까지 아우르는 동아시아를 재발견했으며, 이를 서양철학과 접목하는 세계철학으로 발전시켰다. 동·서양의 접맥을 시도해도, 끝내 '중화中華'의 자기충족적 관념세계 안에 웅크리고 마는 중국인 학자들과 달랐다.

전병훈의 철학적 모험은, 낯선 것에 대한 불안과 거부감을 넘어서는 사상적 자기극복의 연속이었다. 그는 정통 성리학자에서 출발했지만, 내단학 연마를

거두 이항로의 문인이었으며, 역시 화서의 제자로 조선 말의 대표적 척사운동가였던 최익현 등과 교분이 두터웠다.

통해 유학의 틀을 벗어났다. 동·서양 문화와 철학에 대한 담론이 고조되던 중국 지성계의 논의와 지식을 수용하면서, 전통 지식인의 좁은 안목을 넘어섰다.

그것은 어느 하나를 선택하면 다른 하나를 버리는 양자택일의 행로가 아니었다. 서우는 단순한 사상적 개방의 단계를 지나, 조제와 회통의 차원으로 나아갔다. 서로 다른 것들에서 장점을 취하고 단점을 보완하며, 본질이 통하는 지평융합의 접점을 찾아 움직였다. 그리고 취합된 것들을 하나의 화로에서 녹여냈다. 서우가 말했다.

> (도에) 합치해 원만한 덕을 이루고자 한다면, 반드시 유·불·도와 철학 및 새롭고 오래된 과학(新舊科學)을 아울러 취해 한 용광로에 녹여 주조해야 한다. 그런 뒤에야 하늘의 도를 체득하고 성스러움에 통해, 만세의 근본적 가르침으로 삼을 만하며 폐단이 없을 것이다.[13]

우리는 여기서 동서고금을 통관해 하나의 철학체계를 이루기를 꿈꿨던 한 철학적 모험가의 원융한 기풍과 만나게 된다. 그는 한국지성사에서 특출하게 뛰어났던 '지적 재창조' 유형의 사상가였다. 그런 풍모의 위대한 사상가들을 우리는 한국철학사에서 여러 명 호출할 수 있다.

대표적으로, 원효가 말했다. "뭇 경전의 부분적인 면을 통합해 온갖 물줄기를 한맛의 진리 바다로 돌아가게 하고, 불교의 지극히 공변된 뜻을 열어 모든 사상가들의 서로 다른 쟁론들을 화해시킨다."[14] 나라에 본래 현묘한 '풍류風流'의 도가 있어 그것이 "삼교를 포함해 군생을 접화한다"고 했던 최치원[15]도 떠오른다.

---

13. 將欲合致以成圓德, 則必也幷取儒道佛哲, 新舊科學, 而鎔冶一爐. 然後, 可以爲體天通聖, 萬世可宗而無弊矣. 『통편』, 23쪽.
14. 은정희 역주, 『원효의 대승기신론 소·별기』(일지사, 1991).
15. 최치원의 삼교통관 사상은 김성환, 「고운 최치원의 학문정신: 현묘지도玄妙之道설에 담긴 혼종과 관용의 사상을 중심으로」, 철학연구회, 『철학연구』 제93집 (2011) 참고.

그리고 다시 천 년 뒤, "유·불·도와 철학 및 새롭고 오래된 과학을 아울러 취해 하나의 화로에 녹여야 한다"고 말하는 전병훈이 등장했다. 하여, 우리는 한동안 한국철학사의 수면 아래로 가라앉았던 화쟁和諍과 통관統貫의 철학적 모험이, 근대세계에서 동·서양 철학의 '조제調劑'로 부활하는 장면을 목도하게 된다.

제10장
디아스포라 전병훈, 이주와 지평융합의 인생역정

1. 조선 거주기(1857~1907): 쇠락한 나라의 고단한 선비

1) 가계와 고향

1857년 7월 6일, 전병훈은 평안남도 삼등현에서 정선旌善 전씨 나성파羅城派(나주정씨) 전경全卿의 23대 손으로 태어났다.[1] 아버지는 전경全璟(1806~1878), 어머니는 완산完山 이씨였다. 조부는 전익하全翼廈(1763~1806), 백부는 전기지全基之로 알려졌다. 선대에 관해 별다른 기록이 없는 것으로 미뤄볼 때, 평안도 일대의 한미한 선비집안 출신으로 추정된다.[2]

가계와 관련해 특이한 점은, 전병훈이 『정신철학통편』에서 채미헌採薇軒 전오륜全五倫[3]을 자신의 방조傍祖로 추존하는 정도다. 채미헌은 고려가 망하자 벼슬을 버리고 은둔한 두문동杜門洞 72인의 한 사람이다. 전병훈은 그런 채미헌의 절의정신을 높게 평가했으며, 그의 후손이라는 자부심이 남달랐다.[4]

---

1. 전경全卿은 고려 충렬왕 때 성균좨주成均祭酒를 지냈고 1332년(충혜왕 19년)에 조적曺頔의 난을 평정한 공을 세워 정난공신定難功臣이 되었고, 1334년(충숙왕 3년)에 나성군羅城君(나주의 옛 지명)에 봉해졌다.
2. 금장태, 「『精神哲學通編』 해제」, 『精神哲學通編』(明文當, 1983), 1쪽.
3. 전오륜(?~?)은 본관이 정선旌善이고, 호는 채미헌이다. 우상시右常侍·좌산기상시左散騎常侍·형조판서를 거쳐 대제학에 올랐다. 고려가 망하자 그를 비롯해 뜻을 같이하는 72명의 신하들이 두문동으로 들어갔다가 정선으로 옮겨 서운산瑞雲山으로 들어갔다.
4. 全採徵先生(五倫)以進賢館大提學, 入杜門洞, (七十二人)興諸賢言志曰, "伯夷採薇而餓死, 五輩曷嘗多讓於古人哉!" 遂隱旌善瑞雲山, 每朔望具朝服望松京痛哭, 詩曰, "唐虞世遠

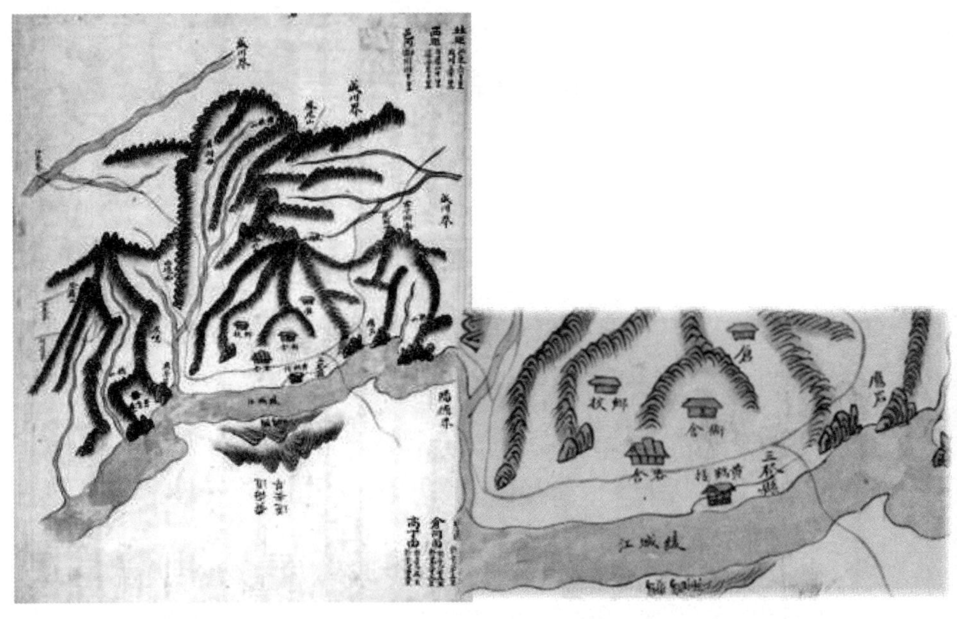

『해동지도』의 삼등현(서울대학교 규장각 소장)　　　　지도에서 황학루 인근을 확대

「전성암부자실행수록全成菴夫子實行隨錄」[5]에 따르면 전병훈의 고향은 평안남도 삼등현三登縣 학루리鶴樓里였다. '삼등현'은 일제강점기에 강동군 삼등면으로 불렸으며, 지금은 평양특별시 강동군 남쪽 일대다. 18세기 중엽에 제작된 『해동지도海東地圖』에 보면 민호民戶가 1,071호에 불과한 아주 작은 고을로 나와 있다. 고을 아래쪽을 흐르는 강은 대동강의 지류인 남강南江으로 옛날에는 능성강綾城江(혹은 能成江)으로 불렸으며, 읍치 아래쪽 강가에 오래된 누각인 황학루黃鶴樓가 보인다.

황학루는 본래 중국 후베이성湖北省 우한武漢에 있는 유명한 누각이다. 그 절경을 읊은 이백의 시 「삼등황학三登黃鶴」에서 전병훈 고향의 '삼등현'과 '황

吾安適, 矯首西山繼絶塵." 謹按此採薇公, 亦余之傍祖也. 爲李牧隱之表叔, 而文學行義, 誠有得於哲理道學, 抗節不屈, 眞逸淸德, 可風百代, 吁可欽哉! 『통편』, 205~206쪽.

5. 「全成菴夫子實行隨錄」, 『全氏總譜總錄』(전씨대동종약소, 1931). 이하 「실행록」으로 약칭한다.

학루'의 이름을 따왔다. '학루리' 역시 황학루와 연관된 지명으로 추정된다.[6] 한편 일제가 작성한 사찰문건에는 전병훈의 고향(본적)을 평안남도 강동군 삼등면 인흥리仁興里로 적고 있다.[7] 이와 관련해서는 훗날 해당지역의 실지조사가 필요할 것이다.

2) 청년기의 학문연마

전병훈은 어려서 병약해 11세에야 비로소『논어』를 읽기 시작했다고 한다. 하지만 20세의 청년기에 영협寧峽의 산꼭대기에서 고구마로 끼니를 때우며 홀로 공부할 정도로 학문에 몰입했다. 그러다가 당시 태천泰川(현재 평안북도 태천군)에 머물던 운암雲菴 박문일朴文一(1822~1894)에게서 성리학을 수학한다.

박문일은 위정척사사상의 거두 화서 이항로의 문인으로, 역시 화서의 제자였던 김평묵金平默·유중교柳重教·최익현崔益鉉 등과 교분이 두터웠다. 박문일은 여러 차례 벼슬에 나갈 기회가 있었지만 모두 사양하고, 오직 성리학에만 전념한 정통 유학자였다. 저서로『운암집』12책을 남겼다.

그는 자주 서울에 출입했으나 권문에는 발을 들여놓지 않았다.[8] 그렇다고 해서, 그가 현실을 외면한 것도 아니었다. 병인양요(1866) 때는 단기필마로 상경해 당시 실권자였던 흥선대원군과 국정을 논하는 기개를 보이기도 했다. 전병훈은『정신철학통편』에서 박문일을 이렇게 평가했다.

> 운암 박문일 선생이 말했다. "학문은 마땅히 존덕성尊德性과 도문학道問學을 종주로 삼아야 한다. 앎과 실천을 병진하고, 성誠과 경敬을 지키며, 덕행

---

6. 삼등현의 황학루는 한국전쟁 때 소실되고 지금은 터만 남은 것으로 알려져 있다.
7. 朝鮮總督府 警務局,『國外ニ於ケル容疑朝鮮人名簿』(1934), 189쪽.
8. 박문일은 1866년(고종 3) 사복시주부司僕寺注簿·평안도도사平安道都事에 임명되었으나 모두 취임하지 않았으며, 1882년 사헌부지평司憲府持平·사헌부집의司憲府執義 등의 직이 내려졌으나 역시 사퇴하였다.

박문일 화상

평안북도 태천군 서면西面 신송동新松洞, 박용흠朴龍欽 소장. 국사편찬위원회 한국사데이터베이스 자료.

에 힘써 이를 몸소 실천하는 것이 귀하다." 박 선생은 벽계蘗溪 이항로李恒老의 문인으로, 내가 일찍이 가르침을 청했다. 그 일상 언행을 보면, 천리天理가 유행流行하여 참으로 도덕을 이룬 사표師表였다. 그 문인이 거의 3천 명에 이르렀으니, 아! 융성하다.[9]

서우가 중국에서 도교 내단학을 공부한 뒤에도 박문일에 대한 존경이 여전했으며, 또한 젊은 시기에 운암의 문하에서 연마한 성리학이 그의 철학체계에서 중요한 밑거름이 되었음을 알 수 있다.

3) 교유관계와 학문 활동

20대의 전병훈은 고향을 떠나 전국의 여러 명사들과 교류했다. 훗날 그의

9. 朴雲菴先生(文一)曰, "爲學, 當以尊德性, 道問學, 爲宗主, 而知行並進, 誠敬以持守, 克勤德行, 以躬踐實者, 乃爲貴也." 謹按朴先生, 是蘗溪李丈恒老之淵源也. 余曾請教, 瞻其動靜語嘿之間, 天理流行, 眞是道成德立之師表. 其門人, 殆近三千, 嗚乎盛哉! 『통편』, 210~211쪽.

정치적 후원자가 된 조병세의 사위로, 동래東萊 부사였던 강암剛庵 이용직李容稙(1852~1932)도 그 가운데 한 명이었다. 전병훈이 강암에게 자신의 뜻을 말했다. 그러자 강암이 "그 뜻을 이루면 한 나라의 안녕만이 아니라 천하의 행복"이라고 칭송하며, 성암成菴이라는 호를 주었다고 한다.[10]

성재省齋 유중교柳重敎(1832~1893)는 이항로의 제자로, 박문일과 친분이 두터웠다. 전병훈이 성재를 방문했는데, 그 자리에 함께 있던 유인석柳麟錫(1842~1915)이 전병훈을 칭찬해 말했다. "먼 고을 선비가 능히 천하를 경륜할 큰 뜻을 지녔으니, 참으로 쉽게 얻지 못할 사람이다."[11]

유중교의 문집인 『성재집省齋集』에 보면, 갑신甲申년(1884) 가을에 영원寧遠의 선비 전병훈이 자신을 방문했다는 기록이 보인다.[12] 아마도 이 무렵의 일인 듯하다. 유중교 역시 전병훈을 비범한 인물로 보기는 마찬가지였다. 자신의 제자인 경기敬器 이소응李昭應(1852~1930)에게 보내는 편지에서, 이렇게 전병훈을 소개한다.

> 관서의 한 선비가 와서 만나기를 기다리네. 이름이 전병훈으로 방년 나이가 스물여덟인데, 눈썹 언저리가 밝게 빛나고 뜻과 기상이 아주 비범해 장차 기대할 만하네. 이 청년은 일찍이 태주의 박징사朴徵士(박문일) 문하에 출입했는데, 능히 그 가르침에 따라 절도節度가 아주 성대하다네.[13]

동래에 머물던 전병훈은 유중교로부터 이 지역에 향약鄕約을 건립하라는 부탁을 받고 이를 성공적으로 수행한다. 이처럼 학문뿐만 아니라 경세의 능력까지 인정받자 그를 조정에 천거하려는 시도가 많았다. 하지만 모두 사양하고,

---

10. 「실행록」, 45쪽.
11. 遐鄕之士, 有能經綸天下之大志, 誠不易得之人也. 「실행록」.
12. "與朴雲庵." 往在甲申秋, 寧遠士人全秉薰訪至. 柳重敎, 『省齋集』 卷之十 「往復雜稿」.
13. "答李敬器." 西州一士人來待迎見. 姓名全秉薰, 年今廿八, 眉宇淸瑩, 志氣極不草草, 將來或有可望矣. 此君嘗出入泰川朴徵士門下, 能道其敎授節度甚盛. 『省齋集』.

다시 고향으로 돌아갔다. 그리고 3천 권의 책을 싣고 산중에 들어가, 수년간 두문불출하며 공부에 전념했다. 이때 『주자대전朱子大全』을 비롯한 성리학 전적들과 유교 경전에 통달했다.[14]

한편 당시 민씨 가문의 세도가로 평안도 감사로 있던 민병석閔丙奭(1858~1940)이 벼슬을 주려 했으나 받지 않았다. 도리어 "나라 백성의 원망이 모두 민씨 가문에 모이니 청렴과 충성으로 군주를 섬기고 백성을 다스리라"고 충고했다.[15] 그리고 단지 주자朱子의 전례에 따라 이 지역에 덕행과德行科를 설치해 운영하도록 제안했다.[16]

항간에는 민병석이 덕행과를 건립하고 그 규범과 의식을 정리해 『덕행규범德行敎範』을 편찬했다고 알려져 있다. 하지만 「실행록」에 따르면 이는 실제로 전병훈이 아이디어를 내고 구체화했던 사업으로 보인다. 전병훈은 평안도에만 존도재存道齋 64곳을 세워 근 1천 명의 선비를 양성하고 경로효친 풍속을 고양해서, 이 일대에서 칭송이 자자했다고 한다.[17] 하지만 민병석은 훗날 이완용 등과 함께 한일합방의 을사오적으로 역사에 끝내 오명을 남겼다. 민병석이 추천한 벼슬을 전병훈이 고사했던 연유 또한 이로써 짐작할 수 있다.

---

14. 「실행록」, 45쪽.
15. …… 終言, "一國民怨鍾聚閔氏之門, 當以溫公爲法, 三窟爲戒, 如芼屯村.丹巖之廉忠, 以事君治民, 則禍消而福延." 「실행록」, 45쪽.
16. 1892년(고종 29)에 민병석이 평안도 감사로 있으면서 주희가 창립한 덕행과德行科를 본받아 일과一科를 만들었다. 그리고 평안도 안의 각 읍邑 각 방坊에 문학과 덕행에 뛰어난 사람을 1명씩 뽑아 각 면面에 강장講長을 삼아 그 면의 유생들에게 먼저 율곡의 학교모범學校模範을 실천궁행케 하며 학문을 강론하게 하였다. 이어 매월 말에 면내의 유생들을 강장의 집에 모아 학문을 강론하여 그중에 우수한 사람들을 선발, 매년 춘·추로 면강장面講長이 통솔해 그 읍의 명륜당에 나아가 향음주례를 마치고 경의經義 책문策問 등으로 고시하여 그 읍에 정해진 숫자의 인원을 선발했다. 이 인원을 다시 청남淸南과 청북淸北으로 보내면 청남과 청북에서는 또 경經·사史와 시무時務 등으로 다시 고시하여 청남에서는 매년 춘·추로 각각 5명씩 뽑고 청북에서는 춘에 3인, 추에 4인씩을 뽑아 3년마다 도합 58인씩을 선발하며 덕행과라 이름 하였다. 서울대학교 규장각한국학연구원, 『德行敎範』 「해제」 참고.
17. 「실행록」, 45쪽.

4) 관직과 정치활동

비록 민병석의 벼슬 제안은 거절했지만, 본인도 모르는 사이에 각지 유림이 천거하여 전병훈은 1892년 36세의 나이에 의금부 도사都事로 첫 벼슬길에 올랐다. 그리고 한양으로 거처를 옮겼다. 그 후 1894년 청일전쟁에서 많은 계책을 냈으나, 끝내 일본의 승리로 낭패하자 개탄했다. 당시 총리대신이던 김홍집金弘集(1842~1896)이 억지로 벼슬을 주려고 하자 "시무時務를 모른다"며 고사하기도 했다.[18] 전병훈과 김홍집이 주고받았다는 대화에서 당시 정세에 대한 두 사람의 인식 차이를 엿볼 수 있다.

> 나라의 변란 뒤에, 대면해 말했다. "춘추春秋 대의로 도적을 토벌해 복수하지 않으면, 관복을 받을 수 없습니다." 공公이 말했다 "밤중에 우선 포교를 보내 한 도적을 잡을 따름이오."[19]

이 기록만으로 이른바 '나라의 변란(國變)'이 청일전쟁인지 아니면 을미사변인지는 알기 어렵다. 하지만 반일·반개화 성향의 전병훈과 친일·개화 성향의 김홍집이 대립했던 것은 거의 분명하다. 전병훈이 일본에 대한 복수를 주장했던 반면, 김홍집은 일본을 이용해 청나라 혹은 민씨 일파를 몰아내는 것이 정당하다고 변론하는 문맥이다.

---

18. 甲午之役, 多所籌策, 竟乃狼狽, 曷勝喟慨. …… 時相金弘集, 招聘强仕, 固辭以不識時務. 「실행록」. '甲午之役'은 갑오년의 전쟁으로 곧 청일전쟁을 가리킨다. 중국에서 특히 '甲午之役'이란 표현을 널리 쓴다. 갑오경장은 정부개혁이며, 동학농민전쟁은 당시 난亂으로 인식되었으므로 '甲午之役'이라는 표현을 쓸 수 없다. 또한 '强仕'를 『예기·곡례曲禮』의 "四十曰强而仕"의 '强仕'로 보아야 한다는 주장이 있는데, 이는 문맥상 맞지 않다. "時相金弘集, 招聘强仕"의 '强仕'는 '벼슬을 강권하다'는 의미로 읽는 게 맞다.
19. 時相金弘集, 招聘强仕, 固辭以不識時務. 國變後對言 "春秋之義, 不討賊復讎, 則不受服也." 公曰 "夜先發捕一賊耳." 「실행록」. 필자가 앞서 발표한 논문(「曙宇 全秉薰의 생애와 저술에 대한 종합적 연구(1)」, 도교문화학회, 『도교문화연구』 38집, 220쪽, 인용 32)에서 원문의 '則不受服'을 '則不受復'으로 오기誤記했다. 여기서 바로잡는다.

이에 동조할 수 없었던 전병훈은, 1894년 내지 1895년 가을에 식솔들을 데리고 가협嘉峽(경기도 가평)[20]으로 은둔했다. 갑오개혁 직전 좌의정을 역임했던 조병세趙秉世(1827~1905)가 이 무렵 조정을 떠나 고향인 가평에 한동안 머물렀는데, 여기서 전병훈을 만나 깊은 인연을 맺었다.

조병세가 몸을 굽혀 전병훈의 초가를 찾아와 상소문을 작성하는 일을 부탁했다고 한다.[21] 조병세가 1896년에 폐정개혁을 위한 시무19조를 올리고, 1900년에는 국정개혁안을 건의했다. 아마도 그것을 전병훈과 함께 작성했던 듯하다. 당시 전병훈은 시무책 개발을 위해 『반계수록磻溪隨錄』을 연구하고, 조병세와 함께 정치에 종사하기로 약속했다.

그러나 조병세의 상소가 시행되지 못하자, 전병훈이 직접 책을 저술하고 상소문을 써서 고종에게 올린다. 그는 가평 시절에 『동강야설』을 저술했으며, 1898년(광무 2)에는 『백선미근』과 「만언소」를 올렸다. 고종이 이를 가상히 여겨, 1899년 초에 전병훈을 8품 중추원中樞院 의관議官으로 다시 임용했다.

그 뒤 전병훈은 1901년에 전라남도와 황해도의 양무감리量務監理를 역임했고, 1904년(고종 41)에는 정3품 통정대부通政大夫에 올랐다. 하지만 그 사이 다섯 차례에 걸쳐 국정개혁과 독립을 주장하는 상소를 거듭한 탓에, 결국 벽지의 군수로 좌천되고 관찰사 서리署理를 겸한다.[22] 그는 1904년 양덕군수陽德郡守를 거쳐, 이듬해인 1905년에 부령군수富寧郡守로 자리를 옮겼다.[23]

이처럼 관직의 부침도 있었지만, 이미 국운이 쇠할 대로 쇠한 조선에서 그의 정치적 이상을 실현하기는 어려웠다. 급기야 1905년 일제에 의해 강제로 을사조약이 체결되자 풍전등화의 국운과 함께 전병훈의 운명도 격랑에 휩쓸린다.

---

20. '가협'은 경기도 가평嘉平(加平)이다. 「제가제평집」 47쪽 '相擬筵薦' 조에 "가평에 거처할 때 『동강야설』을 지었다(居嘉平時, 著『東岡野說』)"는 대목이 보인다.
21. 趙公嘗屈訪草廬, 諮詢時務. 「諸家題評集」, 47쪽 '相擬筵薦' 조.
22. 以保證獨立, 五次上奏, 左遷僻小數郡, 兼署觀察使, 皆有治蹟. 『全氏總譜』 6권(전씨대동종약소, 1931), 39쪽.
23. 『승정원일기』 해당연도 기록 참고.

무엇보다 그의 정치적 후원자이자 동지였던 조병세가 민영환 등과 함께 을사조약의 비분에 휩싸여 자결했다. 이소식이 전병훈에게 큰 충격을 안겨 주었다. 이때 그가 통곡했다는 기록이 「실행록」에 보인다.[24] 어쨌건 전병훈은 1907년까지 부령(함경북도 부령군)군수 직을 수행한다.

이때 그는 간도의 형세를 살피며, 국운의 회복을 도모했다. 간도 일대의 국경을 한번 바로잡으면, 수천 리의 옛 땅을 회복할 수 있다는 기대를 품었다고 한다.[25] 하지만 간도는 이미 일본과 러시아의 외교·군사적 각축장이었다. 『황성신문』에 실린 당시 기사에서 오히려 전병훈의 고충을 엿볼 수 있다.

> 부령군수 전병훈 씨가 내부에 보고하였다. 일본인이 경편철도輕便鉄道를 회령지방에 장차 설치하려고 운수運輸에 동원될 역부役夫 만여 명을 요구하므로, 군수가 군사상의 사무를 위해 군민에게 부역에 응할 것을 명했다. 그러나 회사의 상인들이 품삯을 삭감하므로, 곤궁한 난세에 쉽게 이반할 마음을 품는 백성들이 부역에 나가려 하지 않는다. 잘 타이르고 경계해도 백성들이 따르지 않으니, 일이 심히 난처하다고 하였다.[26]

> 지난 달(1907년 5월) 20일에 러시아 육군 보병중위 도극복都克福(?) 씨가 북도北道 지방을 유람차 일어 통역 한 사람을 대동하고 회령군에서 경성군鏡城郡으로 향하였다고 부령군수 전병훈 씨가 내부에 보고하였다.[27]

---

24. 「실행록」, 45쪽.
25. 「실행록」, 45쪽.
26. 富寧郡守 全秉薰氏가 內部에 報告ᄒᆞ되, 日本人이 輕便鉄道를 會寧地方에 將設ᄒᆞᆯ 次로 運輸役夫萬餘名을 請求ᄒᆞᆷ으로 郡守가 軍事上 事務를 爲ᄒᆞ야 令民應役이ᄂᆞ 會社商民이 減削雇價故로 經亂灾歲에 輕懷離心之民이 不願赴役이기 曉諭申飭이되 民不順從ᄒᆞ니 事甚難處라ᄒᆞ얏더라. 『황성신문』 1906년 4월 23일.
27. 去月二十日에 俄國陸軍步兵中尉 都克福氏가 北道地方을 遊覽次로 日語通詞 一人을 帶率ᄒᆞ고 自會寧郡으로 由ᄒᆞ야 鏡城郡으로 向ᄒᆞ얏다고 富寧郡守 全秉薰氏가 內部에 報告ᄒᆞ얏더라. 『황성신문』 1907년 6월 14일.

일본의 군사적 목적을 위한 경철도 건설에 주민을 부역으로 동원하기 어렵다고 호소하거나, 러시아 하급 군장교의 관서지역 시찰 동향을 조정에 보고하는 정도가 전병훈이 할 수 있던 일의 한계였다. 간도 땅의 회복은커녕, 일본과 러시아의 등쌀에 시달리는 백성들을 구제할 방도조차 마땅치 않았다.

5) 도일渡日과 중국 망명

일제는 조선침략의 야욕을 갈수록 노골적으로 드러냈다. 1907년 6월 이준 등을 헤이그 밀사로 파견한 것을 빌미로, 한 달 뒤인 7월 마침내 고종을 강제로 폐위시켰다. 이에 전병훈은 조선을 떠나기로 결심하고, 마침내 일본을 거쳐 중국으로 망명했다. 당시 사정을 『황성신문』이 이렇게 전한다.

> 전 부령군수 전병훈 씨가 지난 해(1907년) 10월에 교육을 시찰하기 위해 우리나라의 옛 의관을 입고 일본국에 건너갔는데, 군부대신軍部大臣과 시종무관장侍從武官長이 만찬을 열고 전씨를 여러 차례 연회에 초대한지라, 전씨가 교육시찰을 마치고 청나라(淸國) 상해로 건너가 지금 시찰 중이라더라.[28]

1907년 10월, 전병훈은 조선의 옛 의관을 차려입은 채 교육시찰 명목으로 먼저 일본으로 건너갔다. 군부대신 등의 고관이 그를 위해 여러 차례 만찬회를 베풀었다고 신문에 보도될 정도였다. 조선의 지식인이자 관료였던 전병훈에게 일본 정부가 얼마나 신경을 썼는지 짐작할 수 있다. 하지만 이것은 순수한 호의와는 거리가 멀었다.

---

28. 前富寧郡守 全秉薰氏가 去年十月에 教育를 視察하기 爲하야 我國 古衣冠을 着하고 日本國에 渡去하얏는디 軍部大臣과 侍從武官長이 晩餐會를 設하고 全氏를 數次 請邀宴待흔지라, 該氏가 教育視察을 畢了하고 淸國 上海로 渡去하야 方今 視察中이라더라. 『황성신문』 1908년 2월 12일.

한일합방을 목전에 둔 상황에서, 전병훈을 감시하고 회유하려는 의도였을 것이다. 그러나 전병훈은 일본의 사정을 살핀 뒤, 이내 중국으로 건너갔다. 그 날짜까지 정확히 알 수는 없다. 하지만 위의 기사가 1908년 2월 중순에 나왔으므로, 그전에 상해로 건너간 것은 틀림없다. 한편 「실행록」에도 당시 상황을 진술하는 기록이 남아 있다.

> (전병훈이) 망명길에서 동경을 지나는데, 일본 고위관료들의 의심이 심해 "배를 부려서 인천으로 보내주겠다"고까지 했다. (전병훈이) 고사하며 특히 경고해 말했다. "약자를 돕고 망하는 자를 지켜 주는 공명功名이, 남을 멸망시키는 악명惡名보다 낫지 않겠는가?"[29]

전병훈은 인천으로 귀국하는 배를 대주겠다는 일본 고위관료들의 회유를 거절했다. 그리고 '일본이 조선을 침략했다는 역사의 오명을 뒤집어쓰지 말라'는 취지의 경고까지 남겼다. 그리고 중국으로 망명을 떠나니, 「실행록」에 당시의 심경을 읊은 짧은 글이 전한다.

> 마음은 건곤乾坤 밖에서 돌고, 이름은 우주宇宙 간에 떠도네.[30]

비록 10자에 불과한 단구短句지만, 천지 너머 시공을 배회하는 디아스포라의 절제된 통한이 큰 울림으로 다가온다.

6) 소결: 전병훈의 국내 거주기

전병훈은 관서의 한미한 집안 출신으로, 어려서 병약해 비교적 늦게 독서를

---

29. 路過東京, 其大僚輩疑甚, "謂以御船途仁川." 固辭而特警告曰, "扶弱保亡之功名, 不爲勝於殘滅之惡名乎?" 「실행록」, 46쪽.
30. 心運乾坤外, 名留宇宙間. 「실행록」, 46쪽.

시작했으나 30대 중반까지 오로지 학문에 전념했다. 화서 이항로의 제자인 박문일의 문하에 들었고, 고향을 떠나 역시 화서의 제자인 유중교를 비롯해 조병세의 사위였던 이용직 등을 만나 교류했다.

점차 그의 학덕이 알려지면서 조정에 천거가 이어졌지만 고사하고, 고향으로 돌아가 관서 일대에서 학문연마와 풍속교화에 힘썼다. 이때까지가, 그의 인생에서 제1기에 해당한다. 1892년 36세로 관직에 오른 후의 삶은 제2기라고 할 수 있다.

일찍이 전병훈이 수학했던 화서의 문인들은 대개 주리主理이념에 투철한 수구파로, 명분을 중시하고 현실정치와 권문을 멀리했다. 전병훈 역시 권문세가와 거리를 두었지만, 점차 완고한 보수주의에서 벗어나 경세치용과 이용후생에 눈을 돌렸다.

그는 『반계수록』 등의 개혁안을 깊이 연구하고 폐정쇄신을 위해 적극적으로 노력했다. 하지만 김홍집 등의 친일 개화사상에는 부정적이었으며, 조병세·김병시 등과 함께 온건 보수의 견지에서 자주적이고 주체적인 독립을 추구했다.

또한 명분에 치우친 추상적 담론보다 구체적인 정책을 중시했고 서양문물과 국제정세에도 상당히 해박한 면모를 보였다. 이 시기에 『동강야설』과 『백선미근』 그리고 「만언소」 등을 저술했고, 그 가운데 현존하는 글에서 그의 사상적 궤적을 읽을 수 있다.

그렇지만 이때까지 전병훈은 어디까지나 유교적 왕도사상에 철저한 전형적인 조선의 유학자이자 관료였다. 서구문물을 이단으로 배격하는 이념적 편향이 여전했다. 또한 훗날 그의 정신철학에서 골간이 되는 도교와 내단학에 관한 이해도 거의 희박했다.

이런 학문의 협소함은 전병훈 개인의 한계이기 전에, 당시 조선 지식계의 전반적인 한계였다. 그는 중국에 망명해서야 비로소 조선의 통치이념으로 경화된 성리학의 도그마에서 해방됐으며, 유불도 3교와 서양철학을 아울러 조망하는 광대하고도 원융한 학문세계로 도약한다.

끝으로 전병훈이 망명길에 오른 것이 단지 일본의 조선침략에 분개해서만은 아니라는 사실에 주목할 필요가 있다. 그는 일제의 침략 이전에 당시 사대부들의 안일한 현실인식과 붕당의 폐해에 먼저 좌절했다. 주변 열강이 호시탐탐 조선을 노리는데, 무능하고 부패한 조정 관료들은 구태의연하기 이를 데 없었다.

이를 비판하고 국정의 쇄신을 주장했던 전병훈은, 끝내 변방으로 내몰렸다. 이렇게 밀려난 변방에서, 그는 1905년 을사늑약의 국치를 지켜봤다. 그리고 자신의 정치적 후원자이자 동지였던 조병세와 민영환 등이 자결하는 비보에 통곡했다. 급기야 1907년 7월에는, 헤이그 밀사 사건을 빌미로 고종이 일제에 의해 강제로 폐위되기에 이른다.

사태가 이 지경으로 치닫자, 그해 10월 전병훈이 마침내 조선을 떠나 일본을 거쳐 중국으로 건너갔다. 당시 그의 도일渡日이 '교육시찰'을 명목으로 했듯이, 역사의 험난한 도전에 직면해서 그는 조선의 낡은 이념과 체제에서 벗어나 더 큰 세계로 눈을 돌렸다.

그리하여 동아시아 변방의 편벽한 유학자에서, 그때까지와는 전혀 다른 길로 뚜벅뚜벅 걸어 나갔다. 동서고금을 망라해 새로운 철학의 패러다임을 창조하는 세계철학자의 길, 훗날 그 스스로 '철학의 혁신'으로 부른 정신철학의 지평을 여는 모험이 시작된 것이다. 전병훈 인생의 제3기가 이렇게 열렸다. 그때 그의 나이가 이미 50세였다.

2. 중국 망명기(1908~1927): 건곤乾坤 밖 우주 사이를 떠돌다

1) 중국 망명 연대의 문제

지금까지 전병훈이 중국으로 망명한 연대는 대개 1907년으로 알려졌다. 1931년 전씨대동종약소全氏大同宗約所에서 발간한 『전씨총보』 제6권에 "(전병훈이) 정미丁未년에 관직을 사임하고 중국에 들어갔다"[31]는 기록이 보인다. 정미년은 헤이그 밀사 사건을 계기로 고종이 강제로 퇴위되고, 순종이 즉위한 1907년이다.

그런데 이 기록을 처음 학계에 보고한 글에서 "전병훈은 50세에 사임하고, 1907년 한 척의 배로 황해를 건너 중국으로 망명길에 오르게 된다"[32]는 약간의 비약이 있었다. 그리고 이를 근거로 다시 엇갈린 진술이 나왔다.

예컨대, 일련의 사건을 고도로 축약해서 "순종이 즉위하던 해(1907) 50세에 관직을 버리고 중국 광동廣東으로 건너가 『주역참동계』를 연구했다"[33]고 하거나, "50세 때에 관직을 사임하고 1907년 배로 황해를 건너 중국으로 망명길에 오르게 된다. 1907년 상해를 거쳐 금릉에 도착했다"[34]고 잘못 추정하는 등의 사례가 있다.

문맥상 생략과 비약이 포함된 이런 진술은 독자의 오해를 부를 수 있다. 사료를 면밀히 검토할 때, 전병훈은 1907년 조선을 떠났지만 직접 황해를 건너 중국으로 가지 않았다. 또한 망명 후 곧바로 광동으로 건너가지도 않았다.

게다가 1907년 상해를 거쳐 금릉에 도착했다는 진술은 연대가 잘못됐다. 전병훈은 1907년 늦가을 조선을 떠났으며, 중국에 가기 전에 먼저 일본을 경유했다. 그리고 정확한 시점은 불분명하나, 늦어도 1908년 2월 이전에 동중국해를 건너 상해에 도착했다.

앞서도 말했지만, 「실행록」에 전병훈이 일본 동경을 거쳐 중국으로 건너갔다는 기록이 보인다.[35] 『황성신문』 1908년 2월 12일자도 그가 1907년 10월 조선을 떠나 일본을 시찰한 뒤에 상해로 건너가 머물고 있다는 기사를 싣고 있

---

31. 丁未掛冠, 入華中. 『全氏總譜』 6권, 39쪽.
32. 윤창대, 『정신철학통편』(우리출판사, 2004), 29쪽.
33. 김낙필, 「曙宇 全秉薰의 道敎思想」, 한국도교문화학회, 『도교문화연구』 제21집 (2004), 113쪽.
34. 임채우, 「전씨 문중 자료를 통해 본 전병훈의 생애에 대한 고증연구」, 한국도교문화학회, 『도교문화연구』 제22집 (2005), 79쪽.
35. 路過東京. 「실행록」, 46쪽.

다.[36] 즉 1908년 2월 당시, 전병훈은 막 상해에 도착해서 아직 그곳에 있었다.

그렇다면 그는 1907년이 거의 저물 무렵이나 1908년 초에야 비로소 본격적인 중국 생활을 시작했던 셈이다. 따라서 본 연구에서는 1908년부터 그가 사망하는 1927년까지를 '중국 망명기'로 분류한다.

2) 금릉 시기(1908~1909)

금릉 시기의 행적과 교유관계

중국 망명 초기에 전병훈은 상해를 거쳐 남중국의 중심이었던 금릉金陵(현재의 南京)으로 건너갔다. 그리고 잠시 지인의 집에 머물면서 현지 인사들과 사귀는데, 특히 이 무렵에 쉬샤오전徐紹楨(1861~1936)을 만났다. 이를 계기로 금릉에서 전병훈의 교유관계가 크게 확장되었다. 쉬샤오전은 광동廣東 출신의 청나라 무장으로, 1907년 창립된 육군 제9진의 통제사統制使를 맡고 있었다.

쉬샤오전

훗날 그는 신해혁명에서 중추적인 역할을 하며, 군부의 요직을 거쳐 쑨원孫文 정부의 광동성장廣東省長과 내정부장內政部長(내무장관)까지 역임하게 된다. 그는 전병훈이 금릉 일대에서 각계의 명사들과 교류하도록 주선했고, 오랫동안 각별한 인연을 이어갔다. 『정신철학통편』에 실린 아래 글에서 전병훈에 대한 쉬샤오전의 존경심을 엿볼 수 있다.

> 쉬샤오전(호號 고경固卿, 육군상장陸軍上將)이 말했다. "선생은 우주의 청명하며 곧고 바른 기氣를 지니고 태어났다. 불우한 때를 만나 공훈과 치적이 비록 크게 드러나지는 않았으나, 가르침을 편 바는 큰 계책에 많이 관련됐다.

36. 김성환, 「曙宇 全秉薰의 생애와 저술에 대한 종합적 연구(1)」, 223쪽.

옛 명신名臣의 기풍이 있어, 나라를 떠나 떠돌면서도 중국과 일본의 현사賢士 대부大夫들과 많이 사귀었다.
탁월하구나! 기자가 봉해진 옛 나라의 신령스런 빛이여. 저술이 넓고 풍부하여 도덕과 문장을 전 세계(五洲)가 숭상해 우러른다. 주강珠江의 명성만 유독 가득하지 않고, 산봉우리에 걸린 구름만 빛을 발하지는 않네[선생의 명성과 광채 역시 그에 못지않다.—역자 주]."[37]

장런쥔

쉬샤오전은 전병훈에게 장런쥔張人駿(1846~1927)을 소개했다. 그는 전병훈보다 열한 살이 많았고, 1907년부터 양광총독兩廣總督을 역임했다. '양광총독'은 청나라 최고위 봉강대신封疆大臣의 하나로, 광동과 광서廣西를 아울러 관할했다. 그 뒤 장런쥔은 1909년부터 양강총독[38] 겸 남양대신南洋大臣[39]이 되었는데, 1911년 무창봉기(武昌起義)가 폭발하고 신해혁명이 일어나자 이에 맞서다 결국 정계에서 은퇴해 말년을 보내게 된다.

어쨌거나 전병훈이 만날 당시, 장런쥔은 청나라 최고위의 정치인이자 남중국의 실권자의 한 명이었다. 그런 인사가 조선의 망명객이었던 전병훈을 극진히 환대한 것은 이례적이었다. 장런쥔은 물심양면으로 전병훈을 후원했다. 은나라가 망하자 미자微子가 주나라로 갔던 예우로 환대하고, 관사를 제공했다.[40] 당시 화폐로 매달 100위안(元)을 지원하기도 했다.[41]

---

37. 徐公紹楨(號固卿, 陸軍上將)曰, "先生秉宇宙清明正直之氣以生. 遭時不偶, 功勳政績, 雖不獲大著, 而所陳多關大計. 有古名臣風, 出游多交中日之賢士大夫. 卓哉! 爲箕封古國之魯靈光矣. 著述宏富, 道德文章, 五洲宗仰, 不獨珠江譽滿, 嶺雲增色已也." 『통편』, 4쪽.
38. 봉강대신으로 강소江蘇·안휘安徽·강서江西 세 성을 관장.
39. 상해와 장강 일대 및 복건福建의 대외통상과 세무를 관장하던 관직.
40. 入華中. 粵督張人駿, 待以微子適周, 特設館. 『全氏總譜』 6권, 39쪽.
41. 入華在粵, 張督人駿, 月致百元. 「諸家題評集」, 47쪽 '捐賑誦佛' 조.

그런데 전병훈은 더 나아가 각계 요로의 명사들과 교류를 확대하고 '중한대동학회中韓大同學會'의 결성까지 시도했다.[42] 당시의 긴박하고도 혼란한 상황에서 이 모임이 결실을 맺기는 어려웠다. 하지만 전병훈의 대외활동과 교유관계는 실로 놀라운 바가 있었다.

그는 오로지 자신의 학식과 인품으로 현지의 최고위 인사들을 감화시키고 다른 명사를 소개받는 식으로 관계를 넓혀 나갔다. 특히 금릉 시기에 전병훈은 아직 내단학을 연마하기 전이었다. 즉 조선에서 익힌 학덕과 인품만으로도 그는 현지인들로부터 충분히 인정받았다. 전병훈을 만날 당시 이미 환갑이 넘었던 장런쥔은 그런 전병훈의 풍모를 오랫동안 기억했다.

> 장런쥔(호 안포安圃, 전 청나라 한림翰林, 양광총독)이 말했다. "층진 노을 아래 우연히 만나 친해졌다. 인품이 참되고 순수하며, 빼어난 용모가 세상에 뛰어난 기풍이 있네. 도연명이 은둔하던 풍모와 어찌 그리 같은가? 학문이 공자의 뒤를 이어 도에 조예가 깊고, 형벌을 멀리하고 예로 다스리는 논의가 언제나 주례周禮의 문명을 품고 있네."[43]

금릉 시詩 3편

한편 금릉에서 전병훈이 지은 한시 3편이 있다. 전씨대동종약소에서 1918년 간행한 『전씨종약휘보·문원文苑』에 실렸다. 이는 금릉에서 전병훈의 행적과 교유관계를 살피는 귀중한 자료다. 이 시문을 처음 학계에 보고한 연구에서는, 그것이 모두 남경의 같은 자리에서 동시에 지어졌다고 추정했다.[44]

그러나 필자가 다시 면밀히 검토했다. 그 결과 전병훈이 이를 금릉에서 지

---

42. 「실행록」, 46쪽.
43. 張公人駿(號安圃, 前淸翰林, 兩廣總督)曰, "層霞傾蓋, 粹然有玉貌高世之風. 何如靖節肥遯? 學承鄒魯, 深造以道. 禮治刑措之議, 恒懷周官之文明. 『통편』, 2쪽.
44. 임채우, 「전병훈의 미공개 자료 연구」, 한국동서철학회, 『동서철학연구』 제39호 (2006), 139~143쪽.

은 것은 맞지만, 모두 같은 장소에서 동시에 나온 것은 아니라는 결론에 이르렀다. 먼저 「금릉 남성의 문루에 올라 옛일을 회고한다」는 시부터 살펴보자.[시a]

> 봄비 젖은 금릉의 새벽에 배를 대었네.
> 높은 문루에 올라 백 년의 시름 쓸어내린다.
> 산천에 온통 자욱한 기운 가득한데,
> 천지 가운데 아름답고 수려한 고을이 열렸어라.
> 달빛 넘치는 옛 궁궐에 향긋한 안개 깔렸고,
> 바람 맑은 거리에는 얇은 연기 흐른다.
> 천하로 고개를 돌리니 남아로 태어나 이미 늙었구나.
> 일찍이 여기 중국에 나지 못한 것이 한스러워라.[45]

여기서 전병훈이 올랐던 문루(金陵南城門樓)는 오늘날 남경의 '중화문中華門'으로 추정된다. 옛 이름이 '취보문聚寶門'인 이 문루는 남경성 내성內城의 남문으로 명대에 중건됐으며, 중국에서 현존하는 최대 규모의 성보식城堡式 옹성甕城의 일부를 이룬다.

규모가 웅장하고 풍광이 수려해서 지금도 많은 탐방객이 찾는 명승지다. 그 문루는 남경에 흐르는 내·외 두 갈래의 진회하秦淮河 사이에 위치하므로, 지금부터 백여 년 전 이 강안에 배를 대고 성루에 오르는 전병훈의 모습을 가히 상상할 수 있다.

상해를 거쳐 금릉으로 넘어간 1908년이나 1909년의 어느 봄날, 전병훈은 금릉 남쪽의 문루에 올라 한 수의 시를 지었다. 봄비 내린 뒤의 생기로 가득한 새벽에, 그가 높은 성루에 올라 인근의 수려한 풍광을 조망하며 옛일을 회고하는 풍경이 생생하게 그려진다.

---

45. 春雨金陵曉泊舟, 登高一蕩百年愁. 山河盡帶氳氤氣, 天地中開佳麗州. 月滿古宮香霧宿, 風淸綺陌淡煙流. 回頭宇內男兒老, 恨未曾生此夏州. 「登金陵南城門樓懷古」, 『全氏宗約彙報·文苑』 38쪽.

이른 새벽이라 달빛이 아직 옛 궁궐터를 비추는데, 신산하고 맑은 바람이 거리에 깔려 흐른다. 천 년 고도의 웅장한 성루에서, 장강長江 이남의 너른 천하를 둘러본다. 하지만 먼 길 떠나온 사내는 이미 초로의 나이를 지났고, 그의 나라는 패망했다. 눈앞의 풍광을 그저 아름답게만 음미할 수 없는 50줄 넘은 외로운 망명객의 회한이 다시 그의 심장을 도려낸다.

그러니 "일찍이 중국에 나지 못한 것이 한스럽다"는 시어가 어찌 단지 중국에 대한 찬미의 언명일 뿐이겠는가. 앞서 조국을 떠나며 서우가 토로했다. "마음은 건곤 밖에서 돌고 이름은 우주 사이에서 떠도네."[46] 그런 노정객의 회한이, 새로 도착한 망명지에서 다른 문맥으로 표현되었을 따름이다.

한편 『전씨종약휘보』에는 「금릉에서 서제독徐提督을 송별하다」 라는 시도 보인다. 제목 그대로 새 임지를 향해 출발하는 쉬샤오전을 떠나보내며 지은 송별시이다. 내용은 아래와 같다.[시b]

> 들녘에 나무 푸르고 꾀꼬리 나는데,
> (그대가) 상장군으로 부임해 떠나며 군복을 갈아입었네.
> 태양처럼 붉은 대장기 성곽으로 나가고,
> 푸른 구름처럼 높은 전함 강을 건너 돌아온다.
> 사람들은 (그대를) 강남의 대들보에 비겨 보지만,
> 나는 (그대가) 조정의 고귀한 대신이 되길 바라네.
> 이별하는 좌석(離亭)에서 누군들 애석하지 않겠는가마는,
> 먼데서 온 망명객이 갈림길에서 (그대와) 헤어지기 가장 어렵네.[47]

이 시의 작성연대를 가늠할 수 있는 단서는, 제목에 보이는 '서제독徐提督'의

46. 心運乾坤外, 名留宇宙間. 「실행록」, 46쪽.
47. 野樹蒼蒼黃鳥飛, 啓行上將換征衣. 牙纛日紅傾郭出, 樓船雲碧過江歸. 人擬淞淮銅柱望, 我期廊廟蓍龜依. 離亭孰不忙然惜, 遠客最難岐路違. 「金陸送徐提督」, 『全氏宗約彙報 · 文苑』.

호칭과 "상장군으로 부임해 떠나며(啓行上將)"라는 시구에 있다. 1908년(광서光緖 34) 쉬샤오전이 강북제독江北提督에 임명돼 남경을 잠시 동안 떠난 사실이 있다.[48] 제독의 지위가 상장군에 상응한다는 점을 감안할 때, 위의 시는 대략 그 무렵 작성됐을 것이다.

그때가 1908년 4월 하순이었으므로, 계절로 본다면 서우가 비교적 가까운 시기에 첫 번째와 두 번째 시를 썼을 것이다. 하지만 그것이 같은 자리에서 동시에 나왔을 가능성은 그다지 높지 않다. 무엇보다, 시작時作의 배경과 상황이 판이하게 다르다.

먼저 [시a]는 '금릉 남쪽 성의 문루(金陵南城門樓)'가 무대다. 처음 오른 남성 문루에서 넓게 펼쳐지는 경관을 조망하며, 역사 속의 옛일과 자신의 처지를 고즈넉하게 회고한다. [시b]는 '송별연 좌석(離亭)'이 무대다. 여러 사람이 모여 임지로 떠나는 쉬샤오전을 위해 환송歡送 연회를 베푼다. 대장기가 걸려 나가고 전함이 들어온다. 공식적인 이임離任 행사장이라는 것을 알 수 있다.

이처럼 두 편의 시는 제각각의 풍광에서, 서로 다른 상황의 시정詩情을 담는다. 그러므로 두 시가 같은 장소에서 동시에 지어졌다고 추론하기에는 무리가 있다. 하지만 정작 중요한 것은, 쉬샤오전이 강북제독으로 부임하던 1908년 4월 무렵에 서우가 남경에 체류했으며, 군 고위 지휘관 이임행사의 공식 환송연에 초빙될 만큼 대우받았다는 사실이 [시b]로 입증된다는 데 있다.

한편 아래에서 살필 마지막 한 수의 시는 [시a] [시b]와 더욱 확연히 구분된다. 「남경을 떠나며 남양대신南洋大臣 단오교端午橋, 원수元帥 서고경徐固卿, 그리고 남도南都의 여러 사대부들과 이별하다」라는 긴 제목의 시를 살펴보자.[시c]

> 일찍이 한학漢學을 듣고 헛되이 매진했건만,
> 중국을 따라 놀던 한바탕 긴 꿈이었네.
> 주나라 예악의 정통이 동쪽 노나라로 넘어갔다면,

48. 徐紹楨暫署江北提督. 『淸實錄』(『大淸曆朝實錄』), 「德宗實錄」 卷之五百九十, 光緖三十四年四月下.

그 문명의 여운을 이제 남쪽 고을(南京)에서 본다.
먼 바다에 뜬 느린 돛단배처럼 고독한 신하의 눈물이여,
서쪽으로 피신해 곤궁한 길을 가는 늙은 말의 슬픔이여.
가장 좋은 금릉의 명승지에
나를 불쌍히 여긴 장상將相들이 넓은 장소를 빌려주었네.[49]

이 시는 전병훈 본인의 학문에 대한 겸사謙辭로 시작해서 중국의 오랜 문명이 남경에 남아 있음을 찬탄한다. 그런 뒤에 고독하고 곤궁한 망명객의 처지를 한탄하고, 그런 자신을 후대해 준 남경 명사들에게 고마움을 표하는 내용으로 이뤄져 있다.

그런데 [시c]는 전병훈이 다른 사람을 떠나보내면서 지은 송별시가 아니다.[50] 그것은 떠나는 사람이 남아 있는 사람에게 작별을 고하는 '유별시'다. 시의 제목에 '유별留別'이라고 분명히 명시했고, 유별의 대상도 구체적으로 거열하고 있다. 남양대신 단오교, 원수 서고경, 그리고 남경의 여러 사대부들이다.[51]

그러므로 [시a] [시b] [시c]가 모두 한자리에서 동시에 나왔다는 건 상식적으로 납득하기 어려운 추론이다.[52] 그보다 주목할 필요가 있는 것은, 전병훈의 유

---

49. 早聞漢學空埋頭 一夢長隨赤縣遊. 詩禮正宗進東魯 衣裳餘韻見南州. 帆遲遙海孤臣淚 西遯窮途老馬愁. 最好金陸名勝地 矜憐將相借寬區. 「留別南京南洋大臣端午橋元帥徐固卿與南都諸士大夫」, 『全氏宗約彙報 · 文苑』. 필자가 앞서 발표한 논문(「曙宇 全秉薰의 생애와 저술에 대한 종합적 연구(2)」, 도교문화학회, 『도교문화연구』 39집)에서 '관구寬區'를 '넓은 거처'로 번역했다. 한데 거듭 생각하니, 시문의 흐름상 그게 전병훈이 머물던 거처일 수도 있고 송별 연회장일 수도 있다. 해서, 여기서 '넓은 장소'로 바꾼다.
50. 앞선 연구에서는, 양강총독 단오교가 직예총독直隸總督으로 전직하던 송별연에서 전병훈이 이 시를 지었고 그 시기가 1909년 봄이라고 추정했다(임채우, 위의 글, 141쪽). 그러나 단오교가 남경을 떠난 시기는 봄이 아니라 초여름이다. 단오교(뚜완팡)는 1909년 6월 28일 직예총독으로 발령받았다. 1909년 6월 전임 직예총독 양스양楊士驤이 병으로 절세하자, 청 조정에서 뚜완팡을 긴급하게 직예총독으로 임명했다(尹传刚, 「端方的"拍照门"及其"革职案"」, 『文史春秋』 2012年 第6期).
51. 시의 제목이 "留別南京南洋大臣端午橋元帥徐固卿與南都諸士大夫"임에 주목해야 한다.
52. [시a] [시b] [시c]가 모두 단오교가 직예총독直隸總督으로 취임하던 송별연 자리에서 나

뚜완팡

별시에 등장하는 인물들의 면면이다. 특히 단오교를 눈여겨볼 필요가 있다.

단오교端午橋의 이름은 뚜완팡端方(1861~1911)이다. 오교午橋는 자字다. 그는 만주족 귀족가문 출신으로, 청 말에 정국을 장악한 4대 총독의 한 명이었다. 훗날 북양정부의 초대 총통이 된 위안스카이遠世凱와 겹사돈이기도 했다. 그는 1905년 미국·영국 등 구미 국가와 일본까지 10개 나라를 순방하고 돌아와, 양강총독 겸 남양대신을 역임했다.

뚜완팡은 서구문물과 국제정세에 밝았고, 1857년생인 전병훈보다 나이가 네 살 적었다. 그의 이름이 유별시의 앞머리에 보이는 것으로 미뤄, 비슷한 연배였던 두 사람 사이가 상당히 각별했다고 추정된다. 단지 뚜완팡이 50세가 되던 1911년 사천의 혁명운동 와중에서 불의로 피살됐기 때문에, 두 사람의 인연이 더 길게 이어지지는 못했다.

그렇지만 훗날 편찬된 「제가제평집諸家諸評集」[53]에 전병훈을 찬탄하는 뚜완팡의 언명이 보인다. "세상에서 말하는 기자의 유풍이 물거품이 되지 않아 이에 다시 이 사람을 보게 되었네." 뚜완팡은 서우의 애국심을 한대漢代의 명신인 가의賈誼와 조조晁錯 등에 비견하는 말을 남기기도 했다.[54]

한편 뚜완팡과 함께 유별시에 이름이 오른 서고경徐固卿은 앞서도 언급한 쉬샤오전이다. '고경'은 그의 호다. 두 사람을 비롯한 남경의 사대부들(南都諸士

왔다고 추론한 것부터가 화근이었다(위의 각주 50참고). 한데 단지 시작時作의 시점과 장소만을 따지는 문제라면 경미한 사안이라, 본서에서 굳이 글로 남길 필요도 없다. 하지만 그 고증이 남경에서 전병훈의 행적과 관련해 중요한 실마리를 제공하므로, 바로잡지 않을 수 없다. 하나 이런 질정質正도 선행연구에 빚을 지고 있음은 물론이다.

53. 이하 본문에서 「제평집」으로 약칭한다.

54. 兩江總督端方號午橋曰 "世稱箕子遺風未沫, 乃復見斯人." 「諸家題評集」, 46쪽 '箕子' 조. 그 밖에 '張邵匡劉賈晁' 조에 "端午橋曰 '忠君愛國之誠有(匡劉賈晁之風)力'"이라는 구절도 보인다.

大夫)과 유별하면서, 전병훈은 [시]를 지었다. 제목으로 보건대, 그 시기는 뚜완팡이 아직 양강총독 겸 남양대신으로 재직할 당시였다. 왜냐하면, 뚜완팡이 1909년 6월 28일 직예총독直隸總督으로 발령받아 남경을 떠나기 때문이다.[55]

그러므로 전병훈이 광동으로 건너간 시점은 그 이전이어야 한다. 그래야 서우의 송별연에 뚜완팡이 참석할 수 있기 때문이다. 한편 쉬샤오전이 1908년 봄(4월)에 강북제독을 잠시 맡아 남경을 떠났지만,[56] 서우가 '유별시'[시]를 작성했던 무렵에는 다시 남경에 돌아와 있었다는 사실도 알 수 있다.

어쨌거나 서우는 늦어도 1909년 6월 말 이전에 남경을 떠나 광동성으로 이주한다. 그렇다면 1908년 2월 중순까지 상해에 머물렀던 전병훈이 금릉에 체류한 기간은 기껏해야 1년 남짓에 불과했던 셈이다. 그처럼 짧은 기간에, 그는 강남의 명사들과 두루 교류하고 깊은 교분을 쌓았다.

더구나 당시 강남 최고의 군지휘관으로 명성이 높던 쉬샤오전은 물론, 강소江蘇·안휘安徽·강서江西 세 성을 관장했던 남중국 최고위의 양강총독 뚜완팡까지 전병훈을 송별하는 자리에 참석했다. 조선의 일개 망명객에 대한 예우로 보자면, 상규常規를 크게 벗어난 장면이다.

이 역시 강남 조야에서 전병훈의 명망이 어땠는가를 족히 보여준다. 청 말 최고권력자의 한 사람으로, 20세기 초에 서방 여러 국가를 순방하고 돌아와 국제정세에 밝던 뚜완팡 같은 인물과의 교류는 서구세계에 대한 서우의 인식확장에도 적잖은 영향을 미쳤을 것이다.

---

55. 위의 각주 50번 참고. '직예直隸'는 수도와 맞붙은 성省으로, 우리나라로 치면 경기도 정도에 해당했다. 지금의 천진天津과 하북성河北省 대부분 그리고 하남河南과 산동山東 일부 지역까지 포괄했다. '직예총독'은 직예성의 최고위직으로, 지금의 하북성 보정시保定市에 그 관부가 있었다. 청나라 9개 권역의 지역수장(封疆大吏) 가운데서도 서열이 가장 높았다.

56. 위의 각주 48번 참고.

3) 나부산 시기(1910~1913)

내단학의 입문과 연마

망명 후 금릉 일대의 명사들과 교우하던 전병훈이 광동으로 건너가 내단학을 연마하게 된 계기는 분명치 않다. 다만 전병훈 스스로 이렇게 말했다.

> 내가 본래 유학을 업으로 삼았으나 나이 50이 되도록 성취가 없고, 도道가 이뤄지는 효험을 보지 못했다. 그러다가 동월東粤(지금의 광동성) 지역을 떠돌며 『주역참동계』를 연구했으나, 스스로 해득하지 못하고 마침내 나부산羅浮山에 들어가 참 스승(眞師)인 고공섬古空蟾 선생을 만났다.[57]

위에서 살폈듯이 장런취은 전병훈이 "공자의 뒤를 이어 도에 조예가 깊고 주례의 문명을 품고 있다"고 찬탄했다. 그러나 정작 전병훈 본인은 "내가 본래 유학을 업으로 삼았으나 나이 50이 되도록 성취가 없고, 도가 이뤄지는 효험을 보지 못했다"고 진술했다. 조선에서 오십 평생을 쌓아 온 유학의 소양만으로도 중국 최고의 명사들을 감화시키기에 충분했으나, 막상 본인은 자신이 익힌 유학의 한계를 통감했다.

그리하여 전병훈의 인생에서 극적인 전환이 일어난다. 1909년 6월이 지나기 전의 어느 날, 그는 홀연히 남경을 떠나 광동으로 이주했다. 여기서 『주역참동계』를 읽는 등 내단학을 연구했으며, 마침내 나부산에 들어가 도사 고공섬古空蟾을 만나 도를 구했다.

공섬은 이름이 아닌 호號다. 한자어 공섬空蟾은 '허공의 달(빛)'을 뜻한다. 여기서 섬蟾은 곧 두꺼비로, 예로부터 사람들은 달에 두꺼비가 산다고 믿었다.[58] 곤륜산의 여신인 서왕모西王母의 시종이었던 항아姮娥가 불사약을 훔쳐 남편

---

57. 余素業儒, 五十無成, 未見道凝之驗, 而梗漂東粤, 硏究周易參同契, 不能自解, 遂入羅浮山, 遇眞師古空蟾先生. 『통편』, 20쪽.

58. 月中有蟾蜍. 『淮南子·精神訓』.

명明대 왕기王圻가 편찬한 『삼재도회三才圖會』에 실린 〈나부산도羅浮山圖〉

인 예羿를 살리고 달로 도망쳤다. 그 벌로 서왕모가 항아를 두꺼비로 바꿔 버렸다. 그리하여 두꺼비가 달을 상징하고, 항아는 도교에서 달의 신으로 태음성군太陰星君이 됐다.

한편 달(빛)은 세속을 초월한 자연의 고상한 아름다움을 표상하기도 한다. 일찍이 송宋의 범단신範端臣이 「염노교念奴嬌」라는 사詞를 지었다. 거기서 '허공을 가르는 달빛'이란 뜻의 "비공섬백飛空蟾魄"이란 명구名句가 사람들의 마음을 사로잡았다.[59] 이런 배경에서 '공섬空蟾'은 세속을 초월한 산중의 고아한 기상과 불사약을 구하는 도인의 풍모를 함께 상징했다.

특히 고공섬이 은둔한 나부산은 북송의 저명한 도사 백옥섬白玉蟾이 수도한 장소로 유명하다. '옥섬'의 호 역시 달 속의 두꺼비를 가리킨다. '공섬'과 의미가 상통하는 것이다. 아마도 고공섬이 백옥섬을 기려 본인의 호를 지었을 가능성이 높다.

---

59. 玉樓絳氣卷, 霞綃雲浪, 飛空蟾魄. 人世江山驚照耀, 煙靄鼇峰千尺. 陸海蓬壺, 銀葩星暈, 點破琉璃碧. 有人吟笑, 紫荷香滿晴陌. 況是東府君侯, 西清別騎, 樽俎開華席. 迤邐飛輪催杖履, 入對青藜仙客. 襦袴歌謠, 升平風露, 拼取金蓮側. 梅花吹動, 滿城依舊春色. 範端臣, 「念奴嬌」.

하지만 고공섬의 면모는 아직까지 베일에 싸여 있다. 나부산 현지를 답사하고 여러 자료들을 탐색해도 여간해서 단서가 잡히지 않는데, 일단 전병훈이 남긴 기록을 중심으로 살피기로 하자.

고공섬과의 만남

먼저 『선불가진수어록仙佛家眞修語錄』에 포함된 전병훈의 글에 따르면, 고공섬의 본명은 구청밍古誠明이다. "나이가 90세에 감발紺髮"이었다고 한다.[60] '검은빛이 감도는 푸른색 모발'을 뜻하는 감발은, 원래 불교에서 부처의 머리카락을 상징했다. 그것이 훗날 도교에서 득도한 도인의 머리칼을 일컫는 말로 확대됐다. 혹은 보통 검푸른빛의 머리카락을 가리키기도 했다. 여기서는 두 의미를 모두 함축한다. 『정신철학통편』에 이런 글이 실려 있다.

> 나는 경술년(1910) 봄에 처음 고 선생을 만났다. 선생은 구학문의 거봉으로 입산해 면벽을 한 지 이미 7년이었고, 백발이 거의 검게 돌아와 있었다. 단지 반 치(寸) 정도 남아 있던 백발도 이듬해에 모두 검게 되었다. 그러므로 그가 도를 이뤄서 스스로 감추지 못한다는 것을 사람들이 모두 알게 되었다. 아! 내가 경이로움에 심히 놀라 탄식했다. "세상에 이토록 신비로운 기험奇驗이 과연 있구나!"[61]

이 기록에서 다음 몇 가지 사실을 알 수 있다.

첫째, 전병훈은 1910년 경술년 봄에 나부산에서 처음 고공섬을 만났다. 그런데 앞서 그가 "동월지역을 떠돌며 『주역참동계』를 연구했으나 스스로 해득

---

60. 羅浮山空蟾先師(姓名古誠明), 玄關打坐式傳逑(支那人, 九十歲紺髮). 『仙佛家眞修語錄』 3쪽.

61. 余於庚戌春, 始遇古先生. 先生以舊學巨子, 入山面壁已七年, 白髮幾乎還黑, 只半寸留白者, 翌年盡黑. 故人皆知其成道而自不能諱掩也. 烏乎! 余甚愕異而嘆 "世果有如此神化之奇驗乎." 『통편』, 70쪽.

하지 못하고 마침내 나부산에 들어갔다”[62]고 진술했다. 따라서 고공섬을 만나기 전부터, 이미 도교 내단학을 연구하기 시작했음을 알 수 있다.

하지만 그게 언제인지는 정확히 알기는 어렵다. 다만 위에서 살폈듯이, 서우가 1909년 6월 전에 남경을 떠나 광동으로 건너간 것은 거의 확실하다. 그러므로 대략 이 무렵부터, 그가 본격적으로 내단학에 입문했다고 추정할 수 있다.

둘째, 1910년은 고공섬이 나부산에서 수도한 지 7년이 지난 뒤였다. 그리고 수련이 상당한 경지에 올라 백발이 다시 검게 돌아오는 감발의 징험을 보였다. 여기서 ‘감발’은 실제로 그의 머리가 검어졌다는 사실과 함께 득도한 도인을 표상하는 기호이기도 하다. 그런데 전병훈이 1918년(戊午) 저술했던 문건에는 고공섬의 나이를 90세로 기록했다.[63]

이를 토대로 추산하면, 고공섬은 1903년 무렵 75세 안팎에 입산했으며, 전병훈을 만난 1910년에 82세 전후였다. 75세의 백발노인이 심산의 도관에 들어와 7년 동안 면벽수행을 한 뒤 80세가 넘어 흰머리가 모두 검게 변했으니, 실로 예사롭지 않은 이적이었음이 분명하다.

셋째, 고공섬은 본래 구학문(舊學)의 거두였다고 한다. 문맥상 여기서 구학문은 전통적인 한학漢學을 가리킨다. 즉 고공섬은 본래부터 도교에 몸담은 전문적인 도사라기보다, 학자로 은퇴한 뒤에 나부산에 들어와 내단 수련에 전념했던 인물이었던 듯하다.

전병훈의 지적 배경 역시 그와 유사했다. 게다가 『정신철학통편』의 내용으로 보건대, 전병훈은 종교로서의 도교에 회의적이었고 내단학을 종교화하는 데 반대했다. 이런 점에서 전병훈과 고공섬이 서로 잘 통했고 쉽게 교감했으리라고 추정된다.

---

62. 위의 각주 57.

63. 『선불가진수어록』의 「서언緖言」 말미에 “戊午一陽之月, 曙宇全秉薰謹書”라는 구절이 보인다. 여기서 무오戊午가 1918년이라는 것은 임채우, 「全秉薰의 『道眞粹言』과 暘星의 『仙佛家眞修語錄』의 관계에 관한 연구」, 철학연구회, 『철학연구』 제73권 (2006), 154쪽 참고.

넷째, 전병훈은 고공섬을 만나 내단학이 실제로 징험이 있는 실상의 학술이라고 확신하게 됐다. 전병훈은 "동월지역을 떠돌며『주역참동계』를 연구했으나 스스로 해득하지 못했다"고 한다. 그가 나부산에 입산하기 전부터 내단학을 연구했으나, 그 실체에 근접하지는 못했음을 시사한다.

그러다가 고공섬을 만나 내단학의 실효를 직접 목도하고 몸소 수련에 박차를 가한다. 그 뒤 총 10년 동안 이론과 실천을 병행해 연마한 끝에, 비로소 공부가 완성단계에 접어든다. 그 과정이 아래 글에 잘 드러나 있다.

> (나부산에 들어가 참 스승 고공섬 선생을 만났다. ……) 현빈의 요지(玄牝之指眞)를 간절히 청해 물었다. 그러자 "성인 또한 능치 못한 바가 있으니 이와 같은 것이다"라고 대략 말해 줄 따름이었다. 그러니 또한 의문을 풀 수가 없었다. 마침내『도장』2천여 권을 정밀히 연구하고 몸소 실험하기 십 년 만에(주년周年에) 비로소 신이 현관에 응결하고, 이어서 도가 이뤄지는 증험이 딱 들어맞아 어긋나지 않았다. 그 뒤에야 비로소 스스로 경계하며 "도가 응결됐다"고 말했다.[64]

여기서 '현빈의 요지'란, 정을 단련해 기로 변화하고, 기가 변해 신이 되며, 신이 변화해 참나를 이루는 내단학의 핵심 비결이다. '정신철학' 편에서 상세히 다뤘으니, 부연하지 않겠다. 그런데 내단학에 막 입문했더라도 이론의 대강을 아는 것은 오히려 힘들지 않다. 하지만 현빈의 실제적 요령을 몸소 체득하기란 여간 어려운 게 아니다.

이는 내단학이 단지 이론의 학이 아니라, 몸에서 실제로 체득하는 '체득의 학'이기 때문이다. 물론 이치에 어두우면 몸의 공부가 제자리걸음을 면키 어렵지만, 실제의 공부가 따르지 않는 이론도 헛바퀴가 돌 듯 공허하다. 전병훈이

64. 遂入羅浮山, 遇眞師古空蟾先生. …… 懇求以聞玄牝之指眞, 則盖云, "聖人亦有所不能者, 此等也." 然亦不能釋疑. 遂竭鈍精於道藏(二千餘卷), 而躬自實驗者十載, 始焉(周年)神凝玄關, 而次第道成之證驗不差, 然後乃自箴曰道凝.『통편』, 20쪽.

현빈의 요지를 물었을 때, 고공섬이 "성인 또한 능치 못한 바가 있으니 이와 같은 것이다"라고 답했던 것도 그런 연유다. 그 의미는 중층적이다.

첫째, 성인이라도 단지 말이나 글로써 현빈의 요령을 배울 수 없다는 뜻이다. 둘째, 성인이라도 그 요령을 단지 지식으로 다른 사람에게 전할 수는 없다는 문맥이다. 혹은 이 두 의미를 모두 함축한다. 즉 몸으로 익히는 공부가 대개 그렇듯이, 오랜 기간의 단련을 통해 몸소 체득하지 않는 이상 그 요령을 알거나 알려주기 어렵다는 뜻이다.

그러므로 고공섬을 만났을 무렵 이제 막 내단학에 입문했던 전병훈이 현관의 의문을 풀 수 없었던 것은 어쩌면 당연하다. 물론 단지 지식과 문자의 수풀을 헤쳐 논변하는 것을 학문으로 본다면, 당시 전병훈이 현관에 대해 접근하지 못할 이유는 없었다.

그는 이미 『주역참동계』를 연구했고, 현관의 요령에 대해 핵심적인 질문을 던질 정도였다. 그러므로 요즘처럼 논문 몇 편 쓰는 정도라면, 오히려 어렵지 않았을 것이다. 그러나 전병훈이 알고자 했던 것은 내단의 실상이었다.

그가 풀고 싶었던 현관의 비밀은 지면이 아니라 자신의 몸 안에 있었고, 그런 면에서 그는 학자인 동시에 구도자요 실천가였다. 그는 학자로서 역대의 도교 전적을 집대성한 『도장』 2천여 권을 정밀히 연구했으며, 또한 실천가로서 구도에 열중했다.

그리하여 "몸소 실험한 지 십 년 만에 현관에 신이 응결하고 이어서 도가 이뤄지는 증험이 딱 들어맞아 어긋나지 않는" 경지에 이르게 된다. 그 과정에서 전병훈은 고공섬에게 전수받은 '현관비결타좌법'을 꾸준히 실행했다. 그 내용은 '정신철학' 편에서 이미 상세히 다뤘다.

결론지어 말해, 고공섬은 전병훈을 내단 수련으로 이끈 훌륭한 인도자였다. 하지만 전병훈이 간절히 구하던 현관의 비결은 결국 그 스스로 발견할 수밖에 없었다. 그런데 이로써 스승과 제자가 또한 서로 각자의 역할을 충실히 다했던 셈이다.

스승이란 어차피 길을 안내할 뿐, 그 길을 걸어서 목적지에 이르는 것은 결국 학인 스스로의 몫이기 때문이다. 전병훈도 이를 잘 알고 있었다. 그러므로 평생토록 고공섬을 '참된 스승(眞師)'으로 존경해마지 않았다.

나부산 충허관

이제 눈을 돌려 전병훈과 고공섬이 조우했던 장소를 둘러보자. 전병훈은 나부산의 충허관沖虛觀에서 고공섬을 만나 현관타좌식을 얻었다고 『정신철학통편』에서 말했다.[65] 중국 도교 10대 명산의 하나인 나부산은 동진東晋의 포박자 갈홍葛洪(283~343/364)이 연단했던 동천복지洞天福地로 명성이 높다. 지금도 도교의 제7동천 제34복지로 지정돼 있다. 그 남단에 1,680여 년의 유서 깊은 충허관이 있다.

충허관은 본래 갈홍이 수련했던 도관이다. 동진 함화咸和 2년(327) 갈홍이 연단을 했다고 알려졌다. 이후 진晋 안제安帝(재위 396~418) 때 이곳에 갈홍사葛洪祠를 세웠고, 당唐 현종玄宗(재위 712~756) 천보天寶 연간에 갈선사葛仙祠로 확충했다. 그러다가 송宋 원호元祐 2년(1087)에 철종哲宗(재위 1085~1100)으로부터 '충허관'의 사액을 받아 오늘에 이르렀다. 송대에 도교 내단학 남종南宗의 주요 거점의 하나로 이름이 높았으며, 특히 백옥섬이 수도했던 도관으로 유명하다.

'자양파紫陽派'로도 불리는 남종은 종리권鍾離權과 여동빈呂洞賓의 계보를 이어 내단을 중시했다. 성명쌍수性命雙修를 위주로, 유·불·도 삼교가 근본이 같고 하나의 이치라고 여겼다. 수련은 전통적인 신체단련부터 시작해서 먼저 연기축기煉己築基로 정·기·신을 충만하게 한 뒤, 비로소 정식으로 연단 수련에 들어간다.

한편 성속聖俗의 혼재를 주장해 출가를 강조하지 않았다. 이런 남종의 기풍은 원元대 이후 북종과 함께 선별적으로 전진도全眞道에 흡수되었다. 충허관 역시 전진도의 도장이 되었다. 지금도 충허관은 전진도 시방총림十方叢林의 하나로, 중국 남방에서 가장 영향력 있는 도관으로 손꼽힌다.

---

65. 余嘗懇得於羅浮山(沖虛觀), 白髮還黑古空蟾先生(名誠明)者, 玄關打坐式也. 『통편』, 70쪽.

충허관 입구와 멀리서 본 전경

지금 충허관의 골격은 청나라 동치연간 同治年間(1862~1874)에 중건한 것으로, 전병훈이 고공섬을 만나 수련했던 당시의 규모와 양식을 거의 잘 보존하고 있다.

고공섬과 전병훈은 이런 충허관의 기풍을 이었다. 앞서 말했듯이 고공섬의 호가 백옥섬으로부터 비롯됐다고 추정된다. 『정신철학통편』은 종리권·여동빈과 함께 백옥섬의 학설을 비중 높게 소개한다. 내단파 남종과 전진도의 사상이 정신철학에 짙게 반영돼 있으며, 현관비결타좌법도 성명쌍수 위주의 전형적인 내단 수련법에 속한다.

전병훈이 북경에 올라와 전진도의 총본산이었던 백운관을 드나들며 도장을 연구하게 된 것 역시 남방 전진도의 거점인 충허관과의 인연에서 이해할 수 있다. 이처럼 충허관은 전병훈의 정신철학이 발아하는 온상이 되었다.

충허관 인근에는 갈홍이 나부산에서 채취한 약초를 씻었다는 세약지洗藥池, 금단을 제조했다는 연단조煉丹竈(연단 아궁이)를 비롯해, 그가 우화등선하면서 남겨둔 옷가지로 무덤을 조성했었다는 의관총衣冠塚까지 있어 그 일대가 온통 갈홍의 성역으로 조성돼 있다. 이 권역의 중심부에 전병훈이 쓴 글을 새긴 각석刻石이 남아 있다.(이하 '전병훈 각석'으로 칭한다.)

필자가 나부산에서 전병훈 각석을 발견해 학계에 처음 보고했다. 2011년 10월 말에 각석을 발견했으며, 2012년과 2013년에 각각 중국과 한국의 학술대회에서 그 내용을 보고한 바 있다.[66] 이에 필자가 나부산에서 전병훈 각석을 발

갈홍의 세약지

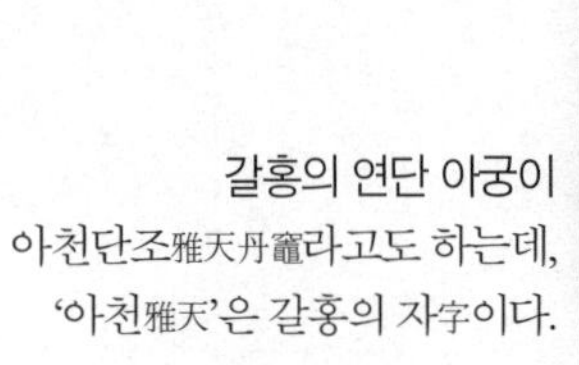

갈홍의 연단 아궁이
아천단조雅天丹竈라고도 하는데,
'아천雅天'은 갈홍의 자字이다.

갈홍의 의관총 1980년대 중반에 복원한 모습이다.

견하게 된 경위와 거기에 새겨진 석각의 내용 등을 별도로 소개한다.

66. 2012년 12월 15일 중국 천주泉州에서 열린 '2012年 中日韓道教學術論壇'에서 필자가 「曙宇全秉薰的道教思想與精神哲學」을 발표하며 나부산의 전병훈 각석을 소개했고, 2013년 4월 26일 경희대학교에서 열린 '2013년 도교문화학회 춘계학술대회'에서 「전병훈 저술의 종합적 검토: 羅浮山 전병훈 刻石의 신발굴에 대한 소개를 겸해」를 발표하며 역시 이 각석에 관해 보고했다.

나부산 충허관 지구의 전병훈 각석

전병훈 각석의 발견

필자가 나부산에서 전병훈 각석을 발견한 것은 2011년 10월 말이었다. 그해 10월 23일부터 25일까지 중국의 남악南嶽 형산衡山에서 5년 만에 열리는 대규모 국제도교학술대회(國際道教論壇)가 있었다. 여기에 한국 대표로 참가해 논문을 발표하고, 부랴부랴 광동성으로 건너가 며칠간 전병훈의 행적을 쫓아 나부산 일대를 답사했다. 하지만 별 소득을 얻지 못한 채 다음을 기약하기로 마음먹었다. 그리고 귀국하는 날 아침 충허관 인근의 명승지를 가볍게 산책하러 나섰다.

사실 거의 관광지나 다름없이 사람들로 북적대는 곳이라, 여기서 전병훈의 흔적을 찾을 수 있으리라고는 애초부터 기대하지 않았다. 만약 그런 장소에 뭔가가 있다면 학계에 알려지지 않았을 리 만무했다. 하지만 그것이 섣부른 예단이었다. 우연히 눈길이 닿은 곳에 "단이기수세丹以祈壽世"라는 다섯 글자의 석각石刻이 보였다.

무심히 지나치다 언뜻 글씨 주인공의 이름을 새긴 작은 글자를 스칠 때까지만 해도 사실 무심했다. 그러나 불과 몇 초의 일이지만, 다시 그 석각에 눈길을 주는 순간 숨이 멎고 세상이 정지한 듯 아득해졌다. 지금도 그때를 떠올리면 심장박동이 빨라지는 게 느껴진다.

나부산의 전병훈 '단이기수세丹以祈壽世' 석각

'한인韓人 전병훈全秉薰' 각자

"내단(丹)으로 세상 사람들이 장수하기를 기원한다"는 의미를 담은 '단이기수세丹以祈壽世' 각자刻字 좌측에 전병훈의 이름이 작지만 또렷하게 새겨진 게 눈에 들어왔다. 더 자세히 살피니 "공자 후 마흔한 번째 경술년에 한인 전병훈이 쓰다(孔子後四十一庚戌冬, 韓人全秉薰題)"[67]라는 글귀가 분명했다.

41번째 갑자甲子라면 2,460년이다. 공자가 기원전 551년(내지 552년)에 태어났다고 알려졌는데, 1910년에 550년을 더하니 정확히 2,460년이다. 전병훈 선생이 여기에 글귀를 새기고 딱 100년이 지난 2011년 연말이었다. 선생의 발자취를 찾아 나부산은 찾은 학인이 빈손으로 돌아가기 전에, 선생의 영령이 큰 선물을 안겨준 것이 아닌가? 생각이 여기에 미치고, 감사한 마음에 각석 앞에 향을 사르고 예를 올렸다. 그리고 찬찬히 일대를 둘러보았다.

각석의 위치와 규모

전병훈 각석은 충허관의 서쪽에 있는 중앙 광장에 위치해 있다. 이곳은 나부산 남단 초입의 중심부로, 예로부터 광동 일대에서 가장 큰 약령시藥令市가 열려 번화해졌다. 나부산은 지금도 각종 약재의 보고로 유명한데, 갈홍이 연단 장소로 여기를 택한 것도 바로 그 때문이라고 현지 사람들은 믿는다.

이 광장은 갈홍이 약초를 씻었다는 세약지를 중심으로 조성돼 있다. 이를 둘러싸고 그 동남쪽에 전병훈 각석이 있고, 동북쪽에 갈홍의 연단조가 있다. 전병훈 석각은 성인 서른 명 정도가 족히 에워쌀 수 있을 정도로 큰 바위에 새겨져 있다.

67. 여기에 함께 보이는 '金湲'이란 이름의 주인공에 대해서는 아직까지 알려진 바가 없다.

전병훈 각석의 전경 각석 너머 중앙에 갈홍의 연단조가 보이며, 사진에는 안 보이지만 좌측에 세약지가 있다.

그러나 아쉽게도 오늘날 그 고장에서 전병훈을 기억하는 사람을 찾을 수는 없었다. 충허관의 도사들은 물론, 광동성에서 도교를 연구하는 학자들도 그에 관해 아는 바가 전혀 없었다.

각석 소개의 오류와 방치

조금 더 살펴보니, 전병훈 각석이 왜 그동안 한국과 중국의 학계에 한 번도 보고되지 않았는지 그 연유를 알 수 있었다. 연단조를 소개하는 안내 표지에서 전병훈을 '김병훈金秉薰'으로 그리고 '조선족인朝鮮族人'으로 표기하는 게 눈에 들어왔다. 관련 자료를 더 찾아봤더니, 모두 천편일률로 같은 잘못을 범하고 있었다.

각석에 분명히 '한인韓人'이라고 새겨져 있는데 이를 '조선족인'으로 둔갑시킨 것도 모자라, 아예 성을 전씨에서 김씨로 바꿔 버린 셈이다. 하지만 그것이 고의적인 잘못이라고 생각되지는 않는다. 중국 경내의 한인들을 조선족으로 부르는 것이야 현지에서 자연스러운 일이고, '전병훈'을 '김병훈'으로 표기한 것은 '전'과 '김'의 한자가 비슷해 혼동한 데서 비롯된 실수다.

단지 각석만 남아 있고, 도대체 전병훈에 대해 알려진 바가 없다 보니 벌어진 일이다. 딱히 누구를 탓할 수도 없는 노릇이었다. 여하튼 사정이 이렇다 보니, 늘 사람들로 북적대는 한가운데 있어도 그것이 전병훈의 유적이란 걸 아무도 눈치 채지 못했다. 그리고 그대로 방치되다가 필자에 의해 발견되기에 이른 것이다.

어쨌거나 잘못을 바로잡을 필요는 있다. 필자가 근자에 한중일 국제도교학술대회에서 전병훈을 소개하고 관련된 글을 중국 학술지에 게재하면서 이 문제를 거론했고, 중국의 도교 학자들에게도 관심을 가져 줄 것을 부탁했다. 기회가 닿는 대로 중국 도교협회와 광동성 도교협회 등에 관련 내용의 시정을 요청하려고 하는데, 무리한 요구가 아니므로 '김병훈'을 '전병훈'으로 바로잡는 것은 어렵지 않게 해결되리라고 본다.

문제는 전병훈을 '조선족인'으로 표기한 부분인데, 이를 당장 '한국인'으로 바꾸기는 쉽지 않아 보인다. 전병훈의 고향이 평안도인 데다 그가 사후에 고향에 안장되었으므로, 굳이 연고를 따지자면 북한에 더 가깝기 때문이다. 그렇다고 전병훈을 '북조선인'으로 표기하는 것도 이치에 합당치 않다. 이런 문제조차 분단의 현실로부터 자유롭지 못한 것이다.

하지만 지금대로 '조선족인'으로 놔두자니 그건 더 곤란한 일이다. 첫째 조선족이라는 개념 자체가 없던 20세기 전반의 한국인을 조선족인으로 표기하는 게 잘못이고, 둘째 전병훈이 비록 망명객이었으나 국적을 중국으로 바꾼 바가 없고, 셋째 그가 주검이나마 고국으로 돌아온 데다 그 직계후손이 모두 한국에 살고 있기 때문이다.

만약 이걸 바로잡지 못한다면, 20세기 전반에 중국에서 활동했던 김구와 상해임시정부의 인사들, 심지어 이승만과 김일성까지도 죄다 조선족인이 돼야 할 판이다. 따라서 제반정황을 고려할 때, 각석의 원문대로 '한인韓人'으로 표기하는 게 가장 이상적이라고 본다.

통일이 된 뒤라도 그게 여전히 유효할 것이다. 다만 이를 중국 현지의 관계자들이 어떻게 받아들일지는 아직 미지수다. 단지 지금까지 내가 겪어 본 중국의 도교 학자나 도사들의 면면으로 보자면, 이 역시 비교적 합리적으로 원만하게 논의할 수 있으리라고 낙관한다.

하지만 중국에서 이런 문제는 어차피 관방의 입김에서 자유롭지 못하다. 따라서 필자를 포함해 한두 사람의 힘만으로 해결하기 어려울 수 있다. 그러니 우리 학계와 민간 그리고 정부의 관심과 노력이 함께 필요하다는 것을 강조하지 않을 수 없다. 조상의 일을 후손이 돌보려고 하지 않는다면, 그 일을 대신할 사람은 사실상 세상 어디에도 없다.

전병훈 연구에서 각석의 의의

앞으로 더 깊이 연구해야겠지만, 전병훈 연구에서 각석이 함축하는 의의를 다음 몇 가지로 정리할 수 있다. 첫째, 각석은 전병훈이 나부산에 머물며 내단학을 연마했다는 것을 밝히는 움직일 수 없는 증거다. 즉 경술년이었던 1910년 겨울에 전병훈이 나부산 충허관에 머물렀던 것이 분명하다.

이로써 그해 봄에 그가 나부산에서 고공섬을 만나 내단학을 연마했다는 『정신철학통편』의 기록을 입증할 수 있게 되었다. 그렇다면, 전병훈이 1909년 6월 전에 남경에서 광동성으로 넘어왔다는 앞서의 논증 역시 그 시기가 대략 부합한다.

둘째, 각석은 1910년 당시 전병훈이 나부산 현지에서 어떤 대우를 받았고 어떤 위상을 지녔는지를 단적으로 보여준다. 앞서 살폈듯 충허관 권역은 포박자 갈홍의 성역이나 진배없다. 특히 세약지와 연단조는 근 1,700년 동안 전해진 유서 깊은 상징물들이다.

이런 조형물과 나란히 배치된 각석의 주인공이 전병훈이라는 사실은 실로 시사하는 바가 크다. 백 년 전 서우가 이런 특별한 성역의 중심부에 커다란 규모의 석각을 남길 수 있었던 것은, 당시 이곳에서 그가 받았던 대우와 위상을 가늠할 수 있는 지표이기 때문이다.

셋째, 각석에 새겨진 글귀에서 전병훈의 사상이 형성되는 계기를 엿볼 수 있다. 전병훈은 1907년 조선을 떠나 일본을 거쳐 거의 1908년부터 중국에서 망명생활을 시작했다. 게다가 1910년은 전병훈이 내단학에 입문한 지 얼마 지나지 않은 시점으로, 그가 도를 이뤘다고 자타가 공인하고 『정신철학통편』을 출간하기 거의 10년 전에 해당한다.

그런데 이 시기에 그가 이미 개인적인 성선成仙을 목표로 한 게 아니라, "내단으로 세상 사람들이 장수하기를 기원한다(丹以祈壽世)"는 서원을 세웠다는 사실을 이번에 발견한 각석을 통해 확인할 수 있었다. 훗날 그의 '정신철학'이 만인에게 도움을 주는 '공용公用의 학술'을 표방하고, 또한 겸성兼聖을 강조하게 된 사상적 단초가 이 시기에 벌써 싹트고 있었던 것이다.

4) 북경 시기(1913~1927)

전병훈은 나부산에서 대략 3년 남짓 내단학을 연마했다. 그리고 1913년 무렵 다시 북경으로 이주했다. 그 동기가 확실치는 않으나, 아마도 신해혁명의 발발 및 진행과 관련된 듯하다. 1911년 신해혁명이 일어나고 다시 몇 년 간격으로 2차·3차 혁명이 이어지는데, 특히 중국 남방이 혁명의 소용돌이에 휩싸였다. 그리하여 학문과 수련에 안정적으로 집중하기 어려워지자 광동을 떠났던 것으로 보인다.

전병훈은 북경으로 이주한 뒤에도 내단학의 연마를 게을리 하지 않았다. 그는 북경의 유서 깊은 도관인 백운관白雲觀에서 수년간 『도장』 2천 권을 빌려 읽으며 연구에 몰두했다. 하지만 그게 전부는 아니었다. 그는 이 시기에 현실정치에 적극적으로 간여하는 면모를 보인다. 도사나 신선이라면 의례히 속세를 떠나 은둔한다는 통념과 크게 다른 모습이다. 이는 사실상 그가 주창한 겸성兼聖 철학의 실천적 구현이었다.

전병훈이 『도장』을 연구했던 북경 백운관

정치활동

「실행록」에 따르면, 신해혁명이 일어난 뒤 전병훈이 예서禮書·예복禮服·예치禮治·조례條例의 일곱 규정(章程)을 위안스카이 정부에 올렸다고 한다. 그러자 위안스카이가 한국에 이런 대학자가 있다는 데 탄복하고, 손수 예복을 챙겨 들고 그의 아들인 위안커딩袁克定에게 즉시 가서 방문하라고 지시했다고 한다.[68]

또한 도숙정사都肅政史 장인콴莊蘊寬(1866~1932)[69]이 남긴 기록에 따르면, 위안스카이가 "현자를 봉양하는 양현養賢의 예로 (전병훈의) 자리를 마련해 모시니 아무도 그 사이에서 이간질을 못했다"고도 한다.[70] 「제평집」에도 이와 관련된 글이 있어 서로 대조해 살필 만하다.

---

68. 遂革命後, 乃以禮書·禮服·禮治·條例七章程, 萬餘言, 上于袁政府, 袁手持禮服, 招立其子克定, 而手舞之曰, "韓有如此大儒, 汝卽往訪!" 「실행록」, 46쪽.
69. '도숙정사'는 민국 초에 정부기관의 감찰기능을 담당하던 숙정청肅政廳의 수장으로, 현재 우리나라의 감사원장 격에 해당한다. 숙정청에는 도숙정사 1인과 숙정사肅政史 16인이 있었다. 장인콴은 강소성江蘇省 상주常州 무진武進 출신의 관료이자 서예가로, 민국 초에 도숙정사와 심계원审計院 원장을 지냈으며, 고궁박물원故宮博物院 이사와 고궁도서관故宮圖書館 관장을 역임했다.
70. 都肅政史莊蘊寬, 請位置以養賢之禮, 誰作臧倉於其間乎! 「실행록」, 46쪽. 장창臧倉은 『맹자·양혜왕장구하』에 등장하는 인물로 군주와 현인의 사이를 이간질하는 소인배의 대명사이다. 노나라의 군주 평공平公이 맹자를 만나 보기 위하여 나가려고 하자, 이때 평공이 총애하는 신하 장창이 이를 저지한 데서 유래했다.

> 도숙정사 장인콴(자字 사함思緘)이 말했다. "…… 내 스승이 중화민국 2년(1913)에 '예복', '예서', '주공周公의 예치', '조례', '황제黃帝의 구정량법丘井量法', 그리고 '동쪽 성(東省)의 한인교포(韓僑)를 보호하는 일' 일곱 규정 만여 자字를 지어 올리니, 뒤에 제가諸家의 성대한 칭송이 있었다."[71]

한편 전병훈의 중국인 제자 왕통王桐이 「제평집」 도입부에 붙인 제사題詞에서 당시 전병훈의 행적을 보다 소상히 전하고 있다.

> 내 선생이 북경에 들어와 처음에 공사孔社[72]에 잠시 머물렀다. 그러자 위안袁 총통의 사촌동생인 위안스쉰袁世勳이 누차에 걸쳐 총통을 한번 만나기를 권하며, 그러면 필히 거처할 방편과 머물 곳이 생길 것이라고 했다. 이에 선생이 "내가 예치 일곱 규정을 들고 북경에 왔으니 필히 먼저 이 글을 올리고, 혹시 이를 채택해 시행한다면 알현해 문후를 올려도 늦지 않을 것"이라며 사양했다. 가히 공경할 만하다. 내 스승의 뜻이 단지 도를 행하는 데 있고, 권세와 이익 따위를 달갑게 여기지 않는 것이 거의가 이러했다. 후학이 어찌 본받지 않을 수 있겠는가![73]

『한계유고韓溪遺稿』 1914년 기록에 보면, 전병훈이 위안스쉰袁世勳 외에 위안스카이의 또 다른 사촌동생인 위안스쥔袁世峻과 만나는 장면도 눈에 띈다.[74]

---

71. 都肅政史莊公蘊寬, 字思緘曰, "…… 我師於中華民國二年, 製進禮服·禮書·周公之禮治·條例·黃帝之丘井量法, 竝保護東省韓僑事, 七章程萬餘言, 後有諸家之盛稱." 「諸家題評集」, 47쪽.
72. 근대 초에 공자를 모시던 단체로 북경에 있었다.
73. 我師……, 其入京之初, 寓駐孔社, 袁總統之堂弟世勳, 屢勸一見總統, 則必有舖置辨法, 安插地點矣. 乃謝曰, "我帶禮治七章程而來京, 必先進此書, 將或采行詢訪則謁候, 恐非晩也." 於斯可欽. 我師之志只在行道, 而不屑勢利類皆如此. 後學可不爲法乎! 「諸家題評集」, 46쪽.
74. 余訪全議官, 李相益方在座, 談及此事, 袁世峻[今總統從弟]適立見, 余揖之, 筆話叙寒温. 李承熙, 『韓溪遺稿』(7), 「二六. 旅語」 '七〇, 龍積之將往南海次余北京行韻留贈却步口

그가 위안스카이 일가의 여러 인물과 폭넓게 교류했음을 알 수 있다. 이런 여러 기록들을 종합하면 대략 다음과 같은 퍼즐이 맞춰진다.

전병훈은 신해혁명이 일어나고 중화민국정부가 수립된 다음 해인 1913년 무렵 북경으로 올라갔다. 그리고 위안스카이의 사촌인 위안스쉰 등의 소개로 여러 차례 총통을 만날 기회가 있었으나 모두 사양한다. 대신 북양정부에 일곱 가지 사안에 관한 규정(章程)의 개혁을 제안하고 그 반응을 기다린다. 이런 일련의 처세에서, 그가 권세와 이익을 구하기보다 명분을 중시했고 또한 차분히 정세를 살피며 정치에 간여했음을 알 수 있다.

당시 그가 작성한 이른바 「칠장정七章程」의 개혁안은 모두 만萬여 자로 이뤄졌다. 내용은 정부의 예복·예서·예치·조례에 관한 제안, 그리고 토지제도 개혁안으로 추정되는 구정량법丘井量法 등을 담았다. 특히 주목할 것은, 마지막에 '동쪽 성의 한인교포(韓僑)를 보호하는 일'에 관한 규정이 포함됐다는 점이다. 여기서 '동쪽 성(東省)'은 조선과 국경을 접한 지금 중국의 동북 3성 일대를 가리키는 것으로 보인다. 전병훈이 중국 정부의 제도개혁을 제안하는 한편 한인 교포들의 보호에도 각별한 관심을 기울였음을 시사한다.

앞서 말했듯이, 전병훈의 개혁안을 접한 뒤로 위안스카이가 현자를 모시는 양현養賢의 예로 그를 대우했다. 전병훈은 이후에도 북경에서 정세의 추이를 관찰하고 지속적으로 정부에 조언을 했다. 하지만 당시 북양정부는 군벌의 지배하에 있었고 국정의 난맥이 거듭됐다.

1916년 위안스카이가 죽자 리위안훙黎元洪(재임 1916~1917), 펑궈장馮國璋(재임 1917~1918), 쉬스창徐世昌(재임 1918~ 1922) 등으로 총통이 바뀌며 혼란이 이어졌다. 전병훈은 이들 모두에게 교사郊祀의 예치를 권했다고 한다.[75]

이 시기에 중국의 정치체제가 군주제에서 공화정으로 넘어가는 격변을 겪었고, 그런 가운데 전병훈의 정치사상도 함께 다듬어졌다. 그것이 주로 『정신

寄.' 이 글은 이승희가 전병훈을 보러 갔다가 위안스쉰을 만났던 장면을 기술하는데, 전의관全議官이 곧 전병훈을 가리킨다.

75. 「실행록」, 46쪽.

철학통편』의 '정치철학' 편에 반영되었다. 그가 북양정부에 제안한 개혁안의 흔적도 거기서 함께 발견할 수 있다.

정신철학사의 건립과 운영

전병훈은 북경에 정신철학사를 세워 내단학을 연마하고 제자들을 양성하며 중국과 한국의 명사들과 교류했다. 정신철학사의 건립시기가 불확실하지만 늦어도 1917년 전에 세워진 것은 분명하다.

『정신철학통편』 서두에 전병훈의 제자 위란톈于藍田이 「제가들의 평언을 간략히 덧붙인 서문(畧附諸家評言序)」을 썼다. 여기서 그는 1917년(丁巳) 봄에 북경 도성 안의 정신철학사에서 전병훈을 처음 만났다고 밝힌다. 그 내용을 직접 확인해 보자.

> 내가 도를 좋아한 지 여러 해가 지났으나, 진정한 스승을 만나지 못해 헤매다 많은 시간을 보냈다. (그러다가) 정사丁巳년(1917) 봄에 요행히 서우 전병훈 선생을 도성 안의 정신철학사에서 만나 뵈니, 그 도풍의 용모가 근엄하였다. 간절히 가르침을 구해 현관玄關의 참된 가르침을 얻어 들었다. 이를 좇아 수행해 지키니, 지금 이미 신神이 응결해 태식胎息을 하고 옥액玉液이 이뤄졌다. 옥액을 삼키며 근원을 생각하니, 오장의 기운이 감응해 요동친다. 하루는 (서우 선생께서) 『철학통편』을 완성했다며 내게 교정을 보라고 하셨다. 이에 그 사실을 서술하니 참으로 감격스럽다![76]

위란톈이 이 글을 쓴 때가 1919년(중화민국 8년, 己未) 음력 3월(暮春)로, 그가 1917년 봄 서우를 만난 지 근 2년이 되던 시점이다. 그동안 전병훈의 가르침을 따라 내단 수련을 하며 위란톈 역시 옥액을 완성하는 경지에 올랐다. '옥액'은

---

76. (藍田)好道有年, 未遇眞師, 時殷尋訪. 丁巳春, 幸遇曙宇全夫子, 於都門之精神哲學社. 見其道貌儼然, 懇求指敎, 獲聞玄關眞傳, 遵而行持, 今已神凝胎息, 玉液成焉. 飮水思源, 五衷感激. 一日哲學通編告成, 屬(藍田)校正之. 且叙其事實, 猗歟! 『통편』, 1쪽.

곧 옥액환단玉液還丹을 가리킨다. 경우에 따라 단지 수련할 때 입안에 고이는 침을 옥액이라고도 하지만, 여기서는 단丹이 처음 만들어질 때 액체상태의 구슬로 응결돼 체내를 도는 것을 가리킨다. 이른바 금단을 이루기 전 단계에 해당한다.

이를 통해 볼 때, 서우는 위란텐을 만난 1917년 이전에 이미 다른 사람의 내단 형성을 도울 정도로 높은 수련단계에 올랐음을 알 수 있다. 또한 당시 이미 '정신철학'을 표방하는 단체를 건립해 이끌었던 것에서, 1920년『정신철학통편』을 출간하기 여러 해 전부터 그가 정신철학의 체계와 내용을 기획했음을 엿볼 수 있다.

아래에서 소상히 살피겠지만, 전병훈은 1917년 응신凝神하고 출신出神하며 도가 이뤄지는 징험을 본다. 하지만 그 이전부터『정신철학통편』을 구상하고 저술하기 시작했으며, 동시에『도진수언』도 편찬했다. 이런 저술활동과 함께, 전병훈은 북경의 정신철학사를 기반으로 후진을 양성하고 사회활동을 펼쳤다.

그의 철학체계에서 볼 때, 이는 '참나를 완성하고 성스러움을 겸비한다(成眞兼聖)'는 사상을 구현하는 실천행의 일환이었다. 특히 장상將相급의 제자들이 그의 문하에 모여들어 그의 학설을 현실에 구현코자 했다. 이와 관련해, 1923년 리위안훙이 다시 총통에 올랐을 때 국무총리 겸 육군총장을 역임했던 장샤오증張紹曾(1879~1928)이 이렇게 말했다.

장샤오증

> 제자인 전 총리 장샤오증이 찬상해 말했다. "선생이 중국에 20년을 거주하며 겸성兼聖의 큰 도를 선양했다. 문하에 장상이 즐비하여, 이름을 중화의 역사에 올렸다. 누차 예치의 정책을 진술해 조야가 흠모해 공경한다. 정신철학을 창조해 밝히니 전 지구에서 전해 외운다. 또

『겸성합편兼聖合編』을 저술해 진리를 더욱 밝히니, 사람들이 다퉈서 '39성철聖哲'이라 지칭하고 또한 '26도진道眞'으로 찬양하며 겸성의 사표로 삼는다. 그러나 선생이 겸양하여 이에 응하지 않으셨다. 대총통 리위안훙이 이를 전해 듣고, 그 조부를 기려 '은일고진隱逸高眞'이라 하고, 부친을 '자선태가慈善太家'라고 하니, 끝내 그 효성스런 뜻을 이뤘다고 말할 수 있다."[77]

전병훈의 문하에 장상급의 인사들이 즐비했다는 위의 이야기가 단지 허언은 아니다. 장샤오증이 다시 말한다. "우리 선생의 제자들은 장상으로 나가는 인재들이다. 황푸黃郛(1880~1936)가 대총통의 직권을 총괄해 대리하니 사람들이 동문의 경사로 여겼다." 또한 "사람들이 선생을 세계의 한 구성요소로 여긴다"고 칭송하기도 했다.[78]

이 글이 실린 「제평집」이 1925년에 음력 7월(梧秋)에 편찬됐는데, 황푸가 1924년 11월에 대총통의 직권을 대리했으므로[79] 그 시기가 기록에 부합한다.

---

77. 弟前總理張紹曾贊曰, "先生住華卄載, 闡揚兼聖大道, 門羅將相, 名載華史. 屢陳禮治政策, 朝野欽敬, 創明精神哲學, 環球傳誦. 又著兼聖合編, 眞理益彰, 人爭指稱, 以三十九聖哲, 又贊崇, 以卄六道眞, 表爲兼聖, 然先生謙讓不居. 大總統黎元洪聞之, 褒及其祖曰 '隱逸高眞', 父曰 '慈善太家', 可謂竟成其孝志者." 『全氏總譜』 6권, 39쪽. 「제가제평집」 에도 중복되는 기록이 보인다. 同門前總理張紹曾曰, "先生闡揚兼聖大道, 門羅將相, 名載華史, 屢陳禮治政策, 朝野欽敬, 創明精神哲學環球傳誦." 「諸家題評集」, 48쪽.
78. 張紹曾 …… 曰, "我師之門輩, 出將相之才也. 黃郛公以總揆攝行大總統職權, 人以爲同門之慶事. 又曰師爲世界之一分子." 「諸家題評集」.
79. 황푸는 절강浙江 출신으로 고향에서 군사학교와 서원을 다닌 뒤, 일본에 유학해 뒤에 의형제를 맺은 장제스와 함께 동경진무학교東京振武學校를 나왔다. 신해혁명에 참여했으며 위안스카이 반대운동을 벌이기도 했다. 1921년 미국으로 건너가 워싱턴회의에 중국대표단 고문으로 초빙되었다. 1923년 2월 장샤오증 내각의 외교총장에 임명되었고, 같은 해 9월에는 가오링웨이高凌霨 내각의 교육총장을 맡고 북경대학과 북경사범대학에도 출강했다. 1924년 9월 안후이칭顏惠慶 내각의 교육총장으로 있다가, 그해 10월 21일 서북군 총사령관 펑위샹馮玉祥이 북경정변北京政變을 일으키자 내각총리를 대리했다. 그해 11월 2일부터 24일까지 총리를 대신해 대총통의 직권을 대리한다. 1926년 장제스의 요청을 받고 그에게 합류했고, 1927년 남경에 국민당 정부가 들어선 뒤 상해특별시 시장과 외교부 부장 등을 역임했다.

정관계의 고위인사들만 전병훈을 극찬한 것이 아니다. 학계와 지식인도 그에게 주목했다. 서우와 교류하거나 그의 문하에 있던, 당대의 기라성 같은 학자와 지식인들이 '정신철학'을 상찬했다. 중국의 저명한 근대사상가인 캉유웨이가 『정신철학통편』의 제호를 직접 썼으며, 서양 학술과 사상을 번역해 중국에 소개한 옌푸가 심지어 서우의 제자를 자처했다는 것은 앞서 이미 말했다.

그 밖에도 국사관國史館 총재總裁였던 역사학자 왕슈난, 북경대학 총장을 역임한 리위잉李煜瀛, 청말의 개혁가이자 학자였던 마오즈전茅子貞, 강남의 저명한 교육자 마오치엔茅謙, 훗날 북경도서관 관장을 지낸 장한江翰 등의 찬사가 이어졌다.[80]

한편 위의 인용문에서 장샤오증은 "(전병훈이) 정신철학을 창조해 밝히니 전 지구에서 전해 외운다"고 한다. 이는 "『정신철학통편』이 구미 29개국 150개 대학과 미국·프랑스·스위스 세 나라의 대통령에게 배포돼 지금 이미 세계적인 책이 되었다"[81]는 띵멍차丁夢刹의 말과 부합한다.

당시 사람들이 전병훈을 '39성철聖哲'과 '26도진道眞' 등으로 불렀다는 것은 「제평집」을 비롯한 다른 기록에도 보인다. 여기서 39성철은 중국 은나라의 전설적인 재상인 이윤伊尹을 위시해 이른바 '겸성'했다고 알려진 동서고금 39인의 성인과 철인을 가리킨다. 혹은 '36성철'[82] 내지는 '28성철'[83]을 꼽기도 하는데, 이 숫자들은 대개 임의적이다. 한편 '26도진'은 도가(도교)에서 받드는 진인과 신선 26인을 가리킨다.

전병훈에 대한 이런 칭송이 제자들의 다소 고조된 존경심의 발로였다고 하더라도, 20세기 초 조선의 한 망명객이 이처럼 중국 조야의 칭송을 받으며 성인의 반열에 추존됐다는 게 결코 범상한 일은 아니다. 비록 격동의 시대였으나, 그 문하에 한 시대를 풍미한 장상과 석학들이 즐비했던 것도 과거에 전례

---

80. 「약부제가평언서」와 「제가제평집」 참고.

81. 「諸家題評集」, 48쪽 '黃帝再世' 조.

82. 「諸家題評集」, 47쪽 '眞聖兼聖' 조.

83. 『통편』, 5쪽.

를 찾기 어렵다.

중화민국의 제3대 총통이었던 쉬스창이 전병훈의 제자를 자처했고, 제2대를 비롯해 두 차례 총통을 역임했던 리위안훙은 전병훈의 조부와 부친을 '은일고진隱逸高眞'과 '자선태가慈善太家'로 추존하기도 했다. 그리고 이 두 총통 모두 「제평집」 첫머리에 '제가제평諸家題評'의 표제를 달았다.[84]

당시 중국에서 활동하던 단재丹齋 신채호申采浩(1880~1936)가 "한번 세계를 통일하여 만세토록 불변하는 대총통이 선생이 아니라면 다시 누가 있겠는가!"[85]라고 찬탄했는데, 이를 결코 과장으로만 볼 수 없다. 그러나 전병훈은 사람들의 이런 칭송을 즐기지 않았다.

또한 자기 학설을 어디까지나 '철학'으로 공용화하고자 했을 뿐, 이로써 종교를 선전하거나 숭배적 이념으로 삼는 것을 경계했다. 그는 평소 거처에 상제(玄天上帝)의 경전과 상像을 모시고, 그 옆으로 단군·황제·공자·노자·석가·왕인·칸트 일곱 성인과 철인을 배위해, 아침저녁으로 분향하며 도를 이루고 세상을 구제하길 축원했다고 한다.

그러나 제자들이 대중들과 함께 제의를 올리는 의식(典禮)을 창건하자고 누차 진언했음에도, 이를 실행하지는 않았다. 그렇다고 본인이 행하는 축원을 그치지도 않았다.[86] 그가 여덟 신성을 모시고 조석으로 축원한 것은, 늘 근신하고 경외하는 공부의 일환이었지 숭배적 종교의 신앙행위는 아니었다.

그러므로 이를 집단적 의례로 만들자는 제안을 거절했지만, 그렇다고 몸소 행하는 축원을 그치지도 않았다. 그는 종교보다 철학이 더 근원적이라고 보았다. 외재적 신이나 교조·교주를 숭배하는 종교에는 회의적이었다. 또한 과학 역시 종교의 폐단(도그마)에서 영향을 받아 흔들릴 수 있으며, 따라서 종교와 과학이 모두 쉽게 평정을 잃을 수 있다고 지적했다.[87]

---

84. 大總統黎公元洪, 題篇首曰「諸家題評」, 同徐公世昌亦題如是. 「諸家題評集」, 47쪽.
85. 東漢名士申公采浩號丹齋曰, "一統世界, 萬歲不遷之大總統, 非先生誰復其人耶!" 「諸家題評集」, 47쪽 '世界總統.'
86. 「諸家題評集」, 47쪽 '上帝七聖' 조.

그렇다고 전병훈이 무신론에 동조한 것은 아니다. 그는 무신론자들이 유신론의 폐단을 바로잡다가 너무 지나쳐서 다시 편견에 빠졌다고 경고했다.[88] 전병훈은 마음의 신령함(虛靈)과 신神을 말했다. 하지만 그것이 단지 외재적 영혼이나 신(God)의 숭배로 이어지는 건 아니다.

그와 관련된 주제는 앞의 여러 장절에서 이미 다뤘으므로, 여기서 더 길게 논하지 않겠다. 다만 서우가 경건하게 내면의 본성을 연마하고 학문에 정진하는 동양의 지적 전통을 계승했고, 서양에서는 철학이 최고의 학술이자 근본원리의 학문이라고 찬상했으며, 또한 이 두 전통을 아울러 존중하고 실천하는 삶을 살았다고 분명히 말할 수 있다.

고국과의 교류 및 지원 활동

전병훈은 비록 조국을 떠나 있었으나, 북경에서 늘 고향 소식에 귀를 기울였고 조선 출신의 인사들과 교류했다. 그 가운데 이승희李承熙·신채호申采浩·이상설李相卨·이성렬李聖烈 등의 저명한 독립운동가들이 있었다.

평안도 출신의 독립운동가였던 김평식金平植과 이동초李東初는 그의 제자로 훗날 「제평집」을 편찬하기도 했다. 한편 서우에게 『천부경』을 소개한 이도 있었다. 앞서도 말했듯이, 1918년 독립운동가 윤효정이 북경의 전병훈을 찾아가서 『천부경』을 전했다.

서우는 북경에서 고국인사들과 교류하는 한편, 본국의 일을 직간접적으로 돌보기도 했다. 「제평집」에 의하면, 전병훈은 가까운 중국의 고위인사들로부터 경제적 지원을 받았다. 그가 처음 중국으로 망명해 남방에 머물 때 장런쥔이 매달 100위안씩 지원했고, 북경에서는 장샤오중이 매달 50위안을 보조했다.

그런데 전병훈은 이 돈을 거의 쓰지 않고 절약해 모아 두었다가, 본국에 큰

---

87. 然宗教者未必不發源於哲學, 而科學者亦未必不刺激於教弊(教弊竟行炮烙之刑), 而憤興者也. 『통편』, 128쪽.

88. 創明六十五原質而起無神論, 詆及於哲學家虛靈說, 則未免矯弊過正, 俱陷於偏見者矣. 『통편』, 128쪽.

가뭄이 든 1920년(庚申) 봄에 특별히 1천 원圓을 보내 고향 인근의 빈민 1백 호를 구휼했다.[89] 쌀값을 기준으로 추산할 때, 당시 1천 원은 거의 지금의 20억 원에 상응하는[90] 거금이었다. 『동아일보』가 "전병훈 씨의 자선"이라는 제목으로 이를 보도하기도 했다. 기사의 국·한문을 함께 싣는다.

> 평안남도 강동군 삼등면 인흥리의 전병훈 씨는 8년 전부터 청나라 북경 선외宣外의 정신철학사에 기거하는바, 지난해 평안남도 등지의 가뭄 소식을 듣고 심히 이를 불쌍히 여겨 금 1천 원을 덜어내 순안의 선영 부근에 사는 빈민 30여 호에게 5백 원을, 강동군 삼등면 선영 부근에 사는 빈민 20여 호에 3백 원을, 중화군 산수면 적둔지 부근에 사는 빈민 20여 호에 2백 원을 아울러 나눠 주었는데, 시혜를 받은 빈민은 물론 원근의 인민이 전씨의 후의를 찬양치 않는 자가 없으며, 수혜를 받은 사람들은 전씨의 잊지 못할 은택을 기념하기 위해서 한목소리로 상응해서 비를 세우고 그 혜덕慧德을 영원토록 잊지 않는다고 한다.
>
> 平南江東郡三登面仁興里居 全秉勳氏는 八年前부터 清國 北京 宣外 精神哲學社에 寓居하는 바 客年 平南等地의 旱荒之災를 聞하고 甚히 此를 悶憐하야 金壹千圓을 捐出하야 順安 先塋 附近에 在한 貧民 三十餘戶에 五百圓을 江東郡三登面 先塋 附近에 在한 貧民 二十餘戶에 三百圓을 中和郡山水面赤屯地 附近에 在한 貧民 二十餘戶에 二百圓을 幷爲分給 하엿는대, 施惠를 受한 貧民은 勿論 遠近人民이 該氏의 厚誼를 讚揚치 아니하는者이 無하며, 受惠한 諸氏는 同氏의 難忘之澤을 紀念하기 爲하야 同聲相應하야 碑를 建하고 其慧德을 永遠不忘한다더라(順安).[91]

---

89. 「諸家題評集」, 47쪽 '捐賑誦佛' 조.
90. 통계청 국가통계포털(http://www.kosis.kr)의 'GDP디플레이터' 활용 추산. 1920년 당시 논 1마지기(200평 내외)에서 수확하는 쌀 1섬의 가격이 30원 정도였다.
91. 『동아일보』 1920년 6월 12일 4면 3단.

한편 전병훈은 본국의 종친회 활동에도 각별한 관심을 기울였다. 그는 전씨대동종약의 중추인물로 창립에 참여했으며,[92] 물심양면으로 종친사업을 지원했다. 한 예로 1918년 발행된 『전씨종약휘보』에 「전씨대동종약 서序(겸 축사祝詞)」[93]를 써서 종문의 육성과 교육을 권면했고, 『정신철학통편』의 「서언緖言」[94]을 게재했다. 이는 모두 '정신철학'의 형성과 발전과정을 연구하는 데 귀중한 문건이다.[95]

한편 「전씨대동종약」에 그의 아들 전재억全載億(1883~1954)[96]이 주임主任으로 등재됐고,[97] 창립 초기부터 적극적으로 참여했던 기록도 보인다. 이 또한 전병훈의 종문에 대한 관심의 연장선에서 이해할 수 있다. 그 밖에 그가 종문의 대소사에 기여한 바가 많은데, 특히 다음 기록에 주목할 필요가 있다.

> 균전사均田使 전병훈이 도덕의 대가(道德大家)로서 해외에 나갈 뜻을 품고 멀리 북경에 교거橋居하며 학관學館을 개설하니, 중국 인사들이 즐겨 사귀었다. 이때 전면조全冕朝가 편지로써 병훈 씨에게 요구해서 당시 덕이 크고 학문이 넓은 사람에게 소개하여 「서운재 기문瑞雲齋記文」을 짓게 하니, 전 청나라 양강총독 장런쥔이 짓고 한림수찬관輪林修撰官 리우춘린劉春霖이 썼으며, 전씨의 총보總譜 「서문序文」은 포정사布政司 국사관장國史館長 왕슈난이 지으니 또한 고사古史를 많이 고열考閱한 사람이다.[98]

전면조는 전씨대동종약의 초대와 제2대 종약장을 지냈던 인물이다. 그가 전병훈에게 중국의 명망가로부터 정선 전씨 일가의 재실齋室인 서운재瑞雲齋의

92. 『全氏宗事要覽』(전씨중앙종친회, 2002), 166쪽.
93. 『全氏宗約彙報』 1·2권 합편(전씨대동종약소, 1918), 5~6쪽.
94. 『全氏宗約彙報』 1·2권 합편, 36~37쪽.
95. 이에 관해서는 11장에서 상세히 다룰 예정이다.
96. 전재억은 1930년 전후에 일제하에서 강진군수를 지냈다.
97. 『全氏宗約彙報』 1·2권 합편, 21쪽.
98. 『全氏宗事要覽』, 327쪽.

기문記文을 받아 달라고 부탁했다. 이에 양강총독 장런쥔이 짓고 서예가인 한림 수찬관 리우춘린劉春霖이 글씨를 쓴 「서운재중수기瑞雲齋重修記」를 전해 받는다.

이 글이 『전씨총보서』에 실렸는데, 본문에서 장런쥔은 정신철학의 책을 언급하고 그 학술이 장차 세계를 좌지우지할 만하다고 칭송한다.[99] 중국의 고관대작을 지낸 인사가 이웃나라, 그것도 식민지로 전락한 조선의 일개 종문을 위해 재실 중수기를 지어 보낸 것이다.

전병훈의 학덕에 대한 전적인 신뢰와 존중이 아니었다면 상상하기 어려운 일이다. 역으로 이것은 그가 종문을 위해 얼마나 크게 마음을 썼는가를 보여준다. 끝으로 전병훈이 교류한 조선인들의 스펙트럼이 상당히 넓었다는 데 주목할 필요가 있다.

앞서 말했듯 그는 이승희·신채호·이상설·이성렬·윤효정·김평식 등의 독립지사들과 내왕했다. 한편 그는 상해임시정부와도 연락을 주고받았다. 1921년 태평양회의[100]에 보내는 청원서를 작성해 신익희申翼熙(1894~1956)를 통해 이승만에게 전달하기도 했다.[101] 그가 조선의 독립을 위해 노력했음을 보여준다.

그렇지만 전병훈은 을사오적의 한 사람이었던 권중현權重顯(1854~1934)을 비롯해, 일제하에서 부일附日을 했던 인사들과도 교류가 있었다.[102] 얼핏 이중적으

99. 『全氏總譜序』, 55~56쪽.

100. 태평양회의는 1921년 11월 11일부터 이듬해 2월 6일까지 미국 워싱턴에서 열렸으며, 미국·영국·중국·일본 등 9개국이 군비축소 등의 태평양지역 문제를 의제로 다루었다. 당시 상해의 대한민국임시정부는 '태평양회의 외교후원회'를 조직하고, 이승만·서재필·김규식 등을 대표로 파견해 청원서를 전달하고 회의에 직접 참석해 한국의 독립에 관한 발언하려 했으나, 회의 주최 측의 거부로 무산됐다.

101. 「118. 申翼熙가 李承晩에게 보낸 서한」 「120. 李承晩이 申翼熙에게 보낸 서한」, 『대한민국임시정부 자료집』 제42권, 국사편찬위원회 한국사데이터베이스(http://db.history.go.kr).

102. 권중현과 함께 일제하 친일유림으로 알려진 양봉제梁鳳濟(1851~1926) 등의 찬사가 「제가제평집」에 실려 있다. 1980년대에 소설 『단』으로 유명하고 연정원을 세운 권태훈의 숙부가 권중현이었는데, 권태훈의 자전적 대화록에도 전병훈과 권태훈의 교류에 관한 기록이 보인다. (정재승 정리 및 역주, 『仙道 공부』(솔, 2006), 289, 379~380쪽 참고.) 양봉제는 평안북도 출신의 유학자로 전병훈과 마찬가지로 박일문의 제자였으며, 구한말 관료에서 일제가 세운 경학원의 강사로 변신해 부일활동을 했다. 하지만 그가 겉으로는

로 보이는 이런 태도는, 그의 정신철학을 통해 이해할 수 있다. 그는 우주의 한 기운에서 나온 인류와 만물이 근원적으로 동포요 일가로 보았다. 이념과 정치 노선이 다르다고, 사람을 일방적으로 적대하지 않았다.

서우는 세계가 "물질만을 숭상한다"거나 "전쟁이 종식되지 않는다"고 한탄했지만, 이런 혼란조차 "장차 세계가 반드시 하나로 통일될 조짐"이라고 전망했다. 그는 당대의 역사적 제약을 넘어, 인류의 운명 전체에 대해 말하고자 했다.[103] 따라서 그는 친일과 반일로 세상을 가르는 이분법을 넘어섰고, 사람과 교류하는 폭도 현실의 이념에 갇히지 않았다.

말하자면 서우는 고전적인 휴머니스트이자 박애주의자였으며, 이념대립 시대의 이데올로기스트가 아니었다. 그럼에도 불구하고 전병훈이 종생토록 조선의 독립을 갈망했던 것은 의심의 여지가 없다. 단지 1920년대의 엄혹한 일제 강점기에 노구의 학자가 조국의 독립을 위해 할 수 있는 일이 극히 제한되었다.

게다가 일제가 그를 요주의 인물로 지목해 지속적으로 사찰하고 감시했다. 당시 외무성과 육·해군의 비밀 해외사찰 여러 문건에서 불령선인不逞鮮人[104]으로 분류된 그의 이름을 볼 수 있다.[105] 조선총독부 경무국警務局이 펴낸 『용의조선인명부容疑朝鮮人名簿』는 전병훈을 "한일합방에 분개해 중국으로 도항渡航"했으며 "배일排日사상을 가지고 조선독립을 열망하고 있는 자"로 뚜렷이 적시하고 있다.[106]

그리하여 전병훈은 한번 망명을 떠난 뒤로, 다시는 고국 땅에 발을 디디지 못했다고 추정된다.[107] 그는 말년에 중국에서 현지인들로부터 거의 성인으로

일제에 협력하면서도 독립운동을 도왔다는 연구가 있어 주목할 필요가 있다. (정욱재, 「한말·일제하 梁鳳濟의 활동」, 한국인물사연구회, 『한국 인물사 연구』 제16호, 2011 참고.)

103. 烏乎! 天地之大運, 究以曆數, 人事如執左契, 確證不遠者, 何哉? …… 當午會正中, 不是極文明之盛會耶? 揆以人事, 則今電郵舟車, 交通萬國, 而社會均産之說盛行, 將必世界一統之兆朕已開者也. 『통편』, 282쪽.

104. 일제에 따르지 않는 '불온하고 불량한 조선인'을 지칭했다.

105. 국사편찬위원회 한국사데이터베이스 참고.

106. 朝鮮總督府 警務局, 『國外ニ於ケル容疑朝鮮人名簿』, 189쪽.

107. 현존하는 사료에서 전병훈이 망명 후 조선을 다녀갔다는 기록을 어디서도 볼 수 없다.

추앙받으며 한 시대를 풍미했으나, 끝내 나라 잃은 유민의 한을 안고 1927년 9월 14일 71세를 일기로 북경에서 세상을 떠났다. 그리고 작고해서야 비로소 시신이 고향에 돌아와, 평안남도 평원平原군 순안면 북창北倉리의 간좌원艮坐原에 안치됐다.[108]

5) 소결: 전병훈의 중국 망명기

지식인에게, 어쩌면 그의 인생역정보다 더 정직한 학문의 기록은 없다. 글과 말로 자기를 포장할 수 있어도, 인생 전부를 손바닥으로 가릴 수는 없기 때문이다. 그런 점에서, 격동의 시대를 살면서 이론과 실천궁행의 일치를 추구한 전병훈의 파란만장했던 삶이야말로 그의 학문과 사상을 여실히 보여준다.

특히 중국으로 건너가 지낸 20년이 그의 인생에서 가장 극적이고도 빛나는 시기였다. 유교 성리학에 투철했던 조선의 지식인이 도교 내단학을 연마하고, 서양의 철학과 과학 그리고 민주와 공화의 근대 이념을 수용하고 연구했으며, 더 나아가 이를 모두 한 용광로에 녹여 독창적인 '정신철학' 체계를 건립했다.

중국의 기라성 같은 지식인과 명사들이 보낸 찬사가 그와 정신철학에 대한 당대의 평가를 웅변한다. 하지만 당대에 그처럼 높게 평가됐던 인물과 철학이, 20세기의 격동 속에서 또한 그토록 빨리 망각됐다는 것이 어쩌면 더욱 놀라운 일이다.

1907년 10월 조선을 떠난 전병훈은 먼저 일본 동경에 들러 정세를 살핀 뒤 상해로 넘어갔고, 1908년 2월 이후 다시 금릉으로 건너갔다. 금릉에서 단지 1년 여간 체류했지만, 이 시기에 남중국 명사들과의 사이에 형성된 신뢰감이 이후 그의 교유관계가 확대되는 중요한 기반이 되었다.

1909년 중순 무렵에 광동으로 내려가 도교 내단학을 연구하던 그는, 1910년 봄 남방 도교의 본산이었던 나부산 충허관에서 고공섬을 만나 본격적인 내

108. 간좌원은 북동쪽을 등지고 서남향을 바라보는 자리를 가리킨다. 『全氏大同譜』 「羅城派」 제5권(전씨대동종약소, 1991), 126~127쪽.

단 수련에 돌입했다. 충허관 권역에는 지금도 서우가 글을 새긴 석각이 남아 있어, 그의 체취를 느낄 수 있다.

그렇게 3년 남짓 입산수도하던 전병훈은, 1913년경 북경으로 이주한다. 아마도 혁명에 휩싸인 남방의 불안정한 정세와 연관된 듯하다. 그는 북경에서 백운관을 왕래하며 근실히 내단학을 연마했다. 한편 북양정부에 정치개혁안을 제안하는 등, 정치활동을 병행해 위안스카이를 위시한 북경 조야의 칭송을 받았다.

이후 그는 북경 도성 안에 정신철학사를 세워 동서양의 학문을 연구하고 제자를 양성했다. 그리고 마침내 내단의 도를 성취했다. 또한 『도진수언』과 『정신철학통편』 등을 편찬해, 내단학을 기반으로 동서고금의 철학을 회통하는 '정신철학' 체계를 건립했다.

역대 총통을 비롯해 정관계의 최고위 인사들이 그의 문하에 들었고, 당대의 기라성 같은 지식인들이 그의 학문을 상찬했다. 하지만 그는 늘 겸양했고 소박하게 살았다. 현지 후원자들이 지원한 생활비를 아껴 큰돈을 모아 고향에 보내 빈민을 구제하는 음덕을 베풀고, 조선의 독립을 위해 노고를 아끼지 않았다.

서우의 철학이 이런 실천궁행과 병행되자, 사람들이 더욱 감화하여 그를 성철聖哲과 도진道眞으로 추앙했다. 그가 남긴 저술을 넘어, 어쩌면 그의 인생 자체가 더 빛나는 귀감이 되었다. 그러므로 "그의 생애야말로 그의 학문과 사상을 보여주는 텍스트"라고 감히 말할 수 있다.

제11장
전병훈의 연구 자료와 저작

여기서는 전병훈의 저서, 그리고 전병훈 연구의 기본 자료들을 검토한다. 이는 일견 전문적이며 다소 지루한 회고처럼 보일지 모른다. 그렇지만, 지적이고 사려 깊은 독자라면 본 장이 실은 이 책에서도 아주 드라마틱하고 흥미진진한 대목임을 곧 알아채게 될 것이다.

1. 전병훈 연구의 자료들

전병훈은 근대 동아시아 사상사는 물론 한국철학사 전체에서도 유사한 사례를 찾기 어려운 국제적이고도 독창적인 철학사상가였다. 그런데 1990년대까지만 해도 그에 관한 인물연구가 거의 미개척 분야로 남아 있었다. 『정신철학통편』에 산재된 기록과 몇몇 구전으로 그의 행적을 추정하는 게 고작이었다.[1]

1983년 이 책의 영인본에 해제를 달았던 금장태 교수가 이렇게 말했다. "전병훈에 관해서는 지금까지 알려진 것이 거의 없다. 다만 그 자신의 서론과 본문에 산견되는 언급을 모아 본다."[2] 2000년대에 들어와서야, 전병훈의 인물연구에 물꼬를 트는 자료들이 보고됐으며, 전병훈의 생애와 활동이 비로소 전격적으로 연구되기 시작했다.

---

1. 금장태, 「서우 전병훈의 사상」, 철학문화연구소, 『철학과 현실』 제15호 (1992); 황광욱, 「서우 전병훈의 생애와 사상」, 한국철학사연구회, 『한국철학논집』 제4집 (1995).
2. 금장태, 「『精神哲學通編』 해제」, 『精神哲學通編』(明文堂, 1983).

전씨 문중 자료의 검토

특히 한 연구자의 열정과 노력으로 전병훈의 생애에 관해 중요한 자료들이 보고됐다. 2003년 당시 원광대학교에서 석사학위 논문을 준비하던 윤창대가 정선 전씨 문중 기록에서 전병훈에 관한 진귀한 자료들을 발굴했다.[3] 이는 전병훈 연구에 큰 자극이 되었고, 이를 토대로 학계에서 약간의 추가적인 검토가 진행됐다.[4]

지금까지 학계에 보고된 전씨 문중 자료 가운데 특히 중요한 것으로, 전씨대동종약소[5]에서 1918년 발간한 『전씨종약휘보』 1·2권 합편合編(『휘보』로 약칭)과 1931년 발간된 『전씨총보총록』(『총록』으로 약칭)을 들 수 있다.

그 밖에도 1920년대에 나온 『전씨총보』, 1991년 발간된 『전씨대동보』 「나성파」 제5권, 그리고 2002년 전씨중앙종친회에서 펴낸 『전씨종사요람』 등도 주목할 필요가 있다. 이를 연도별로 다시 거열하면 다음과 같다.

- 『전씨종약휘보全氏宗約彙報』 1·2권 합편(전씨대동종약소, 1918)
- 『전씨총보총록全氏總譜總錄』(전씨대동종약소, 1931)
- 『전씨총보全氏總譜』(전씨대동종약소, 1927·1931)

---

3. 윤창대가 석사논문을 수정 보완해 펴낸 책에 따르면, 그는 정선 전씨 종친회, 정선군청 관광문화재 자료실, 국립중앙도서관 고전운영실, 고려대학교 중앙도서관 귀중본 열람실 등을 방문해 자료를 수집하고, 전씨 문중 개인들의 구술과 도움에 힘입어 전병훈의 행적을 추적했다고 한다. 윤창대, 「후기」, 『정신철학통편』(우리출판사, 2004).
4. 윤창대의 「전병훈의 『정신철학통편』 번역연구」(원광대학교 동양학대학원 석사논문, 2003) 및 이를 보완해 출판한 『정신철학통편』(우리출판사, 2004)이 있다. 이를 토대로 임채우가 「전씨 문중 자료를 통해 본 전병훈의 생애에 대한 고증연구」(한국도교문화학회, 『도교문화연구』 제22집, 2005), 「전병훈의 미공개 자료 검토」(한국동서철학회, 『동서철학연구』 제39호, 2006) 등을 발표했다.
5. 전씨 종중은 문중 문헌의 편찬 등 제반사업을 추진하기 위해 1917년 전씨대동종약소全氏大同宗約所를 건립했다. 전병훈은 이 기구의 창립과 활동에도 각별히 기여했다. 『휘보』에 '전씨대동종약'의 축사祝詞를 겸한 서序를 남겼고, 『총록』에도 공이 있는 임원(都廳有司)으로 이름을 올렸다.

- 『전씨총보서全氏總譜序』(전씨대동종약소, 1927)
- 『전씨대동보全氏大同譜』「나성파羅城派」 제5권(전씨대동종약소, 1991)
- 『전씨종사요람全氏宗史要覽』(전씨중앙종친회, 2002)

그런데 앞서 말했듯이, 이 가운데 『휘보』와 『총록』이 특히 귀중한 자료이다. 무엇보다 『총록』에서 전병훈의 행적에 관해 결정적인 단서들을 제공한다. 전병훈의 간략한 전기인 「전성암부자실행수록」(「실행록」으로 약칭), 그리고 중국과 한국의 숱한 명사들이 전병훈을 논한 「제가제평집」(「제평집」으로 약칭)이 여기에 실려 있다.

「실행록」은 전병훈의 생애를 정리한 글로, 서우가 사망하기 1년 전인 1926년(丙寅) 저술됐다. 그의 중국인 제자 인량尹良이 편찬하고 왕통王桐이 머리말을 붙였다. 인량은 청말에 2품 영록대부榮祿大夫로 사천염운사四川鹽運使 서포정사署布政使를 역임한 인물이다. 지금의 관직으로 보자면 중앙정부 차관급의 고위인사였다.

전병훈의 인물연구 관련 자료

자료명	전성암부자실행수록 全成菴夫子實行隨錄 약칭 「실행록」	제가제평집 諸家題評集 약칭 「제평집」	약부제가평언서 畧附諸家評言序 약칭 「평언서」
편찬시기 (음력)	丙寅(1926) 暮春(3月) ~ 初夏(4月)	乙丑(1925) 梧秋(7月) 1日	中華民國 8年 己未(1919) 暮春(3月)
편찬자	인량尹良*	김평식金平植** 이동초李東初**	위란톈于藍田*
부기 附記	왕통王桐* 「머리말」	왕통* 「후기」	
내용	출생부터 사망까지 전병훈의 전 생애에 관한 간략한 전기	중국과 한국 명사 72인의 전병훈에 대한 평론집	캉유웨이康有爲와 옌푸嚴復 등 중국 명사 15인의 전병훈에 대한 찬사
출전	『전씨총보총록』(1931)		『정신철학통편』(1920)

주: 편찬자와 부기 인사 가운데 *은 중국인, **은 한국인을 표시.

「제평집」은 이보다 앞선 1925년(乙丑) 한국인 성균관 박사 김평식金平植과 명법학사明法學士 이동초李東初가 함께 편찬했고, 역시 왕통이 후기를 붙였다. 여기에는 중국과 한국 명사 72인의 전병훈에 대한 찬사가 실렸다. 한편 1919년 전병훈의 중국인 제자 위란톈于藍田이 써서 『정신철학통편』 앞머리에 실은 「약부제가평언서畧附諸家評言序」(「평언서」로 약칭)가 있다. 이 두 문건이 전병훈의 교우관계와 평판 등을 살피는 데 골간이 되는 자료다.

전병훈의 인물연구에서 특히 주목할 필요가 있는 이 3편의 개요를 간략히 정리하면 앞의 표와 같다.

그 밖의 연구 자료

한편 이런 문중 자료에 더해 필자가 이 책을 집필하면서,[6] 더욱 풍부한 자료들을 수집·정리할 수 있었다. 『조선왕조실록』 '고종 36년' 조 등에 전병훈이 고종에게 「만언소萬言疏」의 시무책 올리는 장면이 보인다. 같은 내용이 『승정원일기』 '고종 35년' 조에 더 상세히 수록돼 있다.

또한 전병훈의 관직 변동 등과 관련된 기록이 『승정원일기』와 『일성록日省錄』 등에 남아 있다. 구한말과 일제강점기의 정부 문건도 전병훈에 관해 소소한 흔적들을 담고 있다. 『황성신문』과 『동아일보』 등의 신문에서 전병훈에 관한 기사를 찾을 수도 있다.

개인문집으로는, 이항로의 제자였던 유중교柳重教의 『성재집省齋集』과 한말의 독립운동가 이승희李承熙의 『한계유고韓溪遺稿』 등에 전병훈을 논하는 글이 보인다. 한편 승려 양성暘星(1892~1992)이 1970년대에 편찬한 『선불가진수어록仙佛家眞修語錄』에 전병훈의 글 일부가 포함돼 있고,[7] 1980년대에 소설 『단丹』으로 유명했던 권태훈權泰勳(1900~1994)의 회고록에도 그가 젊었을 때

---

6. 이 책은 필자가 한국연구재단의 인문저술사업(2010~2013년)으로 전병훈에 관해 집필한 연구서다.

7. 「緒言」·「座銘」·「羅浮山古空蟾先師玄關打坐式傳述」 등이 보인다.

북경에서 전병훈을 만났던 장면을 회술하는 대목이 보인다.[8]

그 밖에 일일이 다 열거하기 어려운 자료들이 여기저기서 산견된다. 앞서 전병훈의 생애를 복원하며 이런 자료들을 본문 곳곳에서 활용했다. 그런데 이런 자료들은 대개 국내에서 발견된 것들로, 전병훈이 중국으로 망명한 뒤 현지에 남긴 자료들은 여전히 미궁에 빠져 있다.

광활한 중국에서, 그것도 한 세기 전에 활동했던 조선 망명객의 흔적과 기록을 찾기란 여간 어려운 일이 아니다. 그나마 「실행록」의 평전과 「제평집」·「평언서」 등에 보이는 여러 인사들의 평론에서 실마리를 찾고, 그를 역으로 더듬어서 전병훈의 그림자라도 엿본다면 다행이다.

그러던 차에 2011년 필자가 광동의 나부산을 답사하면서 전병훈의 글씨를 새긴 휘호석을 발견했다. 전병훈이 1910년(庚戌) 겨울에 직접 쓴 '단이기수세丹以祈壽世'라는 명구銘句가 나부산의 도교 유적 중심부에 확연히 새겨져 있다. 이에 관해서는 2012년과 2013년에 각각 중국과 한국의 학술대회에서 보고한 바 있으며,[9] 제10장에서도 이미 소개했다.

어찌됐건 이런 과정을 거쳐 지금까지 발굴된 자료들과 『정신철학통편』에 산재된 기록을 종합해서, 전병훈의 생애를 복원하는 게 어느 정도 가능해졌다. 불과 십여 년 전까지 전병훈에 대해 거의 알려진 바가 없던 것에 비하면, 지금은 그의 전 생애가 환하게 드러나기 시작했다고 할 수 있다. 이를 토대로, 아래에서는 전병훈 연구를 위해 우선적으로 검토할 필요가 있는 그의 저서들은 먼저 살핀다.

---

8. 정재승 정리 및 역주, 『仙道 공부』(솔, 2006).
9. 10장의 각주 66번 참고.

2. 전병훈의 저작

1) 국내 거주기의 저술

1907년 전병훈이 조선을 떠나 망명하기 전에 지은 저서와 문장으로 『동강야설東岡野說』 그리고 『백선미근百選美芹』과 「만언소萬言疏」가 알려져 있다. 이 가운데 『백선미근』과 「만언소」가 현존하며, 『동강야설』은 전하지 않는다.

그런데 지금까지 전병훈 연구가 희소했던 데다 그나마 대개 『정신철학통편』에 관심이 국한돼, 이 저술들에 대한 초보적인 검토마저 거의 이뤄지지 못했다. 하지만 이 저술들은 전병훈의 사상이 전개되는 과정을 살피는 데 각별한 의미가 있다.

아래에서 그 기본적인 서지내용을 확인하고, 저술을 분석해 구한말 조선에서 서우가 품었던 철학사상의 편린이나마 살펴보기로 하자.

• 『동강야설東岡野說』(1894~1898?)

『동강야설』은 갑오개혁(1894) 이후 전병훈이 저술한 경세서經世書다. 관련 기록을 「제평집」에서 볼 수 있다. 앞서 살폈듯이, 1892년 첫 벼슬에 올라 의금부 도사로 있던 전병훈은 김홍집이 주도한 온건개화파의 친일정부에 부정적이었다. 이에 벼슬을 사직하고 지금의 경기도 가평인 가협에 은둔하는데, 이 시기에 『동강야설』을 저술했다.

김홍집이 실각한 뒤 새로 구성된 내각의 총리대신이 된 김병시金炳始(1832~1898)가 이 책을 읽고 "세상을 경륜하는 대작"이라고 찬탄하고, 좌의정을 역임한 조병세趙秉世(1827~1905)와 함께 고종황제의 연찬에서 추천하기로 논의했으나 성사되지 못했다고 한다.[10]

하지만 아쉽게도 현재 이 책은 소실돼 전하지 않는다. 단지 추정컨대, 그 내

10. 居嘉平時著『東岡野說』, 金相公炳始一覽, 歎以經世大材書, 與趙相公秉世, 議以合辭筵薦而未果. 「諸家題評集」, 47쪽 '相擬筵薦.'

용이 개화사상에 비해 상당히 보수적이었을 것이다. 갑오개혁 무렵 전병훈과 김홍집의 생각이 엇갈렸음을 이미 살폈거니와, 유교적 왕도사상에 철저했던 김병시와 조병세 등이 『동강야설』에 주목하고 찬탄했던 것에서 그 사상적 경향을 짐작할 수 있다.

앞서도 말했지만, 전병훈은 『동강야설』을 저술하기 전부터 가평에서 조병세와 만나 깊은 인연을 맺었다. 특히 조병세가 전병훈과 상소문의 작성을 자주 상의했다고 하는데, 1896년 이후 조병세가 고종에게 제안한 폐정개혁과 국정개혁안 등에 전병훈의 의견을 상당 부분 반영했다고 추정된다.

• 『백선미근百選美芹』(1898)

『백선미근』은 광무 2년(1898) 11월에 전병훈이 고종황제에게 헌상한 책이다. 『백선미근』은 명나라 영락永樂 14년(1416)에 양사기楊士奇와 황회黃淮 등이 성조成祖의 명을 받고 편찬한 『역대명신주의歷代名臣奏議』를 발췌해 요약한 편저이다. 『역대명신주의』는 제목 그대로 중국 역대 명신들의 주의奏議[11]를 가려 모아 350권 분량으로 엮은 대작이다.

이 책은 은나라에서 원나라까지 안자晏子·관중管仲·이사李斯·진평陳平·가

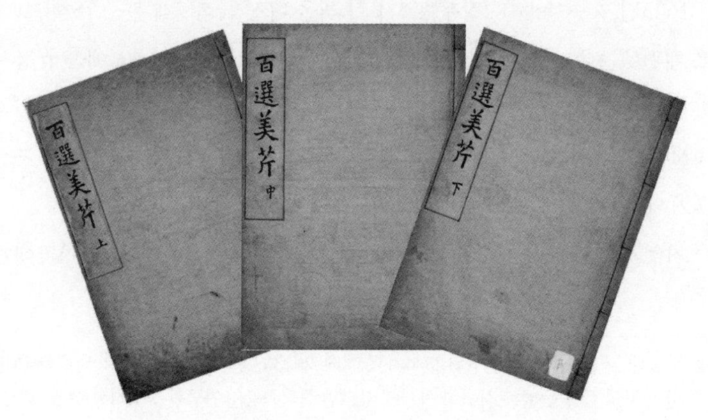

『백선미근』 上·中·下 표지(고려대학교 중앙도서관 소장)

---

11. '주의奏議'는 신하가 임금에게 올린 상주문을 가리킨다.

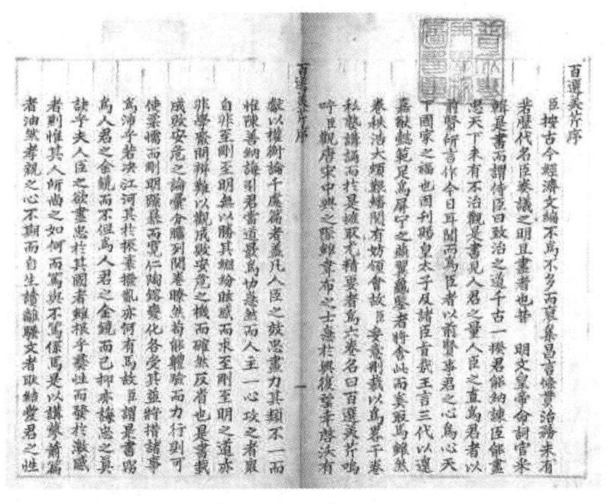

百選美芹序

臣 按古今經濟文編不爲不多而冀集昌言條貫治體未有
若歷代名臣奏議之明且盡者也昔 明文皇帝命詞臣采
輯是書而謂侍臣曰致治之道千古一揆君能納諫臣能盡
忠天下未有不治觀是書見人君之量人臣之直爲君者以
前聖所言作今日耳聞而爲臣者以前賢事君之心爲心天
下國家之福也因刊賜皇太子及諸臣旨哉王言三代以還
嘉猷懿範足爲屏守之龜鑑者特舍此而奚取焉雖然
卷秩浩大煩艱觸閱有妨領會故臣 妄竊刪裁以爲若干卷
私切講誦而於是編取其精要者爲六卷名曰百選美芹嗚
呼臣觀唐宋中興之際鮮章布之士無於興復瞽言爲有

百選美芹序 一

獻以權衡論千處備者蓋凡人臣之效忠盡力其類不一而
惟陳善納誨引君當道最爲切要然而人主一心攻之者衆
自非至剛至明無以勝其紛綸眩惑而求至剛至明之道亦
非學蔑聞辨難以觀成敗安危之機而確然反省也是書載
成敗安危之論彙分臚列閱者瞭然有能體驗而力行則可
使叢墻而刪明顯暴而寬仁陶鑄變化各受其益特措諸事
爲沛乎若決江河其於探素撥亂亦何有焉故臣謂是書爲
爲人君之金鏡而不但爲人君之金鏡而已抑亦[illegible]忠之具
誌乎夫人臣之欲盡忠於其國者雖根乎素性而發於激感
者則惟其人所尚之如何而寫與不寫係焉是以講義前篇
者油然孝親之心不期而自生讀離騷文者取紬忠君之性

『백선미근』 내지

의賈誼·제갈량諸葛亮·위징魏徵·유종원柳宗元·부필富弼·구양수歐陽修·사마광司馬光·왕안석王安石·왕우벽王禹僻·신기질辛棄疾·완안소란完顔素蘭 등의 상주문 8천여 편을 총 64개 항목으로 분류해 수록하고 있다. 각 항목은 군주의 덕(君德), 성인의 학문(聖學), 효도(孝親) 같은 도덕적 내용부터 재정운용(理財), 군대제도(兵制), 나라의 역사(國史), 도서관리(經籍), 치안방책(弭盜)에 이르기까지 국정에 관한 거의 모든 사안을 망라한다.

1635년(명 숭정崇禎 8) 장부張溥가 이 책을 다시 목록 2책 본문 78책(319권)으로 재편했는데, 조선에서 이를 다시 간행했다.[12] 1782년(정조 6)에는 규장각 제학 김종수金鍾秀가 그 내용을 요약하고 거기에 명나라 때의 주의를 더해 『역대명신주의요략歷代名臣奏議要略』 8권을 지어 정조에게 바친 일도 있다.[13] 조선 중후기에 이 책이 경세의 지침으로 비교적 중시되었음을 알 수 있다.

전병훈은 일찍이 서당에서 이 책을 강독했으며, "이를 읽고도 임금에게 충

12. 서울대 규장각 한국학연구원 도서자료 해제. 2013년 한국도교문화학회 춘계학술대회에서 필자의 글을 논평한 김백희 선생에 따르면 한국학중앙연구원 장서각본(인조 13년, 1635)과 서울대 규장각본(영조 연간) 등이 있다. 필자가 조사한 바로는 고려대학교도서관에도 현종·숙종 연간(1660~1720)에 출간된 판본이 소장돼 있다.

13. 『조선왕조실록』 1782년(정조 6년) 3월 24일(신유).

『백선미근』 목차

上	中	下
『百選美芹』序 1	『百選美芹』卷之三 1	『百選美芹』卷之五=1
『百選美芹』凡例 1	용인用人 1	학교學校 1
『百選美芹』目錄 1	거형去邢 20	풍속風俗 5
『百選美芹』卷之一 1	외척外戚 26	예악禮樂 9
군덕君德 1	총행寵倖 33	건관建官 12
성학聖學 14	근습近習 35	선거選擧 17
효친孝親 21	근정勤政 43	고과考課 22
경천敬天 24	절검節儉 44	근명기謹名器 26
교묘郊廟 26	계일욕戒佚欲 48	법령法令 28
치도治道 31	『百選美芹』卷之四 1	신형愼刑 31
『百選美芹』卷之二 1	신미愼微 1	사유赦宥 34
법조法祖 1	구언求言 6	이재理財 35
저사儲嗣 3	청언聽言 8	『百選美芹』卷之六 1
내치內治 5	상벌賞罰 18	병제兵制 1
종실宗室 10	경국經國 20	숙위宿衛 5
구현求賢 12	수성守成 34	정벌征伐 6
지인知人 15	인민仁民 35	임장任將 9
예신禮臣 21	무농務農 38	황정荒政 13
	전제田制 40	부역賦役 16
		둔전屯田 18
		국사國史 19
		경적經籍 21
		재상災祥 22
		영선營繕 25
		미도弭盜 27

* 숫자는 해당 장절이 시작되는 원문의 쪽수.

성하고 나라를 사랑하는 마음이 일어나지 않으면 이른바 사람의 도리를 끊어 버린 것이고 하늘의 떳떳한 도를 지키지 못한 것"이라고 경탄할 정도로 그 내용에 감복했다고 한다.[14]

서우는 『역대명신주의』가 "많은 지혜와 재주를 널리 모아서 세상을 다스리

14. 「序」, 『百選美芹』.

는 지침과 나라를 보호하는 귀감이 될 만한 내용"이라고 하며, "다만 그 편질篇帙이 방대해 열람하기 매우 어려운 것이 단점이라 이를 간추리고 요약해 6권으로 만들어 『백선미근』으로 이름을 붙여 진헌한다"고 밝혔다.[15]

『백선미근』은 현재 고려대학교도서관 등에 필사본이 소장돼 있다. 그 목차가 『역대명신주의』에 비해 11개 항목이 적은 53개 항목으로 이뤄져 있다. 이에 대해 전병훈은 "발췌한 원본의 내용은 한 자도 가감하지 않고 다만 원본의 목차가 틀리는 것만 바로잡았다"[16]고 범례에서 밝힌다. 그 항목을 앞의 도표에서 확인할 수 있다.

사실 『백선미근』은 『역대명신주의』를 요약해 편찬한 책이라, 그 자체로 독립된 저술로서의 가치가 그리 높다고 보기는 어렵다. 하지만 전병훈이 이 책을 고종에게 헌상하게 된 배경과 동기 등을 함께 살핀다면, 꽤 흥미로운 시사점을 찾을 수 있다.

여기서 당시 정세에 대한 전병훈의 인식을 살피고, 이를 통해 향후 그의 철학사상이 전개되는 추이를 가늠할 수 있기 때문이다. 이를 위해 「만언소」의 내용을 함께 논구할 필요가 있다.

• 「만언소萬言疏」(1898)

6조 1강령의 시무책

전병훈은 광무 2년(1898) 11월 20일(양력 1899년 1월 1일) 『백선미근』과 함께 여섯 가지 조목과 한 가지 강령을 골자로 하는 시무책인 「만언소」[17]를 고종에

15. 『승정원일기』 고종 35년 무술(1898, 광무 2) 11월 20일.

16. 「凡例」, 『百選美芹』.

17. 그 시무책이 「만언소」라는 것은 『일신』 광무 3년(1899) 1월 7일에 기록이 남아 있다. "日前, 中樞院議官 全秉薰, 前日萬言疏中, 條陳登徹也, 然又此樞院之達議九條, 一曰大公用人, 二曰理財大方, 三曰局外獨立, 四曰養兵二十萬, 五曰創造器械, 六曰學校貢擧, 七曰律用重典, 八曰特設下議院, 復設經筵, 而可否取決時, 用人皆曰可也, 至理財, 或曰否也, 全秉薰拍案高聲曰, 國家深患, 姑息成習, 一事不爲, 庶務不振, 故天下爲貧弱

게 올렸다. 이와 관련된 사료가 해당 날짜의 『조선왕조실록』과 『일성록』·『승정원일기』, 그리고 『일신日新』 광무 3년(1899) 1월 7일 등에 수록돼 있다. 「실행록」에도 관련 기록이 보인다.[18]

그 가운데 『승정원일기』가 전병훈의 상소문 전문을 수록하고 문자가 비교적 정확해 참고가치가 높다. 지면 관계상 그 전문을 다 소개하지는 못하고, 여기서는 주요 내용을 간략히 짚고 넘어가기로 하자.

먼저 전병훈은 갑오개혁의 실패와 을미사변의 참상을 들며 "갑오년과 을미년 이래로 국가에 재앙과 변고가 끊임없이 발생하고 삼강오륜이 땅에 떨어져 귀신과 인간이 함께 분개하고 있다"고 전제한다. 그리고 "지금에 이르도록 사오 년 동안 여러 가지 일들을 진작시키지 못했고 지극한 수치도 씻어 내지 못하는" 것에 대한 통한을 토로한다.

하지만 고종이 쇠미해진 나라를 일으키고 혼란한 정국을 바로잡으려는 뜻을 지니고 있는 만큼, 그에 부응하는 '구체적인 정책'을 강구해 시행하는 것이 무엇보다 중요하다고 역설한다. 그가 『역대명신주의』를 요약한 『백선미근』을 제작한 것도, 당시 정세에서 추상적인 담론보다 구체적인 정책을 담고 있는 상주문들이 더 요긴하다고 판단했기 때문이다. 그는 호시탐탐 조선을 집어삼킬 기회만 엿보는 주변 열강에 둘러싸인 형세를 이렇게 묘사했다.

> 현재 온 세상의 안팎이 온통 일대 변화의 국면을 이루었으니, 비록 외교적으로 연락을 주고받고 우호관계를 맺었다 하더라도 속으로는 의심하고 시기하면서 서로 해치려는 마음을 품고 있습니다. 북쪽으로 호시탐탐 노리는 기세를 지닌 나라가 있고, 동쪽으로는 조삼모사朝三暮四의 계책을 부리는 나라가 있으며, 서쪽으로는 어부지리漁父之利의 기회를 엿보는 나라가

之國, 不免外侮, 爲奴之患, 當在迫頭, 顧我官人之爲食祿晝職以道, 何事也, 如是發論之際, 會議時晚, 故餘條不得取決, 仍爲留案也."

18. 子于富寧, 務望當道, 繼陳「萬言疏」, 要統改國政·立憲·用人·理財·養兵二十萬, 特遷議衡建白者, 亦如疎意, 皆具章程. 「실행록」, 46쪽.

있습니다.

진실로 이러한 때에 분발하고 정신을 차려 스스로 강해질 형세와 장구하게 안정을 누릴 방법은 모색하지 않고, 단지 구태의연한 정책만을 일삼아 당장 무사한 것만을 요행으로 여긴다면, 쌓아 놓은 땔나무 위에 앉아 태산처럼 안전하다고 생각하는 것과 무엇이 다르겠습니까?[19]

전병훈은 위기에 직면한 조선에서 '구태의연한 정책'이나 만지작거리며 무사안일하게 대응할 수 없다고 지적한다. 그리하여 당장 시급하고 절실한 정책으로 여섯 가지 조목과 한 가지 강령에 관해 진술한다.

6조목은 곧 ① 군사를 양성하는 것, ② 기계를 개발하고 제조하는 것, ③ 재정을 확충하는 것, ④ 인재를 양성하는 것, ⑤ 언로를 활짝 열어 놓는 것, ⑥ 외국과의 관계를 잘 도모하는 것이다.

그리고 이와 관련해 특히 '인재를 아주 공정하게 등용하는 것'이 모든 일의 근간이 되므로, 그것이 나머지 여섯 조목의 총강령綱領이 된다고 강조한다. 각 항목의 내용을 여기서 세세히 설명할 수는 없으나, 전병훈의 시무책에 나타나는 다음 몇 가지 특징에 주목할 필요가 있다.

개혁안의 사상적 특징

우선 전병훈이 동양은 물론 서양의 역사와 국제정세에 상당히 해박했음을 시무책 곳곳에서 확인할 수 있다. 그는 로마와 이집트가 풍요에 길들여져 도리어 멸망한 것을 수나라 양제와 당나라 현종의 사례에 비견했다. 영국·프랑스·미국·오스트리아가 한때의 시련을 딛고 점차 강성해진 것을 춘추시대의 월왕 구천句踐과 오호십육국시대 전진의 부견苻堅에 비유하기도 한다.

또한 크림전쟁(Crimean War, 1853~1856)에서 터키가 사오십만의 정예병을 양성하고 영국과 프랑스의 지원을 받아 3년간 러시아의 공세를 잘 막아내 마

19. 『승정원일기』 고종 35년 무술(1898, 광무 2) 11월 20일.

침내 승리한 사례를 들기도 한다. 이로써 군대양성의 중요성을 강조하고, 지정학적 위치가 서양의 요충에 있는 터키와 비슷한 조선도 터키처럼 대응할 수 있다고 강조한다.

그리고 외교관계에 있어서는, 벨기에와 스위스가 독립의 의지를 높여 주변 열강으로부터 영세중립국의 지위를 승인받은 사례를 들고, 조선 역시 시급히 그와 같은 정책방향을 결정해 시행할 것을 촉구하기도 했다.

한편 그는 당시 조선의 서구문물에 대한 담론학적 대응이 너무 추상적이고 현학적이라고 판단했다. 식자들이 '동도서기東道西器'와 '내수외교內修外交' 등을 주장하는 것에 대해 그것이 "시의時宜에 통달한 말"이라고 일단 인정하면서도, 이런 원칙론만 가지고 현실에 대응하기에는 상황이 너무 급박하다고 진단했다.

그러면서 "요직을 차지하고 있는 신하들이 안일을 꾀하고 세월만 보내면서 어려운 국가의 형세를 호전시킬 방도는 생각하지 않은 채 물끄러미 관망만 하고 있으니, 신이 매우 통곡하고 탄식하는바"라고 토로한다. 당시의 논의가 지나치게 명분론에 빠져 탁상공론화 하는 현실을 지적한 것이다.

결국 그는 이런 문제의 원인이 사대부들의 안일한 현실인식과 붕당의 폐해 때문이라고 인식한다. "우리나라는 한쪽 모퉁이에 치우쳐 위치해 태평을 누린 지 오래이며, 게다가 붕당이 서로 대립해 권세를 부리는 나쁜 습성이 굳어져서 깨뜨릴 수 없다"는 것이다. 그리고 비탄에 찬 어조로 조정에 인재가 없음을 개탄했다.

> 나라의 형세가 이처럼 위급하기 그지없는 데도, 솔선해서 끝까지 간언함으로써 폐하의 마음을 돌리고 무너지는 종묘사직을 구원하려는 자가 한 사람도 없습니다. 진실로 천지가 개벽한 이래로 보지 못한 일입니다.
> 신이 삼가 너무도 통탄스러워 감히 형벌을 피하지 않고 죽을 각오로 폐하를 위해 남김없이 말을 아뢰어, 이렇게 외람된 지경에까지 이르렀습니다.[20]

이에 전병훈은 모든 문제의 근본적인 해결책이 결국 인재의 공정한 등용에 있다고 강조하기에 이른다. 그리고 인재를 등용하려면 반드시 먼저 사람을 잘 식별해야 하는데, 사람을 알아보는 방법이 『백선미근』에 다 실려 있다고 고종 황제에게 진언한다.

이로써 보건대, 전병훈은 추상적 담론보다 구체적인 정책이 중요하며 이의 실행을 위해 무엇보다 고종이 인재를 감별하는 혜안을 터득해야 한다고 생각하고 『백선미근』을 헌상했음을 알 수 있다. 역대 명신들의 간언을 발췌한 책을 통해서라도, 어떤 사람이 훌륭한 인재고 누가 소인인지 알아보는 안목을 고종이 기르기를 바랐던 것이다.

그래도 미덥지 않았던지, 그는 "대체로 강직하고 정직해 끝까지 간언하며 벼슬에 신중히 나아가지만 쉽게 물러나는 사람은 군자이고, 겉으로는 유순한 척하면서 상대의 비위나 맞추고 동료끼리 시기해 자리를 잃을까 근심하며 재물 모으는 일에나 힘쓰는 사람은 반드시 소인"[21] 이라고 꼭 집어서 부언하기까지 한다.

이상에서 훗날 전병훈의 정신철학에 반영되는 사상과 학문방법의 단초들이 이미 성장하고 있었음을 알 수 있다. 첫째, 동양은 물론 서양의 역사와 학문·국제정세 등에 대해 상당히 해박한 지식을 습득하고 있었다. 둘째, 조선말 유학자들의 탁상공론과 붕당의 폐해에 대해 비판적이었다. 셋째, 강권을 행사하는 제국주의 질서에 편승하기보다, 영세중립국 같은 평화의 구축에 관심을 두었다.

또한 그가 고종에게 군자의 특징으로 제시한 "강직하고 정직해 끝까지 간언하며 벼슬에 신중히 나아가지만 쉽게 물러나는 사람"은, 다름 아닌 전병훈이 평생 견지한 그 자신의 실천적인 모습이기도 했다.

---

20. 『승정원일기』, 위의 기사.
21. 『승정원일기』, 위의 기사.

현실에서의 좌절

하지만 「만언소」에서 전병훈이 여전히 유학을 정통(正學)으로 고집하며, 서양의 과학이나 군사학·정치학 등을 이단異端과 사설邪說로 배격하는 것도 관찰된다. 한 예로 "이단을 물리치고 사설을 배척하는 것으로는 정학正學을 밝히고 민심을 선량하게 하는 것이 최선"이라며 "지금 이교異敎가 난무해 하늘에 닿을 기세인데, 삼강오륜을 무너뜨리고 세도世道를 해치는 일이 모두 여기에서 비롯된다"고 말한다.[22]

훗날 그가 정신철학에서 보여주는 원융한 기풍이 아직 무르익지 않았음을 반증한다. 그가 중국으로 망명한 뒤, 도교 내단학과 서양철학을 본격적으로 접하고 나서야 이런 한계에서 벗어났다. 어쨌거나 전병훈이 『백선미근』과 함께 시무책을 올린 것이 고종의 마음을 움직였다.

「만언소」의 시무책을 올린 뒤 닷새 만인 1898년 11월 25일(양력 1899년 1월 6일), 고종은 전병훈을 중추원 의관議官으로 임용한다. 그런데 공교롭게도 전병훈이 시무책 안에서 '언로를 활짝 열어 놓을 것'을 말한 바 있다.

그리고 "중추원 의관에게 대간과 풍헌風憲의 직임을 맡기되, 그중 강직한 신하 몇 사람을 선발해서 어사御史와 급사給事의 책임을 맡겨 백관들의 사정邪正을 규찰해 탄핵하고 논박하도록 하라"는 구체적인 방안까지 제시했다.

고종은 이런 제안을 타당하게 여기는 한편, 전병훈이 그 직능을 수행하기에 적임자라고 판단했던 듯하다. 이에 그를 중추원 의관으로 전격 임명한다. 그러자 전병훈은 시무책을 다시 9조로 보완해 재차 조정에 건의했다. 이에 관한 기사가 『황성신문』에 실려서 당시 중추원의 풍경까지 함께 전해 준다.

> 일전에 중추원 의관 전병훈 씨가 전날의 「만언소」에서도 조목을 나열해 황제께 상주하였거니와, 또 중추원에서 9조목을 건의하였다. 첫째는 크게 공정하게 사람을 쓰는 것이요, 둘째는 재정을 확충하는 것이요, 셋째는 대외

22. 『승정원일기』, 위의 기사.

적으로 독립하는 것이요, 넷째는 병사 20만을 양성하는 것이요, 다섯째는 기계를 개발하고 제조하는 것이요, 여섯째는 학교를 세우고 인재를 선발하는 것이요, 일곱째는 법전에 따라 법률을 운용하는 것이요, 여덟째는 하의원을 특설하는 것이요, 아홉째는 경연經筵을 부활하는 것이다.

이에 가부를 결의할 때, (중추원 관리들이) 사람을 공정하게 쓰는 것은 모두 찬성이라 하고는 재정 문제에 이르러서 혹은 반대라 함에, 전병훈 씨가 주먹으로 책상을 치며 언성을 높여 말했다. "나라에 우환이 깊은데, (관리들이) 구태의연함에 길들여져 한 가지 일도 처리하지 못하고 모든 업무가 마비되는 지경이오. 그러므로 천하에 빈약한 나라가 되어 외침을 면치 못하고, 노예가 되는 근심이 목전에 닥쳤소. 그러니 우리 관리들이 녹을 먹으며 직무를 다하는 길이 대체 뭔지 돌아보시오!" 그러다가 회의시간이 끝나므로, 나머지 조목은 의결하지 못하고 안건처리를 보류했다고 한다.[23]

전병훈은 앞서 제안한 6조의 시무책에 '성문법에 의거한 법률의 집행', '하의원의 설치', '경연의 부활'을 더해 9조목으로 보완했다. 그리고 이를 중추원에서 결의하자고 제안했다.

하지만 중추원 관료들은 단지 첫째 조목인 공정한 관리등용에만 명분상 동의했을 뿐, 자신들의 이해관계가 걸린 국가의 재정확충 문제로 안건이 넘어가자 설왕설래하다가 결국 논의를 흐지부지 끝내고 말았다. 물론 나머지 안건은 건드리지도 못했다.

---

23. 日前에 中樞院議官 金[全의 誤記-필자주]秉薰氏가 前日 萬言疏中에도 條陳登徹ᄒᆞ엿거니와, 또 樞院에서 建議 九條ᄒᆞ니, 一曰 大公用人이오, 二曰 理財大方이오, 三曰 局外獨立이오, 四曰 養兵二十萬이오, 五曰 創造器械오, 六曰 學校貢擧오, 七曰 律用重典이오, 八曰 特設下議院이오, 復設經筵인ᄃᆡ, 可否取決時에 用人은 皆曰 可라 ᄒᆞ고 理財에 至ᄒᆞ야ᄂᆞᆫ 或曰 否라 홈이, 全秉薰氏가 拍案高聲曰, "國家深患에 姑息成習ᄒᆞ야 一事不爲에 庶務不振ᄒᆞᄂᆞᆫ 故로 天下에 貧弱之國이 되야 外侮를 免치 못ᄒᆞ고 爲奴之患이 迫頭ᄒᆞ엿스니 顧我官人의 食祿盡職ᄒᆞᄂᆞᆫ 道가 何事오" ᄒᆞ다가 會議時晩ᄒᆞ기로 餘條ᄂᆞᆫ 取決치 못ᄒᆞ고 留案ᄒᆞ엿다더라. 『황성신문』 1899년 2월 16일.

이는 당시 조선 조정의 무능과 부패를 여실히 보여주는 살풍경이 아닐 수 없다. 그러니 전병훈이 책상을 치고 언성을 높여도 결국 마이동풍의 공허한 외침이 돌아올 뿐이었다. 그가 제시한 방책들을 시행하기에는 국운과 조정의 역량이 태부족이었다. 조선 산하는 이미 망국의 먹구름으로 뒤덮였다.

결국 그는 독립을 보존하는 일로 다섯 차례나 상주를 계속하다가 편벽한 지방관으로 좌천돼 변방 여러 고을을 전전하기에 이르렀다.[24] 그러다가, 조선의 패망이 목전의 현실이 되면서 이미 젊지 않은 50세의 학자가 급기야 몸을 서쪽으로 돌려 망명길에 오르게 된다.

2) 중국 망명 이후 시기의 저작들

• 「칠장정七章程」(1913)

전병훈은 중국으로 망명한 뒤 남경을 거쳐 광동의 나부산에서 내단학을 연마하다가 중화민국 2년(1913) 무렵 북경으로 이주했다. 그해에 '예복禮服', '예서禮書', '주공周公의 예치禮治', '조례條例', '황제黃帝의 구정량법丘井量法', '동쪽성(東省)의 한인교포(韓僑)를 보호하는 일' 등에 관한 일곱 규정을 담은 만여 자의 「칠장정」을 지어 위안스카이 정부에 제안했다.[25] 이를 받아 본 위안스카이가 전병훈을 극찬하며 후대했고, 그로 인해 그의 명성이 조야에서 높아졌다. 이에 관해서는 위에서 이미 상세히 살폈다.

• 「헌의서獻議書」(1914 등)

1913년 「칠장정」을 제안한 뒤에도 전병훈은 누차에 걸쳐 지속적으로 예치 등을 제안하는 건의문을 중국 정부에 제출했다. 위안스카이 이후 대총통이었

---

24. 以保證獨立, 五次上奏, 左遷僻小數郡. 『全氏總譜』 6권(전씨대동종약소, 1931), 39쪽.
25. 都肅政史莊公蘊寬, 字思緘曰, "…… 我師於中華民國二年, 製進禮服・禮書・周公之禮治・條例・黃帝之丘井量法, 竝保護東省韓僑事, 七章程萬餘言, 後有諸家之盛稱." 「諸家題評集」, 47쪽.

던 리위안훙黎元洪·펑궈장馮國璋·쉬스창徐世昌 모두에게 예치와 교사郊祀를 권면했다는 기록이 「실행록」에 보인다.[26]

이런 종류의 건의서를 통상 「헌의서」라고도 하는데, 당시 북경에 망명을 와 있던 이승희李承熙(1847~1916)에게 전병훈이 「헌의서」의 교정을 부탁하기도 했다. 영남 출신의 유학자이자 독립운동가였던 이승희의 『한계유고韓溪遺稿』에 관련 기록이 보인다.

전병훈과 이승희는 1914년(甲寅) 북경에서 만나 눈물겨운 조우를 하고 이내 서로 긴밀히 의지하는 사이가 된다. 그해에 이승희가 전병훈의 「헌의서」 2책冊을 읽고 교열을 보았으며, "그 큰 뜻을 보니 고심한 흔적이 역력하다"고 평하기도 했다.[27]

전병훈의 「헌의서」가 2책 분량으로 꽤 두툼했으며, 뜻이 장대하고 내용이 진지했음을 짐작할 수 있다. 그 외에도 『한계유고』는 두 사람이 만났던 여러 장면을 기술하고 있어서, 전병훈의 북경생활을 살피는 데 상당한 도움을 준다.

• 『도진수언道眞粹言』(1919)

『도진수언』은 1919년 전병훈이 북경에서 펴낸 저서로 알려져 있으나, 현재 전하지 않는다. 『도진수언』은 줄여서 『수언』으로도 부른다. '수언'의 의미는 『이정수언二程粹言』 유의 책이름과 상통한다. 도진수언은 곧 '도진道眞의 정수를 담은 어록' 정도를 함축한다. 몇몇 기록에서 이 책에 관해 언급하는데, 그 내용이 조금씩 엇갈려 꼼꼼한 고증과 분석을 필요로 한다. 따라서 우선 관련 자료들을 모아 정리하고 살필 필요가 있다. 먼저 아래의 세 자료를 검토해 보자.

【자료 1】① 나는 10년 동안 『도장道藏』 2천여 권을 정밀히 연구하며 몸소

---

26. 逮黎·馮·徐三總統皆勸禮治·郊祀. 「실행록」, 46쪽.

27. 全議官, 送獻議二冊, 請校閱, 觀其大意, 多見苦心. 『韓溪遺稿』(1), 「1. 詩」 7, '六二四, 北京立春'; 甲寅 先生六十八歲, …… 全議官以所作獻議書來請訂. 『韓溪遺稿』(7), 「28. 年譜」.

증험한 뒤에, 이를 신비화하거나 사리사욕을 구하길 바라지 않고 모래에서 금을 캐듯이 10권의 책을 편찬하기에 이르렀다. 이로써 '정신철학'을 표명表名하니, 세상 뭇 학계의 정신과 공익에 도움이 되기를 바란다. 아! 이것이 '도학'이다.[28]

【자료 2】 마침내 『도장』 2천여 권을 정밀히 연구하고 몸소 실험하기 십 년 만에 (주년周年에) 비로소 신이 현관에 응결하고, 이어서 도가 이뤄지는 증험이 딱 들어맞아 어긋나지 않았다. 그 뒤에야 비로소 스스로 경계하며 "도가 응결됐다"고 말했다.[29] …… ② 내가 삼가 사리사욕(自私自利)을 구하지 않고 모래에서 금을 캐듯이 10권의 책으로 엮어 『도진수언』으로 이름을 붙였다. 대저 이 학술은 고대에 '도학道學'으로 불렸는데, 진秦·한漢 이래 신선학神仙學으로 이름이 바뀌어 거의 세속 밖에서 비밀스럽게 사유화됐다. 어찌 한스럽고 애석하지 않겠는가?

정신을 기르고 응결하는 극치에서 양신陽神이 출태해 우주가 손안에 들어오고 위아래로 천지와 함께 유행하니, 그러면도 인류의 공익을 진작하지 않는 학술이 가능하겠는가? 이제 세상에서 공용公用하는 학술로 만들어 '정신철학'으로 이름 붙이는 것은, 어찌 그 진면목을 고스란히 익히면서도 새롭게 혁신하며(溫故維新), 낡은 허울을 벗고 승화하는(由陳蛻化) 바가 아니겠는가? 그러므로 '정신철학'으로 명명해 부르니, 사람마다 각자 이익을 얻어 정신을 키우며 병을 물리치고 장생하기를 바란다.[30]

---

28. 余竭十年鈍精於道藏(二千餘卷), 躬且實驗以後, 不欲神秘自私, 遂祛沙揀金 編成十卷. 表名以精神哲學, 希補入世群學界之精神公益. 噫! 此道學也. 「精神哲學通篇·緒言」, 『全氏宗約彙報』 1·2권 합편(전씨대동종약회, 1918), 37쪽. 필자가 앞서 발표한 논문(「曙宇 全秉薰의 생애와 저술에 대한 종합적 연구(3)」, 도교문화학회, 『도교문화연구』 40집, 262쪽, 주 6)에서 원문의 '表名'을 '表明'으로 오타하고, '명백히 드러내 보이다'로 번역했다. 본문에서 이를 '표명表名하다'로 바로잡는다. 하지만 본문의 논증 문맥상 큰 차이는 없다.
29. 遂竭鈍精於道藏(二千餘卷), 而躬自實驗者十載, 始焉(周年)神凝玄關, 而次第道成之證驗不差, 然後乃自箴曰道凝. 『통편』, 20쪽.

【자료 3】③ 늘 백운관에 가서 『도장』 3천 권을 빌려 읽고 『도진수언』 10권을 편찬했으며(己未 2월), 스스로 양신출태(神出)하는 신험을 본 뒤에 『정신철학통편』 4권을 묶어 냈다.[31]

여기서 주목할 필요가 있는 것은, 위의 자료에서 ①·②·③의 진술이 거의 합치한다는 점이다. 그런데 ②와 ③에 『도진수언』의 책 이름이 거론된 반면 ①에는 보이지 않는다. 하지만 다른 자료와 대조할 때, 그것이 곧 『도진수언』을 가리키는 것이 거의 확실하다.

모든 자료에서 일관된 진술은, 전병훈이 북경 백운관에서 『도장』 2천여(혹은 3천여) 권을 빌려 읽고 사금砂金을 채취하듯 그 정수를 엮어 10권의 책을 편찬했다는 것이다. 문제는 【자료 1】에서 밑줄 ①과 바로 그 뒤에 이어지는 "이로써 정신철학을 표명하니" 운운하는 것이 같은 책에 대한 설명인지, 아니면 서로 다른 책에 대한 진술인지가 분명치 않다는 데 있다.

【자료 1】은 1918년 음력 8월에 간행된 『휘보』에 포함됐다. 「정신철학통편·서언」이라는 제목으로 보건대, 그것이 훗날 『정신철학통편』에 실릴 「서언」의 초고였음을 알 수 있다. 그렇다면 여기서 "정신철학을 표명한다"는 것은 물론 『정신철학통편』을 염두에 둔 진술이다.

그런데 만약 그것이 동시에 ①에서 말하는 10권 분량의 책에 대한 설명이기도 하다면, 『도진수언』이 곧 『정신철학통편』이거나 최소한 그 저본底本이어야 한다. 하지만 "『도장』 2천여 권을 연구해 모래에서 금을 캐듯이 10권의 책을 편찬"했다는 것과 또한 "정신철학을 표명하니 세상 뭇 학계의 정신과 공익에

30. 余誠不欲自私自利, 遂祛沙揀金, 編成十卷名以『道眞粹言』. 夫此學也, 古名以道學, 自秦漢改名以神仙學, 而尚秘私方外者, 豈不可怨而可惜乎? 養凝精神之極, 陽神出胎, 造化在躬, 宇宙入手, 上下與天地同流, 如此而不作人群公益之學可乎? 今作入世公用之學, 則名之以精神哲學者, 詎非其眞面目之溫故而維新, 由陳而蛻化者耶? 是以命名曰精神哲學, 蓋欲人各受益, 增添精神, 却病延年之願也. 『통편』, 22쪽.

31. 竟就白雲觀借閱道藏三千卷, 編『道眞粹言』十卷(己未二月), 自見出神之神驗後, 約成『精神哲學通篇』四卷. 「실행록」, 45쪽.

『도진수언』 관련 참고자료 일람표

	자료 수록 편명	저술 연도	자료 출처	비고
【자료 1】	「정신철학통편·서언」	미상 (1918년 8월 이전)	『전씨종약휘보』 1·2권 합편 *1918년 8월 간행	미완 원고
【자료 2】	「정신철학통편·서언」	1918년 11월 (戊午 至月)	『정신철학통편』 *1920년 간행 (중화민국 9년)	최종 원고
【자료 3】	「전성암부자실행수록」	1926년 (丙寅)	『전씨총보총록』 *1931년 간행	

도움이 되기를 바란다"는 구절을, 각각 『도진수언』과 『정신철학통편』에 관한 별개의 진술로 읽어도 사실 하등의 문제는 없다.

【자료 2】는 『도진수언』을 오래된 '신선학'의 학술이라고 하고, 다시 이를 "세상에서 공용公用하는 학술로 만들어 '정신철학'의 이름을 붙였다"고 한다. 한데 여기서도 도진수언과 정신철학의 관계는 석연치 않다. 둘은 과연 한 몸뚱이인가 두 몸뚱이인가, 아니면 일란성 쌍생아인가?

【자료 3】에서도 이 두 책이 서로 별개의 저작인지, 혹은 본래 10권 분량으로 편찬했던 『도진수언』을 다시 4권 체제로 축약해 『정신철학통편』으로 펴냈다는 것인지 여전히 알기 어렵다. 고증의 난도가 상당히 높은 문제임이 분명하다. 고증에 관심이 있는 독자라면, 이런 점을 유념하며 위의 자료들을 주의 깊게 읽어 보면 좋을 것이다.

한편 『정신철학통편』을 편찬하는 과정에서 먼저 『도진수언』이 완성됐는데, 그것이 실은 10권의 체계가 아니라 '현관타좌식' 10조목으로 이뤄진 작은 책자였다는 주장도 있다.[32] 하지만 이런 추론에 동의하기는 어렵다. 무엇보다 위의 모든 자료에서 10권 분량의 책을 말하는데, 그것이 실은 10조목의 소책자였다고 추측하는 게 옳지 않다.

32. 임채우, 「全秉薰의 『道眞粹言』과 暘星의 『仙佛家眞修語錄』의 관계에 관한 연구」, 철학연구회, 『철학연구』 제73권 (2006), 161쪽, 각주 34~35.

더구나 『정신철학통편』이 "방대한 내용과 체계를 가진 사상서"인 반면 『도진수언』은 "전병훈이 터득한 도교 수련의 요점을 간명하게 정리한 것으로 제자들을 기르기 위한 현장실습 교재나 수련지침서 같은 것"[33]으로 추정하는 대목에 이르면, 의구심이 더욱 증대된다.

무엇보다 【자료 3】에서 "늘 백운관에 가서 『도장』 3천 권을 빌려 읽고 『도진수언』 10권을 편찬했다." 또한 "스스로 양신출태하는 신험을 본 뒤에 『정신철학통편』 4권을 묶어 냈다"고 한다. 상식적으로, 한 문장 안에서 말하는 '10권'과 '4권'의 분량 내지는 규모가 서로 얼마나 다를 수 있을까? 그런데 앞의 10권은 단지 10조목을 가리키고 뒤의 4권은 방대한 내용과 체계를 가진 사상서라고 하니, 앞뒤가 맞지 않는다.

위의 모든 자료에서 "『도장』 수천 권을 읽고" 내지는 "사금을 채취하듯" 10권의 책을 엮었다고 하므로, 이는 모두 책의 분량이 방대했음을 직간접적으로 시사한다. 그러므로 『도진수언』이 10권의 거질巨帙이었고, 『정신철학통편』이 그보다 적은 4권 분량의 책이었다고 보는 게 타당하고 또 사실에 부합할 것이다.

한데 그보다 더 중요한 문제는, 『도진수언』과 『정신철학통편』이 얼마나 같고 다른지를 밝히는 것이다. 서둘러 결론을 말한다면, 이 두 책이 체계와 내용상 서로 독립된 저작임이 분명하다. 크게 다음 세 가지를 통해, 그 사실을 알 수 있다.

첫째, 『정신철학통편』에서는 『도진수언』을 따로 소개하고, 더 나아가 이를 병행해서 읽으라고 권유하기까지 한다. 예를 든다면, 이런 내용이다.

> 성명쌍수로 참나를 이루고 신선이 되는 학술이 …… 오직 이 책을 읽고 (『도진수언』을) 아우르면 스스로 터득할 수 있다.[34]

여기서 밑줄 친 '이 책'은 『정신철학통편』을 가리킨다. 그런데 전병훈은 이와

---

33. 위의 글, 162쪽.

34. 性命雙修成眞成仙之學. …… 惟讀是書而並(『道眞粹言』)可自得之. 『통편』, 25쪽.

더불어 『도진수언』을 아울러 읽기를 권하고 있다. 이는 두 책의 내용이 서로 다를 뿐만 아니라, 상보적이었음을 입증한다. 두 책이 같거나 대동소이하다면, 굳이 병행해서 읽기를 권할 이유가 없기 때문이다.

둘째, 『도진수언』이 방대한 분량의 내단학 자료 선집이었다는 확고한 증거를 찾을 수 있다. 다름 아닌 『정신철학통편』 안에서, 그에 관한 진술을 발견할 수 있다.

> 예로부터 지금까지 남·북 7진의 책이 『수언』에 대략 실려 있다. 지금 상세히 구비하지는 않고, 대체적 요지(大要)만 여기에 간추린다. 하지만 (이것만으로도) 역시 족히 참나를 이루고 성스럽게 될 수 있다.[35]

여기서 『수언』은 곧 『도진수언』이다. 위에서 밑줄 친 '여기'는 『정신철학통편』에서 제2편인 「정신을 운용해 참나를 이루는 철리요령(精神運用成眞之哲理要領)」(이하 '정신 운용' 편으로 약칭)의 내용 전부를 가리킨다. 『정신철학통편』에서도 이 장절은 내단학의 정신수련법을 집중적으로 소개하는 부분이다.

한편 '남북칠진'은, 좁은 의미에서 북송시기 전진도의 남종南宗과 북종北宗을 대표했던 조사 각 7인을 가리킨다.[36] 하지만 여기서는 도교 내단학 전체를 함축하는 문맥이다. 다시 말해, '예로부터 지금까지 남·북 7진의 책'이란 사실상 '도장道藏'에 상응하는 방대한 도서道書 전부를 통칭한다. 결국 위의 인용문은 다음과 같은 사실을 말하고 있다.

(1) 『도진수언』은 '예로부터 지금까지 남·북 7진의 책', 즉 도교 내단학 도서 전반의 내용을 '간추려 기재(略載)'한 10권 분량의 책이다. 사실상 서우가 『도장』을 읽으면서, 그 가운데서 발췌한 글을 엮은 일종의 '선집選集'이었던 셈이다. 다음의 기록이 모두 그 사실을 말하고 있다.

---

35. 自古至今南北七眞書, 略載於『粹言』, 今不俱詳. 然大要於斯, 亦足以成眞成聖也. 『통편』, 86쪽.

36. 3장의 각주 156번 참조.

"10년 동안 『도장』 2천여 권을 정밀히 연구하며 …… 모래에서 금을 캐듯이 10권의 책을 편찬했다."(【자료1】)

"사리사욕을 구하지 않고 모래에서 금을 캐듯이 10권의 책으로 엮어 『도진수언』으로 이름을 붙였다."(【자료2】)

"백운관에 가서 『도장』 3천 권을 빌려 읽고 『도진수언』 10권을 편찬했다."(【자료3】)

(2) 서우가 10년간 2천 혹은 3천 권을 읽었다고 하는 데서도 알 수 있듯이, 『도장』의 분량이 워낙 방대하다. 비록 『도진수언』이 도장의 '선집'이라고는 하나, 그것만으로도 분량이 만만치 않았던 게 분명하다. 그게 10권에 달했다.

그러므로 서우는 『정신철학통편』에서 정신 운용법을 진술하는 단락('정신 운용' 편)에 대해, 그것이 『도진수언』에 실린 내용의 '대략적 요지(大要)'라고 말한다.[37] 즉 『도진수언』이 더욱 방대한 분량이고, 『정신철학통편』의 '정신 운용' 편은 그 핵심을 간추린 글이라고 말하는 것이다.

다만 그런 핵심의 요지만으로도, '족히 참나를 이루고 성스럽게 될 수 있다'고 천명한다. 그래도 내단학의 더 깊고 방대한 공부를 원하는 사람들을 위해, "오직 이 책(『정신철학통편』)을 읽고 『도진수언』을 아우르면 스스로 터득할 수 있다"[38]고 말하는 것이다.

이상은 『정신철학통편』에 실린 서우 본인의 진술을 토대로 한 분석이라, 논증 근거(자료)의 불확실성을 의심할 수는 없다. 이로써 볼 때, 『도진수언』은 『도장』에서 내단학의 중요한 문헌들을 추려내 엮은 꽤 두툼한 분량(10권)의 자료집이었음이 확실하다.

뿐만 아니라, 『정신철학통편』은 내용상으로도 단순한 내단학 자료집과는 그 성격이 판이하게 다른 독창적인 철학서이다. 『정신철학통편』과 『도진수언』은 그 체계와 규모가 달랐을 뿐만 아니라, 내용상으로도 별개의 책이었다. 다만 내단학의 정신수련이 서우의 '정신철학'에서 차지하는 비중에서 볼 때 두

37. 위의 각주 35번.
38. 위의 각주 34번.

책이 상보적이었으며, 특히 『정신철학통편』의 '정신 운용' 편이 『도진수언』과 직접 연관되었다. 본서의 편제에서 보자면, 제3장 '정신의 운용'이 그에 해당한다.

셋째, 『도진수언』과 『정신철학통편』이 시간상 연속적으로 저술된 게 아니라는 데 주목할 필요가 있다. 먼저 『도진수언』을 엮고, 그것을 토대로 다음에 『정신철학통편』을 편찬한 것이 아니다. 다시 말해 어느 한 책이 저본底本이 되고, 다른 책이 그것의 요약본이나 수정본으로 뒤에 발행된 게 아니라는 의미다.

물론 어느 책의 집필이 먼저 시작됐을 수는 있다. 필경 『도진수언』의 집필 착수가 시간상 앞설 것이다. 하지만 기본적으로 두 책은 서로 다른 의도로 기획됐으며, 집필시기도 상당히 중첩된다. 다시 말해, 두 책은 병행해서 저술됐다. 그런데 이와 반대로 오해하는 사례가 종종 있다.

특히 【자료 3】의 경우, '『도진수언』 10권을 편찬'한 사건과 '『정신철학통편』 4권을 묶어 낸' 사건을 내용상의 연속관계로 오해하는 경우가 있다. 또한 앞서 논증했듯이 『정신철학통편』의 일부 편('정신 운용' 편)이 『도진수언』의 요약에 해당하고, 서우도 그것을 '대략적 요지(大要)'라고 진술했다.[39]

그런데 여기서 말하는 '대략적 요지(大要)'가 『정신철학통편』의 일부 장절을 가리킨다는 사실을 간과하고, 그것이 마치 『정신철학통편』 전체를 지칭하는 것으로 오독하는 사례가 있다. 그러나 여러 자료들을 면밀히 비교검토하면, 『도진수언』과 『정신철학통편』이 병행해서 저술됐다는 사실을 확인할 수 있다. 무엇보다 다시 【자료 1】에 눈을 돌릴 필요가 있다.

앞서 말했듯, 이 자료는 늦어도 1918년 8월 이전에 작성됐다. 그런데 여기서 이미 『도장』 2천여 권을 읽고 사금을 캐듯 10권을 책을 편찬했다고 말한다. 또한 그 문건의 제목이 「정신철학통편·서언」인 데서 알 수 있듯이, 『정신철학통편』의 체계와 내용에 대한 구상도 이미 함께 담고 있다.

그 자세한 내용은 뒤에 이어지는 『정신철학통편』의 서지해설에서 분석하기로 하자. 어쨌거나 여기서 중요한 것은, 전병훈이 1918년 8월 이전에 현존하

39. 위의 각주 35번.

는 『정신철학통편』의 모태가 되는 책을 이미 구상하고 집필했음이 분명하다는 사실이다. 또한 같은 시기에 『도장』 2천여 권을 읽고 사금을 캐듯 10권의 책(『도진수언』)을 엮었다고도 한다.

그런데 【자료 3】에서는 1919년(己未) 2월을 『도진수언』 10권을 편찬한 시기로 명시한다. 그리고 약 1년 반 뒤인 1920년 9월, 『정신철학통편』도 정식 출판 승인을 얻고 간행됐다. 하지만 여기서 책들의 출간연도가 곧 그 책의 집필연도와 일치하는 것은 아니라는 점에 주의할 필요가 있다.

그렇다면 전병훈은 언제쯤 두 책을 저술하기 시작했을까? 정확히 알기는 어렵지만, 정황에 비춰 추론할 수는 있다. 이와 관련해 전병훈의 수련이 완성되는 과정을 조금 세밀하게 살펴볼 필요가 있다.

【자료 2】에서 그가 도를 이루는 장면과 함께 『도진수언』과 『정신철학통편』에 관해 비교적 소상히 기술한다. 그 가운데 다음 구절에 주목할 필요가 있다.

"마침내 『도장』 2천여 권을 정밀히 연구하고 몸소 실험하기 10년 만에 (주년周年에) 비로소 신이 현관에 응결하고, 이어서 도가 이뤄지는 증험이 딱 들어맞아 어긋나지 않으니, 그 뒤에야 비로소 스스로 경계하며 '도가 응결되었다'고 말했다."[40]

여기서 그가 '몸소 실험하기 10년 만에'라고 말하는 시점은 대략 언제쯤이었을까? 그 단서는 '주년周年'이라는 짧은 코멘트에 있다. 이에 관해 크게 두 가지 견해가 제시됐다.

금장태 교수가 '주년'을 회갑回甲으로 보았다. 위 구절을 "2천여 권의 『도장』을 10년 동안 실험하고 연구한 끝에 61세에 비로소 신이 현관에 응결하는(神凝玄關) 도를 체득했다"고 해석했다.[41]

---

40. 遂入羅浮山, 遇眞師古空蟾先生. …… 懇求以聞玄牝之指眞, 則盖云, "聖人亦有所不能者, 此等也." 然亦不能釋疑. 遂竭鈍精於道藏(二千餘卷), 而躬自實驗者十載, 始焉(周年)神凝玄關, 而次第道成之證驗不差, 然後乃自箴曰道凝. 『통편』, 20쪽.
41. 금장태, 「『정신철학통편』 해제」, 『정신철학통편』(명문당, 1983), 2쪽. 같은 내용이 「서우 전병훈의 사상」(철학문화연구소, 『철학과 현실』 제15호, 1992, 169~170쪽)에도 보인다.

한편 같은 내용을 "『도장』 2천여 권을 연구하고 실험하기를 10년 동안 하였으며, 실험의 처음 1년에 신응현관이 되었고 점차로 도성道成이 되었다"고 읽어, '주년'을 1주년으로 해석하는 사례도 있었다.[42]

하지만 서둘러 결론부터 말하자면, 여기서 '주년'은 회갑으로 보는 게 맞다. 위에서 후자는 신응현관을 내단 수련의 초기단계로 보고 1년 만에 먼저 그 경지에 이른 뒤 10년간 점차 도를 이뤘다고 생각한 듯하다. 그러나 이는 내단학의 수련과정을 잘 몰라서 생긴 오해다.

'신이 현관에 응결'하는 것은 내단 수련의 최종적이고도 높은 단계로, 전병훈이 내단학을 연마한 지 10년 만에 이 경지에 올랐다고 보는 게 타당하다. 그리하여 '주년'을 회갑으로 볼 때, 1857년(丁巳) 생인 전병훈이 61세로 환갑이 되던 해는 1917년(丁巳)이 된다.

여기서 두 갈래의 실타래가 풀리는데, 첫 번째로 전병훈이 내단학을 연구하고 실험하기 시작한 때가 상당히 이르다는 것을 알 수 있다. 전병훈은 1907년 10월 조선을 떠나 먼저 일본을 거친 뒤 중국으로 망명했다. 그가 상해에 도착한 시기는 명확하지 않으나, 대략 1907년 말로 추정되며 늦어도 1908년 2월 이전인 것은 분명하다.[43]

어쨌거나 거의 1908년이 돼서야 그의 중국생활이 본격적으로 시작되었는데, 이때부터 추산해야 비로소 그가 도를 이룬 1917년까지 근 10년의 세월이 된다. 그렇다면 전병훈이 중국에 망명한 지 불과 얼마 지나지 않아서, 어떤 계기로든 내단학을 접해 연마하기 시작했다는 추론이 가능해진다. 물론, 그때가 언젠지를 딱 꼬집어서 말하기는 어렵다.

두 번째로 전병훈이 1917년에 도를 이뤘다는 것과 "스스로 신출神出하는 신험을 본 뒤에 『정신철학통편』 4권을 묶어 냈다"(【자료 3】)는 진술을 맞춰 볼 때, 그가 '정신철학' 개념을 창안하고 『정신철학통편』을 구상한 시기가 대략 1917년

---

42. 황광욱, 「서우 전병훈의 생애와 사상: 사상사적 의의를 중심으로」, 한국철학사연구회, 『한국철학논집』 4권 (1995), 165쪽.

43. 제10장 「전병훈의 생애와 평가」에서 "도일渡日과 중국 망명" 부분을 참고한다.

무렵임을 알 수 있다.

한데, 이는 『도진수언』과 『정신철학통편』이 거의 함께 저술됐음을 시사하는 것이다. 『도진수언』의 경우, 어쩌면 나부산 시절에 이미 저술의 기틀을 잡았을지도 모른다. 하지만 "늘 백운관에 가서 『도장』 3천 권을 빌려 읽고 (1919년 己未 2월에) 『도진수언』 10권을 편찬했다"(【자료 3】)고 하므로, 1913년 무렵 북경으로 이주한 뒤 백운관에서 『도장』을 빌려 읽으면서 본격적으로 그 내용을 채워 나갔다고 보는 게 옳다.

한편 그가 북경에 정신철학사를 세우고 '정신철학'을 표방할 즈음부터 『정신철학통편』의 집필을 이미 구상했다고 추정된다. 관련 자료들을 검토하면, 그 시기가 늦어도 1917년 이전으로 거슬러 올라간다.[44] 게다가 그 시점이 그가 응신凝神·출신出神하고 도를 이뤘다는 때와 합치하니, 전병훈의 나이가 환갑이 되던 1917년 무렵에 '정신철학'의 기본설계가 이뤄졌다고 보는 게 합당하다.

그리고 이로써 살피건대, 『도진수언』과 『정신철학통편』이 어느 정도 중첩되는 기간에 함께 집필되었음도 더욱 분명해진다. 서우는 1910년 나부산에 입산하면서 혹은 1913년 북경으로 이주해 백운관에서 『도장』을 빌려 읽으면서부터, 그 내용을 꾸준히 요약하여 『도진수언』 10권을 엮어 1919년 2월에 편찬했다. 『정신철학통편』은 1917년, 혹은 그 이전부터 구상과 집필을 시작해서 1920년 9월에 간행했다.

지금까지 살폈듯이, 두 책의 체계와 내용 그리고 목적이 서로 달랐다. 그러므로 두 책의 집필을 병행하는 게 가능했고, 또 그럴 필요가 있었다. 이상의 논증으로, 두 책의 관계에 대한 의문은 어느 정도 해소됐다고 본다.

위에서 『도진수언』에 관해 길게 논구했다. 책에 대한 항간의 오해가 있고, 또 전병훈의 사상이 형성되는 과정에서 중요하다고 판단해서 비교적 상세히 분석했다. 『도진수언』을 살피는 과정에서 부득불 『정신철학통편』을 함께 거론했는데, 이제부터 그에 관해 본격적으로 알아보기로 하자.

---

44. 제10장 「전병훈의 생애와 평가」에서 "정신철학사의 건립과 운영" 부분을 참조.

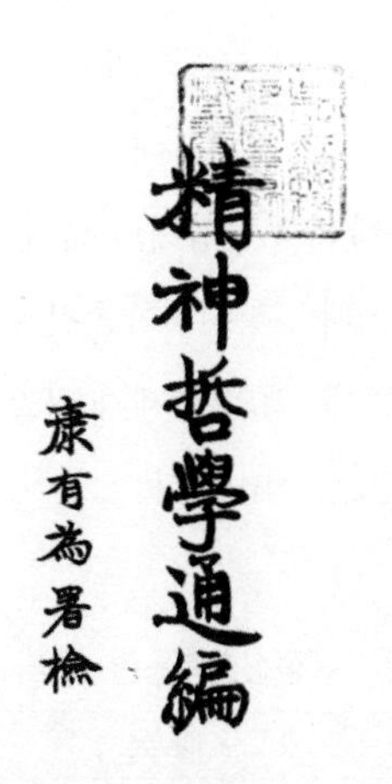

『정신철학통편』 초간본(1920) 속지(국립중앙도서관 소장) 캉유웨이康有爲가 제호를 쓴 책 제목 위에 '조선총독부 도서관朝鮮總督府 圖書館' 직인이 보인다.

• 『정신철학통편精神哲學通編』(1920)

『정신철학통편』은 전병훈의 대표 저작일 뿐만 아니라, 『백선미근』과 함께 온전하게 남아 있는 전병훈의 단 두 편의 저서 가운데 하나이다. 그런데 『백선미근』이 『역대명신주의』의 발췌본이라는 점을 감안한다면, 사실상 『정신철학통편』이 유일하게 현존하는 전병훈의 독립된 저서라고 볼 수 있다.

이 책은 1920년(중화민국 9년) 2월 전병훈의 제자였던 띵멍차丁夢剎와 위란톈于藍田의 명의로 중국 당국으로부터 저작권과 발행허가를 취득하고, 북경의 정신철학사精神哲學社에서 상·하 2책으로 처음 발행됐다. 여러 차례 말했듯이, 당시 그의 문인들이 세계 29개국 150개 대학을 비롯해 미국·프랑스·스위스 세 나라의 대통령에게 이 책을 배포했다고 한다.[45]

현재 중국의 북경대학도서관, 그리고 한국의 국립중앙도서관과 고려대학교도서관 등에 당시 출간된 초간본이 소장돼 있다. 다른 나라의 대학도서관에도 이 책이 소장돼 있을 것으로 추정되는데, 미처 거기까지는 확인하지 못했

45. 門人仰布, 世界二十九國百五十大學, 及美法瑞三總統. 「실행록」, 45쪽.

다. 이는 추후에 보완해야 할 과제로 남겨둔다.

한편 한국에서는 1980년대에 현대사에서 『정신철학통편(上·下)』(1980)을 다시 찍어냈으며, 그 뒤 명문당에서 금장태의 해제가 포함된 『정신철학통편(全)』(1983)을 영인출판하기도 했다. 『정신철학통편』은 2책(上冊·下冊) 3편(上編·中編·下編) 6권으로 구성됐는데, 책의 편제가 다소 복잡하다. 이를 일목요연하게 보고자 우선 목차를 도표로 정리했다.

『정신철학통편』 목차

<table>
<tr><th colspan="5">上冊 목차</th></tr>
<tr><td colspan="5">略附諸家評言序(于藍田)
精神哲學通篇 叙(張紹曾)
精神哲學通篇 凡例
精神哲學通篇 目錄
精神哲學通篇 緒論(全秉薰)</td></tr>
<tr><td rowspan="3">上編</td><td rowspan="2">卷一</td><td>第一篇</td><td>檀君『天符經』注解</td><td>29</td></tr>
<tr><td>第二篇
精神運用成眞之哲理要領</td><td>第一章 論先後天精氣神生天生地 / 四節
第二章 論人身精氣神運用之哲理 / 十一節
第三章 論玄牝大道眞傳至理神秘 / 四節
第四章 論煉己築基 / 二節
第五章 論聚氣通關 / 一節
第六章 論進火採藥 / 五節
第七章 論結丹溫養 / 二節
第八章 論陽神出胎
第九章 煉神還虛合天成眞
按說三篇 末節 降眞紫微夫人服術方
總結論</td><td>41
46
56
66
69
74
80
82
83

87</td></tr>
<tr><td>卷二</td><td>上三編
心理哲學</td><td>緒言
第一章 心理本原於天 / 四節
第二章 人心道心精一之旨
第三章 心之體用言行誠謹 / 三節
第四章 懲忿窒慾遷善改過 / 三節
第五章 孔門傳授心法之要 / 二節
第六章 誠意正心 / 四節
第七章 孟子心理之要 / 五節
第八章 宋賢心性理氣哲學 / 四節</td><td>91
93
95
96
98
98
100
103
106</td></tr>
</table>

			第十六章 子産爲政調劑外交哲理 / 三節	287
			第十七章 孟子論井田制民産哲理	288
			第十八章 孟子論民權哲理	290
			第十九章 漢明政治幷吏治哲理	290
			第二十章 王陽明十家牌法	291
	卷六	政治哲學	第二十一章 顧亭林匹夫有責之哲理	294
			第二十二章 道家政治哲理 / 五節	297
			第二十三章 道家政治合於民主制哲理 / 四節	299
			第二十四章 老子論兵禍之哲理 / 二節	302
			第二十五章 老子論大道之用成大一統之哲理 / 二節	304
			第二十六章 老子言世治隆熙人能長生之哲理	305
			第二十七章 老子言天下樂推不爭政治哲理	306
			第二十八章 朝鮮箕子建極哲理 / 二節	307
			第二十九章 趙靜菴政治哲理 / 六節	310
			第三十章 栗谷政治人君以民爲兄弟之哲理 / 七節	313
			第三十一章 歐西政治哲學亞裏士多德論 / 七節	317
			第三十二章 歐西民約政治哲理 / 二節	322
			第三十三章 歐西伯倫知地方自治論哲理	324
			第三十四章 斯密亞丹原富理財哲理 / 二節	325
			第三十五間 孟德斯鳩三政鼎立之治哲理 / 二節	328
			第三十六章 康德設一民主國於宇內永久太平哲理 / 二節	329
			第三十七章 歐西最近政治哲理 / 八節	332
			世界一統共和政府憲法	338
			總結論	340

* 각 장章의 소절小節 개수는 '/節'로 표시한다.

목차표를 참고로 책의 구성을 살펴보자. 상편과 중편 일부가 상책에 실리고, 나머지 중편과 하편은 하책에 실렸다. 상편上編은 정신철학과 심리철학인데, 그것이 다시 3개의 편篇으로 나뉜다. 그중 제1편인 『천부경』 주해와 함께 제2편인 '정신을 운용해 참나를 이루는 철리의 요령'이 1권을 구성한다. 제3편(上三編)인 심리철학이 2권이다. 중편中編은 도덕철학이다. 그 가운데 1장에서 6장이 3권을 이룬다. 여기까지가 상책上冊이고, 다시 하책下冊으로 넘어간다.

하책 역시 중편인 도덕철학의 제7장에서 총결론까지 4권이다. 마지막으로 하편下編은 정치철학이다. 그 가운데 서론에서 제20장이 5권이고, 나머지 제21장에서 정치철학의 총결론까지 6권이다. 한편 각 장章이 여러 절節로 나뉜 경우가 있는데, 제2편에서 분절이 현저하고 나머지는 분절했더라도 큰 의미가 없다.

『정신철학통편』은 내용상 크게 다섯 부분으로 이뤄진다. 첫째가 『천부경』 주해로 책의 첫머리에 실려 있다. 전병훈은 『정신철학통편』을 편찬해서 막 인쇄를 붙이려던 차에 『천부경』을 입수했다. 처음에는 그 내용을 의심했으나, 마침내 그것을 단군의 진전으로 확신하고 이에 주석을 달아 "정신학의 제1편으로 삼는다"고 밝혔다.[46]

이 글을 쓴 때가 1919년(己未) 11월로, 『정신철학통편』의 발행허가를 받은 1920년 2월에서 불과 3개월 전이다. 그로 인해 본래 계획된 책의 편제가 다소 복잡해진 듯하다. 어쨌거나 전병훈이 오랫동안 기획했던 『정신철학통편』의 주된 내용은 본래 정신·심리·도덕·정치 네 영역으로 구성됐다.

그런데 목차에서 나타나듯이, 뒤의 세 영역을 각각 심리철학·도덕철학·정치철학으로 표기하고, 정신 부분만 '정신을 운용해 참나를 이루는 철리의 요령(精神運用成眞之哲理要領)'으로 길게 명기했다. '정신철학'을 책의 표제어로 삼았으므로, 세부목차에서는 그 요지를 구체화한 것으로 보인다.

전병훈은 또한 그것이 "『통편』의 종지宗旨"이며, 그 내용이 "욕망으로 욕망을 제어해 도를 이루는 데 있다"[47]고 적시하기도 했다. 그는 책 전체의 개요를 「범례」에서 아래와 같이 소개했다.

> 정신과 심리는 성진成眞과 내성內聖을 수양하는 학문이다. 도덕과 정치가 예치禮治를 병행해 이로써 형벌이 그치길 기대하는 것은, 외성外聖과 지덕至德의 학문이다. 편례編例는 동서고금을 가리지 않고 진수眞粹를 포괄하며, 이로써 성인과 진인의 경지를 겸비하며(兼聖·聖眞) 세상을 극락으로 이끄는(致世極樂) 책을 편성했다.[48]

46. 『통편』, 29~30쪽.
47. 『통편』, 41쪽.
48. 精神心理爲修養成眞內聖之學, 而道德政治, 並行禮治, 期以刑措者, 外聖至德之學也.

정신과 심리 두 철학은, '참나의 완성(成眞)'과 '안으로 성스럽기(內聖)'를 목표로 내면의 수양에 치중한다. 도덕과 정치 두 철학은, 사회윤리와 정치의 영역에서 예치를 병행하고 법치를 최소화하길 강구한다. 또한 성스럽고 지극한 덕을 밖으로 펼쳐, 이상사회를 건설할 것을 목표로 한다.

'정신·심리' 그리고 '도덕·정치'가 겨냥하는 두 방향의 철학적 목표는, 『장자』가 말한 내성외왕內聖外王의 도[49]와 상통한다. 즉 '안으로 성스럽고 밖으로 왕이 되기'를 추구한 동양의 성인정치 이상을 계승한 것이다.[50]

하지만 과거에 그것이 주로 전제봉건왕조의 군주에게 요구되는 덕목이었다면, 전병훈은 이를 인류의 보편적 이상으로 확장했다. 즉 "성인과 진인의 경지를 겸비하는" 내적인 자기완성과 "세상을 지극히 안락하게 이끄는" 사회적 책무의 실현을 함께 말하면서, 그것이 특별한 출신이나 사회적 지위를 가진 사람에게 한정되지 않는다고 한다.

그리고 "우주의 정오에 문명이 극치에 이르는 시기"[51]가 되면, 그것이 인류사회를 이끄는 철학의 기본원리가 될 것이라고 전망했다. 더불어 미래로 가는 길을 놓기 위해, 전병훈은 『정신철학통편』에서 동양의 내성외왕 전통을 계승하는 한편, 유·불·도와 서양철학까지 아우르는 철학의 진화를 모색한다. 그리고 이런 문맥에서 자신의 책을 '혁신의 서적(維新書)'[52]으로 부르길 주저하지 않았다.

앞서 논증했듯이, 전병훈이 1918년 8월 이전에 『정신철학통편』의 골격을 거의 완성한 것은 분명하다. 늦어도 1917년 봄 이전에 그가 북경에 정신철학사를 세웠고, 당시 이미 『정신철학통편』의 구상을 시작했다고 추정할 수 있다.

編例不限古今中外而總括眞粹, 以成兼聖聖眞, 致世極樂之書焉. 『통편』, 10쪽.

49. 是故內聖外王之道, 暗而不明, 鬱而不發. 天下之人各爲其所欲焉, 以自爲方. 『莊子·天下』.

50. 전병훈의 중국인 제자인 인량尹良도 「제가제평집」 서문에서 "우리 스승의 학문은 내성외왕의 학문이다(吾師之學, 內聖外王之學也)"라고 밝히고 있다.

51. 當午會正中, 不是極文明之盛會耶? 『통편』, 282쪽.

52. 今作精神之公用, 則始爲進化維新者也. 學人當看作維新書可矣. 『통편』, 10쪽.

그런데 전병훈은 책의 기틀을 잡고 초고를 쓴 뒤에도, 수년간 그 내용을 수정보완하고 여러 사람에게 보여 가다듬으면서 출판에 신중을 기했다. 이렇게 오랫동안 책을 묵히다 보니, 같은 항목이지만 다른 시기에 제작된 글들이 따로 세상에 공개되기도 했다.

1918년 11월에 탈고한 「서언」(「서언」b)이 『정신철학통편』에 실려 있지만, 또한 1918년 8월 이전에 저술된 「서언」(「서언」a)이 『휘보』에도 보인다는 것을 이미 말했다. 먼저 「서언」a를 살펴보기로 하자. 그 글의 후미에 모두 6개 조항의 '범례'가 보이는데, 그 내용이 「서언」b의 '범례'와 중복되면서도 약간의 차이를 보인다. 「서언」a '범례'의 내용은 다음과 같다.

一. 편찬의 사례(編例)는, 비록 자기 견해라도 옛사람의 확증을 세워 이로써 새로운 해석의 근거를 삼는다.

一. 논평(按說)으로 자기 뜻을 펼치더라도, 앞 사람의 올바른 공리公理를 훼손치 않는다.(옛것이 지금보다 뛰어날 수 있다.)

一. 도교 경전(道經)이 비록 경세經世의 논의를 겸했으나, 간혹 세상을 놀라게 하는 이상한 말이 있어서, 유학자들이 진리와 함께 이를 내버렸다. 지금 그 지극히 신묘한 진리를 취해, 이로써 세상을 돕고 사람들을 구제하고자 한다.

一. 옛것을 지키는 사람은 새로움에 어둡고, 새로움을 좇는 사람은 옛것에 어둡다. 장차 고금을 아울러 배합해 덕을 이루면 이로써 진화의 극치에 이르게 되므로, 서양철학의 새로운 요지를 아울러 취한다.

一. 심리와 정치의 여러 학설에 모두 과학이 담겨 있으니, 어찌 나의 군더더기 말을 종용하겠는가? 그렇지만 옛것 익히기(溫故)를 덧붙여서, 새로워짐(維新)을 돕고자 한다.

一. 이 학문은 부자간이라도 서로 전하지 않았다. 그러므로 여러 차례 단독으로 진화했으나 경세할 수 없었고, 또한 유신할 수도 없었다. 지금 정신의 공용公用으로 만드니, 유신의 극치에 이른 것이다. 배우는 사람은 마땅히

유신의 글로 간주하라.[53]

이는 1918년 8월 이전에 전병훈이 구상한 『정신철학통편』의 체계와 내용을 잘 보여준다. 그것은 먼저 옛 전적에서 발췌한 글들을 소개하고, 거기에 편자의 해설을 덧붙이는 방식으로 기술됐다. 그리고 적극적으로 서양철학을 수용하는 한편, 심리와 정치 방면의 여러 학설을 포함했다.

전병훈은 그것을 온고유신溫故維新의 학문방법으로 설명했는데, 궁극적으로는 사람들이 그의 책을 유신의 글로 읽어 주기를 기대했다. 이런 구상은 1920년에 출간된 『정신철학통편』의 「서언」b '범례'[54]에 거의 그대로 계승됐다. 다만, 단지 다음 몇 가지가 보충됐다.

첫째, 겸성兼聖학설과 『천부경』에 관한 2개의 조항이 신설됐다.[55] 이는 정신철학 이론이 심화되면서, 겸성학설이 비교적 후기에 최종적으로 완성됐음을 시사한다. 한편 전병훈이 윤효정으로부터 1919년에 『천부경』을 소개받았으

---

53. 一、編例, 雖是自得之見, 而因立古人確證, 爲蛻化之本. 一、用按說以暢已意,不沒前人善之公理.(古勝於今者有) 一、道經, 雖兼經世之論, 然或有警世異常之言, 儒子並與眞理棄之. 今取其至神眞理, 以補世度人. 一、守舊者易以昧新, 鶩新者易以昧古. 要將調劑新舊而成德, 乃爲進化極致固, 故並取西哲新要. 一、心理·政治諸說, 皆有科學, 安容餘贅? 然添以溫故, 爲助維新. 一、此學也, 父子不相傳, 故屢度單法進化, 然未能度世, 且不能維新矣. 今作精神之公用, 則極致維新者. 學人當看作維新書. 「精神哲學通篇·緒言」, 『全氏宗約彙報』 1·2권 합편, 37쪽.

54. 一、編例, 雖是自得之見, 必立古人確證, 爲蛻化之本. 一、尊重前人之粹言, 以爲集章. 只用按說, 以暢已意. 蓋欲不沒前人善之公理也.(古勝於今者有之.) 一、道經雖兼經世之論, 然或有警世異常之言, 惜儒子幷與眞理棄之. 今揀取其至神眞理, 以補世度人. 一、守舊者易以昧新, 鶩新者易以昧古. 要將調劑新舊而成德, 乃爲進化之極致矣, 幷取西哲新要以載之.(今勝於古者亦有之.) 一、心理·道德·政治諸說皆有科學, 安容餘贅? 然所見或有可以互換缺點者有之. 此三篇亦取新舊哲眞精粹之要言, 以附已意見成之. 一、金丹之學, 父子不相傳. 故屢度單法進化, 然未能廣布經世, 且不能維新矣. 今作精神之公用, 則始爲進化維新者也. 學人當看作維新書可矣. 一、精神心理爲修養成眞內聖之學, 而道德政治, 幷行禮治, 期以刑措者, 外聖至德之學也. 編例不限古今中外而總括眞粹, 以成兼聖聖眞, 致世極樂之書焉. 一、編成後幸得『天符經』, 故以作首篇. 從以東亞精神兼聖之哲學理, 愈臻圓滿矣. 『통편』, 9~10쪽.

55. 위의 각주에서 뒤의 두 조항 참고.

므로 그 내용이 늦게 반영된 것도 당연하다.

둘째, 심리와 정치 학설을 논하는 다섯 번째 조항에 '도덕' 항목이 추가됐다. 또한 "온고를 덧붙여서 유신을 돕는다(添以溫故, 爲助維新)"는 구절 대신, 동서고금의 학설이 "서로 결점을 보완해야 한다(互換缺點)"는 내용이 새로 포함됐다.[56]

『정신철학통편』에서 '도덕철학' 편이 비교적 뒤늦게 추가됐음을 시사한다. 이로써 정신·심리·도덕·정치 네 방면으로 구성되는 정신철학의 체계가 완비된 셈이다. 한편 전통철학의 탐구(添以溫故)가 신학문의 혁신을 보조(爲助維新)한다는 것에서, 동서고금의 철학이 서로 대등하게 장단점을 교환한다는 문맥으로 바뀐 것도 주목할 만하다.

그 밖에도, 「서언」a에서 「서언」b로 문자들을 미세하게 증감하고 더 가다듬는 수정이 가해졌다. 그리고【자료 3】에서 『정신철학통편』이 4권이라고 말하는 것과 달리, 현존하는 책은 총 6권으로 이뤄졌다. 단순한 기록상의 오류일 수도 있겠으나, 아마도 위에서 살핀 과정을 거쳐 본래 4권이었던 책이 6권으로 증보돼 최종 출간된 것으로 추정된다.

이처럼 「서언」의 두 판본을 자세히 비교검토를 해보면, 서우가 한 글자 한 글자마다 바늘땀을 뜨듯 가감하고 보완한 흔적이 역력하다. 서우는 책만 아니라, 비교적 간단한 문건도 먼저 다른 사람의 의견을 구한 뒤에야 비로소 확정했다.

그러므로 전병훈의 글을 교정했다는 기록이 곳곳에서 발견된다. 앞서도 말했듯이 전병훈이 이승희에게 「헌의서」의 교정을 부탁했던 일이 『한계유고』에 실렸다. 『정신철학통편』의 경우, 캉유웨이와 옌푸 등이 출판 전에 이 책을 읽고 의견을 주었으며, 그가 교정을 부탁한 제자만 하더라도 장샤오중과 위란톈 등 여러 명이다.[57]

---

56. "一、心理·政治諸說, 皆有科學, 安容餘贅? 然添以溫故, 爲助維新."(「서언」a) "一、心理·道德·政治諸說皆有科學, 安容餘贅? 然所見或有可以互換缺點者有之. 此三篇亦取新舊哲眞精粹之要言, 以附己意見成之."(「서언」b)

57. 「畧附諸家評言序」, 『통편』.

심지어 한국의 지인에게까지 책을 보내 의견을 구한 사례도 있다. 그러다 보니 일부에서, 마치 그의 책 전체를 다시 써준 것처럼 침소봉대하는 사례마저 생겼다.[58] 그러나 자세히 살펴보면, 이런 호언장담은 자기과시의 허풍에 지나지 않는 경우가 대부분이다.

동양에서는 예로부터 자기를 낮추고 남의 의견을 구하는 것이 군자다운 떳떳함이요, 또한 학문을 하는 정직한 태도라고 여겼다. 서우는 그런 전통에 충실한 진지한 학자였다. 그러나 이와 반대로, 덕성과 학문이 용렬할수록 자기를 높이고 함부로 남을 깔보면서 사람들의 이목을 현혹하려 들기 쉽다.

특히 주관적인 체득의 경지를 증명하기 어려운 내단학의 경우, 득도得道를 빙자해 도사연하며 자기를 신비화하고, 혹세무민하며 교주행세나 하는 경우가 비일비재하다. 전병훈은 신선술의 이런 병폐를 자각하고, 신비화와 개인숭배의 폐단을 극히 경계했다.

그리고 내단학이 누구나 수긍할 수 있는 합리적인 '공용의 학술'로 거듭나야 한다고 생각했다. 전병훈이 최종으로 작성한 「서언」b의 '범례'에서, 그가 '정신철학'을 공용의 학술로 만들고자 했던 의지를 직접 확인할 수 있다. 앞서 「서언」a의 해당 조항과 단지 몇 글자의 차이밖에 없지만, 되새김질하는 취지에서 다시 살펴보자.

> 금단金丹의 학술은 부자간에도 서로 전하지 않았다. 그러므로 여러 차례 단독으로 진화했으나, 경세經世에 널리 펴지 못했으며 또한 유신할 수도 없었다. 지금 정신의 공용公用으로 만드니, 처음으로 진화하여 유신한 것이다.[59]

---

58. 정재승 정리 및 역주, 위의 책, 380쪽에 전병훈이 권중현에게 『정신철학통편』을 보내 의견을 구했던 기록이 보인다. 권중현은 이른바 을사오적의 한 사람으로, 소설 『단』으로 유명한 권태훈權泰勳(1900~1994)이 그의 조카이다. 그런데 권태훈은 마치 책 전체를 권중현이 다시 써준 것처럼 말하고, 또 전병훈이 권중현의 수하에 있었다고 한다. 하지만 권태훈이 북경에서 전병훈을 만난 당시 고작 십대 후반의 청년이었다. 게다가 스스로 북경에서 전병훈의 덕을 많이 봤노라고 회고한다. 그러면서도 은덕을 무시하듯이 함부로 말하는 것을 보면, 전후 문맥상 그 발언을 신뢰하기 어려운 게 사실이다.

인용문을 다시 되새겨보자. "금단金丹의 학술" 즉 내단학은 워낙 은밀하게 비장秘藏돼 도제식으로 전수됐다. 그러다 보니, 그것이 역사적으로 여러 단계에 걸쳐 발전했음에도 불구하고, 세상을 경륜하는 데 널리 쓰이지 못하고 또한 새롭게 혁신하지도 못했다.

이는 백 년 전에 매우 타당했을 뿐만 아니라, 오늘날에도 여전히 유효한 지적이다. 전병훈은 내단학의 이런 오랜 병폐를 혁신하는 사명이 자신에게 있다고 자임했다. 그는 특히 내단학의 공용화를 학문진화의 목표로 삼았으며, '정신철학'에서 그 자세한 원리와 방법을 제시했다.

무릇 '학문은 천하의 공기公器'라고 한다. 곧 학문은 공공의 이익을 위해 인류가 널리 함께 쓰는 도구라는 뜻이다. 예컨대 철학이나 수학 그리고 과학이나 의학을 누군가 독점해서 사유화하고자 한다면, 그것은 가소로운 일일뿐더러 가능하지도 않다. 이런 학문들은 인류 공동의 자산이며, 또한 공교육 시스템을 통해 널리 보급되었다.

그러므로 비록 새로운 정신적 창작물에 대해 지적소유권 같은 권리를 한시적으로 인정하더라도, 인류 보편의 학문과 지식을 몇몇 개인이나 단체 내지는 국가가 배타적으로 독점할 수는 없다. 이런 공적인 학문들로 인해 인류문명이 진화하고 발전했다. 서우는 동양의 오래된 내단학 역시, 그와 같이 공용화해야 한다고 인식했다.

이를 위해, 무엇보다 내단학을 보편적인 '철학'으로 재정립하는 것이 시급하다고 그는 판단했다. 철학이야말로 가장 높은 수준의 공공성에 이른 인류 최고의 학술이기 때문이다. 이에 '정신철학'을 주창하고, 이를 공용의 학술로 만들고자 했던 것이다.

이것은 내단학을 사유화해서, 단체를 이끌고 종교나 만들려는 사람들이 감히 흉내 내기 어려운 포부이자 선각자다운 통찰이었다. 또한 이른바 '객관'의 거울 뒤에 몸을 숨기고 연구대상을 분석하고 논증하는 데 그치는 근대학문의

---

59. 金丹之學, 父子不相傳. 故屢度單法進化, 然未能廣布經世, 且不能維新矣. 今作精神之公用, 則始爲進化維新者也. 『통편』, 10쪽.

풍토에서, 전병훈처럼 '구도求道'와 '철학'을 실존적으로 일체화하려고 노력하는 사례도 찾기 어렵다.

20세기 동양학의 실증주의적 연구는, 객관적인 과학의 정신과 방법을 앞세워 사실상 근대적인 '민족'과 '국가'의 요청에 부응하는 학술활동을 전개했다. 메이지유신 이후 일본에서 이런 성격의 이른바 '한학漢學'이 확립됐는데, 궁극적으로 이는 아시아에서 일본이 지배적인 지위를 확립하는 데 도움이 되는 지식의 생산에 동원됐다.

중국과 한국의 국학國學 역시 이런 흐름에서 크게 벗어나지 않았다. 그런 풍토에서 다른 학문분과와 마찬가지로, 동양철학 역시 과거의 사상과 지식을 실증적으로 논구하는 것으로 그 역할이 제한되고, 학자의 실존적 삶과 철학연구가 별개로 분리되었다.

그러다 보니, 세계와 인생을 근원적으로 탐구하고 이론과 실천을 병행하는 전통적 의미의 '선비' 내지는 '철학자'가 자취를 감췄다. 대신, 객관적인 연구대상으로 존립하는 타자나 과거의 철학사상에 대한 지식을 생산하는 것을 업으로 삼는 '철학연구자'가 아카데미 철학의 주류를 이뤘다.

이런 20세기 학문의 추세는 전병훈의 시대에 이미 어느 정도 예견됐던 바이다. 서우는 이런 학자들에 대해 "옛것에 어둡고 새것에 조잡한 동아시아의 천학들"이라고 혹평했다. 그리고 계속 혁신하고 진화하는 서양철학의 발전을 그들이 결코 따라잡을 수 없으리라고 예견했다.[60] 그리고 그것은 어느 정도 현실이 됐다.

어쨌거나 전병훈은 분명히 실증주의적인 철학연구자가 아니었다. 따라서 『정신철학통편』이 철학연구서로서 충분치 않다는 비판에 직면할 수 있다. 그렇지만 전병훈이 요구했듯이, 그것을 철학적이고 인문적인 '혁신의 서적'으로 읽는다면 사정이 달라진다.

기라성 같은 중국의 학자들과 문인·관료들은 '철학연구서'가 아닌 바로 이

60. 『통편』, 22쪽.

런 '철학서'로서 『정신철학통편』의 가치에 주목했고, 이구동성으로 이 책을 위대한 업적으로 칭송했다. 다시 말하지만, 『정신철학통편』은 어떤 철학사조에 대한 연구서가 아니다. 또한 동서양의 철학에 대한 역사적 해설서도 아니다.

전병훈은 50세 이전에 유학에 정통한 학자이자 관료로 살았고, 다시 50세 이후에 내단학을 몸소 연마해 신묘한 징험을 체득했으며, 또한 서양철학을 접해 인류 공용의 보편학으로서 철학의 목표와 방법론에 공감했다.

특히 그가 "양신출태(神出)하는 신험을 본 뒤에 『정신철학통편』 4권을 묶어 냈다"[61]고 한 데서 알 수 있듯이, 내단학의 체험이야말로 그의 철학이 정점에 이르는 가장 극적인 계기였다. 여기서 말하는 '양신출태'의 의미는 이미 앞 장(제3장)에서 논했다. 단지 그것이 불교의 해탈처럼, 내단학의 궁극적인 목표인 동시에 최고의 경지라는 것만 짚고 넘어가자.

앞서 소개한 『도진수언』과 『정신철학통편』의 경계를 바로 이 지점에서 확실하게 구획할 수 있다. 『도진수언』은 서우가 여러 도서道書에서 그 정수를 가려 모아 엮은 일종의 선집 내지는 자료집으로, 그가 신선학을 연구하던 과정의 기록이었다. 즉 그것은 전병훈 내단학의 '온고溫故'의 족적이었던 셈이다.

하지만 『정신철학통편』은 그가 내단학의 가장 내밀한 체험의 경지에 이른 뒤에, 그간의 온고를 넘어 토해 낸 유신維新의 사자후였다. 전병훈은 "사람의 자유가 정신을 함양해 참나를 이루는 것 이상이 없다"[62]고 말한 바로 그 인문적 '자유'의 경지에서, 그간 온축된 학문과 실존적 체험의 정수를 총괄하고 다시 그것을 넘어서는 새로운 철학의 탄생을 선포했다.

그 위대한 탄생의 결정체가 곧 『정신철학통편』이었다. 사실 전병훈의 시대에 그처럼 유학에 통달한 지식인은 수없이 많았다. 전병훈이 체험했던 양신출태의 경지에 이른 내단 수련가도 단지 그뿐만은 아니었을 것이다. 당시 소개된 서양철학의 독서인도 물론 적지 않았다.

하지만 이 모든 방면의 소양을 두루 갖추고, 그것을 한 용광로에서 녹여 인

61. 自見出神之神驗後, 約成『精神哲學通篇』四卷. 「실행록」, 45쪽.
62. 人之自由莫如養神成眞者. 『통편』, 19쪽.

류문명의 새로운 방향과 철학을 모색했던 인물로는 전병훈이 가히 독보적이었다. 내단학에서 이론과 실천(수련)의 병행, 동양학에서 유·불·도의 회통, 철학에서 동·서양의 만남은, 그 하나하나로 각 학문마다 이상으로 삼을 만한 지표들이다.

그것은 전병훈의 시대에 요청되었지만, 지금도 여전히 유효하다. 그런데 전병훈은 이 모든 이상들을 성취하며, 다시 그 각각의 학學들을 구획하는 경계를 넘어 원초적인 인문적 상상으로 회귀해 그들 모두를 포획하는 지점으로 나아갔다.

바로 이 지점에서, 전병훈의 위대한 성취가 칭송되었다. 또한 그 스스로 '유신의 책(維新書)'이라고 지칭한 철학서로서 『정신철학통편』의 가치가 빛났다. 이런 그의 철학적 모험과 정신을 좇는 게 본서의 목적이다. 그러기에 앞서 각 장에서 펼쳐진 내용이 죄다 『정신철학통편』과 연관된다.

따라서 이 책의 대강을 소개하는 것은, 여기서 일단락 짓기로 하자. 다만 전병훈의 독실한 제자로 훗날(1923년) 중화민국 국무총리를 역임했던 장샤오증이 『정신철학통편』 앞머리에 붙인 「서叙」의 내용 일부를 옮긴다. 이로써, 위에서 전병훈과 그의 저서에 대해 부연했던 말들의 증거로 삼고자 한다.

> 우주가 광대하고, 만물이 성대하며, 이치가 오묘함이 아득하고 심오하여, 신묘하고도 신기하다. 우리 사람이 미세한 몸으로 그 사이에 끼어 있으니, 거의 있는 듯 없는 듯 구별조차 하기 어렵다. 그리하여 이상理想을 세워 이로써 우주만물과 이치에 통하니, 이것이 성리학(理學)·철학·도학道學·불학佛學·정치학이 생겨나는 바이다.
>
> 그러나 각각 그 학설을 이루고, 각자 한 가지 옳음을 으뜸으로 삼으니, 그 치우치지 않고 적중適中하며 불편부당한 바를 구하고자 해도, 서로 떨거덕거려 이를 구하기 참으로 어렵다. 또한 뛰어난 철인들이 내놓은 저작들이 누적돼 광대하기가 마치 바다와 같으니, 읽고 또 읽어도 다 읽을 수 없다. …… 우리 문인文人의 어른이신 서우曙宇 전全 선생께서 손수 『정신철학

통편』을 지어 보여주시며 그 앞머리에 서문을 더할 것을 촉탁하여, 엎드려 절하고 읽었다. …… 예전과 지금(古今)과 종교와 과학을 통관統貫해 완미하여 갖추지 않음이 없으니, 수집한 자료가 방대하고, 평론이 확실하고 적절하다.

우주 간에 이른바 "하나의 근본이 흩어져 만 가지 다름이 되고, 만 가지 다름이 마침내 한 근본으로 돌아간다"는 것이다. 선생께서 진실로 능히 그 본말을 총괄하고, 그 신묘함과 심오함을 투철하게 이해하여, 이로써 도道와 성스러움의 정수 그리고 지행知行이 철저하게 일치하는 요령을 세우니, 이야말로 혼미한 세상에서 보배로운 뗏목을 새로 지은 것이 아니겠는가? …… 훗날 성인이 되고자 하는 자로 하여금 고적古籍을 모조리 연구할 필요가 없게 하고, 신선이 되고자 하는 자로 하여금 단경丹經을 찾을 필요가 없게 하며, 부처가 되고자 하는 자로 하여금 불전藏典을 뒤질 필요가 없게 하고, 서양철학을 원하는 자로 하여금 멀리 대양을 건널 필요가 없게 하였다. 손에 이 한 권이면, 모든 것을 이루는 수단이 손아귀에 들어온다.

…… 내가 선생을 좇아 도를 들은 지 몇 해 만에, 천상의 옥청玉淸을 몰래 엿보고 참나가 돌아오며, 마음이 세계의 일부가 된 지 이미 오래되었다. 아! 세상에 이런 참나의 참된 선비가 있어 이 책을 들춘다면, 참으로 우연한 조짐이 아닐 것이다.

오회정중午會正中을 맞아, 온 누리에서 극히 문명화된 인류가 복을 짓는 것이, 어찌 이로부터 비롯돼 더욱 증진增進하고 아름다워지지 않으리라는 것을 알겠는가?

이를 「서敘」로 삼는다. 중화민국 8년 기미(1919) 5월(仲夏), 대성大城의 장샤오중張紹曾 경여敬輿[63] 씨가 절하고 쓴다.[64]

---

63. '대성'은 장샤오중의 고향인 직예성直隶省 대성현大城县으로, 지금의 허베이성河北省 랑팡시廊坊市에 속한다. '경여'는 장샤오중의 자字이다.

64. 宇宙之大, 庶物之繁, 理化之妙, 玄玄奧奧, 神乎其神. 吾人以細小微軀, 介乎其間, 幾茫乎其若迷矣. 于是乎, 有理想以通之, 此理學·哲學·道學·佛學·政治學所由出也. 然

• 『정결頂訣』과 『겸성합편兼聖合編』(1920~?, 연대미상)

정확한 시기를 알기는 어려우나, 전병훈이 『정신철학통편』을 출간한 뒤에 그 보편補篇으로 『정결』을 지었다. 정결은 말 그대로 '최상의 비결'이라는 뜻이다.

「실행록」에 따르면 그것은 겸성학兼聖學의 요지를 담았으며, 사람들이 이를 하늘의 비결이라는 뜻에서 '천결天訣'로 불렀다고 한다.[65] 「제평집」에도 이에 관한 기록이 보인다.

> 내 스승(전병훈)이 『정결』을 지어 특별히 밝혀 말했다. "천지의 날줄(經)과 씨줄(緯)이 도수를 합한 뒤에야 조화가 행해지고, 건도乾道가 이뤄진다. 그것이 사람에게 있는 것으로 보자면, 주공과 공자의 학술이 날줄이요, 황제와 노자의 학술이 씨줄이다. 여기에 불교와 철학을 두루 수렴해 학문을 이룬 뒤라야, 가히 철리의 극치와 겸성(極哲兼聖)을 이룰 수 있다. 아! 근신謹愼으로써 몸을 닦고, 예치禮治로써 세상을 구제하니, 덕업이 비로소 원만하고 지극해진다."[66]

各成其說, 各宗一是, 欲求其適中恰當, 不偏不倚者, 戛乎其難之. 且俊哲輩出著作累積, 浩汗如海, 讀不勝讀. …… 適斯文丈席, 曙宇全先生以其手著『精神哲學通編』見示, 囑以一言弁其首, 拜讀之下. …… 統古今宗教科學, 無美不備. 搜輯宏富, 評論確切. 宇宙間所謂一本散爲萬殊, 萬殊仍歸一本者, 先生誠能綜括其原委, 貫徹其神奧, 以立道精聖髓, 知行極致之要, 此非迷津之新造寶筏乎? …… 使後之希聖者, 不必盡研古籍, 求仙者不必拜訪丹經, 欲佛者不必徧披藏典, 願西哲者, 不必遠涉重洋. 手此一編, 筌蹄在握. …… 余從先生聞道有年, 竊窺其玉淸, 眞我已來, 心乎世界之一份子, 久矣. 烏乎! 世有此眞我之眞儒闡出此編, 諒非偶然兆朕. 當午會正中, 宇內極文明之人類造福, 安知不由是增進而嘉致哉? 是爲之敘. 中華民國八年己未仲夏, (受益)大城張紹曾敬輿氏拜書. 『통편』, 7~8쪽.

65. 又著補篇『頂訣』, 兼聖學要旨, 人稱爲天訣. 「실행록」, 46쪽.

66. 我師著『頂訣』特發明曰, "天地之經緯合度, 然後造化行, 而乾道成焉. 其存乎人者, 周孔之學經也, 黃老之學緯(經)也. 當合致經緯, 旁收佛哲而學成然後, 可爲極哲兼聖矣. 嗚呼! 修身以謹愼, 濟世以禮治, 則德業始臻圓滿且至矣哉." 「諸家題評集」, 48쪽 '學統經緯.'

한편 전병훈이 『겸성합편』이라는 책을 지었다는 기록도 보인다. 그의 제자였던 장샤오증이 일찍이 말했다. "정신철학을 발명하니 전 지구에 전해져 외우고, 또한 『겸성합편』을 저술해 진리를 더욱 밝혔다."[67] 그런데 앞서 말했듯이, 「실행록」에서 『정결』을 '겸성학의 요지(兼聖學要旨)'로 설명하므로, 『겸성합편』이 곧 『정결』의 다른 이름일 가능성도 배제할 수 없다.

두 저서가 같은 책인지 다른 책인지는 불확실하다. 다만, 모두 겸성의 요지를 밝혔다는 점에서는 긴밀히 연관된다. 그러나 오늘날 그 책을 찾을 수는 없고, 관련된 자료가 추가로 발견된 바도 없어 정확한 사정은 알기 어렵다.

여하튼 전병훈이 『정신철학통편』을 출간한 뒤 '겸성'에 방점을 둔 저서를 따로 지었던 것은 분명하다. 그 시기는 물론 『정신철학통편』을 간행한 1920년 뒤가 될 것이다.

---

67. 弟前總理張紹曾贊曰, "先生 …… 倉明精神哲學, 環球傳誦. 又著兼聖合編, 眞理益彰," 『全氏總譜』 6권, 39쪽.

후기

지금 왜 전병훈인가

서우와의 만남

1993년 늦가을 무렵이었다. 1920년 발간된 전병훈의 『정신철학통편』 초간본이 북경대학도서관 귀중본 자료실에서 나를 처음 호출했다.[1] 그때의 전율을 아직도 잊을 수 없다. 나는 1992년 여름에 이 대학으로 유학을 떠났다. 그리고 약 반년간의 준비 끝에 석사과정 입학시험을 통과하고, 다음 해 가을부터 대학원에 적을 두고 있었다.

지금은 한 해에만 수백만 명이 한국과 중국을 오간다. 하지만 당시만 해도 중국은 쉽게 가기 어려운 나라였다. 한국전쟁 이후 두 나라는 오랜 적대국이었다. 1991년 겨울에 구소련이 해체되면서, 냉전시대가 막을 내렸다. 1992년 한국과 중국이 국교를 맺고서야, 비로소 북경대학에 정식으로 입학하는 길이 열렸다.

나는 그 첫해에 북경대학 대학원에 처음 입학한 한국 유학생의 일원이었다. 지금도 그 풍경이 남아 있지만, 20여 년 전 북경대학은 건물과 경관이 20세기 전반의 모습 거의 그대로였다. 고색창연한 교정에서, 한 세기 전의 과거를 거니는 듯 착각에 빠지곤 했다. 아무도 강요하지 않았지만, 처음이라는 자의식은 종종 까닭 모를 감응의 과잉을 일으키곤 한다.

---

1. 내가 그 책을 찾아낸 게 아니다. 실은 그 책이 나를 '호출'한 것이다. 내가 태어나기도 훨씬 전인 1920년부터 그 책은 대학도서관 서고에서 먼지를 뒤집어 쓴 채 줄곧 후학을 호출했고, 다만 내가 거기에 호명돼 그 앞으로 불려갔던 것이다.

국교가 단절된 뒤 반세기 만에 처음으로 북경대학에 첫발을 디딘 한국인의 한 사람이라는 것은, 매우 복잡한 감회를 불러일으키기에 충분한 사건이었다. 그야말로 격세지감이 된 지금의 한중관계에서 더 이상 그런 정감을 운위하는 게 불가능하지만, 여하튼 그때는 그랬다. 20세기 후반기 동안 중국이란 그렇게 먼 나라였다.

나는 그 정감의 한 자락에서, 종종 모교의 옛 선생을 떠올리곤 했다. 경락卿略 이상은李相殷(1905~1976) 교수. 1931년 북경대학 철학과를 졸업하고, 해방 후 고려대학교 철학과 교수로 우리나라 동양철학 연구의 기틀을 마련한 분이다. 4·19 혁명 당시, 교수단 시국선언을 발의한 지식인으로도 유명했다.

1980년대 중반에 고려대학교 철학과에 입학한 나는 이상은 교수의 강의를 직접 들은 바가 없다. 하지만 그분의 체취는 어디에나 있었다. 그렇게 경락 선생에 익숙했던 나는, 북경대학 교정에서 자주 상상했다. 1920년대, 조국을 잃은 식민지 청년은 이 교정에서 누구에게 무엇을 배웠고, 무슨 고민을 하며 어떤 내일을 꿈꿨을까?

동양의 중심을 자처하는 중국인과 또 다른 시선에서 동아시아를 사유할 수밖에 없었을 식민지 출신의 젊은이. 그의 시선에 포착된 서양과 동양, 제국과 식민지, 여러 국가와 민족들의 모순되는 운명과 현실은 과연 어땠을까? 이런 질문들이 나를 20세기 초 동아시아 지성사의 옛 기억들로 이끌었다.

돌이켜 보건대, 이런 상상은 정서적으로나 지적으로 나와 북경대학을, 그리고 현재와 과거를 이어주는 연결고리였다. 모교의 스승이 품었으리라고 짐작했던 질문과 답변들이란, 실은 그분의 것이 아니었다. 그것은 다만 내가 안고 있던 화두였다. 어쨌거나, 이런저런 연유로 동아시아 근대의 철학적 장면 언저리를 기웃거렸다.

대학원에서 중국 근대철학사 강의를 듣고, 자료를 뒤지며 관련된 책장을 넘겼다. 그때 자부심 강한 교수가 "중국의 근대사상사는 곧 북경대학 철학과의 역사"라고 힘줘 말하던 기억이 난다. 그만큼 북경대학은 중국 근대철학사를 수놓았던 인물들의 주된 활동무대였다.

내 지도교수는 젊어서 펑유란馮友蘭의 연구실 조교였다. 유학생 기숙사를 조금 지나치면, 소나무 세 그루가 있어서 삼송당三松堂으로 불리는 펑유란의 고택이 있다. 그 집에는 펑 선생의 나이든 딸이 여전히 살고 있었다. 삼송당 옆에는, 20세기에 불교와 도가 연구를 개척한 탕용퉁湯用彤의 고택이 있다. 뭐, 대략 그런 식이었다.

중국 근대철학사가 교과서가 아닌 교정 공간 곳곳에 있었다. 이를테면, 그게 다 살아 있는 박물관이었다. 그러던 1993년 무렵이었다. 북경대학도서관에서 한국 관련 문헌들을 조사하던 중, 조선인 전병훈의 이름과 1920년에 편찬한『정신철학통편』초간본이 눈에 들어왔다.

지금은 귀중본으로 분류돼 마이크로필름만 열람이 되고, 종이책은 대출조차 안 된다. 하지만 당시에는 도서관에서 책을 빌릴 수 있었다. 한데, 맙소사! 이 책의 존재를 믿기 어려웠다. 중국 근대사상사 교과서에 등장하는 명사들의 찬탄이 책의 앞머리를 빼곡히 채우고 있었다.

심지어 옌푸는 전병훈을 스승으로 칭송하며 제자를 자청했다. 동아시아 근대의 한 지평에 숨어 있는 이런 장면을 믿을 수 없었다. 사실을 말하자면, 과대망상증에 빠진 예전의 어떤 "사기꾼은 아니었을까?" 하는 의심부터 들었다. 그만큼 경이롭고, 또 상상하기 어려운 책이었다.

나는 당장 전병훈이 건립해 제자들을 양성했던 정신철학사精神哲學社가 있었다는 북경 선무문외宣武門外 일대를 뒤졌다. 그러나 애석하게도 흔적을 찾을 수 없었다. 그도 그럴 것이, 격동으로 가득한 70여 년의 세월이 이미 흐른 뒤였다.

하지만 책장을 넘길수록 놀라움은 더해갔다. 책의 서문을 펼치자 제1편에서 바로「단군 천부경 주해」가 눈에 들어왔다. 책이 발간된 1920년 이전에『천부경』이 이미 세상에 알려졌다는 증거였다. 게다가 전병훈은 책 본문에서 조선의 단군과 중국의 황제를 동등한 성현으로 높였다.

단군으로부터 계승된 한국의 선맥仙脈을 거열하고, 중국에 비견하는 독자적이고 훌륭한 학문전통이 한국에 있음을 강조했다. 더욱 놀라운 것은, 그의 이런 견해를 당시 중국의 장상급 고위관료나 저명한 지식인들이 받아들이고 있었다는 사실이다.

그들은 단군과 황제를 동방 겸성兼聖의 시조로 함께 추존했다. 단군과 황제의 로맨틱한 동거였고, 동아시아에서 서로 다른 민족주의가 공존했던 시대의 황홀한 풍경이었다. 그렇지만 무엇보다 굉장한 것은 전병훈의 철학체계 그 자체였다.

『정신철학통편』은 도교 내단학을 토대로, 동서양 철학의 통합을 시도했다. 20세기 초 동아시아에서, 유교와 불교 전통을 재해석한 경우는 꽤 있었다. 그러나 도교 내단학의 견지에서 새로운 철학체계를 확립한 경우는 전병훈이 거의 독보적이다.

더구나 그 스케일이 크고 웅장했다. 전통과 근대를 넘나들고, 유불도 삼교를 망라하며, 조선과 중화를 아우르고, 민족과 인류를 함께 고민하고, 학문과 교육을 병행하며, 이론과 실천(수련)을 겸비했다. 익히 알다시피, 당시 조선은 동아시아에서 가장 완강한 성리학 프레임에 갇힌 사회였다.

그런 구한말의 조선인으로, 전병훈처럼 도교에 정통한 사상가가 출현했다는 사실 자체가 기적이었다. 더구나 쇠망한 나라의 망명객이었던 그에 대한 중국 지식계의 호응이 경이로웠다. '우주의 새벽빛'을 뜻하는 그의 호 서우曙宇만큼이나, 전병훈은 20세기 초 동아시아 근대의 여명기를 극적이고도 찬란하게 빛내고 있었다.

전병훈은 어떻게 망각되었나(1): 철학에서 추방된 도교

내가 아는 한, 전병훈은 도교 내단학에서 철학의 원리를 추출해 현대화하려고 시도한 동아시아 최초의 지식인이었다. 그 뒤 중국에서 쉬띠산許地山(1893~1941)이 『도교사』(1934)[2]를 저술했다. 하지만 그는 본래 저명한 불교 연구자로,

2. 許地山, 『道教史』 上編(上海商務印書館, 1934).

통사적 흐름에서 도교의 역사를 개관해 전병훈과 관심의 초점이 달랐다.

일본에서는 근대 역사학계의 거물이었던 쓰다 소키치津田左右吉(1873~1961)가 1927년『도가사상 및 그 전개』를 발표했다. 그가 여기서 말한다. "도교가 사상으로서 천박하고 기본적으로 주목할 만한 가치가 적지만, 사회에서 점차 세력을 형성해 또한 의의가 없지 않다."[3] 고작 그 정도가 도교에 대한 당시 일본 학계의 일반적인 견해를 대변했다.

한편 프랑스의 탁월한 중국학자였던 앙리 마스페로Henri Maspero(1883~1945)가 1930년대에 면밀한 문헌학과 사회학적 연구로 도교의 역사와 원리 등을 규명해서, 서구사회에 소개했다. 그는 엄정하고 호기심 어린 관찰자의 시선에서 도교를 탐색했다. 따라서 도교의 종교현상과 양생술의 구체적인 기법 등에는 어느 정도 상세했지만, 도교의 철학사상까지는 깊이 들어가지는 못했다.

한국의 이능화李能和(1869~1943)가 일제강점기에『조선도교사』를 저술했으나, 그 역시 국학의 문맥에서 한국 도교(선도)의 역사적 흐름을 개관하는 정도였다. 20세기 전반기의 국제 도교학 연구에서, 철학사상에 주목한 사례는 이처럼 극히 드물었다.

단지 도교학 연구자들만 그랬던 것은 아니다. 20세기 전반의 동양철학 연구에서 도교는 거의 제외되었다. 유명한 펑유란馮友蘭(1894~1990)의『중국철학사』(1934)에서 도교는 한 단락도 제대로 언급되지 않았다. 그 후에도 이런 추세는 한동안 지속됐다.

대신 노자와 장자 등의 도가道家(Taoism in Philosophy)는 철학이고, 도교道敎(Taoism in Religion)는 종교라는 형식적인 이분법이 유행했다. 더 나아가, 도교에는 '철학'으로 부를 만한 심오한 이론과 사색이 결여됐다는 극단적인 편견마저 유포됐다.

철학과 종교로 구획된 서양 정신의 분열을 그대로 동양에 적용하는 무신경증이 있었다. 그리고 놀랍게도, 도교를 허황한 사술로 폄하하는 유교(성리학)

---

3. 津田左右吉,『道家の思想と其の開展』,『津田左右吉』제20권(岩波書店, 1973), 285쪽.

의 이단에 대한 배척 20세기 동양철학에도 이어졌다. 또한 서양철학을 흉내 내며 철학을 단지 순수한 관념과 이성의 활동으로 한정하고, 몸을 철학 밖에 유폐했다. 그런 요인들이 복합적으로 얽혀, 도교가 철학의 장場에서 추방되었다.

중화권에도 이런 경향이 있었지만, 성리학에 치우친 한국의 동양철학계에서 반도교적 편향이 훨씬 심했다. 그리하여 유교를 철학으로 재해석하고 현대화하려는 많은 논의가 명멸하는 동안, 망각의 늪에서 도교를 건져 줄 철학의 호명이 있기까지 오랜 시간을 기다려야 했다. 20세기가 거의 끝나갈 무렵에야, '도교철학'이 소수의 연구자들로부터 조심스럽게 운위되었다.

그들이 학계의 원로가 되고 중견이 된 작금에야, 도교철학이 학문의 한 분과로 확고히 정착되기에 이르렀다. 한데 그나마 연구자가 많고 도교가 민족종교로 인식되는 중국에서 그런 것이고, 한국철학계에서 도교는 여전히 무관심을 넘어 몰이해 상태에 방치돼 있다.

비단 철학만이 아니라, 역사·종교·문학 등 인문학 전반에서 사정이 비슷하다. 단지 극소수의 도교 연구자들이 학문적 몰이해와 싸우면서 고고히 분투하고 있다. 한 세기 전, 도교를 기반으로 동아시아에서 가장 선구적이고도 독보적인 정신철학을 개척했던 전병훈의 성취는 완전히 퇴색해 버렸다.

이는 단순히 특정 학문 분야의 부침 문제를 넘어선다. 그것은 20세기를 지배한 철학적 편중(서양, 이성, 유교 편중)의 여파라는 면에서 치유를 필요로 하는 과잉, 부조화, 불균형의 질병적 증후군이라고 할 수 있다.

전병훈은 어떻게 망각되었나(2): 철학연구의 편향과 전공주의

1999년, 나는 유학을 마치고 중국에서 귀국했다. 그 뒤에 관련 자료를 조사하다가, 1970년대부터 한국 학계에도 전병훈이 간간이 보고된 바가 있다는 사실을 뒤늦게 알게 되었다. 지금처럼 학술DB가 인터넷으로 쉽게 검색되는 시대가 아니었으므로, 북경에서 그런 사실을 미처 확인하기 어려웠다.

서울대학교 철학과의 박종홍(1903~1976) 교수가 한국에 서양철학을 도입한 인물로 전병훈을 소개했던 적이 있었다.[4] 그리고 1983년에는 서울의 한 출판사에서 『정신철학통편』을 영인출판하기도 했다.[5] 서울대학교 종교학과의 금장태 교수가 여기에 7쪽 분량의 해제를 달았고, 1992년에는 『철학과 현실』에 5쪽 분량으로 전병훈을 소개하는 글을 싣기도 했다. 그 글은 이렇게 시작한다.

> 조선 말기 유교사회의 정통이 동요되면서 기독교를 따르거나 불교로 넘어간 지식인들이 많았지만, 도교를 표방한 인물은 전병훈 하나뿐인 것 같다. 20세기 초 중국에서 활동하면서 동서고금의 사상을 하나의 철학으로 통합하려고 한 그의 시도는 그 성공여부와 관계없이 이 시대의 한국인이 모색했던 철학적 모험으로서 의미가 있다고 하겠다.[6]

그런데 대략 그게 다였다. 20세기가 막을 내릴 때까지, 원로학자의 간략한 코멘트 몇 쪽 그리고 대학원 박사과정에 있던 연구자의 소논문 한 편[7]이 한국 학계가 전병훈을 연구한 거의 전부였다. 이것은 한국의 동양철학 연구가 얼마나 심한 편식증에 걸려 있는가를 보여주는 한 사례였다.

금장태 교수의 언급처럼, '도교를 표방'한 것과 동서고금의 사상을 하나의 철학으로 통합하려는 '철학적 모험'이야말로 전병훈 철학의 현저한 특징이다. 한데 이 두 가지 특징이야말로, 전병훈이 한국철학계에서 왜 그토록 철저히 외면당했는지를 웅변하는 키워드다. 한국의 아카데미 철학은 '도교'와 '모험'을 철저히 배제했다.

한국의 동양철학 연구는 아주 취약한 구조를 지니고 있다. 연구자의 분포로 볼 때, 한국의 아카데미 철학은 기형적인 역피라미드 구조를 이룬다. 전국 대

4. 박종홍, 「서구사상의 도입과 그 영향」, 『朴鍾鴻全集 5』(民音社, 1982).
5. 全秉薰, 『精神哲學通編』(명문당, 1983).
6. 금장태, 「서우 전병훈의 사상」, 철학문화연구소, 『철학과 현실』 제15호 (1992), 178쪽.
7. 황광욱, 「서우 전병훈의 생애와 사상: 사상사적 의의를 중심으로」, 한국철학사연구회, 『한국철학논집』 제4권 (1995).

학의 철학과 혹은 교양학부의 철학전문가(교수) 가운데 서양철학 전공자가 절반에서 3분의 2를 차지한다.

그나마 절반인 경우도 적으니 결국 3분의 1 안팎이 동양철학 교수인 셈인데, 다시 거기서 3분의 2 이상이 유교 전공자다. 그리고 나머지가 불교와 기타철학(道家[道教]·諸子 등) 전공자다. 여기서 말하는 기타철학에서도 '도교'의 자리는 거의 없다.

한국의 동양철학계는 전통적으로 도교를 노자와 장자 등의 도가와 구분하는데, 도가철학은 제법 연구를 하지만 도교 연구자는 극히 드물다. 그러므로 한국의 전통사상을 유·불·선 3교라고 하지만, 중국 도교 더 나아가 한국의 선仙사상을 깊이 연구하는 전문가는 눈을 씻고 봐도 찾기 어려웠다.

대략 1970~80년대 무렵, 동양철학 안에서 중국철학과 한국철학을 나누는 추세가 생겼다. 그러다가 이제는 그게 서로 다른 학문분과처럼 거의 굳어졌다. 하지만 정작 실상을 들여다보면, 이른바 '한국철학' 교수의 대부분이 유교, 그것도 대개 조선 중후기 유학(성리학이나 실학) 전공자들이다. 물론 중국철학 분야도 유교 전공자가 절대 다수를 점한다.

그러니 겉으로는 중국철학과 한국철학으로 학문이 세분화하고 다양해진 듯하지만, 실은 동양철학의 유교 편중이 더 심화된 셈이다. 수십 년의 관행에서 굳어진 이런 학문편향은 여간해서 바뀌기 어렵다. 이를 개선하려면 몇 배의 시간과 노력이 필요한데, 이런 변화가 왜 필요한지에 대한 인식조차 거의 없는 게 우리나라 철학계의 현실이다.

그런데 문제는 단지 연구자 분포의 불균형에서 그치지 않는다. 더욱 심각한 문제는 연구자 불균형에서 비롯되는 학문과 교육의 편향이다. '한국철학'을 표방하는 학문은, 한국에서 한국인에 의해 형성되고 전개된 철학사상을 고루 담아내야 한다.

그것은 시대적으로 고대부터 중세·근대까지 균형을 갖춰야 한다. 내용 면에서도 유·불·선은 물론 동학을 비롯한 근대 민족종교까지, 다양한 철학과 사상을 고루 포괄해야 한다. 그러나 오늘날의 한국철학 연구는 시대적으로 조선 중후기에, 내용상으로는 유교 특히 성리학에 거의 치우쳐 있다.

그러다 보니 이름이 '한국철학'이지, 실제로는 조선유학에 초점을 두는 교과내용이 중등학교에서 대학 강좌까지 널리 퍼져 있다. 하지만 한국철학은 한국학의 일부이다. 그것은 단지 아카데미의 학문에 그치지 않고, 한국의 문화 전반 더 나아가 한국인의 평균적 교양과 시민의식 전반에 큰 영향을 미친다.

그런 학문분야에서 조선유학을 한국 전통철학의 거의 전부인 양 다루는 것은 분명 문제가 있다. 조선유학 전공자라면, 이런 시각을 당연하게 여길지 모른다. 그러나 사실을 말하자면, 그런 편향은 수천 년 동안 누적된 한국 정신문화의 다양성을 심각하게 훼손한다. 그리고 결국 '한국철학' 자체를 왜소하게 위축시키는 자승자박의 함정에 빠지게 된다.

한국 학계에서 전병훈에 대해 무관심했던 이유를 살피다가 말이 잠시 옆길로 샜다. 하지만 한국 동양철학계의 연구편향, 특히 유교적 편향을 거론하지 않고는 전병훈 같은 인물이 왜 그렇게 방치됐는가를 설명하기 어렵다.

단언인지 몰라도, 금장태 교수의 평가처럼 "도교를 표방"했기 때문에 전병훈이 한국 동양철학계에서 망각됐다고 해도 과언은 아닐 것이다. 그렇다고 해서, 누군가 혹은 어떤 특정한 연구그룹이 일부러 악의적으로 전병훈을 배제했다는 말은 아니다.

단지 어느 누구도 자기 '전공'이 아닌 분야에 손대려고 하지 않고, 실제로 손대지 않았을 뿐이다. 동양철학계만 그런 것도 아니다. 한국 학계 전반에 만연한 전공주의가 그 배후에서 작동했다.

한국에서는 보통 박사학위 논문 주제로 '전공'을 결정한다. 그 전공이 평생 연구자의 꼬리표로 따라다닌다. 그런데 연구를 하다 보면, 전공의 이런 형식적 경계를 지키기 어려운 상황이 발생하곤 한다. 필자의 경우를 예로 들어보자.

대학원에 입학할 때부터, 나는 동아시아의 신선사상과 도가(도교)를 연구했다. 석사논문은 '선진先秦시기의 신선가神仙家'를 다뤘고, 박사논문은 '한漢대의 황로도黃老道'에 대해 썼다. 이 주제를 다루려면, 우선 노자와 장자 그리고 황로학까지 도가철학을 폭넓게 공부해야 했다. 그리고 한대 황로도와 같은 시기의 유교 경학經學도 연구해야 했다.

물론 이때 한대 철학을 보는 관점이 경학 연구자들과 같을 수 없다. 하지만 중국 한대라면, 한국의 유교 전공자들 대부분은 경학이 전부인 줄 안다. 그런 편견에서, 도교 연구자인 내가 한대 철학을 말하는 게 이상하다고 색안경을 끼고 보는 경우마저 드물지 않다.[8]

게다가 나는 '황로도'에 관한 박사학위 논문을 썼으니, 일단 큰 범주로 중국철학 전공자다. 따라서 한국식의 전공 분류에 따르자면, 한국의 신선사상이나 도교를 다루는 순간 전공의 경계를 떠나는 셈이다. 그러나 나는 석사와 박사학위 논문에서 동아시아의 신선사상과 고대 동이東夷의 민족지적 연관에 주목했고, 그러다 보니 자연스럽게 고조선이나 그 후대 삼국의 신선사상으로 관심이 넘어온다.

거기서 신라의 김가기金可紀·최치원, 발해의 이광현李光玄 등과 만나고, 조금 더 나가면 고려의 과의科儀도교가 있고, 조선 단학파가 있으며 또한 동학이나 증산교 같은 신종교와도 조우한다. 이 책에서 다루는 전병훈도 내 '전공'의 이런 연장선에 있다. 그런데 전병훈을 논하려니, 이제는 서양철학까지 공부해야 하는 처지가 됐다. 전병훈이 내단 사상가인 동시에 서양철학의 수용자이기 때문이다.

그리하여 지난 20여 년간 필자가 쓴 논문 목록을 들여다보면, 어느새 중국철학보다 한국철학에 속하는 글이 더 많아졌다. 그러니 그간 나는 중국철학 전공자로 꼴사납게 한국철학을 넘본 꼴이 됐다. 그리고 실제로 그런 시선을 많이 느낀다.

예컨대 신선사상의 맥락에서 최치원의 풍류나 도교사상을 논하면, 자칭 '최치원 전문가'(실은 최치원의 유교사상 연구자)들이 눈살을 찌푸린다. 조선의 단학파에 대해 말하면, 한국철학 전공자(실은 조선유학 연구자)들이 고개를 젓는 식이다. 내가 전공을 넘본다는 것이다.

---

8. 하지만 내 책(『黃老道探源』, 中國社會科學出版社, 2008)은 중국 여러 대학교에서 대학원 교재로 버젓이 쓰인다.

한데 그런 시선들이 오히려 괴이하다. 나는 정말 주제넘게 전공을 일탈한 것인가? 하지만 스스로 '전공'의 흐름을 벗어났다고 생각한 적은 없다. 오히려 세칭 한국철학 전공자 중에, 내가 연구한 주제(한국의 신선사상, 도교)를 더 깊이 다룬 연구자도 거의 없다.

그렇다면 자칭 한국철학 전공자들이야말로, 직무유기를 한 셈이 아닌가? 아니면 기껏해야 조선 유학에 국한된 연구를 '한국철학'으로 과대포장해 왔으니, 범주오류(category mistake)에 빠진 것인가? 그러면서도 '한국철학'의 정통을 자임한다면, 이는 중세에나 허용될 법한 허위의식에 지나지 않는다.

종횡으로 이어진 동양철학의 사슬과 전개경로에서, 전공의 구분이란 게 다분히 형식적인 경계 나누기에 지나지 않는다. 한국 성리학만 하더라도, 그것을 논하려면 당연히 중국 송명의 이학理學을 전제로 한다. 그런데 송명 이학은 그 철학 자원의 상당 부분을 도교와 불교에 빚지고 있다.

성리학 이기론의 우주관이 도교에서, 그리고 심성론이 불교에서 영향을 받았다는 것은 학계의 정설이다. 주렴계는 도사 진단陳摶에게서 〈태극도〉를 넘겨받았다. 오행설은 전국시대의 음양가인 추연鄒衍과 방선도方僊道에 의해 정립됐다.

『주역』도 전국시기에 「역전易傳」이 만들어질 때부터 이미 도가사상을 함축했다. 불교도 중국화하는 과정에서 유교 및 도교와 깊은 상호영향을 주고받았다. 그런데 이런 전후 맥락을 거세하고, 형식적인 경계로 전공을 나누는 게 합당할 리 없다.

중국만 하더라도 상황이 판이하다. 학자들의 기본전공이 어느 정도 정해져 있지만, 그 장벽이 한국처럼 높지는 않다. 최근 중국에서는 역사상 최대 규모의 『유장儒藏』 편찬사업을 국가적으로 추진한다. 그 최고책임자가 도가(도교) 철학 연구의 대가로, 2014년에 타계한 북경대학의 탕이제湯一介 교수였다. 그랬던 그가, 타계 직전 자기의 제일 큰 소원이 "동아시아의 모든 유교 전적을 집대성해 유장을 만드는 것"이라고 일갈했다.

반대로 유교나 불교 전공자라고 해서, 딱히 그 안에만 갇혀 있는 경우도 드물다. 관심이 가는 주제라면, 어떤 분야든 다룰 수 있다. 학자로서 인정받는 관건은, 다루는 주제가 이른바 '전공'에 부합하느냐 아니냐에 있는 게 아니다. 다만 그 주제를 얼마나 잘, 그리고 독창적으로 논구하는가에 달렸다. 한국과는 사뭇 다른 연구풍토다.

하지만 이 글의 목적이 학계의 풍토를 비평하는 데 있지 않으므로, 이 문제에 대한 논의 역시 이 정도에서 그치자. 단지 한국의 철학계가 다분히 경직된 '전공주의'에 빠져서 전병훈에 대해 무심했던 점을 상기하다 보니, 얘기가 길어졌다.

그래도 2천 년대에 전병훈 연구가 다시 일어난 것은, 유교와 도교 전공자들이 함께 전병훈에 주목한 배경이 있다. 사실 거기에는 사람들이 잘 모르는 사연이 있다. 큰 불도 언제나 작은 불씨에서 시작하는 법이다. 1996년 무렵으로 기억된다. 원광대학교 철학과의 김학권 교수가 1년간 북경대학에 방문교수로 머물렀다.

김학권 교수는 주역을 전공하고, 주로 유학을 연구하는 학자다. 그 인품이 워낙 호인인지라, 유학생들과 격의 없이 잘 지냈다. 또 내게는 대학 선배라서, 더욱 가까웠다. 그러던 중에 자연스럽게 전병훈의 얘기를 나눴고, 김학권 교수도 놀라워했다. 해서, 귀국하면 함께 연구하자고 다짐도 했다.

그러고 나서, 귀국한 지 얼마 되지 않아 2001년 봄에 김학권 교수로부터 먼저 '전병훈'에 관해 글을 발표한다는 얘기를 들었다. 그러면서 미안하다는 양해를 구해 왔다. 마침 익산의 원광대학교와 대구의 계명대학교 간에 교류학술대회가 열린다고 했다. 그리고 계명대학교 철학과의 홍원식 교수에게 전병훈에 관한 얘기를 해서, 두 사람이 각자 한 편씩 글을 발표하기로 했다는 것이었다.

따지고 보면 전병훈에 관해 금장태 교수의 글도 있고, 그간 학계에서 전혀 보고되지 않았던 것도 아니다. 그러니 내가 양해를 하고 말고 할 일도 아니었다. 다만 함께 연구하자던 약속이 마음에 걸린다고 김학권 교수가 양해를 구해와, 오히려 고마웠던 기억이 난다. 그렇게 2001년 5월에 원광대학교의 학술대회에서 '전병훈'이 다시 호명됐다.[9]

마침 원광대에는 도교 연구자인 김낙필 교수가 있어서, 이 대회를 계기로 김낙필 교수도 전병훈에 관심을 가지게 됐다. 당시 김낙필 교수는 원광대에 '동양학 대학원'을 설치하고, 기공·풍수·명리 등의 전공을 운영했다. 나도 초기에 거기서 한두 학기 강의를 했는데, 지금 재직하는 대학에 온 뒤로 더 강의를 나가지 못했다.

여하튼 뒤에 김낙필 교수도 '전병훈'에 대한 논문을 발표하고, 동양학 대학원에서 '전병훈'을 주제로 석사논문도 나왔다. 그렇게 여러 사람들에게 알려지면서 탐구에 합류하는 연구자들이 생겨났다. 1990년대까지 거의 꺼졌던 '전병훈'이라는 불씨가 2천 년대에 다시 학계에서 살아 일어난 것이다.

돌이켜보면, 실로 작은 우연한 날갯짓이 큰 바람을 일으킨다는 게 바로 이런 것이다. 북경대학도서관에서 『정신철학통편』이 나를 호출하고, 김학권 교수와 몇 마디 얘기를 나눈 게 불티였다. 게다가 다행인 것은, 김낙필 교수가 그나마 한국에는 몇 명 없는 도교 연구자의 한 분이라 '전병훈'의 불씨를 받아 살릴 수 있었다는 사실이다.

하지만 그렇게 살아난 불씨는 아직 미약하고, 또 담을 그릇이 마땅치 않다. 최근 10여 년 사이에 한국에도 점차 도교 연구자들이 늘어나고, 예전에 비해 전병훈에 주목하는 사례가 많아졌다. 하지만 한국 도교학의 기초가 일천한데다, 또 전병훈의 철학이 도교만으로 소화할 수 있는 한계를 훌쩍 넘어선다. 필자가 20년 넘게 서우를 마음에만 품고, 쉽게 글을 쓰지 못했던 이유가 거기에 있다.

글이란 무서운 것이다. 한번 지면에 발표하면 담을 수 없다. 그러니 정말로 귀중해서 함부로 다룰 수 없는 연구대상이나 주제라면, 더욱 함부로 글을 쓸 수 없다. 특히 서우처럼 전인미답인 고봉高峯에 관해서는, 글이나 책을 세상에 내놓는다는 데 무한한 책임을 느끼지 않을 수 없다.

연구가 많이 된 것은 이미 어느 정도 길이 나 있어서, 글을 쓰더라도 크게

---

9. 김학권, 「『정신철학통편』에 나타난 전병훈의 철학사상」, 계명대학교·원광대학교 교류학술대회 발표문, 2001년 5월 4일.

잘못될 소지가 적다. 설령 잘못이 있어도, 워낙 많은 사람들이 다니므로 곧 다른 발자국에 묻혀 버린다. 그러나 전병훈 연구처럼 거의 모든 방면에서 처음부터 길을 내야 하는 경우에는, 두려움이 앞선다. 세상에 섣부른 발자국을 내보일 수는 없다. 무엇보다 서우 선생에게 누가 될까 두려웠다. 게다가 그는 실로 험난한 고산준령이다.

어느 한 특정 전공에서만 보면, 전병훈은 그다지 매력적인 연구대상이 아니다. 근본적으로 접근하기 어렵다. 전병훈의 철학사상은 도교·유교·불교는 물론 서양철학까지, 동서고금에 두루 걸쳐 있다. 하지만 아카데미 철학의 이른바 '전공'에서 보면, 그의 학문은 어디에도 속하지 않는다.

그러면서 전공주의자들을 곤혹스러우리만치 괴롭힌다. 서양철학 전공자에게, 전병훈의 서양철학관은 오해로 가득하다. 유교 전공자에게, 전병훈의 유학관은 사상적 변절 내지는 일탈로 보일지 모른다. 그렇다고 해서, 서우가 도교에만 속하는 것도 아니다. 심지어 '화쟁'을 말한 원효조차 불교에 속하는데, 서우는 모두에 걸쳐 있고 어디에도 포섭되지 않는다.

서우는 어느 산맥에 속한 산이 아니다. 그 자신으로 우뚝 선 산이자 산맥이며, 그러면서 다른 모든 산맥과 하나로 이어진다. 그래도 설령 용기를 내서 오르려고 하면, 이내 새로운 난관에 직면한다. 전공을 벗어난 분야에 대한 무지에서 비롯되는 곤혹이다. 전공 이외에는 거의 공부를 하지 않는 학문풍토에서, 심리적으로나 실력으로나 이런 한계를 극복하지는 쉽지 않다.

나 역시 북경대학도서관에서 『정신철학통편』을 처음 만났을 때부터, 언젠가는 제대로 된 연구서를 내리라 마음먹었다. 그런데 어느새 20년 넘는 세월이 훌쩍 지나갔다. 그동안 서우는 늘 마음 한구석에 묵직한 체기로 남아 있었다. 그러나 선뜻 오를 수가 없었다. 전병훈은 그런 고산준령이다.

도교에 대한 이해가 없으면 애당초 오를 길이 보이지 않고, 유교와 불교는 물론 서양철학에 어두우면 이내 다시 샛길로 빠진다. 중국 근대사상사를 모르면 들어갔다가도 길을 잃고, 한국의 선仙과 근대 민족종교의 흐름을 모르면 덫에 걸린다.

중국에 협력자가 없으면 허물어진 그의 행로를 따르기 어렵고, 내단 수련의 증험이 없으면 안개에 휩싸이기 십상이다. 무엇보다 서우 본인의 말처럼, '참나'의 진실한 이치를 체득하지 못하면 전모를 보지 못할 그런 산이다. 그 험준한 고봉을 오르기 위한 준비에, 필자로서는 20여 년의 세월도 충분치 않았다.

전병훈은 어떻게 망각되었나(3): 지적 재창조의 빈곤

지난 백여 년간 근대학문이 미세하게 분업화하는 가운데 철학도 빠르게 갈래가 나뉘었다. 그 시스템에 길들여진 철학전문가에게 전병훈은 어설픈 전문가(?), 조금 심하게 말하면 몽상가처럼 보이기 십상이다. 그러나 반대로 전병훈의 관점에서라면, 오늘날 아카데미의 전업철학자들이 그저 옛날의 유산과 남의 철학을 팔아 생계를 연명하는 샐러리맨에 불과해 보일지 모른다.

그의 지적 모험은 철학만이 아니라, 정치학·법학·사회학·심리학·윤리학 심지어 과학에 이르기까지 광대한 지평에 이른다. 이런 여정에서 학문의 분업, 특히 철학 내부 여러 '전공'의 분업은 그다지 매력적이지 않다. 진리를 구하는 데서, 서우는 그런 분리를 탐탁해 하지 않았다. 그가 추구한 철학의 여정은 대략 이런 것이다. 본문에서도 몇 번 인용한 바 있다.

> (도에) 합치해 원만한 덕을 이루고자 한다면, 반드시 유·불·도와 철학 및 신구新舊의 과학을 아울러 취해 한 용광로에 녹여 주조해야 한다. 그런 뒤에야 하늘의 도를 체득하고 성스러움에 통해, 만세의 근본적 가르침으로 삼을 만하며 폐단이 없을 것이다.[10]

전병훈은 19세기 말에서 20세기 초에 펼쳐진 동아시아 세계의 격동을 온몸으로 겪었다. 때는 바야흐로 전환의 시대였다. 그런데 이런 혼란기에는 흔히

---

10. 將欲合致以成圓德, 則必也幷取儒道佛哲, 新舊科學, 而鎔冶一爐. 然後, 可以爲體天通聖, 萬世可宗而無弊矣. 『통편』, 23쪽.

지식(이념)이 분열한다. 아니 "학술이 장차 천하를 가르려 한다!"[11]던 장자의 한탄처럼, 갈라진 지식이 세상의 분열을 부추기는지도 모른다.

혼란기에는 구시대의 낡은 원리가 그 효용을 다하는 반면, 새로운 시대의 원리는 아직 분명히 드러나지 않는다. 구시대의 경험이나 지식으로 새로운 시대를 이끌기 어렵지만, 그렇다고 새로운 이론과 지식이 보편적으로 받아들여지지도 않는다. 이런 국면에서 흔히 두 유형의 대조적인 지식활동이 전개된다.

하나는, 지적 권위화權威化(authorize) 활동이다. 그것은 (구시대 혹은 타자에게서 비롯되는) 기존 지식과 이론의 권위에 호소해, 책임소재가 불분명한 국부적 지식을 생산한다. 형식상으로는 지식의 적용을 제한하지 않지만, 실제로는 예측가능한 범위 내에서만 지식을 행사하는 유형이다.

여기서는 기능화한 지식의 전문성이 강조된다. 하지만 기존 지식이 효용을 다하는 시대의 전환기에, 이는 곧바로 현실과 괴리된 만성적인 탁상공론으로 끝나기 쉽다. 장자가 "어느 한 가지 견해만을 얻어 스스로 만족한다"고 지적한 이른바 '일곡지사一曲之士'[12] 유형의 지식인(세칭 '전문가')이 주로 이런 경향을 보인다.

다른 하나는, 지적 재창조再創造(re-create) 활동이다. 그것은 기존의 지식과 이론을 수렴하되, 변화하는 시대에 적합한 새로운 원리와 지식을 모색한다. 형

11. 중국에서는 춘추전국만 한 전환기가 없었는데, 당시 상황을 장자는 이렇게 한탄했다. "천하가 큰 혼란에 빠졌다. 지혜와 성스러움이 불분명하고, 도덕이 하나로 통일되지 않는다. 세상 사람들 대부분 어느 한 가지 견해만을 얻어 스스로 만족한다. 비유컨대 귀와 눈과 입과 코가 다 나름대로 밝은 바가 있지만, 각자가 서로 통하지 못하는 것과 같다. 수많은 이론가와 전문가들이 전부 나름의 장점이 있고 때에 따라 쓸모가 있으나, 널리 갖추고 두루 미치지 못하니 '일곡지사一曲之士'일 뿐이다. …… 슬프다! 수많은 이론가들이 (제 방식대로) 가기만 해서 돌아올 줄 모르니, 반드시 서로 합치되지 않는다. (이를 따르는) 후세의 학자들은 불행히도 천지의 순수함과 옛사람들의 전모를 보지 못할 것이다. 학술이 장차 천하를 가르려 하는구나!" 天下大亂, 賢聖不明, 道德不一. 天下多得一察焉以自好. 譬如耳目口鼻, 皆有所明, 不能相通. 猶百家衆技也, 皆有所長, 時有所用. 雖然, 不該不徧, 一曲之士也. …… 悲夫, 百家往而不反, 必不合矣! 後世之學者, 不幸不見天地之純, 古人之大體. 道術將爲天下裂! 『莊子·天下』.

12. 위의 각주 참고.

식과 내용 모두에서 지식의 적용을 제한하지 않는 유형이다. 여기서는 기존 이론과 지식의 권위에 사로잡히지 않는다. 소통하고 포용하며 통합하는 지식활동이 종횡으로 펼쳐진다.

이런 활동에 종사하는 지식인은, 권위에 호소하는 기존 지식의 옹호자들로부터 공격당하고 배제되기 쉽다. 그리고 지적 모험의 결실을 본인이 직접 수확하지 못하는 경우도 많다. 그것은 당대보다, 대개 약간 뒤의 후대부터 빛을 발하기 시작한다. 하지만 인류역사에서 새로운 시대를 열었던 원리와 지식은, 거의 이런 유형의 지식활동으로 창조된다.

전병훈은 한국지성사에서 아주 드물게 출현했던 '지적 재창조' 유형의 사상가다. 그러나 20세기 한국의 철학사상사에서, 서우의 그런 철학정신은 계승되지 않았다, 그와 같은 인물은 좀처럼 다시 출현하지 않았다. 아카데미 철학은 '지적 재창조'형 지식인의 무덤이 되었다.

무엇보다 일제의 식민지배가 펼쳐졌고, 그 감시 아래 통제된 대학의 제도에서 지적인 창조의 불꽃은 타오를 수 없었다. 근대 한국에서 가장 오래되고 권위 있는 아카데미 철학은, 경성제국대학에서 잉태됐다. 단지 이식되고 박제된 철학의 지적 권위만 인정됐다. 일본과 중국처럼 제한적인 '국학'의 담론조차, 거기서는 끝내 허용되지 않았다.

20세기 중반에 일제의 식민지배는 끝났다. 하지만 다시 냉전과 독재가 사람들의 정신을 억압했다. 이런 환경에서, 일제강점기부터 학문에 체질화된 '지적 권위화'의 관성도 그대로 이어졌다. 거시적으로 보면, 이런 정신사의 풍토 안에서 앞서 언급한 철학계의 학문편향과 전공주의도 자라났다.

이 대목에서, 지난 2008년 제22차 세계철학자대회가 서울에서 열렸을 때의 풍경이 떠오른다. '철학올림픽'으로 불리는 세계철학자대회를 유치하자, 당시 한국철학계는 "비非유럽 문화권 최초로 열게 된 문명사적 의미"를 잔뜩 강조했다. 그러나 이내, 세계에 내세울 만한 그 어떤 담론도 창조하지 못한 20세기 한국철학의 빈곤과 직면해야 했다.

'한국철학'이라면 역사적으로 의례히 조선 말 실학에서 논의가 끝나 버리는, 창조적 담론을 생산하지 못한 아카데미 철학의 척박한 풍토가 빚어낸 참극이었다. 이에 당혹한 몇몇 철학계 원로들이 궁여지책으로 부랴부랴 20세기 한국의 대표 사상가들을 '발명'했다.

다석多夕 유영모柳永模(1890~1981)와 함석헌咸錫憲(1901~1989)이었다. 하지만 이는 실로 아이러니한 해프닝이었다. 그 이전에, 한국의 아카데미 철학이 유영모와 함석헌을 철학자의 반열에 올려놓은 기억이 없다. 유영모와 함석헌이 '철학자'라는 얘기 자체가 금시초문이었다. 어쨌거나 그들이 '발명'되었다.

게다가 한국철학계는, 이 두 사람이 기독교와 서양철학은 물론 유·불·선·도 등의 동양사상까지 창조적으로 융합시켰다고 추켜세웠다. 다시 말해 유영모와 함석헌의 '지적 재창조' 활동을 부각시킨 셈인데, 이는 역으로 20세기 내내 상아탑 안에서 '지적 권위화'에 골몰해 온 아카데미 철학의 참담한 빈곤을 자인하는 것이기도 했다.

한국에서 철학을 업으로 삼아 살아가는 사람의 한 사람으로, 지적 재창조의 이런 빈곤이 참 부끄러웠다. 그리고 다시 전병훈을 떠올렸다. 서우가 활동했던 백 년 전 동양과 서양이 만나고, 전통과 근대가 조우했다. 격동의 시대, 세계사적 전환의 시기였다.

역사에는 가정이 없다고 한다. 하지만 한번 상상해 보자. 만약 당시에 전병훈이 시도한 유형의 '지적 재창조' 작업이 한국 지성사에서 뿌리를 내리고 이어졌다면, 오늘날 한국 지성의 생태계는 어떤 모습이 되어 있을까?

이른바 '니시다 철학'으로 잘 알려진 일본의 니시다 기타로西田幾多郎, '현대 신유학자'로 불리는 중국의 펑유란·쉬푸관徐復觀·탕쥔이唐君毅·머우쭝싼牟宗三 같은 일군의 독창적 사상가들이 한국에서도 배출되지 않았을까?

물론 일본과 중국은 식민지가 아니었으므로, 한국과 상황이 달랐다. 그렇다고 언제까지나 한국이 그 핑계를 댈 수만은 없다. 한국 지식계 스스로 자기 모습을 직시해야 한다. 한국은 더 이상 식민지가 아니고, 우리가 동서고금의 지적 자산을 조제해 재창조하는 것을 누구도 감시하거나 반대하지 않는다.

정작 문제는, 한국 지식계가 내면화한 지적 권위화의 관성과 자기검열에 있다. 학문분과의 옹벽에 갇힌 아카데미 철학자는, 대학의 샐러리맨으로 전락했다. 형식적이고 일률적인 교수업적 평가 시스템이 대학을 관료적으로 지배하면서, 단지 '논문 찍는 기계'가 됐다. 그들이야말로 지적 창조의 자기검열자들이다. 어찌 철학만의 문제겠는가?

인문학을 비롯한 기초학문의 생명력은, 변화하는 현실에 대응해 끊임없이 이론과 지식을 창조하는 데서 생긴다. 그런데 한국의 학자들은 대개 외부 (특히 미국) 이론의 권위에 의지해 국부적인 지식을 파는 '오퍼상'이거나, 혹은 과거 (전통)의 유산을 포장해 진열하는 '골동품상'에 불과하다는 비판이 이미 오래전에 제기됐다.

이런 풍토에서 현실과 괴리된 만성적인 탁상공론에 빠지고, 이런 탁상공론이 사람들로부터 외면받는 것은 어쩌면 당연한 귀결이다. 반면 상대적으로 현실적응력이 뛰어난 도구적 실용학문(경영학·법학·공학·의학 등)은, 비록 그것이 수입품이더라도 현실에서 그럭저럭 효용을 발휘한다.

그 결과 학문이 진리로부터 멀어지고, 기능과 실용만을 앞세워 기초학문을 뿌리째 뽑아 버리려는 21세기의 야만이 대학의 지성을 황폐화한다. 압도적인 권력과 금력에 의한, 관료적인 대학 지배의 충동이 그 배후에서 작동한다. 하지만 이런 위기에 대처하기에는, 한국 인문학의 자산과 내공이 너무 빈약하다.

그러니 설령 그동안 상아탑에 안주해 이른바 '전공'에 몰두한 학자들 스스로 위기를 자초했다고 핀잔을 받아도, 할 말이 없다. 사람들이 인문학의 중요성을 몰라준다고 볼멘소리를 내기 전에, 한국의 인문학이 그동안 이 땅에서 얼마나 그 역할을 잘 수행해 왔는지부터 자문해 볼 일이다.

오회정중午會正中: 불확실성 혹은 전환의 시대

전병훈의 지적 재창조 정신은, 오늘날 대학의 무뎌진 지성을 돌아보게 만든다. 그렇다고 단지 학문으로서의 철학, 더 나아가 아카데미 인문학의 필요에서만 전병훈을 재조명한 것은 아니다. 어쩌면 현실에 그보다 더 긴박한 요청이 있다.

단도직입적으로 말하자. 21세기의 20년대를 향해 가는 지금, 인류는 전에 없는 격변과 혼란에 직면해 있다. 많은 학자들이 인류가 모종의 문명사적 전환기에 접어들었다고 말한다. 그 지점에서, 전병훈이 일찍이 내다봤던 어떤 우주사적 사건이 오버랩된다.

서우는 우주의 시간대가 전반부에서 후반부로 넘어가는 '우주의 정오(午會正中)'에 접어들었으며, 인류가 새로운 차원의 문명에 진입하는 변곡점이 가까워지고 있다고 말했다. 하지만 어찌됐건 지난 백 년 동안 전병훈의 예언과 달리, 한국사회는 서구 근대를 수입해 그럭저럭 잘 달려왔다.

한국은 일제의 지배에서 풀려났고, 한국전쟁을 겪었지만 다시 폐허에서 일어났다. 서슬 퍼런 군사독재를 무너뜨려 민주화를 이뤄냈고, 짧은 기간에 세계가 선망하는 경제성장도 이룩했다. 기적으로 불리는 한국의 이런 성취의 비결은, '근대화'와 '서구화' 두 단어로 압축된다.

그리하여 과학기술이 눈부시게 발전하고, 물질문명이 고도화됐다. 반면, 서우의 전망처럼 고상한 정신이 새로운 문명을 이끌 조짐은 아직 잘 보이지 않는다. 그런데 다시 묻지 않을 수 없다. 지난 반세기 동안 현실에서 한국의 성공을 가져왔던 두 요인, 즉 '근대화'와 '서구화'는 여전히 유효한 것인가?

지난 수백 년간 서구 근대문명의 성공을 뒷받침했던 사고와 삶의 방식에 대해 여러 방면에서 의문이 제기된 지 오래다. 그러나 지성의 활동으로 '근대'를 반성하는 다소 한가한 담론을 넘어, 아주 긴박한 위기의 조짐들이 도처에서 현실을 옥죄고 있다.

자연과 인간의 부조화, 과학기술과 전인적 삶의 괴리, 경제적 욕망과 도덕의 갈등, 인종과 종교 그리고 문명의 충돌, 급격한 생태계 파괴와 자연재해, 새로운 질환과 전염병의 확산 등, 심각한 재난과 사건들이 하루가 멀게 지구촌 곳곳에서 쏟아진다.

굳이 미래학 이론을 들먹이지 않더라도, 사람들은 지금 과거의 방식이 더 이상 통하지 않는 현실에 충분히 불안해 하고 있다. 오늘날 종말론적 공포와 지구 대격변의 위기감은, 몇몇 종교집단이나 신비주의자들의 전유물이 아니다.

그것은 평범한 시민의 일상에, TV 광고나 드라마만큼이나 깊숙이 침투했다. '세상의 종말'조차 돈벌이 수단으로 삼는다는 비판에도 아랑곳하지 않고, 종말은 매년 세계적으로 흥행몰이를 하는 할리우드 상업영화의 단골메뉴로 자리 잡았다. 우주를 항해하는 지구라는 뗏목이 미래를 예측할 수 없는 격류에 휘말려들었다는 위기감이 그만큼 널리 퍼져 있다.

1970년대에 미국 경제학자 갤브레이스John Kenneth Galbraith가 자신의 책[13]과 BBC의 TV 시리즈에서 내걸어 유명해졌던 것보다 훨씬 광범위하고 근본적인 의미에서, 지금 우리는 '불확실성의 시대(The Age of Uncertainty)'를 살고 있다.

20세기 후반에 촉발된 세계 금융위기 이후, 자본주의와 세계경제의 한치 앞을 예측하기 어려워졌다. 정치, 문화, 생태(환경), 과학(기술), 종교 등 인류사회의 거의 모든 영역에서 '불확실성'이 증대하고 있다. 그런데 흔히 오해하듯, 상황의 변수들이 복잡해지고 변화가 빨라지기 때문에 미래가 불확실해지는 것만은 아니다.

'불확실성'은 근본적으로 인식론상의 문제다. '모든 게 불확실하다'는 것은, 곧 기존의 지식이나 신념체계로 현재의 상황을 판단하고 미래를 예측하기 어렵다는 것을 의미한다. 이런 불확실성은 특히 사회과학에 치명적이다. 후기산업사회론으로 유명한 미국의 사회학자 다니엘 벨Daniel Bell(1919~2011)이 일찍이 고백했다.

> 수년 전부터 서구 사회학 이론은 막다른 골목에 다다른 것은 아닐지라도 부적절하다고 느끼고 있다. 그 이유는 사회학이 산업화가 급속하게 전개되던 19세기의 경험을 토대로 성장한 학문이기 때문이다. …… 서구 사회학 이론은 이제 부적절하다. 왜냐하면 사회학은 산업화나 계급이라는 단

---

13. 존 케네스 갤브레이스, 전철환·박현채 옮김, 『불확실성의 시대』(범우사, 1999).

> 순한 개념을 토대로 해서 성립되었기 때문이다. 계급은 지나치게 단순한 개념이어서 사회구조의 복잡성을 설명하는 데 더 이상 유용하지 않다. 종교와 미학이 서구적 양식 내의 재통합 수단이 될 것이다.[14]

부다페스트클럽(The Club of Budapest)의 창시자이자 시스템이론으로 유명한 어빈 라즐로Ervin Laszlo 역시 이렇게 말했다.

> 후기현대를 규정하려는 욕망은 한 가지 중요한 문제, 즉 미래를 들여다보는 문제에 부딪치게 된다. …… 사회과학자들 역시 그와 같은 과제를 기꺼이 떠맡으려 하지 않는 것처럼 보인다. 왜냐하면 사회과학의 여러 분과들은 매개변수가 상수일 때에만 그 추세를 읽고 추정할 수 있기 때문이다. 만일 게임의 규칙 자체가 변한다면 그것은 불가능해진다. 근본적인 변화의 시대에는 계산이 혼란스러워지게 마련이다.[15]

'불확실성'은, 곧 전환의 시대에 사람들이 겪는 지식과 가치관의 혼란을 반영한다. 오늘날의 불확실성은 특히 지난 수백 년간 인류문명을 지배해 온 서구 근대의 세계관, 그리고 그 역사적 경험을 토대로 구축된 근대적 분과학문의 전문지식들이 급속히 효력을 상실하는 상황과 연관돼 있다.

『제3물결』의 저자 앨빈 토플러Alvin Toffler의 말처럼, 어쩌면 "오늘날 우리는 지난 3백 년을 지배해 온 가정들을 뒤엎고자 하는 철학적 반란의 시초를 목격"[16]하고 있는지 모른다. 여기서 '지난 3백 년을 지배해 온 가정'이란 다음과 같은 것이다.

그것은 자연이 각각 분리된 입자로 구성되어 있다는 관념에 기초해 있는 '제2물결'(즉 근대) 문명의 '초이데올로기'로, 이는 산업주의의 세계 조직방법 그리

---

14. 신보연 엮음, 『세계 석학에게 듣는다』(사회평론, 1994), 49~51쪽.
15. 어빈 라즐로, 변종헌 옮김, 『비전 2020』(민음사, 1999), 107쪽.
16. 앨빈 토플러, 이규행 감역, 『제3물결』(한국경제신문사, 1989), 355쪽.

고 각각 분리된 주권을 가진 국민국가라는 사고방식 등에 두루 반영돼 있다.[17]

그리고 새로운 '반란'의 조짐이란, "지구와의 공존·공화를 강조"하는 새로운 자연관이 대두되는 것이다. 그 반란의 출발은 우리가 "사회 그 자체를 자연계의 순환·복원·수용력이라는 관점에서 재조명하기 시작했다"는 데서 찾을 수 있다.[18]

이 반란의 성공을 위해, 토플러는 근대성(그의 표현대로라면 '제2물결')의 경제·사회·정치·문화적 표현인 '대중화'와 '중앙집권화' 그리고 '표준화'로부터 탈피할 것을 권고했다. 한데 그가 말한 '제3의 물결'은 너무 통속화돼서, 이제 거의 식상해지다시피 했다. 하지만 그렇다고 해서, 그가 말한 '철학적 반란'의 현실 자체가 퇴색하는 건 아니다.

우리 세대는 어려서 야만적인 인디언에게 총질을 하는 건맨이 서부를 개척하는 웨스턴무비를 보며 자랐다. 서부의 총잡이는 1970년대 근대화의 역군과 오버랩됐고, 역마차가 달리는 마을은 황량한 벌판에 건설되는 신도시의 이미지와 중첩됐다.

그랬던 우리가 다시 3D 안경을 쓰고 앉아 영화 〈아바타〉를 본다. 에너지가 고갈된 지구를 떠나 먼 행성에서 원주민을 기만하며, 자원을 약탈하는 인간의 야만에 몸서리친다. 행성의 광석 채굴자는 이기적이고 탐욕스런 현대인(문명인)과 오버랩된다.

반면, 동족 간에 깊은 유대를 맺으며 '영혼의 나무'를 숭배하는 나비족은 자연과 조화를 이루는 인디언(토착민)의 이미지와 중첩된다. 한때 야만을 상징했던 토착민이 지혜의 화신이 되고, 문명의 전사였던 총잡이가 다시 야비한 침략자로 재해석된다. '불확실성의 시대'란 이처럼 가치의 전도顚倒를 수반하는 시대다.

『주역』은 "사물의 전개가 극에 달하면 반드시 반전한다(物極必反)"고 말한다. 『노자』는 "되돌아가는 것이 도의 움직임(反者道之動)"이라고 한다. 헤겔과 마르

17. 위의 책, 380쪽.
18. 위의 책, 356쪽.

크스도 정·반·합의 변증법에서 공히 '극적인 전환'을 말하지 않았던가? 그러니 불확실성이 지배하는 지금야말로, 문명사적 전환의 한 변곡점이 아니라고 말할 수 없다.

그러므로 '가치의 전도'와 '경계를 허무는 융복합'에서, 그 어느 때보다 21세기의 천재성과 창의성이 빛난다. 그런데 지금 이를 제일 따라잡지 못하는 게, 어쩌면 세분화할 대로 세분화한 분과학문의 전문지식이다. 앞서 말한 대로, 서구 근대의 철학과 역사경험이 지난 300여 년간 인류문명을 지배했다.

거기서 정치·경제·사회·문화 등의 모든 지식이 파생했다. 서구 근대의 철학과 세계관이 나무의 뿌리라면, 분과학문의 전문지식은 그 나무에 열린 과일이었다. 그런데 라즐로의 말처럼 게임의 규칙 자체가 변하는 '근본적인 변화의 시대'라면, 그것은 곧 나무가 뿌리째 뽑히고 새로운 나무의 싹이 자라기 시작했음을 의미한다.

한데 철지난 나무에서 딴 과일과 그 재배기술만 고집하는 농부가 있다면, 그의 파산은 단지 시간문제일 것이다. 마찬가지로 '불확실성'이 지배하는 근본적인 변화의 시대에, 단지 서구(미국)에서 수입한 이념과 학문의 도구적 활용에 급급한 한국 지식사회의 파산도 쉽게 예견할 수 있는 것이다.

그렇다고 해서, 세분화한 분과 전공에 안주해 구닥다리 지식만 되새김질하는 인문학이 큰 도움이 될 리도 없다.(물론 전혀 도움이 되지 않는다는 말은 아니다. 세상에는 골동품상이나 고물상도 필요한 법이니!) 현대사회의 불확실성은 근본적으로 낡은 철학의 위기에서 비롯됐다. 그 위기의 극복 역시, 당연히 새로운 철학의 모색에서 시작돼야 하지 않겠는가?

온 누리의 새벽빛

사실, 한국은 세계사적 철학 재창조에 영감의 원천이 될 만한 특별한 유산이 적지 않다. 앞서 말했듯이 원효·최치원·최제우(동학)·전병훈 더 나아가 유영모·함석헌 등에 이르기까지, 전환의 시대에 왕성한 '지적 재창조' 활동을 벌였던 철학적 모험가들의 자산이 있다.

그런데 지금까지 한국철학계는, 지적 혼종성이 강한 이런 유형의 사상가들을 상대적으로 매우 소홀히 다뤄 왔다. 뿐만 아니라 경계를 넘나드는 철학적 모험 자체를 아주 꺼리며, 각자의 '전공' 안에서 지적인 잡종성을 혐오하는 결벽증에 안주해 왔다.

그리고 이런 흐름을 상징하는 인물들, 예컨대 불교 화엄학의 의상義湘, 유교 성리학의 퇴계·율곡과 그 밖의 순혈주의 학맥으로 한국철학을 대표했다. 물론 과거의 사상적 현실에 끼친 영향력의 문맥에서, 그것이 반드시 잘못된 평가라고 할 수만은 없다. 하지만 철학에서 과거의 해석은 언제나 전복될 수 있다.

아니 낡은 지적 전통의 전복[19]이야말로, 철학이 재창조되고 진화하는 원동력이다. 19세기에 이단아로 낙인찍혔던 니체가 20세기에 다시 서양철학의 총아로 부활하고, 아테네 고대철학의 재해석에서 르네상스의 시대정신이 동력을 얻은 사실을 다시 강조하는 게 오히려 식상할 지경이다.

그러므로 조선 중후기에 퇴계와 율곡의 사상적 영향이 컸다고 해서, 지금도 그것이 반복돼야 할 당위는 어디에도 없다. 하지만 그 차이를 망각하는 게 문제다. 즉 특정 철학사상이 과거에 보여줬던 영향력을 현 시대의 철학적 필요와 혼동하는 것, 분과전공에 함몰된 전문가들이 흔히 그런 오류를 범한다.

더 나아가, 아카데미 철학의 전문가들은 철학사상사에 대한 무미건조한 진술을 '철학' 자체로 오인한다. 또한 '지적 재창조'에 무능한 콤플렉스를 '지적 권위화'로 종종 보상받으려고 한다. 자기가 잘 아는 어떤 이념과 지식의 좌표에 '정통' 혹은 '주류'라는 지적 순혈성의 버팀목을 세우고, 거기에 다시 '전문성'의 푯말을 내걸어 좌판을 벌이는 식이다.

그러나 이런 식으로 고착된 전문성을 무시하거나 뛰어넘는 재능이야말로,

---

19. '전복顚覆'은 '폐기廢棄'와 다르다. '폐기'는 달리 대체할 것을 자기 밖(외부)에서 찾아 가져다 놓고, 본래의 것을 내다 버리는 것이다. 그러나 '전복'은 자기 안의 것들을 스스로의 힘으로 뒤집고 재배치해서, 다시 쓸 수 있는 새로운 것으로 탈바꿈시킨다. 동아시아는 스스로의 힘으로 자기의 전통을 '폐기'가 아닌 '전복'해야 한다.

'지적 재창조'에 유능했던 철학적 모험가들이 공통적으로 지녔던 소질이자 역량이다. 하지만 십분 양보해서, 세상에 여러 유형의 지식과 지식인이 필요하다는 점을 인정하자.

경계를 넘나들며 진리의 바다를 항해하는 열정도 좋다. 하지만 때로는 세분화한 지식의 차가운 전문성도 요구되는 법이다. 그렇더라도, 한국의 학문풍토에서 지적 권위화가 지나치게 중시된 반면, 지적 재창조가 홀시돼도 너무 홀시됐다는 기형적 구조를 정당화할 수는 없다. 그 균형을 바로잡아야 한다.

무엇보다 갈수록 현실에서 멀어지며, 전문성의 바닥마저 드러내는 분과학문의 세분화 추세를 돌이켜야 한다. 21세기의 시대정신이 '통섭'을 지나 '융복합'에 있다는 것은, 이제 거의 논란의 여지조차 없이 분명해졌다. 이런 근본적인 변화의 시대에, 그에 적합한 새로운 통합적 철학의 필요를 강조하는 건 아무리 역설해도 지나치지 않는다.

그런데 한 세기 전 진리를 따라 지성의 경계를 넘나들었던 서우에게서 그 전조를 발견한다면, 너무 돌연한 비약일까? 그의 철학에는 분명 시대를 초월한 탁견이 있다. 당시 서양이 그들만의 '이성'으로 비서구의 모든 전통을 야만으로 배제하고 날조하며 폄훼할 때, 전병훈은 자신의 '정신철학'으로 동서고금의 여러 지성을 포용하고 긍정하며 창조적으로 조제했다.

조선 성리학이 이단(외세)에 대한 배타와 사대적 중화의식에 찌들어 쇠락할 때, 전병훈은 성진겸성成眞兼聖으로 유·불·선 삼교의 전통을 통합하고, 한국과 중국 더 나아가 동서양 지적 전통을 대등하게 망라하는 철학의 큰 용광로를 설치했다.

그는 단지 학문의 융합을 넘어, 갈등으로 분열된 세계의 통합을 염원했다. 사해동포가 진정으로 한 가족이 되기를 바랐다. 그의 이런 정신이 『정신철학통편』 말미에 「세계통일공화정부 헌법」으로 구현되었다. 서우의 원융한 화해和諧의 사상은, 원효 이래 면면하게 이어진 한국 정신문화의 뚜렷한 저력이 발현된 것이다.

한국의 화쟁통섭和諍統攝 전통은 한동안 역사의 수면 아래 잠복했다. 그런데 근대세계에서, 그것이 서우의 '조제調劑'라는 한층 광대하고도 능동적인 구세救世의 철학으로 부활하는 사례를 목도한다. 게다가 그의 정신철학에 담긴 진정한 가치는, 근대를 넘어서는 미래에서 오히려 더 빛을 발한다.

앞서 누누이 강조했듯이, 도교 내지 선도는 철학이 아니라는 편견이 최근까지도 한국의 철학계에 팽배했다. 특히 서양철학보다, 유교 중심의 동양철학이 편견을 더 부추겼다. 도교를 이단으로 배척한 조선 성리학의 유풍 탓이 크다. 거기에 더해, 철학은 모름지기 순수한 이성과 사변의 학문이어야 한다는 생각에서 도교를 폄하하고 배제하는 선입관이 자라났다.

서구 근대의 철학과 언어로 동양철학의 정체성을 세워 보려는 강박적 모방의 콤플렉스가 작용했다. 거기서 볼 때 중국 도교나 한국 선仙의 전통은 단지 종교거나, 혹은 몸의 수련에 관한 지식과 기술의 체계에 불과했다.

이런 풍토에서 도교(몸)의 철학에 대한 체계적 연구가 어려웠고, 전문가도 제대로 양성되지 못했다. 그러나 이런 강박사고와 편견은 이제 구시대의 레퍼토리가 되었다. 이성주의적 근대성(modernity)이 지배하던 20세기가 저물었다. 그리고 근대 이후(post-modern)의 철학, 여러 학문 간의 융복합이 대세인 시대가 열렸다.

특히 근대적 합리주의가 배제했던 감성·여성·상상력 등과 함께, 신체의 복권이 이뤄지고 있다. 비단 철학에 국한되지 않는다. 심리학과 정치학·사회학 등에 이르기까지, 바야흐로 몸의 담론이 성황이다. 더구나 명상·요가·내단 등 동양의 전통 심신수련이 서구사회에서 오히려 각광받는다.

이런 시대에, 전병훈의 철학은 '몸의 담론'에서 세계적인 선구로 재조명될 만한 내용을 담고 있다. 게다가 단지 몸의 복권에 그치지 않고, 이론과 실천 양면에서 심신의 분열을 넘어서는 철학(정신철학)의 지평을 확장한다.

전병훈은 20세기 초에 서양철학을 처음 접하고 수용한 조선 지식인의 한 사람이었다. 그렇다고 해서, 그가 근대의 이념을 그대로 받아들인 것은 아니다. 서구 근대의 합리주의는 육체에서 분리된 이성을 옹호했고, 그것은 물질과 정신의 이항대립에 뿌리를 두었다.

따지고 보면, 이성이 과학의 진보를 찬미하고 또한 극단적인 물질주의와 공존했던 것도 이런 이분법의 귀결이었다. 다시 말해, 물질/정신의 이분법에서 이성주의와 물질만능주의라는 이란성 쌍생아가 태어나 자랐다.

그러나 전병훈은 서구 근대철학과 현격한 간극을 두고 '정신'을 이해했다. 본문에서 논했지만, 그는 우주와 생명을 이루는 정·기·신을 '정신'으로 통칭했다. 그것은 서구 근대의 이성처럼 몸(생명)을 떠나 추상화하고 관념화된 형이상학적 실체가 아니다.

이제 독자들도 잘 알다시피, 사람의 '정신'은 천지에서 비롯돼 몸 안에 응결된 정미하고 신묘한 영성의 에너지다. 그것은 몸을 가진 생명의 본질이며, 정신의 강조는 곧 생명가치의 존귀함을 선포하는 명언에 다름 아니다. 전병훈은 근대세계가 비록 "물질을 숭상하지만 물질로 인해 장차 반드시 정신을 중시하게 될 것"이라고 예언 아닌 예언을 했다.

우리는 마침내 그 예견이 실현되는 징후를 본다. 21세기 지구촌에서, 생명·평화·영성(정신) 재건이야말로 탈근대의 현저한 철학적 징후이고, 또한 인류가 열망하는 가장 가까운 미래의 비전이다. 이런 문맥에서, 전병훈이 '근대 이후'를 전망하고 준비한 미래사상가였다고 한다면 지나친 비약일까?

'새벽빛'을 자처했던 서우의 활시위는 이미 오래전에 그의 활을 떠났다. 그의 예견처럼 '정신철학'이 인류문명의 미래를 밝힐지의 여부는 아직 알지 못한다. 하지만 "물질을 숭상"하는 낡은 사고방식이 아무리 극성을 부릴지라도, 미래가 우리 손에 달려 있다는 정신의 자각은 언제나 재생하는 불멸의 열쇠다.

"아! 세상에 이런 참나의 이치를 체득한 참된 선비가 있어 이 책의 의미를 드러내 밝힌다면 이는 우연한 조짐이 아님을 헤아릴 수 있다"[20]는 그의 말은 예언이라기보다 서원誓願일 터이다.

* * *

20. 烏呼! 世有此眞我之眞儒, 闡出此編, 諒非偶然兆朕. 『통편』, 8쪽.

오는 2020년, 전병훈이 북경에서 『정신철학통편』을 편찬한 지 백 년이 된다. 그동안 도서관 낡은 서고에서 먼지를 뒤집어쓴 채 후학의 호명을 기다리던 서우를 이제야 불러낸다.[21] 이 연구서로, 근대 한국의 잊혔던 위대한 사상가 서우의 '정신철학'을 세상에 드러낸다.

온 인류가 동포이자 세계가 한 가족으로 영구평화에 이르기를 바란 서우의 원대한 서원, 그 꿈을 함께 꾸는 사람들에게 이 책이 영감의 원천이 된다면 더없는 영광이겠다. 그와 같은 꿈을 꾸는 사해의 형제, 정신의 동포들에게 이 책을 헌정한다.

---

21. 도서관 귀중본 서고의 『정신철학통편』이 나를 호출했으나, 그에 나는 이 책으로 서우를 다시 호명呼名한다!

찾아보기 1_인명

ㄴ

ㅇ

ㅈ

찾아보기 2_사항

ㅈ

ㅊ

ㅋ

ㅌ

ㅍ

찾아보기 3_문헌